여러분의 합격을
해커스경찰의 특별 혜택!

KB147347

FREE 경찰 형사법 **특강**

해커스경찰(police.Hackers.com) 접속 후 로그인 ▶ 상단의 [무료강좌 → 경찰 무료강의] 클릭하여 이용

 해커스경찰 온라인 단과강의 **20% 할인쿠폰**

64DA4E354CDF8VET

해커스경찰(police.Hackers.com) 접속 후 로그인 ▶ 상단의 [내강의실] 클릭 ▶
[쿠폰/포인트] 클릭 ▶ 쿠폰번호 입력 후 이용

* 등록 후 7일간 사용 가능(ID당 1회에 한해 등록 가능)

합격예측 **온라인 모의고사 응시권 + 해설강의 수강권**

6F49785CCC3EDL9P

해커스경찰(police.Hackers.com) 접속 후 로그인 ▶ 상단의 [내강의실] 클릭 ▶
[쿠폰/포인트] 클릭 ▶ 쿠폰번호 입력 후 이용

* ID당 1회에 한해 등록 가능

쿠폰 이용 관련 문의 **1588-4055**

단기 합격을 위한
해커스경찰 커리큘럼

입문
탄탄한 기본기와 핵심 개념 완성!
누구나 이해하기 쉬운 개념 설명과 풍부한 예시로 부담없이 쌩기초 다지기
TIP 베이스가 있다면 **기본 단계부터!**

▼

기본+심화
필수 개념 학습으로 이론 완성!
반드시 알아야 할 기본 개념과 문제풀이 전략을 학습하고
심화 개념 학습으로 고득점을 위한 응용력 다지기

▼

기출+예상
문제풀이
문제풀이로 집중 학습하고 실력 업그레이드!
기출문제의 유형과 출제 의도를 이해하고 최신 출제 경향을 반영한
예상문제를 풀어보며 본인의 취약영역을 파악 및 보완하기

▼

동형문제풀이
동형모의고사로 실전력 강화!
실제 시험과 같은 형태의 실전모의고사를 풀어보며 실전감각 극대화

▼

최종 마무리
시험 직전 실전 시뮬레이션!
각 과목별 시험에 출제되는 내용들을 최종 점검하며 실전 완성

PASS

* 커리큘럼 및 세부 일정은 상이할 수 있으며,
자세한 사항은 해커스경찰 사이트에서 확인하세요.

**단계별 교재 확인 및
수강신청은 여기서!**

police.Hackers.com

해커스경찰 **합격생**이 말하는

경찰 단기 합격 비법!

해커스경찰과 함께라면
다음 합격의 주인공은 바로 여러분입니다.

완전 노베이스로 시작,
8개월 만에 인천청 합격!

강*혁 합격생

형사법 부족한 부분은 모의고사로 채우기!

기본부터 기출문제집과 같이 병행해서 좋았던 것 같습니다. 그리고 1차 시험 보기 전까지 심화 강의를 끝냈는데 **개인적으로 심화강의 추천**드립니다. 안정적인 실력이 아니라 생각해서 기출 후 **전범위 모의고사에서 부족한 부분들을 많이 채워** 나간 것 같습니다.

법 계열 전공,
1년 이내 대구청 합격!

배*성 합격생

외우기 힘든 경찰학, 방법은 회독과 복습!

경찰학의 경우 양이 워낙 방대하고 휘발성이 강한 과목이라고 생각합니다. (중략) 지속적으로 **회독**을 하였으며, **모의고사를 통해서 틀린 부분을 복습**하고 그 범위를 **다시 한 번 책**으로 돌아가서 봤습니다.

이과 계열 전공,
6개월 만에 인천청 합격!

서*범 합격생

법 과목 공부법은 기본과 기출 회독!

법 과목만큼은 **인강을 반복**해서 듣고 **기출을 반복**해서 읽고 풀었습니다. 익숙해질 필요가 있다고 생각해서 **회독에 더 집중**했었습니다. 익숙해진 이후로는 **오답도 챙기면서** 공부했습니다.

"갓대환 유튜브
명강의 모두보기!"

01 [경찰공무원]
시험 당일 실력 발휘를 못한다면?

02 증거재판주의 총정리!

03 경찰공무원 형사법 | 기본VS심화
어떤 것을 들어야 하나요?

04 6개월 단기 합격생은
이렇게 했습니다.

05 친족상도례

06 형사법 고소불가분

해커스경찰

갓대환
형사법
기출총정리

3권 | 형사소송법 〔수사·증거〕

해커스경찰

형법 + 형소법 출제 문항과 비중표

	Essential ★	Core ★★	Superlative ★★★
형법 총론	143(23.8%)	269(44.8%)	189(31.4%)
형법 각론	164(26.2%)	285(45.6%)	176(28.2%)
형법 합계	307(25.0%)	554(45.2%)	365(29.8%)
수사 · 증거	191(29.9%)	276(43.2%)	172(26.9%)
공판	159(26.2%)	268(44.2%)	179(29.5%)
형사소송법 합계	350(28.1%)	544(43.7%)	351(28.2%)

경찰채용, 경찰승진, 경찰간부, 국가직, 법원직 학생들을 위한 기출 필독서입니다(경찰채용, 경찰간부는 기출총정리 교재를 보면 되고, 경찰승진, 국가직 법원직 학생들은 형법 기출1200제와 형사소송법 기출1000제 교재를 구매하면 됩니다).

특히 경찰채용과 경찰간부 시험이 2022년도부터 형사법으로 바뀌면서 문제의 경향이 바뀌었습니다. 단순히 기존의 기출을 반복하는 것이 아니라 기출 + 심화 다시 말해 변호사시험 스타일의 사례형 문제가 추가되었습니다. 그래서 기존 기출문제집에 형소법 수사 · 증거편에 변호사시험 사례형을 집중적으로 추가했으며, 형법과 형소법이 결합된 종합사례형은 수사·증거편 뒤에 추가해서 사례형을 강화하기 위한 노력을 했습니다.

이 책은 기출문제집 한 권으로 형법과 형사소송법을 과목으로 하는 모든 객관식 시험을 대비할 수 있다는 장점이 있습니다. 따라서 경찰채용을 준비하는 학생뿐만 아니라 국가직 7/9급, 법원직, 경찰승진, 경찰간부, 해양경찰, 해경승진, 5급 승진시험 변호사, 법원행시, 군무원을 준비하는 학생에게 가장 필요한 책입니다.

이번 2025년판 형사법 기출총정리는 형법 1,226문제(총론 601문제, 각론 625문제)와 형사소송법 639문제(수사와 증거)로 구성되어 있으며, 최근 실시된 2024년 1 · 2차 경찰채용, 법학특채, 2024년 해경채용, 해경승진, 해경간부, 2025년 경찰간부, 2024년 국가 9급, 2024년 법원직9급, 2024년 변호사, 2024년 법원행시 등을 반영한 교재입니다. 아울러 친족상도례 헌법불합치와 수사준칙 개정된 내용과 통비법 개정된 내용을 반영한 교재입니다.

이 책의 장점은,

1. 최근 어려워지고 있는 형사법 시험 경향에 맞춰 난도를 7급 기준으로 높였으며, 조합형/사례형까지 반영하였습니다.

2. 전반적으로 형법총론의 비중을 높여 학설문제, 조문문제의 반영비율을 높였습니다.

3. 한 문제로 두 번 공부할 수 있도록, 오답지문/정답지문 구별 없이 모든 지문에 해설을 달아서 문제를 풀다가 다시 기본서를 찾아보는 시간을 줄일 수 있도록 하였습니다.

4. 해설지문도 단순히 정답해설지문만 나열한 것이 아니라, 해설지문 중 중요한 내용에 굵은 글씨 및 색글자로 처리하여 해설지문을 다 읽지 않아도 지문의 쟁점을 쉽게 알 수 있도록 하였습니다.

5. 문제 배열 순서도 단원별로 쉬운 문제부터 시작해서 어려운 문제를 풀 수 있도록 배열하였습니다. 문제를 순서대로 풀다 보면 앞에서 푼 문제의 쟁점을 이해하고, 뒷부분의 어려운 문제(조합형 또는 개수형 문제)를 저절로 풀 수 있도록 신경 써서 배열하였습니다.

6. 모든 문제를 난도별로 구분했습니다. 가장 중요하면서 쉬운 문제를 Essential ★, 보통의 문제를 Core ★★, 가장 어려운 문제를 Superlative ★★★로 구별했습니다. 따라서 처음 공부하는 학생들은 Essential ★ → Core ★★ → Superlative ★★★ 순으로 공부하시면 됩니다.

7. 2025년판의 가장 특징적인 부분은 형법 + 형소법의 형사법 종합사례형을 추가하였으며, 이 부분은 QR코드로 보면 해설강의를 볼 수 있도록 신경을 썼습니다.

이 책이 출간되도록 도와주신 모든 분들께 고마움을 전합니다.

2024년 9월
김대환

차례

형사법 형사소송법

제1편 개정반영문제

제1편 개정반영문제	8

제2편 수사

제1장 수사의 기초	60
제1절 서론	60
제2절 수사의 단서	74
제2장 수사의 개시	136
제1절 수사의 일반원칙과 임의수사	136
제2절 체포와 구속	162
제3절 압수 · 수색 · 검증 등	269
제4절 판사에 의한 강제처분	371
제3장 수사의 종결	380
제1절 수사의 종결	380
제2절 불기소처분에 대한 불복	389
제3절 공소제기 후의 수사	405

제3편 증거

제1장 증거의 의의와 종류	410
제2장 증거의 기본원칙	414
제3장 자백배제법칙과 위법수집증거배제법칙	441
제4장 전문법칙	490
제5장 당사자의 증거동의 및 탄핵증거	549
제6장 자백의 보강법칙	578
제7장 공판조서의 증명력	599

제4편 종합&사례문제

제1장 종합문제 606

제2장 사례문제 630

제1편

개정반영문제

[검찰청법, 형사소송법,
수사준칙, 성폭법,
공수처법, 통비법]

001 개정된 검찰청법에 검사의 수사를 개시할 수 있는 범죄의 범위에 대하여 모든 고른 것은?
□□□
[Essential ★]

㉠ 공직자범죄	㉡ 부패범죄
㉢ 경제범죄	㉣ 선거범죄
㉤ 방위사업범죄	㉥ 대형참사

① ㉠㉡   ② ㉡㉢
③ ㉠㉢㉣   ④ ㉤㉥

해설

> ② 부패범죄, 경제범죄 등 대통령령으로 정하는 중요 범죄(검찰청법 제4조 제1항 가목)

002 개정된 검찰청법에 대한 설명 중 틀린 것은?
□□□
[Essential ★]

① 검사는 자신이 수사개시한 범죄에 대하여는 어떠한 경우에도 공소를 제기할 수 없다.

② 사법경찰관이 송치한 범죄와 관련하여 인지한 각 해당 범죄와 직접 관련성이 있는 범죄는 검사의 수사를 개시할 수 있는 범죄의 범위에 포함된다.

③ 경찰공무원(다른 법률에 따라 사법경찰관리의 직무를 행하는 자를 포함한다) 및 고위공직자범죄수사처 소속 공무원(「고위공직자범죄수사처 설치 및 운영에 관한 법률」에 따른 파견공무원을 포함한다)이 범한 범죄는 검사의 수사를 개시할 수 있는 범죄의 범위에 포함된다.

④ 선거범죄에 관하여는 2022년 12월 31일까지는 개정규정에도 불구하고 종전의 규정에 따른다.

해설

> ① [×] 검사는 자신이 수사개시한 범죄에 대하여는 공소를 제기할 수 없다. 다만, **사법경찰관이 송치한 범죄에 대하여는 그러하지 아니하다.**(검찰청법 제4조 제2항)
> ② [○] 사법경찰관이 송치한 범죄와 관련하여 인지한 각 해당 범죄와 **직접 관련성이 있는 범죄는 수사개시할 수 있는 범죄의 범위에 포함된다.**(검찰청법 제4조 제1항 다목)

③ [○] 경찰공무원(다른 법률에 따라 사법경찰관리의 직무를 행하는 자를 포함한다) 및 고위공직자범죄수사처 소속공무원(「고위공직자범죄수사처 설치 및 운영에 관한 법률」에 따른 파견공무원을 포함한다)이 범한 범죄는 검사의 수사를 개시할 수 있는 범죄의 범위에 포함된다.(검찰청법 제4조 제1항 나목)

④ [○] 제4조 제1항 제1호 가목에 따른 선거범죄에 관하여는 2022년 12월 31일까지는 제4조 제1항 제1호 가목의 개정 규정에도 불구하고 종전의 규정에 따른다.(검찰청법 부칙 제3조)

003 형사소송법 제197조의3(시정조치요구 등), 제197조의4(수사의 경합) 및 「검사와 사법경찰관의 □□□ 상호협력과 일반적 수사준칙에 관한 규정」에 대한 설명으로 가장 적절하지 않은 것은?

24 경찰채용 [Essential ★]

① 검사는 사법경찰관리의 수사과정에서 법령위반, 인권침해 또는 현저한 수사권 남용이 의심되는 사실의 신고가 있거나 그러한 사실을 인식하게 된 경우에는 사법경찰관에게 사건기록 등본의 송부를 요구할 수 있다.

② 위의 ①에 따라 검사로부터 사건기록 등본의 송부 요구를 받은 사법경찰관은 지체 없이 검사에게 사건기록 등본을 송부하여야 하며, 이 경우 사법경찰관은 요구를 받은 날부터 7일 이내에 사건기록 등본을 검사에게 송부해야 한다.

③ 검사는 사법경찰관과 동일한 범죄사실을 수사하게 된 때에는 사법경찰관에게 사건을 송치할 것을 요구할 수 있으며, 이 때에는 그 내용과 이유를 구체적으로 적은 서면으로 해야 한다.

④ 수사의 경합에 따라 사건송치를 요구받은 사법경찰관은 지체 없이 검사에게 사건을 송치하여야 하며, 검사가 영장을 청구하기 전에 동일한 범죄사실에 관하여 사법경찰관이 영장을 신청한 경우 사법경찰관은 해당 영장에 기재된 범죄사실을 계속 수사할 수 없다.

해설

④ [×] 검사는 사법경찰관과 동일한 범죄사실을 수사하게 된 때에는 사법경찰관에게 사건을 송치할 것을 요구할 수 있다. 송치요구를 받은 사법경찰관은 지체 없이 검사에게 사건을 송치하여야 한다. 다만, **검사가 영장을 청구하기 전에 동일한 범죄사실에 관하여 사법경찰관이 영장을 신청한 경우에는 해당 영장에 기재된 범죄사실을 계속 수사할 수 있다.**(형사소송법 제197조의4 제1항·제2항)

① [○] 검사는 사법경찰관리의 수사과정에서 법령위반, 인권침해 또는 현저한 수사권 남용이 의심되는 사실의 신고가 있거나 그러한 사실을 인식하게 된 경우에는 사법경찰관에게 **사건기록 등본의 송부를 요구할 수 있다.** 제1항의 송부 요구를 받은 사법경찰관은 지체 없이 검사에게 사건기록 등본을 송부하여야 한다.(형사소송법 제197조의3 제1항·제2항)

정답 | 001 ② 002 ① 003 ④

② [○] 사법경찰관은 제1항에 따른 요구를 받은 날부터 **7일 이내에** 사건기록 등본을 검사에게 송부해야 한다. (수사준칙 제45조 제2항)

③ [○] 검사는 법 제197조의3 제1항에 따라 사법경찰관에게 사건기록 등본의 송부를 요구할 때에는 그 내용과 이유를 **구체적으로 적은 서면으로 해야** 한다.(수사준칙 제49조 제1항)

004 형사소송법의 개정내용에 대한 설명으로 가장 적절하지 않은 것은?

23 경찰승진 [Essential ★]

① 체포·구속장소의 감찰결과 피의자가 적법한 절차에 의하지 아니하고 체포 또는 구속된 것이라고 의심할 만한 상당한 이유가 있는 경우에 검사는 즉시 체포 또는 구속된 자를 석방하거나 사건을 검찰에 송치할 것을 명하여야 하는데, 이 송치요구에 따라 사법경찰관으로부터 송치받은 사건에 관하여 검사는 동일성을 해치지 아니하는 범위 내에서 수사할 수 있다.

② 수사기관이 수사 중인 사건의 범죄 혐의를 밝히기 위한 목적으로 합리적인 근거 없이 별개의 사건을 부당하게 수사하여서는 아니 된다.

③ 수사기관은 다른 사건의 수사를 통해 확보된 증거 또는 자료를 내세워 관련 없는 사건에 대한 자백이나 진술을 강요하여서는 아니 된다.

④ 사법경찰관의 불송치결정에 대하여 형사소송법 제245조의7에 따라 해당 사법경찰관의 소속 관서의 장에게 이의신청을 할 수 있는 주체에는 고발인이 포함된다.

해설

④ [×] 사법경찰관으로부터 **불송치결정의 통지를 받은 사람(고발인을 제외한다)**은 해당 사법경찰관의 소속 관서의 장에게 이의를 신청할 수 있다.(제245조의7 제1항) 고발인은 불송치결정에 대하여 이의신청을 할 수 없다.

① [○] 검사는 제197조의3 제6항, 제198조의2 제2항 및 제245조의7 제2항에 따라 사법경찰관으로부터 **송치받은 사건에 관하여는 해당 사건과 동일성을 해치지 아니하는 범위 내에서 수사할 수 있다.**(제196조 제2항) 검사는 적법한 절차에 의하지 아니하고 체포 또는 구속된 것이라고 의심할 만한 상당한 이유가 있는 경우에는 **즉시 체포 또는 구속된 자를 석방하거나 사건을 검찰에 송치할 것을 명하여야 한다.**(제198조의2 제2항)

②③ [○] 수사기관은 수사 중인 사건의 범죄 혐의를 밝히기 위한 목적으로 합리적인 근거 없이 별개의 사건을 부당하게 수사하여서는 아니 되고, 다른 사건의 수사를 통하여 확보된 증거 또는 자료를 내세워 관련 없는 사건에 대한 자백이나 진술을 강요하여서도 아니 된다.(제198조 제4항)

005 수사에 관한 설명으로 가장 적절하지 않은 것은?

① 사법경찰관은 고소·고발 사건을 포함하여 범죄를 수사한 때 범죄 혐의가 있다고 인정되면 지체 없이 관계 서류와 증거물을 함께 첨부하여 검사에게 사건을 송치하고 그 밖의 경우에는 그 이유를 명시한 서면만을 지체 없이 검사에게 송부하여야 한다.

② 검사는 사법경찰관과 동일한 범죄사실을 수사하게 된 때에는 사법경찰관에게 사건을 송치할 것을 요구할 수 있으며, 송치요구를 받은 사법경찰관은 원칙적으로 지체 없이 검사에게 사건을 송치하여야 한다.

③ 검사는 사법경찰관이 사건을 송치하지 아니한 것이 위법 또는 부당한 때에는 그 이유를 문서로 명시하여 재수사를 요청할 수 있는데, 사법경찰관은 재수사 후 기소의견으로 사건을 검찰에 송치하거나 재차 불송치결정을 할 수 있다.

④ 검사의 수사 개시는 예외적으로 인정되는데, 검사는 부패범죄, 경제범죄 등 대통령령으로 정하는 중요 범죄에 대해서는 수사를 개시할 수 있다.

해설

① [×] 사법경찰관은 고소·고발 사건을 포함하여 범죄를 수사한 때에는 다음 각 호의 구분에 따른다.(형사 소송법 제245조의5)

> 1. 범죄의 혐의가 있다고 인정되는 경우에는 지체 없이 검사에게 사건을 송치하고, 관계 서류와 증거물을 검사에게 송부하여야 한다.
> 2. **그 밖의 경우에는 그 이유를 명시한 서면과 함께 관계 서류와 증거물을 지체 없이 검사에게 송부하여야 한다.** 이 경우 검사는 송부받은 날부터 90일 이내에 사법경찰관에게 반환하여야 한다.

② [○] 검사는 사법경찰관과 동일한 범죄사실을 수사하게 된 때에는 사법경찰관에게 사건을 **송치할 것을 요구할 수 있다.**(형사소송법 제197조의4 제1항) 제1항의 요구를 받은 사법경찰관은 지체 없이 **검사에게 사건을 송치하여야 한다.** 다만, 검사가 영장을 청구하기 전에 동일한 범죄사실에 관하여 사법경찰관이 영장을 신청한 경우에는 해당 영장에 기재된 범죄사실을 계속 수사할 수 있다.(형사소송법 제197조의4 제2항)

③ [○] 사법경찰관은 법 제245조의8 제2항에 따라 재수사를 한 경우 다음 각 호의 구분에 따라 처리한다.(수사준칙 제64조 제1항)

> 1. 범죄의 혐의가 있다고 인정되는 경우: 법 제245조의5 제1호에 따라 **검사에게 사건을 송치하고 관계 서류와 증거물을 송부**
> 2. 기존의 불송치 결정을 유지하는 경우: 재수사 결과서에 그 내용과 이유를 구체적으로 적어 검사에게 통보

④ [○] **부패범죄, 경제범죄 등 대통령령으로 정하는 중요 범죄**(검찰청법 제4조 제1항 제1호)

006 수사기관에 관한 다음 설명 중 옳지 않은 것은?

[Essential ★]

① 경무관, 총경, 경정, 경감, 경위는 사법경찰관으로서 범죄의 혐의가 있다고 사료하는 때에는 범인, 범죄사실과 증거를 수사한다. 경사, 경장, 순경은 사법경찰리로서 수사의 보조를 하여야 한다.

② 검찰청 직원으로서 사법경찰관리의 직무를 행하는 자와 그 직무의 범위는 법률로 정한다.

③ 삼림, 해사, 전매, 세무, 군수사기관 기타 특별한 사항에 관하여 사법경찰관리의 직무를 행할 특별사법경찰관리와 그 직무의 범위는 법률로 정한다.

④ 사법경찰관리의 직무를 행하는 검찰청 직원과 사법경찰관리의 직무를 행할 특별사법경찰관리도 수사, 공소제기 및 공소유지에 관하여 검사와 서로 협력하여야 한다.

해설

④ [×] 사법경찰관의 직무를 행하는 검찰청 직원은 **검사의 지휘를 받아 수사하여야 한다.**(제245조의9 제2항) 특별사법경찰관은 모든 수사에 관하여 **검사의 지휘를 받는다.** 특별사법경찰관리는 검사의 지휘가 있는 때에는 이에 따라야 한다.(제245조의10 제2항 · 제4항)

① [〇] **경무관, 총경, 경정, 경감, 경위는 사법경찰관으로서** 범죄의 혐의가 있다고 사료하는 때에는 범인, 범죄사실과 증거를 수사한다.(제197조 제1항) **경사, 경장, 순경은 사법경찰리로서** 수사의 보조를 하여야 한다.(제197조 제2항)

② [〇] **검찰청 직원으로서 사법경찰관리의 직무를 행하는 자**와 그 직무의 범위는 법률로 정한다.(제245조의9 제1항)

③ [〇] **삼림, 해사, 전매, 세무, 군수사기관** 그 밖에 특별한 사항에 관하여 사법경찰관리의 직무를 행할 특별사법경찰관리와 그 직무의 범위는 법률로 정한다.(제245조의10 제1항) 「사법경찰관리의 직무를 수행할 자와 그 직무범위에 관한 법률」이 이를 규정하고 있다.

핵심정리 사법경찰관리의 종류

구분		내용	
형소법상 일반사경	사법경찰관	경무관, 총경, 경정, 경감, 경위	검사와 협력관계에 있음
	사법경찰리	경사, 경장, 순경	수사의 보조를 함
검찰청법상 일반사경	사법경찰관	검찰주사, 마약수사주사, 검찰주사보, 마약수사주사보	검사의 지휘를 받음
	사법경찰리	검찰서기, 마약수사서기, 검찰서기보, 마약수사서기보	
사법경찰직무법상 특별사경	사법경찰관	4급부터 7급까지의 공무원(예외 있음)	검사의 지휘를 받음
	사법경찰리	8급, 9급 공무원(예외 있음)	

007 다음 중 2021. 1. 1. 부터 시행된 개정 형사소송법의 내용으로 가장 옳지 않은 것은?

□□□
21 해경채용 [Essential ★]

① 경무관, 총경, 경정, 경감, 경위는 사법경찰관으로서 모든 수사에 관하여 검사의 지휘를 받는다.

② 검사는 송치사건의 공소제기 여부 결정 또는 공소의 유지에 관하여 필요한 경우나 사법경찰관이 신청한 영장의 청구 여부 결정에 관하여 필요한 경우 사법경찰관에게 보완수사를 요구할 수 있다.

③ 사법경찰관은 고소·고발사건을 포함하여 범죄를 수사한 때 범죄의 혐의가 있다고 인정되는 경우에는 지체 없이 검사에게 사건을 송치하고, 관계 서류와 증거물을 검사에게 송부하여야 한다.

④ 검사가 사법경찰관이 신청한 영장을 정당한 이유 없이 판사에게 청구하지 아니한 경우 관할 고등 검찰청 영장심의위원회에 영장청구에 대한 심의를 청구할 수 있다.

해설

① [×] 경무관, 총경, 경정, 경감, 경위는 사법경찰관으로서 **범죄의 혐의가 있다고 사료하는 때에는 범인, 범죄사실과 증거를 수사한다.**(제197조 제1항)

② [○] 검사는 송치사건의 공소제기 여부 결정 또는 공소의 유지에 관하여 필요한 경우나 사법경찰관이 신청한 영장의 청구 여부 결정에 관하여 필요한 경우 **사법경찰관에게 보완수사를 요구할 수 있다.**(제197조의2 제1항)

③ [○] 사법경찰관은 고소·고발사건을 포함하여 범죄를 수사한 때 범죄의 혐의가 있다고 인정되는 경우에는 지체없이 **검사에게 사건을 송치하고, 관계 서류와 증거물을 검사에게 송부하여야 한다.**(제245조의5 제1호)

④ [○] 검사가 사법경찰관이 신청한 영장을 정당한 이유 없이 판사에게 청구하지 아니한 경우 관할 **고등검찰청 영장심의위원회에 영장청구에 대한 심의를 청구할 수 있다.**(제221조의5 제1항)

008 수사기관에 관한 다음 설명 중 옳지 않은 것은?

□□□
[Essential ★]

① 검사와 사법경찰관은 수사, 공소제기 및 공소유지에 관하여 서로 협력하여야 한다.

② 검사는 범죄의 혐의가 있다고 사료하는 때에는 범인, 범죄사실과 증거를 수사한다.

③ 경무관, 총경, 경정, 경감, 경위는 사법경찰관으로서 범죄의 혐의가 있다고 사료하는 때에는 범인, 범죄사실과 증거를 수사한다. 경사, 경장, 순경은 사법경찰리로서 수사의 보조를 하여야 한다.

④ 사법경찰관리가 직무 집행과 관련하여 부당한 행위를 하는 경우라도 지방검찰청 검사장은 수사 중지를 명하거나 임용권자에게 그 사법경찰관리의 교체임용을 요구할 수 없다.

해설

④ [×] 서장이 아닌 경정 이하의 사법경찰관리가 직무 집행과 관련하여 부당한 행위를 하는 경우 지방검찰청 검사장은 **해당 사건의 수사 중지를 명하고, 임용권자에게 그 사법경찰관리의 교체임용을 요구할 수 있다.**(검찰청법 제53조 제1항) 요구를 받은 임용권자는 정당한 사유가 없으면 교체임용을 하여야 한다.(동법 제53조 제2항)
① [○] 검사와 사법경찰관은 수사, 공소제기 및 공소유지에 관하여 서로 **협력하여야 한다.**(제195조 제1항)
② [○] **검사는 범죄의 혐의가 있다고 사료하는 때에는 범인, 범죄사실과 증거를 수사한다.**(제196조)
③ [○] 경무관, 총경, 경정, 경감, 경위는 사법경찰관으로서 범죄의 혐의가 있다고 사료하는 때에는 범인, 범죄사실과 증거를 수사한다.(제197조 제1항) 경사, 경장, 순경은 사법경찰리로서 수사의 보조를 하여야 한다.(제197조 제2항)

009 검사가 사법경찰관에게 보완수사를 요구할 수 있는 사유로서 옳은 것은? [Core ★★]

① 검사가 사법경찰관과 동일한 범죄사실을 수사하게 된 경우
② 시정조치 요구가 정당한 이유 없이 이행되지 않았다고 인정되는 경우
③ 송치사건의 공소제기 여부 결정 또는 공소의 유지에 관하여 필요한 경우나 사법경찰관이 신청한 영장의 청구 여부 결정에 관하여 필요한 경우
④ 사법경찰관리의 수사과정에서 법령위반, 인권침해 또는 현저한 수사권 남용이 의심되는 사실의 신고가 있거나 그러한 사실을 인식하게 된 경우

해설

③ [○] 이는 검사가 사법경찰관에게 **보완수사를 요구할 수 있는 사유이다.**(제197조의2 제1항)
①② [×] 이들은 검사가 사법경찰관에 **사건송치를 요구할 수 있는 사유이다.**(제197조의4 제1항, 제197조의3 제5항)
④ [×] 이는 검사가 사법경찰관에게 **사건기록의 등본 송부를 요구할 수 있는 사유와 시정조치를 요구할 수 있는 사유이다.**(제197조의3 제1항·제5항)

핵심정리 검사의 경찰에 대한 통제

구분	내용
보완수사 요구	송치사건의 공소제기 여부 결정 또는 공소의 유지에 관하여 필요한 경우나 사법경찰관이 신청한 영장의 청구 여부 결정에 관하여 필요한 경우 → 사법경찰관이 정당한 이유없이 보완수사 요구에 따르지 아니하는 때에는 해당 사법경찰관의 직무배제 또는 징계를 요구할 수 있음
사건기록 등본 송부 요구	사법경찰관리의 수사과정에서 법령위반, 인권침해 또는 현저한 수사권 남용이 의심되는 사실의 신고가 있거나 그러한 사실을 인식하게 된 경우 → 수사과정에서 법령위반, 인권침해 또는 현저한 수사권 남용이 있었던 때에는 해당 사법경찰관리의 징계를 요구할 수 있음

시정조치 요구	(사건기록 등본의 송부를 받고) 필요하다고 인정되는 경우
사건송치 요구	① 시정조치 요구가 정당한 이유 없이 이행되지 않았다고 인정되는 경우 ② 검사가 사법경찰관과 동일한 범죄사실을 수사하게 된 경우
재수사 요청	사법경찰관이 사건을 송치하지 아니한 것이 위법 또는 부당한 경우

010 다음은 검사의 사법경찰관에 대한 보완수사 요구를 설명한 것이다. 옳지 않은 것은?

[Core ★★]

① 검사는 사법경찰관이 사건을 송치하지 아니한 것이 위법 또는 부당한 경우에 해당하는 경우에 사법경찰관에게 보완수사를 요구할 수 있다.

② 검사는 사법경찰관이 신청한 영장의 청구 여부 결정에 관하여 필요한 경우에 사법경찰관에게 보완수사를 요구할 수 있다.

③ 사법경찰관은 보완수사 요구가 있는 때에는 정당한 이유가 없는 한 지체 없이 이를 이행하고, 그 결과를 검사에게 통보하여야 한다.

④ 검찰총장 또는 각급 검찰청 검사장은 사법경찰관이 정당한 이유 없이 보완수사 요구에 따르지 아니하는 때에는 권한 있는 사람에게 해당 사법경찰관의 직무배제 또는 징계를 요구할 수 있다.

해설

① [×] '사법경찰관이 사건을 송치하지 아니한 것이 위법 또는 부당한 경우에 해당하는 경우'는 **재수사 요청 사유이다.**(제245조의8 제1항)

② [○] 검사는 송치사건의 공소제기 여부 결정 또는 공소의 유지에 관하여 필요한 경우나 사법경찰관이 신청한 영장의 청구 여부 결정에 관하여 필요한 경우에 사법경찰관에게 보완수사를 요구할 수 있다.(제197조의2 제1항)

③ [○] 사법경찰관은 보완수사 요구가 있는 때에는 정당한 이유가 없는 한 지체 없이 이를 이행하고, 그 결과를 검사에게 통보하여야 한다.(제197조의2 제2항)

④ [○] 검찰총장 또는 각급 검찰청 검사장은 사법경찰관이 정당한 이유 없이 제1항의 요구에 따르지 아니하는 때에는 권한 있는 사람에게 해당 사법경찰관의 **직무배제 또는 징계를** 요구할 수 있고, 그 징계 절차는 「공무원 징계령」 또는 「경찰공무원 징계령」에 따른다.(제197조의2 제3항)

011

□□□

다음 중 검사가 사법경찰관에게 사건을 송치할 것을 요구할 수 있는 것으로 가장 옳은 것은?

24 해경승진 [Essential ★]

① 사법경찰관리의 수사과정에서 법령위반, 인권침해 또는 현저한 수사권 남용이 의심되는 사실의 신고가 있거나 그러한 사실을 인식하게 된 경우
② 송치사건의 공소제기 여부 결정 또는 공소의 유지에 관하여 필요한 경우나 사법경찰관이 신청한 영장의 청구 여부 결정에 관하여 필요한 경우
③ 시정조치 요구가 정당한 이유 없이 이행되지 않았다고 인정되는 경우
④ 사법경찰관이 사건을 송치하지 아니한 것이 위법 또는 부당한 경우

해설

③ [○] 사법경찰관으로부터 시정조치 이행결과 통보를 받은 검사는 시정조치 요구가 정당한 이유 없이 이행되지 않았다고 인정되는 경우에는 **사법경찰관에게 사건을 송치할 것을 요구할 수 있다.**(제197조의3 제5항)

① [×] 검사는 사법경찰관리의 수사과정에서 법령위반, 인권침해 또는 현저한 수사권 남용이 의심되는 사실의 신고가 있거나 그러한 사실을 인식하게 된 경우에는 사법경찰관에게 **사건기록 등본의 송부를 요구할 수 있다.**(제197조의3 제1항)

② [×] 검사는 송치사건의 공소제기 여부 결정 또는 공소의 유지에 관하여 필요한 경우나 사법경찰관이 신청한 영장의 청구 여부 결정에 관하여 필요한 경우에 사법경찰관에게 **보완수사를 요구할 수 있다.**(제197조의2 제1항)

④ [×] 검사는 사법경찰관이 사건을 송치하지 아니한 것이 위법 또는 부당한 때에는 그 이유를 문서로 명시하여 사법경찰관에게 **재수사를 요청할 수 있다.**(제245조의8 제1항)

012

다음 중 검사가 사법경찰관에게 사건을 송치할 것을 요구할 수 있는 것을 모두 고른 것은?

> ㉠ 검사가 사법경찰관과 동일한 범죄사실을 수사하게 된 경우
> ㉡ 사법경찰관이 사건을 송치하지 아니한 것이 위법 또는 부당한 경우
> ㉢ 시정조치 요구가 정당한 이유 없이 이행되지 않았다고 인정되는 경우
> ㉣ 송치사건의 공소제기 여부 결정 또는 공소의 유지에 관하여 필요한 경우나 사법경찰관이 신청한 영장의 청구 여부 결정에 관하여 필요한 경우
> ㉤ 사법경찰관리의 수사과정에서 법령위반, 인권침해 또는 현저한 수사권 남용이 의심되는 사실의 신고가 있거나 그러한 사실을 인식하게 된 경우

① ㉠㉡㉣
② ㉠㉢
③ ㉢㉣
④ ㉡㉤

해설

> ② ㉠㉢ 2 항목이 검사가 사법경찰관에게 사건을 **송치할 것을 요구할 수 있는** 사유이다.
> ㉠ 검사는 사법경찰관과 동일한 범죄사실을 수사하게 된 때에는 사법경찰관에게 사건을 **송치할 것을 요구할 수 있다.**(제197조의4 제1항)
> ㉡ 이는 검사가 사법경찰관에게 **재수사를 요청할 수 있는** 사유이다.(제245조의8 제1항)
> ㉢ 시정조치 요구가 정당한 이유 없이 이행되지 않았다고 인정되는 경우에는 사법경찰관에게 사건을 **송치할 것을 요구할 수 있다.**(제197조의3 제5항)
> ㉣ 이는 검사가 사법경찰관에게 **보완수사를 요구할 수 있는** 사유이다.(제197조의2 제1항)
> ㉤ 이는 검사가 사법경찰관에게 **사건기록의 등본 송부를 요구할 수 있는** 사유와 시정조치를 요구할 수 있는 사유이다.(제197조의3 제1항·제5항)

013 검사가 사법경찰관과 동일한 범죄사실을 수사하게 된 때에 취할 수 있는 조치는? [Core ★★]

☐☐☐
① 수사에 관하여 검사의 구체적 지휘를 받을 것을 명할 수 있다.

② 사법경찰관에게 사건을 송치할 것을 요구할 수 있고, 이 경우 사법경찰관은 검사에게 사건을 송치할 수 있다.

③ 사법경찰관에게 사건을 송치할 것을 요구할 수 있고, 이 경우 사법경찰관은 지체 없이 검사에게 사건을 송치하여야 한다. 다만, 검사가 영장을 청구하기 전에 동일한 범죄사실에 관하여 사법경찰관이 영장을 신청한 경우에는 해당 영장에 기재된 범죄사실을 계속 수사할 수 있다.

④ 사법경찰관에게 사건을 송치할 것을 요구할 수 있고, 이 경우 사법경찰관은 지체 없이 검사에게 사건을 송치하여야 한다. 다만, 검사가 영장을 발부받기 전에 동일한 범죄사실에 관하여 사법경찰관이 영장을 발부받은 경우에는 해당 영장에 기재된 범죄사실을 계속 수사할 수 있다.

해설

③ 검사는 사법경찰관과 동일한 범죄사실을 수사하게 된 때에는 사법경찰관에게 **사건을 송치할 것을 요구할 수 있다.**(제197조의4 제1항) 사건 송치 요구를 받은 사법경찰관은 지체 없이 검사에게 사건을 송치하여야 한다. 다만, 검사가 영장을 청구하기 전에 동일한 범죄사실에 관하여 **사법경찰관이 영장을 신청한 경우에는 해당 영장에 기재된 범죄사실을 계속 수사할 수 있다.**(제197조의4 제2항)

014 다음 중 옳은 것은 모두 몇 개인가? (다툼이 있으면 판례에 의함)

> ㉠ 사법경찰관은 범죄의 혐의가 있다고 인정되는 경우에는 지체 없이 검사에게 사건을 송치하고, 관계 서류와 증거물을 검사에게 송부하여야 한다.
> ㉡ 검사의 불기소처분은 법원의 재판이 아니므로 법원의 종국재판과 달리 일사부재리의 효과가 인정되지 아니한다.
> ㉢ 검사는 사법경찰관과 동일한 범죄사실을 수사하게 된 때에는 사법경찰관에게 사건을 송치할 것을 요구할 수 있다.
> ㉣ ㉢의 요구를 받은 사법경찰관은 지체 없이 사건을 송치하여야 한다. 다만, 검사가 영장을 청구하기 전에 동일한 범죄사실에 관하여 사법경찰관이 영장을 신청한 경우에는 해당 영장에 기재된 범죄사실을 계속 수사할 수 있다.

① 1개　　　② 2개　　　③ 3개　　　④ 4개

해설

④ 모든 항목이 옳다.
㉠ [○] 범죄의 혐의가 있다고 인정되는 경우에는 지체 없이 검사에게 사건을 송치하고, 관계 서류와 증거물을 검사에게 송부하여야 한다.(제245조의5 제1호)
㉡ [○] 검사의 불기소처분에는 확정재판에 있어서의 확정력과 같은 효력이 없어 일단 불기소처분을 한 후에도 공소시효가 완성되기 전이면 언제라도 공소를 제기할 수 있다.(대법원 2009. 10. 29. 2009도6614)
㉢ [○] 검사는 사법경찰관과 동일한 범죄사실을 수사하게 된 때에는 사법경찰관에게 사건을 송치할 것을 요구할 수 있다.(제197조의4 제1항)
㉣ [○] 제1항의 요구를 받은 사법경찰관은 지체 없이 검사에게 사건을 송치하여야 한다. 다만, 검사가 영장을 청구하기 전에 동일한 범죄사실에 관하여 사법경찰관이 영장을 신청한 경우에는 해당 영장에 기재된 범죄사실을 계속 수사할 수 있다.(제197조의4 제2항)

015 다음은 사법경찰관이 신청한 영장의 청구 여부에 대한 심의를 설명한 것이다. 옳지 않은 것은?

□□□
[Essential ★]

① 검사가 사법경찰관이 신청한 영장을 정당한 이유 없이 판사에게 청구하지 아니한 경우 사법경찰관은 그 검사 소속의 지방검찰청 소재지를 관할하는 고등검찰청에 영장 청구 여부에 대한 심의를 신청할 수 있다.

② 영장 청구 여부에 대한 사항을 심의하기 위하여 각 고등검찰청에 영장심의위원회(이하 "심의위원회"라 한다)를 둔다.

③ 심의위원회는 위원장 1명을 포함한 10명 이내의 내부 위원으로 구성하고, 위원은 각 고등검찰청 소속 검사 중에서 검사장이 위촉한다.

④ 사법경찰관은 심의위원회에 출석하여 의견을 개진할 수 있다.

해설

③ [×] 심의위원회는 위원장 1명을 포함한 **10명 이내의 외부 위원으로 구성**하고, 위원은 각 고등검찰청 검사장이 위촉한다.(제221조의5 제3항)

① [○] 검사가 사법경찰관이 신청한 영장을 정당한 이유 없이 판사에게 청구하지 아니한 경우 사법경찰관은 그 검사 소속의 지방검찰청 소재지를 관할하는 **고등검찰청에 영장 청구 여부에 대한 심의를 신청할 수 있다.**(제221조의5 제1항)

② [○] 영장 청구 여부에 대한 사항을 심의하기 위하여 각 **고등검찰청에 영장심의위원회를 둔다.**(제221조의5 제2항)

④ [○] 사법경찰관은 심의위원회에 출석하여 **의견을 개진할 수 있다.**(제221조의5 제4항)

016 다음 중 개정된 형사소송법의 내용 중 틀린 것은?

□□□
[Essential ★]

① 검사와 사법경찰관은 수사, 공소제기 및 공소유지에 관하여 서로 협력하여야 한다.

② 사법경찰관은 피의자를 신문하기 전에 수사과정에서 법령위반, 인권침해 또는 현저한 수사권 남용이 있는 경우 검사에게 구제를 신청할 수 있음을 피의자에게 알려주어야 한다.

③ 사법경찰관은 고소·고발 사건을 포함하여 범죄를 수사한 때에는 범죄의 혐의가 있다고 인정되는 경우에는 지체 없이 검사에게 사건을 송치하고, 관계 서류와 증거물을 검사에게 송부하여야 한다.

④ 사법경찰관은 ③의 경우 외에는 그 이유를 명시한 서면과 함께 관계 서류와 증거물을 지체 없이 검사에게 송부하여야 한다. 이 경우 검사는 송부받은 날로부터 60일 이내에 사법경찰관에게 반환하여야 한다.

해설

④ [×] 그 밖의 경우에는 그 이유를 명시한 서면과 함께 관계 서류와 증거물을 지체 없이 검사에게 송부하여야 한다. 이 경우 검사는 송부받은 날로부터 **90일 이내**에 사법경찰관에게 **반환하여야 한다.**(제245조의5 제2호)

① [○] 검사와 사법경찰관은 수사, 공소제기 및 공소유지에 관하여 서로 **협력하여야 한다.**(제195조 제1항)

② [○] 사법경찰관은 피의자를 신문하기 전에 수사과정에서 법령위반, 인권침해 또는 현저한 수사권 남용이 있는 경우 검사에게 구제를 신청할 수 있음을 피의자에게 알려주어야 한다.(제197조의3 제8항)

③ [○] 범죄의 혐의가 있다고 인정되는 경우에는 지체 없이 검사에게 사건을 송치하고, 관계 서류와 증거물을 검사에게 **송부하여야 한다.**(제245조의5 제1호)

017 수사기관에 대한 설명으로 옳지 않은 것은?

□□□

21 국가7급 [Core ★★]

① 특별사법경찰관은 모든 수사에 관하여 검사의 지휘를 받는다.

② 검사는 경찰청 소속 사법경찰관과 동일한 범죄사실을 수사하게 된 때에는 사법경찰관에게 사건을 송치할 것을 요구할 수 있다.

③ 경찰청 소속 사법경찰관이 고소·고발 사건을 포함하여 범죄를 수사한 때에 범죄혐의가 인정되지 않을 경우에는 그 이유를 명시한 서면만을 검사에게 송부하면 된다.

④ 검사가 경찰청 소속 사법경찰관이 신청한 영장을 정당한 이유 없이 판사에게 청구하지 아니한 경우 경찰청 소속 사법경찰관은 그 검사 소속의 지방검찰청 소재지를 관할하는 고등검찰청에 영장 청구 여부에 대한 심의를 신청할 수 있다.

해설

③ [×] 경찰청 소속 사법경찰관이 고소·고발 사건을 포함하여 범죄를 수사한 때에 범죄혐의가 인정되지 않을 경우에는 그 **이유를 명시한 서면과 함께 관계 서류와 증거물을 지체 없이 검사에게 송부하여야 한다.** 이 경우 검사는 송부받은 날부터 90일 이내에 사법경찰관에게 반환하여야 한다.(제245조의5 제2호)

① [○] 특별사법경찰관은 모든 수사에 관하여 검사의 **지휘를 받는다.**(제245조의10 제2항)

② [○] 검사는 경찰청 소속 사법경찰관과 **동일한 범죄사실**을 수사하게 된 때에는 사법경찰관에게 사건을 송치할 것을 요구할 수 있다.(제197조의4 제1항)

④ [○] 검사가 경찰청 소속 사법경찰관이 신청한 영장을 정당한 이유 없이 판사에게 청구하지 아니한 경우 경찰청 소속 사법경찰관은 그 검사 소속의 지방검찰청 소재지를 관할하는 **고등검찰청에** 영장 청구 여부에 대한 심의를 신청할 수 있다.(제221조의5 제1항)

018 다음은 검사의 사법경찰관에 대한 시정조치 요구 등을 설명한 것이다. 옳지 않은 것은?
□□□

[Core ★★]

① 검사는 사법경찰관리의 수사과정에서 법령위반, 인권침해 또는 현저한 수사권 남용이 의심되는 사실의 신고가 있거나 그러한 사실을 인식하게 된 경우에는 사법경찰관에게 사건기록 등본의 송부를 요구할 수 있다.

② 송부 요구를 받은 사법경찰관은 지체 없이 검사에게 사건기록 등본을 송부하여야 한다. 송부를 받은 검사는 필요하다고 인정되는 경우에는 사법경찰관에게 시정조치를 요구할 수 있다.

③ 사법경찰관은 시정조치 요구가 있는 때에는 정당한 이유가 없는 한 지체 없이 이를 이행하고, 그 결과를 검사에게 통보하여야 한다.

④ 통보를 받은 검사는 시정조치 요구가 정당한 이유 없이 이행되지 않았다고 인정되는 경우에는 해당 사건의 수사 중지를 명하고, 임용권자에게 그 사법경찰관의 교체임용을 요구할 수 있다.

해설

④ [×] 통보를 받은 검사는 시정조치 요구가 정당한 이유 없이 이행되지 않았다고 인정되는 경우에는 **사법경찰관에게 사건을 송치할 것을 요구할 수 있다.** 송치 요구를 받은 사법경찰관은 검사에게 사건을 송치하여야 한다.(제197조의3 제1항부터 제5항 · 제6항)

① [○] 검사는 사법경찰관리의 수사과정에서 법령위반, 인권침해 또는 현저한 수사권 남용이 의심되는 사실의 신고가 있거나 그러한 사실을 인식하게 된 경우에는 사법경찰관에게 **사건기록 등본의 송부를 요구할 수 있다.** (제197조의3 제1항)

② [○] 송부 요구를 받은 사법경찰관은 지체 없이 검사에게 **사건기록 등본을 송부하여야 한다.**(제197조의3 제2항) 송부를 받은 검사는 필요하다고 인정되는 경우에는 사법경찰관에게 **시정조치를 요구할 수 있다.**(제197조의3 제3항)

③ [○] 사법경찰관은 시정조치 요구가 있는 때에는 정당한 이유가 없으면 지체 없이 이를 이행하고, 그 결과를 검사에게 **통보하여야 한다.**(제197조의3 제4항)

019 검사와 사법경찰관리의 관계에 관한 <보기>의 설명으로 옳은 것만을 있는 대로 고른 것은?

22 소방간부 [Core ★★]

㉠ 검사는 사법경찰관리의 수사과정에서 법령위반, 인권침해 또는 현저한 수사권 남용이 의심되는 사실의 신고가 있거나 그러한 사실을 인식하게 된 경우에는 사법경찰관에게 사건기록 등본의 송부를 요구할 수 있다.

㉡ 사법경찰관리의 수사과정에서 법령위반을 이유로 검사의 송부 요구를 받은 사법경찰관은 지체 없이 검사에게 사건기록 등본을 송부하여야 한다. 송부를 받은 검사는 필요하다고 인정되는 경우에는 사법경찰관에게 시정조치를 요구할 수 있다.

㉢ 검사는 사법경찰관과 동일한 범죄사실을 수사하게 된 때에는 사법경찰관에게 사건을 송치할 것을 요구할 수 있고, 이 경우 사법경찰관은 지체 없이 검사에게 사건을 송치하여야 한다. 다만, 검사가 영장을 청구하기 전에 동일한 범죄사실에 관하여 사법경찰관이 영장을 신청한 경우에는 해당 영장에 기재된 범죄사실을 계속 수사할 수 있다.

㉣ 사법경찰관이 범죄를 수사한 후 범죄의 혐의가 인정되지 않아 불송치결정을 하는 경우 사법경찰관은 그 이유를 명시한 서면과 함께 관계 서류와 증거물을 지체 없이 검사에게 송부해야 하며, 검사는 송부받은 날부터 90일 이내에 사법경찰관에게 그 서류 등을 반환하여야 한다.

㉤ 검사는 고소·고발된 범죄 사건을 사법경찰관이 수사한 후 사건을 송치하지 아니한 것이 위법 또는 부당한 때에는 그 이유를 문서 또는 구두로 명시하여 사법경찰관에게 재수사를 요청해야 하고, 사법경찰관은 필요한 경우 사건을 재수사할 수 있다.

---

① ㉠

② ㉠㉡

③ ㉠㉡㉢

④ ㉠㉡㉢㉣

⑤ ㉠㉡㉢㉣㉤

해설

④ ㉠㉡㉢㉣ 4 항목이 옳다.

㉠ [○] 검사는 사법경찰관리의 수사과정에서 법령위반, 인권침해 또는 현저한 수사권 남용이 의심되는 사실의 신고가 있거나 그러한 사실을 인식하게 된 경우에는 사법경찰관에게 **사건기록 등본의 송부를 요구할 수 있다.** (제197조의3 제1항)

㉡ [○] 송부 요구를 받은 사법경찰관은 지체 없이 검사에게 사건기록 등본을 송부하여야 한다. 송부를 받은 검사는 필요하다고 인정되는 경우에는 **사법경찰관에게 시정조치를 요구할 수 있다.**(제197조의3 제2항·제3항)

㉢ [○] 검사는 사법경찰관과 동일한 범죄사실을 수사하게 된 때에는 사법경찰관에게 사건을 송치할 것을 요구할 수 있고, 이 경우 사법경찰관은 지체 없이 **검사에게 사건을 송치하여야 한다.** 다만, 검사가 영장을 청구하기 전에 동일한 범죄사실에 관하여 **사법경찰관이 영장을 신청한 경우에는 해당 영장에 기재된 범죄사실을 계속 수사할 수 있다.**(제197조의4 제1항·제2항)

㉣ [○] 사법경찰관이 범죄를 수사한 후 범죄의 혐의가 인정되지 않아 불송치결정을 하는 경우 사법경찰관은 그 이유를 명시한 서면과 함께 관계 서류와 증거물을 지체 없이 검사에게 송부해야 하며, 검사는 송부받은 날부터 **90일 이내에 사법경찰관에게 그 서류 등을 반환하여야 한다.**(제245조의5 제2호)

---

⑩ [×] 검사는 고소·고발된 범죄 사건을 사법경찰관이 수사한 후 사건을 송치하지 아니한 것이 위법 또는 부당한 때에는 **그 이유를 문서로 명시하여** 사법경찰관에게 재수사를 요청할 수 있다. 사법경찰관은 검사의 재수사 요청이 있는 때에는 **사건을 재수사하여야 한다.**(제245조의8 제1항·제2항)

020
□□□

검사와 사법경찰관의 상호협력과 일반적 수사준칙에 관한 규정에서 검사와 사법경찰관리의 상호관계에 대한 설명 중 가장 적절하지 않은 것은?

21 경찰채용 [Superlative ★★★]

① 검사와 사법경찰관은 공소시효가 임박한 사건이나 내란, 외환, 선거, 테러, 대형참사, 연쇄살인 관련 사건, 주한 미합중국 군대의 구성원 외국인 군무원 및 그 가족이나 초청계약자의 범죄 관련사건 등 많은 피해자가 발생하거나 국가적 사회적 피해가 큰 중요한 사건의 경우에는 송치 전에 수사할 사항, 증거수집의 대상과 방법, 법령의 적용 등에 관하여 상호의견을 제시 교환할 것을 요청할 수 있다.

② 검사와 사법경찰관은 수사와 사건의 송치, 송부 등에 관한 이견의 조정이나 협력 등이 필요한 경우 서로 협의를 요청할 수 있다.

③ 검사와 사법경찰관은 수사의 경합과 관련하여 동일한 범죄사실 여부나 영장청구 신청의 시간적 선후관계 등을 판단하기 위해 필요한 경우 그 필요한 범위에서 사건기록의 상호열람을 요청할 수 있다.

④ 검사 또는 사법경찰관은 법원송치, 검찰송치 등의 결정을 한 경우에는 그 내용을 고소인·고발인·피해자 또는 그 법정대리인과 피의자에게 통지해야 한다. 다만, 다음 피의자 중지 또는 기소중지 결정을 하거나, 이송 결정(법 제256조에 의한 타관송치 제외)을 한 경우로서 검사 또는 사법경찰관이 해당 피의자에 대해 출석요구 또는 수사개시한 것으로 보는 경우에 해당하는 행위를 하지 않은 경우에는 고소인 등에게만 통지한다.

해설

① [×] 검사와 사법경찰관은 공소시효가 임박한 사건이나 내란, 외환, 선거, 테러, 대형참사, 연쇄살인 관련사건, 주한 미합중국 군대의 구성원·외국인 군무원 및 그 가족이나 초청계약자의 범죄 관련 사건 등 많은 피해자가 발생하거나 국가적·사회적 피해가 큰 중요한 사건(이하 "중요사건"이라 한다)의 경우에는 송치 전에 수사할 사항, **증거수집의 대상**, 법령의 적용 등에 관하여 상호 의견을 제시·교환할 것을 요청할 수 있다.(수사규정 제7조) **증거수집의 방법은 상호 의견을 제시·교환할 사항이 아니다.**

② [○] 검사와 사법경찰관은 수사와 사건의 송치, 송부 등에 관한 이견의 조정이나 협력 등이 필요한 경우 **서로 협의를 요청할 수 있다.**(수사준칙 제8조 제1항)

③ [○] 검사와 사법경찰관은 수사의 경합과 관련하여 동일한 범죄사실 여부나 영장청구 신청의 시간적 선후관계 등을 판단하기 위해 필요한 경우 그 필요한 범위에서 **사건기록의 상호열람을 요청할 수 있다.**(수사준칙 제48조 제1항)

④ [○] 검사 또는 사법경찰관은 법원송치, 검찰송치 등의 결정을 한 경우에는 그 내용을 고소인·고발인·피해자 또는 그 법정대리인과 피의자에게 통지해야 한다. 다만, 다음 피의자 중지 또는 기소중지 결정을 하거나, 이송 결정(법 제256조에 의한 타관송치 제외)을 한 경우로서 검사 또는 사법경찰관이 해당 피의자에 대해 출석요 구 또는 수사개시 한 것으로 보는 경우에 해당하는 행위를 하지 않은 경우에는 고소인 등에게만 통지한다.(수 사준칙 제53조 제1항)

021 다음 중 「고위공직자범죄수사처 설치 및 운영에 관한 법률」상의 내용으로 가장 옳지 않은 것은?

23 해경승진 [Core ★★]

① 판사, 검사, 경정 이상 경찰관은 「고위공직자 범죄수사처의 설치 및 운영에 관한 법률」상의 "고위공직자"에 해당한다.

② 고소·고발인은 수사처검사로부터 공소를 제기하지 아니한다는 통지를 받은 때에는 서울고등 법원에 그 당부에 관한 재정을 신청할 수 있다.

③ 「고위공직자범죄수사처의 설치 및 운영에 관한 법률」상 고위공직자의 "가족"이란 배우자, 직 계존비속을 말하며, 대통령의 경우 배우자와 4촌 이내의 친족을 말한다.

④ 수사처검사가 공소를 제기하는 고위공직자범죄등 사건에 관한 재판이 확정된 경우 검찰청 소 속 검사가 그 형을 집행한다.

해설

① [×] 판사, 검사, **경무관 이상 경찰관이** 고위공직자에 해당한다.(공수처법 제2조 제1호 파목·하목)
② [○] 고소·고발인은 수사처검사로부터 공소를 제기하지 아니한다는 통지를 받은 때에는 서울고등법원에 그 당부에 관한 **재정을 신청할 수 있다.**(공수처법 제29조 제1항)
③ [○] 「고위공직자범죄수사처의 설치 및 운영에 관한 법률」상 고위공직자의 "가족"이란 배우자, 직계존비속을 말하며, 대통령의 경우 **배우자와 4촌** 이내의 친족을 말한다.(공수처법 제2조 제2호)
④ [○] 수사처검사가 공소를 제기하는 고위공직자범죄 등 사건에 관한 재판이 확정된 경우 **검찰청 소속 검사가 그 형을 집행한다.**(공수처법 제28조 제1항)

022 다음 중 수사처검사(공수처검사)가 직접 공소제기와 그 유지를 할 수 없는 고위공직자는?

[Essential ★]

① 판사

② 검사

③ 경무관 이상 경찰공무원

④ 국회의원

해설

④ 이에 대하여는 수사처검사가 **수사만 할 수 있을 뿐 직접 공소제기와 그 유지를 할 수 없다.**(공수처법 제3조 제1항 제1호) 수사처검사는 관계 서류와 증거물을 지체 없이 서울중앙지방검찰청 소속 검사에게 송부하여야 한다.(동법 제26조 제1항)

①②③ 이들에 대하여는 수사처검사가 **수사는 물론 직접 공소제기와 그 유지를 할 수 있다.**(공수처법 제3조 제1항 제2호)

023 고위공직자범죄수사처에 관한 다음 설명 중 옳지 않은 것은?

[Core ★★]

① 수사처(공수처)는 고위공직자범죄 등에 관한 수사를 수행한다.

② 수사처(공수처)는 '대법원장, 대법관, 검찰총장, 판사, 검사 및 경무관 이상 경찰공무원으로 재직 중에 본인 또는 본인의 가족이 범한 고위공직자범죄 및 관련 범죄'를 제외한 고위공직자범죄 및 관련 범죄의 공소제기와 그 유지를 수행한다.

③ 수사처(공수처)는 그 권한에 속하는 직무를 독립하여 수행한다.

④ 대통령, 대통령비서실의 공무원은 수사처의 사무에 관하여 업무보고나 자료제출 요구, 지시, 의견제시, 협의, 그 밖에 직무수행에 관여하는 일체의 행위를 하여서는 아니 된다.

해설

② [×] 수사처는 **'대법원장, 대법관, 검찰총장, 판사, 검사 및 경무관 이상 경찰공무원으로 재직 중에 본인 또는 본인의 가족이 범한** 고위공직자범죄 및 관련 범죄'의 **공소제기와 그 유지를 수행한다.**(공수처법 제3조 제1항 제2호) 이들은 제외한 고위공직자범죄 등의 경우 공소제기와 그 유지는 서울중앙지방검찰청 소속 검사가 수행한다.(공수처법 제26조 제1항 참고)

① [○] 수사처는 고위공직자범죄 등에 관한 **수사를 수행한다.**(공수처법 제3조 제1항 제1호)

③ [○] 수사처는 그 권한에 속하는 **직무를 독립하여 수행한다.**(공수처법 제3조 제2항)

④ [○] **대통령, 대통령비서실의 공무원**은 수사처의 사무에 관하여 업무보고나 자료제출 요구, 지시, 의견제시, 협의, 그 밖에 직무수행에 **관여하는 일체의 행위를 하여서는 아니 된다.**(공수처법 제3조 제3항)

구분	A급 고위공직자범죄 등	B급 고위공직자범죄 등
수사	① 원칙적으로 수사처검사가 수사를 함 　- 수사처의 범죄수사와 중복되는 다른 수사기관의 범죄수사는 처장이 수사처에서 수사하는 것이 적절하다고 판단하여 이첩을 요청하는 경우 해당 수사기관은 이를 응하여야 함 　- 다른 수사기관이 범죄를 수사하는 과정에서 고위공직자범죄 등을 인지한 경우 그 사실을 즉시 수사처에 통보하여야 함 ② 예외적으로 처장은 다른 수사기관이 고위공직자범죄 등을 수사하는 것이 적절하다고 판단될 때에는 해당 수사기관에 사건을 이첩할 수 있음	
공소제기 및 유지 등	① 수사처검사가 공소제기 및 유지를 담당함 ② 수사처검사가 불기소결정을 함	① 서울중앙지방검찰청 소속 검사가 공소제기 및 유지를 담당함(수사처검사는 서류와 증거물을 서울중앙지방검찰청 소속 검사에게 송부하여야 함) ② 서울중앙지방검찰청 소속 검사가 불기소결정을 함(검사는 처장에게 공소제기 여부를 신속하게 통보하여야 함)
재정신청	고소·고발인은 서울고등법원에 재정신청할 수 있음	–
재판관할	제1심 재판은 원칙적으로 서울중앙지방법원의 관할로 함. 예외적으로 형사소송법에 따른 관할 법원에 공소를 제기할 수 있음	형사소송법 규정에 따름
형집행	제1심 관할지방법원에 대응하는 검찰청 소속 검사가 그 형을 집행함	–

핵심정리 수사처검사(공수처검사)의 사건처리 등

024 성폭력범죄의 처벌 등에 관한 특례법에 대한 설명 중 틀린 것은? [Core ★★]
□□□

① 검사는 피해자에게 변호사가 없는 경우 국선변호사를 선정하여 형사절차에서 피해자의 권익을 보호할 수 있다. 다만, 19세 미만 피해자 등에게 변호사가 없는 경우에는 국선변호사를 선정하여야 한다.

② 검사 또는 사법경찰관은 19세 미만 피해자 등의 진술 내용과 조사 과정을 영상녹화장치로 녹화(녹음이 포함된 것을 말하며, 이하 "영상녹화"라 한다)하고, 그 영상녹화물을 보존하여야 한다.

③ 촬영한 영상물에 수록된 피해자의 진술은 공판준비기일 또는 공판기일에 피해자나 조사과정에 동석하였던 신뢰관계에 있는 사람 또는 진술조력인의 진술에 의하여 그 성립의 진정함이 인정된 경우에 증거로 할 수 있다.

④ 법원은 ③에 따라 증거능력이 있는 영상녹화물을 유죄의 증거로 할지를 결정할 때에는 피고인과의 관계, 범행의 내용, 피해자의 나이, 심신의 상태, 피해자가 증언으로 인하여 겪을 수 있는 심리적 외상, 영상녹화물에 수록된 19세 미만 피해자 등의 진술 내용 및 진술태도 등을 고려하여야 한다. 이 경우 법원은 전문심리위원 또는 제33조에 따른 전문가의 의견을 들어야 한다.

해설

2023.10.2. 시행되는 성폭법 반영지문입니다.

③ [×] 1. 증거보전기일, 공판준비기일 또는 공판기일에 그 내용에 대하여 피의자, 피고인 또는 변호인이 피해자를 신문할 수 있었던 경우. 다만, 증거보전기일에서의 신문의 경우 법원이 피의자나 피고인의 방어권이 보장된 상태에서 피해자에 대한 반대신문이 충분히 이루어졌다고 인정하는 경우로 한정한다. 2. 19세 미만 피해자 등이 다음 각 목의 어느 하나에 해당하는 사유로 공판준비기일 또는 공판기일에 출석하여 진술할 수 없는 경우로서 영상녹화된 진술 및 영상녹화가 특별히 신빙(信憑)할 수 있는 상태에서 이루어졌음이 증명된 경우로 한정한다.(성폭법 제30조의2 제1항)

① [○] 검사는 피해자에게 변호사가 없는 경우 국선변호사를 선정하여 형사절차에서 피해자의 권익을 보호할 수 있다. 다만, **19세 미만 피해자 등에게 변호사가 없는 경우에는 국선변호사를 선정하여야 한다.**(성폭법 제27조 제6항)

② [○] 검사 또는 사법경찰관은 19세 미만 피해자 등의 진술 내용과 조사 과정을 영상녹화장치로 녹화(녹음이 포함된 것을 말하며, 이하 "영상녹화"라 한다)하고, 그 **영상녹화물을 보존하여야 한다.**(성폭법 제30조 제1항)

④ [○] 법원은 제1항 제2호에 따라 증거능력이 있는 영상녹화물을 유죄의 증거로 할지를 결정할 때에는 피고인과의 관계, 범행의 내용, 피해자의 나이, 심신의 상태, 피해자가 증언으로 인하여 겪을 수 있는 심리적외상, 영상녹화물에 수록된 19세 미만 피해자 등의 진술 내용 및 진술 태도 등을 고려하여야 한다. 이 경우 법원은 전문심리위원 또는 제33조에 따른 **전문가의 의견을 들어야 한다.**(성폭법 제30조의2 제2항)

025 성폭력범죄의 처벌 등에 관한 특례법에 대한 설명 중 틀린 것은?　　　　　[Core ★★]

① 피해자나 그 법정대리인 또는 사법경찰관은 피해자가 공판기일에 출석하여 증언하는 것에 현저히 곤란한 사정이 있을 때에는 그 사유를 소명하여 제30조에 따라 영상녹화된 영상녹화물 또는 그 밖의 다른 증거에 대하여 해당 성폭력범죄를 수사하는 검사에게 「형사소송법」 제184조(증거보전의 청구와 그 절차) 제1항에 따른 증거보전의 청구를 할 것을 요청할 수 있다.

② 이 경우 피해자가 16세 미만 피해자 등인 경우에는 공판기일에 출석하여 증언하는 것에 현저히 곤란한 사정이 있는 것으로 본다.

③ 요청을 받은 검사는 그 요청이 타당하다고 인정할 때에는 증거보전의 청구를 할 수 있다. 다만, 19세 미만 피해자 등이나 그 법정대리인이 제1항의 요청을 하는 경우에는 특별한 사정이 없는 한 「형사소송법」 제184조 제1항에 따라 관할 지방법원판사에게 증거보전을 청구하여야 한다.

④ 중계시설을 통하여 19세 미만 피해자 등을 증인으로 신문하는 경우 그 중계시설은 특별한 사정이 없으면 제30조 제1항에 따른 영상녹화가 이루어진 장소로 한다. 다만, 피해자가 다른 장소를 원하는 의사를 표시하거나, 제30조 제1항에 따른 영상녹화가 이루어진 장소가 경찰서 등 수사기관의 시설인 경우에는 법원이 중계시설을 지정할 수 있다.

해설

2023.10.2. 시행되는 성폭법 반영지문입니다.
② [×] 이 경우 피해자가 **19세** 미만 피해자 등인 경우에는 공판기일에 출석하여 증언하는 것에 현저히 곤란한 사정이 있는 것으로 본다.(성폭법 제41조 제1항)
① [○] 피해자나 그 법정대리인 또는 사법경찰관은 피해자가 공판기일에 출석하여 증언하는 것에 현저히 곤란한 사정이 있을 때에는 그 사유를 소명하여 제30조에 따라 영상녹화된 영상녹화물 또는 그 밖의 다른 증거에 대하여 해당 성폭력범죄를 수사하는 검사에게 「형사소송법」 제184조(증거보전의 청구와 그 절차) 제1항에 따른 증거보전의 청구를 할 것을 요청할 수 있다.(성폭법 제41조 제1항)
② [○] 요청을 받은 검사는 그 요청이 타당하다고 인정할 때에는 증거보전의 청구를 할 수 있다. 다만, 19세 미만 피해자 등이나 그 법정대리인이 제1항의 요청을 하는 경우에는 특별한 사정이 없는 한 「형사소송법」 제184조 제1항에 따라 관할 지방법원판사에게 증거보전을 청구하여야 한다.(성폭법 제41조 제2항)
④ [○] 중계시설을 통하여 19세 미만 피해자 등을 증인으로 신문하는 경우 그 중계시설은 특별한 사정이 없으면 제30조 제1항에 따른 영상녹화가 이루어진 장소로 한다. 다만, 피해자가 다른 장소를 원하는 의사를 표시하거나, 제30조 제1항에 따른 영상녹화가 이루어진 장소가 경찰서 등 수사기관의 시설인 경우에는 법원이 중계시설을 지정할 수 있다.(성폭법 제40조의3 제3항)

026 다음은 범죄수사를 위한 통신제한조치의 절차를 설명한 것이다. 옳지 않은 것은? [Essential ★]
□□□

① 검사는 요건이 구비된 경우에는 법원에 대하여 각 피의자별 또는 각 피내사자별로 통신제한조치를 허가하여 줄 것을 청구할 수 있다.

② 법원은 청구가 이유 있다고 인정하는 경우에는 각 피의자별 또는 각 피내사자별로 통신제한조치를 허가하고, 허가서를 청구한 검사에게 발부한다.

③ 허가서에는 통신제한조치의 종류·그 목적·대상·범위·기간 및 집행장소와 방법을 특정하여 기재하여야 한다.

④ 통신제한조치의 기간은 2개월을 초과하지 못하고, 그 기간 중 통신제한조치의 목적이 달성되었을 경우에는 즉시 종료하여야 한다. 4개월의 범위에서 통신제한조치가 필요하면 다시 통신제한조치의 허가를 받아야 한다.

해설

④ [×] 통신제한조치의 기간은 **2개월**을 초과하지 못하고, 그 기간 중 통신제한조치의 목적이 달성되었을 경우에는 즉시 종료하여야 한다. 다만, 허가요건이 존속하는 경우에는 소명자료를 첨부하여 **2개월의 범위에서 통신제한조치기간의 연장**을 청구할 수 있다.(통비법 제6조 제7항)

① [○] 검사는 통신제한조치 요건이 구비된 경우에는 법원에 대하여 각 피의자별 또는 각 피내사자별로 통신제한조치를 허가하여 줄 것을 청구할 수 있다.(통비법 제6조)참고

② [○] 법원은 청구가 이유 있다고 인정하는 경우에는 각 피의자별 또는 각 피내사자별로 통신제한조치를 허가하고, 이를 증명하는 서류를 **청구인(검사)에게** 발부한다.(제6조 제5항)

③ [○] 허가서에는 통신제한조치의 종류 · 그 목적 · 대상 · 범위 · 기간 및 집행장소와 방법을 특정하여 기재하여야 한다.(제6조 제6항)

027 통신비밀보호법의 내용으로 적절하지 않은 것은? [Core ★★]
□□□

① 존속협박, 경매입찰방해, 미성년자간음(형법 제302조), 사기죄, 공무집행방해는 통신제한조치 대상범죄이다.

② 통신제한조치의 집행을 위탁하거나 집행에 관한 협조를 요청한자는 통신기관 등에 통신제한조치허가서의 표지의 사본을 교부하여야 한다.

③ 통신제한조치의 집행으로 인하여 취득된 우편물 또는 그 내용과 전기통신의 내용은 통신제한조치 대상범죄로 인한 징계절차에 사용할 수 있다.

④ 통신제한조치를 집행하는 자와 이를 위탁받거나 이에 관한 협조요청을 받은 자는 당해 통신제한조치를 청구한 목적과 그 집행 또는 협조일시 및 대상을 기재한 대장을 3년 동안 비치하여야 한다.

해설

① [×] **존속협박, 미성년자간음(형법 제302조), 사기, 공무집행방해는 통신제한조치 대상범죄가 아니다.** 다만, 13세 미만 미성년자간음죄(형법 제305조: 죄명은 미성년자의제강간지)는 대상범죄에 해당한다.

② [○] **통신제한조치의 집행을 위탁하거나 집행에 관한 협조를 요청하는 자는 통신기관등에 통신제한조치허가서** (제7조 제1항 제2호의 경우에는 대통령의 승인서를 말한다. 이하 이 조, 제16조 제2항 제1호 및 제17조 제1항 제1호·제3호에서 같다) 또는 긴급감청서 등의 **표지의 사본을 교부하여야** 하며, 이를 위탁받거나 이에 관한 협조요청을 받은 자는 통신제한조치허가서 또는 긴급감청서 등의 표지 사본을 대통령령이 정하는 기간동안 보존하여야 한다.(통비법 제9조 제2항)

③ [○] **통신제한조치의 집행으로 인하여 취득된 우편물 또는 그 내용과 전기통신의 내용은 통신제한조치대상범죄로 인한 징계절차에 사용할 수 있다.**(통비법 제12제 제2호)

④ [○] **통신제한조치를 집행하는 자와 이를 위탁받거나 이에 관한 협조요청을 받은 자는 당해 통신제한조치를 청구한 목적과 그 집행 또는 협조일시 및 대상을 기재한 대장을 대통령령이 정하는 기간동안 비치하여야 한다.**(통비법 제9조 제3항) 대장의 비치기간은 3년으로 한다.(통비법 시행령 제17조)

028

다음은 통신제한조치의 기간 등을 설명한 것이다. 밑줄 친 부분이 옳지 않은 것은 모두 몇 개인가?

[Core ★★]

(1) 범죄수사를 위한 통신제한조치의 기간은 ⊙ <u>2개월</u>을 초과하지 못하고, 그 기간 중 통신제한조치의 목적이 달성되었을 경우에는 즉시 종료하여야 한다. 다만, 허가요건이 존속하는 경우에는 소명자료를 첨부하여 ⓒ <u>2개월</u>의 범위에서 통신제한조치기간의 연장을 청구할 수 있다. 검사 또는 사법경찰관이 통신제한조치의 연장을 청구하는 경우에 통신제한조치의 총 연장기간은 ⓒ <u>3년</u>을 초과할 수 없다. 다만, 내란의 죄의 경우 등에는 통신제한조치의 총 연장기간이 ⓔ <u>5년</u>을 초과할 수 없다.

(2) 국가안보를 위한 통신제한조치의 기간은 ⓜ <u>4월</u>을 초과하지 못하고, 그 기간중 통신제한조치의 목적이 달성되었을 경우에는 즉시 종료하여야 하되, 요건이 존속하는 경우에는 소명자료를 첨부하여 고등법원 수석부장판사의 허가 또는 대통령의 승인을 얻어 ⓗ <u>4월</u>의 범위 이내에서 통신제한조치의 기간을 연장할 수 있다.

① 0개 ② 1개 ③ 2개 ④ 3개

해설

③ ⓒⓔ 2 항목이 옳지 않다.

⊙ⓒ [○] 통비법 제6조 제7항

ⓒ [×] **1년**이라고 해야 옳다.(통비법 제6조 제8항)

ⓔ [×] **3년**이라고 해야 옳다.(통비법 제6조 제8항)

ⓜⓗ [○] 통비법 제7조 제2항

정답 | 026 ④ 027 ① 028 ③

핵심정리 통신제한조치 연장기간이 3년을 초과할 수 없는 범죄

1. 「형법」 제2편 중 제1장 내란의 죄, 제2장 외환의 죄 중 제92조부터 제101조까지의 죄(외환유치, 여적, 모병이적, 시설제공이적, 시설파괴이적, 물건제공이적, 간첩, 일반이적), 제4장 국교에 관한 죄 중 제107조 (외국원수폭행죄), 제108조(외국사절폭행죄), 제111조부터 제113조까지의 죄(외국 사전죄, 중립명령위반 죄, 외교상기밀누설죄), 제5장 공안을 해하는 죄 중 제114조(범죄단체조직죄), 제115조(소요죄)의 죄 및 제6장 폭발물에 관한 죄(폭발물사용죄, 전시폭발물제조죄) [주의, 제109조(외국국기국장모독죄), 제116 조(다중불해산죄), 제117조(전시군수계약불이행죄), 제118조(공무원자격사칭죄) ×]
2. 「군형법」 제2편 중 제1장 반란의 죄, 제2장 이적의 죄, 제11장 군용물에 관한 죄 및 제12장 위령의 죄 중 제78조ㆍ제80조ㆍ제81조의 죄
3. 「국가보안법」에 규정된 죄
4. 「군사기밀보호법」에 규정된 죄
5. 「군사기지 및 군사시설보호법」에 규정된 죄

---

029 검사 또는 사법경찰관이 통신제한조치의 연장을 청구하는 경우 총 연장기간이 3년을 초과할 수 □□□ 없는 범죄가 아닌 것은?

[Core ★★]

① 「국가보안법」에 규정된 죄
② 「형법」 제2편 중 제1장 내란의 죄
③ 「형법」 제2편 중 제5장 공안을 해하는 죄 중 제114조, 제115조의 죄
④ 「국제상거래에 있어서 외국공무원에 대한 뇌물방지법」에 규정된 범죄 중 제3조 및 제4조의 죄

해설

④ 총 연장기간은 1년을 초과할 수 없다.(통비법 제6조 제8항 본문) 개정 통신비밀보호법에서 통신제한조치를 허가할 수 있는 범죄로 추가되었지만 통신제한조치 연장기간은 1년을 초과할 수 없다.
①②③ 총 연장기간은 3년을 초과할 수 없다.(통비법 제6조 제8항 단서)

030 다음은 범죄수사를 위한 통신사실 확인자료제공의 절차를 설명한 것이다. 옳지 않은 것은?

□□□
[Core ★★]

① 검사 또는 사법경찰관은 수사 또는 형의 집행을 위하여 필요한 경우 전기통신사업자에게 통신사실 확인자료의 열람이나 제출(이하 "통신사실 확인자료제공"이라 한다)을 요청할 수 있다.

② 검사 또는 사법경찰관은 수사를 위하여 통신사실확인자료 중 '실시간 추적자료과 특정한기지국에 대한 통신사실확인자료'가 필요한 경우에는 다른 방법으로는 범죄의 실행을 저지하기 어렵거나 범인의 발견·확보 또는 증거의 수집·보전이 어려운 경우에만 전기통신사업자에게 해당 자료의 열람이나 제출을 요청할 수 있다.

③ 통신사실 확인자료제공을 요청하는 경우에는 서면으로 관할 지방법원 또는 지원의 허가를 받아야 한다. 다만, 관할 지방법원 또는 지원의 허가를 받을 수 없는 긴급한 사유가 있는 때에는 통신사실 확인자료제공을 요청한 후 지체 없이 그 허가를 받아 전기통신사업자에게 송부하여야 한다.

④ 전기통신사업자는 검사, 사법경찰관 또는 정보수사기관의 장에게 통신사실 확인자료를 제공한 때에는 자료제공현황 등을 연 2회 과학기술정보통신부장관에게 보고하고, 해당 통신사실 확인자료 제공사실 등 필요한 사항을 기재한 대장과 통신사실 확인자료제공요청서 등 관련자료를 통신사실확인자료를 제공한 날부터 5년간 비치하여야 한다.

해설

④ [×] 전기통신사업자는 (중략) 통신사실확인자료를 제공한 날부터 **7년간** 비치하여야 한다.(통비법 제13조 제7항)

① [○] 검사 또는 사법경찰관은 수사 또는 형의 집행을 위하여 필요한 경우 전기통신사업법에 의한 전기통신사업자에게 **통신사실 확인자료의 열람이나 제출을 요청할 수 있다.**(통비법 제13조 제1항)

② [○] 검사 또는 사법경찰관은 제1항에도 불구하고 수사를 위하여 통신사실확인자료 중 다음 각 호의 어느 하나에 해당하는 자료가 필요한 경우에는 다른 방법으로는 범죄의 실행을 저지하기 어렵거나 범인의 발견·확보 또는 증거의 수집·보전이 어려운 경우에만 **전기통신사업자에게 해당 자료의 열람이나 제출을 요청할 수 있다.**(통비법 제13조 제2항)

③ [○] 통신사실 확인자료제공을 요청하는 경우에는 요청사유, 해당 가입자와의 연관성 및 필요한 자료의 범위를 기록한 서면으로 관할 지방법원 또는 지원의 허가를 받아야 한다. 다만, 관할 지방법원 또는 지원의 허가를 받을 수 없는 긴급한 사유가 있는 때에는 통신사실 확인자료제공을 요청한 후 지체 없이 그 허가를 받아 전기통신사업자에게 **송부하여야 한다.**(통비법 제13조 제3항)

핵심정리 **통신사실확인 자료**

1. 가입자의 전기통신일시
2. 전기통신개시·종료시간
3. 발·착신 통신번호 등 상대방의 가입자번호
4. 사용도수

> 5. 컴퓨터통신 또는 인터넷의 사용자가 전기통신역무를 이용한 사실에 관한 컴퓨터통신 또는 인터넷의 로그기록자료
> 6. 정보통신망에 접속된 정보통신기기의 위치를 확인할 수 있는 발신기지국의 위치추적자료
> 7. 컴퓨터통신 또는 인터넷의 사용자가 정보통신망에 접속하기 위하여 사용하는 정보통신기기의 위치를 확인할 수 있는 접속지의 추적자료

031 「통신비밀보호법」에 대한 설명 중 옳지 않은 것은?

[Core ★★]

① 검사, 사법경찰관 또는 정보수사기관의 장은 제1항에 따른 통신제한조치(이하 "긴급통신제한조치"라 한다)의 집행에 착수한 후 지체 없이 제6조(제7조 제3항에서 준용하는 경우를 포함한다)에 따라 법원에 허가청구를 하여야 한다.

② 검사, 사법경찰관 또는 정보수사기관의 장은 긴급통신제한조치의 집행에 착수한 때부터 36시간 이내에 법원의 허가를 받지 못한 경우에는 해당 조치를 즉시 중지하고 해당 조치로 취득한 자료를 폐기하여야 한다.

③ 「검사, 사법경찰관 또는 정보수사기관의 장은 제5항에 따라 긴급통신제한조치로 취득한 자료를 폐기한 경우 폐기이유·폐기범위·폐기일시 등을 기재한 자료폐기결과보고서를 작성하여 폐기일부터 14일 이내에 허가청구를 한 법원에 송부하고, 그 부본(副本)을 피의자의 수사기록 또는 피내사자의 내사사건기록에 첨부하여야 한다.

④ ②에 위반하여 긴급통신제한조치를 즉시 중지하지 아니한 자는 3년 이하의 징역 또는 1천만원 이하의 벌금에 처한다.

해설

2022.12.27. 시행된 통비법 반영지문입니다.
③ [×] 검사, 사법경찰관 또는 정보수사기관의 장은 제5항에 따라 긴급통신제한조치로 취득한 자료를 폐기한 경우 폐기이유·폐기범위·폐기일시 등을 기재한 자료폐기결과보고서를 작성하여 폐기일부터 **7일 이내**에 제2항에 따라 허가청구를 한 법원에 송부하고, 그 부본(副本)을 피의자의 수사기록 또는 피내사자의 내사사건기록에 첨부하여야 한다.(통비법 제8조 제6항)
① [○] 검사, 사법경찰관 또는 정보수사기관의 장은 제1항에 따른 통신제한조치(이하 "긴급통신제한조치"라 한다)의 집행에 착수한 후 **지체 없이 제6조(제7조 제3항에서 준용하는 경우를 포함한다)에 따라 법원에 허가청구를 하여야 한다.**(통비법 제8조 제2항)
② [○] 검사, 사법경찰관 또는 정보수사기관의 장은 긴급통신제한조치의 집행에 착수한 때부터 **36시간 이내**에 법원의 허가를 받지 못한 경우에는 해당 조치를 즉시 중지하고 해당 조치로 **취득한 자료를 폐기하여야 한다.**(통비법 제8조 제5항)
④ [○] 제8조 제5항을 위반하여 긴급통신제한조치를 즉시 중지하지 아니한 자는 3년 이하의 징역 또는 1천만원 **이하의 벌금에 처한다.**(통비법 제17조 제2항 제2호)

032 다음은 패킷 감청에 대한 설명이다. 옳지 않은 것은?

□□□

① 검사는 인터넷 회선을 통하여 송신·수신하는 전기통신을 대상으로 제6조 또는 제8조에 따른 통신제한조치를 집행한 경우 그 전기통신을 제12조 제1호에 따라 사용하거나 사용을 위하여 보관하고자 하는 때에는 집행종료일부터 14일 이내에 보관 등이 필요한 전기통신을 선별하여 통신제한조치를 허가한 법원에 보관등의 승인을 청구하여야 한다.

② 사법경찰관은 인터넷 회선을 통하여 송신·수신하는 전기통신을 대상으로 제6조 또는 제8조에 따른 통신제한조치를 집행한 경우 그 전기통신의 보관 등을 하고자 하는 때에는 집행종료일부터 14일 이내에 보관 등이 필요한 전기통신을 선별하여 검사에게 보관 등의 승인을 신청하고, 검사는 신청일부터 7일 이내에 통신제한조치를 허가한 법원에 그 승인을 청구할 수 있다.

③ 검사 또는 사법경찰관은 ①에 따른 청구나 ②에 따른 신청을 하지 아니하는 경우에는 집행종료일부터 14일(검사가 사법경찰관의 신청을 기각한 경우에는 그 날부터 7일) 이내에 통신제한조치로 취득한 전기통신을 폐기하여야 하고, 법원에 승인청구를 한 경우(취득한 전기통신의 일부에 대해서만 청구한 경우를 포함한다)에는 제4항에 따라 법원으로부터 승인서를 발부받거나 청구기각의 통지를 받은 날부터 7일 이내에 승인을 받지 못한 전기통신을 폐기하여야 한다.

④ 검사 또는 사법경찰관은 제5항에 따라 통신제한조치로 취득한 전기통신을 폐기한 때에는 폐기의 이유와 범위 및 일시 등을 기재한 폐기결과보고서를 작성하여 피의자의 수사기록 또는 피내사자의 내사사건기록에 첨부하고, 폐기일부터 14일 이내에 통신제한조치를 허가한 법원에 송부하여야 한다.

해설

④ [×] 검사 또는 사법경찰관은 제5항에 따라 통신제한조치로 취득한 전기통신을 폐기한 때에는 폐기의 이유와 범위 및 일시 등을 기재한 폐기결과보고서를 작성하여 피의자의 수사기록 또는 피내사자의 내사사건기록에 첨부하고, 폐기일부터 **7일** 이내에 통신제한조치를 허가한 법원에 송부하여야 한다.(통비법 제12조의2 제6항)

① [O] 검사는 인터넷 회선을 통하여 송신·수신하는 전기통신을 대상으로 제6조 또는 제8조에 따른 통신제한조치를 집행한 경우 그 전기통신을 제12조 제1호에 따라 사용하거나 사용을 위하여 보관하고자 하는 때에는 집행종료일부터 **14일** 이내에 보관 등이 필요한 전기통신을 선별하여 통신제한조치를 허가한 법원에 보관 등의 승인을 청구하여야 한다.(통비법 제12조의2 제1항)

② [O] 사법경찰관은 인터넷 회선을 통하여 송신·수신하는 전기통신을 대상으로 제6조 또는 제8조(제5조 제1항의 요건에 해당하는 사람에 대한 긴급통신제한조치에 한정한다)에 따른 통신제한조치를 집행한 경우 그 전기통신의 보관 등을 하고자 하는 때에는 집행종료일부터 **14일** 이내에 보관 등이 필요한 전기통신을 선별하여 검사에게 보관 등의 승인을 신청하고, 검사는 신청일부터 **7일** 이내에 통신제한조치를 허가한 법원에 그 승인을 청구할 수 있다.(통비법 제12조의2 제2항)

③ [O] 검사 또는 사법경찰관은 제1항에 따른 청구나 제2항에 따른 신청을 하지 아니하는 경우에는 집행종료일부터 **14일**(검사가 사법경찰관의 신청을 기각한 경우에는 그 날부터 **7일**) 이내에 통신제한조치로 취득한 전기통신을 폐기하여야 하고, 법원에 승인청구를 한 경우(취득한 전기통신의 일부에 대해서만 청구한 경우를 포함한다)에는 제4항에 따라 법원으로부터 승인서를 발부받거나 청구기각의 통지를 받은 날부터 **7일** 이내에 승인을 받지 못한 전기통신을 폐기하여야 한다.(통비법 제12조의2 제5항)

033
□□□ 「검사와 사법경찰관의 상호협력과 일반적 수사준칙에 관한 규정」에 대한 설명으로 가장 적절한 것은?

[Core ★★]

① 검사와 사법경찰관은 다음 각 호의 어느 하나에 해당하는 사건의 경우(이하 "중요사건"이라 한다)에는 송치 전에 수사할 사항, 증거 수집의 대상, 법령의 적용, 범죄수익 환수를 위한 조치 등에 관하여 상호 의견을 제시·교환할 것을 요청할 수 있다.

② 1. 공소시효가 임박한 사건 2. 내란, 외환, 대공(對共), 선거(정당 및 정치자금 관련 범죄를 포함한다), 노동, 집단행동, 테러, 대형참사, 연쇄살인 관련 사건 3. 범죄를 목적으로 하는 단체 또는 집단의 조직·구성·가입·활동 등과 관련한 사건 4. 주한 미합중국 군대의 구성원·외국인군무원 및 그 가족이나 초청계약자의 범죄 관련 사건 5. 그 밖에 많은 피해자가 발생하거나 국가적·사회적 피해가 큰 중요한 사건이 중요사건에 해당한다.

③ 1.「공직선거법」제268조 2.「공공단체등 위탁선거에 관한 법률」제71조 3.「농업협동조합법」제172조 제4항 4.「수산업협동조합법」제178조 제5항 5.「산림조합법」제132조 제4항 6.「소비자생활협동조합법」제86조 제4항 7.「염업조합법」제59조 제4항 8.「엽연초생산협동조합법」제42조 제5항 9.「중소기업협동조합법」제137조 제3항 10.「새마을금고법」제85조 제6항 11.「교육공무원법」제62조 제5항에 따른 공소시효가 적용되는 사건에 대해서는 공소시효 만료일 3개월 전까지 송치 전에 수사할 사항, 증거 수집의 대상, 법령의 적용, 범죄수익 환수를 위한 조치 등에 관하여 상호 의견을 제시·교환해야 한다.

④ 중요사건에 상호 의견을 제시·교환할 것을 요청한 경우 예외없이 상대방의 요청에 응하여야 한다.

해설

2023.11.1. 시행되는 수사준칙 반영지문입니다.
④ [×] 이 경우 **특별한 사정이 없는 한 상대방의 요청에 응하여야 한다.**(수사준칙 제7조 제1항)
① [○] 검사와 사법경찰관은 다음 각 호의 어느 하나에 해당하는 사건의 경우(이하 "중요사건"이라 한다)에는 송치 전에 수사할 사항, 증거 수집의 대상, 법령의 적용, 범죄수익 환수를 위한 조치 등에 관하여 **상호의견을 제시·교환할 것을 요청할 수 있다.**(수사준칙 제7조 제1항)
② [○] 1. 공소시효가 임박한 사건 2. 내란, 외환, 대공(對共), 선거(정당 및 정치자금 관련 범죄를 포함한다), 노동, 집단행동, 테러, 대형참사, 연쇄살인 관련 사건 3. 범죄를 목적으로 하는 단체 또는 집단의 조직·구성·가입·활동 등과 관련한 사건 4. 주한 미합중국 군대의 구성원·외국인군무원 및 그 가족이나 초청계약자의 범죄 관련 사건 5. 그 밖에 많은 피해자가 발생하거나 국가적·사회적 피해가 큰 중요한 사건이 **중요사건에 해당한다.**(수사준칙 제7조 제1항 각호)
③ [○] 1.「공직선거법」제268조 2.「공공단체등 위탁선거에 관한 법률」제71조 3.「농업협동조합법」제172조 제4항 4.「수산업협동조합법」제178조 제5항 5.「산림조합법」제132조 제4항 6.「소비자생활협동조합법」제86조 제4항 7.「염업조합법」제59조 제4항 8.「엽연초생산협동조합법」제42조 제5항 9.「중소기업협동조합법」제137조 제3항 10.「새마을금고법」제85조 제6항 11.「교육공무원법」제62조 제5항에 따른 공소시효가 적용되는 사건에 대해서는 **공소시효 만료일 3개월 전까지** 송치 전에 수사할 사항, 증거 수집의 대상, 법령의 적용, 범죄수익 환수를 위한 조치 등에 관하여 상호 의견을 제시·교환해야 한다. 다만, **공소시효 만료일로부터 3개월 이내에 수사를 개시한 때에는 지체 없이 이를 제시·교환해야 한다.**(수사준칙 제7조 제2항)

034 검사와 사법경찰관의 수사권에 관한 설명으로 가장 적절하지 않은 것은?

24 경찰간부 [Superlative ★★★]

① 사법경찰관은 피의자를 신문하기 전에 수사과정에서 법령위반, 인권침해 또는 현저한 수사권 남용이 있는 경우 '검사에게 구제를 신청할 수 있음'을 피의자에게 알려주어야 하며, 이때 사법경찰관은 피의자로부터 고지 확인서를 받아 사건기록에 편철하여야 한다.

② 검사와 사법경찰관은 수사 및 공소제기 뿐만 아니라 공소유지에 관하여도 서로 협력하여야 한다.

③ 검사와 사법경찰관은 수사를 할 때 물적 및 인적 증거를 기본으로 하여 객관적이고 신빙성 있는 증거를 발견하고 수집하기 위해 노력하여 실체적 진실을 발견하여야 한다.

④ 검사는 사법경찰관과 동일한 범죄사실을 수사하게 된 때에는 사법경찰관에게 사건을 송치할 것을 요구할 수 있으며 송치요구를 받은 사법경찰관은 지체 없이 검사에게 사건을 송치하여야 하나, 검사가 영장을 청구하지 전에 동일한 범죄사실에 관하여 사법경찰관이 영장을 신청한 경우에는 해당 영장에 기재된 범죄사실을 계속 수사할 수 있다.

해설

③ [×] 검사와 사법경찰관은 수사를 할 때 다음 각 호의 사항에 유의하여 실체적 진실을 발견해야 한다.(수사준칙 제3조 제3항)

> 1. **물적 증거를 기본으로 하여** 객관적이고 신빙성 있는 증거를 발견하고 수집하기 위해 노력할 것
> 2. 과학수사 기법과 관련 지식 · 기술 및 자료를 충분히 활용하여 합리적으로 수사할 것
> 3. 수사과정에서 선입견을 갖지 말고, 근거 없는 추측을 배제하며, 사건관계인의 진술을 과신하지 않도록 주의할 것

① [○] 사법경찰관은 피의자를 신문하기 전에 수사과정에서 법령위반, 인권침해 또는 현저한 수사권 남용이 있는 경우 '검사에게 구제를 신청할 수 있음'을 피의자에게 **알려주어야** 하며, 이때 사법경찰관은 피의자로부터 고지 확인서를 받아 **사건기록에 편철하여야 한다.**(제197조의3 제8항, 수사준칙 제47조)

② [○] 검사와 사법경찰관은 **수사 및 공소제기 뿐만 아니라 공소유지에 관하여도 서로 협력하여야 한다.**(수사준칙 제6조 제1항)

④ [○] 검사는 사법경찰관과 동일한 범죄사실을 수사하게 된 때에는 사법경찰관에게 사건을 송치할 것을 요구할 수 있으며 송치요구를 받은 사법경찰관은 **지체 없이 검사에게 사건을 송치하여야** 하나, 검사가 영장을 청구하지 전에 동일한 범죄사실에 관하여 사법경찰관이 영장을 신청한 경우에는 해당 영장에 기재된 범죄사실을 계속 수사할 수 있다.(제197조의4 제1항 · 제2항)

035 변호인의 피의자신문 참여 및 조력에 대한 설명 중 옳지 않은 것은?　　　　[Core ★★]
□□□

① 검사 또는 사법경찰관은 피의자신문에 참여한 변호인이 피의자의 옆자리 등 실질적인 조력을 할 수 있는 위치에 앉도록 해야 한다.

② 검사 또는 사법경찰관은 피의자에 대한 신문이 아니라 단순 면담 등이라는 이유로 변호인의 참여·조력을 제한해서는 안 된다.

③ 검사 또는 사법경찰관은 정당한 사유가 없는 한 피의자에 대한 법적 조언·상담을 보장해야 하나, 이를 위한 메모는 허용하지 않아도 된다.

④ 신문에 참여한 변호인의 의견진술 또는 이의제기가 있는 경우 검사 또는 사법경찰관은 그 내용을 조서에 기재해야 한다.

해설

③ [×] 정당한 사유가 없는 한 피의자에 대한 법적 조언·상담을 보장해야 하며, 이를 위한 **메모를 허용해야 한다.**(수사준칙 제13조 제1항)

① [○] 검사 또는 사법경찰관은 피의자신문에 참여한 변호인이 피의자의 옆자리 등 **실질적인 조력을 할 수 있는 위치에 앉도록 해야 한다.**(수사준칙 제13조 제1항)

② [○] 검사 또는 사법경찰관은 피의자에 대한 신문이 아니라 단순 면담 등이라는 이유로 **변호인의 참여·조력을 제한해서는 안 된다.**(수사준칙 제13조 제2항)

④ [○] 의견진술 또는 이의제기가 있는 경우 검사 또는 사법경찰관은 그 내용을 **조서에 기재해야 한다.**(수사준칙 제14조 제4항)

036 다음 행위에 착수한 때에는 수사를 개시한 것으로 보는 사유에 해당하지 않는 것은?
□□□

　　　　[Essential ★]

① 피의자신문조서의 작성시

② 부검을 위한 검증영장을 청구하거나 신청한 때

③ 체포·구속 영장의 청구 또는 신청한 때

④ 사람의 신체 등에 압수·수색·검증영장을 청구하거나 신청한 때

해설

② [×] **부검을 위한 검증영장은 제외**한다.(수사준칙 제16조 제1항 제5호)

① [○] 수사준칙 제16조 제1항 제2호

③ [○] 수사준칙 제16조 제1항 제4호

④ [○] 수사준칙 제16조 제1항 제5호

핵심정리 수사를 개시한 것으로 보는 사유

1. 피혐의자의 수사기관 출석조사
2. 피의자신문조서의 작성
3. 긴급체포
4. 체포 · 구속 영장의 청구 또는 신청
5. 사람의 신체, 주거, 관리하는 건조물, 자동차, 선박, 항공기 또는 점유하는 방실에 대하여 압수 · 수색 · 검증영장을 청구하거나 신청한 때(다만, 부검을 위한 검증영장은 제외한다)

037 「검사와 사법경찰관의 상호협력과 일반적 수사준칙에 관한 규정」상 사법경찰관이 그 행위에 착수한 때에는 수사를 개시한 것으로 보고 해당 사건을 즉시 입건해야 하는 경우가 아닌 것은?

21 경찰채용 [Essential ★]

① 피혐의자의 수사기관 출석조사
② 피의자신문조서의 작성
③ 현행범인 체포
④ 체포 · 구속영장의 청구 또는 신청

해설

③ 현행범인 체포는 즉시 입건해야 하는 경우가 아니다. 검사 또는 사법경찰관이 다음 각 호의 어느 하나에 해당하는 행위에 착수한 때에는 수사를 개시한 것으로 본다. 이 경우 검사 또는 사법경찰관은 해당 사건을 즉시 입건해야 한다.(수사준칙 제16조 제1항)

핵심정리 수사를 개시한 것으로 보는 사유

1. 피혐의자의 수사기관 출석조사
2. 피의자신문조서의 작성
3. 긴급체포
4. 체포 · 구속 영장의 청구 또는 신청
5. 사람의 신체, 주거, 관리하는 건조물, 자동차, 선박, 항공기 또는 점유하는 방실에 대하여 압수 · 수색 · 검증영장을 청구하거나 신청한 때(다만, 부검을 위한 검증영장은 제외한다)

038 다음 <보기> 중 「검사와 사법경찰관의 상호협력과 일반적 수사준칙에 관한 규정」상 검사 또는
□□□ 사법경찰관이 그 행위에 착수한 때에는 수사를 개시한 것으로 보고 해당 사건을 즉시 입건해야 하
는 경우는 모두 몇 개인가?

24 해경승진 [Superlative ★★★]

> ㉠ 피혐의자의 수사기관 출석조사
> ㉡ 피의자신문조서의 작성
> ㉢ 현행범인 체포
> ㉣ 체포영장의 청구 또는 신청
> ㉤ 구속영장의 청구 또는 신청
> ㉥ 사람의 신체, 주거, 관리하는 건조물, 자동차, 선박, 항공기 또는 점유하는 방실에 대한 압수 ·
>   수색 또는 검증영장(부검을 위한 검증영장을 포함한다)의 청구 또는 신청

① 3개 ② 4개

③ 5개 ④ 6개

해설

② 검사 또는 사법경찰관이 다음 각 호의 어느 하나에 해당하는 행위에 착수한 때에는 수사를 개시한 것으로 본다.
이 경우 검사 또는 사법경찰관은 해당 사건을 즉시 입건해야 한다.(수사준칙 제16조 제1항) ㉠㉡㉣㉤ 4 항목
의 경우 즉시 입건해야 한다.

1. 피혐의자의 수사기관 출석조사
2. 피의자신문조서의 작성
3. 긴급체포
4. 체포 · 구속영장의 청구 또는 신청
5. 사람의 신체, 주거, 관리하는 건조물, 자동차, 선박, 항공기 또는 점유하는 방실에 대한 압수 · 수색 또는
   검증영장(부검을 위한 검증영장은 제외한다)의 청구 또는 신청

039 출석요구에 대한 설명으로 옳지 않은 것은?

[Core ★★]

① 검사 또는 사법경찰관은 피의자에게 출석요구를 하려는 경우 피의자와 조사의 일시·장소에 관하여 협의해야 한다. 이 경우 변호인이 있는 경우에는 변호인과도 협의해야 한다.

② 검사 또는 사법경찰관은 피의자에게 출석요구를 하려는 경우 피의사실의 요지 등 출석요구의 취지를 구체적으로 적은 출석요구서를 발송해야 한다. 다만, 신속한 출석요구가 필요한 경우 등 부득이한 사정이 있는 경우에는 전화, 문자메시지, 그 밖의 상당한 방법으로 출석요구를 할 수 있다.

③ 검사 또는 사법경찰관은 수사관서에 출석하여 조사를 받는 것이 현저히 곤란한 사정이 있는 경우에도 수사관서 외의 장소에서 조사할 수 없다.

④ 피의자 외의 사람에 대한 출석요구의 경우에도 피의자 출석요구에 대한 규정을 적용한다.

해설

③ [×] 검사 또는 사법경찰관은 피의자가 치료 등 수사관서에 출석하여 조사를 받는 것이 현저히 곤란한 사정이 있는 경우에는 **수사관서 외의 장소에서 조사할 수 있다.**(수사준칙 제19조 제5항)
① [○] 검사 또는 사법경찰관은 피의자에게 출석요구를 하려는 경우 피의자와 조사의 일시·장소에 관하여 **협의해야 한다. 이 경우 변호인이 있는 경우에는 변호인과도 협의해야 한다.**(수사준칙 제19조 제2항)
② [○] 검사 또는 사법경찰관은 피의자에게 출석요구를 하려는 경우 피의사실의 요지 등 출석요구의 취지를 구체적으로 적은 **출석요구서를 발송해야 한다.** 다만, 신속한 출석요구가 필요한 경우 등 부득이한 사정이 있는 경우에는 전화, 문자메시지, 그 밖의 상당한 방법으로 출석요구를 할 수 있다.(수사준칙 제19조 제3항)
④ [○] **피의자 외의 사람에 대한 출석요구의 경우에도 적용한다.**(수사준칙 제19조 제6항)

040 심야조사에 대한 설명으로 옳지 않은 것은? [Core ★★]

□□□

① 검사 또는 사법경찰관은 조사, 신문, 면담 등 그 명칭을 불문하고 피의자나 사건관계인에 대해 오후 9시부터 오전 8시까지 사이에 조사를 해서는 안 된다.

② 예외적으로 심야조사를 하는 경우 심야조사의 사유를 조서에 명확하게 하여야 한다.

③ 피의자를 체포한 후 48시간 이내에 구속영장의 청구 또는 신청 여부를 판단하기 위해 불가피한 경우 심야조사를 할 수 있다.

④ 피의자나 사건관계인이 출국, 입원, 원거리 거주, 직업상 사유 등 재출석이 곤란한 구체적인 사유를 들어 심야조사를 요청한 경우(변호인이 심야조사에 동의하지 않는다는 의사를 명시한 경우는 제외한다)로서 해당 요청에 상당한 이유가 있다고 인정되는 경우 심야조사를 할 수 있다.

해설

① [×] 검사 또는 사법경찰관은 조사, 신문, 면담 등 그 명칭을 불문하고 피의자나 사건관계인에 대해 오후 **9시부터 오전 6시까지** 사이에 조사를 해서는 안 된다.(수사준칙 제21조 제1항)

② [○] 이 경우 심야조사의 사유를 조서에 **명확하게 적어야 한다.**(수사준칙 제21조 제2항)

③④ [○] **심야조사 할 수 있는 사유**에 해당한다.(수사준칙 제21조 제2항 제1호·제3호)

핵심정리 심야조사 할 수 있는 사유

1. 피의자를 체포한 후 48시간 이내에 구속영장의 청구 또는 신청 여부를 판단하기 위해 불가피한 경우
2. 공소시효가 임박한 경우
3. 피의자나 사건관계인이 출국, 입원, 원거리 거주, 직업상 사유 등 재출석이 곤란한 구체적인 사유를 들어 심야조사를 요청한 경우(변호인이 심야조사에 동의하지 않는다는 의사를 명시한 경우는 제외한다)로서 해당 요청에 상당한 이유가 있다고 인정되는 경우
4. 그 밖에 사건의 성질 등을 고려할 때 심야조사가 불가피하다고 판단되는 경우 등 법무부장관, 경찰청장 또는 해양경찰청장이 정하는 경우로서 검사 또는 사법경찰관의 소속 기관의 장이 지정하는 인권보호 책임자의 허가 등을 받은 경우

041 장시간 조사 제한에 대한 설명이다. 옳지 않은 것은? [Superlative ★★★]

□□□

① 검사 또는 사법경찰관은 조사, 신문, 면담 등 그 명칭을 불문하고 피의자나 사건관계인을 조사하는 경우에는 대기시간, 휴식시간, 식사시간 등 모든 시간을 합산한 조사시간이 12시간을 초과하지 않도록 해야 한다

② 검사 또는 사법경찰관은 특별한 사정이 없으면 총조사시간 중 식사시간, 휴식시간 및 조서의 열람시간 등을 제외한 실제 조사시간이 8시간을 초과하지 않도록 해야 한다.

③ 검사 또는 사법경찰관은 피의자나 사건관계인에 대한 조사를 마친 때부터 8시간이 지나기 전에는 다시 조사할 수 없다.

④ 피의자나 사건관계인의 서면 요청에 따라 조서를 열람하는 경우 위 ③에 대한 예외로 한다.

해설

④ [×] 수사준칙 제22조 제1항 제2호(제21조 제2항 각 호(심야조사 예외규정)의 어느 하나에 해당하는 경우)에 해당하는 경우에는 예외로 하나, 피의자나 **사건관계인의 서면 요청에 따라 조서를 열람하는 경우는 예외에 해당하지 않는다.**(수사준칙 제22조 제3항)
① [○] 검사 또는 사법경찰관은 조사, 신문, 면담 등 그 명칭을 불문하고 피의자나 사건관계인을 조사하는 경우에는 대기시간, 휴식시간, 식사시간 등 모든 시간을 합산한 조사시간이 **12시간**을 초과하지 않도록 해야 한다.(수사준칙 제22조 제1항)
② [○] 검사 또는 사법경찰관은 특별한 사정이 없으면 총조사시간 중 식사시간, 휴식시간 및 조서의 열람시간 등을 제외한 실제 조사시간이 **8시간**을 초과하지 않도록 해야 한다.(수사준칙 제22조 제2항)
③ [○] 검사 또는 사법경찰관은 피의자나 사건관계인에 대한 조사를 마친 때부터 **8시간**이 지나기 전에는 다시 조사할 수 없다.(수사준칙 제22조 제3항)

042 강제수사에 관한 규정 중 옳지 않은 것은?

[Essential ★]

① 사법경찰관은 긴급체포 후 12시간 내에 검사에게 긴급체포의 승인을 요청해야 한다.
② 사법경찰관은 수사중지 결정 또는 기소중지 결정이 된 피의자를 소속 경찰관서가 위치하는 특별시·광역시·특별자치시·도 또는 특별자치도 외의 지역에서 긴급체포한 경우에는 긴급체포 후 36시간 이내에 긴급체포의 승인을 요청해야 한다.
③ 검사 또는 사법경찰관은 현행범인을 체포하거나 체포된 현행범인을 인수했을 때에는 조사가 현저히 곤란하다고 인정되는 경우가 아니면 지체 없이 조사해야 하며, 조사 결과 계속 구금할 필요가 없다고 인정할 때에는 현행범인을 즉시 석방해야 한다.
④ 검사 또는 사법경찰관은 피의자를 체포하거나 구속할 때에는 피의자에게 피의사실의 요지, 체포·구속의 이유와 변호인을 선임할 수 있음을 말하고, 변명할 기회를 주어야 하며, 진술거부권을 알려주어야 한다.

해설

② [×] 수사중지 결정 또는 기소중지 결정이 된 피의자를 소속 경찰관서가 위치하는 특별시·광역시·특별자치시·도 또는 특별자치도 외의 지역이나 「연안관리법」 제2조 제2호 나목의 바다에서 긴급체포한 경우에는 긴급체포 후 **24시간** 이내에 긴급체포의 승인을 요청해야 한다.(수사준칙 제27조 제1항 단서)
① [○] 사법경찰관은 긴급체포 후 12시간 내에 검사에게 긴급체포의 승인을 요청해야 한다.(수사준칙 제27조 제1항)
③ [○] 검사 또는 사법경찰관은 법 제212조 또는 제213조에 따라 현행범인을 체포하거나 체포된 현행범인을 인수했을 때에는 조사가 현저히 곤란하다고 인정되는 경우가 아니면 지체 없이 조사해야 하며, 조사 결과 계속 구금할 필요가 없다고 인정할 때에는 **현행범인을 즉시 석방해야 한다.**(수사준칙 제28조 제1항)
④ [○] 검사 또는 사법경찰관은 피의자를 체포하거나 구속할 때에는 법 제200조의5(법 제209조에서 준용하는 경우를 포함한다)에 따라 피의자에게 피의사실의 요지, 체포·구속의 이유와 변호인을 선임할 수 있음을 말하고, 변명할 기회를 주어야 하며, 진술거부권을 알려주어야 한다.(수사준칙 제32조 제1항)

정답 | 040 ① 041 ④ 042 ②

043

□□□

압수·수색에 대한 설명 중 옳지 않은 것은?

[Core ★★]

① 검사 또는 사법경찰관은 법 제219조에서 준용하는 법 제106조 제3항에 따라 컴퓨터용디스크 및 그 밖에 이와 비슷한 정보저장매체에 기억된 정보를 압수하는 경우에는 해당 정보저장매체 등의 소재지에서 수색 또는 검증한 후 범죄사실과 관련된 전자정보의 범위를 정하여 출력하거나 복제하는 방법으로 한다.

② ①의 압수 방법의 실행이 불가능하거나 그 방법으로는 압수의 목적을 달성하는 것이 현저히 곤란한 경우에는 압수·수색 또는 검증 현장에서 정보저장매체 등에 들어 있는 전자정보전부를 복제하여 그 복제본을 정보저장매체 등의 소재지 외의 장소로 반출할 수 있다.

③ 검사 또는 사법경찰관은 증거물 또는 몰수할 물건을 압수했을 때에는 압수의 일시·장소, 압수 경위 등을 적은 압수조서와 압수물건의 품종·수량 등을 적은 압수목록을 작성해야 한다.

④ 피의자신문조서, 진술조서, 검증조서에 압수의 취지를 적은 경우에도 압수조서와 압수목록을 작성해야 한다.

해설

④ [×] 피의자신문조서, 진술조서, 검증조서에 **압수의 취지를 적은 경우에는 압수조서와 압수목록을 작성하지 않아도 된다.**(수사준칙 제40조 단서)

① [○] 검사 또는 사법경찰관은 법 제219조에서 준용하는 법 제106조 제3항에 따라 컴퓨터용디스크 및 그 밖에 이와 비슷한 정보저장매체에 기억된 정보를 압수하는 경우에는 해당 정보저장매체 등의 소재지에서 수색 또는 검증한 후 범죄사실과 관련된 전자정보의 범위를 정하여 **출력하거나 복제하는 방법으로 한다.**(수사준칙 제41조 제1항)

② [○] 제1항에 따른 압수 방법의 실행이 불가능하거나 그 방법으로는 압수의 목적을 달성하는 것이 현저히 곤란한 경우에는 압수·수색 또는 검증 현장에서 정보저장매체 등에 들어 있는 전자정보 전부를 복제하여 그 복제본을 정보저장매체 등의 소재지 외의 장소로 반출할 수 있다.(수사준칙 제41조 제2항)

③ [○] 검사 또는 사법경찰관은 증거물 또는 몰수할 물건을 압수했을 때에는 압수의 일시·장소, 압수 경위 등을 적은 **압수조서와 압수물건의 품종·수량 등을 적은 압수목록을 작성해야 한다.** 다만, 피의자신문조서, 진술조서, 검증조서에 압수의 취지를 적은 경우에는 그렇지 않다.(수사준칙 제40조)

044 시정조치요구에 대한 설명으로 옳지 않은 것은?

① 검사는 사법경찰관리의 수사과정에서 법령위반, 인권침해 또는 현저한 수사권 남용이 의심되는 사실의 신고가 있거나 그러한 사실을 인식하게 된 경우에는 사법경찰관에게 사건기록 등본의 송부를 요구할 수 있다.

② 사법경찰관은 사건기록 등본의 송부 요구를 받은 날부터 10일 이내에 사건기록 등본을 검사에게 송부해야 한다.

③ 검사는 사건기록 등본을 송부받은 날부터 30일(사안의 경중 등을 고려하여 10일의 범위에서 한 차례 연장할 수 있다) 이내에 시정조치 요구 여부를 결정하여 사법경찰관에게 통보해야 한다.

④ 사법경찰관은 시정조치 요구를 통보받은 경우 정당한 이유가 있는 경우를 제외하고는 지체 없이 시정조치를 이행하고, 그 이행 결과를 서면에 구체적으로 적어 검사에게 통보해야 한다.

해설

② [×] 사법경찰관은 사건기록 등본의 송부 요구를 받은 날부터 **7일** 이내에 사건기록 등본을 검사에게 송부해야 한다.(수사준칙 제45조 제2항)

① [○] 검사는 사법경찰관리의 수사과정에서 법령위반, 인권침해 또는 현저한 수사권 남용이 의심되는 사실의 신고가 있거나 그러한 사실을 인식하게 된 경우에는 사법경찰관에게 **사건기록 등본의 송부를** 요구할 수 있다. (제197조의3 제1항)

③ [○] 검사는 사건기록 등본을 송부받은 날부터 **30일**(사안의 경중 등을 고려하여 **10일**의 범위에서 한 차례 연장할 수 있다) 이내에 법 제197조의3 제3항에 따른 시정조치 요구 여부를 결정하여 사법경찰관에게 통보해야 한다.(수사준칙 제45조 제3항)

④ [○] 사법경찰관은 제3항에 따라 시정조치 요구를 통보받은 경우 정당한 이유가 있는 경우를 제외하고는 지체 없이 시정조치를 이행하고, 그 **이행 결과를 서면에 구체적으로 적어 검사에게 통보해야** 한다.(수사준칙 제45조 제4항)

045

□□□

수사경합에 대한 설명 중 옳지 않은 것은?

① 검사와 사법경찰관은 법 제197조의4에 따른 수사의 경합과 관련하여 동일한 범죄사실 여부나 영장 청구·신청의 시간적 선후관계 등을 판단하기 위해 필요한 경우에는 그 필요한 범위에서 사건기록의 상호 열람을 요청할 수 있다.

② 영장 청구·신청의 시간적 선후관계는 검사의 영장청구서와 사법경찰관의 영장신청서가 각각 법원과 검찰청에 접수된 시점을 기준으로 판단한다.

③ 검사는 수사경합에 따라 사법경찰관에게 사건송치를 요구할 때에는 그 내용과 이유를 구체적으로 적은 서면으로 해야 한다.

④ 사법경찰관은 사건송치 요구를 받은 날부터 10일 이내에 사건을 검사에게 송치해야 한다. 이 경우 관계 서류와 증거물을 함께 송부해야 한다.

해설

④ [×] 사법경찰관은 사건송치 따른 요구를 받은 날부터 **7일** 이내에 사건을 검사에게 송치해야 한다. 이 경우 관계 서류와 증거물을 함께 송부해야 한다.(수사준칙 제49조 제2항)

① [○] 검사와 사법경찰관은 법 제197조의4에 따른 수사의 경합과 관련하여 동일한 범죄사실 여부나 영장 청구·신청의 **시간적 선후관계 등을 판단하기 위해** 필요한 경우에는 그 필요한 범위에서 사건기록의 **상호열람을 요청할 수 있다.**(수사준칙 제48조 제1항)

② [○] 영장 청구·신청의 시간적 선후관계는 검사의 영장청구서와 사법경찰관의 영장신청서가 각각 **법원과 검찰청에 접수된 시점을 기준으로 판단한다.**(수사준칙 제48조 제2항)

③ [○] 검사는 사법경찰관에게 사건송치를 요구할 때에는 그 내용과 이유를 구체적으로 적은 서면으로 해야 한다.(수사준칙 제49조 제1항)

046 검사와 사법경찰관의 관계에 관한 설명으로 옳지 않은 것을 모두 고른 것은? 21 경찰채용 [Core ★★]

- ㉠ 검사는 사법경찰관과 동일한 범죄사실을 수사하게 된 때에는 사법경찰관에게 사건을 송치할 것을 요구할 수 있고 그 요구를 받은 사법경찰관은 지체 없이 검사에게 사건을 송치하여야 하나, 검사가 영장을 청구하기 전에 범죄사실에 관하여 사법경찰관이 영장을 신청한 경우에는 해당 영장에 기재된 범죄사실을 계속 수사할 수 있다.
- ㉡ 사법경찰관이 범죄를 수사하여 범죄의 혐의가 있다고 인정되는 경우에는 지체 없이 검사에게 사건을 송치하고 관계서류와 증거물을 검사에게 송부하여야 하고, 그 밖의 경우에는 그 이유를 명시한 서면과 함께 관계 서류와 증거물을 지체 없이 검사에게 송부하여야 한다. 후자의 경우 검사는 관계 서류와 증거물을 사법경찰관에게 반환할 필요가 없다.
- ㉢ 위 ㉡의 밑줄 친 경우 사법경찰관이 사건을 검사에게 송치하지 아니한 것이 위법 또는 부당한 때에는 검사는 그 이유를 문서로 명시하여 사법경찰관에게 재수사를 요청할 수 있고, 검사가 재수사를 요청한 경우 사법경찰관은 사건을 재수사하여야 한다.
- ㉣ 검사는 사법경찰관리의 수사과정에서 법령위반, 인권침해 또는 현저한 수사권 남용이 의심되는 사실의 신고가 있거나 그러한 사실을 인식하게 된 경우에는 즉시 사법경찰관에게 사건의 송치를 요구할 수 있고, 검사의 송치요구를 받은 사법경찰관은 검사에게 사건을 송치하여야 한다.

① ㉠㉡　　② ㉠㉢　　③ ㉡㉣　　④ ㉢㉣

해설

③ ㉡㉣ 2 항목이 옳지 않다.

㉠ [O] 검사는 사법경찰관과 동일한 범죄사실을 수사하게 된 때에는 사법경찰관에게 사건을 송치할 것을 요구할 수 있고 그 요구를 받은 사법경찰관은 지체 없이 검사에게 사건을 송치하여야 하나, 검사가 영장을 청구하기 전에 범죄사실에 관하여 **사법경찰관이 영장을 신청한 경우에는 해당 영장에 기재된 범죄사실을 계속 수사할 수 있다.**(제197조의4 제1항·제2항)

㉡ [×] 사법경찰관은 고소·고발 사건을 포함하여 범죄를 수사한 때에는 다음 각 호의 구분에 따른다.(제245조의5)

> **형사소송법(2020.12. 8. 법률 제17572호로 일부개정된 것)**
> 제245조의5[사법경찰관의 사건송치 등] 사법경찰관은 고소·고발 사건을 포함하여 범죄를 수사한 때에는 다음 각 호의 구분에 따른다.
> 1. 범죄의 혐의가 있다고 인정되는 경우에는 지체 없이 검사에게 사건을 송치하고, 관계 서류와 증거물을 검사에게 송부하여야 한다.
> 2. 그 밖의 경우에는 그 이유를 명시한 서면과 함께 관계 서류와 증거물을 지체 없이 검사에게 송부하여야 한다. 이 경우 **검사는 송부받은 날부터 90일 이내에 사법경찰관에게 반환하여야 한다.**

㉢ [O] 검사는 제245조의5제2호의 경우에 사법경찰관이 사건을 송치하지 아니한 것이 위법 또는 부당한 때에는 그 이유를 문서로 명시하여 사법경찰관에게 재수사를 요청할 수 있다. 사법경찰관은 제1항의 요청이 있는 때에는 사건을 **재수사하여야 한다.**(제245조의8 제1항·제2항)

ⓔ [×] 검사는 사법경찰관리의 수사과정에서 법령위반, 인권침해 또는 현저한 수사권 남용이 의심되는 사실의 신고가 있거나 그러한 사실을 인식하게 된 경우에는 **사법경찰관에게 사건기록 등본의 송부를 요구할 수 있다.** 송부 요구를 받은 사법경찰관은 지체 없이 검사에게 사건기록 등본을 송부하여야 한다. 송부를 받은 **검사는 필요하다고 인정되는 경우에는 사법경찰관에게 시정조치를 요구할 수 있다.**(제197조의3 제1항부터 제3항)

047 수사중지 결정에 대한 설명으로 옳지 않은 것은? [Core ★★]

□□□

① 사법경찰관은 수사중지 결정(피의자중지, 참고인중지)을 한 경우 7일 이내에 사건기록을 검사에게 송부해야 한다.

② 검사는 사건기록을 송부받은 날부터 30일 이내에 반환해야 하며, 그 기간 내에 시정조치 요구를 할 수 있다.

③ 수사중지 결정의 통지를 받은 사람은 검사에게 이의를 제기할 수 있다.

④ 수사중지 결정 통지를 받은 사람은 해당 수사중지 결정이 법령위반, 인권침해 또는 현저한 수사권 남용이라고 의심되는 경우 검사에게 법 제197조의3 제1항에 따른 신고를 할 수 있다.

해설

③ [×] 수사중지 결정의 통지를 받은 사람은 해당 사법경찰관이 소속된 바로 위 **상급경찰관서의 장**에게 이의를 제기할 수 있다.(수사준칙 제54조 제1항)

①② [○] 사법경찰관은 제1항 제4호에 따른 수사중지 결정을 한 경우 7일 이내에 사건기록을 검사에게 송부해야 한다. 이 경우 검사는 사건기록을 송부받은 날부터 30일 이내에 반환해야 하며, 그 기간 내에 법 제197조의3에 따라 시정조치요구를 할 수 있다.(수사준칙 제51조 제4항)

④ [○] 수사중지 결정 통지를 받은 사람은 해당 수사중지 결정이 법령위반, 인권침해 또는 현저한 수사권 남용이라고 의심되는 경우 **검사에게 법 제197조의3제1항에 따른 신고를 할 수 있다.**(수사준칙 제54조 제3항)

048 수사절차에 대한 설명으로 가장 적절하지 않은 것은?

21 경찰채용 [Essential ★]

① 사법경찰관이 검찰송치 결정을 한 경우에는 그 내용을 고소인·고발인·피해자 또는 그 법정대리인(피해자가 사망한 경우에는 그 배우자·직계친족·형제자매를 포함한다)과 피의자에게 통지해야 한다.

② 검사는 사법경찰관으로부터 송치받은 사건에 대해 보완수사가 필요하다고 인정하는 경우 직접 보완수사하거나 법 제197조의2 제1항 제1호에 따라 사법경찰관에게 보완수사를 요구할 수 있다.

③ 사법경찰관리의 수사과정에서 현저한 수사권 남용이 의심되는 사실에 대하여, 「형사소송법」 제197조의3의 절차에 따라 사법경찰관으로부터 사건기록 등본을 송부받은 검사는 필요하다고 인정되는 경우 사법경찰관에게 시정조치를 요구할 수 있고, 그 이행 결과를 통보받은 후 시정조치 요구가 정당한 이유 없이 이행되지 않았다고 인정되는 경우에는 사법경찰관에게 사건을 송치할 것을 요구할 수 있다.

④ 사법경찰관이 범죄를 수사한 후 범죄의 혐의가 인정되지 않아 불송치 결정을 하는 경우, 사법경찰관은 그 이유를 명시한 서면과 함께 관계 서류와 증거물을 지체 없이 검사에게 송부해야 하며, 검사는 송부받은 날로부터 60일 이내에 사법경찰관에게 그 서류 등을 반환하여야 한다.

해설

2023.11.1. 시행되는 수사준칙 반영지문입니다.

④ [×] 사법경찰관이 범죄의 혐의가 인정되지 않아 불송치 결정을 하는 경우에는 그 이유를 명시한 서면과 함께 관계 서류와 증거물을 지체 없이 검사에게 송부하여야 한다. 이 경우 검사는 송부받은 날부터 **90일 이내**에 사법경찰관에게 반환하여야 한다.(제245조의5 제2호)

① [○] 사법경찰관이 검찰송치 결정을 한 경우에는 그 내용을 **고소인·고발인·피해자 또는 그 법정대리인**(피해자가 사망한 경우에는 그 배우자·직계친족·형제자매를 포함한다)과 **피의자에게 통지해야 한다.**(수사준칙 제53조 제1항)

② [○] 검사는 사법경찰관으로부터 송치받은 사건에 대해 보완수사가 필요하다고 인정하는 경우 직접 보완수사하거나 법 제197조의2 제1항 제1호에 따라 사법경찰관에게 보완수사를 요구할 수 있다.(수사준칙 제59조 제1항)

③ [○] 사법경찰관리의 수사과정에서 현저한 수사권 남용이 의심되는 사실에 대하여, 「형사소송법」 제197조의3의 절차에 따라 사법경찰관으로부터 사건기록 등본을 송부받은 검사는 필요하다고 인정되는 경우 사법경찰관에게 시정조치를 요구할 수 있고, 그 이행 결과를 통보받은 후 시정조치 요구가 정당한 이유 없이 이행되지 **않았다고 인정되는 경우에는 사법경찰관에게 사건을 송치할 것을 요구할 수 있다.**(제197조의3 제1항부터 제5항)

049 다음 중 검사의 보완수사요구에 관한 설명으로 가장 옳지 않은 것은? 21 해경간부 [Core ★★]
□□□

① 검사는 송치사건의 공소제기 여부 결정 또는 공소의 유지에 관하여 필요한 경우 사법경찰관에 게 보완수사를 요구할 수 있다.

② 검사는 사법경찰관이 신청한 영장의 청구 여부 결정에 관하여 필요한 경우 사법경찰관에게 보완수사를 요구할 수 있다.

③ 검찰총장 또는 각급 검찰청 검사장은 사법경찰관이 정당한 이유 없이 검사의 보완수사 요구를 따르지 아니하는 때에는 직접 징계절차를 진행할 수 있다.

④ 사법경찰관은 검사의 보완수사요구가 있는 때에는 정당한 이유가 없는 한 지체 없이 이를 이행하고, 그 결과를 검사에게 통보하여야 한다.

해설

③ [×] 검찰총장 또는 각급 검찰청 검사장은 사법경찰관이 정당한 이유 없이 보완수사요구에 따르지 아니하는 때에는 **권한 있는 사람에게 해당 사법경찰관의 직무배제 또는 징계를 요구**할 수 있고, 그 징계 절차는 「공무원 징계령」또는 「경찰공무원 징계령」에 따른다.(제197조의2 제3항)

① [○] 검사는 송치사건의 공소제기 여부 결정 또는 공소의 유지에 관하여 필요한 경우 **사법경찰관에게 보완수사를 요구할 수 있다.**(제197조의2 제1항 제1호)

② [○] 검사는 사법경찰관이 신청한 영장의 청구 여부 결정에 관하여 필요한 경우 **사법경찰관에게 보완수사를 요구할 수 있다.**(제197조의2 제1항 제2호)

④ [○] 사법경찰관은 제1항의 요구가 있는 때에는 정당한 이유가 없는 한 지체 없이 이를 이행하고, 그 **결과를 검사에게 통보하여야 한다.**(제197조의2 제2항)

050 송치사건의 공소제기 여부를 결정하기 위하여 보완수사를 하는 경우로서 검사가 직접 보완수사
□□□ 를 하는 것을 원칙으로 하는 경우가 아닌 것은? [Core ★★]

① 사건을 수리한 날(이미 보완수사요구가 있었던 사건의 경우 보완수사 이행 결과를 통보받은 날)로부터 3개월이 경과한 경우

② 사건이 송치된 이후 검사에 의하여 해당 피의자 및 피의사실에 대해 상당한 정도의 보완수사 가 이루어진 경우

③ 법 제197조의3 제5항(시정조치가 이행되지 않아 송치요구 하는 경우), 제197조의4 제1항(수사경합에 따라 송치요구 하는 경우), 제198조의2 제2항(체포·구속장소 감찰시 송치명령하는 경우)에 따라 사법경찰관으로부터 송치받은 경우

④ 검사와 사법경찰관이 사건 송치 전에 수사할 사항, 증거수집의 대상, 법령의 적용 등에 관하여 협의를 마치고 송치한 경우

해설

2023.11.1. 시행되는 수사준칙 반영지문입니다.
① [×] 사건을 수리한 날(이미 보완수사요구가 있었던 사건의 경우 보완수사 이행 결과를 통보받은 날)로부터 **1개월이 경과한 경우**(수사준칙 제59조 제1항 제1호)
② [○] 사건이 송치된 이후 검사에 의하여 해당 피의자 및 피의사실에 대해 **상당한 정도의 보완수사가 이루어진 경우**(수사준칙 제59조 제1항 제2호)
③ [○] 법 제197조의3 제5항(시정조치가 이행되지 않아 송치요구 하는 경우), 제197조의4 제1항(수사경합에 따라 송치요구 하는 경우), 제198조의2 제2항(체포·구속장소 감찰 시 송치 명령하는 경우)에 따라 **사법경찰관으로부터 송치받은 경우**(수사준칙 제59조 제1항 제3호)
④ [○] 검사와 사법경찰관이 사건 송치 전에 수사할 사항, 증거수집의 대상, 법령의 적용 등에 관하여 **협의를 마치고 송치한 경우**(수사준칙 제59조 제1항 제4호)

051 형사소송법 제197조의2(보완수사요구)에 대한 설명으로 가장 적절하지 않은 것은?

22 경찰승진 [Essential ★]

① 검사는 '송치사건의 공소제기 여부 결정 또는 공소의 유지에 관하여 필요한 경우' 또는 '사법경찰관이 신청한 영장의 청구 여부 결정에 관하여 필요한 경우'에 사법경찰관에게 보완수사를 요구할 수 있다.
② 사법경찰관은 형사소송법 제197조의2 제1항에 따른 검사의 보완수사의 요구가 있는 때에는 정당한 이유가 없는 한 지체 없이 이를 이행하고, 그 결과를 검사에게 통보하여야 한다.
③ 검사와 사법경찰관은 수사와 사건의 송치, 송부 등에 관한 이견의 조정이나 협력 등이 필요한 경우 서로 협의를 요청할 수 있다.
④ 형사소송법 제197조의2 제2항에 따른 '정당한 이유의 유무'에 대하여 이견이 있어 협의를 요청받은 검사는 특별한 사정이 있어도 이에 응하지 않을 수 없으며, 협의에도 이견이 해소되지 않는 경우 해당 검사가 소속된 검찰청의 장과 해당 사법경찰관이 소속된 경찰관서의 장의 협의에 따른다.

해설

2023.11.1. 시행되는 수사준칙 반영지문입니다.
④ [×] 형사소송법 제197조의2 제1항에 따른 보완수사의 요구를 받은 사법경찰관과 검사 사이에 형사소송법 제197조의2 제2항의 '정당한 이유의 유무'에 대하여 이견의 조정이 필요한 경우에 사법경찰관은 검사에 대하여 협의를 요청할 수 있다. 이 경우 **협의 요청을 받은 상대방은 특별한 사정이 없는 한 이에 응해야 한다.**(수사준칙 제8조 제1항) **협의에도 불구하고 이견이 해소되지 않는 경우**로서 법 제197조의2제2항(보완수사 요구에 정당한 이유가 없는 한 이행의무) 및 제3항(정당한 이유없이 불응하는 경우 직무배제 또는 징계요구)에 따른 정당한 이유의 유무에 대해 이견이 있는 경우 해당 **검사가 소속된 검찰청의 장과 해당 사법경찰관이 소속된 경찰관서의 장의 협의에 따른다.**(수사준칙 제8조 제2항 제2호)

정답 | 049 ③　　050 ①　　051 ④

① [○] 검사는 송치사건의 공소제기 여부 결정 또는 공소의 유지에 관하여 필요한 경우 또는 사법경찰관이 신청한 영장의 청구 여부 결정에 관하여 필요한 경우에 사법경찰관에게 **보완수사를 요구할 수 있다.**(제197조의2 제1항)

② [○] 사법경찰관은 형사소송법 제197조의2 제1항에 따른 검사의 보완수사의 요구가 있는 때에는 정당한 이유가 없는 한 지체 없이 이를 이행하고, 그 결과를 검사에게 통보하여야 한다.(제197조의2 제2항)

③ [○] 검사와 사법경찰관은 수사와 사건의 송치, 송부 등에 관한 **이견의 조정이나 협력 등이 필요한 경우 서로 협의를 요청할 수 있다.**(수사준칙 제8조 제1항)

052 보완수사요구의 방법과 절차에 대한 설명 중 틀린 것은?

□□□

[Core ★★]

① 검사는 보완수사를 요구할 때에는 그 이유와 내용 등을 구체적으로 적은 서면과 관계 서류 및 증거물을 사법경찰관에게 함께 송부해야 한다. 다만, 보완수사 대상의 성질, 사안의 긴급성 등을 고려하여 관계 서류와 증거물을 송부할 필요가 없거나 송부하는 것이 적절하지 않다고 판단하는 경우에는 해당 관계 서류와 증거물을 송부하지 않을 수 있다.

② 보완수사를 요구받은 사법경찰관은 ①에 따라 송부받지 못한 관계 서류와 증거물이 보완수사를 위해 필요하다고 판단하면 해당 서류와 증거물을 대출하거나 그 전부 또는 일부를 등사할 수 있다.

③ 사법경찰관은 보완수사요구가 접수된 날로부터 1개월 이내에 보완수사를 마쳐야 한다.

④ 사법경찰관은 보완수사를 이행한 경우에는 그 이행 결과를 검사에게 서면으로 통보해야 하며, 제1항 본문에 따라 관계 서류와 증거물을 송부받은 경우에는 그 서류와 증거물을 함께 반환해야 한다. 다만, 관계 서류와 증거물을 반환할 필요가 없는 경우에는 보완수사의 이행 결과만을 검사에게 통보할 수 있다.

해설

2023.11.1. 시행되는 수사준칙 반영지문입니다.

③ [×] 사법경찰관은 보완수사요구가 접수된 날로부터 **3개월 이내에 보완수사를 마쳐야 한다.**(수사준칙 제60조 제3항)

① [○] 검사는 보완수사를 요구할 때에는 그 **이유와 내용 등을 구체적으로 적은 서면과 관계 서류 및 증거물을 사법경찰관에게 함께 송부해야 한다.** 다만, 보완수사 대상의 성질, 사안의 긴급성 등을 고려하여 관계 서류와 증거물을 송부할 필요가 없거나 송부하는 것이 적절하지 않다고 판단하는 경우에는 해당 관계 서류와 증거물을 송부하지 않을 수 있다.(수사준칙 제60조 제1항)

② [○] 보완수사를 요구받은 사법경찰관은 제1항 단서에 따라 송부받지 못한 관계 서류와 증거물이 **보완수사를 위해 필요하다고 판단하면 해당 서류와 증거물을 대출하거나 그 전부 또는 일부를 등사할 수 있다.**(수사준칙 제60조 제2항)

④ [○] 사법경찰관은 보완수사를 이행한 경우에는 그 이행 결과를 검사에게 서면으로 통보해야 하며, 제1항 본문에 따라 관계 **서류와 증거물을 송부받은 경우에는 그 서류와 증거물을 함께 반환해야 한다.** 다만, 관계 서류와 증거물을 반환할 필요가 없는 경우에는 보완수사의 이행 결과만을 검사에게 통보할 수 있다.(수사준칙 제60조 제4항)

053 다음 중 검사와 사법경찰관리의 관계에 대한 설명으로 가장 옳지 않은 것은? 23 해경간부 [Core ★★]
☐☐☐

① 검사는 고소·고발된 범죄 사건을 사법경찰관이 수사한 후 사건을 송치하지 아니한 것이 위법 또는 부당한 때에는 그 이유를 문서 또는 구두로 명시하여 사법경찰관에게 재수사를 요청해야 하고, 사법경찰관은 필요한 경우 사건을 재수사할 수 있다.

② 검사는 사법경찰관리의 수사과정에서 법령위반, 인권침해 또는 현저한 수사권 남용이 의심되는 사실의 신고가 있거나 그러한 사실을 인식하게 된 경우에는 사법경찰관에게 사건기록 등본의 송부를 요구할 수 있다.

③ 사법경찰관리의 수사과정에서 법령위반을 이유로 검사의 송부 요구를 받은 사법경찰관은 지체 없이 검사에게 사건기록 등본을 송부하여야 한다. 송부를 받은 검사는 필요하다고 인정되는 경우에는 사법경찰관에게 시정조치를 요구할 수 있다.

④ 사법경찰관이 범죄를 수사한 후 범죄의 혐의가 인정되지 않아 불송치결정을 하는 경우 사법경찰관은 그 이유를 명시한 서면과 함께 관계 서류와 증거물을 지체 없이 검사에게 송부해야 하며, 검사는 송부받은 날부터 90일 이내에 사법경찰관에게 그 서류 등을 반환하여야 한다.

해설

① [×] 검사는 고소·고발된 범죄 사건을 사법경찰관이 수사한 후 사건을 송치하지 아니한 것이 위법 또는 부당한 때에는 **그 이유를 문서로 명시하여 사법경찰관에게 재수사를 요청할 수 있다.** 사법경찰관은 검사의 재수사 요청이 있는 때에는 **사건을 재수사하여야 한다.**(제245조의8 제1항·제2항)

② [○] 검사는 사법경찰관리의 수사과정에서 법령위반, 인권침해 또는 현저한 수사권 남용이 의심되는 사실의 신고가 있거나 그러한 사실을 인식하게 된 경우에는 사법경찰관에게 **사건기록 등본의 송부를 요구할 수 있다.** (제197조의3 제1항)

③ [○] 사법경찰관리의 수사과정에서 법령위반을 이유로 검사의 송부 요구를 받은 사법경찰관은 지체 없이 검사에게 **사건기록 등본을 송부하여야 한다.** 송부를 받은 검사는 필요하다고 인정되는 경우에는 사법경찰관에게 **시정조치를 요구할 수 있다.**(제197조의3 제2항·제3항)

④ [○] 사법경찰관이 범죄를 수사한 후 범죄의 혐의가 인정되지 않아 불송치결정을 하는 경우 사법경찰관은 그 이유를 명시한 서면과 함께 관계 서류와 증거물을 지체 없이 검사에게 송부해야 하며, 검사는 송부받은 날부터 **90일 이내에 사법경찰관에게 그 서류 등을 반환하여야 한다.**(제245조의5 제2호)

054 검사와 사법경찰관의 상호협력과 일반적 수사준칙에 관한 규정상 사법경찰관의 사건송치에 관
□□□ 한 설명으로 가장 적절하지 않은 것은?

22 경찰채용 [Essential ★]

① 사법경찰관이 사건을 수사한 결과 불송치 결정 중 죄가 안됨에 해당하여 형법 제10조 제1항에 따라 피의자를 벌할 수 없는 경우에는 해당 사건을 검사에게 이송한다.

② 검사는 사법경찰관의 불송치 결정이 위법 또는 부당한 경우에는 관계 서류와 증거물을 송부받은 날로부터 90일 이내에 재수사를 요청할 수 있는데, 만약 불송치 결정에 영향을 줄 수 있는 명백히 새로운 증거 또는 사실이 발견된 경우에는 90일이 지난 후에도 재수사를 요청할 수 있다.

③ 사법경찰관은 수사결과에 따라 범죄의 혐의가 있다고 인정되는 경우에는 지체 없이 검사에게 사건을 송치하고 관계 서류와 증거물을 검사에게 송부하여야 하는데, 이 때 검사는 특별히 직접 보완수사를 할 필요가 있다고 인정되는 경우를 제외하고는 사법경찰관에게 보완수사를 요구하는 것을 원칙으로 한다.

④ 사법경찰관이 재수사 중인 사건에 대해 형사소송법 제245조의7 제1항에 따른 고소인 등의 이의신청이 있는 경우에는 사법경찰관은 재수사를 중단해야 하며, 같은 조 제2항에 따라 해당 사건을 지체 없이 검사에게 송치하고 관계 서류와 증거물을 송부해야 한다.

해설

2023.11.1. 시행되는 수사준칙 반영지문입니다.
③ [×] 검사는 사법경찰관으로부터 송치받은 사건에 대해 보완수사가 필요하다고 인정하는 경우 **직접 보완수사 하거나 법 제197조의2 제1항 제1호에 따라 사법경찰관에게 보완수사를 요구할 수 있다.** 다만, 법 제197조의2 제1항 제1호 전단의 경우로서 다음 각 호의 어느 하나에 해당하는 때에는 특별히 사법경찰관에게 보완수사를 요구할 필요가 있다고 인정되는 경우를 제외하고는 검사가 직접 보완수사를 하는 것을 원칙으로 한다.(수사준칙 제59조 제1항)
① [○] 사법경찰관이 사건을 수사한 결과 불송치 결정 중 죄가 안됨에 해당하여 **형법 제10조 제1항**(심신상실자)에 따라 피의자를 벌할 수 없는 경우에는 해당 사건을 검사에게 이송한다.(수사준칙 제51조 제3항 제1호)
② [○] 검사는 법 제245조의8에 따라 사법경찰관에게 재수사를 요청하려는 경우에는 법 제245조의5 제2호에 따라 관계 서류와 증거물을 송부받은 날부터 **90일** 이내에 해야 한다. 다만, 다음 각 호의 어느 하나에 해당하는 경우에는 관계 서류와 증거물을 송부받은 날부터 90일이 지난 후에도 재수사를 요청할 수 있다.
1. 불송치 결정에 영향을 줄 수 있는 **새로운 증거 또는 사실이 발견된 경우** 2. 증거 등의 허위, 위조 또는 변조를 인정할 만한 **상당한 정황**이 있는 경우(수사준칙 제63조 제1항 제1호)
④ [○] 사법경찰관은 법 제245조의8 제2항에 따라 재수사 중인 사건에 대해 법 제245조의7 제1항에 따른 이의 신청이 있는 경우에는 재수사를 중단해야 하며, 같은 조 제2항에 따라 해당 사건을 **지체 없이 검사에게 송치하고 관계 서류와 증거물을 송부해야 한다.**(수사준칙 제65조)

055 사건불송치와 재수사요청에 대한 설명으로 틀린 것은?

① 검사는 법 제245조의8에 따라 사법경찰관에게 재수사를 요청하려는 경우에는 법 제245조의5 제2호에 따라 관계 서류와 증거물을 송부받은 날부터 90일 이내에 해야 한다.

② 검사는 법 제245조의8에 따라 재수사를 요청한 경우 그 사실을 고소인 등에게 통지해야 한다.

③ 사법경찰관은 법 제245조의8 제1항에 따른 재수사의 요청이 접수된 날로부터 1개월 이내에 재수사를 마쳐야 한다.

④ 검사는 사법경찰관의 재수사에도 불구하고 관련 법령 또는 법리에 위반되거나 범죄 혐의의 유무를 명확히 하기 위해 재수사요청한 사항에 관하여 그 이행이 이루어지지 않은 경우(다만, 불송치 결정의 유지에 영향을 미치지 않음이 명백한 경우는 제외한다)이거나 송부받은 관계 서류 및 증거물과 재수사결과만으로도 혐의가 명백히 인정되거나 명백히 채증법칙에 위반되거나 공소시효 또는 형사소추의 요건을 판단하는 데 오류가 있어 사건을 송치하지 않은 위법 또는 부당이 시정되지 않은 경우에는 재수사 결과를 통보받은 날부터 30일 이내에 법 제197조의3에 따라 사건송치를 요구할 수 있다.

해설

2023.11.1. 시행되는 수사준칙 반영지문입니다.

③ [×] 사법경찰관은 법 제245조의8 제1항에 따른 재수사의 요청이 접수된 날로부터 3개월 이내에 재수사를 마쳐야 한다.(수사준칙 제63조 제4항)

① [○] 검사는 법 제245조의8에 따라 사법경찰관에게 재수사를 요청하려는 경우에는 법 제245조의5 제2호에 따라 관계 서류와 증거물을 송부받은 날부터 90일 이내에 해야 한다. 다만, 다음 각 호의 어느 하나에 해당하는 경우에는 관계 서류와 증거물을 송부받은 날부터 90일이 지난 후에도 재수사를 요청할 수 있다.(수사준칙 제63조 제1항)

> **핵심정리** 90일 지난 후에도 재수사 요청할 수 있는 경우
>
> 1. 불송치 결정에 영향을 줄 수 있는 명백히 새로운 증거 또는 사실이 발견된 경우
> 2. 증거 등의 허위, 위조 또는 변조를 인정할 만한 상당한 정황이 있는 경우

② [○] 검사는 법 제245조의8에 따라 재수사를 요청한 경우 그 사실을 고소인 등에게 통지해야 한다.(수사준칙 제63조 제3항)

④ [○] 검사는 사법경찰관의 재수사에도 불구하고 관련 법령 또는 법리에 위반되거나 범죄 혐의의 유무를 명확히 하기 위해 재수사요청한 사항에 관하여 그 이행이 이루어지지 않은 경우(다만, 불송치 결정의 유지에 영향을 미치지 않음이 명백한 경우는 제외한다)이거나 송부받은 관계 서류 및 증거물과 재수사결과만으로도 혐의가 명백히 인정되거나 명백히 채증법칙에 위반되거나 공소시효 또는 형사소추의 요건을 판단하는 데 오류가 있어 사건을 송치하지 않은 위법 또는 부당이 시정되지 않은 경우에는 재수사 결과를 통보받은 날부터 30일 이내에 법 제197조의3에 따라 사건송치를 요구할 수 있다.(수사준칙 제64조 제2항)

정답 | 054 ③　　055 ③

056 검사와 사법경찰관의 상호협력과 일반적 수사준칙에 관한 규정에 대한 설명 중 옳지 않은 것은?

□□□

[Core ★★]

① 사법경찰관이 수사 중인 사건이 법 제260조 제2항 제3호(검사가 공소시효 만료일 30일 전까지 공소를 제기하지 아니하는 경우)에 해당하여 같은 조 제3항에 따라 지방검찰청 검사장 또는 지청장에게 재정신청서가 제출된 경우 해당 지방검찰청 또는 지청 소속 검사는 즉시 사법경찰관에게 그 사실을 통보해야 한다.

② 사법경찰관은 통보를 받으면 즉시 검사에게 해당 사건을 송치하고 관계 서류와 증거물을 송부해야 한다.

③ 검사 또는 사법경찰관은 「형사사법절차 전자화 촉진법」 제2조 제1호에 따른 형사사법업무와 관련된 문서를 작성할 때에는 형사사법정보시스템을 이용해야 하며, 그에 따라 작성한 문서는 형사사법정보시스템에 저장·보관해야 한다.

④ 수사준칙에 대한 시행령의 해석 및 개정은 법무부와 행정안전부과 공동으로 소관한다.

해설

④ [×] 이 영을 해석하거나 개정하는 경우에는 **법무부장관은** 행정안전부장관과 협의하여 **결정해야 한다.** (제70조 제1항) 제1항에 따른 해석 및 개정에 관한 법무부장관의 자문에 응하기 위해 **법무부에 외부전문가로 구성된 자문위원회를 둔다.**(수사준칙 제70조 제2항)

① [○] 사법경찰관이 수사 중인 사건이 법 제260조 제2항 제3호에 해당하여 같은 조 제3항에 따라 지방검찰청 검사장 또는 지청장에게 재정신청서가 제출된 경우 해당 지방검찰청 또는 지청 소속 검사는 즉시 **사법경찰관에게 그 사실을 통보해야 한다.**(수사준칙 제66조 제1항)

② [○] 사법경찰관은 제1항의 통보를 받으면 즉시 검사에게 해당 사건을 송치하고 관계 서류와 증거물을 송부해야 한다.(수사준칙 제66조 제2항)

③ [○] 검사 또는 사법경찰관은 「형사사법절차 전자화 촉진법」 제2조 제1호에 따른 형사사법업무와 관련된 문서를 작성할 때에는 형사사법정보시스템을 이용해야 하며, 그에 따라 작성한 문서는 **형사사법정보시스템에 저장·보관해야 한다.**(수사준칙 제67조) 다만 다음 각 호의 어느 하나에 해당하는 문서로서 형사사법정보시스템을 이용하는 것이 곤란한 경우는 그렇지 않다.

핵심정리 형사사법정보시스템 이용이 곤란한 문서

1. 피의자나 사건관계인이 직접 작성한 문서
2. 형사사법정보시스템에 작성 기능이 구현되어 있지 않은 문서
3. 형사사법정보시스템을 이용할 수 없는 시간 또는 장소에서 불가피하게 작성해야 하거나 형사사법정보시스템의 장애 또는 전산망 오류 등으로 형사사법정보시스템을 이용할 수 없는 상황에서 불가피하게 작성해야 하는 문서

057 수사서류 등의 열람 · 복사에 관한 설명으로 옳지 않은 것은 몇 개인가?

□□□

㉠ 피의자, 사건관계인 또는 그 변호인은 검사 또는 사법경찰관이 수사 중인 사건에 관한 본인의 진술이 기재된 부분 및 본인이 제출한 서류의 전부 또는 일부에 대해 열람·복사를 신청할 수 있다.

㉡ 피의자, 사건관계인 또는 그 변호인은 검사가 불기소 결정을 하거나 사법경찰관이 불송치 결정을 한 사건에 관한 기록의 전부 또는 일부에 대해 열람·복사를 신청할 수 있다.

㉢ 피의자 또는 그 변호인은 필요한 사유를 소명하고 고소장, 고발장, 이의신청서, 항고장, 재항고장의 열람·복사를 신청할 수 있다. 이 경우 열람·복사의 범위는 피의자에 대한 혐의사실 부분으로 한정하고, 그 밖에 사건관계인에 관한 사실이나 개인정보, 증거방법 또는 고소장 등에 첨부된 서류 등은 포함한다.

㉣ 체포·구속된 피의자 또는 그 변호인은 현행범인체포서, 긴급체포서, 체포영장, 구속영장의 열람·복사를 신청할 수 있다.

㉤ 피의자 또는 사건관계인의 법정대리인, 배우자, 직계친족, 형제자매로서 피의자 또는 사건관계인의 위임장 또는 신분관계를 증명하는 문서를 제출한 사람도 열람·복사를 신청할 수 있다.

㉥ 검사 또는 사법경찰관은 제1항부터 제5항까지의 규정에 따른 신청을 받은 경우에는 해당 서류의 공개로 사건관계인의 개인정보나 영업비밀이 침해될 우려가 있거나 범인의 증거인멸·도주를 용이하게 할 우려가 있는 경우 등 정당한 사유가 있는 경우를 제외하고는 열람·복사를 허용해야 한다.

① 1개   ② 2개   ③ 3개   ④ 4개

해설

② ㉢㉤ 2 지문이 옳지 않다.
㉠ [○] 피의자, 사건관계인 또는 그 변호인은 검사 또는 사법경찰관이 수사 중인 사건에 관한 본인의 진술이 기재된 부분 및 본인이 제출한 서류의 전부 또는 일부에 대해 **열람·복사를 신청할 수 있다.**(수사준칙 제69조 제1항)
㉡ [○] 피의자, 사건관계인 또는 그 변호인은 검사가 불기소 결정을 하거나 사법경찰관이 불송치 결정을 한 사건에 관한 기록의 **전부 또는 일부에 대해 열람·복사를 신청할 수 있다.**(수사준칙 제69조 제2항)
㉢ [×] 열람·복사의 범위는 피의자에 대한 혐의사실 부분으로 한정하고, 그 밖에 사건관계인에 관한 사실이나 개인정보, 증거방법 또는 고소장 등에 첨부된 서류 등은 **제외**한다.(수사준칙 제69조 제3항 단서)
㉣ [○] 체포·구속된 피의자 또는 그 변호인은 현행범인체포서, 긴급체포서, 체포영장, 구속영장의 **열람·복사를 신청할 수 있다.**(수사준칙 제69조 제4항)
㉤ [×] 피의자 또는 사건관계인의 법정대리인, 배우자, 직계친족, 형제자매로서 피의자 또는 사건관계인의 **위임장 및 신분관계를 증명하는 문서**를 제출한 사람도 열람·복사를 신청할 수 있다.(수사준칙 제69조 제5항)
㉥ [○] 검사 또는 사법경찰관은 제1항부터 제5항까지의 규정에 따른 신청을 받은 경우에는 해당 서류의 공개로 사건관계인의 개인정보나 영업비밀이 침해될 우려가 있거나 범인의 증거인멸·도주를 용이하게 할 우려가 있는 경우 등 정당한 사유가 있는 경우를 제외하고는 **열람·복사를 허용해야 한다.**(수사준칙 제69조 제6항)

제 2 편

수사

제1장 수사의 기초
제2장 수사의 개시
제3장 수사의 종결

제1장 수사의 기초

제1절 | 서론

001 수사에 대한 설명으로 틀린 것은? (판례에 의함)

10 경찰승진 [Essential ★]

① 수사란 범죄혐의의 유무를 명백히 하여 공소를 제기·유지할 것인가의 여부를 결정하기 위하여 범인을 발견·확보하고 증거를 수집·보전하는 수사기관의 활동이다.

② 친고죄나 세무공무원 등의 고발이 있어야 논할 수 있는 죄에 있어서 고소 또는 고발은 소추조건에 불과하고 당해 범죄의 성립요건이나 수사의 조건은 아니다.

③ 위의 ②와 같은 범죄에 관하여 고소나 고발이 있기 전에 수사를 한 경우, 장차 고소나 고발이 있을 가능성이 없는 상태에서 수사가 행해졌더라도 위법하다고 볼 수는 없다.

④ 조세범처벌법 제6조의 세무종사 공무원의 고발에 앞서 수사를 하고 피고인에 대한 구속영장을 발부받은 후 검찰의 요청에 따라 세무서장이 공소제기 전에 고발을 하였다면 조세범처벌법 위반사건 피고인에 대한 공소제기의 절차가 무효라고 할 수는 없다.

해설

③ [×] 그 수사가 **장차 고소나 고발이 있을 가능성이 없는 상태하에서 행해졌다는 등의 특단의 사정이 없는 한** 고소나 고발이 있기 전에 수사를 하였다는 이유만으로 그 수사가 위법하다고 볼 수는 없다.(대법원 2011. 3. 10. 2008도7724 **강사 불법채용 사건**) 따라서 장차 고소나 고발이 있을 가능성이 없는 상태에서 수사가 행해졌다면 그것은 위법하다고 할 수 있다.

① [○] 수사, 즉 범죄혐의의 유무를 명백히 하여 공소를 제기·유지할 것인가의 여부를 결정하기 위하여 범인을 발견·확보하고 증거를 수집·보전하는 **수사기관의 활동**은 수사 목적을 달성함에 필요한 경우에 한하여 사회통념상 상당하다고 인정되는 방법 등에 의하여 수행되어야 한다.(대법원 1999. 12. 7. 98도3329 **과속카메라 사건**)

② [○] 법률에 의하여 고소나 고발이 있어야 논할 수 있는 죄에 있어서 고소 또는 고발은 이른바 소추조건에 불과하고 당해 **범죄의 성립요건이나 수사의 조건은 아니다.**(대법원 2011. 3. 10. 2008도7724 **강사 불법채용 사건**)

④ [○] 수사기관이 고발에 앞서 수사를 하고 피고인에 대한 구속영장을 발부받은 후 검찰의 요청에 따라 세무서장이 고발조치를 하였다고 하더라도 공소제기 전에 고발이 있은 이상 조세범처벌법위반사건 피고인에 대한 공소제기의 절차가 **법률의 규정에 위반하여 무효라고 할 수 없다.**(대법원 1995. 3. 10. 94도3373 **고발전 구속 사건**)

002 수사기관에 대한 설명으로 가장 적절하지 않은 것은?

① 검사가 사법경찰관과 동일한 범죄사실을 수사하게 된 경우에는 사법경찰관에게 사건을 송치할 것을 요구할 수 없다.

② 사법경찰관이 범죄를 수사하여 범죄의 혐의가 있다고 인정되는 경우에는 지체 없이 검사에게 사건을 송치하고 관계서류와 증거물을 검사에게 송부하여야 한다.

③ 사법경찰관이 범죄를 수사하여 범죄의 혐의가 있다고 인정되는 경우가 아닌 때에는 그 이유를 명시한 서면과 함께 관계 서류와 증거물을 지체 없이 검사에게 송부하여야 하는데, 이 경우 검사는 사법경찰관이 사건을 검사에 송치하지 아니한 것이 위법 또는 부당한 때에는 그 이유를 문서로 명시하여 사법경찰관에게 재수사를 요청할 수 있다.

④ 삼림, 해사, 전매, 세무, 군수사기관 그 밖에 특별한 사항에 관하여 사법경찰관리의 직무를 행할 특별사법경찰관리와 그 직무의 범위는 법률로 정하며, 특별사법경찰관은 모든 수사에 관하여 검사의 지휘를 받는다.

해설

① [×] 검사는 사법경찰관과 동일한 범죄사실을 수사하게 된 때에는 사법경찰관에게 **사건을 송치할 것을 요구할 수 있다.**(제197조의4 제1항)

② [○] 사법경찰관이 범죄를 수사하여 범죄의 혐의가 있다고 인정되는 경우에는 지체 없이 **검사에게 사건을 송치하고 관계서류와 증거물을 검사에게 송부하여야 한다.**(제245조의5 제1호)

③ [○] 사법경찰관이 범죄를 수사하여 범죄의 혐의가 있다고 인정되는 경우가 아닌 때에는 그 이유를 명시한 서면과 함께 관계 서류와 증거물을 지체 없이 검사에게 송부하여야 하는데, 이 경우 검사는 사법경찰관이 사건을 검사에 송치하지 아니한 것이 위법 또는 부당한 때에는 그 이유를 문서로 명시하여 사법경찰관에게 재수사를 요청할 수 있다.(제245조의5 제2호, 제245조의8 제1항)

④ [○] 삼림, 해사, 전매, 세무, 군수사기관 그 밖에 특별한 사항에 관하여 사법경찰관리의 직무를 행할 특별사법경찰관리와 그 직무의 범위는 법률로 정하며, 특별사법경찰관은 모든 수사에 관하여 **검사의 지휘를 받는다.**(제245조의10 제1항 · 제2항)

003 수사에 대한 설명으로 옳지 않은 것은? (다툼이 있으면 판례에 의함)
□□□

① 사법경찰관이 피의자를 수사관서까지 동행한 것이 사법경찰관의 동행요구를 거절할 수 없는 심리적 압박 아래 행하여진 사실상의 불법체포에 해당하고, 그로부터 6시간 상당이 경과한 이후에 피의자에 대한 긴급체포의 절차를 밟은 경우 그 피의자는 형법 제145조 제1항의 도주죄의 주체가 되지 않는다.

② 수사기관이 본래 범의를 가지지 않은 자에게 사술 또는 계략을 써서 범의를 유발하게 해서 검거하면 이는 위법한 함정수사이고, 이러한 함정수사에 기한 공소제기에 대하여 법원은 공소기각의 결정을 하여야 한다.

③ 구속된 피의자의 가족·동거인·고용주는 관할법원에 구속적부심사를 청구할 수 있고, 청구를 받은 법원은 청구서가 접수된 때로부터 48시간 이내에 구속된 피의자를 심문하고 수사 관계 서류와 증거물을 조사하여야 한다.

④ 수사기관이 범죄 증거를 수집할 목적으로 피의자의 동의 없이 소변이나 혈액을 채취하는 것은 법원으로부터 감정허가장을 받아 형사소송법에 따른 '감정에 필요한 처분'으로 할 수 있지만, 동법에 따른 압수·수색의 방법으로도 할 수 있다.

⑤ 사법경찰관은 피의자를 신문하기 전에 수사과정에서 법령위반, 인권침해 또는 현저한 수사권 남용이 있는 경우 검사에게 구제를 신청할 수 있음을 피의자에게 알려야 한다.

해설

② [×] 본래 범의를 가지지 아니한 사람에 대하여 수사기관이 사술이나 계략 등을 써서 범의를 유발하게 하여 범죄인을 검거하는 함정수사는 위법하고, 이러한 함정수사에 기한 공소제기는 그 절차가 법률의 규정에 위반하여 무효인 때에 해당한다.(대법원 2021. 7. 29. 2017도16810 **불법게임장 잠복수사 사건**) 지문의 경우 법원은 형사소송법 제327조 제2호에 의하여 **공소기각판결을 선고하여야 한다.**

① [○] 사법경찰관이 피고인을 수사관서까지 동행한 것이 사실상의 강제연행, 즉 불법체포에 해당하고 불법체포로부터 6시간 상당이 경과한 후에 이루어진 긴급체포 또한 위법하므로 피고인이 **불법체포된 자로서 형법 제145조 제1항에 정한 '법률에 의하여 체포 또는 구금된 자'가 아니어서 도주죄의 주체가 될 수 없다.**(대법원 2006. 7. 6. 2005도6810 **화천 절도피의자 강제연행 사건**)

③ [○] 체포되거나 구속된 피의자 또는 그 변호인, 법정대리인, 배우자, 직계친족, 형제자매나 **가족, 동거인 또는 고용주는** 관할법원에 체포 또는 구속의 적부심사(適否審査)를 청구할 수 있다.(형사소송법 제214조의2 제1항) 청구를 받은 법원은 청구서가 접수된 때부터 **48시간 이내에** 체포되거나 구속된 피의자를 심문하고 수사 관계 서류와 증거물을 조사하여 그 청구가 이유 없다고 인정한 경우에는 결정으로 기각하고, 이유 있다고 인정한 경우에는 결정으로 체포되거나 구속된 피의자의 석방을 명하여야 한다.(형사소송법 제214조의2 제4항)

④ [○] (소변) 수사기관이 범죄 증거를 수집할 목적으로 피의자의 동의 없이 피의자의 소변을 채취하는 것은 법원으로부터 감정허가장을 받아 형사소송법 제221조의4 제1항, 제173조 제1항에서 정한 '감정에 필요한 처분'으로 할 수 있지만(피의자를 병원 등에 유치할 필요가 있는 경우에는 형사소송법 제221조의3에 따라 법원으로부터 감정유치장을 받아야 한다), 형사소송법 제219조, 제106조 제1항, 제109조에 따른 압수·수색의 방법으로도 할 수 있고, 이러한 압수·수색의 경우에도 수사기관은 원칙적으로 형사소송법 제215조에 따라 판사로부터 압수·수색영장을 적법하게 발부받아 집행해야 한다.(대법원 2018. 7. 12. 2018도6219 **부산 강제채뇨 사건**)

> (혈액) 수사기관이 범죄 증거를 수집할 목적으로 피의자의 동의 없이 피의자의 혈액을 취득·보관하는 행위는 법원으로부터 감정처분허가장을 받아 형사소송법 제221조의4 제1항, 제173조 제1항에 의한 '감정에 필요한 처분'으로도 할 수 있지만, 형사소송법 제219조, 제106조 제1항에 정한 압수의 방법으로도 할 수 있고, 압수의 방법에 의하는 경우 혈액의 취득을 위하여 피의자의 신체로부터 혈액을 채취하는 행위는 그 혈액의 압수를 위한 것으로서 형사소송법 제219조, 제120조 제1항에 정한 '압수영장의 집행에 있어 필요한 처분'에 해당한다.(대법원 2012. 11. 15. 2011도15258 **구로 강제채혈사건**)
> ⑤ [○] 형사소송법 제197조의3 제8항

004 수사에 대한 설명으로 가장 적절하지 않은 것은? (다툼이 있으면 판례에 의함)

21 경찰승진 [Core ★★]

① 수사란 범죄의 혐의 유무를 명백히 하여 공소의 제기와 유지 여부를 결정하기 위하여 범인을 발견·확보하고 증거를 수집·보전하는 수사기관의 활동을 말한다.

② 「형사소송법」은 범죄의 혐의가 있다고 사료하는 때에는 수사를 개시하여 사실을 밝혀야 할 수사기관의 직무상 의무를 규정하고 있다.

③ 수사절차는 공판절차와 같이 획일적인 절차에 따라 진행되므로 수사기관의 수사활동은 탄력성, 기동성, 임기응변성, 광역성 등 합목적적인 활동이 필요하다.

④ 수사절차는 수사기관의 주관적 혐의가 객관화·구체화되어 나가는 과정이라고 할 수 있다.

해설

> ③ [×] 수사기관의 수사활동은 탄력성, 기동성, 임기응변성, 광역성 등 합목적적인 활동이 필요하다. 그러한 의미에서 **수사절차가** 공판절차와 같이 **획일적인 절차에 따라 진행된다고 할 수 없다.**
> ① [○] 수사, 즉 **범죄혐의의 유무를 명백히 하여 공소를 제기·유지할 것인가의 여부를 결정하기 위하여 범인을 발견·확보하고 증거를 수집·보전하는 수사기관의 활동**은 수사 목적을 달성함에 필요한 경우에 한하여 사회통념상 상당하다고 인정되는 방법 등에 의하여 수행되어야 한다.(대법원 1999. 12. 7. 98도3329 **과속카메라 사건**)
> ② [○] 검사는 범죄의 혐의가 있다고 사료하는 때에는 범인, 범죄사실과 증거를 수사한다. 경무관, 총경, 경정, 경감, 경위는 사법경찰관으로서 범죄의 혐의가 있다고 사료하는 때에는 범인, 범죄사실과 증거를 수사한다.(제196조, 제197조 제1항)
> ④ [○] 통설의 입장이다.

005 형사소송법이 명시적으로 규정하고 있는 검사의 권한에 속하지 않는 것은? (다툼이 있으면 판례
□□□ 에 의함)

23 국가9급 [Essential ★]

① 피고인의 구속취소 청구　　　　　② 피고인의 구속집행정지 신청
③ 피의자의 감정유치 청구　　　　　④ 재심의 청구

해설

> ② 법원은 상당한 이유가 있는 때에는 결정으로 구속된 피고인을 친족·보호단체 기타 적당한 자에게 부탁하거나
> 피고인의 주거를 제한하여 구속의 집행을 정지할 수 있다.(제101조 제1항) 피고인에 대한 구속집행정지는 법
> 원이 직권으로 행한다.
> ①③④ 이들은 검사가 청구할 수 있다.(① 제93조 ③ 제221조의3 제1항 ④ 제424조 제1호)

006 함정수사에 관한 설명 중 가장 적절하지 않은 것은? (다툼이 있으면 판례에 의함)
□□□

14 경찰승진 [Essential ★]

① 위법한 함정수사에 기한 공소제기는 그 절차가 법률의 규정에 위반하여 무효인 때에 해당하므
로 공소기각판결을 선고하여야 한다.
② 유인자가 수사기관과 직접적인 관련을 맺지 않은 상태에서 피유인자를 상대로 단순히 수차례
반복적으로 범행을 부탁하였을 뿐 수사기관이 사술이나 계략 등을 사용하였다고 볼 수 없는
경우라 하더라도 그로 인하여 피유인자의 범의가 유발되었다면 위법한 함정수사에 해당한다.
③ 경찰관이 취객을 상대로 한 이른바 부축빼기 절도범 단속을 위하여 공원에 쓰러져 있는 취객
근처에서 감시하고 있다가 마침 피고인이 나타나 취객을 부축하여 10m 정도를 끌고 가 지갑
을 뒤지자 현장에서 체포하여 기소한 경우 위법한 함정수사라고 보기 어렵다.
④ 수사기관이 피고인의 범죄사실을 인지하고도 바로 체포하지 않고 추가 범행을 지켜보고 있다
가 범죄사실이 많이 늘어난 뒤에야 체포하였다는 사정만으로는 피고인에 대한 위법한 함정수
사가 있었다고 보기 어렵다.

해설

> ② [×] 유인자가 수사기관과 직접적인 관련을 맺지 않은 상태에서 피유인자를 상대로 단순히 수차례 반복적으
> 로 범행을 부탁하였을 뿐 수사기관이 사술이나 계략 등을 사용하였다고 볼 수 없는 경우는 설령 **그로 인하여
> 피유인자의 범의가 유발되었다 하더라도 위법한 함정수사에 해당하지 않는다.**(대법원 2013. 3. 28. 2013도
> 1473)

① [○] 본래 범의를 가지지 아니한 자에 대하여 수사기관이 사술이나 계략 등을 써서 범의를 유발케 하여 범죄인을 검거하는 함정수사는 위법함을 면할 수 없고 이러한 함정수사에 기한 공소제기는 그 절차가 법률의 규정에 위반하여 무효인 때에 해당한다고 볼 것이다.(대법원 2008. 10. 23. 2008도7362 안산 노래방 사건)

③ [○] 경찰관이 취객을 상대로 한 이른바 **부축빼기 절도범**을 단속하기 위하여, 공원 인도에 쓰러져 있는 취객 근처에서 감시하고 있다가, 마침 피고인이 나타나 취객을 부축하여 10m 정도를 끌고 가 지갑을 뒤지자 현장에서 체포하여 기소한 경우, 위법한 함정수사에 기한 공소제기라고 할 수 없다.(대법원 2007. 5. 31. 2007도1903 **부축빼기** 사건)

④ [○] 수사기관에서 공범이나 장물범의 체포 등을 위하여 범인의 체포시기를 조절하는 등 여러 가지 수사기법을 사용한다는 점을 고려하면, 수사기관이 피고인의 범죄사실을 인지하고도 피고인을 바로 체포하지 않고 추가 범행을 지켜보고 있다가 범죄사실이 많이 늘어난 뒤에야 피고인을 체포하였다는 사정만으로는 피고인에 대한 수사와 공소제기가 위법하다거나 함정수사에 해당한다고 할 수 없다.(대법원 2007. 6. 29. 2007도3164)

007 함정수사에 관한 설명으로 옳지 않은 것은? (다툼이 있으면 판례에 의함)　21 소방간부 [Core ★★]

① 수사기관과 직접적인 관련을 맺지 아니한 유인자가 피유인자를 상대로 단순히 수차례 반복적으로 범행을 부탁하였을 뿐 수사기관이 사술이나 계략 등을 사용하였다고 볼 수 없는 경우, 그로 인하여 피유인자의 범의가 유발되었다 하더라도 위법한 함정수사에 해당하지 아니한다.

② 수사기관이 피고인의 범죄사실을 인지하고도 피고인을 바로 체포하지 아니하고 추가 범행을 지켜보고 있다가 범죄사실이 많이 늘어난 뒤에야 피고인을 체포한 사정만으로도 위법한 함정수사에 해당한다.

③ 수사기관이 범행을 유발한 것이 아니라 이미 범행을 저지른 범인을 검거하기 위하여 정보원을 이용하여 범인을 검거장소로 유인한 경우에는 위법한 함정수사에 해당하지 아니한다.

④ 위법한 함정수사에 기한 공소제기는 그 절차가 법률의 규정에 위반하여 무효인 때에 해당한다.

⑤ 경찰관이 취객을 상대로 한 이른바 '부축빼기' 절도범을 단속하기 위하여, 공원 인도에 쓰러져 있는 취객 근처에서 감시하고 있다가, 마침 피고인이 나타나 취객을 부축하여 10m 정도를 끌고 가 지갑을 뒤지자 현장에서 체포하여 기소한 경우, 위법한 함정수사에 기한 공소제기라 볼 수 없다.

해설

② [×] 수사기관에서 공범이나 장물범의 체포 등을 위하여 범인의 체포시기를 조절하는 등 여러 가지 수사기법을 사용한다는 점을 고려하면, 수사기관이 피고인의 범죄사실을 인지하고도 피고인을 바로 체포하지 않고 추가 범행을 지켜보고 있다가 범죄사실이 많이 늘어난 뒤에야 피고인을 체포하였다는 사정만으로는 피고인에 대한 **수사와 공소제기가 위법하다거나 함정수사에 해당한다고 할 수 없다.**(대법원 2007. 6. 29. 2007도3164 일부러 늦게 체포 사건)

① [○] (1) 수사기관과 직접 관련이 있는 유인자가 피유인자와의 개인적인 친밀관계를 이용하여 피유인자의 동정심이나 감정에 호소하거나, 금전적·심리적 압박이나 위협 등을 가하거나, 거절하기 힘든 유혹을 하거나, 또는 범행방법을 구체적으로 제시하고 범행에 사용될 금전까지 제공하는 등으로 과도하게 개입함으로써 피유인자로 하여금 범의를 일으키게 하는 것은, 위법한 함정수사에 해당하여 허용되지 않는다. (2) 그렇지만 유인자가 **수사기관과 직접적인 관련을 맺지 않은 상태**에서 피유인자를 상대로 단순히 수차례 반복적으로 범행을 부탁하였을 뿐, 수사기관이 사술이나 계략 등을 사용하였다고 볼 수 없는 경우에는 설령 그로 인하여 **피유인자의 범의가 유발되었다 하더라도 위법한 함정수사에 해당하지 않는다.**(대법원 2020. 1. 30. 2019도15987 함정수사 인정 파기 사건)

③ [○] 이미 범행을 저지른 피고인을 검거하기 위하여 수사기관이 정보원을 이용하여 **피고인을 검거장소로 유인한 것에 불과한 것은 함정수사로 볼 수 없다.**(대법원 2007. 7. 26. 2007도4532)

④ [○] 본래 범의를 가지지 아니한 자에 대하여 수사기관이 사술이나 계략 등을 써서 범의를 유발케 하여 범죄인을 검거하는 함정수사는 위법함을 면할 수 없고, 이러한 함정수사에 기한 공소제기는 그 **절차가 법률의 규정에 위반하여 무효인 때에 해당한다.**(대법원 2008. 10. 23. 2008도7362 안산 노래방 사건) 지문의 경우 법원은 형사소송법 제327조 제2호에 의하여 공소기각판결을 선고하여야 한다.

⑤ [○] 경찰관이 취객을 상대로 한 이른바 **부축빼기 절도범**을 단속하기 위하여, 공원 인도에 쓰러져 있는 취객근처에서 감시하고 있다가, 마침 피고인이 나타나 취객을 부축하여 10m 정도를 끌고 가 지갑을 뒤지자 현장에서 체포하여 기소한 경우 **위법한 함정수사에 기한 공소제기라고 할 수 없다.**(대법원 2007. 5. 31. 2007도1903 부축빼기 사건)

008 함정수사와 관련하여 가장 옳은 것은? (다툼이 있으면 판례에 의함)

11 경찰승진 [Essential ★]

① 위법한 함정수사에 기하여 공소를 제기한 경우 그 수사에 기하여 수집한 증거는 증거능력이 없다고 보아야 하므로 법원은 무죄판결을 하여야 한다.

② 경찰관이 취객을 상대로 한 이른바 부축빼기 절도범을 단속하기 위하여, 공원 인도에 쓰러져 있는 취객 근처에서 감시하고 있다가, 마침 피고인이 나타나 취객을 부축하여 10m 정도를 끌고 가 지갑을 뒤지자 현장에서 체포하였다면 이는 경찰관이 직분을 넘어서 국민의 생명과 신체에 대한 위험을 무릅쓴 것으로서 범죄수사의 한계를 넘어선 것이므로 위법한 함정수사에 해당한다.

③ 수사기관의 정보원이 피고인에게 단순히 10여 차례에 걸쳐 "아는 여자가 필로폰을 구입하려고 하니 구해 달라"는 부탁을 하였을 뿐 그 과정에서 피고인과의 개인적인 친밀관계를 이용하여 피고인의 동정심이나 감정에 호소하거나, 금전적·심리적 압박이나 위협 등을 가하거나, 거절하기 힘든 유혹을 하거나 또는 범행방법을 구체적으로 제시하고 범행에 사용될 금전을 제공하는 방법을 사용한 것은 아니더라도 이로 인하여 피고인의 범의가 유발되었을 가능성을 배제할 수 없다면 위법한 함정수사에 해당한다.

④ 수사기관이 피고인의 범죄사실을 인지하고도 바로 체포하지 않고 추가 범행을 지켜보고 있다가 범죄사실이 많이 늘어난 뒤에야 체포하였다는 사정만으로는 피고인에 대한 위법한 함정수사가 있었다고 보기 어렵다.

해설

④ [○] 수사기관에서 공범이나 장물범의 체포 등을 위하여 범인의 체포시기를 조절하는 등 여러 가지 수사기법을 사용한다는 점을 고려하면, 수사기관이 피고인의 범죄사실을 인지하고도 피고인을 바로 체포하지 않고 추가 범행을 지켜보고 있다가 범죄사실이 많이 늘어난 뒤에야 피고인을 체포하였다는 사정만으로는 피고인에 대한 수사와 공소제기가 위법하다거나 함정수사에 해당한다고 할 수 없다.(대법원 2007. 6. 29. 2007도3164)

① [×] 위법한 함정수사에 기한 **공소제기는 그 절차가 법률의 규정에 위반하여 무효인 때에 해당한다**고 볼 것이다.(대법원 2008. 10. 23. 2008도7362 안산 노래방 사건) 위법한 함정수사에 의한 공소제기가 있는 경우 법원은 공소기각판결을 선고하여야 한다.(제327조 제2호)

② [×] 경찰관이 취객을 상대로 한 이른바 부축빼기 절도범을 단속하기 위하여, 공원 인도에 쓰러져 있는 취객근처에서 감시하고 있다가, 마침 피고인이 나타나 취객을 부축하여 10m 정도를 끌고 가 지갑을 뒤지자 현장에서 체포하여 기소한 경우, **위법한 함정수사에 기한 공소제기라고 할 수 없다.**(대법원 2007. 5. 31. 2007도1903 부축빼기 사건)

③ [×] 유인자가 수사기관과 직접적인 관련을 맺지 아니한 상태에서 피유인자를 상대로 단순히 수차례 반복적으로 범행을 부탁하였을 뿐 수사기관이 사술이나 계략 등을 사용하였다고 볼 수 없는 경우는, 설령 그로 인하여 피유인자의 범의가 유발되었다 하더라도 **위법한 함정수사에 해당하지 아니한다.**(대법원 2007. 7. 12. 2006도2339)

정답 | 008 ④

009
□□□
함정수사에 대한 설명으로 가장 적절하지 않은 것은? (다툼이 있으면 판례에 의함)

21 경찰승진 [Essential ★]

① 수사기관이 이미 범행을 저지른 범인을 검거하기 위해 정보원을 이용하여 범인을 검거장소로 유인한 것에 불과한 경우는 함정수사로 볼 수 없다.

② 수사기관이 피고인의 범죄사실을 인지하고도 피고인을 바로 체포하지 않고 추가 범행을 지켜보고 있다가 범죄사실이 많이 늘어난 뒤에야 피고인을 체포하였다는 사정만으로 피고인에 대한 수사와 공소제기가 위법하다거나 함정수사에 해당한다고 할 수 없다.

③ 유인자가 수사기관과 직접적인 관련을 맺지 아니한 상태에서 피유인자를 상대로 단순히 수차례 반복적으로 범행을 부탁하였을 뿐 수사기관이 사술이나 계략 등을 사용하였다고 볼 수 없는 경우는 설령 그로 인하여 피유인자의 범의가 유발되었다 하더라도 위법한 함정수사에 해당하지 아니한다.

④ 노상에 정신을 잃고 쓰러져 있는 취객을 발견한 경찰관이 보건의료기관 또는 공공구호기관에 긴급구호를 요청하는 등 보호조치를 하지 않고, 취객의 그러한 상태를 이용하여 근처에서 감시하고 있다가 이른바 부축빼기 절도범을 체포한 경우는 경찰의 직분을 도외시한 범죄수사의 한계를 넘어선 위법한 함정수사에 해당한다.

해설

④ [×] 피해자의 상태나 저항 유무에 따라서는 잠재적 범죄자가 단순한 절도 범행이 아닌 강도의 범행으로 급작스럽게 나아갈 개연성도 배제할 수 없고, 더구나 정신을 잃고 노상에 쓰러져 있는 시민을 발견하고도 적절한 조치를 강구하지 아니하고 오히려 그러한 상태를 이용하여 잠재적 범죄행위에 대한 단속 및 수사에 나아가는 것은, 경찰의 직분을 도외시하여 범죄수사의 한계를 넘어선 것이라 하지 아니할 수 없다. 그러나 위와 같은 사유들은 어디까지나 피해자에 대한 관계에서 문제될 뿐으로서 경찰관들의 행위는 단지 피해자 근처에 숨어서 지켜보고 있었던 것에 불과하고, **피고인은 피해자를 발견하고 스스로 범의를 일으켜 범행에 나아간 것이어서**, 잘못된 수사방법에 관여한 경찰관에 대한 책임은 별론으로 하고 **스스로 범행을 결심하고 실행행위에 나아간 피고인에 대한 기소 자체가 위법하다고 볼 것은 아니다.**(대법원 2007. 5. 31. 2007도1903 부축빼기 사건)

① [○] 이미 범행을 저지른 피고인을 검거하기 위하여 수사기관이 정보원을 이용하여 **피고인을 검거장소로 유인한 것에 불과한 것은 함정수사로 볼 수 없다.**(대법원 2007. 7. 26. 2007도4532)

② [○] 수사기관에서 공범이나 장물범의 체포 등을 위하여 범인의 체포시기를 조절하는 등 여러 가지 수사기법을 사용한다는 점을 고려하면, 수사기관이 피고인의 범죄사실을 인지하고도 피고인을 바로 체포하지 않고 **추가 범행을 지켜보고 있다가 범죄사실이 많이 늘어난 뒤에야 피고인을 체포하였다는 사정만으로는 피고인에 대한 수사와 공소제기가 위법하다거나 함정수사에 해당한다고 할 수 없다.**(대법원 2007. 6. 29. 2007도3164 일부러 늦게 체포 사건)

③ [○] (1) 수사기관과 직접 관련이 있는 유인자가 피유인자와의 개인적인 친밀관계를 이용하여 피유인자의 동정심이나 감정에 호소하거나, 금전적·심리적 압박이나 위협 등을 가하거나, 거절하기 힘든 유혹을 하거나, 또는 범행방법을 구체적으로 제시하고 범행에 사용될 금전까지 제공하는 등으로 과도하게 개입함으로써 피유인자로 하여금 범의를 일으키게 하는 것은, 위법한 함정수사에 해당하여 허용되지 않는다. (2) 그렇지만 **유인자가 수사기관과 직접적인 관련을 맺지 않은 상태**에서 피유인자를 상대로 단순히 수차례 반복적으로 범행을 부탁하였을 뿐, 수사기관이 사술이나 계략 등을 사용하였다고 볼 수 없는 경우에는 설령 그로 인하여 피유인자의 범의가 유발되었다 하더라도 위법한 함정수사에 해당하지 않는다.(대법원 2020. 1. 30. 2019도15987 **함정수사 인정 파기 사건**)

010 함정수사에 관한 설명 중 가장 적절하지 않은 것은? (다툼이 있으면 판례에 의함)

22 경찰채용 [Core ★★]

① 물품반출 업무담당자 A가 물품을 밀반출하는 甲의 행위를 소속회사에 사전에 알리고 그 정확한 증거를 확보하기 위하여 甲의 밀반출행위를 묵인한 경우 이는 함정수사에 해당하지 아니한다.

② 이미 마약류관리에 관한 법률 위반죄를 범한 甲을 검거하기 위하여 수사기관이 정보원을 이용하여 그를 검거장소로 유인하여 검거한 것에 불과한 경우 이는 위법한 함정수사에 해당하지 아니한다.

③ A가 수사기관에 체포된 동거남의 석방을 위한 공적을 쌓기 위하여 B에게 필로폰 밀수입에 관한 정보제공을 부탁하면서 대가의 지급을 약속하고, 이에 B가 C에게, C가 甲에게 순차적으로 필로폰 밀수입을 권유하여, 이를 승낙하고 필로폰을 받으러 나온 甲이 체포된 경우 B와 C가 각자의 사적인 동기에 기하여 수사기관과 직접적인 관련이 없이 독자적으로 甲을 유인한 것으로서 위법한 함정수사에 해당하지 아니한다.

④ 함정수사가 위법하다고 평가받는 경우 공소기각설은 수사기관이 제공한 범죄의 동기나 기회를 일반인이 뿌리칠 수 없었다는 범죄인 개인의 특수한 상황으로 인하여 가벌적 위법성이 결여된다는 점을 논거로 하여 공소기각의 판결을 선고하여야 한다고 본다.

해설

④ [×] 수사기관이 제공한 범죄의 동기나 기회를 일반인이 뿌리칠 수 없었다는 범죄인 개인의 특수한 상황으로 인하여 가벌적 위법성이 결여된다는 점을 논거로 하는 학설은 공소기각설이 아니라 **무죄설이다.**

① [○] 전자대리점 보관창고의 물품반출업무담당자가 소속회사에 밀반출행위를 사전에 알리고 그 정확한 증거를 확보하기 위하여 피고인의 밀반출행위를 묵인하였다는 것을 이른바 **함정수사에 비유할 수는 없다.**(대법원 1987. 6. 9. 87도915)

② [○] 이미 마약류관리에 관한 법률 위반죄를 범한 甲을 검거하기 위하여 수사기관이 정보원을 이용하여 그를 검거장소로 유인하여 검거한 것에 불과한 경우 이는 **위법한 함정수사에 해당 하지 아니한다.**(대법원 2007. 7. 26. 2007도4532)

③ [○] 수사기관이 乙 등으로 하여금 피고인 丁을 유인하도록 한 것이라기보다는 乙 등이 각자의 사적인 동기에 기하여 수사기관과 직접적인 관련이 없이 독자적으로 丁을 유인한 것으로서 **수사기관이 사술이나 계략 등을 사용한 경우에 해당한다고 볼 수도 없다.**(대법원 2007. 11. 29. 2007도7680 동거남 공적 사건)

011 함정수사에 관한 설명으로 옳지 않은 것은? (다툼이 있으면 판례에 의함) 25 경찰간부 [Essential ★]
□□□

① 게임장에 잠복근무 중인 경찰관이 게임점수를 환전해 줄 것을 요구하여 피고인이 거절했음에도 지속적으로 요구하여 어쩔 수 없이 현금으로 환전해 준 것은 위법한 함정수사에 해당한다.

② 사법경찰관리가 「아동·청소년의 성보호에 관한 법률」에 따른 신분비공개수사를 하려는 때에는 사전에 상급 경찰관서 수사 부서장의 승인을 받아야 한다.

③ 사법경찰관리가 「아동·청소년의 성보호에 관한 법률」에 따른 신분위장수사를 하는 경우에 긴급을 요하는 때에는 법원의 허가 없이 신분위장수사를 개시할 수 있다.

④ 위법한 범의유발형 함정수사에 기초해 공소가 제기된 경우 법원은 공소제기절차가 법률의 규정에 위반하여 무효인 때에 해당하므로 무죄판결을 선고해야 한다.

해설

④ [×] 본래 범의를 가지지 아니한 자에 대하여 수사기관이 사술이나 계략 등을 써서 범의를 유발케 하여 범죄인을 검거하는 함정수사는 위법함을 면할 수 없고, 이러한 함정수사에 기한 **공소제기는 그 절차가 법률의 규정에 위반하여 무효인 때에 해당한다.**(대법원 2008. 10. 23. 2008도7362 안산 노래방 사건) 지문의 경우 법원은 형사소송법 제327조 제2호에 의하여 공소기각판결을 선고하여야 한다.

① [○] 원심은, 피고인이 게임장에 잠복근무 중인 경찰관 공소외인으로부터 게임점수를 환전해 줄 것을 요구받고 거절하였음에도 공소외인의 지속적인 요구에 어쩔 수 없이 게임점수를 현금으로 환전해 준 것은 본래 범의를 가지지 않은 자에 대하여 수사기관이 계략으로 범의를 유발하게 한 함정수사에 해당한다고 보아 공소제기는 그 절차가 법률의 규정에 위반하여 무효인 때에 해당한다고 판단하여 **공소기각판결을 선고하였는바, 이와 같은 원심의 판단은 정당하다.**(대법원 2021. 7. 29. 2017도16810 불법게임장 잠복수사 사건)

② [○] 법경찰관리가 신분비공개수사를 진행하고자 할 때에는 사전에 **상급 경찰관서 수사부서의 장의 승인을 받아야** 한다. 이 경우 그 수사기간은 3개월을 초과할 수 없다.(청소년성보호법 제25조의3 제1항)

③ [○] 사법경찰관리는 제25조의2제2항의 요건을 구비하고, 제25조의3 제3항부터 제8항까지에 따른 절차를 거칠 수 없는 긴급을 요하는 때에는 법원의 허가 없이 신분위장수사를 할 수 있다.(청소년성보호법 제25조의4 제1항)

012 함정수사에 대한 설명으로 옳은 것만을 모두 고르면? (다툼이 있으면 판례에 의함)

> ㉠ 수사기관이 이미 범행을 저지른 범인을 검거하기 위해 정보원을 이용하여 범인을 검거장소로 유인한 경우 함정수사로 볼 수 없다.
> ㉡ 수사기관이 피의자의 범죄사실을 인지하고도 바로 체포하지 않고 추가 범행을 지켜보고 있다가 범죄사실이 많이 늘어난 뒤에야 피의자를 체포하였다면 위법한 함정수사에 해당한다.
> ㉢ 아동·청소년의 성보호에 관한 법률의 아동·청소년 대상 디지털 성범죄의 수사 특례에 따른 신분위장수사를 할 때에는 본래 범의를 가지지 않은 자에게 범의를 유발하는 행위를 하는 것이 허용된다.
> ㉣ 유인자가 수사기관과 직접적인 관련을 맺지 아니한 상태에서 피유인자를 상대로 단순히 수차례 반복적으로 범행을 부탁하였을 뿐 수사기관이 사술이나 계략 등을 사용하였다고 볼 수 없는 경우 설령 그로 인해 피유인자의 범의가 유발되었다 하더라도 위법한 함정수사에 해당하지 않는다.

① ㉠㉢   ② ㉠㉣   ③ ㉡㉢   ④ ㉡㉣

해설

② ㉠㉣ 2 항목이 옳다.

㉠ [○] 수사기관이 이미 범행을 저지른 범인을 검거하기 위해 **정보원을 이용하여 범인을 검거장소로 유인한 경우 함정수사로 볼 수 없다.**(대법원 2007. 7. 26. 2007도4532)

㉡ [×] 수사기관에서 공범이나 장물범의 체포 등을 위하여 범인의 체포시기를 조절하는 등 여러 가지 수사기법을 사용한다는 점을 고려하면, 수사기관이 피고인의 범죄사실을 인지하고도 피고인을 바로 체포하지 않고 추가 범행을 지켜보고 있다가 범죄사실이 많이 늘어난 뒤에야 피고인을 체포하였다는 사정만으로는 피고인에 대한 **수사와 공소제기가 위법하다거나 함정수사에 해당한다고 할 수 없다.**(대법원 2007. 6. 29. 2007도3164 **일부러 늦게 체포 사건**)

㉢ [×] 사법경찰관리는 신분비공개수사 또는 신분위장수사를 할 때 다음 각 호의 사항을 준수해야 한다.(아청법 시행령 제5조의2)

> 1. 수사 관계 법령을 준수하고, **본래 범의(犯意)를 가지지 않은 자에게 범의를 유발하는 행위를 하지 않는 등 적법한 절차와 방식에 따라 수사할 것**
> 2. 피해아동·청소년에게 추가 피해가 발생하지 않도록 주의할 것
> 3. 법 제25조의2 제2항 제3호에 따른 행위를 하는 경우에는 피해아동·청소년이나 「성폭력방지 및 피해자보호 등에 관한 법률」 제2조 제3호의 성폭력피해자에 관한 자료가 유포되지 않도록 할 것

㉣ [○] 유인자가 수사기관과 **직접적인 관련을 맺지 아니한 상태에서 피유인자를 상대로 단순히 수차례 반복적으로 범행을 부탁하였을 뿐 수사기관이 사술이나 계략 등을 사용하였다고 볼 수 없는 경우 설령 그로 인해 피유인자의 범의가 유발되었다 하더라도 위법한 함정수사에 해당하지 않는다.**(대법원 2020. 1. 30. 2019도15987 **함정수사 인정 파기 사건**)

013

□□□

함정수사에 관한 설명으로 가장 적절하지 않은 것은? (다툼이 있으면 판례에 의함)

22 경찰채용 [Core ★★]

① 수사기관과 직접 관련이 있는 유인자가 피유인자와의 개인적인 친밀관계를 이용하여 피유인자의 동정심이나 감정에 호소하거나 금전적 심리적 압박이나 위협 등을 가하거나 거절하기 힘든 유혹을 하거나 또는 범행방법을 구체적으로 제시하고 범행에 사용될 금전까지 제공하는 등으로 과도하게 개입함으로써 피유인자로 하여금 범의를 일으키게 하는 것은 위법한 함정수사에 해당하여 허용되지 않는다.

② 본래 범의를 가지지 아니한 자에 대하여 수사기관이 사술이나 계략 등을 써서 범의를 유발케 하여 범죄인을 검거하는 함정수사는 위법함을 면할 수 없고, 이러한 함정수사에 기한 공소제기는 그 절차가 법률의 규정에 위반하여 무효인 때에 해당한다.

③ 범의를 가진 자에 대하여 단순히 범행의 기회를 제공하거나 범행을 용이하게 하는 것에 불과한 수사방법도 경우에 따라 허용될 수 있다.

④ 아동·청소년의 성보호에 관한 법률에 의하면 사법경찰관리는 아동·청소년을 대상으로 하는 디지털 성범죄에 대해 신분비공개수사는 가능하지만, 신분위장수사는 위법한 함정수사로서 허용되지 않는다.

해설

④ [×] 사법경찰관리는 아동·청소년을 대상으로 하는 디지털 성범죄에 대하여 신분비공개수사는 물론 **신분위장수사도 할 수 있다.**(아청법 제25조의2 제1항·제2항)

> **아동·청소년의 성보호에 관한 법률(2021. 1.12. 법률 제17893호로 일부개정된 것)**
>
> 제25조의2【아동·청소년대상 디지털 성범죄의 수사 특례】① 사법경찰관리는 다음 각 호의 어느 하나에 해당하는 범죄(이하 "디지털 성범죄"라 한다)에 대하여 신분을 비공개하고 범죄현장(정보통신망을 포함한다) 또는 범인으로 추정되는 자들에게 접근하여 범죄행위의 증거 및 자료 등을 수집(이하 "신분비공개수사"라 한다)할 수 있다.
> 1. 제11조 및 제15조의2의 죄
> 2. 아동·청소년에 대한 「성폭력범죄의 처벌 등에 관한 특례법」 제14조 제2항 및 제3항의 죄
> ② 사법경찰관리는 디지털 성범죄를 계획 또는 실행하고 있거나 실행하였다고 의심할 만한 충분한 이유가 있고, 다른 방법으로는 그 범죄의 실행을 저지하거나 범인의 체포 또는 증거의 수집이 어려운 경우에 한정하여 수사 목적을 달성하기 위하여 부득이한 때에는 다음 각 호의 행위(이하 "신분위장수사"라 한다)를 할 수 있다.
> 1. 신분을 위장하기 위한 문서, 도화 및 전자기록 등의 작성, 변경 또는 행사
> 2. 위장 신분을 사용한 계약·거래
> 3. 아동·청소년성착취물 또는 「성폭력범죄의 처벌 등에 관한 특례법」 제14조 제2항의 촬영물 또는 복제물(복제물의 복제물을 포함한다)의 소지, 판매 또는 광고

① [○] 수사기관과 직접 관련이 있는 유인자가 피유인자와의 개인적인 친밀관계를 이용하여 피유인자의 동정심이나 감정에 호소하거나 금전적 심리적 압박이나 위협 등을 가하거나 거절하기 힘든 유혹을 하거나 또는 범행방법을 구체적으로 제시하고 범행에 사용될 금전까지 제공하는 등으로 과도하게 개입함으로써 피유인자로 하여금 **범의를 일으키게 하는 것은 위법한 함정수사에 해당하여 허용되지 않는다.**(대법원 2020. 1. 30. 2019도15987 함정수사 인정 파기 사건)

② [○] 본래 범의를 가지지 아니한 자에 대하여 수사기관이 사술이나 계략 등을 써서 범의를 유발케 하여 범죄인을 검거하는 함정수사는 위법함을 면할 수 없고, 이러한 함정수사에 기한 공소제기는 그 절차가 **법률의 규정에 위반하여 무효인 때에 해당한다.**(대법원 2008. 10. 23. 2008도7362 안산 노래방 사건)

③ [○] 범의를 가진 자에 대하여 단순히 **범행의 기회를 제공하거나 범행을 용이하게 하는 것에 불과한 수사방법도 경우에 따라 허용될 수 있다.**(대법원 2008. 10. 23. 2008도7362 안산 노래방 사건)

정답 | 013 ④

제2절 | 수사의 단서

014 불심검문에 대한 설명으로 옳지 않은 것은?

13 국가9급 [Essential ★]

□□□

① 경찰관은 어떠한 죄를 범하였거나 범하려 하고 있다고 의심할만한 상당한 이유가 있는 자를 정지시켜 질문할 수 있고, 질문하기 위하여 부근의 경찰관서에 동행할 것을 요구할 수 있다.

② 경찰관이 불심검문을 위하여 질문하거나 동행을 요구할 경우 자신의 신분을 표시하는 증표를 제시하여야 하며, 동행의 경우에는 동행장소를 밝혀야 할 뿐만 아니라 변호인의 조력을 받을 권리가 있음을 고지하여야 한다.

③ 경찰관은 동행요구를 거절하는 대상자를 동행할 수 없고, 동행요구에 응한 대상자라도 6시간을 초과하여 경찰관서에 머물게 할 수 없다.

④ 경찰관은 불심검문을 위하여 질문을 할 때에는 흉기의 소지여부를 조사할 수 있고, 동행을 요구할 때에는 경찰장구를 사용할 수 있다.

해설

④ [×] 경찰관은 현행범인인 경우와 사형·무기 또는 장기 3년 이상의 징역이나 금고에 해당하는 죄를 범한 범인의 체포·도주의 방지, 자기 또는 타인의 생명·신체에 대한 방호, 공무집행에 대한 항거의 억제를 위하여 필요하다고 인정되는 상당한 이유가 있을 때에는 그 사태를 합리적으로 판단하여 필요한 한도 내에서 경찰장구를 사용할 수 있다.(경직법 제10조의2 제4항) 경찰관은 동행 요구시에는 **경찰장구를 사용할 수 없다.**

① [○] 경찰관은 어떠한 죄를 범하였거나 범하려 하고 있다고 의심할 만한 상당한 이유가 있는 사람을 정지시켜 질문할 수 있다. 경찰관은 정지시킨 장소에서 질문을 하는 것이 그 사람에게 **불리**하거나 **교통에 방해**가 된다고 인정될 때에는 질문을 하기 위하여 가까운 경찰관서로 동행할 것을 요구할 수 있다. 이 경우 동행을 요구받은 사람은 그 요구를 거절할 수 있다.(경직법 제3조 제1항·제2항)

② [○] 경찰관은 질문을 하거나 동행을 요구할 경우 자신의 신분을 표시하는 증표를 제시하면서 소속과 성명을 밝히고 질문이나 동행의 목적과 이유를 설명하여야 하며, 동행을 요구하는 경우에는 동행 장소를 밝혀야 한다. (경직법 제3조 제4항) 경찰관은 동행한 사람의 가족이나 친지 등에게 동행한 경찰관의 신분, 동행 장소, 동행 목적과 이유를 알리거나 본인으로 하여금 즉시 연락할 수 있는 기회를 주어야 하며, **변호인의 도움을 받을 권리가 있음을 알려야 한다.**(동조 제5항)

③ [○] 경찰관은 동행한 사람을 **6시간**을 초과하여 경찰관서에 머물게 할 수 없다.(경직법 제3조 제6항)

015 불심검문에 대한 다음 설명 중 가장 옳지 않은 것은? (다툼이 있으면 판례에 의함)

13 경찰간부 [Essential ★]

① 경찰관으로부터 임의동행을 요구받은 상대방은 이를 거절할 수 있을 뿐만 아니라, 임의동행 후 언제든지 경찰관서에서 퇴거할 자유가 있다.

② 경찰관은 불심검문시에 대상자의 의복이나 소지품의 외부를 손으로 만져 흉기의 소지 여부를 확인할 수 있고 상황에 따라서는 소지품의 개시를 요구할 수 있다.

③ 임의동행한 경우 당해인을 6시간을 초과하여 경찰관서에 머물게 할 수 없다.

④ 경찰관 甲이 불심검문 중 현행범 아닌 乙에게 임의동행을 요구하였으나 乙이 거절하고, 甲이 강제로 연행하려고 하자 乙이 강제적인 임의동행을 거부하는 방법으로서 甲을 폭행하면 공무집행방해죄가 성립한다.

해설

④ [×] 임의동행을 거절하는 자를 강제로 연행하는 것은 적법한 공무집행이라고 할 수 없으므로 경찰관을 폭행하더라도 **공무집행방해죄는 성립하지 않는다.**(대법원 1997. 8. 22. 97도1240, 대법원 1994. 10. 25. 94도2283 참고)

① [○] 임의동행은 상대방의 동의 또는 승낙을 그 요건으로 하는 것이므로 경찰관으로부터 임의동행 요구를 받은 경우 상대방은 이를 거절할 수 있을 뿐만 아니라 임의동행 후 언제든지 **경찰관서에서 퇴거할 자유가 있다.** (대법원 1997. 8. 22. 97도1240 송도파출소 경찰관 폭행사건)

② [○] 경찰관은 질문을 할 때에 그 사람이 **흉기를 가지고 있는지를 조사할 수 있다.**(경직법 제3조 제3항)

③ [○] 경찰관은 동행한 사람을 6시간을 초과하여 경찰관서에 머물게 할 수 없다.(경직법 제3조 제6항)

016 「경찰관 직무집행법」상 불심검문에 대한 설명으로 적절하지 않은 것은 모두 몇 개인가? (다툼이 □□□ 있으면 판례에 의함)

21 경찰승진 [Core ★★]

㉠ 불심검문 대상자에게 「형사소송법」상 체포나 구속에 이를 정도의 혐의가 없을지라도, 경찰관은 당시의 구체적 상황과 사전에 얻은 정보나 전문적 지식 등에 기초하여 객관적·합리적인 기준에 따라 불심검문 대상 여부를 판단한다.

㉡ 불심검문에 따른 동행요구는 「형사소송법」상 임의수사로서 임의동행의 한 종류로 취급하여야 한다.

㉢ 검문하는 사람이 경찰관이고 검문하는 이유가 범죄행위에 관한 것임을 검문받는 사람이 충분히 알고 있었다고 보이는 경우에는 경찰관이 신분증을 제시하지 않았다고 하여 그 불심검문이 위법한 공무집행이라고 할 수 없다.

㉣ 검문 중이던 경찰관들이, 자전거를 이용한 날치기 사건 범인과 흡사한 인상착의의 사람이 자전거를 타고 다가오는 것을 발견하고 정지를 요구하였으나 멈추지 않아, 앞을 가로막고 소속과 성명을 고지한 후 검문에 협조해 달라고 하였음에도 불응하고 그대로 전진하자, 따라가서 재차 앞을 막고 검문에 응하라고 요구한 경우, 이는 적법한 불심검문에 해당한다.

㉤ 경찰관은 임의동행에 앞서 당해인에 대해 진술거부권과 변호인의 조력을 받을 권리를 고지해야 한다.

① 2개   ② 3개   ③ 4개   ④ 5개

해설

① ㉡㉤ 2 항목이 옳지 않다.

㉠ [O] 경찰관이 불심검문 대상자 해당 여부를 판단할 때에는 불심검문 당시의 구체적 상황은 물론 사전에 얻은 정보나 전문적 지식 등에 기초하여 불심검문 대상자인지를 객관적·합리적인 기준에 따라 판단하여 야 하나, 반드시 불심검문 대상자에게 형사소송법상 **체포나 구속에 이를 정도의 혐의가 있을 것을 요한다고 할 수는 없다.**(대법원 2014. 12. 11. 2014도7976 카페 불심검문 사건)

㉡ [×] **임의동행은 경찰관 직무집행법 제3조 제2항에 따른 행정경찰 목적의 경찰활동으로 행하여지는 것 외에도 형사소송법 제199조 제1항에 따라 범죄수사를 위하여** 수사관이 동행에 앞서 피의자에게 동행을 거부할 수 있음을 알려 주었거나 동행한 피의자가 언제든지 자유로이 동행과정에서 이탈 또는 동행장소로부터 퇴거할 수 있었음이 인정되는 등 오로지 피의자의 자발적인 의사에 의하여 **이루어진 경우에도 가능하다.**(대법원 2020. 5. 14. 2020도398 마약사범 임의동행 사건)

㉢ [O] 경직법 제3조 제4항은 '경찰관이 불심검문을 하고자 할 때에는 자신의 신분을 표시하는 증표를 제시하여야 한다'고 규정하고, 법시행령 제5조는 소정의 신분을 표시하는 증표는 경찰관의 공무원증이라고 규정하고 있는 바, 불심검문을 하게 된 경우, 불심검문 당시의 현장상황과 검문을 하는 경찰관들의 복장, 피고인이 공무원증 제시나 신분확인을 요구하였는지 여부 등을 종합적으로 고려하여, 검문하는 사람이 경찰관이고 검문하는 이유가 범죄행위에 관한 것임을 피고인이 충분히 알고 있었다고 보이는 경우에는 신분증을 제시하지 않았다고 하여 그 **불심검문이 위법한 공무집행이라고 할 수 없다.**(대법원 2014. 12. 11. 2014도7976 카페 불심검문 사건)

㉣ [O] 인근에서 자전거를 이용한 날치기 사건이 발생한 직후 검문을 하던 경찰관들이 날치기 사건의 범인과 흡사한 인상착의인 피고인을 발견하고 앞을 가로막며 진행을 제지한 행위는 목적 달성에 필요한 최소한의 범위 내에서 사회통념상 용인될 수 있는 상당한 방법에 의한 것으로 **적법한 공무집행에 해당한다.**(대법원 2012. 9. 13. 2010도6203 인천 부평 불심검문 사건)

ⓔ [×] 경찰관은 동행한 사람의 가족이나 친지 등에게 동행한 경찰관의 신분, 동행 장소, 동행 목적과 이유를 알리거나 본인으로 하여금 즉시 연락할 수 있는 기회를 주어야 하며, 변호인의 도움을 받을 권리가 있음을 알려야 한다.(경직법 제3조 제5항) 임의동행시에는 진술거부권을 고지할 필요가 없다.

017 「경찰관 직무집행법」 제3조에 따른 불심검문에 대한 설명으로 옳지 않은 것은? (다툼이 있으면 판례에 의함)

□□□
23 경찰간부 [Core ★★]

① 「경찰관 직무집행법」은 경찰관이 불심검문 대상자에 대하여 질문을 할 때 흉기 소지 여부를 조사할 수 있다고 규정하고 있을 뿐 흉기 이외의 소지품 검사에 대해서는 규정하고 있지 않다.

② 불심검문이 적법하기 위해서는 불심검문 대상자에게 「형사소송법」상 체포나 구속에 이를 정도의 혐의가 있어야 하는 것은 아니다.

③ 불심검문하는 사람이 경찰관이고 검문하는 이유가 자신의 범죄행위에 관한 것임을 불심검문을 당하는 자가 충분히 알고 있었다고 보이는 경우에는 경찰관이 불심검문을 당하는 자에게 신분증을 제시하지 않았다 하더라도 그 불심검문이 위법한 것은 아니다.

④ 불심검문 대상자 해당 여부는 사전에 알려진 정보나 전문지식을 기초로 하는 것이 아니라 불심검문 당시의 구체적 상황을 기초로 판단하여야 한다.

해설

④ [×] 경찰관이 불심검문 대상자 해당 여부를 판단할 때에는 **불심검문 당시의 구체적 상황은 물론 사전에 얻은 정보나 전문적 지식 등에 기초하여 불심검문 대상자인지를 객관적·합리적인 기준에 따라 판단하여야 하나**, 반드시 불심검문 대상자에게 형사소송법상 체포나 구속에 이를 정도의 혐의가 있을 것을 요한다고 할 수는 없다.(대법원 2014. 12. 11. 2014도7976 카페 불심검문 사건)

① [○] 경찰관은 불심검문에 해당하는 사람에게 질문을 할 때에 그 사람이 **흉기를 가지고 있는지를 조사할 수 있다.**(경직법 제3조 제3항) 흉기 이외의 기타소지품 검사에 대한 명문 규정이 없다.

② [○] 경찰관이 불심검문 대상자 해당 여부를 판단할 때에는 반드시 불심검문 대상자에게 형사소송법상 **체포나 구속에 이를 정도의 혐의가 있을 것을 요한다고 할 수는 없다.**(대법원 2014. 12. 11. 2014도7976 카페 불심검문 사건)

③ [○] 경찰관이 불심검문 대상자 해당 여부를 판단할 때에는 불심검문 당시의 구체적 상황은 물론 사전에 얻은 정보나 전문적 지식 등에 기초하여 불심검문 대상자인지를 객관적·합리적인 기준에 따라 판단하여 야 하나, 반드시 불심검문 대상자에게 형사소송법상 체포나 구속에 이를 정도의 혐의가 있을 것을 요한다고 할 수는 없다.(대법원 2014. 12. 11. 2014도7976 카페 불심검문 사건)

정답 | 016 ① 017 ④

018 불심검문에 대한 설명이다. 아래 ㉠부터 ㉣까지의 설명 중 옳고 그름의 표시(○, ×)가 바르게 된
□□□ 것은? (다툼이 있으면 판례에 의함)

㉠ 행정경찰 목적의 경찰활동으로 행하여지는 「경찰관 직무집행법」 제3조 제2항 소정의 질문을
위한 동행요구도 「형사소송법」의 규율을 받는 수사로 이어지는 경우에는 수사관이 동행에
앞서 피의자에게 동행을 거부할 수 있음을 알려 주었거나 동행한 피의자가 언제든지 자유로이
동행과정에서 이탈 또는 동행장소로부터 퇴거할 수 있었음이 인정되는 등 오로지 피의자의
자발적인 의사에 의하여 수사관서 등에의 동행이 이루어졌음이 객관적인 사정에 의하여 명백
하게 입증된 경우에 한하여 적법하다.

㉡ 경찰관이 불심검문 대상자에의 해당 여부를 판단할 때에는 불심검문 당시의 구체적 상황은
물론 사전에 얻은 정보나 전문적 지식 등에 기초하여 불심검문 대상자인지를 객관적·합리적
인 기준에 따라 판단하여, 반드시 불심검문 대상자에게 「형사소송법」상 체포나 구속에 이를
정도의 혐의가 있을 것을 요한다.

㉢ 검문 중이던 경찰관들이, 자전거를 이용한 날치기 사건의 범인과 흡사한 인상착의의 피고인
이 자전거를 타고 다가오는 것을 발견하고 정지를 요구하였으나 멈추지 않아, 앞을 가로막고
검문에 협조해 달라고 하였음에도 불응하고 그대로 전진하자 따라가서 재차 앞을 막고 검문에
응하라고 요구하였다면, 그러한 경찰관들의 행위는 적법한 불심검문에 해당하지 않는다.

㉣ 불심검문을 하게 된 경위, 불심검문 당시의 현장상황과 검문을 하는 경찰관들의 복장, 피고인
이 공무원증 제시나 신분 확인을 요구하였는지 여부 등을 종합적으로 고려하여, 검문하는
사람이 경찰관이고 검문하는 이유가 범죄행위에 관한 것임을 피고인이 충분히 알고 있었다고
보이는 경우에는 신분증을 제시하지 않았다고 하여 그 불심검문이 위법한 공무집행이라고
할 수 없다.

① ㉠ ○ ㉡ × ㉢ ○ ㉣ ×   　　② ㉠ ○ ㉡ × ㉢ × ㉣ ○
③ ㉠ × ㉡ ○ ㉢ × ㉣ ○   　　④ ㉠ × ㉡ ○ ㉢ ○ ㉣ ×

해설

② 이 지문이 옳은 연결이다.
㉠ [○] (1) 수사관이 수사과정에서 동의를 받는 형식으로 피의자를 수사관서 등에 동행하는 것은 피의자의 신체
의 자유가 제한되어 실질적으로 체포와 유사한데도 이를 억제할 방법이 없어서 이를 통해서는 제도적으로는
물론 현실적으로도 임의성을 보장할 수 없을 뿐만 아니라, 아직 정식 체포·구속단계 이전이라는 이유로 헌법
및 형사소송법이 체포·구속된 피의자에게 부여하는 각종 권리보장 장치가 제공되지 않는 등 형사소송법 원리
에 반하는 결과를 초래할 가능성이 크므로 (2) 수사관이 동행에 앞서 피의자에게 동행을 거부할 수 있음을
알려 주었거나 동행한 피의자가 언제든지 자유로이 동행과정에서 이탈 또는 동행장소에서 퇴거할 수 있었음이
인정되는 등 오로지 피의자의 자발적인 의사에 의하여 수사관서 등에 동행이 이루어졌다는 것이 **객관적인 사정**
에 의하여 명백하게 입증된 경우에 한하여 동행의 적법성이 인정된다.(대법원 2006. 7. 6. 2005도6810 화천
절도피의자 강제연행 사건)

ⓛ [×] 경찰관이 불심검문 대상자 해당 여부를 판단할 때에는 불심검문 당시의 구체적 상황은 물론 사전에 얻은 정보나 전문적 지식 등에 기초하여 불심검문 대상자인지를 객관적·합리적인 기준에 따라 판단하여야 하나, **반드시 불심검문 대상자에게 형사소송법상 체포나 구속에 이를 정도의 혐의가 있을 것을 요한다고 할 수는 없다.**(대법원 2014. 12. 11. 2014도7976 카페 불심검문 사건)

ⓒ [×] 인근에서 자전거를 이용한 날치기 사건이 발생한 직후 검문을 하던 경찰관들이 날치기 사건의 **범인과 흡사한 인상착의인 피고인을 발견하고 앞을 가로막으며 진행을 제지한 행위는** 목적 달성에 필요한 최소한의 범위 내에서 사회통념상 용인될 수 있는 상당한 방법에 의한 것으로 **적법한 공무집행에 해당한다.**(대법원 2012. 9. 13. 2010도6203 인천 부평 불심검문 사건)

ⓔ [○] 경직법 제3조 제4항은 '경찰관이 불심검문을 하고자 할 때에는 자신의 신분을 표시하는 증표를 제시하여야 한다'고 규정하고, 법시행령 제5조는 소정의 신분을 표시하는 증표는 경찰관의 공무원증이라고 규정하고 있는 바, 불심검문을 하게 된 경우, 불심검문 당시의 현장상황과 검문을 하는 경찰관들의 복장, 피고인이 공무원증 제시나 신분확인을 요구하였는지 여부 등을 종합적으로 고려하여, 검문하는 사람이 경찰관이고 검문하는 이유가 범죄행위에 관한 것임을 피고인이 **충분히 알고 있었다고 보이는 경우에는 신분증을 제시하지 않았다고 하여 그 불심검문이 위법한 공무집행이라고 할 수 없다.**(대법원 2014. 12. 11. 2014도7976 카페 불심검문 사건)

019 다음 중 가장 옳은 설명은? (다툼이 있으면 판례에 의함)

20 해경간부 [Essential ★]

① 변사자 또는 변사의 의심 있는 사체가 있는 때에는 그 소재지를 관할하는 사법경찰관이 검시하여야 한다.
② 검시는 검증과 유사하므로 유족의 동의가 없으면 판사의 영장을 발부받아 검시를 하여야 한다.
③ 변사자의 검시결과 범죄의 혐의가 인정되면 수사기관은 법원의 허가 없이 의사에게 위촉하여 사체를 해부할 수 있다.
④ 변사자의 검시는 수사가 아닌 수사의 단서에 불과하다.

해설

④ [○] 변사자검시란 범죄혐의 유무를 발견하기 위하여 검사가 변사자의 상황을 조사하는 것으로 **수사의 단서에 해당한다.**
① [×] 변사자 또는 변사의 의심있는 사체가 있는 때에는 그 소재지를 관할하는 **지방검찰청 검사가** 검시하여야 한다.(제222조 제1항)
② [×] 변사자검시는 **수사의 단서에 불과하므로 영장 없이도 검시할 수 있다.**
③ [×] 검시로 범죄의 혐의를 인정하고 긴급을 요할 때에는 영장없이 검증할 수 있다.(제222조 제2항) 긴급을 요할 때에는 **영장 없이,** 그렇지 않은 때에는 **법관으로부터 영장을 발부받아** 사체해부(검증)를 할 수 있다.

020

□□□

다음 설명 중 가장 적절하지 않은 것은? (다툼이 있으면 판례에 의함)　15 경찰승진 [Core ★★]

① 변사자는 범죄발견의 단서가 될 수 있으며, 변사자의 검시는 검사의 명에 의하여 사법경찰관이 할 수 있다.

② 피고인이 검찰의 소환에 따라 자진 출석하여 검사에게 범죄사실에 관하여 자백함으로써 형법상 자수의 효력이 발생하였다고 하더라도, 그 후 검찰이나 법정에서 범죄사실을 일부 부인하였다면 일단 발생한 자수의 효력은 소멸한다.

③ 진정·자수·범죄신고는 타인의 체험에 의한 수사의 단서이나, 불심검문은 수사기관 자신의 체험에 의한 수사의 단서이다.

④ 진정에 따른 내사사건의 내사종결처분은 재정신청 또는 헌법소원의 대상이 아니다.

해설

② [×] 피고인이 검찰의 소환에 따라 자진 출석하여 검사에게 범죄사실에 관하여 자백함으로써 형법상 자수의 효력이 발생하였다면, 그 후에 검찰이나 법정에서 범죄사실을 일부 부인하였다고 하더라도 **일단 발생한 자수의 효력이 소멸하는 것은 아니다.**(대법원 2002. 8. 23. 2002도46)

① [○] 변사자 또는 변사의 의심있는 사체가 있는 때에는 그 소재지를 관할하는 **지방검찰청 검사**가 검시하여야 한다. 검사는 사법경찰관에게 검시에 관한 처분을 명할 수 있다.(제222조)

③ [○] 통설의 입장이다.

④ [○] (1) 대통령에게 제출한 청원서를 대통령비서실로부터 이관받은 검사가 진정사건으로 내사 후 내사종결처리한 경우, 내사종결처리는 고소 또는 고발사건에 대한 불기소처분이라고 볼 수 없어 재정신청의 대상이 되지 아니한다.(대법원 1991.11. 5. 91모68) (2) 진정사건에 대한 수사기관의 혐의없음의 내사종결 처리는 수사기관의 내부적 사건처리 방식에 지나지 아니하고, 그 결과에 불만이 있으면 따로 고소나 고발을 할 수 있는 것이므로 헌법소원심판의 대상이 되는 공권력의 행사라고 할 수 없어 헌법소원의 대상이 되지 아니한다.(헌법재판소 2006. 7. 4. 2006헌마696)

021 음주측정에 관한 다음 설명 중 가장 적절한 것은? (다툼이 있으면 판례에 의함)

15 경찰채용 [Essential ★]

① 도로교통법의 음주측정불응죄를 근거로 영장 없이 호흡측정기에 의해 음주측정을 하는 것은 강제수사에 해당하는 것으로 영장주의에 반한다.

② 음주운전과 관련한 도로교통법위반죄의 범죄수사를 위하여 미성년자인 피의자의 혈액채취가 필요한 경우, 피의자에게 의사능력이 없다면 피의자의 법정대리인이 피의자를 대리하여 피의자의 혈액채취에 관한 유효한 동의를 할 수 있다.

③ 도로교통법상 음주측정에 관한 규정들을 근거로 음주운전을 하였다고 인정할 만한 상당한 이유가 있는 자에 대하여 경찰관서에 강제연행하여 음주측정을 요구할 수 있다.

④ 술에 취한 상태에서 자동차를 운전한 것으로 보이는 피고인을 경찰관이 적법하게 보호조치한 상태에서 3회에 걸쳐 음주측정을 요구한 것은 적법한 음주측정요구에 해당한다.

해설

④ [○] 경찰공무원은 술에 취한 상태에서 자동차 등을 운전하였다고 인정할 만한 상당한 이유가 있고 운전자의 음주운전 여부를 확인하기 위하여 필요한 경우에는 사후의 음주측정에 의하여 음주운전 여부를 확인할 수 없음이 명백하지 않는 한 운전자에 대하여 구 도로교통법 제44조 제2항에 의하여 음주측정을 요구할 수 있고, 운전자가 이에 불응한 경우에는 같은 법 제148조의2 제2호의 음주측정불응죄가 성립한다. 이와 같은 법리는 운전자가 경찰관 직무집행법 제4조에 따라 보호조치된 사람이라고 하여 달리 볼 것이 아니므로, **경찰공무원이 보호조치된 운전자에 대하여 음주측정을 요구하였다는 이유만으로 음주측정 요구가 당연히 위법하다거나 보호조치가 당연히 종료된 것으로 볼 수는 없다.**(대법원 2012. 2. 9. 2011도4328)

① [×] 도로교통법 제41조 제2항[개정법 제44조 제2항]에 규정된 음주측정은 성질상 강제될 수 있는 것이 아니며 궁극적으로 당사자의 자발적 협조가 필수적인 것이므로 이를 두고 **법관의 영장을 필요로 하는 강제처분이라 할 수 없다.** 따라서 이 법률조항이 주취운전의 혐의자에게 영장없는 음주측정에 응할 의무를 지우고 이에 불응한 사람을 처벌한다고 하더라도 **영장주의에 위배되지 아니한다.**(헌법재판소 1997. 3. 27. 96헌가11)

② [×] 음주운전과 관련한 도로교통법위반죄의 범죄수사를 위하여 미성년자인 피의자의 혈액채취가 필요한 경우에도 피의자에게 의사능력이 있다면 피의자 본인만이 혈액채취에 관한 유효한 동의를 할 수 있고, 피의자에게 의사능력이 없는 경우에도 명문의 규정이 없는 이상 **법정대리인이 피의자를 대리하여 동의할 수는 없다.**(대법원 2014. 11. 13. 2013도1228 **의정부 강제채혈사건**)

③ [×] 교통안전과 위험방지를 위한 필요 없음에도 주취운전을 하였다고 인정할 만한 상당한 이유가 있다는 이유만으로 이루어지는 음주측정은 이미 행하여진 주취운전이라는 범죄행위에 대한 증거 수집을 위한 수사절차로서 의미를 가지는데, **도로교통법상 규정들이 음주측정을 위한 강제처분의 근거가 될 수 없으므로 위와 같은 음주측정을 위하여 운전자를 강제로 연행하기 위해서는 수사상 강제처분에 관한 형사소송법상 절차에 따라야 하고, 이러한 절차를 무시한 채 이루어진 강제연행은 위법한 체포에 해당한다.**(대법원 2012. 12. 13. 2012도11162)

022 음주측정에 대한 설명으로 가장 적절하지 않은 것은? (다툼이 있으면 판례에 의함)
□□□
18 경찰채용 [Core ★★]

① 운전자가 음주측정요구를 받을 당시에 술에 취한 상태에 있었다고 인정할 만한 상당한 이유가 있음에도 정당한 이유없이 이에 불응하여 음주측정불응죄가 인정되었다면, 운전자가 다시 스스로 경찰공무원에게 혈액채취의 방법에 의한 음주측정을 요구하여 그 결과 음주운전으로 처벌할 수 없는 혈중알콜농도 수치가 나왔더라도 음주측정거부죄가 성립한다.

② 호흡측정기에 의한 음주측정치와 혈액검사에 의한 음주측정치가 다른 경우에, 혈액의 채취 또는 검사과정에서 혈액채취에 의한 검사결과를 믿지 못할 특별한 사정이 없는 한, 혈액검사에 의한 음주측정치가 호흡측정기에 의한 음주측정치보다 측정 당시의 혈중알콜농도에 더 근접한 음주측정치라고 보는 것이 경험칙에 부합한다.

③ 주취운전의 혐의자에게 호흡측정기에 의한 주취 여부의 측정에 응할 것을 요구하고 이에 불응할 경우에는 음주측정거부죄로 처벌하는 것은, 자기부죄금지의 원칙을 규정한 헌법 제12조 제2항에 위반된다고 할 수 없다.

④ 운전자가 술에 취한 상태에서 자동차를 운전하였다고 인정할 만한 상당한 이유가 있어서, 경찰관이 음주감지기에 의한 시험을 요구한 경우, 그 시험결과에 따라 음주측정기에 의한 측정이 예정되어 있고 운전자가 그러한 사정을 인식하였음에도 음주감지기에 의한 시험에 명시적으로 불응함으로써 음주측정을 거부하겠다는 의사를 표명하였더라도, 음주감지기에 의한 시험을 거부한 행위만으로는 음주측정거부죄에 해당할 수 없다.

해설

④ [×] 경찰공무원이 술에 취한 상태에 있다고 인정할 만한 상당한 이유가 있는 운전자에게 음주 여부를 확인하기 위하여 음주측정기에 의한 측정의 사전 단계로 음주감지기에 의한 시험을 요구하는 경우, 그 시험 결과에 따라 음주측정기에 의한 측정이 예정되어 있고 운전자가 그러한 사정을 인식하였음에도 음주감지기에 의한 시험에 명시적으로 불응함으로써 음주측정을 거부하겠다는 의사를 표명하였다면, **음주감지기에 의한 시험을 거부한 행위도 음주측정기에 의한 측정에 응할 의사가 없음을 객관적으로 명백하게 나타낸 것으로 볼 수 있다.**(대법원 2017. 6. 15. 2017도5115 음주감지기 시험 거부사건Ⅱ)

① [○] 일단 경찰공무원의 음주측정 요구에 응하지 아니한 이상 그 후 피고인이 스스로 경찰공무원에게 혈액채취의 방법에 의한 음주측정을 요구하였다 하더라도 **음주측정불응죄의 성립에 영향이 없으며,** 가사 그 혈액채취에 의한 음주측정 결과 피고인을 음주운전으로 처벌할 수 없는 혈중알콜농도 수치가 나왔다고 하여 이를 이유로 음주측정 불응 당시 피고인이 혈중알코올농도 0.05% 이상의 술에 취한 상태에 있다고 인정할 만한 상당한 이유가 없었다고 볼 수는 없다.(대법원 2004. 10. 15. 2004도4789)

② [○] (1) 혈액의 채취 또는 검사과정에서 인위적인 조작이나 관계자의 잘못이 개입되는 등 혈액채취에 의한 검사결과를 믿지 못할 특별한 사정이 없는 한 **혈액검사에 의한 음주측정치가 호흡측정기에 의한 음주측정치보다 측정 당시의 혈중알콜농도에 더 근접한 음주측정치라고 보는 것이 경험칙에 부합한다.** (2) 따라서 법원이 호흡측정기에 의한 음주측정치를 배척하고, 혈액채취에 의한 검사결과를 채택하여 도로교통법위반의 범죄사실에 대하여 무죄를 선고한 것은 정당하다.(대법원 2004. 2. 13. 2003도6905)

③ [○] 주취운전의 혐의자에게 호흡측정기에 의한 주취 여부의 측정에 응할 것을 요구하고 이에 불응할 경우에는 도로교통법 제150조 제2호에 따라 처벌한다고 하여도 이를 형사상 불리한 '진술'을 비인간적으로 강요하는 것에 해당한다고 볼 수는 없으므로 도로교통법의 위 조항들이 **자기부죄금지의 원칙을 규정한 헌법 제12조 제2항에 위반된다고 할 수 없다.**(대법원 2009. 9. 24. 2009도7924)

023 음주측정에 대한 설명 중 가장 적절하지 않은 것은? (다툼이 있으면 판례에 의함)

20 경찰채용 [Essential ★]

① 피고인은 ○○지구대로부터 차량을 이동하라는 전화를 받고 자신이 거주하는 빌라 주차장까지 가 차량을 2m 가량 운전하였을 뿐 피고인 스스로 운전할 의도를 가졌다거나 차량을 이동시킨 후에도 계속하여 운전할 태도를 보인 것도 아니고, 이 당시 술을 마신 때로부터 상당한 시간이 지난 후였으나, 음주운전신고를 받고 현장에 출동한 경찰관이 음주감지기 외에 음주측정기를 소지하고 있지 않은 상태에서 피고인을 도로교통법위반 (음주운전)죄의 현행범으로 체포하여 위 ○○지구대로 데리고 가 음주측정을 요구하자 이를 피고인이 거부한 경우, 피고인에게 음주측정거부죄가 성립하지 아니한다.

② 피고인이 음주측정을 위해 경찰서에 동행할 것을 요구받고 자발적인 의사로 경찰차에 탑승하였고, 경찰서로 이동 중 하차를 요구하였으나 그 직후 수사 과정에 관한 설명을 듣고 빨리 가자고 요구하였으므로, 그 후 이루어진 음주측정 결과는 증거능력이 있다.

③ 주취운전의 혐의자에게 영장 없는 음주측정에 응할 의무를 지우고 이에 불응한 사람을 처벌하는 것은 헌법 제12조 제3항에 규정된 영장주의에 위배되지 아니한다.

④ 음주감지기에 의한 시험 결과에 따라 음주측정기에 의한 측정이 예정되어 있고 운전자가 그러한 사정을 인식하였는데도 음주감지기에 의한 시험에 명시적으로 불응함으로써 음주측정을 거부하겠다는 의사를 표명한 경우, 음주측정기에 의한 측정이 아닌 음주감지기에 의한 시험을 거부한 행위는 음주측정거부에 해당하지 아니한다.

해설

④ [×] 경찰공무원이 술에 취한 상태에 있다고 인정할 만한 상당한 이유가 있는 운전자에게 음주 여부를 확인하기 위하여 음주측정기에 의한 측정의 사전 단계로 음주감지기에 의한 시험을 요구하는 경우, 그 시험 결과에 따라 음주측정기에 의한 측정이 예정되어 있고 운전자가 그러한 사정을 인식하였음에도 음주감지기에 의한 시험에 명시적으로 불응함으로써 음주측정을 거부하겠다는 의사를 표명하였다면, **음주감지기에 의한 시험을 거**

부한 행위도 음주측정기에 의한 측정에 응할 의사가 없음을 객관적으로 명백하게 나타낸 것으로 볼 수 있다.(대법원 2017. 6. 15. 2017도5115 음주감지기 시험 거부사건 II) 지문의 경우 음주측정거부죄가 성립한다.

① [○] 피고인이 현장에서 도망하거나 증거를 인멸하려 하였다고 단정하기는 어렵다고 할 것임에도 원심은 피고인에 대한 **현행범 체포가 적법**하다고 판단하였으니 거기에는 현행범 체포의 요건에 관한 법리를 오해하여 판결에 영향을 미친 잘못이 있다.(대법원 2017. 4. 7. 2016도19907 **제주 음주측정 거부사건**) 위법한 체포상태에서 음주측정이 이루어졌으므로 피고인이 그에 대하여 거부하더라도 **음주측정거부죄가 성립하지 아니한다.**

② [○] 피고인이 경찰관으로부터 음주측정을 위해 경찰서에 동행할 것을 요구받고 자발적인 의사에 의해 순찰차에 탑승하였고, 경찰서로 이동하던 중 하차를 요구한 바 있으나 그 직후 경찰관으로부터 수사 과정에 관한 설명을 듣고 경찰서에 빨리 가자고 요구한 경우, 피고인에 대한 임의동행은 피고인의 **자발적인 의사에 의하여** 이루어진 것으로 그 후에 이루어진 음주측정결과는 증거능력이 있다.(대법원 2016. 9. 28. 2015도2798)

③ [○] 도로교통법 제41조 제2항[20년 현재 제44조 제2항]에 규정된 음주측정은 성질상 강제될 수 있는 것이 아니며 궁극적으로 당사자의 자발적 협조가 필수적인 것이므로 이를 두고 법관의 영장을 필요로 하는 강제처분이라 할 수 없다. 따라서 이 법률조항이 주취운전의 혐의자에게 영장없는 음주측정에 응할 의무를 지우고 이에 불응한 사람을 처벌한다고 하더라도 **영장주의에 위배되지 아니한다.**(헌법재판소 1997. 3. 27. 96헌가11 **음주측정강제 위헌심판사건**)

024 혈액채취에 관한 설명 중 가장 적절하지 않은 것은? (다툼이 있으면 판례에 의함)

11 경찰채용 [Essential ★]

① 혈액의 채취 또는 검사과정에서 인위적인 조작이나 관계자의 잘못이 개입되는 등 혈액채취에 의한 검사결과를 믿지 못할 특별한 사정이 없는 한, 혈액검사에 의한 음주측정치가 호흡측정기에 의한 음주측정치보다 측정 당시의 혈중알콜농도에 더 근접한 음주측정치라고 보는 것이 경험칙에 부합한다.

② 운전자의 신체 이상 등의 사유로 호흡측정기에 의한 측정이 불가능 내지 심히 곤란하거나 운전자가 처음부터 호흡측정기에 의한 측정의 방법을 불신하면서 혈액채취에 의한 측정을 요구하는 경우 등에는 호흡측정기에 의한 측정의 절차를 생략하고 바로 혈액채취에 의한 측정으로 나아가야 할 것이고, 이와 같은 경우라면 호흡측정기에 의한 측정에 불응한 행위를 음주측정불응으로 볼 수 없다.

③ 특별한 이유 없이 호흡측정기에 의한 측정에 불응하는 운전자에게 경찰공무원이 혈액채취에 의한 측정방법이 있음을 고지하고 그 선택 여부를 물어야 할 의무가 있다고는 할 수 없다.

④ 경찰관이 음주운전 단속시 운전자의 요구에 따라 곧바로 채혈을 실시하지 않은 채 호흡측정기에 의한 음주측정을 하고 1시간 12분이 경과한 후에야 채혈을 하였다는 사정만으로도 위 행위가 법령에 위배되거나 객관적 정당성을 상실한 것으로 운전자가 음주운전 단속과정에서 받을 수 있는 권익이 현저하게 침해되었다고 단정할 수 있다.

해설

④ [×] 단속 경찰공무원이 음주운전을 단속하면서 한 일련의 조치 및 그로 인한 채혈의 지연이 합리적인 재량의 범위를 벗어나 부당한 의도나 불합리한 사유에서 비롯된 것으로 보이지는 아니하고, 단순히 단속현장에서 다른 절차에 앞서 채혈이 곧바로 실시되지 않은 채 호흡측정기에 의한 음주측정으로부터 1시간 12분이 경과한 후 채혈이 이루어졌다는 사정만으로는 **단속 경찰공무원의 행위가 법령에 위반된다거나** 그 객관적 정당성을 상실 하여 **운전자가 음주운전에 대한 단속과정에서 받을 수 있는 권익이 현저하게 침해되었다고 단정하기는 어렵다.**(대법원 2008. 4. 24. 2006다32132)

① [○] 혈액의 채취 또는 검사과정에서 인위적인 조작이나 관계자의 잘못이 개입되는 등 혈액채취에 의한 검사 결과를 믿지 못할 특별한 사정이 없는 한 혈액검사에 의한 음주측정치가 호흡측정기에 의한 음주측정치보다 측정 당시의 혈중알콜농도에 더 근접한 음주측정치라고 보는 것이 경험칙에 부합한다.(대법원 2004. 2. 13. 2003도6905)

② [○] 운전자의 신체 이상 등의 사유로 호흡측정기에 의한 측정이 불가능 내지 심히 곤란하거나 운전자가 처음 부터 호흡측정기에 의한 측정의 방법을 불신하면서 혈액채취에 의한 측정을 요구하는 경우 등에는 호흡측정기 에 의한 측정의 절차를 생략하고 바로 혈액채취에 의한 측정으로 나아가야 할 것이고, 이와 같은 경우라면 호흡 측정기에 의한 측정에 불응한 행위를 음주측정불응으로 볼 수 없다.(대법원 2002. 10. 25. 2002도4220)

③ [○] 특별한 이유 없이 호흡측정기에 의한 측정에 불응하는 운전자에게 **경찰공무원이 혈액채취에 의한 측정방법이 있음을 고지하고 그 선택 여부를 물어야 할 의무가 있다고는 할 수 없다.**(대법원 2002. 10. 25. 2002도4220)

---

025 음주운전 단속에 관한 판례의 입장으로 가장 적절하지 않은 것은?　　14 경찰승진 [Essential ★]

☐☐☐

① 경찰관의 음주운전 단속시 운전자의 요구에 따라 곧바로 채혈을 실시하지 않은 채 호흡측정기 에 의한 음주측정을 하고 1시간 12분이 경과한 후에야 채혈을 하였다는 사정만으로 위 행위가 법령에 위배된다거나 객관적 정당성을 상실하여 운전자가 음주운전 단속과정에서 받을 수 있 는 권익이 현저하게 침해되었다고 단정할 수 있다.

② 음주운전을 목격한 피해자가 있는 상황에서 경찰관이 음주운전 종료시부터 약 2시간 후 집에 있던 피고인을 임의동행 하여 음주측정을 요구하였고 음주측정 요구 당시에도 피고인은 상당 히 술에 취한 것으로 보이는 상황이었다면 그 음주측정 요구는 적법하다.

③ 특별한 이유 없이 호흡측정기에 의한 측정에 불응하는 운전자에게 경찰공무원이 혈액채취에 의한 측정방법이 있음을 고지하고 그 선택여부를 물어야 할 의무가 있다고는 할 수 없다.

④ 호흡측정기에 의한 음주측정 전의 음주감지기 시험에서 음주반응이 나왔다고 할지라도 그것 만으로 바로 운전자가 혈중알코올농도 0.05% 이상의 술에 취한 상태에 있다고 인정할 만한 상당한 이유가 있다고 볼 수는 없다.

해설

① [×] 호흡측정기에 의한 음주측정으로부터 1시간 12분이 경과한 후 채혈이 이루어졌다는 사정만으로는 단속 경찰 공무원의 행위가 **법령에 위반된다거나** 그 객관적 정당성을 상실하여 운전자가 음주운전에 대한 단속과정 에서 받을 수 있는 **권익이 현저하게 침해되었다고 단정하기는 어렵다.**(대법원 2008. 4. 24. 2006다32132)
② [○] 음주운전을 목격한 피해자가 있는 상황에서 경찰관이 음주운전 종료시부터 약 2시간 후 집에 있던 피고 인을 임의동행하여 음주측정을 요구하였고, 음주측정 요구 당시에도 피고인은 상당히 술에 취한 것으로 보이는 상황이었다면 그 **음주측정 요구는 적법하다.**(대법원 1997. 6. 13. 96도3069)
③ [○] 특별한 이유 없이 호흡측정기에 의한 측정에 불응하는 운전자에게 경찰공무원이 혈액채취에 의한 측정방 법이 있음을 고지하고 그 **선택 여부를 물어야 할 의무가 있다고는 할 수 없다.**(대법원 2002. 10. 25. 2002도 4220)
④ [○] 음주감지기 시험에서 음주반응이 나왔다고 할지라도 현재 사용되는 음주감지기가 **혈중알코올농도 0.02%인** 상태에서부터 반응하게 되어 있는 점을 감안하면 그것만으로 바로 운전자가 혈중알코올농도 0.05% 이상의 술에 취한 상태에 있다고 인정할 만한 상당한 이유가 있다고 볼 수는 없고, 거기에다가 운전자의 외 관·태도·운전행태 등의 객관적 사정을 종합하여 술에 취한 상태에 있다고 인정할 만한 상당한 이유가 있는 지 여부를 판단하여야 할 것이다.(대법원 2003. 1. 24. 2002도6632)

026 다음 중 반의사불벌죄로만 짝지어진 것은?   10 법원승진 [Core ★★]

□□□

① 협박죄, 사자의 명예훼손죄, 모욕죄
② 명예훼손죄, 과실치상죄, 외국의 국기 모독죄
③ 폭행죄, 강제추행죄, 신용훼손죄
④ 출판물 등에 의한 명예훼손죄, 비밀침해죄, 결혼을 위한 약취·유인죄

해설

② 모두 **반의사불벌죄에** 해당한다.(형법 제312조 제2항, 제266조 제2항, 제110조)
① 협박죄는 반의사불벌죄이지만 사자명예훼손죄와 모욕죄는 친고죄이다.
③ 폭행죄는 반의사불벌죄이지만 강제추행죄와 신용훼손죄는 친고죄도 아니고 반의사불벌죄도 아니다.
④ 출판물명예훼손죄는 반의사불벌죄이지만 비밀침해죄는 친고죄이다. 결혼목적약취·유인죄는 친고죄도 아니 고 반의사불벌죄도 아니다.

핵심정리 친고죄 vs 반의사불벌죄 vs 전속고발범죄

친고죄	반의사불벌죄	전속고발범죄
피해자의 고소가 있어야 공소를 제기할 수 있는 범죄	피해자 등의 명시한 의사에 반하여 처벌할 수 없는 범죄	관계 공무원의 고발이 있어야 공소를 제기할 수 있는 범죄

절대적 친고죄	① 비밀침해죄 ② 사자명예훼손죄 ③ 업무상비밀누설죄 ④ 모욕죄 ⑤ 친고죄 규정이 있는 법률 　㉠ 의료법 　㉡ 약사법 　㉢ 특허법 　㉣ 저작권법 　㉤ 실용신안법 　㉥ 디자인보호법 　㉦ 발명진흥법 등	① 과실치상죄 ② 폭행 · 협박죄 ③ 존속폭행 · 협박죄 ④ 외국원수 폭행 · 협박죄 ⑤ 명예훼손죄 ⑥ 출판물명예훼손죄 ⑦ 외국원수모욕 · 명예훼손죄 ⑧ 반의사불벌죄 규정이 있는 법률 　㉠ 근로기준법 　㉡ 주민등록법 　㉢ 부정수표단속법 　㉣ 교통사고처리특례법 　㉤ 정보통신망이용촉진 및 　　정보보호 등에 관한 법률 　㉥ 성폭력범죄의 처벌 등에 　　관한 특례법 등	전속고발범죄 규정이 있는 법률 ㉠ 관세법 ㉡ 조세범처벌법 ㉢ 출입국관리법 ㉣ 근로기준법 ㉤ 항공법 ㉥ 해운법 ㉦ 석탄산업법 ㉧ 전투경찰대설치법 ㉨ 의무소방대설치법 ㉩ 교정시설경비교도대설치법 ㉪ 물가안정에 관한 법률 ㉫ 하도급거래 공정화에 관한 법률 ㉬ 표시 · 광고의 공정화에 관한 법률 ㉭ 독점규제 및 공정거래에 관한 　법률 　㉮ 가맹사업거래의공정화에 　　관한법률 등
상대적 친고죄	절도 · 사기 · 공갈 · 횡령 · 배임 · 장물 · 권리행사방해죄 등 재산범죄(강도죄와 손괴죄는 제외)		

027 고소에 관한 다음 설명 중 가장 적절하지 않은 것은? (다툼이 있으면 판례에 의함)

☐☐☐

14 경찰채용 [Essential ★]

① 친고죄에 대하여 고소할 자가 없는 경우에 이해관계인의 신청이 있으면 검사는 7일 이내에 고소할 수 있는 자를 지정하여야 한다.

② 공범관계에 있는 甲, 乙이 사자명예훼손을 한 경우에 피해자의 친족이 甲에 대해서만 고소한 경우 乙에 대해서도 고소의 효력이 미친다.

③ 고소는 서면 뿐만 아니라 구술에 의해서도 가능하고, 다만 구술에 의한 고소를 받은 검사 또는 사법경찰관은 조서를 작성하여야 하지만 그 조서가 독립된 조서일 필요는 없다.

④ 고소할 수 있는 자가 수인인 경우에는 1인의 기간의 해태는 타인의 고소에 영향이 없다.

해설

① [×] 검사는 **10일 이내**에 고소할 수 있는 자를 지정하여야 한다.(제228조)
② [○] 친고죄의 공범 중 그 1인 또는 수인에 대한 고소 또는 그 취소는 다른 공범자에 대하여도 효력이 있다.
   (제233조)
③ [○] 고소는 서면뿐만 아니라 구술로도 할 수 있고, 다만 구술에 의한 고소를 받은 검사 또는 사법경찰관은
   조서를 작성하여야 하지만 그 **조서가 독립된 조서일 필요는 없으며**, 수사기관이 고소권자를 증인 또는 피해자
   로서 신문한 경우에 그 진술에 범인의 처벌을 요구하는 의사표시가 포함되어 있고 그 의사표시가 조서에 기재
   되면 고소는 적법하다.(대법원 2011. 6. 24. 2011도4451 인천 계산동 여아 약취사건)
④ [○] 고소할 수 있는 자가 수인인 경우에는 1인의 기간의 해태는 타인의 고소에 영향이 없다.(제231조)

028 고소에 관한 설명 중 옳지 않은 것은? (다툼이 있으면 판례에 의함)

□□□

① 법원이 선임한 부재자 재산관리인이 그 관리대상인 부재자의 재산에 대한 범죄행위에 관하여
   법원으로부터 고소권 행사에 관한 허가를 얻은 경우 부재자 재산관리인은 형사소송법 제225
   조 제1항에서 정한 법정대리인으로서 적법한 고소권자에 해당한다.
② 고소에 있어서 범죄사실의 특정 정도는 고소인의 의사가 수사기관에 대하여 일정한 범죄사실
   을 지정신고하여 범인의 소추처벌을 구하는 의사표시가 있었다고 볼 수 있을 정도면 충분하
   며, 범인의 성명이 불명이거나 범행의 일시·장소·방법 등이 명확하지 않다고 하더라도 그 효
   력에는 아무 영향이 없다.
③ 민법상 행위능력이 없는 사람이라도 피해를 입은 사실을 이해하고 고소에 따른 사회생활상의
   이해관계를 알아차릴 수 있는 사실상의 의사능력을 갖추었다면 고소능력이 인정된다.
④ 피해자의 법정대리인은 피해자의 고소권 소멸 여부에 관계없이 고소할 수 있고, 이러한 고소
   권은 피해자의 명시한 의사에 반하여도 행사할 수 있다.
⑤ 친고죄에서 적법한 고소가 있었는지는 엄격한 증명의 대상이 되고, 일죄의 관계에 있는 친고
   죄 범죄사실 일부에 대한 고소의 효력은 일죄 전부에 대하여 미친다.

해설

⑤ [×] 친고죄에서 위와 같은 적법한 고소가 있었는지 여부는 **자유로운 증명의 대상이 되고**, 일죄의 관계에 있는
   범죄사실의 일부에 대한 고소의 효력은 그 일죄의 전부에 대하여 미친다.(대법원 2011. 6. 24. 2011도4451
   인천 계산동 여아 약취사건)
① [○] 법원이 선임한 부재자 재산관리인이 그 관리대상인 부재자의 재산에 대한 범죄행위에 관하여 법원으로부
   터 고소권 행사에 관한 허가를 얻은 경우 **부재자 재산관리인은 형사소송법 제225조 제1항에서 정한 법정대리
   인으로서 적법한 고소권자에 해당한다.**(대법원 2022. 5. 26. 2021도2488 **부재자 재산관리인 형사고소 사건**)

2021도2488 판결의 논거

1. 법원이 선임한 부재자 재산관리인은 법률에 규정된 사람의 청구에 따라 선임된 부재자의 법정대리인에 해당한다. 부재자 재산관리인의 권한은 원칙적으로 부재자의 재산에 대한 관리행위에 한정되나, 부재자 재산관리인은 재산관리를 위하여 필요한 경우 법원의 허가를 받아 관리행위의 범위를 넘는 행위를 하는 것도 가능하고, 여기에는 관리대상 재산에 관한 범죄행위에 대한 형사고소도 포함된다.

   따라서 부재자 재산관리인은 관리대상이 아닌 사항에 관해서는 고소권이 없겠지만, 관리대상 재산에 관한 범죄행위에 대하여 법원으로부터 고소권 행사 허가를 받은 경우에는 독립하여 고소권을 가지는 법정대리인에 해당한다.

2. 고소권은 일신전속적인 권리로서 피해자가 이를 행사하는 것이 원칙이나 형사소송법이 예외적으로 법정대리인으로 하여금 독립하여 고소권을 행사할 수 있도록 한 이유는 피해자가 고소권을 행사할 것을 기대하기 어려운 경우 피해자와 독립하여 고소권을 행사할 사람을 정하여 피해자를 보호하려는 데 있다. 부재자 재산관리제도의 취지는 부재자 재산관리인으로 하여금 부재자의 잔류재산을 본인의 이익과 더불어 사회경제적 이익을 기하고 나아가 잔존배우자와 상속인의 이익을 위하여 관리하게 하고 돌아올 부재자 본인 또는 그 상속인에게 관리해 온 재산 전부를 인계하도록 하는 데 있다. 부재자는 자신의 재산을 침해하는 범죄에 대하여 처벌을 구하는 의사표시를 하기 어려운 상태에 있다. 따라서 부재자 재산관리인에게 법정대리인으로서 관리대상 재산에 관한 범죄행위에 대하여 고소권을 행사할 수 있도록 하는 것이 형사소송법 제225조 제1항과 부재자 재산관리제도의 취지에 부합한다.

② [○] 고소에 있어서 범죄사실의 특정 정도는 고소인의 의사가 수사기관에 대하여 일정한 범죄사실을 지정신고하여 범인의 소추처벌을 구하는 의사표시가 있었다고 볼 수 있을 정도면 충분하며, 범인의 성명이 불명이거나 범행의 일시·장소·방법 등이 명확하지 않다고 하더라도 그 효력에는 아무 영향이 없다.(대법원 2003. 10. 23. 2002도446 버니 캐릭터 사건, 대법원 1984.10.23. 84도1704 용호여인숙 간통 사건)

③ [○] 민법상 행위능력이 없는 사람이라도 피해를 입은 사실을 이해하고 고소에 따른 사회생활상의 이해관계를 알아차릴 수 있는 사실상의 의사능력을 갖추었다면 고소능력이 인정된다.(대법원 2011. 6. 24. 2011도4451 인천 계산동 여아 약취사건)

④ [○] 피해자의 법정대리인은 피해자의 고소권 소멸 여부에 관계없이 고소할 수 있고, 이러한 고소권은 피해자의 명시한 의사에 반하여도 행사할 수 있다.(대법원 1999. 12. 24. 99도3784 까치아파트 강간 사건)

029

□□□ 고소에 관한 다음 설명 중 가장 옳지 않은 것은? (다툼이 있으면 판례에 의함)

23 법원9급 [Core ★★]

① 법원이 선임한 부재자 재산관리인이 그 관리대상인 부재자의 재산에 대한 범죄행위에 관하여 법원으로부터 고소권 행사에 관한 허가를 얻은 경우 부재자 재산관리인은 형사소송법 제225조 제1항에서 정한 법정대리인으로서 적법한 고소권자에 해당한다고 보아야 한다.

② 법원은 고소권자가 비친고죄로 고소한 사건이더라도 검사가 사건을 친고죄로 구성하여 공소를 제기하였다면 공소장 변경절차를 거쳐 공소사실이 비친고죄로 변경되지 아니하는 한 법원으로서는 친고죄에서 소송조건이 되는 고소가 유효하게 존재하는지를 직권으로 조사·심리하여야 한다.

③ 고소는 제1심판결 선고 전까지 취소할 수 있으나, 항소심에서 공소장의 변경에 의하여 또는 공소장변경절차를 거치지 아니하고 법원 직권에 의하여 친고죄가 아닌 범죄를 친고죄로 인정하였다면 항소심이 실질적으로 제1심이라 할 것이므로 항소심에서 고소인이 고소를 취소하였다면 이는 친고죄에 대한 고소취소로서의 효력이 있다.

④ 고소의 취소나 처벌을 희망하는 의사표시의 철회는 수사기관 또는 법원에 대한 법률행위적 소송행위이므로 공소제기 전에는 고소사건을 담당하는 수사기관에, 공소제기 후에는 고소사건의 수소법원에 대하여 이루어져야 한다.

해설

③ [×] 항소심에서 공소장의 변경에 의하여 또는 공소장변경절차를 거치지 아니하고 법원 직권에 의하여 친고죄가 아닌 범죄를 친고죄로 인정하였더라도 항소심을 제1심이라 할 수는 없는 것이므로 **항소심에 이르러 비로소 고소인이 고소를 취소하였다면 이는 친고죄에 대한 고소취소로서의 효력은 없다.**(대법원 1999. 4. 15. 96도1922 全合 외음부 열상 사건)

① [○] 법원이 선임한 부재자 재산관리인이 그 관리대상인 부재자의 재산에 대한 범죄행위에 관하여 법원으로부터 고소권 행사에 관한 허가를 얻은 경우 부재자 재산관리인은 형사소송법 제225조 제1항에서 정한 법정대리인으로서 **적법한 고소권자에 해당한다고 보아야 한다.**(대법원 2022. 5. 26. 2021도2488 부재자 재산관리인 형사고소 사건)

② [○] 법원은 고소권자가 비친고죄로 고소한 사건이더라도 검사가 사건을 친고죄로 구성하여 공소를 제기하였다면 공소장 변경절차를 거쳐 공소사실이 비친고죄로 변경되지 아니하는 한 **법원으로서는 친고죄에서 소송조건이 되는 고소가 유효하게 존재하는지를 직권으로 조사·심리하여야 한다.**(대법원 2015. 11. 17. 2013도7987 특수강제추행 사건)

④ [○] 고소의 취소나 처벌을 희망하는 의사표시의 철회는 수사기관 또는 법원에 대한 법률행위적 소송행위이므로 공소제기 전에는 **고소사건을 담당하는 수사기관에, 공소제기 후에는 고소사건의 수소법원에 대하여 이루어져야 한다.**(대법원 2012. 2. 23. 2011도17264 합의서 미제출 공소기각판결 사건)

030 고소에 대한 설명으로 가장 옳지 않은 것은? (다툼이 있으면 판례에 의함) 24 해경채용 [Essential ★]

□□□

① 피해자의 법정대리인은 피해자의 고소권 소멸 여부에 관계없이 고소할 수 있고, 이는 피해자의 명시한 의사에 반하여도 행사할 수 있다.

② 친고죄에 있어서 행위자의 범죄에 대한 고소가 있으면 족하고, 그 범죄의 양벌규정에 의하여 처벌받는 자에 대한 별도의 고소를 요하지 않는다.

③ 고소권자로부터 고소권한을 위임받은 대리인이 친고죄에 대하여 고소한 경우 고소기간은 고소권자가 아니라 대리고소인을 기준으로 대리고소인이 범인을 알게 된 날부터 기산한다.

④ 친고죄의 공범 중 일부에 대하여 제1심 판결이 선고된 후에는 제1심 판결 선고 전의 다른 공범자에 대하여 고소를 취소할 수 없고, 고소의 취소가 있다 하더라도 그 효력이 발생하지 않는다.

해설

③ [×] 대리고소의 경우 고소기간은 대리고소인이 아니라 **정당한 고소권자를 기준으로** 고소권자가 범인을 알게 된 날부터 기산한다.(대법원 2001. 9. 4. 2001도3081 할머니 추행범 고소사건)

① [○] 법정대리인의 고소권은 무능력자의 보호를 위하여 **법정대리인에게 주어진 고유권이므로** 법정대리인은 피해자의 고소권 소멸 여부에 관계없이 고소할 수 있고 이러한 고소권은 **피해자의 명시한 의사에 반하여도 행사할 수 있다.**(대법원 1999. 12. 24. 99도3784 까치아파트 강간 사건)

② [○] 저작권법 제103조의 양벌규정은 직접 위법행위를 한 자 이외에 아무런 조건이나 면책조항 없이 그 업무의 주체 등을 당연하게 처벌하도록 되어 있는 규정으로서 당해 위법행위와 별개의 범죄를 규정한 것이라고는 할 수 없으므로 **친고죄의 경우에 있어서도 행위자의 범죄에 대한 고소가 있으면 족하고 나아가 양벌규정에 의하여 처벌받는 자에 대하여 별도의 고소를 요한다고 할 수는 없다.**(대법원 1996. 3. 12. 94도2423 양벌규정 고소 사건)

④ [○] 친고죄의 공범 중 그 일부에 대하여 제1심판결이 선고된 후에는 **제1심판결 선고 전의 다른 공범자에 대하여는 그 고소를 취소할 수 없고 그 고소의 취소가 있다 하더라도 그 효력을 발생할 수 없으며,** 이러한 법리는 필요적 공범이나 임의적 공범이나를 구별함이 없이 모두 적용된다.(대법원 1985. 11. 12. 85도1940 가리봉동 여중생 윤간사건)

031

□□□ 고소에 대한 설명으로 가장 적절하지 않은 것은? (다툼이 있으면 판례에 의함)

21 경찰승진 [Core ★★]

① 「민법」상 행위능력이 없는 사람이라도 피해를 입은 사실을 이해하고 고소에 따른 사회생활상의 이해관계를 알아차릴 수 있는 사실상의 의사능력을 갖추었다면 고소능력이 인정된다.

② 구 「성폭력범죄의 처벌 등에 관한 특례법」(2013. 4. 5. 법률 제11729호로 개정) 시행일 이전에 저지른 친고죄인 성폭력범죄의 고소기간은 동법 제19조 제1항 본문(2013. 4. 5. 법률 제11729호로 개정되기 전의 것)에 따라서 '범인을 알게 된 날부터 1년'으로 본다.

③ 법인세는 사업연도를 과세기간으로 하는 것이므로 그 포탈범죄는 각 사업연도마다 1개의 범죄가 성립하는데, 일죄의 관계에 있는 범죄사실의 일부에 대한 공소제기 및 고발의 효력은 그 일죄의 전부에 대하여 미친다.

④ 구 「컴퓨터프로그램 보호법」(2009. 4. 22. 법률 제9625호 저작권법 부칙 제2조로 폐지) 제48조는 프로그램의 저작권침해에 대해 프로그램저작권자 또는 프로그램배타적발행권자의 고소가 있어야 공소를 제기할 수 있다고 규정하고 있는데, 프로그램저작권이 명의신탁된 경우 제3자의 침해행위에 대한 고소권자는 명의신탁자이다.

해설

④ [×] 프로그램저작권이 명의신탁된 경우 대외적인 관계에서는 명의수탁자만이 프로그램저작권자이므로 제3자의 침해행위에 대한 구 컴퓨터프로그램 보호법 제48조 소정의 **고소 역시 명의수탁자만이 할 수 있다.**(대법원 2013. 3. 28. 2010도8467)

① [O] 고소를 함에는 소송행위능력, 즉 고소능력이 있어야 하는바 고소능력은 피해를 받은 사실을 이해하고 고소에 따른 사회생활상의 이해관계를 알아차릴 수 있는 **사실상의 의사능력으로 충분**하므로 민법상의 행위능력이 없는 자라도 위와 같은 능력을 갖춘 자에게는 고소능력이 인정된다.(대법원 2011. 6. 24. 2011도4451 **인천 계산동 여아 약취사건**)

② [O] 구 성폭법 제18조 제1항 본문(이하 '이 사건 특례조항'이라 한다)은 성폭력범죄 중 친고죄의 고소기간을 '형사소송법 제230조 제1항의 규정에 불구하고 **범인을 알게 된 날부터 1년**'으로 규정하였다.(대법원 2018. 6. 28. 2015도2390)

③ [O] 법인세는 사업연도를 과세기간으로 하는 것이므로 그 포탈범죄는 각 사업연도마다 1개의 범죄가 성립하고, 일죄의 관계에 있는 **범죄사실의 일부에 대한 공소제기와 고발의 효력은 그 일죄의 전부에 대하여 미친다.**(대법원 2020. 5. 28. 2018도16864)

032

다음 사례에 대한 설명으로 옳은 것은? (다툼이 있으면 판례에 의함) 12 국가9급 [Superlative ★★★]

> • 甲은 용돈으로는 유흥비가 부족하게 되자 결혼하여 분가한 누나의 집에서 물건을 훔치기로 군대 동기 乙과 공모하였다.
> • 이들은 누나의 집에서 결혼 예물인 다이아몬드 반지, 목걸이, 귀걸이 등의 재물을 훔쳤다.
> • 甲의 누나는 乙에 대해서만 고소하였다.

① 乙에 대한 고소는 공동정범인 甲에게도 효력이 있다.

② 甲을 고소하지 않았으므로 乙에 대한 고소도 효력이 없다.

③ 甲의 누나와 신분관계가 없는 乙에 대한 고소는 乙에게만 효력이 있다.

④ 甲에게도 고소의 효력이 미치지만, 친족상도례가 적용되어 형이 면제된다.

해설

> ③ 甲과 그의 누나는 원친(遠親)의 관계에 있고, 乙과 甲의 누나는 친족관계에 있지 않다. 따라서 甲의 절도죄는 친고죄이지만, 乙의 절도죄는 친고죄에 해당하지 않는다.(형법 제328조, 제344조) 乙의 절도죄는 친고죄가 아니므로 甲의 누나가 乙에 대해서만 고소한 경우 그 **고소는 乙에게만 효력이 미칠 뿐, 甲에게는 효력이 미치지 아니한다.**

033

□□□ 고소에 관한 다음 설명 중 가장 옳지 않은 것은? (다툼이 있으면 판례에 의함) 16 법원9급 [Core ★★]

① 수사기관이 고소권자를 증인 또는 피해자로서 신문한 경우에 그 진술에 범인의 처벌을 요구하는 의사표시가 포함되어 있고 그 의사표시가 조서에 기재되면 이를 적법한 고소로 볼 수 있다.

② 대리인에 의한 고소의 경우, 고소기간은 대리고소인이 아니라 정당한 고소권자를 기준으로 고소권자가 범인을 알게 된 날부터 기산한다.

③ 고발에 있어서는 이른바 고소·고발 불가분의 원칙이 적용되지 아니하므로, 고발의 구비 여부는 양벌규정에 의하여 처벌받는 자연인인 행위자와 법인에 대하여 개별적으로 논하여야 한다.

④ 출판물에 의한 명예훼손죄의 공범 중 1인에 대한 고소의 효력은 다른 공범에 대해서도 미친다.

해설

④ [×] 처벌을 희망하지 아니하는 의사표시나 처벌을 희망하는 의사표시의 철회에 관하여 **친고죄와는 달리 공범자간에 불가분의 원칙이 적용되지 아니한다.**(대법원 1994. 4. 26. 93도1689 옹진여성 폐간 사건) 따라서 출판물에 의한 명예훼손죄의 공범 중 1인에 대한 고소의 효력은 다른 공범에게는 미치지 아니한다.

① [○] 고소는 서면뿐만 아니라 구술로도 할 수 있고, 다만 구술에 의한 고소를 받은 검사 또는 사법경찰관은 조서를 작성하여야 하지만 **그 조서가 독립된 조서일 필요는 없으며,** 수사기관이 고소권자를 증인 또는 피해자로서 신문한 경우에 그 진술에 범인의 처벌을 요구하는 의사표시가 포함되어 있고 그 의사표시가 조서에 기재되면 고소는 적법하다.(대법원 2011. 6. 24. 2011도4451 인천 계산동 여아 약취사건)

② [○] 대리인에 의한 고소의 경우 대리권이 정당한 고소권자에 의하여 수여되었음이 실질적으로 증명되면 충분하고 그 방식에 특별한 제한은 없으므로 고소를 할 때 반드시 위임장을 제출한다거나 '대리'라는 표시를 하여야 하는 것은 아니고 또 **고소기간은 대리고소인이 아니라 정당한 고소권자를 기준으로 고소권자가 범인을 알게 된 날부터 기산한다.**(대법원 2001. 9. 4. 2001도3081)

③ [○] **조세범처벌법**에 의하여 하는 고발에 있어서는 이른바 고소·고발 불가분의 원칙이 적용되지 아니하므로 고발의 구비 여부는 **양벌규정에 의하여 처벌받는 자연인인 행위자와 법인에 대하여 개별적으로 논하여야 한다.**(대법원 2004. 9. 24. 2004도4066)

034 고소에 대한 설명으로 가장 적절하지 않은 것은? (다툼이 있으면 판례에 의함)

22 경찰간부 [Essential ★]

① 고소장에 명예훼손죄라는 죄명을 붙이고, 명예훼손에 관한 사실을 적어 두었으나 그 사실이 명예훼손죄를 구성하지 않고 모욕죄를 구성하는 경우 위 고소는 모욕죄에 대한 고소로서의 효력을 갖는다.

② 고소인이 사건 당일 범죄사실을 신고하면서 현장에 출동한 경찰관에게 고소장을 교부한 경우 경찰서에 도착하여 최종적으로 고소장을 접수시키지 아니하기로 결심하고 고소장을 반환받았더라도 고소장이 수사기관에 적법하게 수리되어 고소의 효력이 발생되었다고 할 수 있다.

③ 피해자의 법정대리인은 피해자의 고소권 소멸 여부에 관계없이 고소할 수 있고, 이러한 고소권은 피해자의 명시한 의사에 반하여도 행사할 수 있다.

④ 형사소송법 제236조(대리고소)에 의하면 고소 또는 그 취소는 대리인으로 하여금 하게 할 수 있는데, 이와 같은 대리인에 의한 고소의 경우 고소기간은 대리고소인이 아니라 정당한 고소권자를 기준으로 고소권자가 범인을 알게 된 날부터 기산한다.

해설

② [×] 비록 고소인이 사건 당일 간통의 범죄사실을 신고하면서 현장에 출동한 경찰관에게 고소장을 교부하였다고 하더라도, 송파경찰서에 도착하여 최종적으로 고소장을 접수시키지 아니하기로 결심하고 고소장을 반환받은 것이라면 **고소장이 수사기관에 적법하게 수리되어 고소의 효력이 발생되었다고 할 수 없다.**(대법원 2008. 11. 27. 2007도4977 방이동 모로코모텔 간통사건) 고소인이 현장에 출동한 경찰관에게 고소장을 교부한 것을 정식의 고소가 아니고 단순한 피해사실의 신고에 불과하다는 취지의 판례이다.

① [○] 고소가 어떠한 사항에 관한 것인가의 여부는 고소장에 붙인 죄명에 구애될 것이 아니라 고소의 내용에 의하여 결정하여야 할 것이므로 고소장에 명예훼손죄의 죄명을 붙이고 그 죄에 관한 사실을 적었으나 그 사실이 명예훼손죄를 구성하지 않고 모욕죄를 구성하는 경우에는 위 고소는 **모욕죄에 대한 고소로서의 효력을 갖는다.**(대법원 1981. 6. 23. 81도1250)

③ [○] 법정대리인의 고소권은 무능력자의 보호를 위하여 법정대리인에게 주어진 고유권이므로 법정대리인은 피해자의 고소권 소멸 여부에 관계없이 고소할 수 있고 이러한 고소권은 피해자의 **명시한 의사에 반하여도 행사할 수 있다.**(대법원 1999. 12. 24. 99도3784 까치아파트 강간 사건)

④ [○] 대리인에 의한 고소의 경우 대리권이 정당한 고소권자에 의하여 수여되었음이 실질적으로 증명되면 충분하고 그 방식에 특별한 제한은 없으므로 고소를 할 때 반드시 위임장을 제출한다거나 '대리'라는 표시를 하여야 하는 것은 아니고 또 고소기간은 대리고소인이 아니라 **정당한 고소권자를 기준으로 고소권자가 범인을 알게 된 날부터 기산한다.**(대법원 2001. 9. 4. 2001도3081)

035

☐☐☐ 고소불가분에 관한 설명 중 가장 적절하지 않은 것은? (다툼이 있으면 판례에 의함)

16 경찰승진 [Essential ★]

① 상대적 친고죄의 경우 신분관계 있는 자에 대한 피해자의 고소취소는 비신분자에게도 효력이 있다.

② 절대적 친고죄의 공범 중 일부에 대하여만 처벌을 구하고 나머지에 대하여는 처벌을 원하지 않는다는 내용의 고소는 적법한 고소라고 할 수 없다.

③ 친고죄의 공범 중 그 1인 또는 수인에 대한 고소 또는 그 취소는 다른 공범자에 대하여도 효력이 있다.

④ 절대적 친고죄의 경우 공범 중 일부에 대하여 이미 1심 판결이 선고된 때에는 아직 1심 판결선고 전의 다른 공범자에 대하여 고소를 취소할 수 없다.

해설

① [×] 상대적 친고죄에 있어서의 **피해자의 고소취소는 친족관계 없는 공범자에게는 그 효력이 미치지 아니한다.**(대법원 1964. 12. 15. 64도481)

② [○] (저작권법위반 사건에 있어) 고소불가분의 원칙상 공범 중 일부에 대하여만 처벌을 구하고 나머지에 대하여는 처벌을 원하지 않는 내용의 고소는 **적법한 고소라고 할 수 없고** 공범 중 1인에 대한 고소취소는 고소인의 의사와 상관없이 다른 공범에 대하여도 효력이 있다.(대법원 2009. 1. 30. 2008도7462 **나이키현수막 사건**)

③ [○] 친고죄의 공범 중 그 1인 또는 수인에 대한 고소 또는 그 취소는 **다른 공범자에 대하여도 효력이 있다.** (제233조)

④ [○] 친고죄의 공범 중 그 일부에 대하여 제1심판결이 선고된 후에는 제1심판결 선고 전의 다른 공범자에 대하여는 그 고소를 취소할 수 없고 그 고소의 취소가 있다 하더라도 그 효력을 발생할 수 없으며, 이러한 법리는 **필요적 공범이나 임의적 공범이냐를 구별함이 없이 모두 적용된다.**(대법원 1985. 11. 12. 85도1940 **가리봉동여중생 윤간사건**)

036 고소에 관한 설명으로 옳지 않은 것은? (다툼이 있으면 판례에 의함)

20 소방간부 [Essential ★]

① 고소권자로부터 고소권한을 위임받은 대리인이 친고죄에 대하여 고소를 한 경우, 고소기간은 고소권자가 아니라 대리고소인을 기준으로 대리고소인이 범인을 알게 된 날부터 기산한다.

② 피해자의 법정대리인은 피해자의 고소권 소멸 여부에 관계없이 고소할 수 있고, 이는 피해자의 명시한 의사에 반하여도 행사할 수 있다.

③ 친고죄의 공범 중 일부에 대하여 제1심 판결이 선고된 후에는 제1심 판결 선고 전의 다른 공범자에 대하여 고소를 취소할 수 없고, 고소의 취소가 있다 하더라도 그 효력이 발생하지 않는다.

④ 친고죄에 대하여 고소할 자가 없는 경우에 이해관계인의 신청이 있으면 검사는 10일 이내에 고소할 수 있는 자를 지정하여야 한다.

⑤ 친고죄에 있어서 행위자의 범죄에 대한 고소가 있으면 족하고, 그 범죄의 양벌규정에 의하여 처벌받는 자에 대한 별도의 고소를 요하지 않는다.

해설

① [×] 대리고소의 경우 고소기간은 대리고소인이 아니라 **정당한 고소권자를 기준으로** 고소권자가 범인을 알게 된 날부터 기산한다.(대법원 2001. 9. 4. 2001도3081)

② [○] 법정대리인의 고소권은 무능력자의 보호를 위하여 법정대리인에게 주어진 고유권이므로 법정대리인은 피해자의 고소권 소멸 여부에 관계없이 고소할 수 있고 이러한 고소권은 피해자의 **명시한 의사에 반하여도** 행사할 수 있다.(대법원 1999. 12. 24. 99도3784 **까치아파트 강간 사건**)

③ [○] 친고죄의 공범 중 그 일부에 대하여 제1심판결이 선고된 후에는 제1심판결 선고 전의 다른 공범자에 대하여는 그 고소를 취소할 수 없고 그 **고소의 취소가 있다** 하더라도 그 효력을 발생할 수 없으며, 이러한 법리는 필요적 공범이나 임의적 공범이나를 구별함이 없이 모두 적용된다.(대법원 1985. 11. 12. 85도1940 **가리봉동 여중생 윤간사건**)

④ [○] 친고죄에 대하여 고소할 자가 없는 경우에 이해관계인의 신청이 있으면 검사는 **10일** 이내에 고소할 수 있는 자를 **지정하여야 한다.**(제228조)

⑤ [○] 저작권법 제103조의 양벌규정은 직접 위법행위를 한 자 이외에 아무런 조건이나 면책조항 없이 그 업무의 주체 등을 당연하게 처벌하도록 되어 있는 규정으로서 당해 위법행위와 별개의 범죄를 규정한 것이라고는 할 수 없으므로 친고죄의 경우에 있어서도 행위자의 범죄에 대한 고소가 있으면 족하고 나아가 **양벌규정에 의하여 처벌받는 자에 대하여 별도의 고소를 요한다고 할 수는 없다.**(대법원 1996. 3. 12. 94도2423 **양벌규정 고소 사건**)

037

□□□

고소불가분의 원칙에 대한 설명 중 옳은 것은 모두 몇 개인가? (다툼이 있으면 판례에 의함)

18 해경채용 [Superlative ★★★]

> ㉠ 과형상 일죄의 일부분만이 친고죄인 경우에 비친고죄에 대한 고소의 효력은 친고죄에 대하여 미치지 않는다.
> ㉡ 하나의 문서로 여러 사람을 모욕한 경우 피해자 1인의 고소는 다른 피해자에 대한 모욕에 대해서도 효력이 있다.
> ㉢ 상대적 친고죄의 경우 신분관계에 있는 자에 대한 피해자의 고소취소는 비신분자에게도 효력이 있다.
> ㉣ 반의사불벌죄에서 처벌을 희망하지 아니하는 의사표시나 처벌을 희망하는 의사표시의 철회에 관하여는 공범자간에 불가분의 원칙이 적용되지 않는다.
> ㉤ 「조세범처벌법」 및 「관세법」상의 즉시고발에도 고소불가분의 원칙이 적용된다.

① 2개
② 3개
③ 4개
④ 5개

해설

① ㉠㉣ 2 항목이 옳다.
㉠ [O] 상상적 경합범(과형상 일죄)의 경우 피해자가 다르거나 일부 범죄만이 친고죄인 경우에는 고소의 객관적 불가분의 원칙이 적용되지 아니한다. 따라서 과형상 일죄의 일부분만이 친고죄인 경우에 **비친고죄에 대한 고소의 효력은 친고죄에 대하여 미치지 않는다.**
㉡ [×] 하나의 문서로 여러 사람을 **모욕한 경우 피해자 1인의 고소는 다른 피해자에 대한 모욕에 대해서 효력이 미치지 않는다.**
㉢ [×] 상대적 친고죄에 있어서 피해자의 고소취소는 **친족관계 없는 공범자에게는 그 효력이 미치지 아니한다.**(대법원 1964. 12. 15. 64도481)
㉣ [O] 처벌을 희망하지 아니하는 의사표시나 처벌을 희망하는 의사표시의 철회에 관하여 **친고죄와는 달리 공범자간에 불가분의 원칙이 적용되지 아니한다.**(대법원 1994. 4. 26. 93도1689 웅진여성 폐간 사건)
㉤ [×] (1) 조세범처벌법에 의하여 하는 고발에 있어서는 이른바 **고소·고발 불가분의 원칙이 적용되지 아니하므로** 고발의 구비 여부는 양벌규정에 의하여 처벌받는 자연인인 행위자와 법인에 대하여 개별적으로 논하여야 한다.(대법원 2004. 9. 24. 2004도4066) (2) 관세범에 대한 관세법상 즉시고발의 경우에는 그 특별요건 구비여부는 범인 개개인에 대하여 개별적으로 따질 것이고 **고소·고발 불가분의 원칙이 적용될 여지가 없다.**(대법원 1971. 11. 23. 71도1106)

038

☐☐☐ 다음 설명 중 옳은 것은 모두 몇 개인가? (다툼이 있으면 판례에 의함)　　23 경찰간부 [Core ★★]

⊙ 甲이 자신의 친구 乙과 함께 다른 도시에 살고 있는 甲의 삼촌 A의 물건을 절취한 경우 A가 乙에 대해서만 고소를 하였다면 그 고소의 효력은 甲에게도 미친다.

ⓒ 甲이 제1심 법원에서 「소송촉진 등에 관한 특례법」에 따라 甲의 진술없이 A에 대한 폭행죄로 유죄를 선고받고 확정된 후 적법하게 제1심 법원에 재심을 청구하여 재심개시 결정이 내려졌다면 A는 그 재심의 제1심 판결 선고 전까지 처벌희망의사표시를 철회할 수 없으나, 甲이 재심을 청구하는 대신 항소권회복청구를 함으로써 항소심재판을 받게 되었다면 그 항소심 절차에서는 처벌희망의사표시를 철회할 수 있다.

ⓒ 수개의 범칙사실 중 일부만을 범칙사건으로 하는 고발이 있는 경우에 고발장에 기재된 범칙사실과 동일성이 인정되지 않는 다른 범칙사실에 대해서는 고발의 효력이 미치지 아니한다.

ⓔ 甲과 乙이 공모하여 A에 대하여 사실적시에 의한 명예훼손을 한 혐의로 공소제기 되었으나 A가 甲에 대하여만 처벌불원의 의사를 표시하였다면 법원은 A의 이러한 의사에 기하여 乙에 대하여 공소기각판결을 선고해서는 안 된다.

---

① 1개　　　　② 2개　　　　③ 3개　　　　④ 4개

해설

② ⓒⓔ 2 항목이 옳다.

⊙ [×] 甲의 절도(또는 특수절도)죄는 친고죄이지만, 乙의 절도죄는 친고죄가 아니다.(형법 제328조 제2항·제3항) A가 乙만 고소한 경우 이는 친고죄에 대한 고소가 아니므로 **그 고소의 효력은 甲에게 미치지 않는다.**(대법원 1964. 12. 15. 64도481 참고)

ⓒ [×] 제1심 법원이 반의사불벌죄로 기소된 피고인에 대하여 소촉법 제23조에 따라 피고인의 진술 없이 유죄를 선고하여 판결이 확정된 경우 만일 피고인이 책임을 질 수 없는 사유로 공판절차에 출석할 수 없었음을 이유로 소송촉진법 제23조의2에 따라 제1심 법원에 재심을 청구하여 재심개시결정이 내려졌다면 피해자는 **그 재심의 제1심 판결 선고 전까지 처벌을 희망하는 의사표시를 철회할 수 있다.** 그러나 피고인이 제1심 법원에 소촉법 제23조의2에 따른 재심을 청구하는 대신 항소권회복청구를 함으로써 **항소심 재판을 받게 되었다면** 항소심을 제1심이라고 할 수 없는 이상 그 항소심 절차에서는 **처벌을 희망하는 의사표시를 철회할 수 없다.**(대법원 2016. 11. 25. 2016도9470)

ⓒ [○] 고발은 범죄사실에 대한 소추를 요구하는 의사표시로서 그 효력은 고발장에 기재된 범죄사실과 동일성이 인정되는 사실 모두에 미치므로 조세범처벌절차법에 따라 범칙사건에 대한 고발이 있는 경우 그 고발의 효력은 범칙사건에 관련된 범칙사실의 전부에 미치고 한 개의 범칙사실의 일부에 대한 고발은 그 전부에 대하여 효력이 생긴다. 그러나 수 개의 범칙사실 중 일부만을 범칙사건으로 하는 고발이 있는 경우 고발장에 기재된 범칙사실과 동일성이 인정되지 않는 다른 범칙사실에 대해서까지 그 고발의 효력이 미칠 수는 없다.(대법원 2014. 10. 15. 2013도5650)

ⓔ [○] **반의사불벌죄**에 있어 처벌을 희망하지 아니하는 의사표시나 처벌을 희망하는 의사표시의 철회에 관하여는 친고죄와는 달리 **공범자간에 불가분의 원칙이 적용되지 아니한다.**(대법원 1994. 4. 26. 93도1689 옹진여성 폐간 사건) 법원은 甲에게는 공소기각판결을 선고하여야 하고, 乙에게는 다른 소송조건의 흠결이 없는 한 유무죄의 실체재판을 하여야 한다.

정답 ┃ 037 ① 　　038 ②

039

고소에 대한 설명이다. <보기> 중 옳지 않은 것은 모두 몇 개인가? (다툼이 있으면 판례에 의함)

21 해경채용 [Superlative ★★★]

⊙ 친고죄에서 고소는 고소권 있는 자가 수사기관에 대하여 범죄사실을 신고하고 범인의 처벌을 구하는 의사표시로서 서면뿐만 아니라 구술로도 할 수 있고, 다만 구술에 의한 고소를 받은 검사 또는 사법경찰관은 조서를 작성하여야 하지만 그 조서가 독립된 조서일 필요는 없으며, 수사 기관이 고소권자를 증인 또는 피해자로서 신문한 경우에 그 진술에 범인의 처벌을 요구하는 의사표시가 포함되어 있고 그 의사표시가 조서에 기재되면 고소는 적법하다.

ⓛ 고소를 할 때는 소송행위능력, 즉 고소능력이 있어야 하나, 고소능력은 피해를 입은 사실을 이해하고 고소에 따른 사회생활상의 이해관계를 알아차릴 수 있는 사실상의 의사능력으로 충분하므로 민법상 행위능력이 없는 사람이라도 위와 같은 능력을 갖추었다면 고소능력이 인정된다.

ⓒ 친고죄에서 적법한 고소가 있었는지는 자유로운 증명의 대상이 되고, 일죄의 관계에 있는 범죄 사실 일부에 대한 고소의 효력은 일죄 전부에 대하여 미친다.

ⓔ 「형사소송법」 제228조에서는 "친고죄에 대하여 고소할 자가 없는 경우에 이해관계인의 신청이 있으면 검사는 14일 이내에 고소할 수 있는 자를 지정하여야 한다."라고 규정하고 있다.

ⓜ 「형사소송법」 제230조 제1항에서는 "친고죄에 대하여는 범인을 알게 된 날로부터 6월을 경과하면 고소하지 못한다. 단, 고소할 수 없는 불가항력의 사유가 있는 때에는 그 사유가 없어진 날로부터 기산한다."라고 규정하고 있다.

① 1개   ② 2개   ③ 4개   ④ 5개

해설

① ⓔ 항목만 옳지 않다.

⊙ⓛⓒ [○] 친고죄에 있어서의 고소는 고소권 있는 자가 수사기관에 대하여 범죄사실을 신고하고 범인의 처벌을 구하는 의사표시로서 서면뿐만 아니라 구술로도 할 수 있는 것이고, 다만 구술에 의한 고소를 받은 검사 또는 사법경찰관은 조서를 작성하여야 하지만 그 조서가 독립된 조서일 필요는 없으며 수사기관이 고소권자를 증인 또는 피해자로서 신문한 경우에 그 진술에 범인의 처벌을 요구하는 의사표시가 포함되어 있고 그 **의사표시가 조서에 기재되면 고소는 적법하게 이루어진 것이다.** 또한 고소를 함에는 소송행위능력, 즉 고소능력이 있어야 하나, 고소능력은 피해를 받은 사실을 이해하고 고소에 따른 사회생활상의 이해관계를 알아차릴 수 있는 **사실상의 의사능력으로 충분하므로,** 민법상의 행위능력이 없는 사람이라도 위와 같은 능력을 갖춘 사람이면 고소능력이 인정된다. 그리고 친고죄에서 위와 같은 적법한 고소가 있었는지 여부는 **자유로운 증명의 대상이** 되고, 일죄의 관계에 있는 범죄사실의 일부에 대한 고소의 효력은 그 일죄의 전부에 대하여 미친다.(대법원 2011. 6. 24. 2011도4451 인천 계산동 여아 약취사건)

ⓔ [×] 친고죄에 대하여 고소할 자가 없는 경우에 이해관계인의 신청이 있으면 검사는 **10일 이내에** 고소할 수 있는 자를 지정하여야 한다.(제228조)

ⓜ [○] 친고죄에 대하여는 범인을 알게 된 날로부터 **6월을** 경과하면 고소하지 못한다. 단, 고소할 수 없는 불가항력의 사유가 있는 때에는 그 사유가 없어진 날로부터 기산한다.(제230조 제1항)

040 아래 사례와 관련한 다음 설명 중 가장 적절하지 않은 것은? (다툼이 있으면 판례에 의함)
□□□
12 경찰승진 [Superlative ★★★]

> 피고인 甲은 2011. 8. 30. 02:30경 간음할 목적으로 피해자 A(여, 11세, 초등학교 6학년)를
> A의 주거지 부근 주차장으로 끌고 간 다음, 같은 날 02:40경 같은 목적으로 A를 부근 빌딩
> 2층으로 끌고 갔다. A는 다음날 경찰에서 피해자 조사를 받으면서 02:30경의 약취행위에 관하
> 여 또박또박 피해상황을 진술하였으며 고소장을 제출하지는 않았지만 甲을 형사처벌하여 달라는
> 의사표시를 분명히 하였다. 이에, 검사는 02:30경의 약취행위와 02:40경의 약취행위를 모두
> 공소제기 하였다.

① A는 고소능력이 있다.

② 甲에 대하여는 적법한 고소가 있다.

③ 검사가 기소한 甲에 대한 02:40경의 약취행위는 고소가 없으므로 공소기각판결을 하여야 한다.

④ 甲이 제출한 합의서에 A의 이름이 기재되어 있으나 날인이 없고, A의 부친의 무인 및 인감증
명서가 첨부되어 있는 경우에는 A의 고소가 취소되었다고 볼 수 없다.

해설

> ③ [×] 일죄의 관계에 있는 **범죄사실 일부에 대한 고소의 효력은 일죄 전부에 대하여 미친다.**(대법원 2011.
> 6. 24. 2011도4451 **인천 계산동 여아 약취사건**)설문의 경우 피해자 A의 02:30경의 약취행위에 대한 고소는
> 그와 일죄 관계에 있는 02:40경의 약취행위에 대해서도 효력이 있다.
>
> ①②④ [○] 피고인이 간음할 목적으로 미성년자인 피해자를 범행 당일 02:30경 주차장으로 끌고 간 다음 같은 날
> 02:40경 다시 부근의 빌딩 2층으로 끌고 가 약취하였다는 내용으로 기소된 경우, 당시 피해자는 11세 남짓한 초등
> 학교 6학년생으로서 피해입은 사실을 이해하고 고소에 따른 사회생활상의 이해관계를 알아차릴 수 있는 사실상의
> 의사능력이 있었던 것으로 보이고, 경찰에서 일죄의 관계에 있는 범죄사실 중 범행 당일 02:30경의 약취 범행 등을
> 이유로 피고인을 처벌하여 달라는 의사표시를 분명히 하여 그 의사표시가 피해자 진술조서에 기재되었으므로, 고소
> 능력 있는 피해자 본인이 고소를 하였다고 보아야 하며, 피고인 제출의 합의서에 피해자 성명이 기재되어 있으나
> 피해자의 날인은 없고, 피해자의 법정대리인인 부(父)의 무인 및 인감증명서가 첨부되어 있을 뿐이어서 피해자 본
> 인의 고소 취소의 의사표시가 여기에 당연히 포함되어 있다고 볼 수 없으므로 설령 **피해자 법정대리인의 고소는
> 취소되었다고 하더라도 본인의 고소가 취소되지 아니한 이상 친고죄의 공소제기 요건은 여전히 충족되고,** 같은
> 취지에서 피고인에 대한 간음 목적 약취의 공소사실을 유죄로 인정한 원심판단은 정당하다.(대법원 2011. 6.
> 24. 2011도4451 **인천계산동 여아 약취사건**)

041 고소 또는 고발에 대한 설명 중 옳고 그름의 표시(○, ×)가 가장 바르게 된 것은? (다툼이 있으면
☐☐☐ 판례에 의함)

17 경찰채용 [Core ★★]

> ㉠ 고소할 수 있는 자가 수인인 경우에는 1인의 기간의 해태는 타인의 고소에 영향이 있다.
> ㉡ 고소와 고발의 대리는 허용된다.
> ㉢ 피해자가 사망한 때에는 그 배우자, 직계친족 또는 형제자매는 피해자의 명시한 의사에 반하여 고소할 수 있다.
> ㉣ 피해자의 법정대리인이 피의자이거나 법정대리인의 친족이 피의자인 때에는 피해자의 친족은 독립하여 고소할 수 있다.
> ㉤ 출판사 대표인 피고인이 도서의 저작권자인 피해자와 전자도서에 대하여 별도의 출판 계약 등을 체결하지 않고 전자도서를 제작하여 인터넷서점 등을 통해 판매하였다고 하여 구 저작권법위반으로 기소된 사안에서, 피해자가 경찰청 인터넷 홈페이지에 '피고인을 철저히 조사해 달라'는 취지의 민원을 접수하는 형태로 피고인에 대한 조사를 촉구하는 의사표시를 한 것은 형사소송법에 따른 적법한 고소로 볼 수 있다.

① ㉠ ○ ㉡ ○ ㉢ ○ ㉣ × ㉤ ○
② ㉠ × ㉡ × ㉢ × ㉣ × ㉤ ○
③ ㉠ × ㉡ ○ ㉢ × ㉣ ○ ㉤ ×
④ ㉠ × ㉡ × ㉢ × ㉣ ○ ㉤ ×

해설

④ 이 지문이 옳은 연결이다.

㉠ [×] 고소할 수 있는 자가 수인인 경우에는 1인의 기간의 해태(懈怠)는 **타인의 고소에 영향이 없다.**(제231조) '해태'란 게을리 하여 고소기간이 경과한 것을 말한다.

㉡ [×] 고소는 대리가 허용되지만, **고발은 대리가 허용되지 아니한다.**(제236조, 대법원 1989. 9. 26. 88도1533)

㉢ [×] 피해자가 사망한 때에는 그 배우자, 직계친족 또는 형제자매는 고소할 수 있다. 단, **피해자의 명시한 의사에 반하지 못한다.**(제225조 제2항)

㉣ [○] 피해자의 법정대리인이 피의자이거나 법정대리인의 친족이 피의자인 때에는 피해자의 친족은 **독립하여 고소할 수 있다.**(제226조)

㉤ [×] 고소라 함은 수사기관에 단순히 피해사실을 신고하거나 수사 및 조사를 촉구하는 것에 그치지 않고 범죄사실을 신고하여 범인의 소추·처벌을 요구하는 의사표시이므로, 저작권법위반죄의 피해자가 **경찰청 인터넷 홈페이지에 '피고인을 철저히 조사해 달라'는 취지의 민원을 접수하는 형태로 피고인에 대한 조사를 촉구하는 의사표시를 한 것은** 형사소송법에 따른 **적법한 고소로 보기 어렵다.**(대법원 2012. 2. 23. 2010도9524 **경찰청 홈페이지 민원사건)**

042 고소와 고발에 대한 다음 설명 중 적절하지 않은 것만을 고른 것은 모두 몇 개인가? (다툼이 있으면 판례에 의함)

20 경찰채용 [Superlative ★★★]

> ㉠ 성폭력범죄의 처벌 등에 관한 특례법 제27조에 따라 성폭력범죄 피해자의 변호사는 피해자를 대리하여 피고인에 대한 처벌을 희망하는 의사표시를 철회하거나 처벌을 희망하지 않는 의사표시를 할 수 있다.
>
> ㉡ 반의사불벌죄에 있어서 미성년인 피해자에게 의사능력이 있는 이상, 법정대리인의 동의 없이 단독으로 고소취소 또는 처벌불원의 의사를 표시할 수 있다.
>
> ㉢ 제1심 법원이 반의사불벌죄로 기소된 피고인에 대하여 소송촉진 등에 관한 특례법 제23조에 따라 피고인의 진술 없이 유죄를 선고하여 판결이 확정된 후 피고인이 제1심 법원에 동법 제23조의2에 따른 재심을 청구하는 대신 항소권회복청구를 하여 항소심 재판을 받게 된 경우, 항소심 절차일지라도 처벌을 희망하는 의사표시를 철회할 수 있다.
>
> ㉣ 세무공무원 등의 고발에 따른 조세범처벌법위반죄 혐의에 대하여 검사가 불기소처분을 하였다가 나중에 공소를 제기하는 경우에는 세무공무원 등의 새로운 고발이 있어야 한다.
>
> ㉤ 수개의 범칙사실 중 일부만을 범칙사건으로 하는 고발이 있는 경우에 고발장에 기재된 범칙사실과 동일성이 인정되지 않는 다른 범칙사실에 대해서는 고발의 효력이 미치지 않는다.

① 1개 　　　　② 2개 　　　　③ 3개 　　　　④ 4개

해설

② ㉢㉣ 2 항목이 옳지 않다.

㉠ [O] 성폭력범죄의 처벌 등에 관한 특례법 제27조 제6항에 의하여 선정된 **피해자의 변호사**는 형사절차에서 피해자등의 대리가 허용될 수 있는 모든 소송행위에 대한 포괄적인 대리권을 가지므로(동법 제27조 제5항), 피해자의 변호사는 피해자를 대리하여 피고인에 대한 **처벌을 희망하는 의사표시를 철회하거나 처벌을 희망하지 않는 의사표시를 할 수 있다.**(대법원 2019. 12. 13. 2019도10678)

㉡ [O] 반의사불벌죄라고 하더라도 피해자인 청소년에게 의사능력이 있는 이상, 단독으로 피고인 또는 피의자의 처벌을 희망하지 않는다는 의사표시 또는 처벌희망 의사표시의 철회를 할 수 있고, 거기에 **법정대리인의 동의가 있어야 하는 것으로 볼 것은 아니다.**(대법원 2009. 11. 19. 2009도6058 全슴 **14세 가출녀 강간 사건**)

㉢ [×] 피고인이 제1심 법원에 소촉법 제23조의2에 따른 재심을 청구하는 대신 항소권회복청구를 함으로써 항소심 재판을 받게 되었다면 항소심을 제1심이라고 할 수 없는 이상 그 **항소심 절차에서는 처벌을 희망하는 의사표시를 철회할 수 없다.**(대법원 2016. 11. 25. 2016도9470)

㉣ [×] 세무공무원 등의 고발이 있어야 공소를 제기할 수 있는 조세범처벌법위반죄에 관하여 일단 불기소처분이 있었더라도 세무공무원 등이 종전에 한 고발은 여전히 유효하므로, 나중에 공소를 제기함에 있어 **세무공무원 등의 새로운 고발이 있어야 하는 것은 아니다.**(대법원 2009. 10. 29. 2009도6614)

㉤ [O] 수개의 범칙사실 중 일부만을 범칙사건으로 하는 고발이 있는 경우 고발장에 기재된 **범칙사실과 동일성이 인정되지 않는 다른 범칙사실에 대해서까지 그 고발의 효력이 미칠 수는 없다.**(대법원 2014. 10. 15. 2013도5650)

043

□□□

고소와 고발에 대한 다음 설명으로 적절하지 않은 것은 모두 몇 개인가? (다툼이 있으면 판례에 의함)

21 경찰승진 [Superlative ★★★]

> ○ 「성폭력범죄의 처벌 등에 관한 특례법」 제27조에 따라 성폭력범죄 피해자의 변호사는 피해자를 대리하여 피고인에 대한 처벌을 희망하는 의사표시를 철회하거나 처벌을 희망하지 않는 의사표시를 할 수 있다.
> ○ 세무공무원 등의 고발에 따른 「조세범처벌법」 위반 사건에 대하여 검사가 불기소처분을 하였다가 나중에 공소를 제기하는 경우에는 세무공무원 등의 새로운 고발이 있어야 한다.
> ○ 「조세범처벌법」상 수개의 범칙사실 중 일부만을 범칙사건으로 하는 고발이 있는 경우에 고발장에 기재된 범칙사실과 동일성이 인정되지 않는 다른 범칙사실에 대해서는 고발의 효력이 미치지 않는다.
> ○ 피해자가 반의사불벌죄의 공범 중 1인에 대하여 처벌을 희망하는 의사표시를 철회한 경우, 그 철회의 효력은 다른 공범자에 대해서도 미친다.

① 1개   ② 2개

③ 3개   ④ 4개

해설

② ○○ 2 항목이 옳지 않다.

○ [○] 성폭법 제27조 제6항에 의하여 선정된 피해자의 변호사는 형사절차에서 피해자등의 대리가 허용될 수 있는 모든 소송행위에 대한 포괄적인 대리권을 가지므로(동법 제27조 제5항), 피해자의 변호사는 피해자를 대리하여 **피고인에 대한 처벌을 희망하는 의사표시를 철회하거나 처벌을 희망하지 않는 의사표시를 할 수 있다.**(대법원 2019. 12. 13. 2019도10678)

○ [×] 세무공무원 등의 고발이 있어야 공소를 제기할 수 있는 조세범처벌법위반죄에 관하여 일단 불기소처분이 있었더라도 세무공무원 등이 종전에 한 고발은 여전히 유효하므로, 나중에 공소를 제기함에 있어 **세무공무원 등의 새로운 고발이 있어야 하는 것은 아니다.**(대법원 2009. 10. 29. 2009도6614)

○ [○] 수개의 범칙사실 중 일부만을 범칙사건으로 하는 고발이 있는 경우 고발장에 기재된 범칙사실과 동일성이 인정되지 않는 다른 범칙사실에 대해서까지 그 고발의 효력이 미칠 수는 없다.(대법원 2014. 10. 15. 2013도5650)

○ [×] 처벌을 희망하지 아니하는 의사표시나 처벌을 희망하는 의사표시의 철회에 관하여 **친고죄와는 달리 공범자간에 불가분의 원칙이 적용되지 아니한다.**(대법원 1994. 4. 26. 93도1689 웅진여성 폐간 사건) 피해자가 반의사불벌죄의 공범 중 1인에 대하여 처벌희망 의사표시를 철회한 경우 그 철회의 효력은 다른 공범자에게 미치지 아니한다.

044

고소에 관한 다음 설명 중 가장 옳지 않은 것은? (다툼이 있으면 판례에 의함) 21 법원9급 [Essential ★]

① 친고죄가 아닌 죄로 공소가 제기되어 제1심에서 친고죄가 아닌 죄의 유죄판결을 선고받은 경우, 제1심에서 친고죄의 범죄사실은 현실적 심판대상이 되지 아니하였으므로 그 판결을 친고죄에 대한 제1심판결로 볼 수는 없고, 따라서 친고죄에 대한 제1심판결은 없었다고 할 것이므로 그 사건의 항소심에서도 고소를 취소할 수 있다.

② 형사소송법이 고소취소의 시한과 재고소의 금지를 규정하고 반의사불벌죄에 위 규정을 준용하는 규정을 두면서도, 고소와 고소취소의 불가분에 관한 규정을 함에 있어서는 반의사불벌죄에 이를 준용하는 규정을 두지 아니한 것은 처벌을 희망하지 아니하는 의사표시나 처벌을 희망하는 의사표시의 철회에 관하여 친고죄와는 달리 공범자간에 불가분의 원칙을 적용하지 아니하고자 함에 있다.

③ 친고죄에서 구술에 의한 고소를 받은 수사기관은 조서를 작성하여야 하지만 그 조서가 독립된 조서일 필요는 없으며, 수사기관이 고소권자를 증인 또는 피해자로서 신문한 경우에 그 진술에 범인의 처벌을 요구하는 의사표시가 포함되어 있고 그 의사표시가 조서에 기재되면 고소는 적법하다.

④ 제1심 법원이 반의사불벌죄로 기소된 피고인에 대하여 소송촉진 등에 관한 특례법(이하 '소송촉진법'이라고 한다) 제23조에 따라 피고인의 진술 없이 유죄를 선고하여 판결이 확정된 경우, 소송촉진법 제23조의2에 따라 제1심 법원에 재심을 청구하여 재심개시결정이 내려졌다면 피해자는 재심의 제1심 판결 선고 전까지 처벌을 희망하는 의사표시를 철회할 수 있다.

해설

① [×] **항소심에서** 공소장의 변경에 의하여 또는 공소장변경절차를 거치지 아니하고 법원 직권에 의하여 친고죄가 아닌 범죄를 **친고죄로 인정하였더라도** 항소심을 제1심이라 할 수는 없는 것이므로 **항소심에 이르러 비로소 고소인이 고소를 취소하였다면** 이는 친고죄에 대한 **고소취소로서의 효력은 없다.**(대법원 1999. 4. 15. 96도1922 全合 **외음부 열상 사건**)

② [○] 형사소송법이 고소와 고소취소에 관한 규정을 하면서 제232조 제1항, 제2항에서 고소취소의 시한과 재고소의 금지를 규정하고 제3항에서는 반의사불벌죄에 제1항, 제2항의 규정을 준용하는 규정을 두면서도 제233조에서 고소와 고소취소의 불가분에 관한 규정을 함에 있어서는 반의사불벌죄에 이를 준용하는 규정을 두지 아니한 것은 처벌을 희망하지 아니하는 의사표시나 처벌을 희망하는 의사표시의 철회에 관하여 친고죄와는 달리 **공범자간에 불가분의 원칙을 적용하지 아니하고자** 함에 있다고 볼 것이지 입법의 불비로 볼 것은 아니다.(대법원 1994. 4. 26. 93도1689 **웅진여성 폐간 사건**)

③ [○] 친고죄에서 고소는, 고소권 있는 자가 수사기관에 대하여 범죄사실을 신고하고 범인의 처벌을 구하는 의사표시로서 서면뿐만 아니라 구술로도 할 수 있고, 다만 구술에 의한 고소를 받은 검사 또는 사법경찰관은 조서를 작성하여야 하지만 그 조서가 독립된 조서일 필요는 없으며, 수사기관이 고소권자를 증인 또는 피해자로서 신문한 경우에 그 진술에 범인의 **처벌을 요구하는 의사표시가 포함되어 있고 그 의사표시가 조서에 기재되면 고소는 적법하다.**(대법원 2011. 6. 24. 2011도4451 **인천 계산동 여아 약취사건**)

④ [○] 제1심 법원이 반의사불벌죄로 기소된 피고인에 대하여 소촉법 제23조에 따라 피고인의 진술 없이 유죄를 선고하여 판결이 확정된 경우 만일 피고인이 책임을 질 수 없는 사유로 공판절차에 출석할 수 없었음을 이유로 소촉법 제23조의2에 따라 제1심 법원에 재심을 청구하여 재심개시결정이 내려졌다면 피해자는 그 재심의 제1심 판결 선고 전까지 처벌을 희망하는 의사표시를 철회할 수 있다.(대법원 2016. 11. 25. 2016도9470)

정답 | 043 ② 044 ①

045

☐☐☐ 고소에 관한 설명으로 가장 적절하지 않은 것은? (다툼이 있으면 판례에 의함)

24 경찰승진 [Core ★★]

① 법원이 선임한 부재자 재산관리인이 그 관리대상인 부재자의 재산에 대한 범죄행위에 관하여 법원으로부터 고소권 행사에 관한 허가를 얻은 경우 부재자 재산관리인은 형사소송법 제225조 제1항에서 정한 법정대리인으로서 적법한 고소권자에 해당한다.

② 고소권자가 비친고죄로 고소한 사건이더라도 검사가 사건을 친고죄로 구성하여 공소를 제기하였다면 공소장변경절차를 거쳐 공소사실이 비친고죄로 변경되지 아니하는 한 법원으로서는 친고죄에서 소송조건이 되는 고소가 유효하게 존재하는지를 직권으로 조사·심리하여야 한다.

③ 고소의 취소는 수사기관 또는 법원에 대한 법률행위적 소송행위이므로 공소제기 전에는 고소사건을 담당하는 수사기관에, 공소제기 후에는 고소사건의 수소법원에 대하여 이루어져야 한다.

④ 형사소송법이 고소 및 고소취소에 대하여 대리를 허용하는 규정을 두면서도 처벌불원의사에 대하여는 이에 관한 규정을 두지 않은 것은 해석에 의한 보충이 필요한 입법의 불비이자 법률의 흠결에 해당한다.

해설

④ [×] **반의사불벌죄에서 성년후견인은** 명문의 규정이 없는 한 **의사무능력자인 피해자를 대리하여 피고인 또는 피의자에 대하여 처벌을 희망하지 않는다는 의사를 결정하거나 처벌을 희망하는 의사표시를 철회하는 행위를 할 수 없다.** 이는 성년후견인의 법정대리권 범위에 통상적인 소송행위가 포함되어 있거나 성년후견개시심판에서 정하는 바에 따라 성년후견인이 소송행위를 할 때 가정법원의 허가를 얻었더라도 마찬가지이다.(대법원 2023. 7. 17. 2021도11126 全合 **성년후견인 합의서 제출사건**) ④ 지문은 이 전원합의체판결의 대법관 박정화, 대법관 민유숙, 대법관 이동원, 대법관 이흥구, 대법관 오경미의 반대의견(소수의견)으로 옳지 않다. **다수의견에 의할 때** 형사소송법이 고소 및 고소취소에 대하여 대리를 허용하는 규정을 두면서도 처벌불원의사에 대하여는 이에 관한 규정을 두지 않은 것은 **입법의 불비나 법률의 흠결에 해당하지 않는다.**

2021도11126 판결 다수의견의 논거

「교통사고처리 특례법」과 형사소송법의 문언상 처벌을 원하지 아니하는 의사결정 자체는 피해자가 하여야 하고 대리될 수 없다. 반의사불벌죄에서 피고인 또는 피의자에 대하여 처벌을 원하지 않거나 처벌희망의 의사표시를 철회하는 의사결정 그 자체는 특별한 규정이 없는 한 피해자 본인이 하여야 한다. 형사소송법은 친고죄의 고소 및 고소취소와 반의사불벌죄의 처벌불원의사를 달리 규정하였으므로 반의사불벌죄의 처벌불원의사는 친고죄의 고소 또는 고소취소와 동일하게 취급할 수 없다. 민법상 성년후견인이 형사소송절차에서 반의사불벌죄의 처벌불원 의사표시를 대리할 수 있다고 보는 것은 피해자 본인을 위한 후견적 역할에 부합한다고 볼 수도 없다. 양형기준을 포함한 현행 형사사법 체계 아래에서 성년후견인이 의사무능력인 피해자를 대리하여 피고인 또는 피의자와 합의를 한 경우에는 이를 소극적인 소추조건이 아니라 양형인자로서 고려하면 충분하다.

① [○] 법원이 선임한 부재자 재산관리인이 그 관리대상인 부재자의 재산에 대한 범죄행위에 관하여 법원으로부터 고소권 행사에 관한 허가를 얻은 경우 **부재자 재산관리인은 형사소송법 제225조 제1항에서 정한 법정대리인으로서** 적법한 **고소권자에 해당한다.**(대법원 2022. 5.26. 2021도2488 부재자 재산관리인 형사고소 사건)

② [○] 법원은 검사가 공소를 제기한 범죄사실을 심판하는 것이지 고소권자가 고소한 내용을 심판하는 것이 아니므로 고소권자가 비친고죄로 고소한 사건이더라도 검사가 사건을 친고죄로 구성하여 공소를 제기하였다면

공소장변경절차를 거쳐 공소사실이 비친고죄로 변경되지 아니하는 한, 법원으로서는 친고죄에서 소송조건이
되는 고소가 유효하게 존재하는지를 직권으로 조사·심리하여야 한다.(대법원 2015. 11. 17. 2013도7987
특수강제추행 사건)
③ [○] 고소의 취소나 처벌을 희망하는 의사표시의 철회는 수사기관 또는 법원에 대한 법률행위적 소송행위이므
로 공소제기 전에는 고소사건을 담당하는 수사기관에, 공소제기 후에는 고소사건의 수소법원에 대하여 이루어
져야 한다.(대법원 2012. 2. 23. 2011도17264 합의서 미제출 공소기각판결 사건)

046

고소에 관한 설명 중 가장 적절하지 않은 것은? (다툼이 있으면 판례에 의함) 23 경대편입 [Core ★★]

① 친고죄에 대하여 고소할 자가 없는 경우에 이해관계인의 신청이 있으면 검사는 10일 이내에
고소할 수 있는 자를 지정하여야 한다.

② 항소심에서 공소장변경 또는 법원의 직권에 의해 비친고죄를 친고죄로 인정한 경우 항소심에
서 고소인이 고소를 취소하였다면 이는 친고죄에 대한 고소취소로서의 효력이 없다.

③ 법인세는 사업연도를 과세기간으로 하는 것이므로 그 포탈범죄는 각 사업연도마다 1개의 범
죄가 성립하고, 일죄의 관계에 있는 범죄사실의 일부에 대한 공소제기와 고발의 효력은 그 일
죄의 전부에 대하여 미친다.

④ 정보통신망을 통한 명예훼손죄의 공범 중 1인에 대한 고소의 효력은 다른 공범에 대해서도
미친다.

⑤ 「조세범처벌법」에 의한 국세청장 등의 고발의 경우 '고소·고발 불가분원칙'이 적용되지 아니
하므로 고발의 구비여부는 양벌규정에 의해 처벌받는 자연인 행위자와 법인에 대하여 개별적
으로 논하여야 한다.

해설

④ [×] 정보통신망을 통한 명예훼손죄는 반의사불벌죄이다.(정보통신망법 제70조 제1항부터 제3항) 반의사불벌
죄에 있어 처벌을 희망하지 아니하는 의사표시나 처벌을 희망하는 의사표시의 철회에 관하여는 친고죄와는 달
리 **공범자간에 불가분의 원칙이 적용되지 아니한다.**(대법원 1994. 4. 26. 93도1689 옹진여성 폐간사건) 정보
통신망을 통한 명예훼손죄의 공범 중 1인에 대한 고소의 효력은 다른 공범에게 미치지 않는다.

① [○] 친고죄에 대하여 고소할 자가 없는 경우에 이해관계인의 신청이 있으면 검사는 10일 이내에 고소할 수
있는 자를 지정하여야 한다.(형사소송법 제228조)

② [○] 항소심에서 공소장의 변경에 의하여 또는 공소장변경절차를 거치지 아니하고 법원 직권에 의하여 친고죄가 아닌 범죄를 친고죄로 인정하였더라도 항소심을 제1심이라 할 수는 없는 것이므로 항소심에 이르러 비로소 고소인이 고소를 취소하였다면 이는 친고죄에 대한 고소취소로서의 효력은 없다.(대법원 1999. 4. 15. 96도1922 숲승 외음부 열상 사건)

③ [○] 법인세는 사업연도를 과세기간으로 하는 것이므로 그 포탈범죄는 각 사업연도마다 1개의 범죄가 성립하고, 일죄의 관계에 있는 범죄사실의 일부에 대한 공소제기와 고발의 효력은 그 일죄의 전부에 대하여 미친다. (대법원 2020. 5. 28. 2018도16864 3사업연도 법인세 포탈사건)

⑤ [○] 조세범처벌법에 의하여 하는 고발에 있어서는 이른바 고소·고발 불가분의 원칙이 적용되지 아니하므로 고발의 구비 여부는 양벌규정에 의하여 처벌받는 자연인인 행위자와 법인에 대하여 개별적으로 논하여야 한다.(대법원 2004. 9. 24. 2004도4066 전북산업 사건)

047 다음 중 고소에 관한 설명으로 가장 옳은 것은? (다툼이 있으면 판례에 의함) 24 해경승진 [Core ★★]

□□□

① 민사사건에서 '이 사건과 관련하여 서로 상대방에 대해 제기한 형사사건의 고소를 모두 취하한다'는 내용이 포함된 조정이 성립된 것만으로도 위 형사사건의 고소가 취소된 것으로 볼 수 있다.

② 법정대리인의 고소권은 무능력자의 보호를 위하여 법정대리인에게 주어진 독립대리권이므로 피해자의 명시한 의사에 반하여 행사할 수 없다.

③ 항소심에서 공소장변경 또는 법원의 직권에 의하여 비친고죄를 친고죄로 인정한 경우 항소심에 이르러 비로소 고소인이 고소를 취소하였다면 이는 친고죄에 대한 고소취소로서 효력이 있다.

④ 영업범 등 포괄일죄의 경우 고소권자가 범죄행위가 계속되는 도중에 범인을 알았다 하더라도 최후의 범죄행위가 종료된 때에 고소기간이 진행된다.

해설

④ [○] '범인을 알게 된 날'이란 범죄행위가 종료된 후에 범인을 알게 된 날을 가리키는 것으로서 고소권자가 범죄행위가 계속되는 도중에 범인을 알았다 하여도, 그 날부터 곧바로 고소기간이 진행된다고는 볼 수 없고 이러한 경우 고소기간은 범죄행위가 종료된 때부터 계산하여야 하며 동종행위의 반복이 당연히 예상되는 영업범 등 포괄일죄의 경우에는 최후의 범죄행위가 종료한 때에 전체 범죄행위가 종료된 것으로 보아야 한다.(대법원 2004. 10. 28. 2004도5014 위사감지기 사건)

① [×] 조정이 성립된 것만으로는 고소인이 수사기관이나 제1심 법정에 피고인에 대한 고소를 취소하였다거나 처벌을 원하지 아니한다는 의사를 표시한 것으로 보기 어렵다.(대법원 2004. 3. 25. 2003도8136 쌍방 고소 취하 조정성립 사건)

② [×] 법정대리인의 고소권은 무능력자의 보호를 위하여 법정대리인에게 주어진 고유권이므로 법정대리인은 피해자의 고소권 소멸 여부에 관계없이 고소할 수 있고 이러한 고소권은 피해자의 명시한 의사에 반하여도 행사할 수 있다.(대법원 1999. 12. 24. 99도3784 까치아파트 강간 사건)

③ [×] 항소심에서 공소장의 변경에 의하여 또는 공소장변경절차를 거치지 아니하고 법원 직권에 의하여 친고죄가 아닌 범죄를 친고죄로 인정하였더라도 항소심을 제1심이라 할 수는 없는 것이므로 항소심에 이르러 비로소 고소인이 고소를 취소하였다면 이는 **친고죄에 대한 고소취소로서의 효력은 없다.**(대법원 1999. 4. 15. 96도 1922 숫습 **외음부 열상 사건**)

048 다음 설명 중 가장 옳지 않은 것은? (다툼이 있으면 판례에 의함)   20 법원9급 [Superlative ★★★]

① 반의사불벌죄의 공범 중 일부에 대하여 제1심 판결이 선고된 후에는 제1심 판결선고 전의 다른 공범자에 대하여 처벌을 희망하지 아니하는 의사표시나 처벌을 희망하는 의사표시의 철회를 할 수 없고, 이를 하더라도 그 효력이 발생하지 않는다.

② 친고죄에서 처벌을 구하는 의사표시의 철회는 수사기관이나 법원에 대한 공법상의 의사표시로서 절차적 확실성을 해하는 조건부 고소나 조건부 고소취소는 허용되지 않는다.

③ 반의사불벌죄에 있어서 미성년자인 피해자의 피고인 또는 피의자에 대한 처벌을 희망하지 않는다는 의사표시 또는 처벌을 희망하는 의사표시의 철회는 의사능력이 있는 한 피해자가 단독으로 할 수 있고, 거기에 법정대리인의 동의가 있어야 한다거나 법정대리인에 의해 대리되어야 하는 것은 아니다.

④ 항소심에서 공소장의 변경에 의하여 또는 공소장변경절차를 거치지 아니하고 법원 직권에 의하여 친고죄가 아닌 범죄를 친고죄로 인정하였더라도 항소심을 제1심이라 할 수는 없는 것이므로 항소심에 이르러 비로소 고소인이 고소를 취소하였더라도 이는 친고죄에 대한 고소취소로서의 효력이 없다.

해설

① [×] **반의사불벌죄에 있어 처벌을 희망하지 아니하는 의사표시나 처벌을 희망하는 의사표시의 철회에 관하여는 친고죄와는 달리 공범자간에 불가분의 원칙이 적용되지 아니한다.**(대법원 1994. 4. 26. 93도1689 웅진 여성 폐간 사건)

② [○] 통설의 입장으로 옳은 설명이다.

③ [○] 반의사불벌죄라고 하더라도 피해자인 청소년에게 의사능력이 있는 이상, 단독으로 피고인 또는 피의자의 처벌을 희망하지 않는다는 의사표시 또는 처벌희망 의사표시의 철회를 할 수 있고, 거기에 **법정대리인의 동의가 있어야 하는 것으로 볼 것은 아니다.**(대법원 2009. 11. 19. 2009도6058 숫습 **14세 가출녀 강간 사건**)

④ [○] 항소심에서 공소장의 변경에 의하여 또는 공소장변경절차를 거치지 아니하고 법원 직권에 의하여 친고죄가 아닌 범죄를 친고죄로 인정하였더라도 항소심을 제1심이라 할 수는 없는 것이므로 항소심에 이르러 비로소 고소인이 고소를 취소하였다면 이는 **친고죄에 대한 고소취소로서의 효력은 없다.**(대법원 1999. 4. 15. 96도 1922 숫습 **외음부 열상 사건**)

049 모 일간신문사의 편집장 甲과 기자 乙은 익명의 제보를 받고 사망한 전 국회의원 A와 A의 전 보
□□□ 좌관 B가 이전에 모 기업체로부터 거액의 뇌물을 받은 사실을 일간신문에 게재하였으나, 그것은
허위사실로 판명되었다. 이에 B와 A의 친족 C는 甲과 乙을 검찰에 고소하였으나, 乙이 B와 C에
게 찾아가 사죄를 하여 B와 C는 乙에 대한 고소를 취소하였다. 이에 대한 설명으로 가장 적절한
것은? (다툼이 있으면 판례에 의함)   11 경찰채용 [Superlative ★★★]

① 乙에 대한 B와 C의 고소취소의 효력은 모두 甲에 대해서도 미친다.

② 乙에 대한 B의 고소취소의 효력은 甲에 대해서도 미치나 乙에 대한 C의 고소취소의 효력은
甲에 대해서 미치지 않는다.

③ 乙에 대한 B의 고소취소의 효력은 甲에 대해서 미치지 않으나 C의 고소취소의 효력은 甲에
대해서도 미친다.

④ 乙에 대한 B와 C의 고소취소의 효력은 모두 甲에 대해서 미치지 않는다.

해설

③ 친고죄의 경우 고소의 주관적 불가분의 원칙이 적용되지만, 반의사불벌죄의 경우 그와 같은 불가분의 원칙이
적용되지 아니한다.(제233조, 대법원 1994. 4. 26. 93도1689 웅진여성 폐간사건) 설문의 경우 甲, 乙의 죄책
은 A에 대한 사자명예훼손죄[친고죄]와 B에 대한 출판물명예훼손죄[반의사불벌죄]이다. 따라서 출판물명예훼
손죄의 고소권자인 B의 고소취소의 효력은 甲에게 미치지 않지만, 사자명예훼손죄의 고소권자인 C의 고소취
소의 효력은 甲에게 미친다.

050 소송조건에 대한 설명으로 옳지 않은 것은? (다툼이 있으면 판례에 의함) 21 국가9급 [Essential ★]

① 친고죄에서 고소취소의 의사표시는 공소제기 전에는 고소사건을 담당하는 수사기관에, 공소제기 후에는 고소사건의 수소법원에 대하여 이루어져야 한다.

② 고소를 함에 있어서 고소인은 범죄사실을 특정하여 신고하면 족하며, 범인이 누구인지 나아가 범인 중 처벌을 구하는 자가 누구인지를 적시할 필요는 없다.

③ 친고죄의 공범 중 그 일부에 대하여 제1심 판결이 선고된 후에는 제1심 판결 선고 전의 다른 공범자에 대하여는 그 고소를 취소할 수 없고, 그 고소의 취소가 있다 하더라도 그 효력을 발생할 수 없으며, 이러한 법리는 필요적 공범과 임의적 공범 모두에 적용된다.

④ 친고죄에서 고소는 제1심 판결선고 전까지 취소할 수 있으므로 상소심에서 제1심 공소기각판결을 파기하고 이 사건을 제1심 법원에 환송함에 따라 다시 제1심 절차가 진행된 때에는 환송 후의 제1심 판결 선고 전이라도 고소를 취소할 수 없다.

해설

④ [×] 상소심에서 제1심의 공소기각판결이 법률에 위반됨을 이유로 이를 파기하고 사건을 제1심법원에 환송함에 따라 다시 제1심 절차가 진행된 경우, 종전의 제1심판결은 이미 파기되어 그 효력을 상실하였으므로 **환송 후의 제1심판결 선고 전에는 고소취소의 제한사유가 되는 제1심판결 선고가 없는 경우에 해당한다.** 따라서 환송 후 제1심판결 선고 전에 **고소가 취소되면** 형사소송법 제327조 제5호에 의하여 **판결로써 공소를 기각하여야 한다.**(대법원 2011. 8. 25. 2009도9112 환송전 고소취소 사건)

① [○] 고소의 취소나 처벌을 희망하는 의사표시의 철회는 수사기관 또는 법원에 대한 법률행위적 소송행위이므로 공소제기 전에는 고소사건을 담당하는 **수사기관에,** 공소제기 후에는 고소사건의 **수소법원에 대하여 이루어져야 한다.**(대법원 2012. 2. 23. 2011도17264)

② [○] 고소는 범죄의 피해자 또는 그와 일정한 관계가 있는 고소권자가 수사기관에 대하여 범죄사실을 신고하여 범인의 처벌을 구하는 의사표시이므로 고소인은 범죄사실을 특정하여 신고하면 족하고 범인이 누구인지 나아가 범인 중 처벌을 구하는 자가 **누구인지를 적시할 필요도 없다.**(대법원 1996. 3. 12. 94도2423 양벌규정 고소 사건)

③ [○] 친고죄의 공범 중 그 일부에 대하여 제1심판결이 선고된 후에는 **제1심판결 선고전의 다른 공범자에 대하여는 그 고소를 취소할 수 없고** 그 고소의 취소가 있다 하더라도 그 효력을 발생할 수 없으며, 이러한 법리는 필요적 공범이나 임의적 공범이나를 구별함이 없이 모두 적용된다.(대법원 1985. 11. 12. 85도1940 가리봉동 여중생 윤간사건)

051

☐☐☐

고소 등에 관한 다음 설명 중 가장 적절하지 않은 것은? (다툼이 있으면 판례에 의함)

12 경찰채용 [Essential ★]

① 고소는 서면뿐만 아니라 구술에 의해서도 가능하고, 다만 구술에 의한 고소를 받은 검사 또는 사법경찰관은 조서를 작성하여야 하지만 그 조서가 독립된 조서일 필요는 없다.

② 반의사불벌죄에 있어서 피해자가 처벌을 희망하지 아니하는 의사표시는 피해자의 진실한 의사가 명백하고 믿을 수 있는 방법으로 표명되어야 한다.

③ 친고죄사건의 상소심에서 법률위반을 이유로 제1심 공소기각판결을 파기하고 사건을 제1심 법원에 환송한 경우, 환송 후의 제1심판결 선고 전에 친고죄의 고소취소가 가능하고, 이때 법원은 공소기각의 판결을 하여야 한다.

④ 친고죄에서 '범인을 알게 된다'함은 통상인의 입장에서 보아 고소권자가 고소를 할 수 있을 정도로 범죄사실과 범인을 아는 것을 의미하고, 여기서 범죄사실을 안다는 것은 고소권자가 친고죄에 해당하는 범죄의 피해가 있었다는 사실관계에 관하여 미필적 인식이 있음을 말한다.

해설

④ [×] 범죄사실을 안다는 것은 고소권자가 친고죄에 해당하는 범죄의 피해가 있었다는 사실관계에 관하여 **확정적인 인식이 있음을 말한다.**(대법원 2010. 7. 15. 2010도4680)

① [O] 고소는 서면뿐만 아니라 구술로도 할 수 있고, 다만 구술에 의한 고소를 받은 검사 또는 사법경찰관은 조서를 작성하여야 하지만 **그 조서가 독립된 조서일 필요는 없으며,** 수사기관이 고소권자를 증인 또는 피해자로서 신문한 경우에 그 진술에 범인의 처벌을 요구하는 의사표시가 포함되어 있고 그 의사표시가 조서에 기재되면 고소는 적법하다.(대법원 2011. 6. 24. 2011도4451 **인천 계산동 여아 약취사건**)

② [O] 반의사불벌죄에 있어서 피해자가 처벌을 희망하지 아니하는 의사표시나 처벌을 희망하는 의사표시의 철회를 하였다고 인정하기 위해서는 **피해자의 진실한 의사가 명백하고 믿을 수 있는 방법으로 표현되어야 한다.** (대법원 2010. 11. 11. 2010도11550)

③ [O] 상소심에서 형사소송법 제366조 또는 제393조 등에 의하여 제1심의 공소기각판결이 법률에 위반됨을 이유로 이를 파기하고 사건을 제1심법원에 환송함에 따라 다시 제1심 절차가 진행된 경우, 종전의 제1심판결은 이미 파기되어 그 효력을 상실하였으므로 **환송 후의 제1심판결 선고 전에는 고소취소의 제한사유가 되는 제1심판결 선고가 없는 경우에 해당한다.** 따라서 환송 후 제1심판결 선고 전에 고소가 취소되면 형사소송법 제327조 제5호에 의하여 판결로써 공소를 기각하여야 한다.(대법원 2011. 8. 25. 2009도9112 **환송전 고소취소 사건**)

052 고소 등에 대한 설명 중 옳은 것만을 모두 고른 것은? (다툼이 있으면 판례에 의함)

17 경찰채용 [Superlative ★★★]

㉠ 「근로기준법」 제44조의2, 제109조는 건설업에서 2차례 이상 도급이 이루어진 경우, 「건설산업기본법」규정에 따른 건설업자가 아닌 하수급인이 그가 사용한 근로자에게 임금을 지급하지 못할 경우 하수급인의 직상 수급인은 하수급인과 연대하여 하수급인이 사용한 근로자의 임금을 지급할 책임을 지도록 하면서 이를 위반한 직상 수급인을 처벌하되, 근로자의 명시적인 의사와 다르게 공소를 제기할 수 없도록 규정하고 있다. 이때 하수급인의 처벌을 희망하지 아니하는 근로자의 의사표시가 있을 경우, 직상 수급인의 처벌을 희망하지 아니하는 의사표시도 포함되어 있다고 볼 수 있는지를 살펴보아야 하고, 직상 수급인을 배제한 채 오로지 하수급인에 대하여만 처벌을 희망하지 아니하는 의사를 표시한 것으로 쉽사리 단정할 것은 아니다.

㉡ 피해사실을 이해하고, 고소에 따른 사회생활상의 이해관계를 알아차릴 수 있는 사실상의 의사능력이 있다 하더라도 민법상의 행위능력이 없으면 고소능력은 인정되지 않는다.

㉢ 폭행죄는 피해자의 명시한 의사에 반하여 공소를 제기할 수 없는 반의사불벌죄로서 처벌불원의 의사표시는 의사능력이 있는 피해자가 단독으로 할 수 있는 것이고, 피해자가 사망한 후 그 상속인이 피해자를 대신하여 처벌불원의 의사표시를 할 수는 없다.

㉣ 「형사소송법」 제236조의 대리인에 의한 고소의 경우, 대리권이 정당한 고소권자에 의하여 수여되었음을 증명하기 위해 반드시 위임장을 제출한다거나 '대리'라는 표시를 하여야 한다.

㉤ 고소권자가 비친고죄로 고소한 사건이더라도 검사가 사건을 친고죄로 구성하여 공소를 제기하였다면, 공소장 변경절차를 거쳐 공소사실이 비친고죄로 변경되지 아니하는 한, 법원으로서는 친고죄에서 소송조건이 되는 고소가 유효하게 존재하는지를 직권으로 조사·심리하여야 한다.

---

① ㉠㉡   ② ㉠㉢㉤   ③ ㉢㉤   ④ ㉢㉣㉤

해설

② ㉠㉢㉤ 3 항목이 옳다.

㉠ [○] 「근로기준법」 제44조의2, 제109조는 건설업에서 2차례 이상 도급이 이루어진 경우, 「건설산업기본법」 규정에 따른 건설업자가 아닌 하수급인이 그가 사용한 근로자에게 임금을 지급하지 못할 경우 하수급인의 직상 수급인은 하수급인과 연대하여 하수급인이 사용한 근로자의 임금을 지급할 **책임**을 지도록 하면서 이를 위반한 직상 수급인을 처벌하되, 근로자의 명시적인 의사와 다르게 공소를 제기할 수 없도록 규정하고 있다. 이때 하수급인의 처벌을 희망하지 아니하는 근로자의 의사표시가 있을 경우, 직상 수급인의 처벌을 희망하지 아니하는 의사표시도 포함되어 있다고 볼 수 있는지를 살펴보아야 하고, **직상 수급인을 배제한 채 오로지 하수급인에 대하여만 처벌을 희망하지 아니하는 의사를 표시**한 것으로 쉽사리 단정할 것은 아니다.(대법원 2015. 11. 12. 2013도8417)

㉡ [×] 고소를 할 때는 소송행위능력, 즉 고소능력이 있어야 하나, 고소능력은 피해를 입은 사실을 이해하고 고소에 따른 **사회생활상의 이해관계를 알아차릴 수 있는 사실상의 의사능력으로 충분**하므로, 민법상 행위능력

이 없는 사람이라도 위와 같은 능력을 갖추었다면 고소능력이 인정된다.(대법원 2011. 6. 24. 2011도4451 인천 계산동 여아 약취사건)

ⓒ [○] 폭행죄에 있어 **피해자가 사망한 후 그 상속인이 피해자를 대신하여 처벌불원의 의사표시를 할 수는 없다.** 따라서 피해자의 상속인들이 제1심판결 선고 전에 피고인에 대한 처벌불원의 의사표시를 하였다고 하더라도, 원심이 피고인에 대한 폭행죄를 유죄로 판단한 것은 옳다.(대법원 2010. 5. 27. 2010도2680 생일빵 사건)

ⓔ [×] 대리인에 의한 고소의 경우 대리권이 정당한 고소권자에 의하여 수여되었음이 실질적으로 증명되면 충분하고 그 방식에 특별한 제한은 없으므로 고소를 할 때 반드시 위임장을 제출한다거나 '**대리**'라는 표시를 하여야 하는 것은 아니다.(대법원 2001. 9. 4. 2001도3081)

ⓜ [○] 법원은 검사가 공소를 제기한 범죄사실을 심판하는 것이지 고소권자가 고소한 내용을 심판하는 것이 아니므로, 고소권자가 비친고죄로 고소한 사건이더라도 검사가 사건을 친고죄로 구성하여 공소를 제기하였다면 공소장 변경절차를 거쳐 공소사실이 비친고죄로 변경되지 아니하는 한, 법원으로서는 친고죄에서 소송조건이 되는 **고소가 유효하게 존재하는지를 직권으로 조사·심리하여야** 한다.(대법원 2015. 11. 17. 2013도7987)

053 친고죄의 고소에 대한 설명으로 옳은 것만을 모두 고르면? (다툼이 있으면 판례에 의함)

□□□

20 국가9급 [Essential ★]

ⓐ 친고죄가 아닌 범죄로 기소되었으나 항소심에서 공소장의 변경에 의하여 친고죄로 인정된 경우, 고소인이 공소제기 전에 행한 고소를 항소심에서 취소하면 법원은 공소기각의 판결을 선고하여야 한다.

ⓑ 수사기관이 고소권이 있는 자를 증인 또는 피해자로서 신문한 경우에는 그 진술에 범인의 처벌을 요구하는 의사표시가 포함되어 있고 그 의사표시가 조서에 기재되어 있더라도 이는 고소로서 유효하지 않다.

ⓒ 수사가 장차 고소나 고발의 가능성이 없는 상태 하에서 행해졌다는 등의 특단의 사정이 없는 한 고소나 고발이 있기 전에 수사를 하였다는 이유만으로 그 수사가 위법하게 되는 것은 아니다.

ⓓ 친고죄에 있어서 피해자의 고소권은 공법상의 권리로서 법이 특히 명문으로 인정하는 경우를 제외하고는 고소 전에 고소권을 포기할 수 없다.

① ㉠ㄴ   ② ㄴㄷ   ③ ㄷㄹ   ④ ㉠ㄷㄹ

해설

③ ㄷㄹ 2 항목이 옳다.

ⓐ [×] 항소심에서 공소장의 변경에 의하여 또는 공소장변경절차를 거치지 아니하고 법원 직권에 의하여 친고죄가 아닌 범죄를 친고죄로 인정하였더라도 항소심을 제1심이라 할 수는 없는 것이므로 항소심에 이르러 비로소 고소인이 고소를 취소하였다면 이는 **친고죄에 대한 고소취소로서의 효력은 없다.**(대법원 1999. 4. 15. 96도 1922 숨승 외음부 열상 사건) 법원은 다른 사유가 없는 한 공소기각판결을 선고할 수 없다.

ⓒ [×] 친고죄에서 고소는, 고소권 있는 자가 수사기관에 대하여 범죄사실을 신고하고 범인의 처벌을 구하는 의사표시로서 서면뿐만 아니라 구술로도 할 수 있고, 다만 구술에 의한 고소를 받은 검사 또는 사법경찰관은 조서를 작성하여야 하지만 그 조서가 독립된 조서일 필요는 없으며, **수사기관이 고소권자를 증인 또는 피해자로서 신문한 경우에 그 진술에 범인의 처벌을 요구하는 의사표시가 포함되어 있고 그 의사표시가 조서에 기재되면 고소는 적법하다.**(대법원 2011. 6. 24. 2011도4451 인천 계산동 여아 약취사건)

ⓒ [○] 법률에 의하여 고소나 고발이 있어야 논할 수 있는 죄에 있어서 고소 또는 고발은 이른바 소추조건에 불과하고 당해 범죄의 성립요건이나 수사의 조건은 아니므로 위와 같은 범죄에 관하여 고소나 고발이 있기 전에 수사를 하였더라도, 그 수사가 장차 고소나 고발의 가능성이 없는 상태하에서 행해졌다는 등의 특단의 사정이 없는 한 고소나 고발이 있기 전에 수사를 하였다는 이유만으로 그 수사가 위법하게 되는 것은 아니다. (대법원 2011. 3. 10. 2008도7724 강사 불법채용 사건)

ⓔ [○] 친고죄에 있어서의 피해자의 고소권은 공법상의 권리라고 할 것이므로 법이 특히 명문으로 인정하는 경우를 제외하고는 자유처분을 할 수 없고 따라서 일단 한 고소는 취소할 수 있으나 고소전에 **고소권을 포기할 수 없다.**(대법원 1967. 5. 23. 67도471)

---

054 고소취소에 대한 설명으로 옳지 않은 것은? (다툼이 있으면 판례에 의함) _{13 국가9급} [Superlative ★★★]

① 친고죄의 고소를 제1심 판결선고 후에 취소한 경우에는 고소취소의 효력이 없다.

② 피해자의 명시한 의사에 반하여 죄를 논할 수 없는 사건에 있어서 처벌을 희망하는 의사표시의 철회에 관하여도 고소의 취소에 관한 규정이 준용된다.

③ 상해죄로 기소되어 제1심에서 무죄가 선고된 후 항소심에 이르러 비로소 폭행죄로 공소장변경이 이루어진 경우, 항소심에서 피해자가 처벌을 희망하지 않는 의사를 표시하였다면 법원은 판결로써 공소기각을 하여야 한다.

④ 고소취소는 수사기관 또는 법원에 대한 고소권자의 의사표시로서 서면 또는 구술로 할 수 있다.

해설

③ [×] 반의사불벌죄에 있어서 처벌을 희망하는 의사표시의 철회는 제1심판결 선고 전까지 이를 할 수 있다고 규정하고 있는 바, 비록 항소심에 이르러 비로소 반의사불벌죄가 아닌 죄에서 반의사불벌죄로 공소장변경이 있었다 하여 **항소심인 제2심을 제1심으로 볼 수는 없다.** 원심이 이와 다른 견해에서 제2심에서 밝힌 처벌을 희망하지 아니하는 피해자의 의사를 받아들여 피고인에 대한 **폭행죄에 대한 공소를 기각한 것은 위법하다.**(대법원 1988. 3. 8. 85도2518)

① [○] 제1심판결 선고 후에 고소가 취소된 경우에는 그 취소의 효력이 없으므로 공소기각의 재판을 할 수 없다.(대법원 1985. 2. 8. 84도2682)

② [○] 고소는 제1심 판결선고 전까지 취소할 수 있고, 고소를 취소한 자는 다시 고소하지 못한다. 이는 피해자의 명시한 의사에 반하여 죄를 논할 수 없는 사건에 있어서 처벌을 희망하는 의사표시의 철회에 관하여도 준용된다.(제232조)

정답 | 053 ③ 054 ③

④ [O] 고소의 취소나 처벌을 희망하는 의사표시의 철회는 수사기관 또는 법원에 대한 법률행위적 소송행위이므로 공소제기 전에는 고소사건을 담당하는 수사기관에, 공소제기 후에는 고소사건의 수소법원에 대하여 이루어져야 한다.(대법원 2012. 2. 23. 2011도17264)

055 고소취소에 관한 다음 설명 중 가장 옳지 않은 것은? (다툼이 있으면 판례에 의함)

□□□
12 법원9급 [Core ★★]

① 반의사불벌죄에 있어 처벌희망의 의사표시를 철회한 자는 다시 처벌희망의 의사를 표시할 수 없다.

② 항소심이 제1심의 공소기각 판결이 위법함을 이유로 제1심판결을 파기하고, 사건을 제1심으로 다시 환송한 경우, 이미 제1심 판결이 한번 선고되었던 이상 파기환송 후 다시 진행된 제1심 절차에서 고소취소는 허용되지 않는다.

③ 피해자가 제1심 법정에서 피고인들에 대한 처벌희망 의사표시를 철회할 당시 나이가 14세 10개월이었더라도, 그 철회의 의사표시가 의사능력이 있는 상태에서 행해졌다면 법정대리인의 동의가 없었더라도 유효하다.

④ 항소심에서 공소장변경 또는 법원의 직권에 의하여 비친고죄를 친고죄로 인정한 경우, 항소심에서의 고소취소는 친고죄에 대한 고소취소로서의 효력이 없다.

해설

② [×] 상소심에서 제1심의 공소기각판결이 법률에 위반됨을 이유로 이를 파기하고 사건을 제1심법원에 환송함에 따라 다시 제1심 절차가 진행된 경우, 종전의 제1심판결은 이미 파기되어 그 효력을 상실하였으므로 **환송 후의 제1심판결 선고 전에는 고소취소의 제한사유가 되는 제1심판결 선고가 없는 경우에 해당한다.** 따라서 환송 후 제1심판결 선고 전에 **고소가 취소되면** 형사소송법 제327조 제5호에 의하여 **판결로써 공소를 기각하여야 할 것이다.**(대법원 2011. 8. 25. 2009도9112)

① [O] 고소는 제1심판결 선고 전까지 취소할 수 있고, 고소를 취소한 자는 다시 고소하지 못한다. 이는 피해자의 명시한 의사에 반하여 죄를 논할 수 없는 사건에 있어서 **처벌을 희망하는 의사표시의 철회에 관하여도 준용된다.**(제232조)

③ [O] 반의사불벌죄라고 하더라도 피해자인 청소년에게 의사능력이 있는 이상, 단독으로 피고인 또는 피의자의 처벌을 희망하지 않는다는 의사표시 또는 처벌희망 의사표시의 철회를 할 수 있고 거기에 **법정대리인의 동의가 있어야 하는 것으로 볼 것은 아니다.**(대법원 2009. 11. 19. 2009도6058 全合 14세 가출녀 강간 사건)

④ [O] 항소심에서 공소장의 변경에 의하여 또는 공소장변경절차를 거치지 아니하고 법원 직권에 의하여 친고죄가 아닌 범죄를 친고죄로 인정하였더라도 항소심을 제1심이라 할 수는 없는 것이므로 **항소심에 이르러 비로소 고소인이 고소를 취소하였다면 이는 친고죄에 대한 고소취소로서의 효력은 없다.**(대법원 1999. 4. 15. 96도1922 全合 외음부 열상 사건)

056 고소와 관련된 내용 중 가장 적절한 것은? (다툼이 있으면 판례에 의함)

☐☐☐

12 경찰승진 [Superlative ★★★]

① 피고인 甲이 백화점 내 점포에 입점시켜 주겠다고 속여 입점비 명목으로 돈을 편취하였다고 피해자 乙이 고소하여 기소된 경우, 고소기간이 경과된 후에 고소되었으면 공소기각판결을 하여야 한다. (甲과 乙은 사돈지간임)

② A, B, C 3인이 공동으로 모욕죄를 범하였으나 A에 대해서는 제1심판결의 선고가 있었고, B, C에 대해서는 그 때까지 제1심판결의 선고가 없었다. 이 경우 고소권자인 피해자 甲녀가 B에 대한 고소를 취소하였다면 B에게만 고소취소의 효력이 발생한다.

③ 남편 甲이 식물인간 상태가 되어 금치산선고를 받아 배우자 乙이 후견인이 되었는데, 乙이 친고죄의 범행을 한 경우 甲의 모친인 丙이 제기한 고소는 적법하다.

④ (강간죄가 친고죄이었던 개정 형법 시행 전에) 강간피해자인 A가 피고인 甲의 처벌을 구하는 의사를 철회한다는 의사로 합의서를 작성하여 제1심 법원에 제출한 후 제1심 법원에 증인으로 출석하여 위 합의를 취소하고 다시 피고인의 처벌을 원한다는 진술을 한 경우, 법원은 실체판단을 하여야 한다.

해설

③ [○] 피해자의 법정대리인이 피의자이거나 법정대리인의 친족이 피의자인 때에는 피해자의 친족은 독립하여 고소할 수 있다. 남편 甲이 식물인간 상태가 되어 금치산선고를 받아 그 후견인이 된 배우자 乙의 간통행위에 대해 甲의 모(母) 丙이 제기한 고소는 간통죄의 공소제기 요건으로서 적법하다.(대법원 2010. 4. 29. 2009 도12446)

① [×] 피고인이 백화점 내 점포에 입점시켜 주겠다고 속여 피해자로부터 입점비 명목으로 돈을 편취하였다며 사기로 기소된 경우, 피고인의 딸과 피해자의 아들이 혼인하여 **피고인과 피해자가 사돈지간이라고 하더라도 민법상 친족으로 볼 수 없는데도**, 위 범죄를 친족상도례가 적용되는 친고죄라고 판단한 후 피해자의 고소가 고소기간을 경과하여 부적법하다고 보아 공소를 기각한 원심판결 및 제1심판결은 위법하다.(대법원 2011. 4. 28. 2011도2170 사돈 사기 사건) 법원은 실체재판을 하여야 한다.

② [×] **친고죄의 공범 중 그 일부에 대하여 제1심판결이 선고된 후에는 제1심판결 선고 전의 다른 공범자에 대하여는 그 고소를 취소할 수 없고** 그 고소의 취소가 있다 하더라도 그 효력을 발생할 수 없다.(대법원 1985. 11. 12. 85도1940) 甲의 B에 대한 고소취소는 그 효력이 없다.

④ [×] 고소권자가 서면 또는 구술로써 수사기관 또는 법원에 고소를 취소하는 의사표시를 하였다고 보여지는 이상 그 고소는 적법하게 취소되었다고 할 것이고, 그 후 **고소취소를 철회하는 의사표시를 다시 하였다고 하여도 그것은 효력이 없다.**(대법원 2009. 9. 24. 2009도6779) 법원은 공소기각판결을 선고하여야 한다.

057 고소에 관한 다음 설명 중 가장 옳지 않은 것은? (다툼이 있으면 판례에 의함) 23 법원9급 [Core ★★]
□□□

① 법원이 선임한 부재자 재산관리인이 그 관리대상인 부재자의 재산에 대한 범죄행위에 관하여 법원으로부터 고소권 행사에 관한 허가를 얻은 경우 부재자 재산관리인은 형사소송법 제225 조 제1항에서 정한 법정대리인으로서 적법한 고소권자에 해당한다고 보아야 한다.

② 법원은 고소권자가 비친고죄로 고소한 사건이더라도 검사가 사건을 친고죄로 구성하여 공소를 제기하였다면 공소장 변경절차를 거쳐 공소사실이 비친고죄로 변경되지 아니하는 한 법원으로서는 친고죄에서 소송조건이 되는 고소가 유효하게 존재하는지를 직권으로 조사·심리하여야 한다.

③ 고소는 제1심판결 선고 전까지 취소할 수 있으나, 항소심에서 공소장의 변경에 의하여 또는 공소장변경절차를 거치지 아니하고 법원 직권에 의하여 친고죄가 아닌 범죄를 친고죄로 인정하였다면 항소심이 실질적으로 제1심이라 할 것이므로 항소심에서 고소인이 고소를 취소하였다면 이는 친고죄에 대한 고소취소로서의 효력이 있다.

④ 고소의 취소나 처벌을 희망하는 의사표시의 철회는 수사기관 또는 법원에 대한 법률행위적 소송행위이므로 공소제기 전에는 고소사건을 담당하는 수사기관에, 공소제기 후에는 고소사건의 수소법원에 대하여 이루어져야 한다.

해설

③ [×] 항소심에서 공소장의 변경에 의하여 또는 공소장변경절차를 거치지 아니하고 법원 직권에 의하여 친고죄가 아닌 범죄를 친고죄로 인정하였더라도 항소심을 제1심이라 할 수는 없는 것이므로 **항소심에 이르러 비로소 고소인이 고소를 취소하였다면 이는 친고죄에 대한 고소취소로서의 효력은 없다.**(대법원 1999. 4. 15. 96도1922 全合 외음부 열상 사건)

① [○] 법원이 선임한 부재자 재산관리인이 그 관리대상인 부재자의 재산에 대한 범죄행위에 관하여 법원으로부터 고소권 행사에 관한 허가를 얻은 경우 부재자 재산관리인은 형사소송법 제225조 제1항에서 정한 법정대리인으로서 **적법한 고소권자에 해당한다고 보아야 한다.**(대법원 2022. 5. 26. 2021도2488 부재자 재산관리인 형사고소 사건)

② [○] 법원은 고소권자가 비친고죄로 고소한 사건이더라도 검사가 사건을 친고죄로 구성하여 공소를 제기하였다면 공소장 변경절차를 거쳐 공소사실이 비친고죄로 변경되지 아니하는 한 **법원으로서는 친고죄에서 소송조건이 되는 고소가 유효하게 존재하는지를 직권으로 조사·심리하여야 한다.**(대법원 2015. 11. 17. 2013도7987 특수강제추행 사건)

④ [○] 고소의 취소나 처벌을 희망하는 의사표시의 철회는 수사기관 또는 법원에 대한 법률행위적 소송행위 이므로 공소제기 전에는 고소사건을 담당하는 수사기관에, 공소제기 후에는 고소사건의 수소법원에 대하여 이루어져야 한다.(대법원 2012. 2. 23. 2011도17264 합의서 미제출 공소기각판결 사건)

058 고소에 대한 설명 중 옳은 것을 모두 고른 것은? (다툼이 있는 경우 판례에 의함)

19 경찰채용 [Core ★★]

> ㉠ 모욕죄의 피해자가 15세인 미성년자로서 범인을 알게 된 날부터 6개월이 지나 자신의 고소권이 소멸하였더라도 그 법정대리인이 범인을 안 때로부터 6개월이 경과하지 않았다면 피해자의 고소권 소멸 여부와 상관없이 그 법정대리인이 고소를 할 수 있으며, 이러한 법정대리인의 고소권은 피해자인 미성년자의 명시한 의사에 반하여도 행사할 수 있다.
> ㉡ 절대적 친고죄의 공범 중 일부에 대해서만 처벌을 구하고 나머지 공범에 대해서는 처벌을 원하지 않는다는 내용의 고소는 적법한 고소라고 할 수 없다.
> ㉢ 절대적 친고죄의 공범 중 甲에 대하여 먼저 제1심판결이 선고된 후 나머지 공범인 乙에 대한 수사가 진행 중인 경우 乙에 대해서는 아직 1심판결 선고 전이므로 피해자는 乙에 대한 고소를 취소할 수 있다.
> ㉣ 고소나 고발 모두 대리인으로 하여금 하게 할 수 있다.

① ㉠㉡   ② ㉡㉢

③ ㉢㉣   ④ ㉠㉣

해설

① ㉠㉡ 2 항목이 옳다.
㉠ [○] 법정대리인의 고소권은 무능력자의 보호를 위하여 법정대리인에게 주어진 **고유권**으로서 피해자의 고소권 소멸여부에 관계없이 고소할 수 있는 것이므로 법정대리인의 고소기간은 법정대리인 자신이 범인을 알게 된 날로부터 진행한다.(대법원 1987. 6. 9. 87도857)
㉡ [○] (저작권법위반 사건에 있어) 고소불가분의 원칙상 공범 중 일부에 대하여만 처벌을 구하고 나머지에 대하여는 처벌을 원하지 않는 내용의 고소는 **적법한 고소라고 할 수 없고** 공범 중 1인에 대한 고소취소는 고소인의 의사와 상관없이 다른 공범에 대하여도 효력이 있다.(대법원 2009. 1. 30. 2008도7462 **나이키 현수막 사건**)
㉢ [×] 친고죄의 공범 중 그 일부에 대하여 제1심판결이 선고된 후에는 제1심판결 선고 전의 다른 공범자에 대하여는 그 **고소를 취소할 수 없고** 그 고소의 취소가 있다 하더라도 그 효력을 발생할 수 없으며, 이러한 법리는 필요적 공범이나 임의적 공범이나를 구별함이 없이 모두 적용된다.(대법원 1985. 11. 12. 85도1940 **가리봉동 여중생 윤간사건**)
㉣ [×] 고소는 대리가 허용되지만, **고발은 대리가 허용되지 아니한다.**(제236조, 대법원 1989. 9. 26. 88도1533)

059 반의사불벌죄에 관한 다음 설명 중 가장 옳은 것은? (다툼이 있으면 판례에 의함)
□□□
11 법원승진 [Superlative ★★★]

① 반의사불벌죄에서 피고인 또는 피의자의 처벌을 희망하지 않는다는 의사표시 또는 처벌희망 의사표시 철회의 유무나 그 효력 여부에 관한 사실은 엄격한 증명의 대상이 아니라 증거능력이 없는 증거나 법률이 규정한 증거조사방법을 거치지 아니한 증거에 의한 증명, 이른바 자유로운 증명의 대상이다.

② 구 청소년의 성보호에 관한 법률 제16조에 규정된 반의사불벌죄의 경우 피해자인 청소년은 단독으로 피고인 또는 피의자의 처벌을 희망하지 않는다는 의사표시 또는 처벌희망 의사표시의 철회를 할 수 없고, 언제나 법정대리인의 동의가 있어야 한다.

③ 반의사불벌죄에서 피해자가 사망한 경우에는 그 상속인이 피해자를 대신하여 처벌불원의 의사표시를 할 수 있다.

④ 반의사불벌죄에 있어서 처벌불원의 의사표시의 부존재에 관하여 당사자가 항소이유로 주장하지 아니한 이상 법원은 이를 직권으로 조사·판단할 수 없다.

해설

① [○] 반의사불벌죄에서 피고인 또는 피의자의 처벌을 희망하지 않는다는 의사표시 또는 처벌희망 의사표시 철회의 유무나 그 효력 여부에 관한 사실은 **엄격한 증명의 대상이 아니라** 증거능력이 없는 증거나 법률이 규정한 증거조사방법을 거치지 아니한 증거에 의한 증명, 이른바 **자유로운 증명의 대상이다.**(대법원 2010. 10. 14. 2010도5610)

② [×] 반의사불벌죄라고 하더라도 피해자인 청소년에게 의사능력이 있는 이상, 단독으로 피고인 또는 피의자의 처벌을 희망하지 않는다는 의사표시 또는 처벌희망 의사표시의 철회를 할 수 있고, 거기에 **법정대리인의 동의가 있어야 하는 것으로 볼 것은 아니다.**(대법원 2009. 11. 19. 2009도6058 全合 **14세 가출녀 강간 사건**)

③ [×] 폭행죄에 있어 피해자가 사망한 후 그 상속인이 **피해자를 대신하여 처벌불원의 의사표시를 할 수는 없다.**(대법원 2010. 5. 27. 2010도2680)

④ [×] 반의사불벌죄에 있어서 처벌불원의 의사표시의 부존재는 소극적 소송조건으로서 직권조사사항이라 할 것이므로 당사자가 항소이유로 주장하지 아니하였다고 하더라도 원심은 **이를 직권으로 조사·판단하여야 한다.**(대법원 2009. 12. 10. 2009도9939)

060 다음 <보기> 중 친고죄와 반의사불벌죄에 대한 설명으로 옳은 것만을 있는 대로 고른 것은? (다툼이 있으면 판례에 의함)

> ㉠ 제1심 법원이 반의사불벌죄로 기소된 피고인에 대하여 「소송촉진 등에 관한 특례법」 제23조에 따라 피고인에 대한 송달불능보고서가 접수된 때부터 6개월이 지나도록 피고인의 소재를 확인할 수 없어, 피고인의 진술 없이 유죄를 선고하여 판결이 확정된 경우 만일 피고인이 항소권회복청구를 함으로써 항소심 재판을 받게 되었다면 피해자는 그 항소심 절차에서 처벌을 희망하는 의사표시를 철회할 수 없다.
> ㉡ 반의사불벌죄에 있어서 청소년인 피해자에게 비록 의사능력이 있다 하더라도 피고인에 대하여 처벌을 희망하지 않는다는 의사표시 또는 처벌을 희망하는 의사표시의 철회는 피해자가 단독으로 이를 할 수 없고 법정대리인의 동의가 있어야 한다.
> ㉢ 고소는 1심판결 선고 전까지 취소할 수 있으므로 친고죄의 공범 중 일부에 대하여 제1심판결이 선고된 후라도 제1심판결 선고 전의 다른 공범자에 대하여는 그 고소를 취소할 수 있고, 고소를 취소한 경우 친고죄에 대한 고소 취소로서의 효력이 있다.
> ㉣ 친고죄에 있어서의 피해자의 고소권은 공법상의 권리라고 할 것이므로 법이 특히 명문으로 인정하는 경우를 제외하고는 자유처분을 할 수 없고 따라서 일단 제기한 고소는 취소할 수 있으나 고소 전에 고소권을 포기할 수는 없다.

① ㉠㉡　　　② ㉠㉢　　　③ ㉡㉢　　　④ ㉠㉣

해설

④ ㉠㉣ 2 항목이 옳다.

㉠ [○] 제1심 법원이 반의사불벌죄로 기소된 피고인에 대하여 소송촉진 등에 관한 특례법(이하 '소송촉진법'이라고 한다) 제23조에 따라 피고인의 진술 없이 유죄를 선고하여 판결이 확정된 경우, 만일 피고인이 책임을 질 수 없는 사유로 공판절차에 출석할 수 없었음을 이유로 소송촉진법 제23조의2에 따라 제1심 법원에 재심을 청구하여 재심개시결정이 내려졌다면 피해자는 재심의 제1심판결 선고 전까지 처벌을 희망하는 의사표시를 철회할 수 있다. 그러나 피고인이 제1심 법원에 소송촉진법 제23조의2에 따른 재심을 청구하는 대신 항소권회복청구를 함으로써 항소심 재판을 받게 되었다면 항소심을 제1심이라고 할 수 없는 이상 항소심 절차에서는 처벌을 희망하는 의사표시를 철회할 수 없다.(대법원 2016. 11. 25. 2016도9470)

㉡ [×] 반의사불벌죄라고 하더라도 피해자인 청소년에게 의사능력이 있는 이상, 단독으로 피고인 또는 피의자의 처벌을 희망하지 않는다는 의사표시 또는 처벌희망 의사표시의 철회를 할 수 있고, 거기에 **법정대리인의 동의가 있어야** 하는 것으로 볼 것은 아니다.(대법원 2009. 11. 19. 2009도6058 손승 14세 가출녀 강간사건)

㉢ [×] 친고죄의 공범 중 그 일부에 대하여 제1심판결이 선고된 후에는 제1심판결 선고 전의 다른 공범자에 대하여는 그 고소를 취소할 수 없고 그 고소의 취소가 있다 하더라도 그 효력을 발생할 수 없다.(대법원 1985. 11. 12. 85도1940 가리봉동 여중생 윤간사건)

㉣ [○] 친고죄에 있어서의 피해자의 고소권은 공법상의 권리라고 할 것이므로 법이 특히 명문으로 인정하는 경우를 제외하고는 자유처분을 할 수 없고 따라서 일단 제기한 고소는 취소할 수 있으나 **고소 전에 고소권을 포기할 수는 없다.**(대법원 1967. 5. 23. 67도471)

061 친고죄와 반의사불벌죄에 대한 설명 중 옳은 것은 모두 몇 개인가? (다툼이 있으면 판례에 의함)

○ 친고죄에서의 고소 유무 및 반의사불벌죄에서 처벌불원 의사표시의 유무는 모두 법원의 직권조사사항이다.

○ 고소권자가 비친고죄로 고소한 사건이더라도 검사가 사건을 절대적 친고죄로 구성하여 공소를 제기한 경우, 공소사실에 대하여 피고인과 공범관계에 있는 사람에 대한 적법한 고소취소가 있다면 고소취소의 효력은 피고인에 대하여 미친다.

○ 친고죄의 공범 중 일부에 대하여 제1심판결이 선고된 후에는 제1심판결 선고 전의 다른 공범자에 대하여는 그 고소를 취소할 수 없다.

② 폭행죄는 피해자의 명시한 의사에 반하여 공소를 제기할 수 없는 반의사불벌죄로서, 피해자가 사망한 경우 그 상속인이 피해자를 대신하여 처벌불원의 의사표시를 할 수 있다.

○ 반의사불벌죄가 아닌 죄로 기소되었으나 항소심에서 반의사불벌죄로 공소장이 변경되었고 이에 피해자가 처벌의사를 철회하였다면 법원은 판결로써 공소기각을 선고하여야 한다.

---

① 2개   ② 3개   ③ 4개   ④ 5개

해설

② ○○○ 3 항목이 옳다.

○ [○] (1) 법원은 검사가 공소를 제기한 범죄사실을 심판하는 것이지 고소권자가 고소한 내용을 심판하는 것이 아니므로 고소권자가 비친고죄로 고소한 사건이더라도 검사가 사건을 친고죄로 구성하여 공소를 제기하였다면 공소장변경절차를 거쳐 공소사실이 비친고죄로 변경되지 아니하는 한, 법원으로서는 **친고죄에서 소송조건이 되는 고소가 유효하게 존재하는지를 직권으로 조사 · 심리하여야 한다.**(대법원 2015. 11. 17. 2013도7987 **특수강제추행 사건**) (2) **반의사불벌죄**에서 처벌불원의 의사표시의 부존재는 소극적 소송조건으로서 직권조사사항이므로 당사자가 항소이유로 주장하지 아니하였더라도 항소심 법원은 이를 **직권으로 조사 · 판단하여야 한다.**(대법원 2020. 2. 27. 2019도14000)

○ [○] 친고죄에서 고소와 고소취소의 불가분원칙을 규정한 형사소송법 제233조는 당연히 적용되므로 만일 공소사실에 대하여 피고인과 공범관계에 있는 사람에 대한 적법한 고소취소가 있다면 **고소취소의 효력은 피고인에 대하여 미친다.**(대법원 2015. 11. 17. 2013도7987 **특수강제추행 사건**)

○ [○] 친고죄의 공범 중 그 일부에 대하여 제1심판결이 선고된 후에는 **제1심판결 선고 전의 다른 공범자에 대하여는 그 고소를 취소할 수 없고** 그 고소의 취소가 있다 하더라도 그 효력을 발생할 수 없다.(대법원 1985. 11. 12. 85도1940 **가리봉동 여중생 윤간사건**)

② [×] 폭행죄에 있어 **피해자가 사망한 후 그 상속인이 피해자를 대신하여 처벌불원의 의사표시를 할 수는 없다.** 따라서 피해자의 상속인들이 제1심판결 선고 전에 피고인에 대한 처벌불원의 의사표시를 하였다고 하더라도, 원심이 피고인에 대한 폭행죄를 유죄로 판단한 것은 옳다.(대법원 2010. 5. 27. 2010도2680 **생일빵 사건**)

○ [×] 형사소송법 제232조 제1항, 제3항의 취지는 국가형벌권의 행사가 피해자의 의사에 의하여 좌우되는 현상을 장기간 방치할 것이 아니라 제1심판결 선고 이전까지로 제한하자는데 그 목적이 있다 할 것이므로, 비록 **항소심에 이르러 비로소 반의사불벌죄가 아닌 죄에서 반의사불벌죄로 공소장변경이 있었다 하여 항소심인 제2심을 제1심으로 볼 수는 없다.**(대법원 1988. 3. 8. 85도2518) 항소심에서 피해자가 처벌을 희망하지 않는 의사를 표시하였더라도 법원은 공소기각판결을 선고할 수 없다.

062

□□□

다음 설명 중 옳은 것은? (다툼이 있으면 판례에 의함)

14 변호사 [Core ★★]

① 친고죄의 공범인 甲, 乙 중 甲에 대하여 제1심 판결이 선고되었더라도 제1심판결 선고 전의 乙에 대하여는 고소를 취소할 수 있고, 그 효력은 제1심판결 선고 전의 乙에게만 미친다.

② 고소의 주관적 불가분의 원칙은 조세범처벌법위반죄에서 소추조건으로 되어 있는 세무공무원의 고발에도 적용된다.

③ 세무공무원 등의 고발이 있어야 공소를 제기할 수 있는 조세범처벌법위반죄에 대하여 고발을 받아 수사한 검사가 불기소처분을 하였다가 나중에 공소를 제기하는 경우에는 세무공무원 등의 새로운 고발이 있어야 하는 것은 아니다.

④ 반의사불벌죄에서 의사능력 있는 미성년자인 피해자가 처벌희망 여부에 관한 의사표시를 함에는 법정대리인의 동의가 필요하다.

⑤ 비친고죄에 해당하는 죄로 기소되어 항소심에서 친고죄에 해당하는 죄로 공소장이 변경된 후 공소제기 전에 행하여진 고소가 취소되었다면 항소심법원은 공소기각의 판결을 선고하여야 한다.

해설

③ [○] 세무공무원 등의 고발이 있어야 공소를 제기할 수 있는 조세범처벌법위반죄에 관하여 일단 **불기소처분이 있었더라도 세무공무원 등이 종전에 한 고발은 여전히 유효하다.** 따라서 나중에 공소를 제기함에 있어 세무공무원 등의 새로운 고발이 있어야 하는 것은 아니다.(대법원 2009. 10. 29. 2009도6614)

① [×] 친고죄의 공범 중 그 일부에 대하여 제1심판결이 선고된 후에는 제1심판결 선고 전의 **다른 공범자에 대하여는 그 고소를 취소할 수 없고 그 고소의 취소가 있다 하더라도 그 효력을 발생할 수 없다.**(대법원 1985. 11. 12. 85도1940 가리봉동 여중생 윤간사건)

② [×] 조세범처벌법에 의하여 하는 고발에 있어서는 이른바 고소·고발 불가분의 원칙이 적용되지 아니하므로 고발의 구비 여부는 양벌규정에 의하여 처벌받는 자연인인 행위자와 법인에 대하여 개별적으로 논하여야 한다.(대법원 2004. 9. 24. 2004도4066)

④ [×] 반의사불벌죄라고 하더라도 피해자인 청소년에게 의사능력이 있는 이상, **단독으로 피고인 또는 피의자의 처벌을 희망하지 않는다는 의사표시 또는 처벌희망 의사표시의 철회를 할 수 있고 거기에 법정대리인의 동의가 있어야 하는 것으로 볼 것은 아니다.**(대법원 2009. 11. 19. 2009도6058 솔습 14세 가출녀 강간 사건)

⑤ [×] 항소심에서 비로소 공소사실이 친고죄로 변경된 경우에도 항소심을 제1심이라 할 수는 없는 것이므로 **항소심에 이르러 고소인이 고소를 취소하였다면 이는 친고죄에 대한 고소취소로서의 효력이 없다.**(대법원 2007. 3. 15. 2007도210)

063
□□□

친고죄와 반의사불벌죄에 관한 설명 중 옳은 것(○)과 옳지 않은 것(×)을 올바르게 조합한 것은? (다툼이 있으면 판례에 의함)

22 변호사 [Essential ★]

> ㉠ 제1심 법원이 반의사불벌죄로 기소된 피고인에 대하여 「소송촉진 등에 관한 특례법」 제23조에 따라 피고인에 대한 송달불능보고서가 접수된 때부터 6개월이 지나도록 피고인의 소재를 확인할 수 없어 피고인의 진술 없이 유죄를 선고하여 판결이 확정된 경우, 만일 피고인이 항소권회복청구를 함으로써 항소심 재판을 받게 되었다면 피해자는 그 항소심 절차에서 처벌을 희망하는 의사표시를 철회할 수 없다.
> ㉡ 반의사불벌죄에 있어서 청소년인 피해자에게 비록 의사능력이 있다 하더라도 피고인에 대하여 처벌을 희망하지 않는다는 의사표시 또는 처벌을 희망하는 의사표시의 철회는 피해자가 단독으로 이를 할 수 없고 법정대리인의 동의가 있어야 한다.
> ㉢ 고소는 제1심판결 선고 전까지 취소할 수 있으므로 친고죄의 공범 중 일부에 대하여 제1심판결이 선고된 후라도 제1심판결 선고 전의 다른 공범자에 대하여는 그 고소를 취소할 수 있고, 고소를 취소한 경우 친고죄에 대한 고소 취소로서의 효력이 있다.
> ㉣ 친고죄에 있어서의 피해자의 고소권은 공법상의 권리라고 할 것이므로 법이 특히 명문으로 인정하는 경우를 제외하고는 자유처분을 할 수 없고 따라서 일단 제기한 고소는 취소할 수 있으나 고소 전에 고소권을 포기할 수는 없다.

① ㉠ ○ ㉡ ○ ㉢ × ㉣ ×
② ㉠ ○ ㉡ × ㉢ × ㉣ ○
③ ㉠ × ㉡ ○ ㉢ ○ ㉣ ×
④ ㉠ × ㉡ × ㉢ ○ ㉣ ○
⑤ ㉠ × ㉡ × ㉢ × ㉣ ○

해설

② 이 지문이 옳은 연결이다.

㉠ [○] 제1심 법원이 반의사불벌죄로 기소된 피고인에 대하여 「소송촉진 등에 관한 특례법」 제23조에 따라 피고인에 대한 송달불능보고서가 접수된 때부터 6개월이 지나도록 피고인의 소재를 확인할 수 없어 피고인의 진술 없이 유죄를 선고하여 판결이 확정된 경우, 만일 피고인이 항소권회복청구를 함으로써 항소심 재판을 받게 되었다면 피해자는 그 항소심 절차에서 처벌을 희망하는 의사표시를 **철회할 수 없다.**(대법원 2016. 11. 25. 2016도9470)

㉡ [×] 반의사불벌죄라고 하더라도 피해자인 청소년에게 의사능력이 있는 이상, 단독으로 피고인 또는 피의자의 처벌을 희망하지 않는다는 의사표시 또는 처벌희망 의사표시의 철회를 할 수 있고, 거기에 **법정대리인의 동의가 있어야** 하는 것으로 볼 것은 아니다.(대법원 2009. 11. 19. 2009도6058 全合 14세 가출녀 강간사건)

㉢ [×] **친고죄의 공범 중 그 일부에 대하여 제1심판결이 선고된 후에는 제1심판결 선고 전의 다른 공범자에 대하여는 그 고소를 취소할 수 없고** 그 고소의 취소가 있다 하더라도 그 효력을 발생할 수 없다.(대법원 1985. 11. 12. 85도1940 가리봉동 여중생 윤간사건)

㉣ [○] 친고죄에 있어서의 피해자의 고소권은 공법상의 권리라고 할 것이므로 법이 특히 명문으로 인정하는 경우를 제외하고는 자유처분을 할 수 없고 따라서 일단 제기한 고소는 취소할 수 있으나 **고소 전에 고소권을 포기할 수는 없다.**(대법원 1967. 5. 23. 67도471)

064

고소 · 고발에 관한 설명으로 옳지 않은 것은 모두 몇 개인가? (다툼이 있으면 판례에 의함)

24 경대편입 [Superlative ★★★]

㉠ 친고죄의 공범 중 그 1인 또는 수인에 대한 고소 또는 그 취소는 다른 공범자에 대하여도 효력이 있고, 여기의 공범에는 형법 총칙상의 공범뿐만 아니라 필요적 공범도 포함된다.

㉡ 「조세범처벌절차법」에 따라 범칙사건에 대한 고발이 있는 경우 그 고발의 효력은 관련된 범칙사실의 전부에 미치고 한 개의 범칙사실의 일부에 대한 고발은 범칙사건에 그 전부에 대하여 효력이 생긴다.

㉢ 친고죄에 있어서 고소불가분의 원칙을 규정한 형사소송법 제233조는 반의사불벌죄에 관하여도 적용된다.

㉣ 고소인이 수사기관에서 조사를 받으면서 '법대로 처벌하되 관대한 처분을 바란다'는 취지로 한 진술은 고소의 취소라고 보기 어렵다.

㉤ 고소는 서면 또는 구술로 검사 또는 사법경찰관에게 하면 충분하므로 경찰청 홈페이지에 '甲을 철저히 조사해 달라'는 취지의 민원을 접수한 것만으로도 적법한 고소에 해당한다.

---

① 2개   ② 3개   ③ 4개   ④ 5개

해설

① ㉢㉤ 2 항목이 옳지 않다.

㉠ [○] 형사소송법 제233조 필요적 공범도 이 규정의 '공범'에 포함된다고 해석된다.

㉡ [○] 고발은 범죄사실에 대한 소추를 요구하는 의사표시로서 그 효력은 고발장에 기재된 범죄사실과 동일성이 인정되는 사실 모두에 미치므로 범칙사건에 대한 고발이 있는 경우 그 고발의 효력은 범칙사건에 관련된 범칙사실의 전부에 미치고 **한 개의 범칙사실의 일부에 대한 고발은 그 전부에 대하여 효력이 생긴다.**(대법원 2014. 10. 15. 2013도5650 부가세포탈 중부지방국세청장 고발사건)

㉢ [×] 반의사불벌죄에 있어 처벌을 희망하지 아니하는 의사표시나 처벌을 희망하는 의사표시의 철회에 관하여는 친고죄와는 달리 **공범자간에 불가분의 원칙이 적용되지 아니한다.**(대법원 1994. 4. 26. 93도1689 옹진여성 폐간 사건)

㉣ [○] 검사가 작성한 피해자에 대한 진술조서기재 중 '피의자들의 처벌을 원하는 가요?'라는 물음에 대하여 '법대로 처벌하여 주기 바랍니다.'로 되어 있고 이어서 '더 할 말이 있는 가요?'라는 물음에 대하여 '젊은 사람들이니 한번 기회를 주시면 감사하겠습니다.'로 기재되어 있다면 피해자의 진술취지는 법대로 처벌하되 관대한 처분을 바란다는 취지로 보아야 하고 **처벌의사를 철회한 것으로 볼 것이 아니다.**(대법원 1981. 1. 13. 80도2210 한번 기회를 주시면 사건)

㉤ [×] 고소라 함은 수사기관에 단순히 피해사실을 신고하거나 수사 및 조사를 촉구하는 것에 그치지 않고 범죄사실을 신고하여 범인의 소추 · 처벌을 요구하는 의사표시이므로, 저작권법위반죄의 피해자가 **경찰청 인터넷 홈페이지에 '피고인을 철저히 조사해 달라'는 취지의 민원을 접수하는 형태로 피고인에 대한 조사를 촉구하는 의사표시를 한 것은 형사소송법에 따른 적법한 고소로 보기 어렵다.**(대법원 2012. 2. 23. 2010도9524 경찰청 홈페이지 민원사건)

065
□□□

고소와 처벌불원의사에 관한 설명으로 옳지 않은 것은? (다툼이 있으면 판례에 의함)

25 경찰간부 [Core ★★]

① 공갈죄의 수단으로서 한 협박은 공갈죄에 흡수되어 별도로 협박죄를 구성하지 않으므로 乙이 甲을 협박죄로 고소하였다가 취소하였다고 하여도 이는 甲을 공갈죄로 처벌하는 데에 장애가 되지 않는다.

② 성년후견인이 의사무능력인 피해자를 대리하여 반의사불벌죄의 처벌불원의사를 결정하거나 처벌희망의사를 철회할 수 없으나 성년후견개시심판에서 가정법원의 허가를 얻은 경우에는 그렇지 않다.

③ 회사의 업무를 처리하는 사람이 회사 명의의 합의서를 임의로 작성·교부한 행위에 의해 회사에 재산상 손해를 가하였다면 사문서위조죄 및 동행사죄와 업무상배임죄가 성립할 수 있다.

④ 고소는 수사기관에 '접수'되어야 하므로 현장출동 경찰관에게 고소장을 교부하였다가 경찰관이 경찰서에 접수시키기 전에 반환받았다면 고소로서의 효력이 발생하지 않는다.

해설

② [×] 반의사불벌죄에서 성년후견인은 명문의 규정이 없는 한 의사무능력자인 피해자를 대리하여 피고인 또는 피의자에 대하여 처벌을 희망하지 않는다는 의사를 결정하거나 처벌을 희망하는 의사표시를 철회하는 행위를 할 수 없다. 이는 성년후견인의 법정대리권 범위에 통상적인 소송행위가 포함되어 있거나 성년후견개시심판에서 정하는 바에 따라 **성년후견인이 소송행위를 할 때 가정법원의 허가를 얻었더라도 마찬가지이다.**(대법원 2023. 7. 17. 2021도11126 **삼송 성년후견인 합의서 제출사건**) 피고인 甲은 자전거를 타고 가다가 피해자 A (男, 69세)를 들이받아 넘어지게 하였고 이에 A는 뇌손상 등으로 인하여 결국 식물인간이 되었다. 甲은 죄책은 교통사고처리 특례법위반죄이고 이는 반의사불벌죄이다. 한편 수원가정법원은 A에 대하여 성년후견개시의 심판을 하면서 A의 배우자 B를 성년후견인으로 선임하였는데 그 법정대리권의 범위에 소송행위를 포함시키고 그 대리권 행사에 법원의 허가를 받도록 하였다. 형사재판 중에 B는 甲으로부터 합의금을 수령한 후 1심법원인 수원지방법원에 "피해자는 4,000만원을 지급받고 피고인의 형사처벌을 원하지 않는다."라는 내용의 서면을 제출하였다. 1심법원은 피해자가 의사능력이 없더라도 피해자의 성년후견인이 반의사불벌죄에 관해서 피해자를 대리하거나 독립하여 처벌불원의사를 표시하거나 처벌희망 의사표시를 철회하는 것은 허용되지 않는다면서 유죄판결을 선고하였고 원심은 이를 유지하였다. 이에 甲은 처벌불원의 의사표시가 있었으므로 공소기각판결을 선고하여야 함에도 피고인의 항소를 기각한 원심판결이 위법하다면서 상고하였으나 대법원 다수의견은 피고인의 상고를 기각하였다.

① [○] 공갈죄의 수단으로서 한 협박은 공갈죄에 흡수될 뿐 별도로 협박죄를 구성하지 않으므로 그 범죄사실에 대한 피해자의 고소는 결국 공갈죄에 대한 것이라 할 것이어서 그 후 고소가 취소되었다 하여 공갈죄로 처벌하는 데에 아무런 장애가 되지 아니하며, **검사가 공소를 제기할 당시에는 그 범죄사실을 협박죄로 구성하여 기소하였다 하더라도 그 후 공판 중에 공갈미수로 공소장변경이 허용된 이상 그 공소제기의 하자는 치유된다.**(대법원 1996. 9. 24. 96도2151 **공갈미수로 공소장변경 사건**)

③ [○] 회사 명의의 합의서를 임의로 작성·교부한 행위에 대하여 약식명령이 확정된 사문서위조 및 그 행사죄의 범죄사실과 그로 인하여 회사에 재산상 손해를 가하였다는 업무상 배임의 공소사실은 그 객관적 사실관계가 하나의 행위이므로 1개의 행위가 수개의 죄에 해당하는 경우로서 형법 제40조에 정해진 상상적 경합관계에 있다.(대법원 2009. 4. 9. 2008도5634 **5억 대신 10억 사건**)

④ [O] 비록 고소인이 사건 당일 간통의 범죄사실을 신고하면서 현장에 출동한 경찰관에게 고소장을 교부하였다고 하더라도 송파경찰서에 도착하여 최종적으로 고소장을 접수시키지 아니하기로 결심하고 고소장을 반환받은 것이라면 **고소장이 수사기관에 적법하게 수리되어 고소의 효력이 발생되었다고 할 수 없다.**(대법원 2008. 11. 27. 2007도4977 방이동 모로코모텔 간통사건) 고소인이 현장에 출동한 경찰관에게 고소장을 교부한 것을 정식의 고소가 아니고 단순한 피해사실의 신고에 불과하다는 취지의 판례이다.

066
□□□
다음 중 가장 옳지 않은 것은? (다툼이 있으면 판례에 의함)   11 경찰승진 [Essential ★]

① 즉시고발의 경우 고발은 소송조건으로서의 성질을 갖는다.

② 즉시고발의 경우 피고발인 1인에 대한 고발의 효력은 그 피고발인에 대하여만 미칠 뿐이고 다른 공범자에게는 미치지 않는다.

③ 고발은 자기 또는 배우자의 직계존속에 대하여도 가능하다.

④ 공무원이라도 직무집행과 관련 없이 우연히 발견한 범죄까지 고발할 의무가 있는 것은 아니다.

해설

③ [×] 자기 또는 배우자의 직계존속은 **고발하지 못한다.**(제224조, 제235조)

① [O] 조세범처벌법 제9조 제1항 제3호 위반죄는 **국세청장 등의 고발을 기다려 논할 수 있는 죄**이므로 국세청장 등의 고발이 없음에도 법원이 이를 조세범처벌법 제9조 제1항 제3호 위반죄로 인정한 것은 위법하다.(대법원 2008. 3. 27. 2008도680)

② [O] 친고죄에 관한 고소의 주관적 불가분원칙을 규정하고 있는 형사소송법 제233조가 **독점규제법상 공정거래위원회의 고발에도 유추적용된다고 해석한다면** 이는 공정거래위원회의 고발이 없는 행위자에 대해서까지 형사처벌의 범위를 확장하는 것으로서, 결국 피고인에게 불리하게 형벌법규의 문언을 유추해석한 경우에 해당하므로 **죄형법정주의에 반하여 허용될 수 없다.**(대법원 2010. 9. 30. 2008도4762 합성수지 담합 사건)

④ [O] **공무원은 그 직무를 행함에 있어 범죄가 있다고 사료하는 때에는 고발하여야 한다.**(제234조 제2항) 따라서 공무원이라도 직무집행과 관련 없이 우연히 발견한 범죄에 대하여는 고발할 의무는 없다.

067

□□□ 전속고발에 대한 설명으로 가장 적절하지 않은 것은? (다툼이 있으면 판례에 의함)

21 경찰채용 [Essential ★]

① 공정거래위원회의 고발이 있어야 공소를 제기할 수 있는 「독점규제 및 공정거래에 관한 법률」 위반죄를 적용하여 위반행위자들 중 일부에 대하여 공정거래위원회가 고발을 하였다면 나머지 위반행위자에 대하여도 위 고발의 효력이 미친다.

② 전속고발사건에 있어서 수사기관이 고발에 앞서 수사를 하고 甲에 대한 구속영장을 발부받은 후 검찰의 요청에 따라 관계공무원이 고발조치를 하였다고 하더라도 공소제기 전에 고발이 있은 이상 甲에 대한 공소제기의 절차가 법률의 규정에 위반하여 무효라고 할 수는 없다.

③ 세무공무원 등의 고발이 있어야 공소를 제기할 수 있는 「조세범 처벌법」 위반죄에 관하여 일단 불기소처분이 있었더라도 세무공무원 등이 종전에 한 고발은 여전히 유효하고, 따라서 나중에 공소를 제기함에 있어 세무공무원 등의 새로운 고발이 있어야 하는 것은 아니다.

④ 공정거래위원회가 사업자에게 「독점규제 및 공정거래에 관한 법률」의 규정을 위반한 혐의가 있다고 인정하여 동법 제71조에 따라 사업자를 고발하였다면, 법원이 본안에 대하여 심판한 결과 위반되는 혐의 사실이 인정되지 아니하더라도 이러한 사정만으로는 그 고발을 기초로 이루어진 공소제기 등 형사절차의 효력에 영향을 미치지 아니한다.

해설

① [×] 친고죄에 관한 고소의 주관적 불가분원칙을 규정하고 있는 형사소송법 제233조가 독점규제법상 공정거래위원회의 고발에도 유추적용된다고 해석한다면 이는 공정거래위원회의 고발이 없는 행위자에 대해서까지 형사처벌의 범위를 확장하는 것으로서, 결국 피고인에게 불리하게 형벌법규의 문언을 유추해석한 경우에 해당하므로 **죄형법정주의에 반하여 허용될 수 없다.**(대법원 2010. 9. 30. 2008도4762 합성수지 담합 사건)

② [○] 수사기관이 고발에 앞서 수사를 하고 피고인에 대한 구속영장을 발부받은 후 검찰의 요청에 따라 세무서장이 고발조치를 하였다고 하더라도 **공소제기 전에 고발이 있은 이상** 조세범처벌법위반사건 피고인에 대한 공소제기의 절차가 법률의 규정에 위반하여 **무효라고 할 수 없다.**(대법원 1995. 3. 10. 94도3373 고발 전 구속 사건)

③ [○] 세무공무원 등의 고발이 있어야 공소를 제기할 수 있는 조세범처벌법위반죄에 관하여 일단 불기소처분이 있었더라도 세무공무원 등이 종전에 한 고발은 여전히 유효하다. 따라서 나중에 공소를 제기함에 있어 세무공무원 등의 **새로운 고발이 있어야 하는 것은 아니다.**(대법원 2009. 10. 29. 2009도6614)

④ [○] 공정거래위원회가 사업자에게 독점규제법의 규정을 위반한 혐의가 있다고 인정하여 사업자를 고발하였다면 이로써 소추의 요건은 충족되며 공소가 제기된 후에는 고발을 취소하지 못함에 비추어 보면, 법원이 본안에 대하여 심판한 결과 독점규제법의 규정에 위반되는 혐의 사실이 인정되지 아니하거나 그 위반 혐의에 관한 공정거래위원회의 처분이 위법하여 행정소송에서 취소된다 하더라도 이러한 사정만으로는 그 고발을 기초로 이루어진 공소제기 등 형사절차의 효력에 영향을 미치지 아니한다.(대법원 2015. 9. 10. 2015도3926 판유리 담합사건)

068 2018. 1. 1.부터 2020. 12. 31.까지 사업자 甲은 다른 사업자 乙, 丙과 함께 「독점규제 및 공정거래에 관한 법률」(이하 '공정거래법'이라고 한다)에서 금지하고 있는 부당한 공동행위를 하였는데, 2021. 5. 1. 공정거래위원회는 이를 인지하여 조사한 후 甲만을 검찰에 고발하고 乙과 丙에 대하여는 시정조치를 명하였다. 참고로 공정거래법상 부당한 공동행위를 할 경우에는 공정거래위원회의 고발이 있어야 공소를 제기할 수 있다. 이에 대한 설명으로 옳은 것은 모두 몇 개인가? (다툼이 있으면 판례에 의함)

24 경찰승진 [Superlative ★★★]

ⓐ 甲에 대한 공정거래위원회의 고발이 있기 전에 수사기관이 甲에 대한 공정거래법위반 혐의를 수사하였다면 그 수사는 위법하다.

ⓑ 공정거래위원회의 甲에 대한 고발은 친고죄에 관한 고소의 주관적 불가분 원칙을 규정한 형사소송법 제233조의 준용에 의하여 乙, 丙에 대하여도 그 효력이 발생한다.

ⓒ 검사가 2021. 5. 20. 甲에 대하여 불기소처분을 한 이후 甲이 2022년도에 다시 공정거래법상 금지되고 있는 부당한 공동행위를 한 경우 만약 공정거래위원회가 甲의 2022년도 위반행위에 대하여만 검찰에 고발하였더라도 甲의 2020년도 위반행위에 대하여 공소를 제기할 수 있다.

ⓓ 공정거래위원회가 甲에게 공정거래법의 규정을 위반한 혐의가 있다고 인정하여 공정거래법에 따라 甲을 고발하였더라도 해당 혐의에 관한 공정거래위원회의 처분이 위법하여 행정소송에서 취소된다면 공정거래위원회의 고발을 기초로 이루어진 공소제기의 효력이 부정된다.

---

① 1개   ② 2개   ③ 3개   ④ 4개

해설

① ⓒ 항목만 옳다.

ⓐ [×] 법률에 의하여 고소나 고발이 있어야 논할 수 있는 죄에 있어서 고소 또는 고발은 이른바 소추조건에 불과하고 당해 범죄의 성립요건이나 수사의 조건은 아니므로 위와 같은 범죄에 관하여 **고소나 고발이 있기 전에 수사를 하였더라도** 그 수사가 장차 고소나 고발의 가능성이 없는 상태하에서 행해졌다는 등의 특단의 사정이 없는 한 고소나 고발이 있기 전에 수사를 하였다는 이유만으로 **그 수사가 위법하게 되는 것은 아니다.** (대법원 2011. 3. 10. 2008도7724 **강사 불법채용 사건**) 공정거래위원회의 고발이 있기 전에 수사기관이 甲에 대한 공정거래법위반 혐의를 수사하였더라도 그 수사는 특별한 사정이 없는 한 위법하지 않다.

ⓑ [×] 친고죄에 관한 고소의 주관적 불가분원칙을 규정하고 있는 **형사소송법 제233조가 공정거래법상 공정거래위원회의 고발에도 유추적용된다고 해석한다면** 이는 공정거래위원회의 고발이 없는 행위자에 대해서까지 형사처벌의 범위를 확장하는 것으로서, 결국 피고인에게 불리하게 형벌법규의 문언을 유추해석한 경우에 해당하므로 **죄형법정주의에 반하여 허용될 수 없다.**(대법원 2010. 9. 30. 2008도4762 **합성수지 담합 사건**) 공정거래위원회의 甲에 대한 고발은 乙, 丙에 대하여는 그 효력이 없다.

ⓒ [○] 세무공무원 등의 고발이 있어야 공소를 제기할 수 있는 조세범처벌법위반죄에 관하여 일단 불기소처분이 있었더라도 세무공무원 등이 종전에 한 고발은 여전히 유효하다. 따라서 나중에 공소를 제기함에 있어 세무공무원 등의 새로운 고발이 있어야 하는 것은 아니다.(대법원 2009. 10. 29. 2009도6614 서초세무서장 2회 고발 사건) 검사는 甲의 2020년도 위반행위에 대하여 공소를 제기할 수 있다.

ⓓ [×] 공정거래위원회가 사업자에게 공정거래법의 규정을 위반한 혐의가 있다고 인정하여 사업자를 고발하였다면 이로써 소추의 요건은 충족되며 공소가 제기된 후에는 고발을 취소하지 못함에 비추어 보면, 법원이 본안에 대하여 심판한 결과 공정거래법의 규정에 위반되는 혐의 사실이 인정되지 아니하거나 그 **위반 혐의에 관한 공정거래위원회의 처분이 위법하여 행정소송에서 취소된다 하더라도 이러한 사정만으로는 그 고발을 기초로 이루어진 공소제기 등 형사절차의 효력에 영향을 미치지 아니한다.**(대법원 2015. 9. 10. 2015도3926 판유리 담합사건) 공정거래위원회의 처분이 위법하여 행정소송에서 취소되더라도 공정거래위원회의 고발을 기초로 이루어진 공소제기의 효력은 부정되지 않는다.

069
□□□
공정거래위원회는 1991년부터 2005년까지 설탕 유통량 및 가격을 담합한 혐의로 A사, B사, C사를 적발하였으나 A사, B사만 검찰에 고발하고 C사와 관계 임원들은 자진신고 등을 이유로 고발을 하지 않았다. 검사는 A사, B사, C사와 그 임원인 A사 사장 甲, B사 부사장 乙, C사 고문 丙을 독점규제 및 공정거래에 관한 법률 위반 혐의로 공소를 제기하였다. 이 경우 법원이 취해야 할 조치로 가장 옳은 것은? (다툼이 있으면 판례에 의함)

22 해경승진 [Core ★★]

① 모든 피고인에 대해서 실체재판을 하여야 한다.
② 모든 피고인에 대해서 공소기각판결을 선고하여야 한다.
③ A사, B사에 대해서는 실체재판을 하여야 하고, 나머지 피고인에 대해서는 공소기각판결을 선고하여야 한다.
④ A사, B사 그리고 그 임원인 甲, 乙에 대해서는 실체재판을 하여야 하고, 나머지 피고인에 대해서는 공소기각판결을 선고하여야 한다.

해설

③ [○] 죄형법정주의의 원칙에 비추어 고소의 주관적 불가분 원칙을 규정한 형사소송법 제233조의 유추적용을 통하여 공정거래위원회의 고발이 없는 위반행위자에 대해서까지 형사처벌의 범위를 확장하는 것도 허용될 수 없으므로 위반행위자 중 일부에 대하여 공정거래위원회의 고발이 있다고 하여 나머지 위반행위자에 대하여도 위 고발의 효력이 미친다고 볼 수 없고, 나아가 공정거래법 제70조의 양벌규정에 따라 처벌되는 법인이나 개인에 대한 고발의 효력이 그 대표자나 대리인, 사용인 등으로서 행위자인 사람에게까지 미친다고 볼 수도 없다. (2) 원심이 공정거래위원회의 고발 대상에서 제외된 피고인들(C사, 甲, 乙, 丙)에 대한 공소사실에 관하여 소추요건의 결여로 그 공소의 제기가 법률의 규정에 위반하여 무효인 경우에 해당한다는 이유로 공소기각 판결을 선고한 제1심을 그대로 유지한 조치는 정당하다.(대법원 2011. 7. 28. 2008도5757 설탕담합사건)

070 고소와 고발에 대한 설명으로 옳은 것은? (다툼이 있으면 판례에 의함) 23 국가7급 [Core ★★]

① 검사는 고소 또는 고발 있는 사건에 관하여 공소를 제기하지 아니하는 처분을 한 경우에 고소인 또는 고발인의 청구가 있는 때에는 7일 이내에 고소인 또는 고발인에게 그 이유를 구두 또는 서면으로 설명하여야 한다.

② 수사기관은 고소장에 범죄사실로 기재된 내용이 불명확하고 특정되어 있지 않은 경우에도 고소의 수리를 거부하거나 진정으로 접수하여 처리할 수는 없다.

③ 법원이 선임한 부재자 재산관리인이 그 관리대상인 부재자의 재산에 대한 범죄행위에 관하여 법수사원으로부터 고소권행사에 관한 허가를 얻은 경우 형사소송법 제225조 제1항에서 정한 법정대리인으로서의 적법한 고소권자에 해당한다.

④ 사법경찰관으로부터 불송치결정(형사소송법 제245조의5 제2호)의 통지(형사소송법 제245조의6)를 받은 고소인·고발인·피해자 또는 그 법정대리인은 해당 사법경찰관의 소속 관서의 장에게 이의를 신청할 수 있고, 사법경찰관은 그러한 신청이 있는 때에는 지체 없이 검사에게 사건을 송치하고 관계 서류와 증거물을 송부하여야 하며, 처리결과와 그 이유를 신청인에게 통지하여야 한다.

해설

③ [○] 법원이 선임한 부재자 재산관리인이 그 관리대상인 부재자의 재산에 대한 범죄행위에 관하여 법원으로부터 고소권 행사에 관한 허가를 얻은 경우 **부재자 재산관리인은 형사소송법 제225조 제1항에서 정한 법정대리인으로서 적법한 고소권자에 해당한다.**(대법원 2022. 5. 26. 2021도2488 부재자 재산관리인 형사고소 사건)

① [×] 검사는 고소 또는 고발있는 사건에 관하여 공소를 제기하지 아니하는 처분을 한 경우에 고소인 또는 고발인의 청구가 있는 때에는 7일 이내에 고소인 또는 고발인에게 **그 이유를 서면으로 설명하여야 한다.**(제259조)

② [×] 검사는 고소장의 내용이 불분명하거나 구체적 사실이 적시되어 있지 않은 경우 **이를 진정사건으로 수리할 수 있다.**(검찰사건사무규칙 제224조 제3항 제1호) 사법경찰관리는 고소장에 따른 내용이 불명확하거나 구체적 사실이 적시되어 있지 않은 경우 **이를 진정으로 처리할 수 있다.**(경찰수사규칙 제21조 제2항 제1호)

④ [×] 사법경찰관으로부터 **불송치결정의 통지를 받은 사람(고발인을 제외한다)**은 해당 사법경찰관의 소속 관서의 장에게 이의를 신청할 수 있다.(제245조의7 제1항) 사법경찰관은 제1항의 신청이 있는 때에는 지체 없이 검사에게 사건을 송치하고 관계 서류와 증거물을 송부하여야 하며, 처리결과와 그 이유를 제1항의 신청인에게 통지하여야 한다.(제245조의7 제2항)

정답 | 069 ③   070 ③

071

자수와 관련하여 옳은 것은 모두 몇 개인가? (다툼이 있으면 판례에 의함) 11 경찰승진 [Core ★★]

☐☐☐

> ㉠ 세관 검색시 금속 탐지기에 의해 대마 휴대 사실이 발각될 상황에서 세관 검색원의 추궁에 의하여 대마 수입 범행을 시인한 경우, 자수에 해당한다.
> ㉡ 수개의 범죄사실 중 일부에 관하여만 자수한 경우에는 그 부분 범죄사실에 대하여만 자수의 효력이 있다.
> ㉢ 사법경찰관이 자수를 받은 때에는 신속히 조사하여 관계서류와 증거물을 관할법원에 송부하여야 한다.
> ㉣ 신문지상에 혐의사실이 보도되기 시작하였는데도 수사기관으로부터 공식소환이 없으므로 자진출석하여 사실을 밝히고 처벌을 받고자 담당 검사에게 전화를 걸어 조사를 받게 해달라고 요청하여 출석시간을 지정받은 다음 자진 출석하여 혐의사실을 인정하는 진술서를 작성한 경우 자수한 것으로 보아야 한다.

① 1개

② 2개

③ 3개

④ 4개

해설

② ㉡㉣ 2 항목이 맞다.
㉠ [×] 수사기관의 직무상의 질문 또는 조사에 응하여 범죄사실을 진술하는 것은 **자백일 뿐 자수가 되는 것은 아니다.**(대법원 2006. 9. 22. 2006도4883)
㉡ [○] 수개의 범죄사실 중 일부에 관하여만 자수한 경우에는 그 **부분 범죄사실에 대하여만 자수의 효력이 있다.**(대법원 1994. 10. 14. 94도2130)
㉢ [×] 사법경찰관이 자수를 받은 때에는 신속히 조사하여 관계서류와 증거물을 **검사에게 송부하여야 한다.**(제240조, 제238조)
㉣ [○] 신문지상에 혐의사실이 보도되기 시작하였는데도 수사기관으로부터 공식소환이 없으므로 자진출석하여 사실을 밝히고 처벌을 받고자 담당 검사에게 전화를 걸어 조사를 받게 해달라고 요청하여 출석시간을 지정받은 다음 자진출석하여 혐의사실을 모두 인정하는 내용의 진술서를 작성하고 검찰 수사과정에서 혐의사실을 모두 자백한 경우 피고인은 수사책임 있는 관서에 자기의 범죄사실을 자수한 것으로 보아야하고 법정에서 수수한 금원의 직무관련성에 대하여만 수사기관에서의 자백과 차이가 나는 진술을 하였다 하더라도 **자수의 효력에는 영향이 없다.**(대법원 1994. 9. 9. 94도619)

072 자수에 대한 설명으로 옳은 것은? (다툼이 있으면 판례에 의함)

① 피고인이 자수하였음에도 불구하고 법원이 형법 제52조 제1항에 따른 자수감경을 하지 않거나 자수감경 주장에 대하여 판단을 하지 않았더라도 위법하지 않다.

② 수사기관에의 자발적 신고 내용이 범행을 부인하는 등 범죄 성립요건을 갖추지 아니한 경우에는 자수는 성립하지 않지만, 그 후 수사과정에서 범행을 시인하였다면 새롭게 자수가 성립될 여지가 있다.

③ 수사기관의 직무상의 질문 또는 조사에 응하여 범죄사실을 진술하는 경우라도 자수가 인정될 수 있다.

④ 범인이 수사기관에 뇌물수수의 범죄사실을 자발적으로 신고하였다면, 특정범죄 가중처벌 등에 관한 법률의 적용을 피하기 위해 그 수뢰액을 실제보다 적게 신고한 것일지라도 자수는 성립한다.

해설

① [○] 피고인이 자수하였다 하더라도 자수한 자에 대하여는 법원이 임의로 형을 감경할 수 있음에 불과한 것으로서 원심이 자수감경을 하지 아니하였다거나 자수감경 주장에 대하여 판단을 하지 아니하였다 하여 위법하다고 할 수 없다.(대법원 2013. 11. 28. 2013도9003 광주 총인처리시설 입찰비리사건)

② [×] 수사기관에의 신고가 자발적이라고 하더라도 그 신고의 내용이 자기의 범행을 명백히 부인하는 등의 내용으로 자기의 범행으로서 범죄성립요건을 갖추지 아니한 사실일 경우에는 자수는 성립하지 않고, **일단 자수가 성립하지 아니한 이상 그 이후의 수사과정이나 재판과정에서 범행을 시인하였다고 하더라도 새롭게 자수가 성립할 여지는 없다.**(대법원 2011. 12. 22. 2011도12041 박상백 코어비트 대표 사건)

③ [×] 수사기관의 직무상의 질문 또는 조사에 응하여 범죄사실을 진술하는 것은 **자백일 뿐 자수가 되는 것은 아니다.**(대법원 2011. 12. 22. 2011도12041 박상백 코어비트 대표 사건)

④ [×] 수사기관에 뇌물수수의 범죄사실을 자발적으로 신고하였으나 그 수뢰액을 실제보다 적게 신고함으로써 적용법조와 법정형이 달라지게 된 경우 **자수에 해당하지 아니한다.**(대법원 2004. 6. 24. 2004도2003 5천받고 3천 자수 사건)

073 다음 중 옳은 설명은? (다툼이 있으면 판례에 의함)

□□□

① 변사자 또는 변사의 의심 있는 사체가 있는 경우, 변사자의 검시는 원칙적으로 경찰서장 또는 사법경찰관이 하여야 한다.

② 경찰관은 수상한 거동 기타 주위 사정을 합리적으로 판단하여 어떠한 죄를 범하였거나 범하려 하고 있다고 의심할 만한 상당한 이유가 있는 자에 대하여 질문을 할 때에 흉기의 소지 여부를 조사할 수 없다.

③ 누구든지 범죄가 있다고 사료하는 때에는 고발할 수 있고, 공무원은 그 직무를 행함에 있어 범죄가 있다고 사료하는 때에는 고발하여야 한다.

④ 피고인이 검찰의 소환에 따라 자진 출석하여 검사에게 범죄사실에 관하여 자백함으로써 형법 상 자수의 효력이 발생하였다고 하더라도, 그 후에 검찰이나 법정에서 범죄사실을 일부 부인 하였다면 일단 발생한 자수의 효력은 소멸한다.

해설

③ [○] 누구든지 범죄가 있다고 사료하는 때에는 고발할 수 있다. **공무원은 그 직무를 행함에 있어** 범죄가 있다고 사료하는 때에는 **고발하여야 한다.**(제234조)

① [×] 변사자 또는 변사의 의심있는 사체가 있는 때에는 그 소재지를 관할하는 **지방검찰청 검사가** 검시하여야 한다.(제222조 제1항)

② [×] 경찰관은 거동불심자에 대하여 질문을 할 때에 **흉기의 소지여부를 조사할 수 있다.**(경직법 제3조 제1항)

④ [×] 피고인이 검찰의 소환에 따라 자진 출석하여 검사에게 범죄사실에 관하여 자백함으로써 형법상 자수의 효력이 발생하였다면, **그 후에 검찰이나 법정에서 범죄사실을 일부 부인하였다고 하더라도 일단 발생한 자수의 효력이 소멸하는 것은 아니다.**(대법원 2002. 8. 23. 2002도46)

074 다음 <보기> 중 변사자 검시에 관한 설명으로 옳은 것은 모두 몇 개인가?

22 해경승진 [Superlative ★★★]

> ㉠ 변사자의 검시는 수사가 아닌 수사의 단서에 불과하다.
> ㉡ 검시는 검증과 유사하므로 유족의 동의가 없으면 판사의 영장을 발부받아 검시를 하여야 한다.
> ㉢ 검사와 사법경찰관의 상호협력과 일반적 수사준칙에 관한 규정 제17조 제1항에 의하면 사법
> 경찰관리는 변사자 또는 변사의 의심이 있으면 관할지방검찰청 또는 지청의 검사에게 보고하
> 고 지휘를 받아야 한다. 단 긴급을 요하는 경우 그러하지 아니하다.
> ㉣ 변사자 또는 변사의 의심 있는 사체가 있는 때에는 그 소재지를 관할하는 사법경찰관이 검시
> 하여야 한다.

① 없음   ② 1개

③ 2개   ④ 3개

해설

> ② ㉠ 항목만 옳다.
> ㉠ [O] 변사자검시란 범죄혐의 유무를 발견하기 위하여 검사가 변사자의 상황을 조사하는 것으로 수사의 단서에
> 해당한다. 수사의 단서에 불과하므로 영장 없이도 검시할 수 있다.
> ㉡ [×] 변사자검시는 수사의 단서에 불과하므로 **유족의 동의나 판사의 영장 발부 여부와 상관없이** 할 수 있다.
> ㉢ [×] 사법경찰관은 변사자 또는 변사한 것으로 의심되는 사체가 있으면 변사사건 발생사실을 **검사에게 통보해**
> **야 한다.**(수사준칙 제17조 제1항)
> ㉣ [×] 변사자 또는 변사의 의심있는 사체가 있는 때에는 그 소재지를 관할하는 **지방검찰청 검사가** 검시하여야
> 한다.(제222조 제1항)

제2장 수사의 개시

제1절 | 수사의 일반원칙과 임의수사

075 임의수사와 강제수사에 대한 설명으로 가장 옳지 않은 것은?   13 경찰간부 [Essential ★]

① 수사는 원칙적으로 임의수사에 의하고 강제수사는 법률에 규정된 경우에 한하여 허용된다.

② 영장주의는 영장의 내용이 특정될 것을 요구하며 강제처분의 대상, 기간, 장소 등을 특정하지 않은 일반영장은 허용되지 않는다.

③ 법원이 행하는 강제처분에 대한 영장은 집행기관에 대한 허가장, 수사기관이 행하는 강제처분에 대한 영장은 수사기관에 대한 명령장의 성격을 갖는다.

④ 수사에 관하여는 공무소 기타 공사단체에 조회하여 필요한 사항의 보고를 요구할 수 있다.

해설

③ [×] **법원이 직권으로 발부하는 영장**과 **수사기관의 청구에 의하여 발부하는 구속영장**의 법적 성격은 같지 않다. 즉, **전자는 명령장**으로서의 성질을 갖지만 **후자는 허가장**으로서의 성질을 갖는 것으로 이해되고 있다. (헌법재판소 1997. 3. 27. 96헌바28 **전두환·노태우 전대통령 사건**)

① [○] 수사에 관하여는 그 목적을 달성하기 위하여 필요한 조사를 할 수 있다. 다만, **강제처분은** 형사소송법에 특별한 규정이 있는 경우에 한하며, **필요한 최소한도의 범위 안에서만 하여야 한다.**(제199조 제1항)

② [○] 통설의 입장이다.

④ [○] 수사에 관하여는 **공무소 기타 공사단체에 조회하여 필요한 사항의 보고를 요구할 수 있다.**(제199조 제2항)

076 임의수사에 대한 설명으로 가장 적절하지 않은 것은? (다툼이 있으면 판례에 의함)

① 임의수사의 경우에도 법률이 수사활동의 요건·절차를 규정하고 있다면 그에 위반하여 수집한 증거는 위법수집증거로서 증거능력이 부정된다.

② 「형사소송법」상 임의수사가 원칙이고 강제수사는 법률에 특별한 규정이 있는 경우에 한하여 예외적으로 허용된다.

③ 수사기관은 피검사자의 동의를 얻은 경우에 거짓말탐지기를 사용할 수 있다. 다만, 그 검사결과를 공소사실의 존부를 인정하는 직접증거로는 사용할 수 없고, 진술의 신빙성 유무를 판단하는 정황증거로만 사용할 수 있다.

④ 상대방의 동의를 얻어 보호실 등 특정한 장소에 유치하는 승낙유치는 임의수사의 한 종류로 영장 없이 할 수 있다.

해설

④ [×] 승낙유치란 상대방의 승낙을 받아 경찰서 유치장 등에 유치하는 것을 말한다. 유치에 대하여 일반인이 승낙한다는 것은 경험칙상 도저히 기대할 수 없기 때문에 **이는 임의수사로서 허용되지 않는다는 것이 통설의 입장이다.**

① [〇] 적법한 절차에 따르지 아니하고 수집한 증거는 **증거로 할 수 없다.**(제308조의2)

② [〇] 수사에 관하여는 그 목적을 달성하기 위하여 필요한 조사를 할 수 있다. 다만, 강제처분은 이 **법률에 특별한 규정이 있는 경우에 한하며,** 필요한 최소한도의 범위 안에서만 하여야 한다.(제199조 제1항)

③ [〇] 거짓말탐지기 검사결과 피고인 甲의 진술에 대하여는 거짓으로 진단할 수 있는 특이한 반응이 나타나지 않은 반면 乙의 진술에 대하여는 거짓으로 진단할 수 있는 현저한 반응이 나타났다. 그러나 거짓말탐지기 검사결과가 항상 진실에 부합한다고 단정할 수 없을 뿐 아니라 검사를 받는 사람의 진술의 신빙성을 가늠하는 **정황증거로서 기능을 하는 데 그치므로** 그와 같은 검사결과만으로 범행 당시의 상황이나 범행 이후 정황에 부합하는 乙 진술의 신빙성을 부정할 수 없다.(대법원 2017. 1. 25. 2016도15526 **패터슨이태원 살인사건**)

077

□□□

영장주의에 관한 설명 중 가장 적절하지 않은 것은? (다툼이 있으면 판례에 의함)

14 경찰승진 [Core ★★]

① 마약류 관련 수형자의 마약류반응검사를 위한 소변강제채취는 법관의 영장을 필요로 하는 강제처분이므로 구치소 등 교정시설 내에서의 소변채취가 법관의 영장없이 실시되었다면 헌법 제12조 제3항의 영장주의에 위배된다.

② 체포영장에 의하지 아니하고 체포된 피의자는 관할법원에 체포의 적부심사를 청구할 권리를 가진다.

③ 범죄의 피의자로 입건된 사람들에게 경찰공무원이나 검사의 신문을 받으면서 자신의 신원을 밝히지 않고 지문채취에 불응하는 경우 형사처벌을 통하여 지문채취를 강제하는 구 경범죄 처벌법 제1조 제42호는 영장주의의 원칙에 위반되지 않는다.

④ 형사절차에 있어서 영장주의란 체포·구속·압수 등의 강제처분을 함에 있어서는 사법권 독립에 의하여 그 신분이 보장되는 법관이 발부한 영장에 의하지 않으면 안된다는 원칙이다.

해설

① [×] **소변을 받아 제출하도록 한 것은** 교도소의 안전과 질서유지를 위한 것으로 수사에 필요한 처분이 아닐 뿐만 아니라 검사대상자들의 협력이 필수적이어서 강제처분이라고 할 수도 없어 **영장주의의 원칙이 적용되지 않는다.**(헌법재판소 2006. 7. 27. 2005헌마277)

② [○] 체포 또는 구속된 피의자 또는 그 변호인, 법정대리인, 배우자, 직계친족, 형제자매나 **가족, 동거인 또는 고용주는** 관할법원에 체포 또는 구속의 **적부심사를 청구할 수 있다.**(제214조의2 제1항)

③ [○] 경범죄 처벌법 제1조 제42호가 지문채취거부를 처벌할 수 있도록 하는 것이 비록 피의자에게 지문채취를 강요하는 측면이 있다 하더라도 수사의 편의성만을 위하여 영장주의의 본질을 훼손하고 형해화한다고 할 수는 없다.(헌법재판소 2004. 9. 23. 2002헌가17)

④ [○] 형사절차에 있어서의 **영장주의란** 체포·구속·압수 등의 강제처분을 함에 있어서는 사법권 독립에 의하여 그 신분이 보장되는 법관이 발부한 영장에 의하지 않으면 아니된다는 원칙이고 따라서 영장주의의 본질은 신체의 자유를 침해하는 강제처분을 함에 있어서는 중립적인 법관이 구체적 판단을 거쳐 발부한 영장에 의하여야만 한다는 데에 있다.(헌법재판소 1997. 3. 27. 96헌바28 **전두환·노태우 전대통령 사건**)

078

다음 중 영장주의에 관한 설명으로 가장 옳지 않은 것은? (다툼이 있으면 판례에 의함)

22 해경승진 [Essential ★]

① 형집행장은 사형 또는 자유형을 집행하기 위하여 검사가 발부하는 것이며, 수형자를 대상으로 한다. 따라서 형집행장은 영장에 해당하지 않는다.

② 검사의 구속영장 청구 전 피의자 대면조사에 있어 피의자는 검사의 출석 요구에 응할 의무가 없고, 피의자가 검사의 출석 요구에 동의한 때에 한하여 사법경찰관리는 피의자를 검찰청으로 호송하여야 한다.

③ 일반영장의 발부는 금지된다. 따라서 구속영장에 있어서는 범죄사실과 피의자는 물론 인치·구금할 장소가 특정되어야 하며, 압수·수색영장에 있어 서는 압수수색의 대상이 특정되어야 한다.

④ 긴급체포는 영장주의 원칙에 대한 예외인 만큼 요건을 갖추지 못한 긴급체포는 법적 근거에 의하지 아니한 영장 없는 체포로서 위법한 체포에 해당하는 것이고, 여기서 긴급체포의 요건을 갖추었는지 여부는 사후에 밝혀진 객관적 사정을 기초로 판단하여야 하고, 이에 관한 검사나 사법경찰관 등 수사주체의 판단에는 재량의 여지가 없다.

해설

④ [×] 긴급체포의 요건을 갖추었는지 여부는 사후에 밝혀진 사정을 기초로 판단하는 것이 아니라 **체포 당시의 상황을 기초로 판단하여야** 하고, 이에 관한 검사나 사법경찰관 등 **수사주체의 판단에는 상당한 재량의 여지가 있다고 할 것이다.**(대법원 2008. 3. 27. 2007도11400)

① [○] 사형, 징역, 금고 또는 구류의 선고를 받은 자가 구금되지 아니한 때에는 **검사는 형을 집행하기 위하여 이를 소환하여야 한다.**(제473조) 따라서 검사가 발부하는 형집행장과 판사 또는 법원이 발부하는 영장은 서로 다르다.

② [○] 구속영장 청구 전 **피의자 대면 조사는 강제수사가 아니므로** 피의자는 검사의 출석 요구에 응할 의무가 없고, 피의자가 검사의 출석 요구에 동의한 때에 한하여 사법경찰관리는 피의자를 검찰청으로 호송하여야 한다.(대법원 2010. 10. 28. 2008도11999 **인치명령 불응사건**)

③ [○] 구속영장에는 피고인의 성명, 주거, 죄명, 공소사실의 요지, **인치 구금할 장소**, 발부년월일, 그 유효기간과 그 기간을 경과하면 집행에 착수하지 못하며 영장을 반환하여야 할 취지를 기재하고 재판장 또는 수명법관이 서명날인하여야 한다.(제75조 제1항, 제209조, 제219조) 압수·수색영장에는 **다음 각 호의 사항을 기재하고** 재판장이나 수명법관이 서명날인하여야 한다. 다만, 압수·수색할 물건이 전기통신에 관한 것인 경우에는 작성기간을 기재하여야 한다.(제114조 제1항)

079 「검사와 사법경찰관의 상호협력과 일반적 수사준칙에 관한 규정」에 대한 설명으로 가장 적절하
□□□ 지 않은 것은?

21 경찰채용 [Essential ★]

① 검사 또는 사법경찰관은 특별한 사정이 없으면 총조사시간 중 식사시간, 휴식시간 및 조서의
열람시간 등을 제외한 실제 조사시간이 12시간을 초과하지 않도록 해야 한다.

② 검사 또는 사법경찰관은 조사에 상당한 시간이 소요되는 경우에는 특별한 사정이 없으면 피의자
또는 사건관계인에게 조사 도중에 최소한 2시간마다 10분 이상의 휴식시간을 주어야 한다.

③ 검사 또는 사법경찰관은 피의자에게 출석요구를 하려는 경우 피의자와 조사의 일시 · 장소에
관하여 협의해야 하고, 이 경우 변호인이 있는 경우에는 변호인과도 협의해야 한다.

④ 검사 또는 사법경찰관은 임의동행을 요구하는 경우 상대방에게 동행을 거부할 수 있다는 것과
동행하는 경우에도 언제든지 자유롭게 동행 과정에서 이탈하거나 동행 장소에서 퇴거할 수
있다는 것을 알려야 한다.

해설

① [×] 검사 또는 사법경찰관은 조사, 신문, 면담 등 그 명칭을 불문하고 피의자나 사건관계인을 조사하는 경우
에는 **대기시간, 휴식시간, 식사시간 등 모든 시간을 합산한 조사시간(이하 "총조사시간"이라 한다)이 12시
간을 초과하지 않도록 해야 한다.** 다만, 피의자나 사건관계인의 서면 요청에 따라 조서를 열람하는 경우 또는
수사준칙 제21조 제2항 각 호의 어느 하나에 해당하는 경우에는 예외로 한다.(수사준칙 제22조 제1항)

핵심정리 심야조사 할 수 있는 사유

1. 피의자를 체포한 후 48시간 이내에 구속영장의 청구 또는 신청 여부를 판단하기 위해 불가피한 경우
2. 공소시효가 임박한 경우
3. 피의자나 사건관계인이 출국, 입원, 원거리 거주, 직업상 사유 등 재출석이 곤란한 구체적인 사유를
들어 심야조사를 요청한 경우(변호인이 심야조사에 동의하지 않는다는 의사를 명시한 경우는 제외한
다)로서 해당 요청에 상당한 이유가 있다고 인정되는 경우
4. 그 밖에 사건의 성질 등을 고려할 때 심야조사가 불가피하다고 판단되는 경우 등 법무부장관, 경찰청
장 또는 해양경찰청장이 정하는 경우로서 검사 또는 사법경찰관의 소속 기관의 장이 지정하는 인권보
호 책임자의 허가 등을 받은 경우

② [○] 검사 또는 사법경찰관은 조사에 상당한 시간이 소요되는 경우에는 특별한 사정이 없으면 피의자 또는 사건
관계인에게 조사 도중에 최소한 2시간마다 10분 이상의 휴식시간을 주어야 한다.(수사준칙 제23조 제1항)

③ [○] 검사 또는 사법경찰관은 피의자에게 출석요구를 하려는 경우 피의자와 조사의 일시 · 장소에 관하여 협의
해야 하고, 이 경우 **변호인이 있는 경우에는 변호인과도 협의해야 한다.**(수사준칙 제19조 제2항)

④ [○] 검사 또는 사법경찰관은 임의동행을 요구하는 경우 상대방에게 동행을 거부할 수 있다는 것과 동행하는
경우에도 언제든지 자유롭게 동행 과정에서 이탈하거나 동행 장소에서 퇴거할 수 있다는 것을 알려야 한다.
(수사준칙 제20조)

080 변호인의 피의자신문 참여에 대한 다음 설명 중 가장 적절하지 않은 것은? (다툼이 있으면 판례에 의함)

① 검사 또는 사법경찰관은 피의자가 변호인의 피의자신문 참여를 신청한 경우 정당한 사유가 없는 한 변호인을 피의자신문에 참여하게 하여야 한다.

② 피의자신문에 참여한 변호인은 부당한 신문방법에 대하여 신문 중이든 신문 후이든 얼마든지 이의제기를 할 수 있다.

③ 검사 또는 사법경찰관은 변호인의 피의자신문 참여와 그 제한에 관한 사항을 피의자신문조서에 기재할 수 있다.

④ 검사 또는 사법경찰관의 변호인의 피의자신문 참여에 관한 처분에 대하여 불복이 있으면 법원에 그 처분의 취소 또는 변경을 청구할 수 있다.

해설

③ [×] 검사 또는 사법경찰관은 변호인의 신문참여 및 그 제한에 관한 사항을 피의자신문조서에 **기재하여야 한다.**(제243조의2 제5항)

① [○] 검사 또는 사법경찰관은 피의자 또는 그 변호인·법정대리인·배우자·직계친족·형제자매의 신청에 따라 변호인을 피의자와 접견하게 하거나 **정당한 사유가 없는 한** 피의자에 대한 신문에 **참여하게 하여야 한다.**(제243조의2 제1항)

② [○] 신문에 참여한 변호인은 신문 후 의견을 진술할 수 있다. 다만, 신문 중이라도 부당한 신문방법에 대하여 이의를 제기할 수 있고, **검사 또는 사법경찰관의 승인을 얻어** 의견을 진술할 수 있다.(제243조의2 제3항)

④ [○] 검사 또는 사법경찰관의 변호인의 피의자신문 참여에 관한 처분에 대하여 불복이 있으면 **법원에 그 처분의 취소 또는 변경을 청구할 수 있다.**(제417조)

081

□□□

피의자신문에 관한 다음 설명 중 가장 적절한 것은? (다툼이 있으면 판례에 의함)

12 경찰채용 [Core ★★]

① 피의자신문이 임의수사인가 또는 강제수사인가에 대해서는 견해의 대립이 있으나, 판례는 피의자가 수사기관의 출석요구에 응하지 않는 경우 영장에 의한 체포가 가능하다는 이유로 강제수사로 보고 있다.

② 피의자신문에 참여하고자 하는 변호인이 2인 이상인 때에는 피의자가 신문에 참여할 변호인 1인을 지정하고, 지정이 없는 경우에는 검사 또는 사법경찰관이 이를 지정하여야 한다.

③ 피의자신문에 참여한 변호인은 신문 후 의견을 진술할 수 있다. 다만, 신문 중이라도 부당한 신문방법에 대하여 이의를 제기할 수 있고, 검사 또는 사법경찰관의 승인을 얻어 의견을 진술할 수 있다.

④ 검사가 국가보안법 위반죄로 구속영장을 발부받아 피의자신문을 한 다음, 구속 기소한 후 다시 피의자를 소환하여 공범들과의 조직구성 등에 관한 신문을 하면서 피의자신문조서가 아닌 일반적인 진술조서의 형식으로 조서를 작성하였다면 진술거부권을 고지하지 않았더라도 위법이 아니다.

해설

③ [○] 신문에 참여한 변호인은 신문 후 의견을 진술할 수 있다. 다만, 신문 중이라도 부당한 신문방법에 대하여 이의를 제기할 수 있고, 검사 또는 사법경찰관의 **승인을 얻어 의견을 진술할 수 있다.**(제243조의2 제3항)

① [×] 피의자가 수사기관의 출석요구에 응하지 않는 경우 체포가 가능하다는 이유로 피의자신문을 강제수사로 보는 일부 견해도 있으나, **통설은 이를 임의수사로 보고 있다.** 피의자신문이 임의수사인가 강제수사인가 여부에 대하여 명확히 판시한 판례는 없다.

② [×] 신문에 참여하고자 하는 변호인이 2인 이상인 때에는 피의자가 신문에 참여할 변호인 1인을 지정한다. 지정이 없는 경우에는 검사 또는 사법경찰관이 이를 **지정할 수 있다.**(제243조의2 제3항)

④ [×] 진술조서의 내용이 피의자신문조서와 실질적으로 같고, 진술의 임의성이 인정되는 경우라도 미리 피의자에게 진술거부권을 고지하지 않았다면 **위법수집증거에 해당하므로 유죄인정의 증거로 사용할 수 없다.**(대법원 2009. 8. 20. 2008도8213)

082 피의자신문에 관한 설명으로 가장 적절하지 않은 것은? (다툼이 있으면 판례에 의함)

□□□

24 경찰간부 [Essential ★]

① 검사 또는 사법경찰관은 피의자신문 전에 진술거부권과 신문받을 때 변호인의 조력을 받을 수 있음을 고지해야 하나, 이러한 권리를 행사할 것인지의 여부에 대한 피의자의 답변을 반드시 조서에 기재할 필요는 없다.

② 검사 또는 사법경찰관은 조사, 신문, 면담 등 그 명칭을 불문하고 피의자에 대해 원칙적으로 오후 9시부터 오전 6시까지 사이에는 심야조사를 해서는 안 되며, 조서를 열람하거나 예외적으로 심야조사가 허용되는 경우를 제외하고는 총조사시간은 12시간을 초과하지 않아야 한다.

③ 변호인의 수사방해나 수사기밀의 유출에 대한 우려가 없고, 조사실의 장소적 제약 등이 없음에도 수사관이 피의자신문에 참여한 변호인에게 '피의자 후방에 앉으라'고 요구한 행위는 변호인의 변호권을 침해하는 것이다.

④ 피의자의 진술은 피의자 또는 변호인의 동의 없이도 영상을 녹화할 수 있으나, 다만 미리 영상녹화사실을 알려주어야 하며 조사의 개시부터 종료까지의 전 과정 및 객관적 정황을 영상녹화해야 한다.

해설

① [×] 검사 또는 사법경찰관은 아래 내용을 알려 준 때에는 피의자가 진술을 거부할 권리와 변호인의 조력을 받을 권리를 행사할 것인지의 여부를 질문하고, **이에 대한 피의자의 답변을 조서에 기재하여야 한다.**(제244조의3 제1항·제2항)

> 1. 일체의 진술을 하지 아니하거나 개개의 질문에 대하여 진술을 하지 아니할 수 있다는 것
> 2. 진술을 하지 아니하더라도 불이익을 받지 아니한다는 것
> 3. 진술을 거부할 권리를 포기하고 행한 진술은 법정에서 유죄의 증거로 사용될 수 있다는 것
> 4. 신문을 받을 때에는 변호인을 참여하게 하는 등 변호인의 조력을 받을 수 있다는 것

② [○] 검사 또는 사법경찰관은 조사, 신문, 면담 등 그 명칭을 불문하고 피의자나 사건관계인에 대해 **오후 9시부터 오전 6시까지 사이에 조사**(이하 "심야조사"라 한다)를 해서는 안 된다. 다만, 이미 작성된 조서의 열람을 위한 절차는 자정 이전까지 진행할 수 있다.(수사준칙 제21조 제1항) 검사 또는 사법경찰관은 조사, 신문, 면담 등 그 명칭을 불문하고 피의자나 사건관계인을 조사하는 경우에는 대기시간, 휴식시간, 식사시간 등 모든 시간을 합산한 조사시간(이하 "총조사시간"이라 한다)이 **12시간을 초과하지 않도록 해야** 한다.
다만, 다음 각 호의 어느 하나에 해당하는 경우에는 예외로 한다.(제22조 제1항)

③ [○] 변호인의 수사방해나 수사기밀의 유출에 대한 우려가 없고, 조사실의 장소적 제약 등이 없음에도 수사관이 피의자신문에 참여한 변호인에게 **'피의자 후방에 앉으라'**고 요구한 행위는 변호인의 변호권을 침해하는 것이다.(헌법재판소 2017. 11. 30. 2016헌마503 후방착석 요구 사건)

④ [○] 피의자의 진술은 피의자 또는 변호인의 동의 없이도 영상을 녹화할 수 있으나, 다만 미리 영상녹화사실을 알려주어야 하며 조사의 개시부터 종료까지의 전 과정 및 객관적 정황을 영상녹화해야 한다.(제244조의2 제1항)

083 피의자신문에 관한 설명으로 옳은 것을 모두 고른 것은?

24 경찰채용 [Core ★★]

☐☐☐

> ㉠ 검사 또는 사법경찰관은 피의자를 신문하기 전에 진술을 하지 아니할 수 있다는 것, 진술을 거부할 권리를 포기하고 행한 진술은 법정에서 유죄의 증거로 사용될 수 있다는 것, 신문을 받을 때에는 변호인을 참여하게 하는 등 변호인의 조력을 받을 수 있다는 것을 고지하여야 한다.
>
> ㉡ 검사 또는 사법경찰관은 피의자의 연령·성별·국적 등의 사정을 고려하여 그 심리적 안정의 도모와 원활한 의사소통을 위하여 필요한 경우 피의자와 신뢰관계에 있는 자를 동석하게 하여야 하며, 신뢰관계인이 동석하지 않은 상태에서 행한 진술은 임의성이 인정되더라도 유죄인정의 증거로 사용할 수 없다.
>
> ㉢ 검사 또는 사법경찰관은 오후 9시부터 오전 6시까지 사이에 조사를 해서는 안되지만, 공소시효가 임박하거나 피의자를 체포한 후 48시간 이내에 구속영장의 청구 또는 신청 여부를 판단하기 위해 불가피한 경우에는 심야조사를 할 수 있다.
>
> ㉣ 피의자의 진술을 영상녹화하는 경우 미리 영상녹화사실을 알려주어야 하며, 조사의 개시부터 종료까지의 전 과정 및 객관적 정황을 영상녹화하여야 하고, 영상녹화가 완료된 때에는 피의자 또는 변호인의 요구가 없더라도 피의자 또는 변호인 앞에서 영상녹화물을 재생하여 시청하게 한 후 지체 없이 그 원본을 봉인하고 피의자로 하여금 기명날인 또는 서명하게 하여야 한다.

① ㉠㉢

② ㉠㉣

③ ㉡㉢

④ ㉠㉡㉢㉣

해설

① ㉠㉢ 2 항목이 옳다.

㉠ [O] 검사 또는 사법경찰관은 **피의자를 신문하기 전에 다음 각 호의 사항을 알려주어야 한다.**(형사소송법 제244조의3 제1항)

> 1. 일체의 진술을 하지 아니하거나 개개의 질문에 대하여 진술을 하지 아니할 수 있다는 것
> 2. 진술을 하지 아니하더라도 불이익을 받지 아니한다는 것
> 3. 진술을 거부할 권리를 포기하고 행한 진술은 법정에서 유죄의 증거로 사용될 수 있다는 것
> 4. 신문을 받을 때에는 변호인을 참여하게 하는 등 변호인의 조력을 받을 수 있다는 것

㉡ [X] 검사 또는 사법경찰관은 피의자가 신체적 또는 정신적 장애로 사물을 변별하거나 의사를 결정·전달할 능력이 미약한 경우 또는 피의자의 연령·성별·국적 등의 사정을 고려하여 그 심리적 안정의 도모와 원활한 의사소통을 위하여 필요한 경우에는 직권 또는 피의자·법정대리인의 신청에 따라 **피의자와 신뢰관계에 있는 자를 동석하게 할 수 있다.**(형사소송법 제244조의5) 신뢰관계인이 동석하지 않은 상태에서 행한 진술이라도 유죄인정의 증거로 사용할 수 없는 것은 아니다.

㉢ [O] 검사 또는 사법경찰관은 조사, 신문, 면담 등 그 명칭을 불문하고 피의자나 사건관계인에 대해 **오후 9시부터 오전 6시까지 사이에 조사**(이하 "심야조사"라 한다)를 해서는 안 된다. 다만, 이미 작성된 조서의 열람을 위한 절차는 자정 이전까지 진행할 수 있다.(수사준칙 제21조 제1항) 피의자를 **체포한 후 48시간 이내에 구속**

영장의 청구 또는 신청 여부를 판단하기 위해 불가피한 경우에는 심야조사를 할 수 있다.(수사준칙 제21조 제2항 제1호)
ⓔ [×] (전문) 형사소송법 제244조의2 제1항 (후문) 영상녹화가 완료된 때에는 피의자 또는 변호인 앞에서 지체 없이 그 원본을 봉인하고 피의자로 하여금 기명날인 또는 서명하게 하여야 한다. **피의자 또는 변호인의 요구가 있는 때에는 영상녹화물을 재생하여 시청하게 하여야 한다.** 이 경우 그 내용에 대하여 이의를 진술하는 때에는 그 취지를 기재한 서면을 첨부하여야 한다.(형사소송법 제244조의2 제2항·제3항)

084 피의자신문에 관한 다음 설명 중 가장 옳지 않은 것은? (다툼이 있으면 판례에 의함)

□□□
18 경찰간부 [Essential ★]

① 신문에 참여한 변호인은 신문 후 의견을 진술할 수 있다. 다만, 신문 중이더라도 부당한 신문 방법에 대하여 이의를 제기할 수 있고, 검사 또는 사법경찰관의 승인을 얻어 의견을 진술할 수 있다.

② 피의자와 동석한 신뢰관계에 있는 자가 피의자를 대신하여 진술한 부분이 조서에 기재되어 있는 경우, 그 부분은 동석한 사람에 대한 진술조서로서의 증거능력을 취득하기 위한 요건을 충족하지 않았다 하더라도 이를 유죄 인정의 증거로 사용할 수 있다.

③ 사법경찰관은 피의자를 신문할 시에 피의자가 정신적 장애로 의사를 전달할 능력이 미약하다면 법정대리인의 신청이 없더라도 피의자와의 신뢰관계 유무를 확인한 후 직권으로 신뢰관계에 있는 자를 동석하게 할 수 있다.

④ 피의자신문에 참여하고자 하는 변호인이 2인 이상인 때에는 피의자가 신문에 참여할 변호인 1인을 지정하고, 지정이 없는 경우에는 검사 또는 사법경찰관이 이를 지정할 수 있다.

해설

② [×] 구체적인 사안에서 (신뢰관계자의) 동석을 허락할 것인지는 원칙적으로 검사 또는 사법경찰관이 피의자의 건강 상태 등 여러 사정을 고려하여 재량에 따라 판단하여야 할 것이나, 이를 허락하는 경우에도 동석한 사람으로 하여금 피의자를 대신하여 진술하도록 하여서는 아니되는 것이고 **만약 동석한 사람이 피의자를 대신하여 진술한 부분이 조서에 기재되어 있다면 그 부분은** 피의자의 진술을 기재한 것이 아니라 동석한 사람의 진술을 기재한 조서에 해당하므로 **그 사람에 대한 진술조서로서의 증거능력을 취득하기 위한 요건을 충족하지 못하는 한 이를 유죄 인정의 증거로 사용할 수 없다.**(대법원 2009. 6. 23. 2009도1322 한나라당 자원봉사 팀장 사건)

①④ [○] 신문에 참여하고자 하는 변호인이 2인 이상인 때에는 피의자가 신문에 참여할 변호인 1인을 지정한다. 지정이 없는 경우에는 검사 또는 사법경찰관이 이를 지정할 수 있다.(제243조의2 제2항) 피의자신문에 참여한 변호인은 신문 후 의견을 진술할 수 있다. 다만, 신문 중이라도 부당한 신문방법에 대하여 이의를 제기할 수 있고, **검사 또는 사법경찰관의 승인**을 얻어 의견을 진술할 수 있다.(제243조의2 제3항)

③ [○] 검사 또는 사법경찰관은 (중략) 피의자와 신뢰관계에 있는 자를 **동석하게 할 수 있다.**(제244조의5)

085 피의자신문시 변호인 참여에 대한 설명으로 가장 적절하지 않은 것은? (다툼이 있으면 판례에 의함)
□□□

22 경찰승진 [Essential ★]

① 검사 또는 사법경찰관은 피의자 또는 그 변호인·법정대리인·배우자·직계친족·형제자매의 신청에 따라 변호인을 피의자와 접견하게 하거나 정당한 사유가 없는 한 피의자에 대한 신문에 참여하게 하여야 한다.

② 검사 또는 사법경찰관은 피의자신문에 참여한 변호인이 피의자의 옆자리 등 실질적인 조력을 할 수 있는 위치에 앉도록 해야 하고, 정당한 사유가 없으면 피의자에 대한 법적인 조언·상담을 보장해야 하며, 법적인 조언·상담을 위한 변호인의 메모를 허용해야 한다.

③ 변호인이 피의자신문을 방해하거나 수사기밀을 누설할 염려가 있음이 객관적으로 명백한 경우가 아니더라도 수사기관이 피의자 신문을 하면서 변호인에 대하여 피의자로부터 떨어진 곳으로 옮겨 앉으라고 지시를 한 다음 이러한 지시에 따르지 않았음을 이유로 퇴실을 명하였다면 이는 변호인의 피의자신문 참여권에 대한 정당한 제한이라 할 수 있다.

④ 피의자신문에 참여한 변호인은 검사 또는 사법경찰관의 신문 후 조서를 열람하고 별도의 서면으로 의견을 제출할 수 있으며, 검사 또는 사법경찰관은 해당 서면을 사건기록에 편철한다.

해설

③ [×] (1) 형사소송법 제243조의2 제1항에 의하면 '검사 또는 사법경찰관은 피의자 또는 변호인 등이 신청할 경우 정당한 사유가 없는 한 변호인을 피의자신문에 참여하게 하여야 한다'고 규정하고 있는바, 여기에서 '정당한 사유'라 함은 변호인이 피의자신문을 방해하거나 수사기밀을 누설할 염려가 있음이 객관적으로 명백한 경우 등을 말하는 것이므로 (2) 수사기관이 피의자신문을 하면서 위와 같은 **정당한 사유가 없음에도 불구하고 변호인에 대하여 피의자로부터 떨어진 곳으로 옮겨 앉으라고 지시를 한 다음 이러한 지시에 따르지 않았음을 이유로 변호인의 피의자신문 참여권을 제한하는 것은 허용될 수 없다.**(대법원 2008. 9. 12. 2008모793 **변호인 퇴실명령 사건)**

① [○] 검사 또는 사법경찰관은 피의자 또는 그 변호인·법정대리인·배우자·직계친족·형제자매의 신청에 따라 변호인을 피의자와 접견하게 하거나 정당한 사유가 없는 한 피의자에 대한 신문에 참여하게 하여야 한다. (제243조의2 제1항)

② [○] 검사 또는 사법경찰관은 피의자신문에 참여한 변호인이 피의자의 옆자리 등 실질적인 조력을 할 수 있는

위치에 앉도록 해야 하고, 정당한 사유가 없으면 피의자에 대한 법적인 조언·상담을 보장해야 하며, 법적인
조언·상담을 위한 **변호인의 메모를 허용해야 한다.**(수사준칙 제13조 제1항)
④ [○] 피의자신문에 참여한 변호인은 검사 또는 사법경찰관의 신문 후 조서를 열람하고 별도의 서면으로 의견
을 제출할 수 있으며, 검사 또는 사법경찰관은 해당 서면을 사건기록에 편철한다.(수사준칙 제14조 제1항)

086 다음 중 피의자신문에 관한 설명으로 가장 옳지 않은 것은? (다툼이 있으면 판례에 의함)

21 해경간부 [Core ★★]

① 피의자신문에 참여한 변호인은 신문 후 의견을 진술할 수 있다. 다만, 신문 중이라도 부당한
신문방법에 대하여 이의를 제기할 수 있고, 검사 또는 사법경찰관의 승인을 얻어 의견을 진술
할 수 있다.

② 사법경찰관이 피의자를 신문하면서 신뢰관계에 있는 자를 동석하게 한 경우 동석한 사람이 피의
자를 대신하여 진술하도록 하여서는 안 되며, 만약 동석한 사람이 피의자를 대신하여 진술한
부분이 조서에 기재되어 있다면 그 부분은 동석한 사람의 진술을 기재한 조서에 해당한다.

③ 구속된 피의자가 수사기관의 피의자신문을 위한 출석요구에 불응하면서 조사실에 출석을 거
부하는 경우에는 구속영장의 효력에 의하여 피의자를 조사실로 구인할 수 있다.

④ 피의자의 변호인이 인정신문을 시작하기 전 검사에게 피의자의 수갑을 해제하여 달라고 계속
요구하자 검사가 수사에 현저한 지장을 초래한다는 이유로 변호인을 퇴실시키는 것이 변호인
의 피의자신문 참여권을 침해하는 것은 아니다.

해설

④ [×] 검사 또는 사법경찰관이 특별한 사정 없이 단지 변호인이 피의자신문 중에 부당한 신문방법에 대한 이의
제기를 하였다는 이유만으로 변호인을 조사실에서 퇴거시키는 조치는 정당한 사유 없이 변호인의 피의자신문
참여권을 제한하는 것으로서 허용될 수 없으므로, 피의자의 변호인이 인정신문을 시작하기 전 **검사에게 피의
자의 수갑을 해제하여 달라고 계속 요구하자 검사가 수사에 현저한 지장을 초래한다는 이유로 변호인을 퇴
실시킨 것은 변호인의 피의자신문 참여권을 침해한 것으로 위법하다.**(대법원 2020. 3. 17. 2015모2357
수갑해제 요청 묵살 사건)
① [○] 피의자신문에 참여한 변호인은 신문 후 의견을 진술할 수 있다. 다만, 신문 중이라도 부당한 신문방법에 대하
여 이의를 제기할 수 있고, **검사 또는 사법경찰관의 승인을 얻어 의견을 진술할 수 있다.**(제243조의2 제3항)
② [○] 구체적인 사안에서 (신뢰관계자의) 동석을 허락할 것인지는 원칙적으로 검사 또는 사법경찰관이 피의자
의 건강 상태 등 여러 사정을 고려하여 재량에 따라 판단하여야 할 것이나, 이를 허락하는 경우에도 동석한
사람으로 하여금 피의자를 대신하여 진술하도록 하여서는 아니되는 것이고 만약 동석한 사람이 피의자를 대신

하여 진술한 부분이 조서에 기재되어 있다면 그 부분은 피의자의 진술을 기재한 것이 아니라 **동석한 사람의 진술을 기재한 조서에 해당하므로** 그 사람에 대한 진술조서로서의 증거능력을 취득하기 위한 요건을 충족하지 못하는 한 이를 유죄 인정의 증거로 사용할 수 없다.(대법원 2009. 6. 23. 2009도1322 **한나라당 자원봉사팀장 사건**)

③ [○] 구속영장 발부에 의하여 적법하게 구금된 피의자가 피의자신문을 위한 출석 요구에 응하지 아니하면서 수사기관 조사실에의 출석을 거부한다면 수사기관은 그 **구속영장의 효력에 의하여 피의자를 조사실로 구인할 수 있다.**(대법원 2013. 7. 1. 2013모160 **구속피의자 국정원 구인사건**)

087 피의자신문에 대한 설명으로 가장 적절한 것은? (다툼이 있으면 판례에 의함)

18 경찰채용 [Essential ★]

① 피의자신문에 대한 변호인의 참여권은 구속된 피의자의 방어권을 실질적으로 보장하기 위한 취지이므로 불구속 피의자의 피의자신문에 대해서는 정당한 사유가 있는 경우에만 변호인의 참여가 허용된다.

② 피의자신문에 참여한 변호인은 신문 후 의견을 진술할 수 있고, 부당한 신문방법에 대하여는 신문 중이더라도 이의를 제기하고 의견을 진술할 수 있다. 다만, 부당한 신문방법에 대한 신문 중의 이의제기는 검사 또는 사법경찰관의 승인을 얻어야 한다.

③ 피의자가 "변호인의 조력을 받을 권리를 행사할 것인가요"라는 사법경찰관의 물음에 "예"라고 답변하였음에도 사법경찰관이 변호인의 참여를 제한하여야 할 정당한 사유 없이 변호인이 참여하지 아니한 상태에서 계속하여 피의자를 상대로 신문을 행한 경우, 그 내용을 기재한 피의자신문조서는 적법한 절차에 따르지 않고 수집한 증거에 해당한다.

④ 변호인에게 피의자신문 참여권을 인정하는 이유는 피의자 등이 가지는 '변호인의 조력을 받을 권리'를 충실하게 보장하기 위한 목적에서 비롯된 것이지, 그것이 변호인 자신의 기본권을 보장하기 위하여 인정되는 권리라고 볼 수는 없다.

해설

③ [○] 피의자가 변호인의 참여를 원한다는 의사를 명백하게 표시하였음에도 수사기관이 정당한 사유 없이 변호인을 참여하게 하지 아니한 채 피의자를 신문하여 작성한 **피의자신문조서는 증거로 할 수 없다.**(대법원 2013. 3. 28. 2010도3359 **공항버스 운전기사 횡령사건**)

① [×] 검사 또는 사법경찰관은 피의자 또는 그 변호인·법정대리인·배우자·직계친족·형제자매의 신청에 따라 변호인을 피의자와 접견하게 하거나 정당한 사유가 없는 한 피의자에 대한 신문에 참여하게 하여야 한다. (제243조의2 제1항) 피의자가 **구속되어 있는지 여부를 불문하고** 피의자 등의 신청에 따라 변호인을 피의자와 접견하게 하거나 **정당한 사유가 없는 한 피의자에 대한 신문에 참여하게 하여야 한다.** ② [×] 신문에 참여한 변호인은 신문 후 의견을 진술할 수 있다. 다만, **신문 중이라도 부당한 신문방법에 대하여 이의를 제기할 수 있고, 검사 또는 사법경찰관의 승인을 얻어 의견을 진술할 수 있다.**(제243조의2 제3항)

④ [×] 변호인의 피의자 및 피고인을 조력할 권리 중 그것이 보장되지 않으면 그들이 변호인의 조력을 받는다는 것이 유명무실하게 되는 핵심적인 부분(이하 '변호인의 변호권'이라 한다)은 헌법상 기본권으로서 보호되어야 한다. 형사절차에서 피의자신문의 중요성을 고려할 때, **변호인이 피의자신문에 자유롭게 참여할 수 있는 권리는 헌법상 기본권인 변호인의 변호권으로서 보호되어야 한다.**(헌법재판소 2017. 11. 30. 2016헌마503 후방착석 요구 사건)

088 피의자 신문에 대한 설명 중 적절하지 않은 것을 모두 고른 것은? (다툼이 있으면 판례에 의함)

> ㉠ 수사기관이 변호인의 피의자신문 참여를 부당하게 제한 또는 중단시킨 경우에는 준항고를 통해 다툴 수 있다.
> ㉡ 수사기관이 피의자신문을 하면서 정당한 사유가 없음에도 변호인에 대하여 피의자로부터 떨어진 곳으로 옮겨 앉으라고 지시를 한 다음 이러한 지시에 따르지 않았음을 이유로 변호인의 피의자신문 참여권을 제한하는 것은 허용될 수 없다.
> ㉢ 참고인이 수사기관에서 범인에 관해 조사를 받으면서 그가 알고 있는 사실을 묵비하거나 허위로 진술하였다고 하더라도 원칙적으로 처벌의 대상이 되지 않지만, 피의자가 수사기관에서 공범에 관하여 묵비 또는 허위진술을 하는 경우에는 이 법리가 동일하게 적용되지 않는다.
> ㉣ 구속영장 발부에 의해 적법하게 구금된 피의자가 피의자신문을 위한 출석요구에 응하지 않으면서 수사기관 조사실에 출석하기를 거부한다면, 수사기관은 그 구속영장의 효력에 의해 피의자를 조사실로 구인할 수 있다.

① 없음   ② 1개   ③ 2개   ④ 3개

해설

② ㉢ 1 항목만 옳지 않다.

㉠ [○] 검사 또는 사법경찰관의 구금, 압수 또는 압수물의 환부에 관한 처분과 제243조의2에 따른 변호인의 참여 등에 관한 처분에 대하여 불복이 있으면 그 직무집행지의 관할법원 또는 검사의 소속검찰청에 대응한 **법원에 그 처분의 취소 또는 변경을 청구할 수 있다.**(제417조)

㉡ [○] 수사기관이 피의자신문을 하면서 위와 같은 정당한 사유가 없음에도 불구하고 변호인에 대하여 피의자로부터 떨어진 곳으로 옮겨 앉으라고 지시를 한 다음 이러한 지시에 따르지 않았음을 이유로 변호인의 피의자신문 참여권을 제한하는 것은 허용될 수 없다.(대법원 2008. 9. 12. 2008모793 **변호인 퇴실명령 사건**)

ⓒ [×] 참고인이 수사기관에서 범인에 관하여 조사를 받으면서 그가 알고 있는 사실을 묵비하거나 허위로 진술하였다고 하더라도 그것이 적극적으로 수사기관을 기만하여 착오에 빠지게 함으로써 범인의 발견 또는 체포를 곤란 내지 불가능하게 할 정도가 아닌 한 범인도피죄를 구성하지 않는 것이고, **이러한 법리는 피의자가 수사기관에서 공범에 관하여 묵비하거나 허위로 진술한 경우에도 그대로 적용된다.**(대법원 2010. 2. 11. 2009도12164 **불법게임장 공범 묵비사건Ⅱ**)

ⓔ [○] 수사기관이 구속영장에 의하여 피의자를 구속하는 경우 그 구속영장은 기본적으로 장차 공판정에의 출석이나 형의 집행을 담보하기 위한 것이지만, 이와 함께 구속기간의 범위 내에서 수사기관이 피의자신문의 방식으로 구속된 피의자를 조사하는 등 적정한 방법으로 범죄를 수사하는 것도 예정하고 있다고 할 것이다. 따라서 구속영장 발부에 의하여 적법하게 구금된 피의자가 피의자신문을 위한 출석 요구에 응하지 아니하면서 수사기관 조사실에의 출석을 거부한다면 수사기관은 그 구속영장의 효력에 의하여 피의자를 조사실로 구인할 수 있다.(대법원 2013. 7. 1. 2013모160 **구속피의자 국정원 구인사건**)

089 피의자신문에 대한 설명 중 가장 적절한 것은? (다툼이 있으면 판례에 의함)

□□□

20 경찰채용 [Essential ★]

① 피의자신문에 참여한 변호인은 신문 후 의견을 진술할 수 있고, 변호인이 피의자신문 중 부당한 신문방법을 이유로 이의제기를 하였다면, 부적절한 이의제기 방식 등 특별한 사정이 없는 경우에도 검사 또는 사법경찰관은 변호인을 조사실에서 퇴거시키는 조치를 취할 수 있다.

② 사법경찰관이 피의자에게 진술거부권을 고지하고 그 행사 여부를 질문하였다면, 피의자 신문조서의 진술거부권 행사 여부에 대한 답변 부분에 피의자의 기명·날인 또는 서명이 되어 있지 않은 경우에도 이는 특별한 사정이 없는 한 '적법한 절차와 방식'에 따라 작성된 조서에 해당한다.

③ 검사 또는 사법경찰관의 형사소송법 제243조의2에 따른 변호인참여에 관한 처분에 대하여 불복이 있으면 그 직무집행지 또는 검사 소속의 지방검찰청 소재지를 관할하는 고등법원에 그 처분의 취소 또는 변경을 청구할 수 있다.

④ 영상녹화가 완료된 후 이를 재생하여 시청한 피의자 또는 변호인이 그 내용에 대하여 이의를 진술하는 경우, 그 진술을 별도로 영상녹화하여 첨부하지 않고 그 취지를 기재한 서면을 첨부하는 것으로 족하다.

해설

④ [○] 피의자 또는 변호인의 요구가 있는 때에는 영상녹화물을 재생하여 시청하게 하여야 한다. 이 경우 그 내용에 대하여 이의를 진술하는 때에는 그 **취지를 기재한 서면을 첨부하여야 한다.**(제244조의2 제3항)

① [×] 검사 또는 사법경찰관이 **특별한 사정 없이 단지 변호인이 피의자신문 중에 부당한 신문방법에 대한 이의제기를 하였다는 이유만으로 변호인을 조사실에서 퇴거시키는 조치는** 정당한 사유 없이 변호인의 피의

자신문 참여권을 제한하는 것으로서 **허용될 수 없으므로**, 피의자의 변호인이 인정신문을 시작하기 전 검사에게 피의자의 수갑을 해제하여 달라고 계속 요구하자 검사가 수사에 현저한 지장을 초래한다는 이유로 변호인을 퇴실시킨 것은 변호인의 피의자신문 참여권을 침해한 것으로 위법하다.(대법원 2020. 3. 17. 2015모2357 **수갑해제 요청 묵살 사건**)

② [×] 사법경찰관이 피의자에게 진술거부권을 행사할 수 있음을 알려 주고 그 행사 여부를 질문하였다 하더라도 진술거부권 행사 여부에 대한 피의자의 답변이 자필로 기재되어 있지 아니하거나 그 답변 부분에 피의자의 기명날인 또는 서명이 되어 있지 아니한 사법경찰관 작성의 피의자신문조서는 **특별한 사정이 없는 한** 형사소송법 제312조 제3항에서 정한 '**적법한 절차와 방식**'에 따라 작성된 조서라 할 수 없으므로 그 증거능력을 인정할 수 없다.(대법원 2014. 4. 10. 2014도1779 **대구 필로폰 매매사건**)

③ [×] 검사 또는 사법경찰관의 변호인의 참여 등에 관한 처분에 대하여 불복이 있으면 **그 직무집행지의 관할 법원 또는 검사의 소속검찰청에 대응한 법원에** 그 처분의 취소 또는 변경을 청구할 수 있다.(제417조)

---

090 「검사와 사법경찰관의 상호협력과 일반적 수사준칙에 관한 규정」의 내용으로 가장 적절한 것은?

21 경찰채용 [Essential ★]

① 검사 또는 사법경찰관은 피의자신문에 참여한 변호인이 피의자의 옆자리 등 실질적인 조력을 할 수 있는 위치에 앉도록 해야 하고, 정당한 사유가 없으면 피의자에 대한 법적인 조언 상담을 보장해야 하며, 피의자에 대한 신문이 아닌 단순 면담 등이라는 이유로 변호인의 참여 조력을 제한해서는 안 된다.

② 피의자신문에 참여한 변호인은 검사 또는 사법경찰관의 신문 후 조서를 열람하고 의견을 진술할 수 있으며, 신문 중이라도 부당한 신문방법에 대해서는 검사 또는 사법경찰관의 승인을 받아 이의를 제기할 수 있다.

③ 검사 또는 사법경찰관은 피의자의 범죄수법, 범행 동기, 피해자와의 관계, 언동 및 그 밖의 상황으로 보아 피해자가 피의자 또는 그 밖의 사람으로부터 생명·신체에 위해를 입거나 입을 염려가 있다고 인정되는 경우에는 피해자의 신청이 있는 때에 한하여 신변보호에 필요한 조치를 강구할 수 있다.

④ 검사 또는 사법경찰관은 피의자에게 출석요구를 하려는 경우에는 피의자와 조사의 일시·장소에 관하여 협의해야 하고 변호인이 있는 때에는 변호인과도 협의해야 하나, 피의자 외의 사람에 대한 출석요구의 경우에는 협의를 요하지 아니한다.

정답 | 089 ④   090 ①

해설

① [○] 검사 또는 사법경찰관은 피의자신문에 참여한 변호인이 피의자의 옆자리 등 실질적인 조력을 할 수 있는 위치에 앉도록 해야 하고, 정당한 사유가 없으면 피의자에 대한 법적인 조언 상담을 보장해야 하며, 피의자에 대한 신문이 아닌 단순 면담 등이라는 이유로 **변호인의 참여 조력을 제한해서는 안 된다.**(수사준칙 제13조 제1항 · 제2항)

② [×] 피의자신문에 참여한 변호인은 검사 또는 사법경찰관의 신문 후 조서를 열람하고 의견을 진술할 수 있다.(수사준칙 제14조 제1항) 피의자신문에 참여한 변호인은 신문 중이라도 검사 또는 사법경찰관의 승인을 받아 의견을 진술할 수 있다. 이 경우 검사 또는 사법경찰관은 정당한 사유가 있는 경우를 제외하고는 변호인의 의견진술 요청을 승인해야 한다.(제14조 제2항) **피의자신문에 참여한 변호인은 제2항에도 불구하고 부당한 신문방법에 대해서는 검사 또는 사법경찰관의 승인 없이 이의를 제기할 수 있다.**(제14조 제3항)

③ [×] 검사 또는 사법경찰관은 피의자의 범죄수법, 범행 동기, 피해자와의 관계, 언동 및 그 밖의 상황으로 보아 피해자가 피의자 또는 그 밖의 사람으로부터 생명 · 신체에 위해를 입거나 입을 염려가 있다고 인정되는 경우에는 **직권 또는 피해자의 신청에 따라** 신변보호에 필요한 조치를 강구해야 한다.(수사준칙 제15조 제2항)

④ [×] 검사 또는 사법경찰관은 피의자에게 출석요구를 하려는 경우 피의자와 조사의 일시 · 장소에 관하여 협의해야 한다. 이 경우 변호인이 있는 경우에는 변호인과도 협의해야 한다.(수사준칙 제19조 제2항) **제2항 규정은 피의자 외의 사람에 대한 출석요구의 경우에도 적용한다.**(제19조 제6항)

091

□□□

수사절차에 대한 설명으로 가장 적절하지 않은 것은?   23 경찰승진 [*Core* ★★]

① 검사 또는 사법경찰관은 조사에 상당한 시간이 소요되는 경우에는 특별한 사정이 없으면 피의자 또는 사건관계인에게 조사 도중에 최소한 2시간마다 10분 이상의 휴식시간을 주어야 한다.

② 검사 또는 사법경찰관은 피의자가 조사장소에 도착한 시각, 조사를 시작하고 마친 시각, 그 밖에 조사과정의 진행경과를 확인하기 위하여 필요한 사항을 피의자신문조서에 기록하거나 별도의 서면에 기록한 후 수사기록에 편철하여야 한다.

③ 수사는 원칙적으로 임의수사에 의하고 강제수사는 법률에 규정된 경우에 한하여 허용된다.

④ 사법경찰관은 형사소송법 제197조의2 제1항에 따른 검사의 보완수사의 요구가 있는 때에는 정당한 이유가 없는 한 지체 없이 이를 이행하면 충분하고, 그 결과를 검사에게 통보할 의무는 없다.

해설

④ [×] 사법경찰관은 검사로부터 보완수사요구가 있는 때에는 정당한 이유가 없는 한 지체 없이 이를 이행하고, **그 결과를 검사에게 통보하여야 한다.**(제197조의2 제2항)

① [○] 검사 또는 사법경찰관은 조사에 상당한 시간이 소요되는 경우에는 특별한 사정이 없으면 피의자 또는 사건관계인에게 조사 도중에 최소한 **2시간마다 10분 이상**의 휴식시간을 주어야 한다.(수사준칙 제23조 제1항)

② [○] 검사 또는 사법경찰관은 피의자가 조사장소에 도착한 시각, 조사를 시작하고 마친 시각, 그 밖에 조사과

정의 진행경과를 확인하기 위하여 필요한 사항을 피의자신문조서에 기록하거나 별도의 서면에 기록한 후 수사기록에 편철하여야 한다.(제244조의4 제1항)

③ [○] 수사는 원칙적으로 임의수사에 의하고 강제수사는 법률에 규정된 경우에 한하여 허용된다.(수사준칙 제10조 제1항)

092

「검사와 사법경찰관의 상호협력과 일반적 수사준칙에 관한 규정」상 심야조사 및 장시간 조사에 대한 설명으로 가장 적절하지 않은 것은?

22 경찰승진 [Essential ★]

① 검사 또는 사법경찰관은 조사, 신문, 면담 등 그 명칭을 불문하고 피의자나 사건관계인을 조사하는 경우에는 원칙적으로 대기시간, 휴식시간, 식사시간 등 모든 시간을 합산한 조사시간이 12시간을 초과하지 않도록 해야 한다.

② 검사 또는 사법경찰관은 피의자나 사건관계인에 대해 원칙적으로 오후 9시부터 오전 6시까지 사이에 심야조사를 해서는 안 되지만, 이미 작성된 조서의 열람을 위한 절차는 예외적으로 오후 9시부터 오전 6시까지 사이에 진행할 수 있다.

③ 검사 또는 사법경찰관은 피의자를 체포한 후 48시간 이내에 구속영장의 청구 또는 신청 여부를 판단하기 위해 불가피한 경우 오후 9시부터 오전 6시까지 사이에 심야조사를 할 수 있다.

④ 검사 또는 사법경찰관은 사건의 성질 등을 고려할 때 심야조사가 불가피하다고 판단되는 경우 등 법무부장관, 경찰청장 또는 해양경찰청장이 정하는 경우로서 검사 또는 사법경찰관의 소속 기관의 장이 지정하는 인권보호 책임자의 허가 등을 받은 때에는 오후 9시부터 오전 6시까지 사이에 심야조사를 할 수 있다.

해설

② [×] 검사 또는 사법경찰관은 조사, 신문, 면담 등 그 명칭을 불문하고 피의자나 사건관계인에 대해 **오후 9시부터 오전 6시까지 사이에 조사를 해서는 안 된다.** 다만, 이미 작성된 조서의 **열람**을 위한 절차는 자정 이전까지 진행할 수 있다.(수사준칙 제21조 제1항)

① [○] 검사 또는 사법경찰관은 조사, 신문, 면담 등 그 명칭을 불문하고 피의자나 사건관계인을 조사하는 경우에는 원칙적으로 대기시간, 휴식시간, 식사시간 등 모든 시간을 합산한 조사시간이 **12시간을 초과하지 않도록 해야 한다.**(수사준칙 제22조 제1항)

③④ [○] 피의자를 체포한 후 48시간 이내에 **구속영장의 청구 또는 신청 여부를 판단하기 위해 불가피한 경우**(수사준칙 제21조 제2항 제1호)그 밖에 사건의 성질 등을 고려할 때 심야조사가 불가피하다고 판단되는 경우 등 법무부장관, 경찰청장 또는 해양경찰청장이 정하는 경우로서 검사 또는 사법경찰관의 소속 기관의 장이 지정하는 **인권보호 책임자의 허가** 등을 받은 경우(수사준칙 제21조 제2항 제4호)는 오후 9시부터 오전 6시까지 사이에 심야조사를 할 수 있다.

정답 | 091 ④   092 ②

093 「형사소송법」 및 「형사소송규칙」상 영상녹화에 대한 내용으로 가장 적절하지 않은 것은?

□□□

18 경찰채용 [Superlative ★★★]

① 검사 또는 사법경찰관은 수사에 필요한 때에는 피의자가 아닌 자의 출석을 요구하여 진술을 들을 수 있다. 이 경우 그의 동의를 받아 영상녹화할 수 있다.

② 검사는 피의자가 아닌 자가 공판준비 또는 공판기일에서 조서가 자신이 검사 또는 사법경찰관 앞에서 진술한 내용과 동일하게 기재되어 있음을 인정하지 아니하는 경우 그 부분의 성립의 진정을 증명하기 위하여 영상녹화물의 조사를 신청할 수 있다.

③ 법원은 검사가 영상녹화물의 조사를 신청한 경우 이에 관한 결정을 함에 있어 원진술자와 함께 피고인 또는 변호인으로 하여금 그 영상녹화물이 적법한 절차와 방식에 따라 작성되어 봉인된 것인지 여부에 관한 의견을 진술하게 하여야 한다.

④ 법원은 공판준비 또는 공판기일에서 봉인을 해체하고 영상녹화물의 전부 또는 일부를 재생하는 방법으로 조사하여야 한다. 이 때 영상녹화물은 그 재생과 조사에 필요한 전자적 설비를 갖춘 법정 외의 장소에서는 이를 재생할 수 없다.

해설

④ [×] 법원은 공판준비 또는 공판기일에서 봉인을 해체하고 영상녹화물의 전부 또는 일부를 재생하는 방법으로 조사하여야 한다. 이 때 **영상녹화물은 그 재생과 조사에 필요한 전자적 설비를 갖춘 법정 외의 장소에서 이를 재생할 수 있다.**(규칙 제134조의4 제3항)

① [O] 검사 또는 사법경찰관은 수사에 필요한 때에는 피의자가 아닌 자의 출석을 요구하여 진술을 들을 수 있다. 이 경우 그의 **동의를 받아 영상녹화할 수 있다.**(제221조 제1항)

② [O] 검사는 피의자가 아닌 자가 공판준비 또는 공판기일에서 조서가 자신이 검사 또는 사법경찰관 앞에서 진술한 내용과 동일하게 기재되어 있음을 인정하지 아니하는 경우 그 **부분의 성립의 진정을 증명하기 위하여 영상녹화물의 조사를 신청할 수 있다.**(규칙 제134조의3 제1항)

③ [O] 법원은 검사가 영상녹화물의 조사를 신청한 경우 이에 관한 결정을 함에 있어 **원진술자와 함께** 피고인 또는 변호인으로 하여금 그 영상녹화물이 적법한 절차와 방식에 따라 작성되어 봉인된 것인지 여부에 관한 의견을 진술하게 하여야 한다.(규칙 제134조의4 제1항)

094 영상녹화제도에 관한 설명 중 가장 적절한 것은? (다툼이 있으면 판례에 의함)

□□□

20 경찰승진 [Essential ★]

① 수사기관이 피의자의 진술을 영상녹화하려는 경우 피의자 또는 변호인에게 미리 영상녹화사실을 알려주어야 하며, 형사소송법 제244조의2 제1항에 따라 반드시 서면으로 사전동의를 받아야 한다.

② 피의자 진술에 대한 영상녹화가 완료된 이후 피의자 또는 변호인에게 영상녹화물을 재생하여 시청하게 하여야 하며, 그 내용에 대하여 이의를 진술하는 때에는 해당 내용을 삭제하고 그 진술을 영상녹화하여 첨부하여야 한다.

③ 피고인 또는 피고인이 아닌 자의 진술을 내용으로 하는 영상녹화물은 공판준비 또는 공판기일에 피고인 또는 피고인이 아닌 자가 진술함에 있어서 기억이 명백하지 아니한 사항에 관하여 기억을 환기시켜야 할 필요가 있다고 인정되는 때에 한하여 피고인 또는 피고인이 아닌 자에게 재생하여 시청하게 할 수 있다.

④ 수사기관이 참고인을 조사하는 과정에서 형사소송법 제221조 제1항에 따라 작성한 영상녹화물은, 다른 법률에서 달리 규정하고 있는 등의 특별한 사정이 없는 한, 원칙적으로 공소사실을 직접 증명할 수 있는 독립적인 증거로 사용될 수 있다.

해설

③ [O] 피고인 또는 피고인이 아닌 자의 진술을 내용으로 하는 영상녹화물은 공판준비 또는 공판기일에 피고인 또는 피고인이 아닌 자가 진술함에 있어서 기억이 명백하지 아니한 사항에 관하여 기억을 환기시켜야 할 필요가 있다고 인정되는 때에 한하여 피고인 또는 피고인이 아닌 자에게 재생하여 시청하게 할 수 있다.(제318조의2 제2항)

① [×] 피의자의 진술은 영상녹화할 수 있다. 이 경우 **미리 영상녹화사실을 알려주어야 하며**, 조사의 개시부터 종료까지의 전 과정 및 객관적 정황을 영상녹화하여야 한다.(제244조의2 제1항) 반드시 서면으로 사전동의를 받을 필요는 없다.

② [×] 피의자 또는 변호인의 요구가 있는 때에는 영상녹화물을 재생하여 시청하게 하여야 한다. 이 경우 그 내용에 대하여 이의를 진술하는 때에는 **그 취지를 기재한 서면을 첨부하여야 한다.**(제244조의2 제3항)

④ [×] 수사기관이 참고인을 조사하는 과정에서 형사소송법 제221조 제1항에 따라 작성한 영상녹화물은 다른 법률에서 달리 규정하고 있는 등의 특별한 사정이 없는 한 **공소사실을 직접 증명할 수 있는 독립적인 증거로 사용될 수는 없다.**(대법원 2014. 7. 10. 2012도5041 역술인진술 영상녹화 사건)

095 피의자신문에 관한 다음 설명 중 가장 적절한 것은? (다툼이 있으면 판례에 의함)

□□□

16 경찰채용 [Essential ★]

① 수사기관이 피의자의 진술을 영상녹화 하는 경우에는 반드시 피의자 내지 변호인의 동의를 받아야 하고, 피의자가 아닌 자의 진술을 영상녹화 하는 경우에는 미리 영상녹화 사실을 고지 하면 되고 그의 동의를 요하지는 않는다.

② 피의자가 변호인의 참여를 원한다는 의사를 명백하게 표시하였음에도 수사기관이 정당한 사 유 없이 변호인을 참여하게 하지 아니한 채 피의자를 신문하여 작성한 피의자신문조서라도 증거능력 자체가 부정되는 것은 아니나, 증명력이 낮게 평가될 수밖에 없다.

③ 피의자와 동석한 신뢰관계에 있는 사람이 피의자를 대신하여 진술한 부분이 조서에 기재되어 있다면 그 부분은 피의자의 진술을 기재한 것이 아니라 동석한 사람의 진술을 기재한 조서에 해당하므로, 그 사람에 대한 진술조서로서의 증거능력을 취득하기 위한 요건을 충족하지 못하 는 한 이를 유죄의 증거로 사용할 수 없다.

④ 검사 또는 사법경찰관은 피의자 또는 그 변호인·법정대리인·배우자·직계친족·형제자매의 신청에 따라 변호인을 피의자와 접견하게 하거나 정당한 사유가 없는 한 피의자에 대한 신문 에 참여하게 할 수 있다.

해설

③ [○] 구체적인 사안에서 (신뢰관계자의) 동석을 허락할 것인지는 원칙적으로 검사 또는 사법경찰관이 피의자 의 건강 상태 등 여러 사정을 고려하여 재량에 따라 판단하여야 할 것이나, 이를 허락하는 경우에도 동석한 사람으로 하여금 피의자를 대신하여 진술하도록 하여서는 아니되는 것이고 만약 동석한 사람이 피의자를 대신 하여 진술한 부분이 조서에 기재되어 있다면 그 부분은 피의자의 진술을 기재한 것이 아니라 동석한 사람의 진술을 기재한 조서에 해당하므로 그 사람에 대한 **진술조서로서의 증거능력을 취득하기 위한 요건을 충족하지 못하는 한 이를 유죄 인정의 증거로 사용할 수 없다.**(대법원 2009. 6. 23. 2009도1322 **한나라당 자원봉사팀장 사건**)

① [×] **피의자의 경우에는 미리 알려주고 영상녹화할 수 있지만, 참고인(피의자 아닌 자)의 경우에는 동의를 받아** 영상녹화할 수 있다.(제244조의2 제1항, 제221조 제1항)

② [×] 피의자가 변호인의 참여를 원한다는 의사를 명백하게 표시하였음에도 **수사기관이 정당한 사유 없이 변호인을 참여하게 하지 아니한 채 피의자를 신문하여 작성한 피의자신문조서는** 형사소송법 제312조에 정한 '적법한 절차와 방식'에 위반된 증거일 뿐만 아니라 제308조의2에서 정한 '적법한 절차에 따르지 아니하고 수집한 증거'에 해당하므로 **이를 증거로 할 수 없다.**(대법원 2013. 3. 28. 2010도3359 **공항버스 운전기사 횡령사건**)

④ [×] 검사 또는 사법경찰관은 피의자 또는 그 변호인·법정대리인·배우자·직계친족·형제자매의 신청에 따라 변호인을 피의자와 접견하게 하거나 정당한 사유가 없는 한 **피의자에 대한 신문에 참여하게 하여야 한다.** (제243조의2 제1항)

096 피의자신문에 대한 설명 중 옳은 것은 모두 몇 개인가? (다툼이 있으면 판례에 의함)

□□□

19 해경간부 [Superlative ★★★]

> ㉠ 피의자 및 피의자 아닌 자의 진술은 동의를 받아야 녹화할 수 있다.
> ㉡ 신문에 참여하고자 하는 변호인이 2인 이상인 때에는 피의자가 신문에 참여할 변호인 1인을 지정한다. 지정이 없는 경우에는 검사 또는 사법경찰관이 이를 지정하여야 한다.
> ㉢ 수사기관이 피의자신문에 있어서 피의자에게 미리 진술거부권을 고지하지 않은 때에도 진술의 임의성이 인정되는 경우라면 증거능력이 인정된다.
> ㉣ 사법경찰리는 피의자신문의 주체가 될 수 없다.
> ㉤ 장애인의 경우에는 피의자신문시 신뢰관계에 있는 자를 동석하게 할 수 있으나, 외국인의 경우에는 배려하는 규정이 없다.

① 0개
② 1개
③ 2개
④ 3개

해설

> ① 모든 항목이 옳지 않다.
> ㉠ [×] 참고인(피의자 아닌 자)과는 달리 **피의자의 경우에는 미리 알리기만 하고 영상녹화할 수 있다.**(제244조의2)
> ㉡ [×] 신문에 참여하고자 하는 변호인이 2인 이상인 때에는 피의자가 신문에 참여할 변호인 1인을 지정한다. 지정이 없는 경우에는 검사 또는 사법경찰관이 이를 **지정할 수 있다.**(제243조의2 제2항)
> ㉢ [×] 수사기관이 피의자를 신문함에 있어서 피의자에게 미리 진술거부권을 고지하지 않은 때에는 그 피의자의 진술은 위법하게 수집된 증거로서 **진술의 임의성이 인정되는 경우라도 증거능력이 부인되어야 한다.**(대법원 2014. 4. 10. 2014도1779 **대구 필로폰 매매사건**)
> ㉣ [×] 사법경찰리도 **사법경찰관사무취급의 지위에서 피의자신문을 할 수 있다**는 것이 확립된 판례의 입장이다.(대법원 1982. 12. 28. 82도1080 등)
> ㉤ [×] 검사 또는 사법경찰관은 피의자가 신체적 또는 정신적 장애로 사물을 변별하거나 의사를 결정·전달할 능력이 미약한 경우 또는 **피의자의 연령·성별·국적 등의 사정을 고려하여** 그 심리적 안정의 도모와 **원활한 의사소통을 위하여 필요한 경우에는** 직권 또는 피의자·법정대리인의 신청에 따라 피의자와 신뢰관계에 있는 자를 동석하게 할 수 있다.(제244조의5) 형사소송법은 피의자신문시 신뢰관계자 동석이라는 외국인 배려규정을 두고 있다고 보아야 한다.

097
□□□ 사법경찰관의 참고인조사에 관한 설명으로 옳지 않은 것을 모두 고른 것은? (다툼이 있으면 판례에 의함)

25 경찰간부 [Core ★★]

> ㉠ 법원이 절도 공소사실에 대하여 간이공판절차에 의하여 심판할 것을 결정하였다면 사법경찰관 작성의 참고인진술조서는 피고인이 증거로 함에 동의한 것으로 간주되므로 피고인이 이를 증거로 함에 이의를 제기하더라도 피고인에 대한 유죄의 증거로 할 수 있다.
> ㉡ 사법경찰관 작성의 참고인진술조서에 대해 변호인이 증거동의를 함에도 피고인이 즉시 이의를 하지 않았다가 진술조서에 관한 증거조사 완료 후 변호인의 증거동의를 취소하였다면 진술조서는 증거능력이 없다.
> ㉢ 영상녹화물 또는 그 밖의 객관적인 방법에 의하여 검사 또는 사법경찰관 앞에서 진술한 내용과 동일하게 기재되어 있음이 증명된 때에는 그 조서에 기재된 진술이 특히 신빙할 수 있는 상태 하에서 행하여졌음이 증명되지 않더라도 증거능력이 인정된다.
> ㉣ 참고인진술에 대한 영상녹화는 참고인의 동의를 얻어야 가능하나 피의자의 진술을 녹화하는 것은 피의자에게 미리 영상녹화 사실을 알려주면 그의 동의 없이도 가능하다.

① ㉡㉢

② ㉠㉣

③ ㉠㉡㉢

④ ㉠㉡㉣

해설

③ ㉠㉡㉢ 3 항목이 옳지 않다.

㉠ [×] 간이공판절차에서는 전문증거에 대하여 증거동의가 있는 것으로 간주한다. 단, **검사, 피고인 또는 변호인이 증거로 함에 이의가 있는 때에는 그러하지 아니하다.**(형사소송법 제318조의3)

㉡ [×] 피고인이 증거로 함에 동의하지 아니한다고 명시적인 의사표시를 한 경우 이외에는 변호인은 서류나 물건에 대하여 증거로 함에 동의할 수 있고, 이 경우 변호인의 동의에 대하여 피고인이 즉시 이의하지 아니하는 경우에는 변호인의 동의로 증거능력이 인정되어 **증거조사 완료 전까지 그 동의가 취소 또는 철회하지 아니한 이상 일단 부여된 증거능력은 그대로 존속한다.**(대법원 2005. 4. 28. 2004도4428 인신매매 윤락강요 사건) 증거조사 완료 후 변호인의 증거동의를 취소하였더라도 진술조서는 증거능력이 부정되지 않는다.

㉢ [×] 검사 또는 사법경찰관이 피고인이 아닌 자의 진술을 기재한 조서는 적법한 절차와 방식에 따라 작성된 것으로서 그 조서가 검사 또는 사법경찰관 앞에서 진술한 내용과 동일하게 기재되어 있음이 원진술자의 공판준비 또는 공판기일에서의 진술이나 영상녹화물 또는 그 밖의 객관적인 방법에 의하여 증명되고, 피고인 또는 변호인이 공판준비 또는 공판기일에 그 기재 내용에 관하여 원진술자를 신문할 수 있었던 때에는 증거로 할 수 있다. 다만, **그 조서에 기재된 진술이 특히 신빙할 수 있는 상태하에서 행하여졌음이 증명된 때에 한한다.**(형사소송법 제312조 제4항)

㉣ [○] 검사 또는 사법경찰관은 수사에 필요한 때에는 피의자가 아닌 자의 출석을 요구하여 진술을 들을 수 있다. 이 경우 **그의 동의를 받아 영상녹화할 수 있다.**(형사소송법 제221조 제1항) 피의자의 진술은 영상녹화할 수 있다. 이 경우 **미리 영상녹화사실을 알려주어야** 하며, 조사의 개시부터 종료까지의 전 과정 및 객관적 정황을 영상녹화하여야 한다.(형사소송법 제244조의2 제1항)

098 수사에 대한 설명 중 가장 적절하지 않은 것은? (다툼이 있는 경우 판례에 의함)

19 경찰채용 [Essential ★]

① 사법경찰관의 피의자 아닌 자에 대한 신체검사는 증적의 존재를 확인할 수 있는 현저한 사유가 있는 경우에 한하여 할 수 있다.

② 수사기관으로부터 수사에 관하여 사실조회를 요구받은 공무소 기타 공사단체는 이를 보고할 의무가 있으므로 사실조회는 강제수사의 한 방법이다.

③ 압수·수색영장에 의해 피의자의 소변을 채취하고자 하는 경우에 임의동행을 기대할 수 없는 사정이 있는 때에는, 수사기관은 인근병원 등 채취에 적합한 장소로 피의자를 데려가기 위해 필요 최소한의 유형력을 행사하는 것이 허용된다.

④ 위법한 체포상태에서 마약투약 혐의를 확인하기 위한 채뇨요구가 이루어진 경우 그 일련의 과정을 전체적으로 보아 그 채뇨요구는 위법하다.

해설

② [×] 수사에 관하여 공무소 기타 공사 단체에 조회하여 필요한 사항의 보고를 요구할 수 있다.(제199조 제2항) 조회를 받은 상대방은 이에 대한 보고의무가 있으나 **의무위반시 이행을 강제할 방법이 없고 또한 영장에 의할 것을 요구하지 않기 때문에 임의수사로 보는 것이 통설**의 입장이다.

① [○] 사법경찰관의 피의자 아닌 자에 대한 신체검사는 증적의 존재를 확인할 수 있는 **현저한 사유가 있는 경우에 한하여 할 수 있다.**(제141조 제2항, 제219조)

③ [○] 압수·수색의 방법으로 소변을 채취하는 경우 압수대상물인 피의자의 소변을 확보하기 위한 수사기관의 노력에도 불구하고, 피의자가 인근 병원 응급실 등 소변 채취에 적합한 장소로 이동하는 것에 동의하지 않거나 저항하는 등 임의동행을 기대할 수 없는 사정이 있는 때에는 수사기관으로서는 소변 채취에 적합한 장소로 피의자를 데려가기 위해서 필요 최소한의 유형력을 행사하는 것이 허용되는데, 이는 형사소송법 제219조, 제120조 제1항에서 정한 '압수·수색영장의 집행에 필요한 처분'에 해당한다.(대법원 2018. 7. 12. 2018도6219 부산 강제채뇨 사건)

④ [○] 피의자가 동행을 거부하는 의사를 표시하였음에도 불구하고 경찰관들이 피의자를 강제로 연행한 행위는 수사상의 강제처분에 관한 형사소송법상의 절차를 무시한 채 이루어진 것으로 위법한 체포에 해당하고, 이와 같이 위법한 체포상태에서 마약 투약 혐의를 확인하기 위한 채뇨 요구가 이루어진 경우 그와 같은 **위법한 채뇨 요구에 의하여 수집된 '소변검사시인서'는 유죄 인정의 증거로 삼을 수 없다.**(대법원 2013. 3. 14. 2012도13611 부산 마약피의자 강제연행 사건)

099 전문수사자문위원제도에 관한 설명으로 옳은 것은?

□□□

① 피의자 또는 변호인은 검사의 전문수사자문위원 지정에 대하여 관할 지방검찰청 검사장에게 이의를 제기할 수 있다.

② 검사는 상당하다고 인정하는 때에는 전문수사자문위원의 지정을 취소할 수 있다.

③ 검사는 전문수사자문위원이 제출한 서면이나 전문수사자문위원의 설명 또는 의견의 진술에 관하여 제1회 공판기일 전까지 피의자 또는 변호인에게 구술 또는 서면에 의한 의견진술의 기회를 주어야 한다.

④ 검사는 공소제기 여부와 관련된 사실관계를 분명하게 하기 위하여 피의자 또는 변호인의 신청이 있는 경우에 한하여 전문수사자문위원을 지정하여 수사절차에 참여하게 하고 자문을 들을 수 있다.

해설

② [○] 검사는 상당하다고 인정하는 때에는 전문수사자문위원의 **지정을 취소할 수 있다.**(제245조의3 제2항)

① [×] 피의자 또는 변호인은 검사의 전문수사자문위원 지정에 대하여 관할 **고등검찰청 검사장에게** 이의를 제기할 수 있다.(제245조의3 제3항)

③ [×] 검사는 전문수사자문위원이 제출한 서면이나 전문수사자문위원의 설명 또는 의견의 진술에 관하여 피의자 또는 변호인에게 구술 또는 서면에 의한 의견진술의 기회를 주어야 한다.(제245조의2 제3항) 따라서 제1회 공판기일전까지라는 **시간적 제한은 없다.**

④ [×] 검사는 **직권이나 피의자 또는 변호인의 신청에 의하여** 전문수사자문위원을 지정하여 수사절차에 참여하게 하고 자문을 들을 수 있다.(제245조의2 제1항)

100 다음은 전문수사자문위원에 대한 설명이다. 적절하지 않은 것은 모두 몇 개인가?

14 경찰채용 [Core ★★]

> ㉠ 검사는 공소제기 여부와 관련된 사실관계를 분명하게 하기 위하여 필요한 경우에는 직권이나 피의자 또는 변호인의 신청에 의하여 전문수사자문위원을 지정하여 수사절차에 참여하게 하고 자문을 들을 수 있다.
> ㉡ 전문수사자문위원은 전문적인 지식에 의한 설명 또는 의견을 기재한 서면을 제출하거나 전문적인 지식에 의하여 설명이나 의견을 진술할 수 있다. 이에 대해서 검사는 피의자 또는 변호인에게 구술 또는 서면에 의한 의견진술의 기회를 줄 수 있다.
> ㉢ 검사는 상당하다고 인정하는 때에는 전문수사자문위원의 지정을 취소할 수 있다.
> ㉣ 피의자 또는 변호인은 검사의 전문수사자문위원 지정에 대하여 관할 지방검찰청 검사장에게 이의를 제기할 수 있다.

① 1개   ② 2개
③ 3개   ④ 4개

해설

> ② ㉡㉣ 2 항목이 옳지 않다.
> ㉠ [○] 검사는 공소제기 여부와 관련된 사실관계를 분명하게 하기 위하여 필요한 경우에는 **직권**이나 피의자 또는 변호인의 **신청**에 의하여 전문수사자문위원을 지정하여 수사절차에 참여하게 하고 자문을 들을 수 있다.(제245조의2 제1항)
> ㉡ [×] 검사는 (중략) 피의자 또는 변호인에게 구술 또는 서면에 의한 **의견진술의 기회를 주어야 한다.**(제245조의2 제3항)
> ㉢ [○] 검사는 상당하다고 인정하는 때에는 전문수사자문위원의 **지정을 취소할 수 있다.**(제245조의3 제2항)
> ㉣ [×] 피의자 또는 변호인은 검사의 전문수사자문위원 지정에 대하여 **관할 고등검찰청 검사장에게** 이의를 제기할 수 있다.(제245조의3 제3항)

제2절 | 체포와 구속

I 체포와 구속

101 인권보장을 위한 사전적 구제절차에 해당하는 것으로 보기에 가장 어려운 것은?

□□□

11 경찰승진 [Core ★★]

① 자유심증주의   ② 영장주의

③ 무죄추정의 원칙   ④ 진술거부권

해설

> ① 자유심증주의는 증거의 증명력 평가를 법관의 자유판단에 맡김으로서 사실인정의 합리성을 도모하기 위한 것일 뿐, **인권보장과는 특별히 관련이 없다.**
>
> ②③④ 피의자·피고인의 인권을 보장하기 위한 일련의 형사소송법상의 제도 또는 권리에 해당한다.(② 헌법재판소 1997. 3. 27. 96헌바28 ③ 대법원 2003. 11. 11. 2003모402 ④ 대법원 2009. 9. 24. 2009도7924 참고)

102 인권보장을 위한 사후적 구제절차로 보기에 가장 어려운 것은?

□□□

11 경찰승진 [Core ★★]

① 체포·구속적부심사제도   ② 보석

③ 형사보상청구권   ④ 영장주의

해설

> ④ 영장주의는 체포·구속전에 미리 그 요건에 대한 사법적 판단을 하는 것으로 **사전적(체포·구속 전) 구제절차**에 해당한다.
>
> ①②③ 이들은 체포·구속 또는 형집행이 된 이후에 인정되는 **사후적 구제절차**에 해당한다.

103 다음 중 사후적 구제제도로 보기에 가장 적절하지 않은 것은?

□□□

20 경찰승진 [Essential ★]

① 구속 전 피의자심문제도   ② 체포·구속적부심사제도

③ 강제처분에 대한 준항고   ④ 형사보상제도

해설

강제처분 등에 대한 구제제도에는 사전적 구제제도와 사후적 구제제도가 있는데, 구분의 기준은 일응 임의수사나 강제수사 전인가 후인가이다. ① 이는 사전적 구제제도이고, ②③④ 이들은 사후적 구제제도이다.

① [○] 구속 전 피의자심문은 구속영장 발부 전에 판사가 피의자를 심문하는 것이므로 **사전적 구제제도에 해당한다.**(제201조의2)

② [×] 체포 · 구속적부심사제도는 체포 또는 구속을 당한 피의자에 대하여 그 적부심사를 통해 피의자를 석방시키는 것이므로 **사후적 구제제도에 해당한다.**(제214조의2 제1항)

③ [×] 준항고는 구금, 압수 등이 이루어진 경우 그에 대한 불복수단이므로 **사후적 구제제도에 해당한다.**(제416조 제1항, 제417조)

④ [×] 형사보상은 무죄판결 등이 확정된 경우 미결구금이나 형집행에 대한 보상을 해 주는 것이므로 **사후적구제제도에 해당한다.**(형사보상법 참고)

104 체포영장의 청구와 발부에 관한 다음 설명 중 가장 적절하지 않은 것은? 13 경찰승진 [Core ★★]

① 체포영장을 청구함에 있어 동일한 범죄사실에 관하여 그 피의자에 대하여 전에 체포영장을 청구하였거나 발부받은 사실이 있는 때에는 다시 체포영장을 청구하는 취지 및 이유를 기재하여야 한다.

② 검사는 관할 지방법원판사에게 청구하여 체포영장을 발부받아야 하고, 사법경찰관은 검사에게 신청하여 검사의 청구로 판사가 영장을 발부한다.

③ 체포영장을 청구받은 지방법원판사는 피의자가 죄를 범하였다고 의심할 만한 이유가 있는 경우에 체포의 사유를 판단하기 위하여 피의자를 구인한 후 심문할 수 있다.

④ 체포영장을 청구받은 지방법원판사는 상당하다고 인정할 때는 체포영장을 발부한다. 다만, 명백히 체포의 필요가 인정되지 아니하는 경우에는 그러하지 아니하다.

해설

③ [×] 구속영장과는 달리 **체포영장을 발부하기 위하여 지방법원판사가 피의자를 심문하는 것은 허용되지 아니한다.** 즉 체포영장의 발부에 있어서는 형식적 심사주의를 취하고 있다.

① [○] 검사가 체포영장의 청구를 함에 있어서 동일한 범죄사실에 관하여 그 피의자에 대하여 전에 체포영장을 청구하였거나 발부받은 사실이 있는 때에는 **다시 체포영장을 청구하는 취지 및 이유를 기재하여야 한다.**(제200조의2 제4항)

② [○] 피의자가 죄를 범하였다고 의심할 만한 상당한 이유가 있고, 정당한 이유없이 출석요구에 응하지 아니하거나 응하지 아니할 우려가 있는 때에는 검사는 관할 지방법원판사에게 청구하여 체포영장을 발부받아 피의자를 체포할 수 있고, 사법경찰관은 검사에게 신청하여 **검사의 청구로 관할지방법원판사의 체포영장을 발부받아** 피의자를 체포할 수 있다.(제200조의2 제1항)

④ [○] 체포영장의 청구를 받은 **지방법원판사는 상당하다고 인정할 때에는 체포영장을 발부한다.** 다만, 명백히 체포의 필요가 인정되지 아니하는 경우에는 그러하지 아니하다.(제200조의2 제2항)

정답 | 101 ①   102 ④   103 ①   104 ③

핵심정리 피의자·피고인 체포·구속의 요건

구분	요건 (범죄혐의는 당연히 전제)	경미사건의 제한(50만원 이하의 벌금·구류·과료)	영장
통상체포 (피의자)	① 출석요구 불응 ② 출석요구 불응 우려 ★ 명백히 체포의 필요성(도망 또는 증거인멸의 염려) 이 인정되지 않으면 영장청구 기각(소극적 요건)	① 일정한 주거가 없는 때 ② 출석요구 불응	체포 영장
긴급체포 (피의자)	① 범죄의 중대성(사형·무기·장기 3년 이상의 징 역·금고) ② 체포의 필요성 ㉠ 도망 또는 도망의 염려 ㉡ 증거인멸의 염려(not 주거부정) ③ 긴급성(체포영장 발부받을 시간적 여유 없는 때)	–	×
현행범 체포 (피의자)	① 현행범인(범죄의 실행 중 또는 실행 즉후인 자) ② 준현행범인 ㉠ 범인으로 호창되어 추적되고 있는 때 ㉡ 장물이나 범죄에 사용되었다고 인정함에 충 분한 흉기 기타의 물건을 소지하고 있는 때 ㉢ 신체 또는 의복류에 현저한 증적이 있는 때 ㉣ 누구임을 물음에 대하여 도망하려 하는 때 ★ 판례에 의할 때 체포의 필요성(도망 또는 증거인 멸의 염려)이 있어야 체포가 가능함	일정한 주거가 없는 때	×
구속 (피의자· 피고인)	① 일정한 주거가 없는 때 ② 증거인멸의 염려 ③ 도망 또는 도망의 염려 ★ 구속사유를 심사함에 있어서 범죄의 중대성, 재범 의 위험성, 피해자 및 중요 참고인 등에 대한 위 해 우려 등을 고려하여야 함	일정한 주거가 없는 때	구속 영장

핵심정리 피의자 재체포·재구속 및 피고인 재구속 요건

구분		요건
통상체포 (피의자)	긴급체포되었다가 석방된 피의자를 다시 체포	영장을 발부받을 것
	구속되었다가 석방된 피의자를 다시 구속	다른 중요한 증거를 발견한 때
	체포·구속적부심사에 의하여 (조건없이) 석방된 피의자를 재차 체포·구속	도망하거나 죄증을 인멸하는 때 (not 염려가 있을 때)
	구속적부심사에 의하여 보증금납입조건부로 석방된 피의자를 재차 구속	① 도망한 때 ② 도망하거나 죄증을 인멸할 염려가 있다고 믿을만한 충 분한 이유가 있는 때 ③ 출석요구를 받고 정당한 이유없이 출석하지 아니한 때 ④ 주거의 제한 기타 법원이 정한 조건을 위반한 때
피고인	구속되었다가 석방된 피고인을 다시 구속	① 일정한 주거가 없는 때 ② 증거를 인멸할 염려가 있는 때 ③ 도망하거나 도망할 염려가 있는 때

105 영장에 의한 체포에 대한 설명으로 가장 적절한 것은? (다툼이 있으면 판례에 의함)

18 경찰채용 [Essential ★]

① 수사기관이 영장에 의한 체포를 하고자 하는 경우 검사는 관할 지방법원판사에게 체포영장을 청구할 수 있고, 사법경찰관리는 검사의 승인을 얻어 관할 지방법원판사에게 체포영장을 청구할 수 있다.

② 수사기관이 체포영장을 집행하는 경우 형사소송법 제216조에 의하여 필요한 때에는 영장 없이 타인의 주거에서 피의자 수색을 할 수 있으며, 이러한 형사소송법 제216조의 규정은 헌법상 영장주의에 위반되지 않는다.

③ 체포영장을 발부받은 후 피의자를 체포하지 아니한 경우 검사 또는 사법경찰관은 변호인이 있는 경우는 피의자의 변호인에게, 변호인이 없는 경우에는 피의자 혹은 변호인선임권자 중 피의자가 지정하는 자에게 지체없이 그 사유를 서면으로 통지해야 한다.

④ 경찰관들이 체포를 위한 실력행사에 나아가기 전에 체포영장을 제시하고 미란다 원칙을 고지할 여유가 있었음에도 애초부터 미란다 원칙을 체포 후에 고지할 생각으로 먼저 체포행위에 나선 경우 이러한 행위는 적법하지 않다.

해설

④ [○] 경찰관들이 체포영장을 소지하고 메스암페타민 투약 등 혐의로 피고인을 체포하려는 과정에서 피고인이 도망가려는 태도를 보이거나 먼저 폭력을 행사하며 대항한 바 없는 등 경찰관들이 체포를 위한 실력행사에 나아가기 전에 체포영장을 제시하고 미란다 원칙을 고지할 여유가 있었음에도 애초부터 미란다원칙을 체포 후에 고지할 생각으로 먼저 체포행위에 나선 행위는 **적법한 공무집행이라고 볼 수 없으므로** 비록 피고인이 이에 거세게 저항하는 과정에서 경찰관들에게 상해를 가하였더라도 공무집행방해죄나 상해죄는 성립하지 아니한다.(대법원 2017. 9. 21. 2017도10866)

① [×] 피의자가 죄를 범하였다고 의심할 만한 상당한 이유가 있고, 정당한 이유없이 출석요구에 응하지 아니하거나 응하지 아니할 우려가 있는 때에는 검사는 관할 지방법원판사에게 청구하여 체포영장을 발부받아 피의자를 체포할 수 있고, **사법경찰관은 검사에게 신청하여 검사의 청구로 관할 지방법원판사의 체포영장을 발부받아 피의자를 체포할 수 있다.**(제200조의2 제1항) 사법경찰관리는 검사의 승인을 얻더라도 직접 관할 지방법원판사에게 체포영장을 청구할 수 없다.

② [×] (1) 헌법 제12조 제3항과는 달리 헌법 제16조 후문은 "주거에 대한 압수나 수색을 할 때에는 검사의 신청에 의하여 법관이 발부한 영장을 제시하여야 한다."라고 규정하고 있을 뿐 영장주의에 대한 예외를 명문화하고 있지 않으나, 그 장소에 범죄혐의 등을 입증할 자료나 피의자가 존재할 개연성이 있고, 사전에 영장을 발부받기 어려운 긴급한 사정이 있는 경우에는 제한적으로 영장주의의 예외를 허용할 수 있다고 보는 것이 타당하다. (2) 형사소송법 제216조 제1항 제1호 중 제200조의2에 관한 부분은 체포영장을 발부받아 피의자를 체포하는 경우에 '필요한 때'에는 영장 없이 타인의 주거 등 내에서 피의자 수사를 할 수 있다고 규정함으로써, 별도로 영장을 발부받기 어려운 긴급한 사정이 있는지 여부를 구별하지 아니하고 피의자가 소재할 개연성이 있으면 영장 없이 타인의 주거 등을 수색할 수 있도록 허용하고 있는데, **이는 체포영장이 발부된 피의자**

> 가 타인의 주거 등에 소재할 개연성은 인정되나, 수색에 앞서 영장을 발부받기 어려운 긴급한 사정이 인정되지 않는 경우에도 영장 없이 피의자 수색을 할 수 있다는 것이므로 헌법 제16조의 영장주의 예외 요건을 벗어난다.(헌법재판소 2018. 4. 26. 2015헌바370 **철도노조 집행부 체포사건**)
> ③ [×] 체포영장의 발부를 받은 후 피의자를 체포하지 아니한 때에는 지체 없이 **검사는 영장을 발부한 법원에 그 사유를 서면으로 통지하여야 한다.**(제204조) 피의자를 체포한 때에 변호인 등에게 피의사건명, 체포일시 · 장소, 범죄사실의 요지, 체포의 이유와 변호인을 선임할 수 있는 취지를 알려야 한다.(제87조 제1항, 제209조)

106 체포에 관한 설명으로 가장 적절하지 않은 것은?

□□□

① 피의자가 죄를 범하였다고 의심할 만한 상당한 이유가 있고 정당한 이유없이 출석요구에 응하지 아니하거나 응하지 아니할 우려가 있는 때라고 하더라도 명백히 체포의 필요가 없다고 인정되는 때에는 체포영장 청구를 받은 지방법원판사는 체포영장의 청구를 기각하여야 한다.

② 검사 또는 사법경찰관은 긴급체포되었다가 구속영장이 청구되지 아니하여 석방된 자를 영장 없이는 동일한 범죄사실에 관하여 다시 체포하지 못한다.

③ 체포영장의 청구서에는 체포사유로서 도망이나 증거인멸의 우려가 있는 사유를 기재하여야 한다.

④ 체포영장을 집행하는 경우 피의자에게 반드시 체포영장을 제시하고 그 사본을 교부하여야 하며 신속이 지정된 법원 기타 장소에 인치하여야 한다.

해설

> ③ [×] 체포영장의 청구서에는 다음 각 호의 사항을 기재하여야 한다.(형사소송규칙 제95조) 체포영장 청구서에는 '도망 또는 증거인멸의 우려가 있는 사유'를 기재할 필요가 없다.
>
> > 1. 피의자의 성명, 주민등록번호 등, 직업, 주거
> > 2. 피의자에게 변호인이 있는 때에는 그 성명
> > 3. 죄명 및 범죄사실의 요지
> > 4. 7일을 넘는 유효기간을 필요로 하는 때에는 그 취지 및 사유
> > 5. 여러 통의 영장을 청구하는 때에는 그 취지 및 사유
> > 6. 인치구금할 장소
> > 7. **형사소송법 제200조의2 제1항에 규정한 체포의 사유(정당한 이유없이 출석요구에 응지 아니하거나 응하지 아니할 우려가 있음)**
> > 8. 동일한 범죄사실에 관하여 그 피의자에 대하여 전에 체포영장을 청구하였거나 발부받은 사실이 있는 때에는 다시 체포영장을 청구하는 취지 및 이유
> > 9. 현재 수사 중인 다른 범죄사실에 관하여 그 피의자에 대하여 발부된 유효한 체포영장이 있는 경우에는 그 취지 및 그 범죄사실

① [○] 피의자가 죄를 범하였다고 의심할 만한 상당한 이유가 있고 정당한 이유없이 출석요구에 응하지 아니하거나 응하지 아니할 우려가 있는 때라고 하더라도 **명백히 체포의 필요가 없다고 인정되는 때에는 체포영장 청구를 받은 지방법원판사는 체포영장의 청구를 기각하여야 한다.**(형사소송규칙 제96조의2)
② [○] 검사 또는 사법경찰관은 긴급체포되었다가 구속영장이 청구되지 아니하여 석방된 자를 영장없이는 동일한 범죄사실에 관하여 다시 체포하지 **못한다.**(제200조의4 제3항)
④ [○] 체포영장을 집행하는 경우 피의자에게 반드시 체포영장을 제시하고 그 사본을 교부하여야 하며 신속이 지정된 법원 기타 장소에 인치하여야 한다.(제85조 제1항, 제200조의6)

107 체포영장의 집행에 대한 설명으로 옳지 않은 것은?

13 국가9급 [Essential ★]

① 검사는 체포영장을 발부받은 후 피의자를 체포하기 이전에 체포영장을 첨부하여 판사에게 인치·구금할 장소의 변경을 청구할 수 있다.
② 교도소에 있는 피의자에 대하여 발부된 체포영장은 교도소장의 지휘에 의하여 교도관이 집행한다.
③ 검사 또는 사법경찰관은 현행범으로 체포하는 경우에 영장없이 타인의 주거에서 피의자를 수색하거나 체포현장에서 압수·수색·검증을 할 수 있다.
④ 사법경찰관리는 관할구역 외에서 체포영장을 집행할 수 있고, 당해 관할구역의 사법경찰관리에게 집행을 촉탁할 수 있다.

해설

② [×] 교도소 또는 구치소에 있는 피의자에 대하여 발부된 체포영장은 **검사의 지휘에 의하여** 교도관이 집행한다.(제81조 제3항, 제200조의6)
① [○] 검사는 체포영장을 발부받은 후 피의자를 체포하기 이전에 체포영장을 첨부하여 판사에게 **인치·구금할 장소의 변경을 청구할 수 있다.**(규칙 제96조의3)
③ [○] 검사 또는 사법경찰관은 현행범으로 체포하는 경우에 **영장없이** 타인의 주거에서 **피의자를 수색하거나 체포현장에서 압수·수색·검증을 할 수 있다.**(제216조 제1항)
④ [○] 사법경찰관리는 필요에 의하여 **관할구역 외에서 체포영장을 집행할 수 있고** 또는 당해 관할구역의 사법경찰관리에게 집행을 촉탁할 수 있다.(제83조 제2항, 제200조의6)

108 다음 중 사법경찰관이 신청한 영장의 청구 여부에 대한 심의에 관한 설명으로 가장 옳지 않은
□□□ 것은?

24 해경승진 [*Core* ★★]

① 검사가 사법경찰관이 신청한 영장을 정당한 이유 없이 판사에게 청구하지 아니한 경우 사법경
찰관은그 검사 소속의 지방검찰청 소재지를 관할하는 고등검찰청에 영장 청구 여부에 대한
심의를 신청할 수 있다.

② 영장 청구 여부에 대한 사항을 심의하기 위하여 각 고등검찰청에 영장심의위원회를 둔다.

③ 영장심의위원회는 위원장 1명을 포함한 10명 이내의 외부 위원으로 구성하고, 위원은 각 고등
검찰청 검사장이 위촉한다.

④ 사법경찰관은 영장심의위원회에 출석하여 의견을 개진하여야 한다.

해설

④ [×] 사법경찰관은 심의위원회에 출석하여 **의견을 개진할 수 있다.**(제221조의5 제4항)

① [○] 검사가 사법경찰관이 신청한 영장을 정당한 이유 없이 판사에게 청구하지 아니한 경우 사법경찰관은그
검사 소속의 지방검찰청 소재지를 관할하는 **고등검찰청에 영장 청구 여부에 대한 심의를 신청할 수 있다.**(제
221조의5 제1항)

② [○] 영장 청구 여부에 대한 사항을 심의하기 위하여 각 **고등검찰청에 영장심의위원회를 둔다.**(제221조의5
제2항)

③ [○] 영장심의위원회는 위원장 1명을 포함한 10명 이내의 외부 위원으로 구성하고, 위원은 각 고등검찰청 검
사장이 위촉한다.(제221조의5 제3항)

109 긴급체포에 관한 설명 중 옳지 않은 것은 모두 몇 개인가? (다툼이 있으면 판례에 의함)

□□□

20 경찰간부 [Superlative ★★★]

⊙ 긴급체포는 피의자가 사형·무기 또는 장기 3년 이상의 징역이나 금고에 해당하는 죄를 범하였다고 의심할 만한 상당한 이유가 있어야 할 수 있다.

ⓒ 긴급체포의 요건을 갖추었는지 여부는 체포 당시의 상황을 기초로 판단하여야 하고, 이에 관한 수사주체의 판단에는 상당한 재량의 여지가 있다.

ⓒ 형사소송법 제208조(재구속의 제한) 소정의 '구속되었다가 석방된 자'의 범위에는 구속영장에 의하여 구속되었다가 석방된 경우뿐 아니라 긴급체포나 현행범으로 체포되었다가 사후영장발부 전에 석방된 경우도 포함된다.

ⓔ 긴급체포된 피의자에 대하여 구속영장이 발부된 경우 그 구속기간은 구속영장이 발부된 날부터 기산한다.

ⓜ 검사는 긴급체포한 피의자에 대하여 구속영장을 청구하지 아니하고 석방한 경우에는 즉시 긴급체포서의 사본 등을 법원에 통지하여 사후승인을 얻어야 한다.

① 1개   ② 2개
③ 3개   ④ 4개

해설

③ ⓒⓔⓜ 3 항목이 옳지 않다.

⊙ [○] 검사 또는 사법경찰관은 피의자가 **사형·무기 또는 장기 3년 이상의** 징역이나 금고에 해당하는 죄를 범하였다고 의심할 만한 상당한 이유가 있고, 다음 각 호의 어느 하나에 해당하는 사유가 있는 경우에 긴급을 요하여 지방법원판사의 체포영장을 받을 수 없는 때에는 그 사유를 알리고 영장없이 피의자를 체포할 수 있다.(제200조의3 제1항)

ⓒ [○] 긴급체포의 요건을 갖추었는지 여부는 사후에 밝혀진 사정을 기초로 판단하는 것이 아니라 **체포 당시의 상황을 기초로 판단하여야** 하고, 이에 관한 검사나 사법경찰관 등 수사주체의 판단에는 상당한 재량의 여지가 있다고 할 것이다.(대법원 2008. 3. 27. 2007도11400)

ⓒ [×] 형사소송법 제208조 소정의 '구속되었다가 석방된 자'라 함은 구속영장에 의하여 구속되었다가 석방된 경우를 말하는 것이지, **긴급체포나 현행범으로 체포되었다가 사후영장발부 전에 석방된 경우는 포함되지 않는다 할 것이므로**, 피고인이 수사 당시 긴급체포되었다가 수사기관의 조치로 석방된 후 법원이 발부한 구속영장에 의하여 구속이 이루어진 경우 앞서 본 법조에 위배되는 위법한 구속이라고 볼 수 없다.(대법원 2001. 9. 28. 2001도4291)

ⓔ [×] 피의자가 긴급체포 규정에 의하여 체포된 경우에는 **구속기간은 피의자를 체포한 날부터 기산한다.**(제203조의2)

ⓜ [×] 검사는 구속영장을 청구하지 아니하고 피의자를 석방한 경우에는 석방한 날부터 **30일 이내에** 서면으로 석방된 자의 인적사항 등을 법원에 **통지하면 족하고, 사후승인을 얻을 필요는 없다.**(제200조의4 제4항)

110

□□□

다음 설명 중 옳은 것은? (다툼이 있으면 판례에 의함)

11 국가9급 [Core ★★]

① 긴급체포 후 구속영장을 받지 못하여 석방된 자를 동일한 범죄사실로 다시 체포할 수 없다.

② 체포영장에 의하여 체포된 피의자만이 체포적부심사를 청구할 수 있다.

③ 사법경찰관이 피고인을 수사관서까지 동행한 것이 사실상의 강제연행, 즉 불법체포에 해당하더라도 불법체포로부터 6시간 상당이 경과한 후에 이루어진 긴급체포는 하자가 치유된 것으로 적법하다.

④ 긴급체포의 요건을 갖추었는지 여부에 관한 검사나 사법경찰관 등 수사주체의 판단에는 상당한 재량의 여지가 있다고 할 것이나, 요건의 충족 여부에 관한 검사나 사법경찰관의 판단이 경험칙에 비추어 현저히 합리성을 잃은 경우에는 그 체포는 위법한 체포이다.

해설

④ [○] 긴급체포는 영장주의원칙에 대한 예외인 만큼 형사소송법 제200조의3 제1항의 요건을 모두 갖춘 경우에 한하여 예외적으로 허용되어야 하고, 요건을 갖추지 못한 긴급체포는 법적 근거에 의하지 아니한 영장 없는 체포로서 위법한 체포에 해당하는 것이고, 여기서 긴급체포의 요건을 갖추었는지 여부는 사후에 밝혀진 사정을 기초로 판단하는 것이 아니라 체포 당시의 상황을 기초로 판단하여야 하고, 이에 관한 검사나 사법경찰관 등 수사주체의 판단에는 상당한 재량의 여지가 있다고 할 것이나, 긴급체포 당시의 상황으로 보아서도 그 요건의 충족 여부에 관한 검사나 사법경찰관의 판단이 경험칙에 비추어 현저히 합리성을 잃은 경우에는 그 체포는 **위법한 체포**라 할 것이고 이러한 위법은 영장주의에 위배되는 중대한 것이니 그 **체포에 의한 유치** 중에 작성된 **피의자신문조서는 위법하게 수집된 증거로서 특별한 사정이 없는 한 이를 유죄의 증거로 할 수 없다.**(대법원 2008. 3. 27. 2007도11400)

① [×] 긴급체포 되었다가 구속영장을 청구하지 아니하거나 발부받지 못하여 석방된 경우에도 **영장을 발부받아 다시 체포할 수 있다.**(제200조의4 제3항)

② [×] 체포영장에 의하여 체포된 피의자는 물론 **영장없이 긴급체포된 피의자 또는 현행범으로 체포된 피의자도 체포적부심사를 청구할 수 있다.**(제214조의2 제1항)

③ [×] 사법경찰관이 피고인을 수사관서까지 동행한 것이 사실상의 강제연행, 즉 불법 체포에 해당하고 불법체포로부터 **6시간 상당이 경과한 후에 이루어진 긴급체포 또한 위법하다.**(대법원 2006. 7. 6. 2005도6810 화천 절도피의자 강제연행 사건)

111 긴급체포에 관한 설명으로 가장 적절하지 않은 것은? (다툼이 있으면 판례에 의함)

24 경찰승진 [Core ★★]

① 검사 또는 사법경찰관이 피의자를 긴급체포하는 경우에는 반드시 피의사실의 요지, 체포의 이유와 변호인을 선임할 수 있음을 말하고, 변명할 기회를 주어야 한다.

② 검사 또는 사법경찰관은 긴급체포된 자가 소유·소지 또는 보관하는 물건에 대하여 긴급히 압수할 필요가 있는 경우에는 체포한 때부터 24시간 이내에 한하여 영장 없이 압수·수색 또는 검증을 할 수 있으며, 이는 현행범인 체포의 경우에도 준용된다.

③ 사법경찰관이 검사에게 긴급체포된 피의자에 대한 긴급체포승인 건의와 함께 구속영장을 신청한 경우 검사는 긴급체포의 적법성 여부를 심사하면서 수사서류뿐만 아니라 피의자를 검찰청으로 출석시켜 직접 대면조사할 수 있는 권한을 가진다.

④ 영장 없이는 긴급체포 후 석방된 피의자를 동일한 범죄사실에 관하여 체포하지 못하지만, 이와 같이 석방된 피의자라도 법원으로부터 구속영장을 발부받아 구속할 수 있다.

해설

② [×] 검사 또는 사법경찰관은 **긴급체포된 자가** 소유·소지 또는 보관하는 물건에 대하여 긴급히 압수할 필요가 있는 경우에는 체포한 때부터 24시간 이내에 한하여 영장 없이 압수·수색 또는 검증을 할 수 있다.(제217조 제1항) 현행범인 체포의 경우 형사소송법 제217조 제1항이 준용되지 않는다.

① [○] 검사 또는 사법경찰관은 피의자를 체포하는 경우에는 **피의사실의 요지, 체포의 이유와 변호인을 선임할 수 있음을 말하고 변명할 기회를 주어야 한다.**(제200조의5)

③ [○] 사법경찰관이 검사에게 긴급체포된 피의자에 대한 긴급체포승인 건의와 함께 구속영장을 신청한 경우 검사는 긴급체포의 적법성 여부를 심사하면서 수사서류뿐만 아니라 피의자를 검찰청으로 출석시켜 직접 대면조사할 수 있는 권한을 가진다.(대법원 2010. 10. 28. 2008도11999 인치명령 불응사건)

④ [○] (전문) 제200조의4 제3항 (후문) 피고인이 수사 당시 긴급체포되었다가 수사기관의 조치로 석방된 후 **법원이 발부한 구속영장에 의하여 구속이 이루어진 경우 위법한 구속이라고 볼 수 없다.**(대법원 2001. 9. 28. 2001도4291 긴급체포 → 석방 → 법정구속 사건)

112

□□□

긴급체포와 관련하여 가장 옳은 것은? (다툼이 있으면 판례에 의함)

11 경찰승진 [*Core* ★★]

① 폭행죄를 저질렀다고 볼 상당한 이유가 있는 피의자가 도망할 우려가 있을 뿐 아니라 체포영장을 받을 시간적 여유가 없다면 위 피의자에 대해서는 긴급체포가 가능하다.

② 긴급체포 후 구속영장을 발부받지 못하여 석방한 피의자는 영장 없이는 동일한 범죄사실에 관하여 다시 긴급체포를 할 수 없으나, 구속영장을 청구하지 않고 석방한 경우라면 긴급체포의 요건을 갖출 경우 다시 동일한 범죄사실로 긴급체포하는 것도 가능하다.

③ 긴급체포가 그 요건을 갖추지 못한 경우 단순히 체포가 위법함에 그치는 것이 아니라 그 체포에 의한 유치 중에 작성된 피의자신문조서도 특별한 사정이 없는 한 증거능력이 부정된다.

④ 사법경찰관은 긴급체포 된 피의자가 소유·소지 또는 보관하는 물건에 대하여 긴급히 압수할 필요가 있는 경우에는 체포한 때부터 48시간 이내에 한하여 영장 없이 압수·수색·검증을 할 수 있다.

해설

③ [○] 긴급체포는 영장주의원칙에 대한 예외인 만큼 형사소송법 제200조의3 제1항의 요건을 모두 갖춘 경우에 한하여 예외적으로 허용되어야 하고, 요건을 갖추지 못한 긴급체포는 법적 근거에 의하지 아니한 영장 없는 체포로서 위법한 체포에 해당하는 것이고, 여기서 긴급체포의 요건을 갖추었는지 여부는 사후에 밝혀진 사정을 기초로 판단하는 것이 아니라 체포 당시의 상황을 기초로 판단하여야 하고, 이에 관한 검사나 사법경찰관 등 수사주체의 판단에는 상당한 재량의 여지가 있다고 할 것이나, 긴급체포 당시의 상황으로 보아서도 그 요건의 충족 여부에 관한 검사나 사법경찰관의 판단이 경험칙에 비추어 현저히 합리성을 잃은 경우에는 그 체포는 **위법한 체포**라 할 것이고 이러한 위법은 영장주의에 위배되는 중대한 것이니 그 **체포에 의한 유치 중에 작성된 피의자신문조서는 위법하게 수집된 증거로서 특별한 사정이 없는 한 이를 유죄의 증거로 할 수 없다.**(대법원 2008. 3. 27. 2007도11400)

① [×] **폭행죄의 법정형은 2년 이하의 징역이므로** 긴급체포의 대상범죄에 해당하지 아니한다.

② [×] 긴급체포 되었다가 구속영장을 청구하지 아니하거나 발부받지 못하여 석방된 자는 **영장 없이는 동일한 범죄사실에 대하여 다시 체포하지 못한다.**(제200조의4 제3항)

④ [×] 검사 또는 사법경찰관은 체포한 때부터 **24시간 이내에 한하여** 영장 없이 압수·수색 또는 검증을 할 수 있다.(제217조 제1항)

113 긴급체포에 관한 다음 설명 중 가장 옳지 않은 것은? (다툼이 있으면 판례에 의함)

24 법원9급 [Core ★★]

① 검사가 형사소송법 제200조의4 제4항에 따른 석방통지를 법원에 하지 아니하였더라도 긴급 체포 당시의 상황과 경위, 긴급체포 후 조사과정 등에 특별한 위법이 있다고 볼 수 없는 이상, 단지 사후에 석방통지가 법에 따라 이루어지지 않았다는 사정만으로 그 긴급체포에 의한 유치 중에 작성된 피의자신문조서들의 작성이 소급하여 위법하게 된다고 볼 수는 없다.

② 검사 또는 사법경찰관은 피의자를 긴급체포하는 경우에 필요한 때에는 영장 없이 타인의 주거 나 타인이 간수하는 가옥, 건조물, 항공기, 선차 내에서의 피의자 수색, 체포현장에서의 압 수·수색·검증을 할 수 있고, 긴급체포된 피의자가 소유·소지 또는 보관하는 물건에 대하여 긴급히 압수할 필요가 있는 경우에는 체포한 때부터 48시간 이내에 한하여 영장 없이 압수· 수색 또는 검증을 할 수 있다.

③ 검사 또는 사법경찰관은 구속영장을 청구하거나 신청하지 않고 긴급체포한 피의자를 석방하 려는 때에는 긴급체포 후 석방된 자의 인적사항, 긴급체포의 일시·장소와 긴급체포하게 된 구체적 이유, 석방의 일시·장소 및 사유, 긴급체포 및 석방한 검사 또는 사법경찰관의 성명을 적은 피의자 석방서를 작성해야 한다.

④ 사법경찰관은 긴급체포한 피의자에 대하여 구속영장을 신청하지 아니하고 석방한 경우에는 즉시 검사에게 보고하여야 하나, 사전에 석방건의서를 작성·제출하여 검사의 지휘를 받을 필 요는 없다.

해설

② [×] (전문) 제216조 제1항 제1호·제2호 (후문) 검사 또는 사법경찰관은 긴급체포된 자가 소유·소지 또는 보관하는 물건에 대하여 긴급히 압수할 필요가 있는 경우에는 **체포한 때부터 24시간 이내에 한하여** 영장 없 이 압수·수색 또는 검증을 할 수 있다.(제217조 제1항)

① [○] 피의자가 2009.11. 2. 22:00경 긴급체포되어 조사를 받고 구속영장이 청구되지 아니하여 2009.11. 4. 20:10경 석방되었음에도 검사가 30일 이내에 법원에 석방통지를 하지 않았더라도 긴급체포 당시의 상황과 경위, 긴급체포 후 조사 과정 등에 특별한 위법이 있다고 볼 수 없는 이상, 단지 사후에 석방통지가 이루어지지 않았다는 사정만으로 그 긴급체포에 의한 유치 중에 작성된 피의자신문조서들의 작성이 소급하여 위법하게 된다고 볼 수는 없다.(대법원 2014. 8. 26. 2011도6035 오산시장 수뢰사건)

③ [○] 검사 또는 사법경찰관은 구속영장을 청구하거나 신청하지 않고 긴급체포한 피의자를 석방하려는 때에는 긴급체포 후 석방된 자의 인적사항, 긴급체포의 일시·장소와 긴급체포하게 된 구체적 이유, 석방의 일시·장 소 및 사유, 긴급체포 및 석방한 검사 또는 사법경찰관의 성명을 적은 피의자 석방서를 작성해야 한다.(수사준 칙 제36조 제1항 제2호)

④ [○] 사법경찰관은 제1항에 따라 피의자를 석방한 경우 다음 각 호(긴급체포한 피의자를 석방한 때: 즉시 검 사에게 석방 사실을 보고하고, 그 보고서 사본을 사건기록에 편철한다.)의 구분에 따라 처리한다.(수사준칙 제36조 제2항 제2호)

정답 | 112 ③ 113 ②

114

□□□

수사기관의 체포, 구속에 관한 다음 설명 중 가장 옳지 않은 것은? (다툼이 있으면 판례에 의함)

14 경찰간부 [Core ★★]

① 수사기관이 아닌 사인에 의하여 현행범인이 체포된 후 불필요한 지체 없이 검사 등에게 인도된 경우 구속영장의 청구기간인 48시간의 기산점은 피의자를 체포한 시점이다.

② 긴급체포의 요건을 구비하였는가 여부에 대한 판단은 사후에 밝혀진 사정을 기초로 하는 것이 아니라 체포 당시의 상황을 기초로 하여야 한다.

③ 긴급체포의 경우에도 영장에 의한 체포·구속과 동일하게 상당한 범죄혐의는 요구된다.

④ 영장의 유효기간은 7일로 한다. 다만, 법원 또는 법관이 상당하다고 인정하는 때에는 7일을 넘는 기간을 정할 수 있다.

해설

① [×] 검사 등이 아닌 이에 의하여 현행범인이 체포된 후 불필요한 지체 없이 검사 등에게 인도된 경우 **구속영장 청구기간인 48시간의 기산점은 체포시가 아니라 검사 등이 현행범인을 인도받은 때라고 할 것이다.**(대법원 2011. 12. 22. 2011도12927 소말리아 해적 사건)

② [○] 긴급체포는 영장주의원칙에 대한 예외인 만큼 형사소송법 제200조의3 제1항의 요건을 모두 갖춘 경우에 한하여 예외적으로 허용되어야 하고, 요건을 갖추지 못한 긴급체포는 법적 근거에 의하지 아니한 영장 없는 체포로서 위법한 체포에 해당하는 것이고, 여기서 긴급체포의 요건을 갖추었는지 여부는 사후에 밝혀진 사정을 기초로 판단하는 것이 아니라 체포 당시의 상황을 기초로 판단하여야 하고, 이에 관한 검사나 사법경찰관 등 수사주체의 판단에는 상당한 재량의 여지가 있다고 할 것이나, 긴급체포 당시의 상황으로 보아서도 그 요건의 충족 여부에 관한 검사나 사법경찰관의 판단이 경험칙에 비추어 현저히 합리성을 잃은 경우에는 그 체포는 **위법한 체포**라 할 것이고 이러한 위법은 영장주의에 위배되는 중대한 것이니 **그 체포에 의한 유치 중에 작성된 피의자신문조서는 위법하게 수집된 증거로서 특별한 사정이 없는 한 이를 유죄의 증거로 할 수 없다.**(대법원 2008. 3. 27. 2007도11400)

③ [○] 검사 또는 사법경찰관은 피의자가 **사형·무기 또는 장기 3년 이상의 징역이나 금고**에 해당하는 죄를 범하였다고 의심할 만한 상당한 이유가 있고, 피의자가 증거를 인멸할 염려가 있는 때 또는 피의자가 도망하거나 도망할 우려가 있는 때에 긴급을 요하여 지방법원판사의 체포영장을 받을 수 없는 때에는 그 사유를 알리고 영장없이 피의자를 체포할 수 있다.(제200조의3 제1항)

④ [○] 영장의 유효기간은 **7일**로 한다. 다만, 법원 또는 법관이 상당하다고 인정하는 때에는 **7일을 넘는 기간을** 정할 수 있다.(규칙 제178조)

115 형사소송법상 긴급체포에 대한 설명으로 가장 적절한 것은?

15 경찰채용 [Core ★★]

① 사법경찰관이 피의자를 긴급체포하는 경우에는 피의사실의 요지, 체포의 이유와 변호인을 선임할 수 있음을 말하고 진술거부권을 고지하여야 한다.

② 사법경찰관이 피의자를 긴급체포한 경우에는 긴급체포서를 반드시 작성·첨부하여 긴급체포서 작성시부터 48시간 이내에 검사의 승인을 얻어야 한다.

③ 사법경찰관은 피의자를 긴급체포하는 경우에 필요한 때에는 영장 없이 타인의 주거나 타인이 간수하는 가옥, 건조물, 항공기, 선차 내에서의 피의자수색을 할 수 있다.

④ 긴급체포된 자가 소유·소지 또는 보관하는 물건에 대하여 긴급히 압수할 필요가 있는 경우에는 체포한 때부터 24시간 이내에 한하여 영장 없이 압수·수색할 수 있으며, 압수한 물건을 계속 압수할 필요가 있는 경우에는 지체 없이 압수·수색영장을 청구하여야 한다. 이 경우 압수·수색영장의 청구는 압수 후 48시간 이내에 하여야 한다.

해설

③ [○] 사법경찰관은 피의자를 긴급체포하는 경우에 필요한 때에는 영장 없이 타인의 주거나 타인이 간수하는 가옥, 건조물, 항공기, 선차 내에서의 **피의자수색**을 할 수 있다.(제216조 제1항 제1호)
① [×] 사법경찰관은 피의자를 긴급체포하는 경우에는 피의사실의 요지, 체포의 이유와 변호인을 선임할 수 있음을 말하고 **변명할 기회를 주어야 한다.**(제200조의5)
② [×] 사법경찰관이 피의자를 긴급체포한 경우에는 **즉시** 검사의 승인을 얻어야 한다.(제200조의3 제2항)
④ [×] 압수·수색영장의 청구는 **체포한 때부터** 48시간 이내에 하여야 한다.(제217조의2 제2항)

116 긴급체포에 대한 다음 설명 중 옳고 그름의 표시(○, ×)가 모두 바르게 된 것은? (다툼이 있으면
□□□ 판례에 의함)

20 경찰채용 [Core ★★]

> ㉠ 긴급체포된 피의자에 대하여 구속영장이 발부된 경우 그 구속기간은 피의자를 체포한 날부터 기산한다.
> ㉡ 긴급체포 요건을 갖추었는지 여부는 체포 당시 상황과 사후에 밝혀진 사정을 종합적으로 판단함으로써 검사나 사법경찰관 등 수사주체의 판단에는 상당한 재량의 여지가 있다.
> ㉢ 형사소송법 제208조(재구속의 제한)에서 말하는 '구속되었다가 석방된 자'의 범위에는 긴급체포나 현행범으로 체포되었다가 사후영장발부 전에 석방된 경우도 포함된다.
> ㉣ 긴급체포된 자로부터 압수한 물건에 대해서는 24시간 이내에 한하여 영장없이 압수·수색할 수 있고, 압수된 물건을 계속 압수할 필요가 있는 경우에는 압수한 때로부터 48시간 이내에 압수·수색영장을 청구하여야 한다.
> ㉤ 긴급체포 후 구속영장을 발부받지 못하여 석방한 경우 동일한 범죄사실로 다시 긴급 체포할 수 없다. 그러나 체포영장을 다시 발부받은 경우 체포가 가능하다.

① ㉠ ○ ㉡ × ㉢ × ㉣ × ㉤ ○   ② ㉠ ○ ㉡ ○ ㉢ ○ ㉣ × ㉤ ○

③ ㉠ ○ ㉡ × ㉢ × ㉣ ○ ㉤ ×   ④ ㉠ × ㉡ ○ ㉢ ○ ㉣ × ㉤ ○

해설

① 이 지문이 옳은 연결이다.

㉠ [○] 체포 또는 구인된 경우에는 제202조 또는 제203조의 구속기간은 **피의자를 체포 또는 구인한 날부터 기산한다.**(제203조의2)

㉡ [×] 긴급체포의 요건을 갖추었는지 여부는 **사후에 밝혀진 사정을 기초로 판단하는 것이 아니라 체포 당시의 상황을 기초로 판단하여야 하고,** 이에 관한 검사나 사법경찰관 등 수사주체의 판단에는 상당한 재량의 여지가 있다고 할 것이다.(대법원 2008. 3. 27. 2007도11400)

㉢ [×] 형사소송법 제208조 소정의 '구속되었다가 석방된 자'라 함은 구속영장에 의하여 구속되었다가 석방된 경우를 말하는 것이지, **긴급체포나 현행범으로 체포되었다가 사후영장발부 전에 석방된 경우는 포함되지 않는다 할 것이므로,** 피고인이 수사 당시 긴급체포되었다가 수사기관의 조치로 석방된 후 법원이 발부한 구속영장에 의하여 구속이 이루어진 경우 앞서 본 법조에 위배되는 위법한 구속이라고 볼 수 없다.(대법원 2001. 9. 28. 2001도4291)

㉣ [×] 검사 또는 사법경찰관은 긴급체포된 자가 소유·소지 또는 보관하는 물건에 대하여 긴급히 압수할 필요가 있는 경우에는 **체포한 때부터 24시간 이내에 한하여** 영장 없이 압수·수색 또는 검증을 할 수 있다.(제217조 제1항) 사법경찰관은 체포현장에서 영장 없이 압수한 물건을 계속 압수할 필요가 있는 경우에는 지체없이 압수·수색영장을 청구하여야 한다. 이 경우 압수·수색영장의 청구는 **체포한 때부터 48시간 이내에** 하여야 한다.(제217조 제2항)

㉤ [○] 긴급체포 후 구속영장을 발부받지 못하여 석방된 자는 **영장없이는 동일한 범죄사실에 관하여 체포하지 못한다.**(제200조의4 제3항)

117

□□□

긴급체포에 관한 다음 설명 중 가장 옳은 것은? (다툼이 있으면 판례에 의함) 17 경찰간부 [Core ★★]

① 도로교통법위반 피의사건에서 기소유예 처분을 받은 재항고인이 혐의 없음을 주장함과 동시에 수사경찰관의 처벌을 요구하는 진정서를 검찰청에 제출함으로써 이루어진 진정사건을 담당한 검사가 재항고인에 대한 위 피의사건을 재기한 후 담당검사인 자신의 교체를 요구하고자 부장검사 부속실에서 대기하고 있던 재항고인을 위 도로교통법위반죄로 긴급체포한 것은 적법하다.

② 현직 군수인 피고인을 소환·조사하기 위하여 검사의 명을 받은 검찰주사보가 군수실에 도착하여 도시행정계장에게 행방을 확인하였더니, 군수가 검사가 자신을 소환하려 한다는 사실을 미리 알고 자택 근처에서 기다리고 있을 것이니 수사관이 오거든 그 곳으로 오라고 하였다고 하자 검찰주사보가 도시행정계장과 같이 가서 그 곳에서 수사관을 기다리고 있던 피고인을 긴급체포한 것은 정당하다.

③ 긴급체포의 요건을 갖추었는지 여부는 사후에 밝혀진 사정을 기초로 판단하여야 한다.

④ 변호사 甲에 대하여 무죄가 선고되자 검사가 무죄가 선고된 공소사실에 대한 보완수사를 한다며 甲의 변호사 사무실 사무장이던 乙에게 참고인조사를 위한 출석을 요구하여, 자진출석한 乙을 참고인 조사를 하지 아니한 채 곧바로 위증 및 위증교사 혐의의 피의자신문 조서를 받기 시작하였고, 이에 甲이 검사실로 찾아와서 乙에게 나가라고 지시하여 乙이 나가려 하자, 검사가 乙을 긴급체포한 것은 위법하다.

해설

④ [○] 긴급체포를 하려고 한 것은 그 당시 상황에 비추어 보아 형사소송법 제200조의3 제1항의 요건을 갖추지 못한 것으로 쉽게 보여져 이를 실행한 검사 등의 판단이 현저히 합리성을 잃었다고 할 것이다. 따라서 검사가 검찰청에 자진출석한 乙을 체포하려 한 행위를 적법한 공무집행이라고 할 수 없다.(대법원 2006. 9. 8. 2006도148 **사무장 긴급체포 사건**)

① [×] 재항고인에 대한 긴급체포는 체포영장을 발부받을 수 없을 정도로 긴급을 요하는 경우에 해당한다고 도저히 볼 수 없어 **긴급성의 요건을 갖추지 못하였을 뿐만 아니라, 재항고인이 도망할 염려나 증거를 인멸할 염려가 있다고 볼 수도 없는 만큼** 형사소송법 제70조 제1항 제2호나 제3호의 요건 또한 갖추지 못한 것으로서, 이를 실행한 담당 검사의 판단은 당시의 상황과 경험칙에 비추어 현저히 합리성을 잃은 경우에 해당하므로 **긴급체포는 위법한 체포에 해당한다.**(대법원 2003. 3. 27. 2002모81 **황당한 체포 사건**)

② [×] 피고인 甲은 현직 군수직에 종사하고 있어 검사로서도 피고인의 소재를 쉽게 알 수 있었고, 1999.11.29. 다른 피고인 乙의 진술 이후 시간적 여유도 있었으며, 피고인 甲도 도망이나 증거인멸의 의도가 없었음은 물론, 언제든지 검사의 소환조사에 응할 태세를 갖추고 있었고 그 사정을 검찰주사보도 충분히 알 수 있었다할 것이어서, 위 긴급체포는 형사소송법 제200조의3 제1항의 요건을 갖추지 못한 것으로 쉽게 보여져 **이를 실행한 검사 등의 판단이 현저히 합리성을 잃었다고 할 것이므로** 이러한 위법한 긴급체포에 의한 유치 중에 작성된 각 피의자신문조서는 이를 유죄의 증거로 하지 못한다.(대법원 2002. 6. 11. 2000도5701 **박종진 광주군수 수뢰사건**)

③ [×] **긴급체포의 요건을 갖추었는지 여부는** 사후에 밝혀진 사정을 기초로 판단하는 것이 아니라 **체포 당시의 상황을 기초로 판단하여야 하고,** 이에 관한 검사나 사법경찰관 등 수사주체의 판단에는 상당한 재량의 여지가 있다고 할 것이다.(대법원 2008. 3. 27. 2007도11400)

118 甲은 경찰관 P로부터 불심검문을 받고 운전면허증을 교부하였는데 P가 이를 곧바로 돌려주지 않고 신분조회를 위해 순찰차로 가는 것을 보자 화가 나 인근 주민들 여러 명이 있는 가운데 경찰관 P에게 큰 소리로 욕설을 하였다. 이에 P는 형사소송법 제200조의5에 따라 미란다 원칙을 고지한 후 甲을 모욕죄의 현행범으로 체포하였고, 그 과정에서 甲은 P에게 반항하면서 몸싸움을 하다가 가슴과 다리 부위에 타박상 등을 가하였다. 이에 대한 설명으로 가장 적절하지 않은 것은? (다툼이 있으면 판례에 의함)

22 경찰승진 [Core ★★]

① P가 甲을 체포할 당시 甲은 모욕 범행을 실행하고 있거나 실행하고 난 직후의 사람에 해당하므로 현행범인에 해당한다.

② 甲은 P의 불심검문에 응하여 운전면허증을 교부하였지만 도망하거나 증거를 인멸할 염려가 있으므로 체포의 필요성이 인정된다.

③ 甲에 대한 체포는 현행범인 체포의 요건을 갖추지 못하였다.

④ 甲에 대한 체포는 형사소송법 제200조의3에서 규정하고 있는 긴급체포의 요건을 갖추지 못하였다.

해설

② [×] 피고인은 경찰관의 불심검문에 응하여 이미 운전면허증을 교부한 상태이고, 경찰관뿐 아니라 인근주민도 욕설을 직접 들었으므로 **피고인이 도망하거나 증거를 인멸할 염려가 있다고 보기는 어렵다.**(대법원 2011. 5. 26. 2011도3682 서교동 불심검문 사건)

①③ [○] 피고인은 경찰관의 불심검문에 응하여 이미 운전면허증을 교부한 상태이고, 경찰관뿐 아니라 인근주민도 욕설을 직접 들었으므로 **피고인이 도망하거나 증거를 인멸할 염려가 있다고 보기는 어렵고,** 피고인의 모욕 범행은 불심검문에 항의하는 과정에서 저지른 일시적, 우발적인 행위로서 사안 자체가 경미할 뿐 아니라, 피해자인 경찰관이 범행현장에서 즉시 범인을 체포할 급박한 사정이 있다고 보기도 어려우므로 경찰관이 피고인을 체포한 행위는 적법한 공무집행이라고 볼 수 없다.(대법원 2011. 5. 26. 2011도3682 서교동 불심검문 사건)

④ [○] 모욕죄의 법정형은 1년 이하의 징역이나 금고 또는 200만원 이하의 벌금이므로(형법 제311조) 이는 **긴급체포 대상범죄가 아니다.**

119 긴급체포에 대한 설명 중 가장 적절하지 않은 것은? (다툼이 있으면 판례에 의함)

11 경찰채용 [Essential ★]

① 사법경찰관에 의한 동행요구가 이를 거절할 수 없는 심리적 압박 아래 행하여진 사실상의 강제연행에 해당하는 경우 그로부터 6시간 상당이 경과한 이후에 긴급체포의 절차를 밟았다고 하더라도 긴급체포는 위법하다.

② 피의자가 임의출석의 형식에 의하여 수사기관에 자진 출석한 후 조사를 받았고 그 과정에서 피의자가 장기 3년 이상의 범죄를 범하였다고 볼 상당한 이유가 드러나고, 도주하거나 증거를 인멸할 우려가 생긴다고 객관적으로 판단되는 경우에는 자진출석한 피의자에 대해서도 긴급체포가 가능하다.

③ 참고인조사를 받는 줄 알고 검찰청에 자진출석한 참고인에 대하여 피의자신문을 행하려는 수사기관의 시도를 참고인이 거부하고 바로 퇴거하려고 시도하자 수사기관이 긴급체포한 행위는 위법하며, 이에 참고인의 저항행위는 정당하다.

④ 사법경찰관이 검사에게 긴급체포된 피의자에 대한 긴급체포 승인 건의와 함께 구속영장을 신청한 경우, 검사에 의한 구속영장 청구 전 피의자 대면조사는 긴급체포의 합당성이나 구속영장 청구에 필요한 사유를 보강하기 위한 목적으로 실시될 수 있다.

해설

④ [×] 검사의 구속영장 청구 전 피의자 대면 조사는 긴급체포의 적법성을 의심할 만한 사유가 기록, 기타 객관적 자료에 나타나고 피의자의 대면 조사를 통해 그 여부의 판단이 가능할 것으로 보이는 예외적인 경우에 한하여 허용될 뿐, **긴급체포의 합당성이나 구속영장 청구에 필요한 사유를 보강하기 위한 목적으로 실시되어서는 아니 된다.**(대법원 2010. 10. 28. 2008도11999 장신중 경정사건)

① [○] 비록 사법경찰관이 피고인을 동행할 당시에 물리력을 행사한 바가 없고, 피고인이 명시적으로 거부의사를 표명한 적이 없다고 하더라도, 사법경찰관이 피고인을 수사관서까지 동행한 것은 적법요건이 갖추어지지 아니한 채 사법경찰관의 동행 요구를 거절할 수 없는 심리적 압박 아래 행하여진 **사실상의 강제연행**, 즉 불법 체포에 해당한다고 보아야 할 것이고, 사법경찰관이 그로부터 6시간 상당이 경과한 이후에 비로소 피고인에 대하여 긴급체포의 절차를 밟았다고 하더라도 이는 동행의 형식 아래 행해진 불법 체포에 기하여 사후적으로 취해진 것에 불과하므로 그와 같은 긴급체포 또한 위법하다고 아니할 수 없다.(대법원 2006. 7. 6. 2005도6810 화천 절도피의자 강제연행 사건)

② [○] 피의자가 임의출석의 형식에 의하여 수사기관에 자진 출석한 후 조사를 받았고 그 과정에서 피의자가 장기 3년 이상의 범죄를 범하였다고 볼 상당한 이유가 드러나고, 도주하거나 증거를 인멸할 우려가 생긴다고 객관적으로 판단되는 경우에는 자진출석한 피의자에 대해서도 긴급체포가 가능하다.(대법원 1998. 7. 6. 98도785)

③ [○] 검사가 참고인 조사를 받는 줄 알고 검찰청에 자진출석한 변호사사무실 사무장을 합리적 근거 없이 긴급체포하자 그 변호사가 이를 제지하는 과정에서 위 검사에게 상해를 가한 것은 정당방위에 해당한다.(대법원 2006. 9. 8. 2006도148 사무장 긴급체포 사건)

120 다음 <보기>는 형사소송법과 「검사와 사법경찰관의 상호협력과 일반적 수사준칙에 관한 규정」
□□□ 에 관한 내용으로 빈 칸에 들어갈 숫자의 합은?　　　　　　　　　24 해경승진 [Superlative ★★★]

> ㉠ 긴급체포된 피의자를 구속하기 위해서는 피의자를 체포한 때로부터 (　)시간 내에 구속영장
> 을 청구하여야 한다.
> ㉡ 긴급체포된 자가 소유·소지 또는 보관하는 물건에 대하여 긴급히 압수할 필요가 있는 경우에
> 는 체포한 때로부터 (　)시간 이내에 영장 없이 압수·수색 또는 검증을 할 수 있다.
> ㉢ 사법경찰관은 제200조의3 제2항에 따라 긴급체포 후 (　)시간 내에 검사에게 긴급체포의
> 승인을 요청해야 한다.
> ㉣ 사법경찰관은 「해양경비법」 제2조 제2호에 따른 경비수역에서 긴급체포한 경우 긴급체포 후
> (　)시간 이내에 검사에게 긴급체포의 승인을 요청해야 한다.

① 120　　　　　　　　　　　　　　② 108

③ 96　　　　　　　　　　　　　　④ 84

해설

②　㉠ 48 ㉡ 24 ㉢ 12 ㉣ 24로 숫자의 합은 **108이다.**(㉠ 제200조의4 제1항 ㉡ 제217조 제1항 ㉢㉣ 수사
준칙 제27조 제1항)

121

□□□

다음의 사실관계에 관한 설명 중 옳은 것은? (다툼이 있으면 판례에 의함) 12 변호사 [Superlative ★★★]

> 검사 甲은 2010. 12. 8. 16:40경 위증교사 혐의가 있는 변호사 丙의 사무장인 乙에게 참고인조사를 위하여 검사실로 출석하여 달라고 요구하였고, 같은 날 17:30경 자진출석한 乙에 대하여 참고인으로 조사하지 않고 바로 위증교사 혐의로 피의자신문조서를 작성하기 시작하였다. 이에 乙은 인적사항만을 진술한 후 丙에게 전화하여 '데리고 나가달라'고 요청하였다. 더 이상의 신문이 이루어지지 못하는 사이 丙이 검사실로 찾아와서 乙에게 나가라고 지시하였다. 乙이 일어서서 검사실을 나서려 하자 검사 甲은 乙에게 '지금부터 긴급체포한다'고 하면서 피의사실의 요지나 체포이유 등을 전혀 고지하지 않은 채 乙을 긴급체포하였고, 같은 달 11일 구속영장을 발부받을 때까지 乙을 유치하면서 같은 달 9일과 10일에 각 피의자신문조서를 작성하였다. 乙은 위증교사 혐의로 기소되었으며 긴급체포 되어 구속영장이 발부될 때까지 작성된 乙에 대한 피의자신문조서들이 乙에 대한 유죄의 증거로 제출되었다.

① 乙에 대한 긴급체포가 요건을 갖추었는지 여부는 사후에 밝혀진 사정을 기초로 판단하여야 한다.

② 甲은 검사로서 乙을 긴급체포하였으므로 긴급체포서를 작성할 필요가 없다.

③ 수사기관에 자진출석한 참고인에 대한 긴급체포는 언제나 위법하므로 乙에 대한 긴급체포도 위법하다.

④ 甲이 乙을 검사실에서 긴급체포하는 경우에는 피의사실의 요지, 체포이유 등을 고지할 필요가 없다.

⑤ 乙에 대한 긴급체포에 의한 유치 중에 작성된 乙에 대한 甲 작성의 피의자신문조서는 위법하게 수집된 증거로서 특별한 사정이 없는 한 유죄의 증거로 할 수 없다.

해설

⑤ [O] 긴급체포는 영장주의원칙에 대한 예외인 만큼 형사소송법 제200조의3 제1항의 요건을 모두 갖춘 경우에 한하여 예외적으로 허용되어야 하고, 요건을 갖추지 못한 긴급체포는 법적 근거에 의하지 아니한 영장 없는 체포로서 위법한 체포에 해당하는 것이고, 여기서 긴급체포의 요건을 갖추었는지 여부는 사후에 밝혀진 사정을 기초로 판단하는 것이 아니라 체포 당시의 상황을 기초로 판단하여야 하고, 이에 관한 검사나 사법경찰관 등 수사주체의 판단에는 상당한 재량의 여지가 있다고 할 것이나, 긴급체포 당시의 상황으로 보아서도 그 요건의 충족 여부에 관한 검사나 사법경찰관의 판단이 경험칙에 비추어 현저히 합리성을 잃은 경우에는 그 체포는 **위법한 체포**라 할 것이고 이러한 위법은 영장주의에 위배되는 중대한 것이니 그 **체포에 의한 유치 중에 작성된 피의자신문조서는 위법하게 수집된 증거로서 특별한 사정이 없는 한 이를 유죄의 증거로 할 수 없다.**(대법원 2008. 3. 27. 2007도11400)

① [×] 긴급체포의 요건을 갖추었는지 여부는 사후에 밝혀진 사정을 기초로 판단하는 것이 아니라 **체포당시의 상황을 기초로 판단하여야 한다.**(대법원 2008. 3. 27. 2007도11400)

② [×] 검사는 피의자를 긴급체포한 경우에는 **즉시 긴급체포서를 작성하여야 한다.**(제200조의3 제3항)

③ [×] 수사기관에 자진출석한 참고인이라도 조사과정에서 사형, 무기 또는 장기 3년 이상의 징역·금고에 해당하는 죄를 범한 혐의가 밝혀지고 기타 **긴급체포의 요건이 구비된다면** 그 긴급체포가 위법이라고 할 수 없다. (대법원 1998. 7. 6. 98도785)

122

□ □ □

현행범인 체포에 대한 설명 중 가장 적절하지 않은 것은? (다툼이 있으면 판례에 의함)

18 경찰승진 [Essential ★]

① 현행범인은 누구든지 영장 없이 체포할 수 있는데, 현행범인으로 체포하기 위하여는 행위의 가벌성, 범죄의 현행성·시간적 접착성, 범인·범죄의 명백성 이외에 체포의 필요성 즉, 도망 또는 증거인멸의 염려가 있어야 한다.

② 경찰관이 현행범인 체포요건을 갖추지 못하였는데도, 실력으로 현행범인을 체포하려고 하였다면 적법한 공무집행이라고 할 수 없고, 현행범인 체포행위가 적법한 공무집행을 벗어나 불법인 것으로 볼 수밖에 없다면 현행범이 체포를 면하려고 반항하는 과정에서 경찰관에게 상해를 가한 것은 불법체포로 인한 신체에 대한 현재의 부당한 침해에서 벗어나기 위한 행위로서 정당방위에 해당하여 위법성이 조각된다.

③ 검사 또는 사법경찰관리 아닌 이가 현행범인을 체포한 경우 즉시 검사 등에게 인도해야 하는데, 여기서 '즉시'라고 함은 반드시 체포시점과 시간적으로 밀착된 시점이어야 하는 것은 아니고, '정당한 이유 없이 인도를 지연하거나 체포를 계속하는 등으로 불필요한 지체를 함이 없이'라는 뜻이다.

④ 검사 또는 사법경찰관리 아닌 이에 의하여 현행범인이 체포된 후 불필요한 지체 없이 검사 등에게 인도된 경우, 구속영장 청구기간인 48시간의 기산점은 현행범인 체포시이다.

해설

④ [×] 검사 등이 아닌 이에 의하여 현행범인이 체포된 후 불필요한 지체 없이 검사 등에게 인도된 경우 **구속영장 청구기간인 48시간의 기산점은** 체포시가 아니라 **검사 등이 현행범인을 인도받은 때라고 할 것이다.**(대법원 2011. 12. 22. 2011도12927 **소말리아 해적 사건**)

① [○] 현행범인은 누구든지 영장 없이 체포할 수 있는데, 현행범인으로 체포하기 위하여는 행위의 가벌성, 범죄의 현행성·시간적 접착성, 범인·범죄의 명백성 이외에 **체포의 필요성 즉, 도망 또는 증거인멸의 염려가 있어야 한다.**(대법원 2017. 4. 7. 2016도19907 **제주 음주측정 거부사건**)

② [○] 현행범인으로 체포하기 위하여는 행위의 가벌성, 범죄의 현행성·시간적 접착성, 범인·범죄의 명백성 이외에 체포의 필요성 즉, 도망 또는 증거인멸의 염려가 있어야 하고, 이러한 요건을 갖추지 못한 현행범인 체포는 법적 근거에 의하지 아니한 영장 없는 체포로서 **위법한 체포에 해당한다.**(대법원 2011. 5. 26. 2011도3682 **서교동 불심검문 사건**)

③ [○] 검사 등이 아닌 이에 의하여 현행범인이 체포된 후 불필요한 지체 없이 검사 등에게 인도된 경우 **구속영장 청구기간인 48시간의 기산점은** 체포시가 아니라 검사 등이 현행범인을 인도받은 때이다.(대법원 2011. 12. 22. 2011도12927 **소말리아 해적 사건**)

123

현행범인의 체포에 관한 다음 설명 중 옳고 그름의 표시(○, ×)가 바르게 된 것은? (다툼이 있으면 판례에 의함)

23 경찰채용 [Core ★★]

□□□

㉠ 사인의 현행범 체포과정에서 일어날 수 있는 물리적 충돌이 적정한 한계를 벗어났는지 여부는 그 행위가 소극적인 방어행위인가 적극적인 공격행위인가에 따라 결정된다.

㉡ 형사소송법 제211조 제1항이 현행범인으로 규정한 '범죄를 실행하고 난 직후의 사람'이라고 함은 범죄의 실행행위를 종료한 직후의 범인이라는 것이 체포하는 자의 입장에서 볼 때 명백한 경우를 일컫는 것으로서 '범죄의 실행행위를 종료한 직후'라고 함은 범죄행위를 실행하여 끝마친 순간 또는 이에 아주 접착된 시간적 단계를 의미하는 것으로 해석된다.

㉢ 현행범인은 누구든지 영장없이 체포할 수 있고, 검사 또는 사법경찰관리가 아닌 자가 현행범인을 체포한 때에는 즉시 검사 등에게 인도하여야 하며, 이때 인도시점은 반드시 체포시점과 시간적으로 밀착된 시점이어야 한다.

㉣ 공장을 점거하여 농성 중이던 조합원들이 경찰과 부식반입 문제를 협의하거나 기자회견장 촬영을 위해 공장 밖으로 나오자, 전투경찰대원들은 '고착관리'라는 명목으로 그 조합원들을 방패로 에워싸고 이동하지 못하게 한 사안에서, 위 조합원들이 어떠한 범죄행위를 목전에서 저지르려고 하는 등 긴급한 사정이 있는 경우가 아니라면 위 전투경찰대원들의 행위는 형사소송법상 체포에 해당한다.

---

① ㉠ ○ ㉡ × ㉢ ○ ㉣ ×

② ㉠ ○ ㉡ ○ ㉢ × ㉣ ○

③ ㉠ × ㉡ × ㉢ ○ ㉣ ×

④ ㉠ × ㉡ ○ ㉢ × ㉣ ○

해설

④ 이 지문이 옳은 연결이다.

㉠ [×] 적정한 한계를 벗어나는 체포행위는 그 부분에 관한 한 법령에 의한 행위로 될 수 없다고 할 것이나 **적정한 한계를 벗어나는 행위인가 여부는** 정당행위의 일반적 요건을 갖추었는지 여부에 따라 결정되어야 할 것이지 **그 행위가 소극적인 방어행위인가 적극적인 공격행위인가에 따라 결정되어야 하는 것은 아니다.**(대법원 1999. 1. 26. 98도3029 팽성읍 차손괴 사건)

㉡ [○] 형사소송법 제211조 제1항이 현행범인으로 규정한 '범죄를 실행하고 난 직후의 사람'이라고 함은 범죄의 실행행위를 종료한 직후의 범인이라는 것이 체포하는 자의 입장에서 볼 때 명백한 경우를 일컫는 것으로서 '범죄의 실행행위를 종료한 직후'라고 함은 범죄행위를 실행하여 끝마친 순간 또는 이에 아주 접착된 시간적 단계를 의미하는 것으로 해석된다.(대법원 2007. 4. 13. 2007도1249 청전지구대 사건)

㉢ [×] 현행범인은 누구든지 영장 없이 체포할 수 있고, 검사 또는 사법경찰관리(이하 '검사 등') 아닌 이가 현행범인을 체포한 때에는 즉시 검사 등에게 인도하여야 한다. 여기서 **'즉시'라고 함은 반드시 체포시점과 시간적으로 밀착된 시점이어야 하는 것은 아니고,** 정당한 이유 없이 인도를 지연하거나 체포를 계속하는 등으로 불필요한 지체를 함이 없다는 뜻으로 볼 것이다.(대법원 2011. 12. 22. 2011도12927 소말리아 해적사건)

ⓔ [O] 공장을 점거하여 농성 중이던 조합원들이 경찰과 부식반입 문제를 협의하거나 기자회견장 촬영을 위해 공장 밖으로 나오자, 전투경찰대원들은 '고착관리'라는 명목으로 그 조합원들을 방패로 에워싸고 이동하지 못하게 한 사안에서, 위 조합원들이 어떠한 범죄행위를 목전에서 저지르려고 하는 등 긴급한 사정이 있는 경우가 아니라면 위 전투경찰대원들의 행위는 **형사소송법상 체포에 해당한다.**(대법원 2017. 3. 15. 2013도2168 **쌍용차사태 변호사 사건**)

124

□□□ 다음 중 현행범체포에 대한 설명으로 가장 옳지 않은 것은? (다툼이 있으면 판례에 의함)

22 해경채용 [Essential ★]

① 형사소송법 제211조가 현행범인으로 규정한 '범죄 실행의 즉후인 자'라고 함은 범죄실행 행위를 종료한 직후의 범인이라는 것이 제3자가 아닌 체포하는 자의 입장에서 볼 때 명백한 경우를 의미한다.

② 범죄를 실행 중이거나 실행 직후의 현행범인은 누구든지 영장 없이 체포할 수 있다.

③ 사법경찰관이나 일반 사인이 현행범인 체포 규정에 의해 현행범인 체포를 하는 경우 영장없이 타인의 주거에 들어갈 수 있다.

④ 甲은 음주운전을 종료한 후 40분 이상 경과한 시점에서 길가에 앉아 있었는데, 사법경찰관이 甲에게서 술 냄새가 난다는 점만을 근거로 현행범으로 체포한 것은 '방금 음주운전을 실행한 범인이라는 점에 관한 죄증이 명백하다고 할 수 없는 상태'에서 이루어진 것이므로 적법한 공무집행이라 볼 수 없다.

해설

③ [×] 현행범인의 체포는 누구든지 할 수 있으나, 그 체포를 위하여 일반 사인이 영장없이 **타인의 주거에 들어가 피의자를 수색할 수는 없다.**(대법원 1965. 12. 21. 65도899 참고)

① [O] 형사소송법 제211조가 현행범인으로 규정한 '범죄의 실행의 즉후인 자'라고 함은 범죄의 실행행위를 종료한 직후의 범인이라는 것이 **체포하는 자의 입장에서 볼 때** 명백한 경우를 일컫는 것으로서 '범죄의 실행행위를 종료한 직후'라고 함은 범죄행위를 실행하여 끝마친 순간 또는 이에 아주 접착된 시간적 단계를 의미하는 것으로 해석되므로 시간적으로나 장소적으로 보아 체포를 당하는 자가 방금 범죄를 실행한 범인이라는 점에 관한 죄증이 명백히 존재하는 것으로 인정되는 경우에만 현행범인으로 볼 수 있다.(대법원 2007. 4. 13. 2007도1249 **청전지구대 사건**)

② [O] 범죄를 실행 중이거나 실행 직후의 현행범인은 누구든지 영장 없이 체포할 수 있다.(형사소송법 제211조 제1항, 제212조)

④ [O] 경찰관이 피고인이 음주운전을 종료한 후 40분 이상이 경과한 시점에서 길가에 앉아 있던 피고인에게서 술냄새가 난다는 점만을 근거로 피고인을 음주운전의 현행범으로 체포한 것은 피고인이 '방금 음주운전을 실행한 범인이라는 점에 관한 죄증이 명백하다고 할 수 없는 상태'에서 이루어진 것으로서 적법한 공무집행이라고 볼 수 없다.(대법원 2007. 4. 13. 2007도1249 **청전지구대 사건**)

125

다음은 현행범인에 대한 설명이다. 가장 적절하지 않은 것은? (다툼이 있으면 판례에 의함)

13 경찰채용 [Essential ★]

① 검사 또는 사법경찰관리 아닌 자가 현행범인을 체포한 때에는 즉시 검사 또는 사법경찰관리에게 인도하여야 한다. 사법경찰관리가 현행범인의 인도를 받은 때에는 체포자의 성명, 주거, 체포의 사유를 물어야 하고 필요한 때에는 체포자에 대하여 경찰관서에 동행함을 요구할 수 있다.

② 다액 50만원 이하의 벌금, 구류 또는 과료에 해당하는 죄의 현행범인에 대하여는 범인의 주거가 분명하지 아니한 때에 한하여 현행범인으로 체포할 수 있다.

③ 현행범인으로 체포하기 위하여는 행위의 가벌성, 범죄의 현행성·시간적 접착성, 범인·범죄의 명백성 이외에 체포의 필요성 즉, 도망 또는 증거인멸의 염려가 있어야 하고, 이러한 요건을 갖추지 못한 현행범인 체포는 법적 근거에 의하지 아니한 영장 없는 체포로서 위법한 체포에 해당한다.

④ 형사소송법 제211조가 현행범인으로 규정한 '범죄의 실행의 즉후인 자'라고 함은, 범죄의 실행행위를 종료한 직후의 범인이라는 것이 제3자의 입장에서 볼 때 명백한 경우를 일컫는 것이다.

해설

④ [×] 형사소송법 제211조가 현행범인으로 규정한 '범죄의 실행의 즉후인 자'라고 함은 범죄의 실행행위를 종료한 직후의 범인이라는 것이 **체포하는 자의 입장에서 볼 때** 명백한 경우를 일컫는 것이다.(대법원 2007. 4. 13. 2007도1249)

① [○] 검사 또는 사법경찰관리 아닌 자가 현행범인을 체포한 때에는 즉시 검사 또는 사법경찰관리에게 인도하여야 한다. 사법경찰관리가 현행범인의 인도를 받은 때에는 체포자의 성명, 주거, 체포의 사유를 물어야 하고 필요한 때에는 체포자에 대하여 **경찰관서에 동행함을 요구할 수 있다.**(제213조)

② [○] **다액 50만원** 이하의 벌금, 구류 또는 과료에 해당하는 죄의 현행범인에 대하여는 범인의 주거가 분명하지 아니한 때에 한하여 현행범인으로 체포할 수 있다.(제214조)

③ [○] 현행범인으로 체포하기 위하여는 행위의 가벌성, 범죄의 현행성·시간적 접착성, 범인·범죄의 명백성 이외에 체포의 필요성 즉, **도망 또는 증거인멸의 염려가 있어야** 하고, 이러한 요건을 갖추지 못한 현행범인 체포는 법적 근거에 의하지 아니한 영장 없는 체포로서 위법한 체포에 해당한다.(대법원 2011. 5. 26. 2011도3682 **서교동 불심검문 사건**)

정답 | 124 ③   125 ④

126
☐☐☐

현행범인 및 준현행범인 체포에 대한 설명이다. 아래 ㉠부터 ㉣까지의 설명 중 옳고 그름의 표시 (○, ×)가 바르게 된 것은? (다툼이 있으면 판례에 의함)

19 경찰승진 [Core ★★]

> ㉠ 음주운전을 종료한 후 40분 이상이 경과한 시점에서 길가에 앉아 있던 운전자를 술냄새가 난다는 점만을 근거로 음주운전의 현행범으로 체포한 경우 적법한 공무집행이다.
>
> ㉡ 피고인이 경찰관의 불심검문에 응하여 운전면허증을 교부한 후 경찰관에게 큰 소리로 욕설을 하였는데, 경찰관이 모욕죄의 현행범으로 체포하겠다고 고지한 후 피고인의 오른쪽 어깨를 붙잡자 반항하면서 경찰관에게 상해를 가한 사안에서, 경찰관뿐 아니라 인근 주민도 욕설을 직접 들었다는 점을 근거로 피고인을 현행범으로 체포한 경우 적법한 공무집행이다.
>
> ㉢ 교사가 교장실에 들어가 불과 약 5분 동안 식칼을 휘두르며 교장을 협박하는 등의 소란을 피운 후 40여분 정도가 지나 경찰관들이 출동하여 교장실이 아닌 서무실에서 동행을 거부하는 그 교사를 현행범으로 체포한 경우 적법한 공무집행이다.
>
> ㉣ 순찰 중이던 경찰관이 교통사고를 낸 차량이 도주하였다는 무전연락을 받고 주변을 수색하다가 범퍼 등의 파손상태로 보아 사고차량으로 인정되는 차량에서 내리는 사람을 발견하여 준현행범으로 체포한 경우 적법한 공무집행이다.

① ㉠ ○ ㉡ × ㉢ ○ ㉣ ×
② ㉠ × ㉡ ○ ㉢ × ㉣ ×
③ ㉠ × ㉡ × ㉢ ○ ㉣ ○
④ ㉠ × ㉡ × ㉢ × ㉣ ○

해설

④ 이 지문이 옳은 연결이다.

㉠ [×] 경찰관이 피고인이 음주운전을 종료한 후 40분 이상이 경과한 시점에서 길가에 앉아 있던 피고인에게서 술냄새가 난다는 점만을 근거로 피고인을 음주운전의 현행범으로 체포한 것은 피고인이 '방금 음주운전을 실행한 범인이라는 점에 관한 죄증이 명백하다고 할 수 없는 상태'에서 이루어진 것으로서 **적법한 공무집행이라고 볼 수 없다.**(대법원 2007. 4. 13. 2007도1249 청전지구대 사건)

㉡ [×] 피고인은 경찰관의 불심검문에 응하여 이미 운전면허증을 교부한 상태이고, 경찰관뿐 아니라 인근주민도 욕설을 직접 들었으므로 **피고인이 도망하거나 증거를 인멸할 염려가 있다고 보기는 어렵고**, 피고인의 모욕 범행은 불심검문에 항의하는 과정에서 저지른 일시적, 우발적인 행위로서 사안 자체가 경미할 뿐 아니라, 피해자인 경찰관이 범행현장에서 즉시 범인을 체포할 급박한 사정이 있다고 보기도 어려우므로 **경찰관이 피고인을 체포한 행위는 적법한 공무집행이라고 볼 수 없다.**(대법원 2011. 5. 26. 2011도3682 서교동불심검문 사건)

㉢ [×] 교사가 교장실에 들어가 불과 약 5분 동안 식칼을 휘두르며 교장을 협박하는 등의 소란을 피운 후 40여분 정도가 지나 경찰관들이 출동하여 교장실이 아닌 서무실에서 그를 연행하려 하자 그가 구속영장의 제시를 요구하면서 동행을 거부하였다면, 체포 당시 서무실에 앉아 있던 위 교사가 방금 범죄를 실행한 범인이라는 죄증이 경찰관들에게 명백히 인식될 만한 상황이었다고 단정할 수 없는데도 이와 달리 **그를 '범죄의 실행의 즉후인 자'로서 현행범인이라고 단정한 원심판결에는 현행범인에 관한 법리오해의 위법이 있다.**(대법원 1991. 9. 24. 91도1314 김해여중 사건)

㉣ [○] 순찰 중이던 경찰관이 교통사고를 낸 차량이 도주하였다는 무전연락을 받고 주변을 수색하다가 범퍼 등의 파손상태로 보아 사고차량으로 인정되는 차량에서 내리는 사람을 발견한 경우 '장물이나 범죄에 사용되었다고 인정함에 충분한 흉기 기타의 물건을 소지하고 있는 때'에 해당하므로 **준현행범으로서 영장없이 체포할 수 있다.**(대법원 2000. 7. 4. 99도4341 인천 신흥동 뺑소니사건)

127 체포에 관한 설명으로 가장 적절하지 않은 것은?

24 경찰간부 [Superlative ★★★]

① 피의자가 죄를 범하였다고 의심할 만한 상당한 이유가 있고 정당한 이유없이 출석요구에 응하지 아니하거나 응하지 아니할 우려가 있는 때라고 하더라도 명백히 체포의 필요가 없다고 인정되는 때에는 체포영장 청구를 받은 지방법원판사는 체포영장의 청구를 기각하여야 한다.

② 검사 또는 사법경찰관은 긴급체포되었다가 구속영장이 청구되지 아니하여 석방된 자를 영장없이는 동일한 범죄사실에 관하여 다시 체포하지 못한다.

③ 체포영장의 청구서에는 체포사유로서 도망이나 증거인멸의 우려가 있는 사유를 기재하여야 한다.

④ 체포영장을 집행하는 경우 피의자에게 반드시 체포영장을 제시하고 그 사본을 교부하여야 하며 신속이 지정된 법원 기타 장소에 인치하여야 한다.

해설

③ [×] 체포영장의 청구서에는 다음 각 호의 사항을 기재하여야 한다.(형사소송규칙 제95조) 체포영장 청구서에는 '도망 또는 증거인멸의 우려가 있는 사유'를 기재할 필요가 없다.

1. 피의자의 성명, 주민등록번호 등, 직업, 주거
2. 피의자에게 변호인이 있는 때에는 그 성명
3. 죄명 및 범죄사실의 요지
4. 7일을 넘는 유효기간을 필요로 하는 때에는 그 취지 및 사유
5. 여러 통의 영장을 청구하는 때에는 그 취지 및 사유
6. 인치구금할 장소
7. **형사소송법 제200조의2 제1항에 규정한 체포의 사유(정당한 이유없이 출석요구에 응하지 아니하거나 응하지 아니할 우려가 있음)**
8. 동일한 범죄사실에 관하여 그 피의자에 대하여 전에 체포영장을 청구하였거나 발부받은 사실이 있는 때에는 다시 체포영장을 청구하는 취지 및 이유
9. 현재 수사 중인 다른 범죄사실에 관하여 그 피의자에 대하여 발부된 유효한 체포영장이 있는 경우에는 그 취지 및 그 범죄사실

① [O] 피의자가 죄를 범하였다고 의심할 만한 상당한 이유가 있고 정당한 이유없이 출석요구에 응하지 아니하거나 응하지 아니할 우려가 있는 때라고 하더라도 **명백히 체포의 필요가 없다고 인정되는 때에는 체포영장 청구를 받은 지방법원판사는 체포영장의 청구를 기각하여야 한다.**(형사소송규칙 제96조의2)

② [O] 검사 또는 사법경찰관은 긴급체포되었다가 구속영장이 청구되지 아니하여 석방된 자를 **영장없이는 동일한 범죄사실에 관하여 다시 체포하지 못한다.**(제200조의4 제3항)

④ [O] 체포영장을 집행하는 경우 피의자에게 반드시 체포영장을 제시하고 **그 사본을 교부하여야** 하며 신속이 지정된 법원 기타 장소에 인치하여야 한다.(제85조 제1항, 제200조의6)

정답 | 126 ④ 127 ③

128

체포에 관한 다음 설명 중 옳지 않은 것만을 모두 고른 것은? (다툼이 있으면 판례에 의함)

○○○

> ⊙ 경찰관들이 성폭력범죄 혐의에 대한 체포영장을 근거로 체포절차에 착수하였으나 피의자가 흥분하여 타고 있던 승용차를 출발시켜 경찰관들에게 상해를 입히는 범죄를 추가로 저지르자, 경찰관들이 그 승용차를 멈춘 후 저항하는 피의자를 별도 범죄인 특수공무집행방해치상의 현행범으로 적법하게 체포하였더라도 집행완료에 이르지 못한 성폭력범죄 체포영장은 사후에 그 피의자에게 제시하여야 한다.
>
> ⓛ 긴급체포의 요건을 갖추었는지 여부는 사후에 밝혀진 사정을 기초로 판단하는 것이 아니라 체포 당시 상황을 기초로 판단하여 수사주체의 판단에 상당한 재량의 여지가 있지만, 긴급체포 당시의 상황으로 보아서도 그 요건의 충족 여부에 관한 수사주체의 판단이 경험칙에 비추어 현저히 합리성을 잃은 경우에는 그 체포는 위법한 체포가 된다.
>
> ⓒ 사법경찰관은 긴급체포한 피의자에 대하여 구속영장을 신청하지 아니하고 석방한 경우에는 즉시 검사에게 보고하여야 하고, 검사는 석방한 날부터 30일 이내에 서면으로 긴급체포 후 석방된 자의 인적사항, 긴급체포의 일시·장소와 긴급체포하게 된 구체적 이유 등을 법원에 통지하여야 한다.
>
> ⓔ 체포한 피의자를 구속하고자 할 때에는 체포한 때부터 48시간 이내에 구속영장을 청구해야 하는데, 검사 또는 사법경찰관이 아닌 이에 의하여 현행범인이 체포된 후 불필요한 지체 없이 검사 등에게 인도된 경우 위 48시간의 기산점은 체포시이다.

① ⊙ⓔ   ② ⊙ⓒⓔ   ③ ⓛⓒ   ④ ⓔ

해설

① ⊙ⓔ 2 항목이 옳지 않다.

ⓛ [×] 원심은, 피고인에 대해 성폭법 위반(비밀준수등) 범행으로 체포영장이 발부되어 있었던 사실, '피고인의 차량이 30분 정도 따라온다'는 내용의 112신고를 받고 현장에 출동한 경찰관들이 승용차에 타고 있던 피고인의 주민등록번호를 조회하여 피고인에 대한 체포영장이 발부된 것을 확인한 사실, 경찰관들이 피고인에게 '성폭법위반으로 수배가 되어 있는바, 변호인을 선임할 수 있고 묵비권을 행사할 수 있으며, 체포 적부심을 청구할 수 있고 변명의 기회가 있다'고 고지하며 하차를 요구한 사실을 인정한 후, 사건 당시 경찰관들이 체포영장을 소지할 여유 없이 우연히 그 상대방을 만난 경우로서 체포영장의 제시 없이 체포 영장을 집행할 수 있는 '급속을 요하는 때'에 해당하므로 경찰관들이 체포영장의 제시 없이 피고인을 체포하려고 시도한 행위는 적법한 공무집행이라고 판단하였다. 나아가 원심은, 위와 같이 경찰관들이 체포 영장을 근거로 체포절차에 착수하였으나 피고인이 흥분하며 타고 있던 승용차를 출발시켜 경찰관들에게 상해를 입히는 범죄를 추가로 저지르자, 경찰관들이 승용차를 멈춘 후 저항하는 피고인을 별도 범죄인 특수공무집행해치상의 현행범으로 체포한 사실을 인정한 후, 이와 같이 경찰관이 체포영장에 기재된 범죄사실이 아닌 새로운 피의사실인 특수공무집행방해치상을 이유로 피고인을 현행범으로 체포하였고, 현행범 체포에 관한 제반 절차도 준수하였던 이상 피고인에 대한 체포 및 그 이후 절차에 위법이 없다고 판단한 후 공소사실을 유죄로 판단한 제1심판결을 그대로 유지하였다. 원심이 든 위 사정들과 함께 **사건 당시 체포영장에 의한 체포절차가 착수된 단계에 불과하였고, 피고인에 대한 체포가 체포영장과 관련 없는 새로운 피의사실인 특수공무집행방해치상을 이유로 별도의 현행범 체포 절차에 따라 진행된 이상 집행 완료에 이르지 못한 체포영장을 사후에 피고인에게 제시할 필요는 없는 점까지 더하여 보면, 피고인에 대한 체포절차가 적법하다는 원심의 판단이 타당하다.**(대법원 2021. 6. 24. 2021도4648 공집방으로 별도 체포 사건)

ⓛ [O] 긴급체포는 영장주의원칙에 대한 예외인 만큼 형사소송법 제200조의3 제1항의 요건을 모두 갖춘 경우에 한하여 예외적으로 허용되어야 하고, 요건을 갖추지 못한 긴급체포는 법적 근거에 의하지 아니한 영장 없는 체포로서 위법한 체포에 해당하는 것이고, 여기서 긴급체포의 요건을 갖추었는지 여부는 사후에 밝혀진 사정을 기초로 판단하는 것이 아니라 **체포 당시의 상황을 기초로 판단하여야 하고**, 이에 관한 검사나 사법경찰관 등 수사주체의 판단에는 상당한 재량의 여지가 있다고 할 것이나, 긴급체포 당시의 상황으로 보아서도 그 요건의 충족 여부에 관한 검사나 사법경찰관의 판단이 경험칙에 비추어 **현저히 합리성을 잃은 경우에는 그 체포는 위법한 체포라 할 것이고** 이러한 위법은 영장주의에 위배되는 중대한 것이니 그 체포에 의한 유치 중에 작성된 피의자신문조서는 위법하게 수집된 증거로서 특별한 사정이 없는 한 이를 유죄의 증거로 할 수 없다.(대법원 2008. 3. 27. 2007도11400 **공갈 · 협박범 긴급체포 사건**)

ⓒ [O] 검사는 제1항에 따른 구속영장을 청구하지 아니하고 피의자를 석방한 경우에는 석방한 날부터 30일 이내에 서면으로 다음 각 호의 사항을 법원에 통지하여야 한다.(형사소송법 제200조의4 제4항) 사법경찰관은 긴급체포한 피의자에 대하여 구속영장을 신청하지 아니하고 석방한 경우에는 즉시 검사에게 보고하여야 한다.(형사소송법 제200조의4 제6항)

ⓔ [×] 검사 등이 아닌 이에 의하여 현행범인이 체포된 후 불필요한 지체 없이 검사 등에게 인도된 경우 구속영장청구기간인 **48시간의 기산점**은 체포시가 아니라 **검사 등이 현행범인을 인도받은 때라고 할 것이다.**(대법원 2011.12. 22. 2011도12927 **소말리아 해적 사건**)

129 체포에 관한 설명 중 옳은 것은 모두 몇 개인가? (다툼이 있으면 판례에 의함)

☐☐☐
23 경대편입 [Superlative ★★★]

ⓞ 체포영장을 청구받은 지방법원판사는 피의자가 죄를 범하였다고 의심할 만한 이유가 있는 경우에 체포의 사유를 판단하기 위하여 피의자를 구인한 후 심문할 수 있다.

ⓛ 경찰관들이 체포를 위한 실력행사에 나아가기 전에 체포영장을 제시하고 미란다원칙을 고지할 여유가 있었음에도 애초부터 미란다원칙을 체포 후에 고지할 생각으로 먼저 체포행위에 나서자 피고인이 이에 저항하다가 경찰관들에게 상해를 가했다면 이는 정당방위에 해당한다.

ⓒ 사법경찰관이 피의자를 긴급체포 후 구속영장을 신청하지 않고 석방하는 경우 30일 이내에 검사에게 보고하여야 한다.

ⓔ 사법경찰관이 피고인을 수사관서까지 임의동행한 것이 사실상 강제연행에 해당한다 하여도 피고인을 동행할 당시에 물리력을 행사한 바가 없고, 피고인이 명시적으로 거부의사를 표명한 적이 없으며, 사법경찰관이 그로부터 6시간이 경과한 후 피고인에 대하여 긴급체포 절차를 밟았다면 그와 같은 긴급체포는 적법하다.

ⓜ 현행범인으로 체포하기 위하여는 행위의 가벌성, 범죄의 현행성과 시간적 접착성, 범인 · 범죄의 명백성이 있으면 족하고 그 외에 도망 또는 증거인멸의 염려가 있어야 하는 것은 아니다.

① 0개   ② 1개   ③ 2개

④ 3개   ⑤ 4개

해설

② ㉡ 1 항목만 옳다.

㉠ [×] 구속영장과는 달리 **체포영장을 발부하기 위하여 지방법원판사가 피의자를 심문하는 것은 허용되지 아니한다.** 즉 체포영장의 발부에 있어서는 형식적 심사주의를 취하고 있다.

㉡ [○] 경찰관들이 체포영장을 소지하고 메스암페타민 투약 등 혐의로 피고인을 체포하려는 과정에서 피고인이 도망가려는 태도를 보이거나 먼저 폭력을 행사하며 대항한 바 없는 등 경찰관들이 체포를 위한 실력행사에 나아가기 전에 체포영장을 제시하고 미란다 원칙을 고지할 여유가 있었음에도 애초부터 미란다원칙을 체포 후에 고지할 생각으로 먼저 체포행위에 나선 행위는 **적법한 공무집행이라고 볼 수 없으므로 비록 피고인이 이에 거세게 저항하는 과정에서 경찰관들에게 상해를 가하였더라도 공무집행방해죄나 상해죄는 성립하지 아니한다.**(대법원 2017. 9. 21. 2017도10866 미란다원칙 고지는 나중에 사건)

㉢ [×] 사법경찰관은 긴급체포한 피의자에 대하여 구속영장을 신청하지 아니하고 석방한 경우에는 **즉시 검사에게 보고하여야 한다.**(형사소송법 제200조의4 제6항)

㉣ [×] 피고인이 명시적으로 거부의사를 표명한 적이 없다고 하더라도 사법경찰관이 피고인을 수사관서까지 동행한 것은 적법요건이 갖추어지지 아니한 채 사법경찰관의 동행 요구를 거절할 수 없는 심리적 압박아래 행하여진 사실상의 강제연행, 즉 불법 체포에 해당한다고 보아야 할 것이고, 사법경찰관이 그로부터 6시간 상당이 경과한 이후에 비로소 피고인에 대하여 긴급체포의 절차를 밟았다고 하더라도 **이는 동행의 형식 아래 행해진 불법체포에 기하여 사후적으로 취해진 것에 불과하므로 그와 같은 긴급체포 또한 위법하다고 아니할 수 없다.**(대법원 2006. 7. 6. 2005도6810 화천 절도피의자 강제연행 사건)

㉤ [×] 현행범인으로 체포하기 위하여는 행위의 가벌성, 범죄의 현행성·시간적 접착성, 범인·범죄의 명백성 이외에 **체포의 필요성 즉, 도망 또는 증거인멸의 염려가 있어야 하고,** 이러한 요건을 갖추지 못한 현행범인 체포는 법적 근거에 의하지 아니한 영장 없는 체포로서 위법한 체포에 해당한다.(대법원 2017. 4. 7. 2016도19907 제주 음주측정 거부사건)

130 체포에 관한 설명 중 옳지 않은 것은? (다툼이 있으면 판례에 의함) 21 경찰간부 [Essential ★]

□□□

① 경찰관이 피의자의 집 문을 강제로 열고 들어가 피의자를 긴급체포한 경우, 피의자가 마약투약을 하였다고 의심할만한 상당한 이유가 있었더라도 경찰관이 이미 피의자의 주거지 및 전화번호 등을 모두 파악하고 있었고, 당시 증거가 급속하게 소멸될 상황도 아니었다면 미리 체포영장을 받을 시간적 여유가 없었던 경우에 해당하지 않는다.

② 경찰관이 시위에 참가한 6명의 조합원을 집회 및 시위에 관한 법률 위반 혐의로 현행범 체포 후 경찰서로 연행하였는데, 그 과정에서 체포의 이유를 설명하지 않다가 조합원들의 항의를 받고 1시간이 지난 후 그 이유를 설명한 것은 위법하다.

③ 피의자의 소란행위가 업무방해죄의 구성요건에 해당하지 않아 사후적으로 무죄로 판단된다고 하더라도, 피의자가 경찰관 앞에서 소란을 피운 당시 상황에서는 객관적으로 보아 피의자가 업무방해죄의 현행범이라고 인정할 만한 충분한 이유가 있었다면 경찰관이 피의자를 체포하려고 한 행위는 적법하다.

④ 순찰 중이던 경찰관이 교통사고를 낸 차량이 도주하였다는 무전연락을 받고 주변을 수색하다가 범퍼 등의 파손상태로 보아 사고차량으로 인정되는 차량에서 내리는 사람을 발견하고 준현행범인으로 체포한 행위는 위법하다.

해설

④ [×] 순찰 중이던 경찰관이 교통사고를 낸 차량이 도주하였다는 무전연락을 받고 주변을 수색하다가 범퍼 등의 파손상태로 보아 사고차량으로 인정되는 차량에서 내리는 사람을 발견한 경우 '장물이나 범죄에 사용되었다고 인정함에 충분한 흉기 기타의 물건을 소지하고 있는 때'에 해당하므로 **준현행범으로서 영장없이 체포할 수 있다.**(대법원 2000. 7. 4. 99도4341 인천 신흥동 뺑소니사건)

① [O] 당시 마약 투약의 범죄 증거가 급속하게 소멸될 상황도 아니었다고 보이는 점 등의 사정을 감안하면, 원심이 피고인에 대한 긴급체포가 미리 **체포영장을 받을 시간적 여유가 없었던 경우**에 해당하지 아니한다고 본 것은 수긍이 된다.(대법원 2016. 10. 13. 2016도5814 마약사범 긴급체포 사건)

② [O] 전투경찰대원들이 조합원들을 체포하는 과정에서 체포의 이유 등을 제대로 고지하지 않다가 30~40분이 지난 후 피고인 등의 항의를 받고 나서야 비로소 체포의 이유 등을 고지한 것은 형사소송법상 현행범인 체포의 적법한 절차를 준수한 것이 아니므로 **적법한 공무집행이라고 볼 수 없다.**(대법원 2017. 3. 15. 2013도2168 쌍용차사태 권영국 변호사 사건)

③ [O] (비록 피고인이 식당 안에서 소리를 지르거나 양은그릇을 부딪치는 등의 소란행위가 업무방해죄의 구성요건에 해당하지 않아 사후적으로 무죄로 판단되었다고 하더라도) 피고인이 상황을 설명해 달라거나 밖에서 얘기하자는 경찰관의 요구를 거부하고 경찰관 앞에서 소리를 지르고 양은그릇을 두드리면서 소란을 피우는 등 객관적으로 보아 피고인이 업무방해죄의 현행범이라고 인정할 만한 충분한 이유가 있어 경찰관들이 적법하게 피고인을 체포한 경우에 해당한다.(대법원 2013. 8. 23. 2011도4763 화전민식당 사건)

131

□□□

체포에 대한 설명 중 가장 적절하지 않은 것은? (다툼이 있으면 판례에 의함) 17 경찰채용 [Core ★★]

① 피의자가 2009. 11. 2. 22:00경 긴급체포되어 조사를 받고 구속영장이 청구되지 아니하여 2009. 11. 4. 20:10경 석방되었음에도 검사가 그로부터 30일 이내에 형사소송법 제200조 의4에 따른 석방통지를 법원에 하지 않았다면, 피의자에 대한 긴급체포 당시의 상황과 경위, 긴급체포 후 조사 과정 등에 특별한 위법이 없다고 하더라도 사후에 석방통지가 법에 따라 이루어지지 않았다는 사정만으로 그 긴급체포에 의한 유치 중에 작성된 피의자에 대한 피의자 신문조서들의 작성이 소급하여 위법하게 된다.

② 검사 또는 사법경찰관리(이하 '검사' 등) 아닌 이에 의하여 현행범인이 체포된 후 불필요한 지체 없이 검사 등에게 인도된 경우 구속영장 청구기간의 기산점은 체포시가 아니라 검사 등이 현행범인을 인도받은 때라고 할 것이다.

③ 다액 50만원 이하의 벌금, 구류 또는 과료에 해당하는 죄의 현행범인에 대하여는 범인의 주거가 분명하지 아니한 때에 한하여 현행범인으로 체포할 수 있다.

④ 경찰관의 현행범인 체포경위 및 그에 관한 현행범인체포서와 범죄사실의 기재에 다소 차이가 있더라도, 그것이 논리와 경험칙상 장소적·시간적 동일성이 인정되는 범위 내라면 그 체포행위가 공무집행방해죄의 요건인 적법한 공무집행에 해당한다.

해설

① [×] 피의자가 2009.11. 2. 22:00경 긴급체포되어 조사를 받고 구속영장이 청구되지 아니하여 2009.11.4. 20:10경 석방되었음에도 검사가 **30일 이내에 법원에 석방통지를 하지 않았더라도**, 긴급체포 당시의 상황과 경위, 긴급체포 후 조사 과정 등에 특별한 위법이 있다고 볼 수 없는 이상, 단지 사후에 석방통지가 이루어지지 않았다는 사정만으로 **그 긴급체포에 의한 유치 중에 작성된 피의자신문조서들의 작성이 소급하여 위법하게 된다고 볼 수는 없다.**(대법원 2014. 8. 26. 2011도6035 이기하 오산시장 수뢰사건)

② [○] (1) 현행범인은 누구든지 영장 없이 체포할 수 있고, 검사 또는 사법경찰관리(이하 '검사 등) 아닌 이가 현행범인을 체포한 때에는 즉시 검사 등에게 인도하여야 한다. 여기서 '즉시'라고 함은 반드시 체포시점과 시간 적으로 밀착된 시점이어야 하는 것은 아니고, 정당한 이유 없이 인도를 지연하거나 체포를 계속하는 등으로 불필요한 지체를 함이 없이라는 뜻으로 볼 것이다. (2) 검사 등이 아닌 이에 의하여 현행 범인이 체포된 후 불필요한 지체 없이 검사 등에게 인도된 경우 구속영장 청구기간인 **48시간의 기산점은** 체포시가 아니라 검사 등이 현행범인을 **인도받은 때라고 할 것이다.**(대법원 2011. 12. 22. 2011도12927 **소말리아 해적 사건**)

③ [○] 다액 50만원 이하의 벌금, 구류 또는 과료에 해당하는 죄의 현행범인에 대하여는 **범인의 주거가 분명하지 아니한 때에 한하여 현행범인으로 체포할 수 있다.**(제214조)

④ [○] 경찰관의 현행범인 체포경위 및 그에 관한 현행범인체포서와 범죄사실의 기재에 **다소 차이가 있더라도,** 그것이 논리와 경험칙상 장소적·시간적 동일성이 인정되는 범위 내라면 그 체포행위가 공무집행방해죄의 요 건인 **적법한 공무집행에 해당한다.**(대법원 2008. 10. 9. 2008도3640 **내성지구대 사건**)

132 체포제도에 대한 설명 중 가장 적절하지 않은 것은? (다툼이 있으면 판례에 의함)

□□□
20 경찰채용 [Essential ★]

① 사법경찰관이 긴급체포된 피의자에 대해 검사에게 긴급체포의 승인건의와 구속영장 신청을 함께 한 경우 검사는 긴급체포의 합당성이나 구속영장 청구에 필요한 사유를 보강하기 위해 피의자 대면조사를 실시할 수 있다.

② 현행범 체포의 요건으로서 행위의 가벌성, 범죄의 현행성·시간적 접착성, 범인·범죄의 명백성 이외에 체포의 필요성 즉, 도망 또는 증거인멸의 우려가 있어야 한다.

③ 체포영장이 발부된 피의자를 체포하기 위하여 타인의 주거 등을 수색하는 경우에는 피의자가 그 장소에 소재할 개연성 이외에도 별도로 사전에 수색영장을 발부받기 어려운 긴급한 사정이 있는 경우에만 제한적으로 이루어져야 한다.

④ A가 경찰관 B의 불심검문을 받아 운전면허증을 교부한 후 B에게 큰 소리로 욕설을 하는 것을 인근에 있던 C, D 등도 들은 상황에서 B가 A를 현행범으로 체포하는 것은 적법한 공무집행 이라 볼 수 없다.

해설

① [×] **검사의 구속영장 청구 전 피의자 대면 조사**는 긴급체포의 적법성을 의심할 만한 사유가 기록, 기타 객관 적 자료에 나타나고 피의자의 대면 조사를 통해 그 여부의 판단이 가능할 것으로 보이는 예외적인 경우에 한하 여 허용될 뿐, **긴급체포의 합당성이나 구속영장 청구에 필요한 사유를 보강하기 위한 목적으로 실시되어서 는 아니 된다.** 나아가 검사의 구속영장 청구 전 피의자 대면 조사는 강제수사가 아니므로 피의자는 검사의 출석 요구에 응할 의무가 없고, 피의자가 검사의 출석 요구에 동의한 때에 한하여 사법경찰관리는 피의자를 검찰청으로 호송하여야 한다.(대법원 2010. 10. 28. 2008도11999 **인치명령 불응사건**)

② [○] 현행범인으로 체포하기 위하여는 행위의 가벌성, 범죄의 현행성과 시간적 접착성, 범인·범죄의 명백성 이외에 **체포의 필요성, 즉 도망 또는 증거인멸의 염려가 있어야 한다.** 이러한 요건을 갖추지 못한 현행범인 체포는 법적 근거에 의하지 아니한 영장 없는 체포로서 위법한 체포에 해당한다.(대법원 2017. 4. 7. 2016도 19907 **제주 음주측정 거부사건**)

③ [○] 피의자를 체포 또는 구속하는 경우의 피의자 수색은 **미리 수색영장을 발부받기 어려운 긴급한 사정이 있는 때에 한정한다.**(제216조 제1항 제1호)

④ [○] 피고인은 경찰관의 불심검문에 응하여 이미 운전면허증을 교부한 상태이고, 경찰관뿐 아니라 인근주민도 욕설을 직접 들었으므로 피고인이 도망하거나 증거를 인멸할 염려가 있다고 보기는 어렵고, 피고인의 모욕 범 행은 불심검문에 항의하는 과정에서 저지른 일시적, 우발적인 행위로서 사안 자체가 경미할 뿐 아니라, 피해자 인 경찰관이 범행현장에서 즉시 범인을 체포할 급박한 사정이 있다고 보기도 어려우므로 경찰관이 피고인을 체포한 행위는 **적법한 공무집행이라고 볼 수 없다.**(대법원 2011. 5. 26. 2011도3682 **서교동 불심검문 사건**)

정답 | 131 ①   132 ①

133 소말리아 해적인 피고인들 등이 아라비아해 인근 공해상에서 대한민국 해운회사가 운항 중인 선
□□□ 박을 납치하여 대한민국 국민인 선원 등에게 해상강도 등 범행을 저질렀다는 내용으로 국군 청해
부대에 의해 체포·이송되어 국내 수사기관에 인도된 후 구속·기소된 사안에 대한 설명으로 옳
지 않은 것은 모두 몇 개인가? (다툼이 있으면 판례에 의함)   16 경찰채용 [Superlative ★★★]

㉠ 형사소송법 제4조 제1항은 "토지관할은 범죄지, 피고인의 주소, 거소 또는 현재지로 한다"라
고 정하고, 여기서 '현재지'라고 함은 공소제기 당시 피고인이 현재한 장소로서 임의에 의한
현재지 뿐만 아니라 적법한 강제에 의한 현재지도 이에 해당한다.

㉡ 현행범인은 누구든지 영장 없이 체포할 수 있고, 검사 또는 사법경찰관리(이하 '검사 등'이라
고 한다) 아닌 이가 현행범인을 체포한 때에는 즉시 검사 등에게 인도하여야 한다.

㉢ 여기서 '즉시'라고 함은 반드시 체포시점과 시간적으로 밀착된 시점이어야 하므로, '정당한 이유 없
이 인도를 지연하거나 체포를 계속하는 등으로 불필요한 지체를 함이 없이'라는 뜻으로 볼 것이다.

㉣ 검사 등이 현행범인을 체포하거나 현행범인을 인도받은 후 현행범인을 구속하고자 하는 경우
48시간 이내에 구속영장을 청구하여야 하고, 그 기간 내에 구속영장을 청구하지 아니하는
때에는 즉시 석방하여야 한다.

㉤ 검사 등이 아닌 이에 의하여 현행범인이 체포된 후 불필요한 지체 없이 검사 등에게 인도된 경우
위 48시간의 기산점은 체포시가 아니라 검사 등이 현행범인을 인도받은 때라고 할 것이다.

---

① 0개   ② 1개   ③ 2개   ④ 3개

해설

② ㉢ 항목만이 옳지 않다.

㉠ [○] 형사소송법 제4조 제1항은 "토지관할은 범죄지, 피고인의 주소, 거소 또는 현재지로 한다"라고 정하고,
여기서 '현재지'라고 함은 공소제기 당시 피고인이 현재한 장소로서 임의에 의한 현재지뿐만 아니라 **적법한 강제
에 의한 현재지도 이에 해당한다.**(대법원 2011. 12. 22. 2011도12927 **소말리아 해적 사건**)

㉡ [○] 현행범인은 누구든지 영장 없이 체포할 수 있고(형사소송법 제212조), 검사 또는 사법경찰관리(이하 '검
사 등'이라고 한다) 아닌 이가 현행범인을 체포한 때에는 **즉시 검사 등에게 인도하여야 한다.**(대법원 2011.
12. 22. 2011도12927 **소말리아 해적 사건**)

㉢ [×] 여기서 '**즉시**'라고 함은 반드시 체포시점과 시간적으로 밀착된 시점이어야 하는 것은 아니고, '정당한
이유 없이 인도를 지연하거나 체포를 계속하는 등으로 불필요한 지체를 함이 없이'라는 뜻으로 볼 것이다.(대법
원 2011. 12. 22. 2011도12927 **소말리아 해적 사건**)

㉣ [○] 또한 검사 등이 현행범인을 체포하거나 현행범인을 인도받은 후 현행범인을 구속하고자 하는 경우 **48시
간 이내에 구속영장을 청구**하여야 하고 그 기간 내에 구속영장을 청구하지 아니하는 때에는 **즉시 석방**하여야
한다.(대법원 2011. 12. 22. 2011도12927 **소말리아 해적 사건**)

㉤ [○] 검사 등이 아닌 이에 의하여 현행범인이 체포된 후 불필요한 지체 없이 검사 등에게 인도된 경우 위 48시
간의 기산점은 체포시가 아니라 검사 등이 **현행범인을 인도받은 때**라고 할 것이다.(대법원 2011. 12. 22.
2011도12927 **소말리아 해적 사건**)

134 체포에 관한 설명 중 옳은 것을 모두 고른 것은? (다툼이 있으면 판례에 의함) 20 변호사 [Core ★★]
□□□

> ⊙ 순찰 중이던 경찰관이, 교통사고를 낸 차량이 도주하였다는 무전연락을 받고 주변을 수색하다가 범퍼 등의 파손상태로 보아 사고차량으로 인정되는 차량에서 내리는 사람을 발견한 경우, 준현행범인으로 영장 없이 체포할 수 있다.
> ⓛ 현행범인으로 규정된 '범죄의 실행의 즉후인 자'라고 함은 범죄의 실행행위를 종료한 직후의 범인이라는 것이 체포를 당하는 자의 입장에서 볼 때 명백한 경우를 일컫는 것이다.
> ⓒ 검사 또는 사법경찰관리 아닌 자가 현행범인을 체포한 때에는 즉시 검사 등에게 인도하여야 하는데, 여기서 '즉시'라고 함은 반드시 체포시점과 시간적으로 밀착된 시점이어야 하는 것은 아니고, '정당한 이유 없이 인도를 지연하거나 체포를 계속하는 등으로 불필요한 지체를 함이 없이'라는 뜻이다.
> ⓔ 사법경찰관이 피의자를 긴급체포하기 위하여 달아나는 피의자를 쫓아가 붙들거나 폭력으로 대항하는 피의자를 실력으로 제압하는 경우에도, 피의사실의 요지, 체포의 이유와 변호인을 선임할 수 있음을 반드시 긴급체포를 위한 실력행사에 들어가기 이전에 미리 고지하여야 한다.
> ⓜ 검사가 긴급체포한 피의자를 구속하기 위하여 관할지방법원판사에게 구속영장을 청구하였으나 구속영장을 발부받지 못한 때에는 피의자를 즉시 석방하여야 한다.

① ⊙ⓒⓜ ② ⊙ⓔⓜ ③ ⓛⓒⓔ
④ ⓛⓒⓜ ⑤ ⊙ⓛⓔⓜ

해설

① ⊙ⓒⓜ 3 항목이 옳다.
⊙ [○] 순찰 중이던 경찰관이 교통사고를 낸 차량이 도주하였다는 무전연락을 받고 주변을 수색하다가 범퍼 등의 파손상태로 보아 사고차량으로 인정되는 차량에서 내리는 사람을 발견한 경우 형사소송법 제211조 제2항 제2호 소정의 '장물이나 범죄에 사용되었다고 인정함에 충분한 흉기 기타의 물건을 소지하고 있는 때'에 해당하므로 **준현행범으로서 영장없이 체포할 수 있다.**(대법원 2000. 7. 4. 99도4341 인천 신흥동 뺑소니사건)
ⓛ [×] 형사소송법 제211조가 현행범인으로 규정한 '범죄의 실행의 즉후인 자'라고 함은 범죄의 실행행위를 종료한 직후의 범인이라는 것이 **체포하는 자의 입장에서 볼 때** 명백한 경우를 일컫는 것이다.(대법원 2007. 4. 13. 2007도1249 청전지구대 사건)
ⓒ [○] (1) 현행범인은 누구든지 영장 없이 체포할 수 있고, 검사 또는 사법경찰관리(이하 '검사 등') 아닌 이가 현행범인을 체포한 때에는 즉시 검사 등에게 인도하여야 한다. 여기서 '즉시'라고 함은 **반드시 체포시점과 시간적으로 밀착된 시점이어야 하는 것은 아니고,** 정당한 이유 없이 인도를 지연하거나 체포를 계속하는 등으로 불필요한 지체를 함이 없이라는 뜻으로 볼 것이다. (2) 검사 등이 아닌 이에 의하여 현행범인이 체포된 후 불필요한 지체 없이 검사 등에게 인도된 경우 구속영장 청구기간인 48시간의 기산점은 체포시가 아니라 검사 등이 **현행범인을 인도받은 때라고 할 것이다.**(대법원 2011. 12. 22. 2011도12927 소말리아 해적사건)
ⓔ [×] 검사 또는 사법경찰관이 피의자를 긴급체포하는 경우에는 반드시 피의사실의 요지, 체포의 이유와 변호인을 선임할 수 있음을 말하고, 변명할 기회를 주어야 한다. **이와 같은 고지는 긴급체포를 위한 실력행사에 들어**

가기 이전에 미리 하여야 하는 것이 원칙이나 달아나는 피의자를 쫓아가 붙들거나 폭력으로 대항하는 피의자를 실력으로 제압하는 경우에는 붙들거나 제압하는 과정에서 하거나 그것이 여의치 않은 경우에는 일단 붙들거나 제압한 후에 지체 없이 하여야 한다.(대법원 2008. 7. 24. 2008도2794)
ⓔ [○] 검사가 긴급체포한 피의자를 구속하기 위하여 관할지방법원판사에게 구속영장을 청구하였으나 구속영장을 발부받지 못한 때에는 피의자를 즉시 석방하여야 한다.(형사소송법 제200조의4 제2항)

135 현행범인 체포에 관한 설명 중 가장 적절하지 않은 것은? (다툼이 있으면 판례에 의함)
□□□

16 경찰승진 [Superlative ★★★]

① 사법경찰관이 피의자를 현행범인으로 체포하면서 체포사유 및 변호인선임권을 고지하지 아니하였음에도 불구하고, 고지한 것으로 현행범인체포서를 작성한 경우에는 허위공문서작성죄의 범의가 없다.

② 사법경찰관리가 현행범인의 인도를 받은 때에는 체포자의 성명, 주거, 체포의 사유를 물어야 하고 필요한 때에는 체포자에 대하여 경찰관서에 동행함을 요구할 수 있다.

③ 사법경찰관은 현행범인의 체포를 하는 경우에는 범죄사실의 요지, 체포의 이유와 변호인을 선임할 수 있음을 말하고 변명할 기회를 주어야 한다.

④ 경범죄처벌법을 위반하여 관공서에서 주취소란 행위를 한 자는 주거가 분명한 때에도 현행범인 체포의 대상이 된다.

해설

① [×] 피고인들을 비롯한 경찰관들이 피의자 4명을 현행범으로 체포하거나 현행범인체포서를 작성할 때 체포사유 및 변호인선임권을 고지하지 아니하였음에도 불구하고, '체포의 사유 및 변호인 선임권 등을 고지 후 현행범인 체포한 것임'이라는 내용의 허위의 현행범인체포서 4장과 '현행범인으로 체포하면서 범죄사실의 요지, 구속의 이유와 변호인을 선임할 수 있음을 고지하고 변명의 기회를 주었다'는 내용의 허위의 확인서 4장을 각 작성한 경우, 당시 피고인들에게 허위공문서작성에 대한 범의도 있었다고 보아야 한다.(대법원 2010. 6. 24. 2008도11226 김해 도박단 봐주기 사건)
② [○] 사법경찰관리가 현행범인의 인도를 받은 때에는 체포자의 성명, 주거, 체포의 사유를 물어야 하고 필요한 때에는 **체포자에 대하여 경찰관서에 동행함을 요구할 수 있다.**(제213조 제2항)
③ [○] 사법경찰관은 현행범인의 체포를 하는 경우에는 범죄사실의 요지, 체포의 이유와 변호인을 선임할 수 있음을 말하고 **변명할 기회를** 주어야 한다.(제200조의5, 제213조의2)
④ [○] 술에 취한 채로 관공서에서 몹시 거친 말과 행동으로 주정하거나 시끄럽게 한 사람은 **60만원 이하의 벌금, 구류 또는 과료**의 형으로 처벌하므로(경범죄처벌법 제3조 제3항 제1항), 경미사건의 현행범체포제한에 관한 형사소송법 제214조가 적용되지 않아 주거가 분명한 때에도 현행범으로 체포할 수 있다.(제212조)

136 다음 <보기> 중 현행범인에 대한 설명으로 옳지 않은 것은 모두 몇 개인가? 22 해경승진 [Core ★★]

□□□

> ㉠ 친고죄의 경우 고소가 없으면 현행범인의 체포대상이 아니며 형사미성년자인 경우 현행범으로 체포하지 못한다.
> ㉡ 결과가 발생하지 않으면 현행범인이라 할 수 없다.
> ㉢ 현역군인이라 할지라도 현행범인은 체포가 가능하며 국회의원이라도 현행범인 경우에는 회기 중 국회의 동의 없이 체포할 수 있다.
> ㉣ 도로에서 49cc 원동기장치자전거를 무면허운전(30만원 이하의 벌금이나 구류의 형에 해당)하고 가는 甲에 대하여 주거가 명백히 확인되었다면 현행범으로 체포할 수 없다.

① 1개　　　　　　　　　　　② 2개

③ 3개　　　　　　　　　　　④ 4개

해설

② ㉠㉡ 2 항목이 옳지 않다.

㉠㉡ [×] 범죄를 실행하고 있거나 실행하고 난 직후의 사람을 현행범인이라 한다.(제211조 제1항) ㉠ **친고죄의 경우 고소가 없더라도 현행범인의 체포대상이 된다.**(대법원 2011. 3. 10. 2008도7724 강사 불법채용 사건 참고) 형사미성년자인 경우 현행범으로 체포하지 못한다. ㉡ **결과가 발생하지 않더라도 현행범인이 된다.**

㉢ [○] 범죄를 실행하고 있거나 실행하고 난 직후의 사람을 현행범인이라 한다.(제211조 제1항) 국회의원은 현행범인인 경우를 제외하고는 **회기 중 국회의 동의없이 체포 또는 구금되지 아니한다.**(헌법 제44조 제1항)

㉣ [○] **다액 50만원 이하의 벌금**, 구류 또는 과료에 해당하는 죄의 현행범인에 대하여는 범인의 주거가 분명하지 아니한 때에 한하여 제212조 내지 제213조의 규정을 적용한다.(제214조)

137

현행범인 또는 준현행범인 체포에 관한 다음 설명 중 옳은 것은 모두 몇 개인가? (다툼이 있으면 판례에 의함)

16 경찰채용 [Superlative ★★★]

> ⊙ 현행범인은 누구든지 영장 없이 체포할 수 있는데, 현행범인으로 체포하기 위하여는 행위의 가벌성, 범죄의 현행성·시간적 접착성, 범인·범죄의 명백성 이외에 체포의 필요성 즉, 도망 또는 증거인멸의 염려가 있어야 하는 것은 아니다.
> ⓒ '범죄의 실행행위를 종료한 직후'라고 함은 범죄행위를 실행하여 끝마친 순간 또는 이에 아주 접착된 시간적 단계를 의미하는 것으로 해석되므로, 시간적으로나 장소적으로 보아 체포를 당하는 자가 방금 범죄를 실행한 범인이라는 점에 관한 죄증이 명백히 존재하는 것으로 인정되는 경우에만 현행범인으로 볼 수 있다.
> ⓒ 경찰관의 현행범인 체포경위 및 그에 관한 현행범인체포서와 범죄사실의 기재에 다소 차이가 있더라도, 그것이 논리와 경험칙상 장소적·시간적 동일성이 인정되는 범위 내라면 그 체포행위가 공무집행방해죄의 요건인 적법한 공무집행에 해당한다.
> ⓔ 다액 50만원 이하의 벌금, 구류 또는 과료에 해당하는 죄의 현행범인에 대하여는 범인의 주거가 분명하지 아니한 때에 한하여 현행범인으로 체포할 수 있다.
> ⓜ 사법경찰관리가 현행범인의 인도를 받은 때에는 체포자의 성명, 주거, 체포의 사유를 물어야 하고 필요하더라도 체포자에 대하여 경찰관서에 동행함을 요구할 수는 없다.

① 1개   ② 2개
③ 3개   ④ 4개

해설

③ ⓒⓒⓔ 3 항목이 옳다.

⊙ [×] 현행범인으로 체포하기 위하여는 행위의 가벌성, 범죄의 현행성·시간적 접착성, 범인·범죄의 명백성 이외에 **체포의 필요성 즉, 도망 또는 증거인멸의 염려가 있어야 하고**, 이러한 요건을 갖추지 못한 현행범인 체포는 법적 근거에 의하지 아니한 영장 없는 체포로서 위법한 체포에 해당한다.(대법원 2011. 5. 26. 2011 도3682 서교동 불심검문 사건)

ⓒ [○] 형사소송법 제211조가 현행범인으로 규정한 '범죄의 실행의 즉후인 자'라고 함은 범죄의 실행행위를 종료한 직후의 범인이라는 것이 체포하는 자의 입장에서 볼 때 명백한 경우를 일컫는 것으로서 '범죄의 실행행위를 종료한 직후'라고 함은 범죄행위를 실행하여 끝마친 순간 또는 이에 아주 접착된 시간적 단계를 의미하는 것으로 해석되므로 시간적으로나 장소적으로 보아 체포를 당하는 자가 방금 범죄를 실행한 범인이라는 점에 관한 **죄증이 명백히 존재하는 것으로 인정되는 경우에만 현행범인으로 볼 수 있다.**(대법원 2007. 4. 13. 2007도1249)

ⓒ [○] 경찰관의 현행범인 체포경위 및 그에 관한 현행범인체포서와 범죄사실의 기재에 다소 차이가 있더라도, 그것이 논리와 경험칙상 장소적·시간적 동일성이 인정되는 범위 내라면 그 체포행위는 공무집행방해죄의 요건인 **적법한 공무집행에 해당한다.**(대법원 2008. 10. 9. 2008도3640 내성지구대 사건)

ⓔ [○] **다액 50만원 이하의 벌금, 구류 또는 과료에 해당하는 죄의 현행범인에 대하여는 범인의 주거가 분명하지 아니한 때에 한하여 현행범인으로 체포할 수 있다.**(제214조)

ⓜ [×] 사법경찰관리가 현행범인의 인도를 받은 때에는 체포자의 성명, 주거, 체포의 사유를 물어야 하고 필요한 때에는 **체포자에 대하여 경찰관서에 동행함을 요구할 수 있다.**(제213조 제2항)

138
현행범체포에 대한 설명으로 옳지 않은 것은? (다툼이 있으면 판례에 의함) 21 국가7급 [Core ★★]

□□□
① 현행범을 체포한 경찰관의 진술이라 하더라도 범행을 목격한 부분에 관하여는 여느 목격자의 진술과 다름없이 증거능력이 있으며, 다만 그 증거의 신빙성만 문제가 된다.

② 甲과 乙이 주차문제로 다투던 중 乙이 112신고를 하였고, 甲이 출동한 경찰관에게 폭행을 가하여 공무집행방해죄의 현행범으로 체포된 경우 112에 신고를 한 것은 乙이었고, 甲이 현행범으로 체포되어 파출소에 도착한 이후에도 경찰관의 신분증 제시요구에 20여 분 동안 응하지 아니하면서 인적 사항을 밝히지 아니하였다면 甲에게는 현행범체포 당시에 도망 또는 증거인멸의 염려가 있었다고 할 수 있다.

③ 범행 중 또는 범행 직후의 범죄 장소에서 영장 없이 압수·수색 또는 검증을 할 수 있도록 규정한 형사소송법 제216조 제3항의 요건 중 어느 하나라도 갖추지 못한 경우 압수·수색 또는 검증은 잠정적으로 위법하지만, 이에 대하여 사후에 법원으로부터 영장을 발부받게 되면 그 위법성은 소급하여 치유될 수 있다.

④ 전투경찰대원들이 공장에서 점거농성 중이던 조합원들을 체포하는 과정에서 체포의 이유 등을 제대로 고지하지 않다가 30~40분이 지난 후 체포된 조합원 등의 항의를 받고 나서야 비로소 체포의 이유 등을 고지한 것은 현행범체포의 적법한 절차를 준수한 것이 아니므로 적법한 공무집행이라고 볼 수 없다.

해설

③ [×] 범행 중 또는 범행직후의 범죄 장소에서 긴급을 요하여 법원 판사의 영장을 받을 수 없는 때에는 영장 없이 압수·수색 또는 검증을 할 수 있으나, 사후에 지체 없이 영장을 받아야 한다(형사소송법 제216조 제3항). 형사소송법 제216조 제3항의 요건 중 어느 하나라도 갖추지 못한 경우에 그러한 압수·수색 또는 검증은 위법하며, **이에 대하여 사후에 법원으로부터 영장을 발부받았다고 하여 그 위법성이 치유되지 아니한다.**(대법원 2017. 11. 29. 2014도16080 노래방 압수·수색 사건)

① [○] 현행범을 체포한 **경찰관의 진술이라 하더라도** 범행을 목격한 부분에 관하여는 여느 목격자와 다름없이 증거능력이 있고, 위와 같은 경찰관의 체포행위를 도운 자가 범인의 범행을 목격하였다는 취지의 진술은 그 사람이 경찰정보원이라 하더라도 그 증거능력을 부인할 아무런 이유가 없다.(대법원 1995. 5. 9. 95도535)

② [○] 112에 신고한 것은 피고인 甲이 아닌 乙이고, 甲이 현행범으로 체포되어 파출소에 도착한 이후에도 경찰관의 신분증 제시 요구에 응하지 아니하면서 인적 사항을 밝히지 아니한 점 등을 고려하면 **현행범체포 당시 甲에게 도망 또는 증거인멸의 염려가 없었다고 할 수 없다.**(대법원 2018. 3. 29. 2017도21537)

④ [○] 쌍용자동차 공장을 점거·농성 중이던 조합원 6명이 공장 밖으로 나오자, 전투경찰대원들이 '고착관리'라는 명목으로 조합원을 방패로 에워싸 이동하지 못하게 한 것은 형사소송법상 체포에 해당함에도, 전투경찰대원들이 체포 후 30~40분이 지난 후 피고인 등의 항의를 받고 나서야 비로소 체포의 이유 등을 고지한 것은 **적법한 공무집행이라고 볼 수 없으므로** 피고인이 전투경찰대원들의 방패를 손으로 잡아당기거나 전투경찰대원들을 발로 차고 몸으로 밀었다고 하더라도 **공무집행방해죄는 성립하지 아니한다.**(대법원 2017. 3. 15. 2013도2168 쌍용차사태 사건)

139

체포에 관한 설명 중 옳은 것은 모두 몇 개인가? (다툼이 있으면 판례에 의함)

□□□

22 경찰채용 [Superlative ★★★]

> ⊙ 「검사와 사법경찰관의 상호협력과 일반적 수사준칙에 관한 규정」 제31조에 의하면 사법경찰관은 동일한 범죄사실로 다시 체포영장을 신청하는 경우에 그 취지를 체포영장신청서에 적어야 한다.
> ⓛ 다액 50만 원 이하의 벌금, 구류 또는 과료에 해당하는 사건의 경우 피의자가 일정한 주거가 없는 때에 한하여 사법경찰관은 체포영장을 발부받아 피의자를 체포할 수 있다.
> ⓒ 긴급체포한 피의자를 구속하고자 할 때 구속영장은 피의자를 체포한 때로부터 24시간 이내에 청구되어야 한다.
> ⓔ 사법경찰관은 피의자가 죄를 범하였다고 의심할 만한 정황이 있고 형사소송법 제200조에 의한 출석요구에 응하지 아니한 때에는 체포영장을 신청하여 피의자를 체포할 수 있다.
> ⓜ 甲의 마약 투약 제보를 받은 경찰관 P가 자신의 집에 있던 甲을 밖으로 유인하여 불러내려 하였으나, 이를 실패하자 甲의 집 현관문의 잠금장치를 해제하고 강제로 들어가서 수색한 후 甲을 긴급체포한 경우 P가 이미 甲의 신원, 주거지, 전화번호를 모두 알고 있었고, 마약 투약의 증거가 급속히 소멸될 상황이 아니었다고 하더라도 甲이 마약 관련 범죄를 범했다고 의심할 만한 상당한 이유가 있었다면, 이 긴급체포는 위법하지 아니하다.

① 1개   ② 2개   ③ 3개   ④ 4개

해설

> ① ⊙ 항목만 옳다.
> ⊙ [○] 검사 또는 사법경찰관은 동일한 범죄사실로 다시 체포·구속영장을 청구하거나 신청하는 경우(체포·구속영장의 청구 또는 신청이 기각된 후 다시 체포·구속영장을 청구하거나 신청하는 경우와 이미 발부받은 체포·구속영장과 동일한 범죄사실로 다시 체포·구속영장을 청구하거나 신청하는 경우를 말한다)에는 그 **취지를 체포·구속영장 청구서 또는 신청서에 적어야 한다.**(수사준칙 제31조)
> ⓛ [×] 다만, 다액 50만원 이하의 벌금, 구류 또는 과료에 해당하는 사건에 관하여는 **피의자가 일정한 주거가 없는 경우** 또는 정당한 이유없이 제200조의 규정에 의한 **출석요구에 응하지 아니한 경우에 한한다.**(제200조의2 제1항)
> ⓒ [×] 긴급체포된 피의자를 구속하고자 할 때에는 **지체 없이** 관할지방법원판사에게 구속영장을 청구하여야 한다. 이 경우 구속영장은 피의자를 체포한 때부터 **48시간 이내에** 청구하여야 하며, 긴급체포서를 첨부하여야 한다.(제200조의4 제1항)
> ⓔ [×] 피의자가 죄를 범하였다고 의심할 만한 상당한 이유가 있고, 정당한 이유없이 형사소송법 제200조의 규정에 의한 출석요구에 응하지 아니하거나 응하지 아니할 우려가 있는 때에는 검사는 관할 지방법원판사에게 청구하여 **체포영장을 발부받아** 피의자를 체포할 수 있고, 사법경찰관은 검사에게 신청하여 검사의 청구로 관할지방법원판사의 체포영장을 발부받아 피의자를 체포할 수 있다.(제200조의2 제1항)
> ⓜ [×] 피고인이 마약에 관한 죄를 범하였다고 의심할 만한 상당한 이유가 있었더라도 경찰관이 이미 피고인의 신원과 주거지 및 전화번호 등을 모두 파악하고 있었고, 당시 마약 투약의 범죄 증거가 급속하게 소멸될 상황도 아니었던 점 등의 사정을 감안하면 **긴급체포가 미리 체포영장을 받을 시간적 여유가 없었던 경우에 해당하지 않아 위법하다.**(대법원 2016. 10. 13. 2016도5814 마약사범 긴급체포 사건)

140

☐☐☐ 체포 및 구속에 관한 설명으로 옳지 않은 것은? (다툼이 있으면 판례에 의함) 23 소방간부 [Core ★★]

① 검사 또는 사법경찰관은 피의자를 체포하거나 구속할 때에는 피의자에게 피의사실의 요지, 체포·구속의 이유와 변호인을 선임할 수 있음을 말하고, 변명할 기회를 주어야 하며, 진술거부권을 알려 주어야 한다.

② 현행범인으로 체포하기 위해서는 행위의 가벌성, 범죄의 현행성·시간적 접착성, 범인·범죄의 명백성 이외에 체포의 필요성, 즉 도망 또는 증거인멸의 염려가 있어야 한다.

③ 체포된 피의자에 대한 구속영장의 제시와 집행이 그 발부시로부터 정당한 사유 없이 시간이 지체 되어 이루어졌다면 구속영장이 그 유효기간 내에 집행되었다고 하더라도 그 기간 동안의 체포 내지 구금 상태는 위법하다.

④ 긴급체포되었다가 석방된 자는 영장 없이는 동일한 범죄사실에 관하여 재차 긴급체포하지 못하나 판사로부터 체포영장을 발부받은 때에는 다시 체포할 수 있다.

⑤ 구속영장에 의하여 적법하게 구금된 피의자가 수사기관 조사실에 출석을 거부한다면 수사기관은 그 구속영장의 효력에 의하여 피의자를 조사실로 구인할 수 없으므로 별도의 구인을 위한 구속영장을 발부받아야 한다.

해설

⑤ [×] 구속영장 발부에 의하여 적법하게 구금된 피의자가 피의자신문을 위한 출석 요구에 응하지 아니하면서 수사기관 조사실에의 출석을 거부한다면 수사기관은 그 **구속영장의 효력에 의하여 피의자를 조사실로 구인할 수 있다.**(대법원 2013. 7. 1. 2013모160 **구속피의자 국정원 구인사건**)

① [○] 검사 또는 사법경찰관은 피의자를 체포하거나 구속할 때에는 피의자에게 피의사실의 요지, **체포 · 구속의 이유와 변호인을 선임할 수 있음을 말하고, 변명할 기회를 주어야 하며, 진술거부권을 알려 주어야 한다.**(수사준칙 제32조 제1항)

② [○] 현행범인으로 체포하기 위해서는 행위의 가벌성, 범죄의 현행성 · 시간적 접착성, 범인 · 범죄의 명백성 이외에 **체포의 필요성, 즉 도망 또는 증거인멸의 염려가 있어야 한다.**(대법원 2017. 4. 7. 2016도19907 **제주 음주측정 거부사건**)

③ [○] 체포된 피의자에 대한 구속영장의 제시와 집행이 그 발부 시로부터 정당한 사유 없이 시간이 지체되어 이루어졌다면 구속영장이 그 유효기간 내에 집행되었다고 하더라도 그 기간 동안의 체포 내지 구금상태는 위법하다.(대법원 2021. 4. 29. 2020도16438 **구속영장 집행 지체 사건**) "피고인에 대한 구속영장이 2020. 2. 8. 발부되고 구속영장 청구 사건의 수사관계 서류와 증거물이 같은 날 17:00경 검찰청에 반환되어 그 무렵 검사의 집행지휘가 있었는데도 사법경찰리가 그로부터 만 3일 가까이 경과한 2020. 2.11. 14:10경 구속영장을 집행한 경우 사법경찰리의 피고인에 대한 구속영장 집행은 지체 없이 이루어졌다고 볼 수 없고, 위 '구속영장 집행에 관한 수사보고'상의 사정은 구속영장 집행절차 지연에 대한 정당한 사유에 해당한다고 보기도 어려우므로 정당한 사유 없이 지체된 기간 동안의 피고인에 대한 체포 내지 구금상태는 위법하다."는 취지의 판례이다.

④ [○] 긴급체포되었다가 석방된 자는 **영장없이는 동일한 범죄사실에 관하여 체포하지 못한다.**(제200조의4 제3항)

141

체포 및 구속에 대한 설명 중 옳은 것을 모두 고른 것은? (다툼이 있으면 판례에 의함)

○ 긴급체포의 요건을 갖추었는지 여부는 사후에 밝혀진 사정을 기초로 판단하는 것이 아니라 체포 당시의 상황을 기초로 판단하여야 한다.

○ 검사는 체포영장을 발부받은 후 피의자를 체포하지 아니하거나 체포한 피의자를 석방한 때에는 30일 이내에 서면으로 영장을 발부한 법원에 그 사유를 통지하여야 한다.

○ 검사가 사인이 체포한 현행범인을 인도받은 후 그 현행범인을 구속하고자 하는 경우, 구속영장 청구시한인 48시간의 기산점은 체포시가 아니라 검사가 현행범인을 인도받은 때이다.

○ 다액 50만원 이하의 벌금, 구류 또는 과료에 해당하는 사건의 경우, 피의자가 일정한 주거가 없는 때에 한하여 영장에 의한 체포, 긴급체포, 현행범체포 및 구속을 할 수 있다.

○ 사법경찰관은 긴급체포한 피의자에 대하여 구속영장을 신청하지 아니하고 석방한 경우에는 30일 이내에 서면으로 검사에게 보고하여야 한다.

① ㉠㉢
② ㄴㄹㅁ
② ㄱㄴㄷ
④ ㄱㄴㄷㄹ

해설

① ㉠㉢ 2 항목이 옳다.

㉠ [○] 긴급체포의 요건을 갖추었는지 여부는 사후에 밝혀진 사정을 기초로 판단하는 것이 아니라 **체포 당시의 상황을 기초로 판단하여야 하고**, 이에 관한 검사나 사법경찰관 등 수사주체의 판단에는 상당한 재량의 여지가 있다고 할 것이다.(대법원 2008. 3. 27. 2007도11400)

㉡ [×] 체포영장의 발부를 받은 후 피의자를 체포하지 아니하거나 체포한 피의자를 석방한 때에는 **지체 없이** 검사는 영장을 발부한 법원에 그 사유를 서면으로 통지하여야 한다.(제204조)

㉢ [○] 검사 등이 아닌 이에 의하여 현행범인이 체포된 후 불필요한 지체 없이 검사 등에게 인도된 경우 구속영장 청구기간인 48시간의 기산점은 체포시가 아니라 검사 등이 **현행범인을 인도받은 때라고 할 것이다.**(대법원 2011. 12. 22. 2011도12927 소말리아 해적 사건)

㉣ [×] (1) 다액 50만원 이하의 벌금, 구류 또는 과료에 해당하는 사건에 관하여는 **피의자가 일정한 주거가 없는 경우 또는 정당한 이유없이 출석요구에 응하지 아니한 경우에 한하여** 영장에 의한 체포할 수 있다.(제200조의2 제1항) (2) 다액 50만원 이하의 벌금, 구류 또는 과료에 해당하는 사건에 관하여는 **피의자가 일정한 주거가 없는 경우에 한하여** 현행범체포 또는 구속을 할 수 있다.(제214조, 제201조 제1항) 긴급체포는 사형·무기 또는 장기 3년 이상의 징역이나 금고에 해당하는 죄를 범하였다고 의심할 만한 상당한 이유가 있는 피의자를 대상으로 하므로 논외로 한다.

㉤ [×] 사법경찰관은 긴급체포한 피의자에 대하여 구속영장을 신청하지 아니하고 석방한 경우에는 **즉시** 검사에게 보고하여야 한다.(제200조의4 제6항)

142 구속 전 피의자심문제도와 관련된 다음 설명 중 가장 적절하지 않은 것은?

□□□
13 경찰승진 [Essential ★]

① 형사소송법 제200조의2(영장에 의한 체포)·제200조의3(긴급체포) 또는 제212조(현행범인의 체포)에 따라 체포된 피의자에 대하여 구속영장을 청구받은 판사는 지체 없이 피의자를 심문하여야 한다. 이 경우 특별한 사정이 없는 한 구속영장이 청구된 날의 다음 날까지 심문하여야 한다.

② 검사와 변호인은 판사의 심문이 끝난 후에 의견을 진술할 수 있고, 필요한 경우에는 심문도중에도 판사의 허가를 얻어 의견을 진술할 수 있다.

③ 피의자에 대한 심문절차는 원칙적으로 공개하나 국가의 안전보장 또는 안녕질서를 방해하거나 선량한 풍속을 해할 염려가 있을 때에는 법원의 결정으로 공개하지 아니할 수 있다.

④ 판사는 구속영장이 청구된 피의자를 심문하는 때에는 공범의 분리심문이나 그 밖에 수사상의 비밀보호를 위하여 필요한 조치를 하여야 하고, 법원사무관 등은 심문의 요지 등을 조서로 작성하여야 한다.

해설

③ [×] 피의자에 대한 심문절차는 **공개하지 아니한다**. 다만, 판사는 상당하다고 인정하는 경우에는 피의자의 친족, 피해자 등 이해관계인의 방청을 허가할 수 있다.(규칙 제96조의14)

① [○] 형사소송법 제200조의2, 제200조의3 또는 제212조에 따라 체포된 피의자에 대하여 구속영장을 청구받은 판사는 지체 없이 피의자를 심문하여야 한다. 이 경우 특별한 사정이 없는 한 **구속영장이 청구된 날의 다음 날까지 심문하여야 한다.**(제201조의2 제1항)

② [○] 검사와 변호인은 판사의 심문이 끝난 후에 의견을 진술할 수 있고, 필요한 경우에는 심문도중에도 **판사의 허가를 얻어 의견을 진술할 수 있다.**(규칙 제96조의16 제3항)

④ [○] 판사는 구속영장이 청구된 피의자를 심문하는 때에는 공범의 분리심문이나 그 밖에 수사상의 비밀보호를 위하여 필요한 조치를 하여야 하고, 법원사무관 등은 심문의 요지 등을 **조서로 작성하여야 한다.**(제201조의2 제5항·제6항)

143 구속 전 피의자심문에 관한 설명으로 가장 적절하지 않은 것은? (다툼이 있으면 판례에 의함)

□□□

24 경대편입 [Essential ★]

① 구속 전 피의자심문조서는 형사소송법 제315조 제3호의 '기타 특히 신용할 만한 정황에 의하여 작성된 문서'로서 증거능력이 인정된다.

② 체포되지 않은 피의자에 대하여 구속영장을 청구받은 판사는 피의자가 죄를 범하였다고 의심할 만한 이유가 있는 경우에 구인을 위한 구속영장을 발부하여 피의자를 구인한 후 심문하여야 한다. 다만, 피의자가 도망하는 등의 사유로 심문할 수 없는 경우에는 그러하지 아니하다.

③ 심문은 법원청사 내에서 하여야 하나, 피의자가 출석을 거부하거나 질병 기타 부득이한 사유로 법원에 출석할 수 없는 때에는 경찰서, 구치소 기타 적당한 장소에서 심문할 수 있다.

④ 심문할 피의자에게 변호인이 없어 지방법원판사가 직권으로 변호인을 선정한 경우 그 선정은 피의자에 대한 구속영장 청구가 인용된 경우를 제외하고는 제1심까지 효력이 있다.

해설

④ [×] 심문할 피의자에게 변호인이 없는 때에는 지방법원판사는 직권으로 변호인을 선정하여야 한다. 이 경우 변호인의 선정은 **피의자에 대한 구속영장 청구가 기각되어 효력이 소멸한 경우**를 제외하고는 제1심까지 효력이 있다.(형사소송법 제201조의2 제8항)

① [○] 구속 전 피의자심문조서가 형사소송법 제315조 제3호에 의하여 당연히 증거능력이 인정되는지 여부에 관한 판례는 없지만 아래 판례를 유추해 볼 때 옳은 지문으로 볼 수 있다.

※ 구속적부심문조서는 형사소송법 제311조가 규정한 문서에는 해당하지 않는다 할 것이나 특히 신용할 만한 정황에 의하여 작성된 문서라고 할 것이므로 특별한 사정이 없는 한 피고인이 증거로 함에 부동의하더라도 형사소송법 제315조 제3호에 의하여 당연히 그 증거능력이 인정된다.(대법원 2004. 1. 16. 2003도5693 **구속적부심문조서 사건**)

② [○] 체포되지 않은 피의자에 대하여 구속영장을 청구받은 판사는 피의자가 죄를 범하였다고 의심할 만한 이유가 있는 경우에 구인을 위한 구속영장을 발부하여 피의자를 구인한 후 심문하여야 한다. 다만, 피의자가 도망하는 등의 사유로 심문할 수 없는 경우에는 그러하지 아니하다.(형사소송법 제201조의2 제2항)

③ [○] **심문은 법원청사 내에서 하여야 하나,** 피의자가 출석을 거부하거나 질병 기타 부득이한 사유로 법원에 출석할 수 없는 때에는 경찰서, 구치소 기타 적당한 장소에서 심문할 수 있다.(형사소송규칙 제96조의15)

144 구속 전 피의자심문(영장실질심사) 규정에 관한 다음 설명 중 가장 적절하지 않은 것은?

12 경찰채용 [Core ★★]

① 형사소송법은 구속 전 피의자심문을 피의자의 의사나 법관의 필요성 판단과 관계없이 필요적으로 실시하도록 하고 있다.

② 체포되지 않은 피의자에 대하여 구속영장을 청구받은 판사는 피의자가 죄를 범하였다고 의심할 만한 이유가 있는 경우에 구인을 위한 구속영장을 발부하여 피의자를 구인한 후 심문하여야 한다. 다만, 피의자가 도망하는 등의 사유로 심문할 수 없는 경우에는 그러하지 아니하다.

③ 피의자심문을 하는 경우 법원이 구속영장청구서·수사관계 서류 및 증거물을 접수한 날부터 구속영장을 발부하여 검찰청에 반환한 날까지의 기간은 사법경찰관이나 검사의 피의자 구속기간에 산입하지 아니한다.

④ 검사와 변호인은 심문기일에 출석하여 의견을 진술할 수 있을 뿐만 아니라 범죄사실에 관하여 문답형식으로 피의자를 신문할 수 있다.

해설

④ [×] 검사와 변호인은 판사의 심문이 끝난 후에 **의견을 진술할 수 있다.** 다만, 필요한 경우에는 심문 도중에도 판사의 허가를 얻어 **의견을 진술할 수 있다.**(규칙 제96조의16 제3항) 구속 전 피의자심문 절차에서는 임의수사로써 행하는 피의자신문을 할 수 없다.

① [○] 체포된 피의자에 대하여 구속영장을 청구받은 판사는 지체 없이 피의자를 심문하여야 한다. 이 경우 특별한 사정이 없는 한 **구속영장이 청구된 날의 다음날까지 심문하여야 한다.**(제201조의2 제1항)

② [○] 체포되지 않은 피의자에 대하여 구속영장을 청구받은 판사는 피의자가 죄를 범하였다고 의심할 만한 이유가 있는 경우에 구인을 위한 구속영장을 발부하여 피의자를 구인한 후 심문하여야 한다. 다만, **피의자가 도망하는 등의 사유로 심문할 수 없는 경우에는 그러하지 아니하다.**(제201조의2 제2항)

③ [○] 피의자심문을 하는 경우 **법원이 구속영장청구서·수사관계 서류 및 증거물을 접수한 날부터 구속영장을 발부하여 검찰청에 반환한 날까지의 기간은 사법경찰관이나 검사의 피의자 구속기간에 산입하지 아니한다.**(제201조의2 제7항)

145 다음 중 구속 전 피의자심문(영장실질심사)에 대한 설명으로 가장 옳지 않은 것은?

23 해경승진 [*Core* ★★]

① 피의자에 대한 구속전심문절차는 공개하지 아니하지만, 판사는 상당하다고 인정하는 경우 이해관계인의 방청을 허가할 수 있다.

② 판사는 구속 여부를 판단하기 위하여 필요한 사항에 관하여 신속하고 간결하게 심문하여야 하며, 피의자의 교우관계 등 개인적인 사항에 관하여 심문할 수는 없다.

③ 피의자가 출석을 거부하거나 질병 기타 부득이한 사유로 법원에 출석할 수 없는 때에는 경찰서에서 피의자에 대한 구속전심문을 할 수 있다.

④ 피의자심문에 참여할 변호인은 지방법원판사에게 제출된 구속영장청구서 및 그에 첨부된 고소·고발장, 피의자 진술을 기재한 서류와 피의자가 제출한 서류를 열람할 수 있다.

해설

② [×] 판사는 구속 여부를 판단하기 위하여 필요한 사항에 관하여 신속하고 간결하게 심문하여야 한다. 증거인멸 또는 도망의 염려를 판단하기 위하여 필요한 때에는 피의자의 경력, 가족관계나 교우관계 등 **개인적인 사항에 관하여 심문할 수 있다.**(규칙 제96조의16 제2항)

① [○] 피의자에 대한 심문절차는 **공개하지 아니한다.** 다만, 판사는 상당하다고 인정하는 경우에는 **피의자의 친족, 피해자 등 이해관계인의 방청을 허가할 수 있다.**(규칙 제96조의14)

③ [○] 피의자의 심문은 법원청사내에서 하여야 한다. 다만, 피의자가 출석을 거부하거나 질병 기타 부득이 한 사유로 법원에 출석할 수 없는 때에는 **경찰서, 구치소 기타 적당한 장소에서 심문할 수 있다.**(규칙 제96조의15)

④ [○] 피의자 심문에 참여할 변호인은 지방법원 판사에게 제출된 **구속영장청구서 및 그에 첨부된 고소·고발장, 피의자의 진술을 기재한 서류와 피의자가 제출한 서류를 열람할 수 있다.**(규칙 제96조의21 제1항)

146 구속 전 피의자심문제도에 대한 설명으로 적절하지 않은 것을 모두 고른 것은?

22 경찰승진 [Core ★★]

○ 체포영장에 의한 체포·긴급체포 또는 현행범인의 체포에 의하여 체포된 피의자에 대하여 구속영장을 청구받은 판사는 구속의 사유를 판단하기 위하여 필요하다고 인정하는 때에는 피의자를 심문할 수 있다.

○ 구속 전 피의자심문시 피의자에게 변호인이 없는 때에는 지방법원판사는 직권으로 변호인을 선정하여야 한다.

○ 변호인은 구속영장이 청구된 피의자에 대한 심문 시작 전에 피의자와 접견할 수 있고, 피의자는 판사의 심문이 끝난 후에만 변호인에게 조력을 구할 수 있다.

○ 판사는 지정된 심문기일에 피의자를 심문할 수 없는 특별한 사정이 있는 경우에는 그 심문기일을 변경할 수 있으며, 법원은 변호인의 사정이나 그 밖의 사유로 변호인 선정결정이 취소되어 변호인이 없게 된 때에는 직권으로 변호인을 다시 선정할 수 있다.

○ 피의자심문을 하는 경우 법원이 구속영장 청구서·수사관계 서류 및 증거물을 접수한 날부터 구속영장을 발부하여 검찰청에 반환한 날까지의 기간은 사법경찰관이나 검사의 피의자 구속 기간에 산입하지 아니한다.

① ㉠㉡　　　　　　　　　　　　　　② ㉠㉢

③ ㉡㉢　　　　　　　　　　　　　　④ ㉡㉣㉤

해설

② ㉠㉢ 2 항목이 옳지 않다.

㉠ [×] 체포영장에 의한 체포·긴급체포 또는 현행범인의 체포에 의하여 체포된 피의자에 대하여 구속영장을 청구받은 판사는 지체 없이 **피의자를 심문하여야 한다.**(제201조의2 제1항)

㉡ [○] 구속 전 피의자심문시 피의자에게 변호인이 없는 때에는 지방법원판사는 **직권으로 변호인을 선정하여야 한다.**(제201조의2 제8항)

㉢ [×] 변호인은 구속영장이 청구된 피의자에 대한 심문 시작 전에 피의자와 접견할 수 있다.(규칙 제96조의20 제1항) 피의자는 **판사의 심문 도중에도 변호인에게 조력을 구할 수 있다.**(규칙 제96조의16 제4항)

㉣ [○] 판사는 지정된 심문기일에 피의자를 심문할 수 없는 특별한 사정이 있는 경우에는 그 심문기일을 변경할 수 있으며, 법원은 변호인의 사정이나 그 밖의 사유로 변호인 선정결정이 취소되어 변호인이 없게된 때에는 **직권으로 변호인을 다시 선정할 수 있다.**(규칙 제96조의22, 법 제201조의2 제9항)

㉤ [○] 피의자심문을 하는 경우 **법원이 구속영장 청구서·수사관계 서류 및 증거물을 접수한 날부터 구속영장을 발부하여 검찰청에 반환한 날까지의 기간은 사법경찰관이나 검사의 피의자 구속 기간에 산입하지 아니한다.**(제201조의2 제7항)

147 구속 전 피의자심문제도에 대한 다음의 설명 중 가장 적절하지 않은 것은? (다툼이 있으면 판례에 의함)

□□□

18 경찰승진 [Essential ★]

① 체포된 피의자외의 피의자에 대한 심문기일은 관계인에 대한 심문기일의 통지 및 그 출석에 소요되는 시간 등을 고려하여 피의자가 법원에 인치된 때로부터 가능한 한 빠른 일시로 지정하여야 한다.

② 심문기일의 통지는 서면 이외에 구술·전화·모사전송·전자우편·휴대전화 문자전송 그밖에 적당한 방법으로 신속하게 하여야 한다.

③ 변호인은 구속영장이 청구된 피의자에 대한 심문 시작 전에 피의자와 접견할 수 있고, 피의자는 판사의 심문 도중에도 변호인에게 조력을 구할 수 있다.

④ 판사는 구속 여부의 판단을 위하여 심문장소에 출석한 피해자 그 밖의 제3자를 심문하여야 한다.

해설

④ [×] 판사는 구속 여부의 판단을 위하여 필요하다고 인정하는 때에는 심문장소에 출석한 피해자 그 밖의 제3자를 **심문할 수 있다.**(제96조의16 제5항)

① [○] 체포된 피의자외의 피의자에 대한 심문기일은 관계인에 대한 심문기일의 통지 및 그 출석에 소요되는 시간 등을 고려하여 피의자가 법원에 인치된 때로부터 **가능한 한 빠른 일시로 지정하여야 한다.**(규칙 제96조의12 제2항)

② [○] 심문기일의 통지는 서면 이외에 구술·전화·모사전송·전자우편·휴대전화 문자전송 그 밖에 적당한 방법으로 **신속하게 하여야 한다.** 이 경우 통지의 증명은 그 취지를 심문조서에 기재함으로써 할 수 있다.(규칙 제96조의12 제3항)

③ [○] 변호인은 구속영장이 청구된 피의자에 대한 심문 시작 전에 피의자와 접견할 수 있고, 피의자는 판사의 **심문 도중에도 변호인에게 조력을 구할 수 있다.**(제96조의20 제1항, 제96조의16 제4항)

148 다음 중 구속전 피의자심문제도에 대한 설명으로 옳고 그름의 표시(○, ×)가 바르게 된 것은? (다툼이 있으면 판례에 의함)

20 해경간부 [Core ★★]

> ㉠ 법원은 변호인의 사정이나 그 밖의 사유로 변호인 선정결정이 취소되어 변호인이 없게된 때에는 직권으로 변호인을 다시 선정하여야 한다.
> ㉡ 심문할 피의자에게 변호인이 없는 때에는 지방법원판사는 직권으로 변호인을 선정하여야 한다. 이 경우 변호인의 선정은 피의자에 대한 구속영장 청구가 기각되어 효력이 소멸한 경우를 제외하고는 심문시까지 효력이 있다.
> ㉢ 판사는 구속 여부의 판단을 위하여 심문장소에 출석한 피해자 그 밖의 제3자를 심문하여야 한다.
> ㉣ 판사는 지정된 심문기일에 피의자를 심문할 수 없는 특별한 사정이 있는 경우에는 그 심문기일을 변경할 수 있다.

① ㉠ ○ ㉡ × ㉢ ○ ㉣ × 　　② ㉠ × ㉡ ○ ㉢ × ㉣ ○

③ ㉠ × ㉡ × ㉢ × ㉣ ○ 　　④ ㉠ × ㉡ × ㉢ ○ ㉣ ○

해설

③ 이 지문이 옳은 연결이다.

㉠ [×] 법원은 변호인의 사정이나 그 밖의 사유로 변호인 선정결정이 취소되어 변호인이 없게 된 때에는 직권으로 **변호인을 다시 선정할 수 있다.**(제201조의2 제9항)

㉡ [×] 심문할 피의자에게 변호인이 없는 때에는 지방법원판사는 직권으로 변호인을 선정하여야 한다. 이 경우 변호인의 선정은 피의자에 대한 구속영장 청구가 기각되어 효력이 소멸한 경우를 제외하고는 **제1심까지 효력이 있다.**(제201조의2 제8항)

㉢ [×] 판사는 구속 여부의 판단을 위하여 필요하다고 인정하는 때에는 심문장소에 출석한 피해자 그 밖의 제3자를 **심문할 수 있다.**(규칙 제96조의16 제5항)

㉣ [○] 판사는 지정된 심문기일에 피의자를 심문할 수 없는 특별한 사정이 있는 경우에는 그 **심문기일을 변경할 수 있다.**(규칙 제96조의22)

149

구속 전 피의자심문에 관한 설명 중 가장 적절하지 않은 것은?

11 경찰채용 [Essential ★]

□□□

① 체포된 피의자에 대하여 구속영장을 청구받은 판사는 지체 없이 피의자를 심문하여야 한다. 이 경우 특별한 사정이 없는 한 구속영장이 청구된 날의 다음날까지 심문하여야 한다.

② 체포되지 않은 피의자에 대하여 구속영장을 청구받은 판사는 피의자가 죄를 범하였다고 의심할 만한 이유가 있는 경우에 구인을 위한 구속영장을 발부하여 피의자를 구인한 후 심문하여야 한다. 다만, 피의자가 도망하는 등의 사유로 심문할 수 없는 경우에는 그러하지 아니하다.

③ 심문할 피의자에게 변호인이 없는 때에는 지방법원판사는 직권으로 변호인을 선정하여야 한다. 이 경우 변호인의 선정은 피의자에 대한 구속영장 청구가 기각되어 효력이 소멸한 경우를 제외하고는 제1심까지 효력이 있다.

④ 법원은 변호인의 사정이나 그 밖의 사유로 변호인 선정결정이 취소되어 변호인이 없게 된 때에는 직권으로 변호인을 다시 선정하여야 한다.

해설

④ [×] 법원은 변호인의 사정이나 그 밖의 사유로 변호인 선정결정이 취소되어 변호인이 없게 된 때에는 직권으로 변호인을 **다시 선정할 수 있다.**(제201조의2 제9항)

① [○] 체포된 피의자에 대하여 구속영장을 청구받은 판사는 지체 없이 피의자를 심문하여야 한다. 이 경우 특별한 사정이 없는 한 **구속영장이 청구된 날의 다음날까지 심문하여야 한다.**(제201조의2 제1항)

② [○] 체포되지 않은 피의자에 대하여 구속영장을 청구받은 판사는 피의자가 죄를 범하였다고 의심할 만한 이유가 있는 경우에 **구인을 위한 구속영장을 발부**하여 피의자를 구인한 후 심문하여야 한다. 다만, 피의자가 도망하는 등의 사유로 심문할 수 없는 경우에는 그러하지 아니하다.(제201조의2 제2항)

③ [○] 심문할 피의자에게 변호인이 없는 때에는 지방법원판사는 직권으로 변호인을 선정하여야 한다. 이 경우 변호인의 선정은 피의자에 대한 구속영장 청구가 기각되어 효력이 소멸한 경우를 제외하고는 제1심까지 효력이 있다.(제201조의2 제8항)

150 사법경찰관 甲이 乙을 공갈죄로 긴급체포한 후 구속과 관련하여서 아래의 절차가 이루어졌다. 사
□□□ 법경찰관 甲은 언제까지 乙을 검사에게 인치(검찰청에 송치)하여야 하는가? 15 경찰채용 [Core ★★]

㉠ 2015. 5. 1. 23:00 사법경찰관 甲이 乙을 긴급체포하여 조사
㉡ 2015. 5. 2. 14:00 사법경찰관 甲이 검사에게 구속영장을 신청 하면서 구속영장신청서와
　　 수사 서류 등을 제출
㉢ 2015. 5. 2. 16:00 검사가 판사에게 구속영장을 청구하면서 법원에 구속영장청구서, 수사
　　 관계 서류 및 기록을 접수시킴
㉣ 2015. 5. 3. 10:00 판사의 구속 전 피의자 심문, 12:00 구속영장 발부, 13:00 검찰청에
　　 구속영장 및 수사기록 반환 (15:00에 검찰청으로부터 경찰서에 서류 도착)
㉤ 2015. 5. 3. 18:00 구속영장 집행

---

① 2015. 5. 10. 24:00
② 2015. 5. 11. 23:00
③ 2015. 5. 11. 24:00
④ 2015. 5. 12. 24:00

해설

④ (1) 구속에 앞서 체포 또는 구인이 선행하는 경우에는 수사기관의 구속기간은 피의자를 실제로 체포 또는 구인
한 날로부터 기산한다.(제203조의2) 사법경찰관은 피의자를 최장 10일 동안 구속할 수 있으므로 설문의 경우
2015. 5. 1.부터 기산하여 10일이 되는 2015. 5. 10. 24:00까지 피의자를 구속시킬 수 있다. (2) 또한 피의
자심문을 하는 경우 법원이 관계서류를 접수한 날부터 구속영장을 발부하여 검찰청에 반환한 날까지의 기간은
수사기관의 구속기간에 이를 산입하지 아니한다.(제201조의2 제7항) 실무상 이는 일(日) 단위로 계산하므로
5월 2일(접수일)과 5월 3일(반환일)은 구속기간에서 제외한다. 따라서 설문상 **구속기간이 2일이 연장**되어
2015. 5. 12. 24:00까지 피의자 乙을 구속할 수 있다(이때까지 피의자 乙을 검찰청에 송치하여야 한다).(제
202조)

151
□□□ 강도사건 피의자 甲은 2014. 4. 12. 09:00 체포영장이 발부되어 2014. 4. 13. 10:00 체포되었다. 이에 甲의 변호인은 체포 당일 체포적부심을 청구하였고, 2014. 4. 14. 11:00 수사 관계서류와 증거물이 법원에 접수되어 청구기각결정 후 2014. 4. 15. 13:00 검찰청에 반환되었다. 이 때 검사가 甲에 대한 구속영장을 법원에 청구할 수 있는 일시는 (㉠)까지이고, 사법경찰관이 구속영장에 의해 甲을 구속한 후 사법경찰관이 구속할 수 있는 일시는 (㉡)까지이다. 괄호 안에 들어갈 일시로 옳은 것은?

15 국가9급 [Superlative ★★★]

	㉠	㉡

① 2014. 4. 15. 10:00 / 2014. 4. 22. 24:00
② 2014. 4. 16. 12:00 / 2014. 4. 22. 24:00
③ 2014. 4. 16. 12:00 / 2014. 4. 24. 24:00
④ 2014. 4. 16. 24:00 / 2014. 4. 24. 24:00

해설

③ (1) 체포적부심사에 있어 법원이 수사 관계 서류와 증거물을 접수한 때부터 결정 후 검찰청에 반환된 때까지의 기간은 구속영장 청구시한 48시간(제200조의2 제5항, 제200조의4 제1항, 제213조의2) 또는 구속기간(제202조, 제203조, 제205조)에 산입하지 아니한다.(제214조의2 제13항) (2) 甲이 체포된 2014. 4. 13.10:00부터 기산하여 48시간인 2014. 4. 15. 10:00까지 구속영장을 청구하여야 하지만(제200조의2 제5항), 서류가 접수된 후 반환된 때까지의 시간인 26시간(2014. 4.14. 11:00~2014. 4.15. 13:00)은 산입하지 않으므로 결국 사법경찰관은 ㉠ **2014. 4. 16. 12:00**까지 구속영장을 청구하여야 한다. (3) 구속에 앞서 체포가 선행하는 경우에는 수사기관의 구속기간은 피의자를 실제로 체포한 날로부터 기산하고(제203조의2), 사법경찰관은 피의자를 최장 10일 동안 구속할 수 있으므로 甲이 체포된 2014. 4.13. 10:00부터 기산하여 10일이 되는 2014. 4.22. 24:00까지 구속시킬 수 있지만, 서류가 접수된 후 반환된 때까지의 일수 2일(4. 14.과 4. 15.)은 산입하지 않으므로 결국 사법경찰관은 ㉡ **2014. 4. 24. 24:00**까지 甲을 구속할 수 있다.

152 재체포 · 재구속에 대한 설명으로 옳은 것은?

23 국가9급 [Core ★★]

① 보증금 납입을 조건으로 석방된 피의자가 주거의 제한이나 그 밖에 법원이 정한 조건을 위반한 때에는 동일한 범죄사실로 재차 체포하거나 구속할 수 있다.

② 체포 또는 구속 적부심사결정에 의하여 석방된 피의자가 도망하거나 범죄의 증거를 인멸할 염려가 있다고 믿을 만한 충분한 이유가 있는 때에는 동일한 범죄사실로 재차 체포하거나 구속할 수 있다.

③ 보증금 납입을 조건으로 석방된 피의자가 피해자, 당해 사건의 재판에 필요한 사실을 알고 있다고 인정되는 자 또는 그 친족의 생명·신체·재산에 해를 가하거나 가할 염려가 있다고 믿을 만한 충분한 이유가 있는 때에는 동일한 범죄사실로 재차 체포하거나 구속할 수 있다.

④ 검사 또는 사법경찰관에 의하여 영장에 의해 체포되었다가 석방된 자는 다른 중요한 증거를 발견한 경우를 제외하고는 동일한 범죄사실로 재차 체포하지 못한다.

해설

① [○] 보증금 납입을 조건으로 석방된 피의자가 ⓐ 도망한 때 ⓑ 도망하거나 범죄의 증거를 인멸할 염려가 있다고 믿을 만한 충분한 이유가 있는 때 ⓒ 출석요구를 받고 정당한 이유없이 출석하지 아니한 때 ⓓ **주거의 제한이나 그 밖에 법원이 정한 조건을 위반**한 때를 제외하고는 동일한 범죄사실로 재차 체포하거나 구속할 수 없다.(제214조의3 제2항)

② [×] 체포 또는 구속 적부심사결정에 의하여 **석방된 피의자가 도망하거나 범죄의 증거를 인멸하는 경우를 제외하고는** 동일한 범죄사실로 재차 체포하거나 구속할 수 없다.(제214조의3 제1항)

③ [×] 보증금 납입을 조건으로 석방된 피의자가 ⓐ **도망한 때** ⓑ **도망하거나 범죄의 증거를 인멸할 염려가** 있다고 믿을 만한 충분한 이유가 있는 때 ⓒ 출석요구를 받고 정당한 이유없이 **출석하지 아니한 때** ⓓ 주거의 제한이나 그 밖에 **법원이 정한 조건을 위반**한 때를 제외하고는 동일한 범죄사실로 재차 체포하거나 구속할 수 없다.(제214조의3 제2항) 지문은 재체포 · 구속 사유에 해당하지 않는다.

④ [×] 검사 또는 사법경찰관에 의하여 **구속되었다가 석방된 자는** 다른 중요한 증거를 발견한 경우를 제외하고는 동일한 범죄사실에 관하여 재차 구속하지 못한다.(제208조) 검사 또는 사법경찰관에 의하여 영장에 의해 체포되었다가 석방된 자의 경우 다른 중요한 증거를 발견하지 않더라도 동일한 범죄사실로 재차 체포할 수 있다.

정답 | 151 ③   152 ①

153 체포와 구속에 대한 설명 중 옳은 것(○)과 옳지 않은 것(×)을 바르게 연결한 것은? (다툼이 있으
□□□ 면 판례에 의함)
20 국가7급 [Superlative ★★★]

> ⊙ 체포된 피의자에 대하여 구속영장을 청구받은 판사는 지체 없이 피의자를 심문하여야 한다.
> 이 경우 특별한 사정이 없는 한 구속영장이 청구된 날의 다음날까지 심문하여야 한다.
> ⓛ 사법경찰관리가 현행범인의 인도를 받은 때에는 체포자의 성명, 주거, 체포의 사유를 물어야
> 하고 필요한 때에는 체포자에 대하여 경찰관서에 동행함을 요구할 수 있다.
> ⓒ 구속의 사유가 없거나 소멸된 때에는 피고인, 피고인의 변호인·법정대리인·배우자·직계친
> 족·형제자매·가족·동거인 또는 고용주는 법원에 구속된 피고인의 구속취소를 청구할 수 있다.
> ⓡ 구속기간이 만료될 무렵에 종전 구속영장에 기재된 범죄사실과 다른 범죄사실로 피고인을
> 구속하였다는 사정만으로는 피고인에 대한 구속이 위법하다고 할 수 없다.

① ⊙ ○ ⓛ ○ ⓒ ○ ⓡ ○   ② ⊙ × ⓛ ○ ⓒ ○ ⓡ ○
③ ⊙ ○ ⓛ × ⓒ ○ ⓡ ×   ④ ⊙ ○ ⓛ ○ ⓒ × ⓡ ○

해설

④ 이 지문이 옳은 연결이다.
⊙ [○] 체포된 피의자에 대하여 구속영장을 청구받은 판사는 지체 없이 피의자를 심문하여야 한다. 이 경우 특별
한 사정이 없는 한 구속영장이 청구된 날의 **다음날까지** 심문하여야 한다.(제201조의2 제1항)
ⓛ [○] 사법경찰관리가 현행범인의 인도를 받은 때에는 체포자의 성명, 주거, 체포의 사유를 물어야 하고 필요한
때에는 체포자에 대하여 **경찰관서에 동행함을 요구할 수 있다.**(제213조 제2항)
ⓒ [×] 구속의 사유가 없거나 소멸된 때에는 법원은 **직권 또는 검사, 피고인, 변호인과 법정대리인, 배우자, 직
계친족과 형제자매의 청구에 의하여** 결정으로 구속을 취소하여야 한다.(제93조)
ⓡ [○] 구속의 효력은 원칙적으로 구속영장에 기재된 범죄사실에만 미치는 것이므로 구속기간이 만료될 무렵에
종전 구속영장에 기재된 범죄사실과 다른 범죄사실로 피고인을 구속하였다는 사정만으로는 피고인에 대한 구
속이 위법하다고 할 수 없다.(대법원 1996. 8. 12. 96모46 **노태우 전대통령 사건**)

154 체포와 구속에 관한 설명으로 가장 적절하지 않은 것은? (다툼이 있으면 판례에 의함)

21 경찰채용 [Essential ★]

① 피고인이 경찰관들과 마주하자마자 도망가려는 태도를 보이거나 먼저 폭력을 행사하며 대항한 바 없는 등 경찰관들이 체포를 위한 실력행사에 나아가기 전에 체포영장을 제시하고 미란다원칙을 고지할 여유가 있었음에도, 애초부터 미란다 원칙을 체포 후에 고지할 생각으로 먼저 체포행위에 나선 경찰관들의 행위는 적법한 공무집행이라고 보기 어렵다.

② 구속의 효력은 원칙적으로 구속영장에 기재된 범죄사실에만 미치므로 구속기간이 만료될 무렵에 종전 구속영장에 기재된 범죄사실과 다른 범죄사실로 피고인을 구속하였다는 사정만으로는 피고인에 대한 구속이 위법하다고 할 수 없다.

③ 검사의 체포영장 또는 구속영장 청구에 대한 지방법원판사의 재판은 항고의 대상이 되는 '법원의 결정'에 해당하지 아니하고 준항고의 대상이 되는 '재판장 또는 수명법관의 구금 등에 관한 재판'에도 해당하지 아니하므로 영장청구를 기각하는 결정에 대해서는 검사가 항고 또는 준항고를 할 수 없다.

④ 검사가 사법경찰관이 신청한 영장을 정당한 이유 없이 판사에게 청구하지 아니한 경우 사법경찰관은 그 검사 소속의 지방검찰청에 영장청구 여부에 대한 심의를 신청할 수 있으며, 각 지방검찰청은 이를 심의하기 위하여 영장심의위원회를 둔다.

해설

④ [×] 검사가 사법경찰관이 신청한 영장을 정당한 이유 없이 판사에게 청구하지 아니한 경우 사법경찰관은 그 검사 소속의 지방검찰청 소재지를 관할하는 **고등검찰청에** 영장 청구 여부에 대한 심의를 신청할 수 있다.(제221조의5 제1항) 제1항에 관한 사항을 심의하기 위하여 **각 고등검찰청에** 영장심의위원회를 둔다.(제221조의5 제2항)

① [○] 경찰관들이 체포영장을 소지하고 메스암페타민 투약 등 혐의로 피고인을 체포하려는 과정에서 피고인이 도망가려는 태도를 보이거나 먼저 폭력을 행사하며 대항한 바 없는 등 경찰관들이 체포를 위한 실력행사에 나아가기 전에 체포영장을 제시하고 미란다 원칙을 고지할 여유가 있었음에도 **애초부터 미란다 원칙을 체포 후에 고지할 생각으로 먼저 체포행위에 나선 행위는 적법한 공무집행이라고 볼 수 없으므로** 비록 피고인이 이에 거세게 저항하는 과정에서 경찰관들에게 상해를 가하였더라도 공무집행방해죄나 상해죄는 성립하지 아니한다.(대법원 2017. 9. 21. 2017도10866)

② [○] 구속의 효력은 원칙적으로 구속영장에 기재된 범죄사실에만 미치는 것이므로 **구속기간이 만료될 무렵에 종전 구속영장에 기재된 범죄사실과 다른 범죄사실로 피고인을 구속하였다는 사정만으로는 피고인에 대한 구속이 위법하다고 할 수 없다.**(대법원 1996. 8. 12. 96모46 노태우 전대통령 사건)

③ [○] 검사의 체포 또는 구속영장청구에 대한 지방법원판사의 재판은 항고의 대상이 되는 '법원의 결정'에 해당되지 아니하고 준항고의 대상이 되는 '재판장 또는 수명법관의 구금 등에 관한 재판'에도 해당되지 아니한다. (대법원 2006. 12. 18. 2006모646 론스타 대표 사건)

154 다음은 형사소송법의 조문으로서 수소법원이 영장에 의해 피고인을 구속할 때 고지해야 하는 내용을 규정한 것이다. 이에 관한 설명 중 옳은 것은? (다툼이 있으면 판례에 의함)

21 경찰간부 [Core ★★]

> ㉠ 제72조【구속과 이유의 고지】피고인에 대하여 범죄사실의 요지, 구속의 이유와 변호인을 선임할 수 있음을 말하고 변명할 기회를 준 후가 아니면 구속할 수 없다. 다만, 피고인이 도망한경우에는 그러하지 아니하다.
>
> ㉡ 제88조【구속과 공소사실 등의 고지】피고인을 구속한 때에는 즉시 공소사실의 요지와 변호인을 선임할 수 있음을 알려야 한다.

① 제72조의 고지는 피고인 구속에 관한 사후 청문절차이다.

② 제88조의 고지는 피고인 구속에 관한 사전 청문절차이다.

③ 제88조의 고지는 이를 이행하지 않으면 구속영장은 효력이 없다.

④ 제72조의 고지는 이를 이행하지 않았더라도 제72조에 따른 절차적 권리가 실질적으로 보장되었다면 구속영장은 효력이 있다.

해설

④ [○] (1) 형사소송법 제72조는 '피고인에 대하여 범죄사실의 요지, 구속의 이유와 변호인을 선임할 수 있음을 말하고 변명할 기회를 준 후가 아니면 구속할 수 없다'고 규정하고 있는바, 이는 피고인을 구속함에 있어 **법관에 의한 사전 청문절차를 규정한 것**으로서 구속영장을 집행함에 있어 집행기관이 취하여야 하는 절차가 아니라 구속영장 발부함에 있어 수소법원 등 법관이 취하여야 하는 절차라 할 것이므로 법원이 피고인에 대하여 구속영장을 발부함에 있어 사전에 위 규정에 따른 절차를 거치지 아니한 채 구속영장을 발부하였다면 그 발부결정은 위법하다고 할 것이나 (2) 위 규정은 피고인의 절차적 권리를 보장하기 위한 규정이므로 이미 변호인을 선정하여 공판절차에서 변명과 증거의 제출을 다하고 그의 변호 아래 판결을 선고받은 경우 등과 같이 위 규정에서 정한 **절차적 권리가 실질적으로 보장되었다고 볼 수 있는 경우**에는 이에 해당하는 절차의 전부 또는 일부를 거치지 아니한 채 구속영장을 발부하였다 하더라도 이러한 점만으로 그 **발부결정이 위법하다고 볼 것은 아니다.**(대법원 2000. 11. 10. 2000모134 형소법 제72조 간과사건Ⅰ)

① [×] 형사소송법 제72조는 '피고인에 대하여 범죄사실의 요지, 구속의 이유와 변호인을 선임할 수 있음을 말하고 변명할 기회를 준 후가 아니면 구속할 수 없다'고 규정하고 있는바, 이는 피고인을 구속함에 있어 **법관에 의한 사전 청문절차를 규정한 것이다.**(대법원 2000. 11. 10. 2000모134 형소법 제72조 간과사건Ⅰ)

②③ [×] 형사소송법 제88조는 '피고인을 구속한 때에는 즉시 공소사실의 요지와 변호인을 선임할 수 있음을 알려야 한다'고 규정하고 있는바, 이는 **사후 청문절차에 관한 규정으로서** 이를 위반하였다 하여 **구속영장의 효력에 어떠한 영향을 미치는 것은 아니다.**(대법원 2000. 11. 10. 2000모134 형소법 제88조 간과사건)

156 구속에 관한 다음 설명 중 가장 적절하지 않은 것은? (다툼이 있으면 판례에 의함)

□□□
16 경찰채용 [Core ★★]

① 수사기관이 관할 지방법원 판사가 발부한 구속영장에 의하여 피의자를 구속하는 경우, 구속영장 발부에 의하여 적법하게 구금된 피의자가 피의자신문을 위한 출석요구에 응하지 아니하면서 수사기관 조사실에 출석을 거부한다면 수사기관은 그 구속영장의 효력에 의하여 피의자를 조사실로 구인할 수 있다.

② 형사소송법 제88조는 '피고인을 구속한 때에는 즉시 공소사실의 요지와 변호인을 선임할 수 있음을 알려야 한다.'고 규정하고 있는 바, 이를 위반할 경우 구속영장의 효력이 상실된다.

③ 구속영장에는 청구인을 구금할 수 있는 장소로 특정 경찰서 유치장으로 기재되어 있었는데, 그 신병이 조사차 국가안전기획부 직원에게 인도된 후 위 경찰서 유치장에 인도된 바 없이 계속하여 국가안전기획부 청사에 사실상 구금되어 있다면, 청구인의 방어권이나 접견교통권의 행사에 중대한 장애를 초래하는 것이므로 위법하다.

④ 구인한 피고인을 법원에 인치한 경우에 구금할 필요가 없다고 인정한 때에는 그 인치한 때로부터 24시간 내에 석방하여야 한다.

해설

② [×] 형사소송법 제88조는 '피고인을 구속한 때에는 즉시 공소사실의 요지와 변호인을 선임할 수 있음을 알려야 한다'고 규정하고 있는바, 이는 사후 청문절차에 관한 규정으로서 **이를 위반하였다 하여 구속영장의 효력에 어떠한 영향을 미치는 것은 아니다.**(대법원 2000. 11. 10. 2000모134)

① [○] 수사기관이 구속영장에 의하여 피의자를 구속하는 경우, 그 구속영장은 기본적으로 장차 공판정에의 출석이나 형의 집행을 담보하기 위한 것이지만, 이와 함께 구속기간의 범위 내에서 수사기관이 피의자신문의 방식으로 구속된 피의자를 조사하는 등 적정한 방법으로 범죄를 수사하는 것도 예정하고 있다고 할 것이다. 따라서 구속영장 발부에 의하여 적법하게 구금된 피의자가 피의자신문을 위한 출석 요구에 응하지 아니하면서 수사기관 조사실에의 출석을 거부한다면 수사기관은 그 **구속영장의 효력에 의하여 피의자를 조사실로 구인할 수 있다.**(대법원 2013. 7. 1. 2013모160 **구속피의자 국정원 구인사건**)

③ [○] 구속영장에는 청구인을 구금할 수 있는 장소로 특정 경찰서 유치장으로 기재되어 있었는데, 청구인에 대하여 위 구속영장에 의하여 1995. 11. 30. 07:50경 위 경찰서 유치장에 구속이 집행되었다가 같은 날 08:00에 그 신병이 조사차 국가안전기획부 직원에게 인도된 후 위 경찰서 유치장에 인도된 바 없이 계속하여 국가안전기획부 청사에 사실상 구금되어 있다면, 청구인에 대한 이러한 사실상의 구금장소의 임의적 변경은 청구인의 방어권이나 접견교통권의 행사에 중대한 장애를 초래하는 것이므로 위법하다.(대법원 1996. 5. 15. 95모94 **전창일 범민련 부의장 사건**)

④ [○] 구인한 피고인을 법원에 인치한 경우에 구금할 필요가 없다고 인정한 때에는 그 인치한 때로부터 **24시간 내에 석방하여야 한다.**(제71조)

157

□□□

구속에 대한 설명으로 옳지 않은 것은? (다툼이 있으면 판례에 의함) 21 국가9급 [Essential ★]

① '범죄의 중대성, 재범의 위험성, 피해자 및 중요 참고인 등에 대한 위해우려 등'은 독립된 구속 사유가 아니라 구속사유를 심사함에 있어서 필요적 고려사항이다.

② 지방법원판사가 구속영장청구를 기각한 경우에 검사는 지방법원판사의 기각결정에 대하여 항고 또는 준항고의 방법으로 불복할 수 없다.

③ 긴급체포된 피의자를 구속전 피의자심문을 하는 경우 구속기간은 구속영장 발부시가 아닌 피의자를 체포한 날부터 기산하며, 법원이 구속영장청구서·수사 관계 서류 및 증거물을 접수한 날부터 구속영장을 발부하여 검찰청에 반환한 날까지의 기간은 구속기간에 산입하지 않는다.

④ 구속영장 발부에 의하여 적법하게 구금된 피의자가 피의자신문을 위한 출석요구에 응하지 아니하면서 수사기관 조사실에 출석을 거부하는 경우에도 수사기관은 구속영장의 효력에 의하여 피의자를 조사실로 구인할 수 없다.

해설

④ [×] 구속영장 발부에 의하여 적법하게 구금된 피의자가 피의자신문을 위한 출석 요구에 응하지 아니하면서 수사기관 조사실에의 출석을 거부한다면 수사기관은 그 **구속영장의 효력에 의하여 피의자를 조사실로 구인할 수 있다.**(대법원 2013. 7. 1. 2013모160 구속피의자 국정원 구인사건)

① [○] 법원은 제1항의 구속사유를 심사함에 있어서 범죄의 중대성, 재범의 위험성, 피해자 및 중요 참고인 등에 대한 위해우려 등을 **고려하여야 한다.**(제70조 제2항, 제209조)

② [○] 검사의 체포 또는 구속영장청구에 대한 지방법원판사의 재판은 **항고의 대상**이 되는 '법원의 결정'에 해당되지 아니하고 **준항고의 대상**이 되는 '재판장 또는 수명법관의 구금 등에 관한 재판'에도 **해당되지 아니한다.** (대법원 2006. 12. 18. 2006모646 론스타 대표 사건)

③ [○] 피의자심문을 하는 경우 법원이 구속영장청구서·수사 관계 서류 및 증거물을 접수한 날부터 구속영장을 발부하여 검찰청에 반환한 날까지의 기간은 제202조 및 제203조의 적용에 있어서 그 **구속기간에 이를 산입하지 아니한다.**(제201조의2 제7항, 제203조의2)

158 피의자구속에 대한 설명으로 가장 옳지 않은 것은? (다툼이 있으면 판례에 의함)

15 경찰간부 [Essential ★]

① 구속기간연장허가결정이 있는 경우 그 연장기간은 결정이 있은 다음날부터 기산한다.

② 영장실질심사절차는 비공개가 원칙이지만 판사는 상당하다고 인정하는 경우에는 피의자의 친족, 피해자 등 이해관계인의 방청을 허가할 수 있다.

③ 영장실질심사절차에서 심문할 피의자에게 변호인이 없는 때에는 지방법원판사는 직권으로 변호인을 선정하여야 한다.

④ 검사의 영장청구에 대하여 영장의 발부를 기각한 재판에 대하여는 준항고가 허용되지 않는다.

해설

① [×] 구속기간연장허가결정이 있은 경우에 그 연장기간은 **종전 구속기간만료 다음날로부터** 기산한다.(규칙 제99조)

② [○] 피의자에 대한 심문절차는 **공개하지 아니한다.** 다만, 판사는 상당하다고 인정하는 경우에는 피의자의 친족, 피해자 등 이해관계인의 방청을 허가할 수 있다.(규칙 제96조의14)

③ [○] 심문할 피의자에게 변호인이 없는 때에는 지방법원판사는 **직권으로 변호인을 선정하여야** 한다.(제201조의2 제8항)

④ [○] 검사의 체포 또는 구속영장청구에 대한 지방법원판사의 재판은 항고의 대상이 되는 '법원의 결정'에 해당되지 아니하고 준항고의 대상이 되는 '재판장 또는 수명법관의 구금 등에 관한 재판'에도 해당되지 아니한다. (대법원 2006. 12. 18. 2006모646 론스타 대표 구속영장청구 기각사건)

159 구속에 관한 다음 설명 중 가장 옳지 않은 것은? (다툼이 있으면 판례에 의함)

□□□

15 법원9급 [Essential ★]

① 다액 50만원 이하의 벌금, 구류 또는 과료에 해당하는 사건에 관하여는 피고인이 일정한 주거가 없는 경우 외에는 구속할 수 없다.

② 수사기관이 관할 지방법원판사가 발부한 구속영장에 의하여 피의자를 구속하는 경우, 구속영장 발부에 의하여 적법하게 구금된 피의자가 피의자신문을 위한 출석 요구에 응하지 아니하면서 수사기관 조사실에의 출석을 거부한다면 수사기관은 그 구속영장의 효력에 의하여 피의자를 조사실로 구인할 수 있다.

③ 구인한 피고인을 법원에 인치한 경우에 구금할 필요가 없다고 인정한 때에는 그 인치한 때로부터 48시간 내에 석방하여야 한다.

④ 피고인에 대하여 범죄사실의 요지, 구속의 이유와 변호인을 선임할 수 있음을 말하고 변명할 기회를 준 후가 아니면 구속할 수 없다. 다만, 피고인이 도망한 경우에는 그러하지 아니하다.

해설

③ [×] 구인한 피고인을 법원에 인치한 경우에 구금할 필요가 없다고 인정한 때에는 그 인치한 때로부터 **24시간 내에** 석방하여야 한다.(제71조)

① [○] **다액 50만원** 이하의 벌금, 구류 또는 과료에 해당하는 사건에 관하여는 피고인이 일정한 주거가 없는 경우 외에는 구속할 수 없다.(제70조 제3항)

② [○] 수사기관이 구속영장에 의하여 피의자를 구속하는 경우, 그 구속영장은 기본적으로 장차 공판정에의 출석이나 형의 집행을 담보하기 위한 것이지만, 이와 함께 구속기간의 범위 내에서 수사기관이 피의자신문의 방식으로 구속된 피의자를 조사하는 등 적정한 방법으로 범죄를 수사하는 것도 예정하고 있다고 할 것이다. 따라서 구속영장 발부에 의하여 적법하게 구금된 피의자가 피의자신문을 위한 출석 요구에 응하지 아니하면서 수사기관 조사실에의 출석을 거부한다면 수사기관은 그 **구속영장의 효력에 의하여 피의자를 조사실로 구인할 수 있다.**(대법원 2013. 7. 1. 2013모160 **구속피의자 국정원 구인사건**)

④ [○] 피고인에 대하여 범죄사실의 요지, 구속의 이유와 변호인을 선임할 수 있음을 말하고 **변명할 기회를 준 후가 아니면 구속할 수 없다.** 다만, 피고인이 도망한 경우에는 그러하지 아니하다.(제72조)

160 「형사소송법」상 구속 등에 대한 설명 중 가장 적절하지 않은 것은? (다툼이 있으면 판례에 의함)

□□□

① 구속은 구금과 구인을 포함하며, 구인한 피고인을 법원에 인치한 경우에 구금할 필요가 없다고 인정한 때에는 그 인치한 때로부터 24시간 내에 석방하여야 한다.

② 피고인에 대한 구속기간은 2개월로 한다. 그럼에도 특히 구속을 계속할 필요가 있는 경우에는 심급마다 2개월 단위로 2차에 한하여 결정으로 갱신할 수 있다. 다만, 상소심은 피고인 또는 변호인이 신청한 증거의 조사, 상소이유를 보충하는 서면의 제출 등으로 추가심리가 필요한 부득이한 경우에는 3차에 한하여 갱신할 수 있다.

③ 구속기간의 연장을 허가하지 아니하는 지방법원 판사의 결정에 대하여는 「형사소송법」 제402조, 제403조가 정하는 항고의 방법으로 불복할 수 없고 「형사소송법」 제416조가 정하는 준항고의 대상이 되지도 않는다.

④ 검사 또는 사법경찰관에 의하여 구속되었다가 석방된 자는 다른 중요한 증거를 발견한 경우를 제외하고는 동일한 범죄사실에 관하여 재차 구속하지 못하며, 이 경우 1개의 목적을 위하여 동시 또는 수단결과의 관계에서 행하여진 행위는 별개의 범죄사실로 간주한다.

해설

④ [×] 검사 또는 사법경찰관에 의하여 구속되었다가 석방된 자는 다른 중요한 증거를 발견한 경우를 제외하고는 동일한 범죄사실에 관하여 재차 구속하지 못하며, 이 경우 1개의 목적을 위하여 **동시 또는 수단결과의 관계에서 행하여진 행위는 동일한 범죄사실로 간주한다.**(제208조)

① [○] 구인한 피고인을 법원에 인치한 경우에 구금할 필요가 없다고 인정한 때에는 그 인치한 때로부터 **24시간 내에 석방하여야 한다.**(제69조, 제71조)

② [○] 피고인에 대한 구속기간은 **2개월로 한다.** 그럼에도 특히 구속을 계속할 필요가 있는 경우에는 심급마다 **2개월** 단위로 2차에 한하여 결정으로 갱신할 수 있다. 다만, 상소심은 피고인 또는 변호인이 신청한 증거의 조사, 상소이유를 보충하는 서면의 제출 등으로 추가 심리가 필요한 부득이한 경우에는 **3차에 한하여** 갱신할 수 있다.(제92조 제1항·제2항)

③ [○] 구속기간의 연장을 허가하지 아니하는 지방법원판사의 결정에 대하여는 **항고의 방법으로는 불복할 수 없고** 나아가 그 지방법원판사는 수소법원으로서의 재판장 또는 수명법관도 아니므로 그가 한 재판은 준항고의 **대상이 되지도 않는다.**(대법원 1997. 6. 16. 97모1)

161

☐☐☐

구속제도에 대한 설명으로 옳은 것은? (다툼이 있으면 판례에 의함)

24 국가9급 [Essential ★]

① 구속기간의 만료로 피고인에 대한 구속의 효력이 상실된 후 항소법원이 피고인에 대한 판결을 선고하면서 피고인을 구속하였다면 이는 형사소송법 제208조의 규정에 위배되는 재구속 또는 이중구속에 해당한다.

② 구속기간이 만료될 무렵에 종전 구속영장에 기재된 범죄사실과는 다른 범죄사실로 피고인을 구속하였다는 사정만으로도 이는 위법한 구속이다.

③ 구속전피의자심문에서 피의자에게 변호인이 없는 때에는 지방법원판사는 직권으로 변호인을 선정하여야 하고, 이 경우 변호인의 선정은 피의자에 대한 구속영장 청구가 기각되어 효력이 소멸한 경우를 제외하고는 제1심까지 효력이 있다.

④ 형사소송법 제70조 제2항이 정한 범죄의 중대성, 재범의 위험성, 피해자 및 중요 참고인 등에 대한 위해 우려는 동법 제70조 제1항에서 정한 주거부정, 증거인멸의 염려, 도망 또는 도망할 염려 등의 구속사유에 새로운 구속사유를 추가한 것이다.

해설

③ [○] 구속전피의자심문에서 피의자에게 변호인이 없는 때에는 지방법원판사는 직권으로 변호인을 선정하여야 하고, 이 경우 변호인의 선정은 피의자에 대한 **구속영장 청구가 기각되어 효력이 소멸한 경우를 제외하고는 제1심까지 효력이 있다.**(제201조의2 제8항)

① [×] 수소법원의 구속에 관하여는 검사 또는 사법경찰관이 피의자를 구속함을 규율하는 형사소송법 제208조의 규정은 적용되지 아니하므로 구속기간의 만료로 피고인에 대한 구속의 효력이 상실된 후 항소법원이 피고인에 대한 판결을 선고하면서 피고인을 구속하였다 하여 **형사소송법 제208조의 규정에 위배되는 재구속 또는 이중구속이라 할 수 없다.**(대법원 1985. 7. 23. 85모12 항소심 무리한 구속 사건)

② [×] 구속의 효력은 원칙적으로 구속영장에 기재된 범죄사실에만 미치는 것이므로 구속기간이 만료될 무렵에 **종전 구속영장에 기재된 범죄사실과 다른 범죄사실로 피고인을 구속하였다는 사정만으로는 피고인에 대한 구속이 위법하다고 할 수 없다.**(대법원 1996. 8. 12. 96모46 노태우 전대통령 사건)

④ [×] 법원은 구속사유를 심사함에 있어서 범죄의 중대성, 재범의 위험성, 피해자 및 중요 참고인 등에 대한 위해우려 등을 **고려하여야 한다.**(제70조 제2항) 이들은 새로운 구속사유가 아니라 구속사유를 심사함에 있어 고려할 사항이다.

162 구속에 대한 설명으로 가장 적절하지 않은 것은? (다툼이 있으면 판례에 의함)

18 경찰채용 [Essential ★]

① 구속영장 발부에 의하여 적법하게 구금된 피의자가 피의자신문을 위한 출석요구에 응하지 아니하면서 수사기관 조사실에 출석을 거부한다면 수사기관은 그 구속영장의 효력에 의하여 피의자를 조사실로 구인할 수 있다.

② 구인한 피고인을 법원에 인치한 경우에 구금할 필요가 없다고 인정한 때에는 그 인치한 때로부터 24시간 내에 석방하여야 한다.

③ 검사의 체포영장 또는 구속영장 청구에 대한 지방법원판사의 재판은 「형사소송법」 제402조의 규정에 의하여 항고의 대상이 되는 '법원의 결정'에 해당하지 않지만, 제416조 제1항의 규정에 의하여 준항고의 대상이 되는 '재판장 또는 수명법관의 구금 등에 관한 재판'에는 해당한다.

④ 검사의 구속영장 청구 전 피의자 대면조사는 강제수사가 아니므로 피의자는 검사의 출석요구에 응할 의무가 없고, 피의자가 검사의 출석 요구에 동의한 때에 한하여 사법경찰관리는 피의자를 검찰청으로 호송하여야 한다.

해설

③ [×] 검사의 체포 또는 구속영장청구에 대한 지방법원판사의 재판은 항고의 대상이 되는 '법원의 결정'에 해당되지 아니하고 준항고의 대상이 되는 '재판장 또는 수명법관의 구금 등에 관한 재판'에도 해당되지 아니한다.(대법원 2006. 12. 18. 2006모646 론스타 대표 구속영장청구 기각사건)

① [○] 수사기관이 구속영장에 의하여 피의자를 구속하는 경우, 그 구속영장은 기본적으로 장차 공판정에의 출석이나 형의 집행을 담보하기 위한 것이지만, 이와 함께 구속기간의 범위 내에서 수사기관이 피의자신문의 방식으로 구속된 피의자를 조사하는 등 적정한 방법으로 범죄를 수사하는 것도 예정하고 있다고 할 것이다. 따라서 구속영장 발부에 의하여 적법하게 구금된 피의자가 피의자신문을 위한 출석 요구에 응하지 아니하면서 수사기관 조사실에의 출석을 거부한다면 수사기관은 그 구속영장의 효력에 의하여 피의자를 조사실로 구인할 수 있다.(대법원 2013. 7. 1. 2013모160 구속피의자 국정원 구인사건)

② [○] 구인한 피고인을 법원에 인치한 경우에 구금할 필요가 없다고 인정한 때에는 그 인치한 때로부터 24시간 내에 석방하여야 한다.(제71조)

④ [○] 검사의 구속영장 청구 전 피의자 대면 조사는 긴급체포의 적법성을 의심할 만한 사유가 기록 기타객관적 자료에 나타나고 피의자의 대면 조사를 통해 그 여부의 판단이 가능할 것으로 보이는 예외적인 경우에 한하여 허용될 뿐, 긴급체포의 합당성이나 구속영장 청구에 필요한 사유를 보강하기 위한 목적으로 실시되어서는 아니 된다. 나아가 검사의 구속영장 청구 전 피의자 대면 조사는 강제수사가 아니므로 피의자는 검사의 출석 요구에 응할 의무가 없고, 피의자가 검사의 출석 요구에 동의한 때에 한하여 사법경찰관리는 피의자를 검찰청으로 호송하여야 한다.(대법원 2010. 10. 28. 2008도11999 인치명령 불응사건)

163

□□□ **구속에 관한 설명으로 가장 적절한 것은? (다툼이 있으면 판례에 의함)**

① 사인(私人)이 체포한 현행범인을 검사 등이 인도받은 후 그를 구속하고자 하는 경우에는 48시간 이내에 구속영장을 청구하여야 하고, 그 기간 내에 구속영장을 청구하지 아니하는 때에는 즉시 석방하여야 한다. 이 경우 48시간의 기산점은 현행범인을 인도받은 때가 아니라 현행범인을 체포한 때이다.

② 피고인의 구속기간은 2개월로 하나, 특히 구속을 계속할 필요가 있는 경우에는 심급마다 2개월 단위로 2차에 한하여 결정으로 갱신할 수 있다. 다만, 상소심은 피고인 또는 변호인이 신청한 증거의 조사, 상소이유를 보충하는 서면의 제출 등으로 추가 심리가 필요한 부득이한 경우에는 3차에 한하여 갱신할 수 있다.

③ 구속영장 발부에 의하여 적법하게 구금된 피의자가 피의자신문을 위한 출석요구에 응하지 아니하면서 수사기관 조사실에 출석을 거부한다면 수사기관은 그 구속영장의 효력에 의하여 피의자를 조사실로 구인할 수 있으며, 이 경우 피의자는 수사기관의 질문에 대하여 진술을 거부할 수 없다.

④ 형사소송법 제72조는 "피고인에 대하여 범죄사실의 요지, 구속의 이유와 변호인을 선임할 수 있음을 말하고 변명할 기회를 준 후가 아니면 구속할 수 없다"라고 규정하고 있는 바, 이는 수소법원 등 법관이 취하여야 하는 절차가 아니라 구속영장을 집행함에 있어 집행기관이 취하여야 하는 절차에 관한 것이다.

해설

② [○] 피고인의 구속기간은 **2개월**로 하나, 특히 구속을 계속할 필요가 있는 경우에는 심급마다 **2개월 단위로 2차에 한하여 결정으로 갱신할 수 있다.** 다만, 상소심은 피고인 또는 변호인이 신청한 증거의 조사, 상소이유를 보충하는 서면의 제출 등으로 추가 심리가 필요한 부득이한 경우에는 **3차에 한하여 갱신할 수 있다.**(제92조 제1항·제2항)

① [×] 검사 등이 아닌 이에 의하여 현행범인이 체포된 후 불필요한 지체 없이 검사 등에게 인도된 경우 **구속영장 청구기간인 48시간의 기산점은 체포시가 아니라 검사 등이 현행범인을 인도받은 때라고 할 것이다.**(대법원 2011. 12. 22. 2011도12927 소말리아 해적 사건)

③ [×] 구속영장 발부에 의하여 적법하게 구금된 피의자가 피의자신문을 위한 출석 요구에 응하지 아니하면서 수사기관 조사실에의 출석을 거부한다면 수사기관은 그 구속영장의 효력에 의하여 피의자를 조사실로 구인할 수 있다. 다만 이러한 경우에도 그 피의자신문 절차는 어디까지나 임의수사의 한 방법으로 진행되어야 할 것이므로 **피의자는 헌법 제12조 제2항과 형사소송법 제244조의3에 따라 일체의 진술을 하지 아니하거나 개개의 질문에 대하여 진술을 거부할 수 있고,** 수사기관은 피의자를 신문하기 전에 그와 같은 권리를 알려주어야 한다.(대법원 2013. 7. 1. 2013모160 구속피의자 국정원 구인사건)

④ [×] 형사소송법 제72조는 '피고인에 대하여 범죄사실의 요지, 구속의 이유와 변호인을 선임할 수 있음을 말하고 변명할 기회를 준 후가 아니면 구속할 수 없다'고 규정하고 있는바, 이는 피고인을 구속함에 있어 법관에 의한 사전 청문절차를 규정한 것으로서 구속영장을 집행함에 있어 집행기관이 취하여야 하는 절차가 아니라 구속영장 발부함에 있어 수소법원 등 법관이 취하여야 하는 절차라 할 것이므로 법원이 피고인에 대하여 구속영장을 발부함에 있어 사전에 위 규정에 따른 절차를 거치지 아니한 채 구속영장을 발부하였다면 그 발부결정은 위법하다.(대법원 2000. 11. 10. 2000모134 형소법 제72조 간과사건Ⅰ)

164 다음 중 법원의 구속기간에 산입되는 것은? 12 법원승진 [Superlative ★★★]

① 구속기간의 초일

② 감정유치장이 집행되어 피고인이 유치되어 있는 기간

③ 공소장의 변경에 의하여 피고인의 불이익이 증가될 염려가 있다고 인정하여 공판절차의 정지를 결정한 경우 그 정지 기간

④ 공소제기 전 체포·구금된 기간

해설

> ① 구속기간의 초일은 산입된다.(제66조 제1항)
> ②③④ 구속기간에 산입되지 아니한다.(② 제172조의2 제1항 ③④ 제92조 제3항)

165 공판절차가 정지된 기간이 구속기간에 산입되는 경우는? 10 경찰승진 [Superlative ★★★]

① 피고인의 심신상실이나 질병에 의한 공판절차의 정지

② 공소장변경에 의한 법원의 공판절차정지

③ 기피신청에 의한 공판절차의 정지

④ 관할이전신청에 의한 공판절차의 정지

해설

> ④ 관할이전신청에 의한 공판절차 정지기간은 피고인 구속기간에 이를 산입한다.

핵심정리	구속기간에 산입하지 않는 기간
피의자 구속기간 불산입	① 영장실질심사에 있어서 법원이 서류 등을 접수한 날부터 검찰청에 반환한 날까지의 기간 ② 체포·구속적부심사에 있어서 법원이 서류 등을 접수한 때부터 검찰청에 반환된 때까지의 기간 ③ 피의자 감정유치기간 ④ 피의자가 도망간 기간 ⑤ 구속집행 정지기간 등

피고인 구속기간 불산입	① 공소제기전의 체포·구인·구금 기간 ② 기피신청에 의한 소송진행 정지기간 ③ 심신상실·질병으로 인한 공판절차 정지기간 ④ 공소장변경에 의한 공판절차 정지기간 ⑤ 위헌법률심판 제청에 의한 공판절차 정지기간 ⑥ 피고인 감정유치기간 ⑦ 피고인이 도망간 기간 ⑧ 구속집행 정지기간 ⑨ 보석기간 등

166

□□□

다음 중 구속기간에 산입되는 것은 모두 몇 개인가?

19 해경채용 [Superlative ★★★]

> ㉠ 피고인의 심신상실이나 질병에 의한 공판절차의 정지기간
> ㉡ 공소장변경으로 인한 공판절차 정지기간
> ㉢ 감정유치기간
> ㉣ 호송 중의 가유치기간
> ㉤ 기피신청에 의한 소송진행 정지기간
> ㉥ 관할이전으로 인한 공판절차 정지기간

① 1개   ② 2개   ③ 3개   ④ 4개

해설

② ㉣㉥ 2 항목이 구속기산에 산입된다.
구속기간 계산에 있어 ㉠ 심신상실·질병으로 인한 공판절차 정지기간, ㉡ 공소장변경에 의한 공판절차 정지기간, 공소제기전의 체포·구인·구금 기간, ㉢ 감정유치기간, ㉤ 기피신청, 피고인이 도망간 기간, 구속집행 정지기간, 보석기간, 위헌법률심판 제청에 의한 공판절차 정지기간 등은 구속기간에 산입하지 아니한다.(제92조 제3항, 제172조의2, 헌법재판소법 제42조 등) ㉣ 호송 중의 가유치기관 ㉥ 토지관할 병합심리신청 정지기간은 구속기간에 산입된다.

167 법원의 구속기간과 갱신에 관한 다음 설명 중 가장 옳지 않은 것은? (다툼이 있으면 판례에 의함)

21 법원9급 [Essential ★]

① 구속기간은 2개월로 하며, 구속을 계속할 필요가 있는 경우에는 심급마다 2개월 단위로 2차에 한하여 결정으로 갱신할 수 있다. 다만, 상소심은 검사, 피고인 또는 변호인이 신청한 증거의 조사, 상소이유를 보충하는 서면의 제출 등으로 추가 심리가 필요한 부득이한 경우에는 3차에 한하여 갱신할 수 있다.

② 대법원의 파기환송 판결에 의하여 사건을 환송받은 법원은 형사소송법 제92조 제1항에 따라 2월의 구속기간이 만료되면 특히 계속할 필요가 있는 경우에는 2차(대법원이 형사소송규칙 제57조 제2항에 의하여 구속기간을 갱신한 경우에는 1차)에 한하여 결정으로 구속기간을 갱신할 수 있는 것이고, 무죄추정을 받는 피고인이라고 하더라도 이러한 조치가 무죄추정의 원칙에 위배되는 것이라고 할 수는 없다.

③ 기피신청으로 소송진행이 정지된 기간, 공소장의 변경이 피고인의 불이익을 증가할 염려가 있다고 인정되어 피고인으로 하여금 필요한 방어의 준비를 하게 하기 위하여 결정으로 공판절차를 정지한 기간, 공소제기 전의 체포·구인·구금 기간은 법원의 구속기간에 산입하지 아니한다.

④ 구속 중인 피고인에 대하여 감정유치장이 집행되어 피고인이 유치되어 있는 기간은 법원의 구속기간에 산입하지 않지만 미결구금일수의 산입에 있어서는 구속으로 간주한다.

해설

① [×] 구속기간은 2개월로 하며, 구속을 계속할 필요가 있는 경우에는 심급마다 2개월 단위로 2차에 한하여 결정으로 갱신할 수 있다. 다만, 상소심은 **피고인 또는 변호인이** 신청한 증거의 조사, 상소이유를 보충하는 서면의 제출 등으로 추가 심리가 필요한 부득이한 경우에는 3차에 한하여 갱신할 수 있다.(제92조 제1항·제2항)

② [○] 대법원의 **파기환송** 판결에 의하여 사건을 환송받은 법원은 형사소송법 제92조 제1항에 따라 2월의 구속기간이 만료되면 특히 계속할 필요가 있는 경우에는 2차(대법원이 형사소송규칙 제57조 제2항에 의하여 구속기간을 갱신한 경우에는 1차)에 한하여 결정으로 구속기간을 갱신할 수 있는 것이고, 무죄추정을 받는 피고인이라고 하더라도 이러한 조치가 **무죄추정의 원칙에 위배되는 것이라고 할 수는 없다.**(대법원 2001. 11. 30. 2001도5225)

③ [○] 제22조, 제298조 제4항, 제306조 제1항 및 제2항의 규정에 의하여 공판절차가 정지된 기간 및 **공소제기 전의 체포·구인·구금 기간은 제1항 및 제2항의 기간에 산입하지 아니한다.**(제92조 제3항)

④ [○] 구속 중인 피고인에 대하여 감정유치장이 집행되어 피고인이 유치되어 있는 기간은 **법원의 구속기간에 산입하지 않지만 미결구금일수의 산입에 있어서는 구속으로 간주한다.**(제172조 제8항, 제172조의2 제1항)

168 구속 및 구속기간에 대한 설명 중 가장 적절한 것은? (다툼이 있으면 판례에 의함)

□□□

12 경찰승진 [Core ★★]

① 불구속 상태의 피고인에 대하여 본안재판을 선고한 원심법원은 그 선고 이후에는 피고인을 구속할 권한이 없다.

② 피고인의 구속기간이 만료될 무렵에 종전 구속영장에 기재된 범죄사실과는 다른 범죄사실로 피고인을 구속하였다면 위법하다.

③ 구속기간연장 허가결정이 있은 경우에 그 연장기간은 형사소송법 제203조의 규정에 의한 구속기간 만료일로부터 기산한다.

④ 피고인에게 구속의 사유가 없거나 소멸된 때에는 법원은 직권 또는 검사, 피고인, 변호인 등의 청구에 의하여 결정으로 구속을 취소하여야 한다.

해설

④ [○] 피고인에게 구속의 사유가 없거나 소멸된 때에는 법원은 직권 또는 검사, 피고인, 변호인 등의 청구에 의하여 결정으로 **구속을 취소하여야 한다.**(제93조)

① [×] 상소기간 중 또는 상소 중의 사건에 관한 **피고인의 구속을 소송기록이 상소법원에 도달하기까지는 원심법원이 하도록 규정한 형사소송규칙 제57조 제1항의 규정이 형사소송법 제105조의 규정에 저촉된다고 보기는 어렵다.**(대법원 2007. 7. 10. 2007모460) 불구속 상태의 피고인에 대하여 본안재판을 선고한 원심법원도 그 선고 이후에 피고인을 구속할 권한이 있다.

② [×] 구속의 효력은 원칙적으로 구속영장에 기재된 범죄사실에만 미치는 것이므로 구속기간이 만료될 무렵에 종전 구속영장에 기재된 범죄사실과 다른 범죄사실로 피고인을 구속하였다는 사정만으로는 피고인에 대한 구속이 **위법하다고 할 수 없다.**(대법원 1996. 8. 12. 96모46 **노태우 전대통령 사건**)

③ [×] 구속기간연장허가결정이 있은 경우에 그 연장기간은 형사소송법 제203조의 규정에 의한 **구속기간만료 다음날로부터** 기산한다.(규칙 제98조)

169 구속에 대한 설명 중 가장 옳은 것은? (다툼이 있으면 판례에 의함)

① 검사 또는 사법경찰관리(이하 '검사 등'이라 함) 아닌 사람에 의하여 현행범인이 체포된 후 불필요한 지체 없이 검사 등에게 인도되었다 하더라도, 구속영장 청구기간인 48시간의 기산점은 검사 등이 현행범인을 인도받은 때가 아니라 체포시이다.

② 변호인 없는 불구속 피고인에 대하여 국선변호인을 선정하지 않은 채 판결을 선고한 다음 법정구속을 하는 것은 위법하다.

③ 구속기간은 2개월로 하되, 특히 구속을 계속할 필요가 있는 경우에는 심급마다 2개월 단위로 2차에 한하여 결정으로 갱신할 수 있다. 다만, 제1심은 피고인 또는 변호인이 신청한 증거의 조사 등으로 추가 심리가 필요한 부득이한 경우에는 3차에 한하여 갱신할 수 있다.

④ 구속된 피고인에 대하여 무죄, 면소, 형의 면제, 형의 선고유예, 형의 집행유예, 공소기각 또는 벌금이나 과료를 과하는 판결이 선고된 때에는 구속영장은 효력을 잃는다.

해설

④ [○] 무죄, 면소, 형의 면제, 형의 선고유예, 형의 집행유예, 공소기각 또는 벌금이나 과료를 과하는 판결이 선고된 때에는 구속영장은 효력을 잃는다.(제331조)

① [×] 검사 등이 아닌 이에 의하여 현행범인이 체포된 후 불필요한 지체 없이 검사 등에게 인도된 경우 **구속영장 청구기간인 48시간의 기산점**은 체포시가 아니라 **검사 등이 현행범인을 인도받은 때라고 할 것 이다.**(대법원 2011. 12. 22. 2011도12927 소말리아 해적 사건)

② [×] 형사소송법 제33조 제1항 제1호 소정의 '피고인이 구속된 때'라고 함은 피고인이 당해 형사사건에서 이미 구속되어 재판을 받고 있는 경우를 의미하는 것이므로 **불구속 피고인에 대하여 판결을 선고한 다음 법정구속을 하더라도 구속되기 이전까지는 위 규정이 적용된다고 볼 수 없다.**(대법원 2011. 3. 10. 2010도17353)

③ [×] **상소심**은 피고인 또는 변호인이 신청한 증거의 조사, 상소이유를 보충하는 서면의 제출 등으로 추가 심리가 필요한 부득이한 경우에는 **3차에 한하여 갱신할 수 있다.**(제92조 제2항)

170

☐☐☐ 구속에 관한 다음 설명 중 가장 옳지 않은 것은? (다툼이 있으면 판례에 의함)

18 경찰간부 [Essential ★]

① 체포된 피의자에 대하여 구속영장을 청구받은 판사는 지체 없이 피의자를 심문하여야 하며, 특별한 사정이 없는 한 구속영장이 청구된 날의 다음날까지 심문하여야 한다.

② 이미 구속된 피고인에 대한 구속기간이 만료될 무렵 종전의 구속영장에 기재된 범죄사실과 다른 사실로 피고인을 구속하였다는 사정만으로는 위법하다고 할 수 없다.

③ 피고인 구속기간은 2개월로 하고, 특히 구속을 계속할 필요가 있는 경우에는 심급마다 1개월 단위로 2차에 한하여 결정으로 갱신할 수 있다. 다만, 상소심은 피고인 또는 변호인이 신청한 증거의 조사, 상소이유를 보충하는 서면의 제출 등으로 추가 심리가 필요한 부득이한 경우에는 3차에 한하여 갱신할 수 있다.

④ 피고인을 구속한 때에는 변호인이 있는 경우에는 변호인에게 피고사건명, 구속일시·장소, 범죄사실의 요지 등을 지체 없이 서면으로 알려야 한다.

해설

③ [×] 특히 구속을 계속할 필요가 있는 경우에는 심급마다 **2개월 단위로** 2차에 한하여 결정으로 갱신할 수 있다. 다만, 상소심은 피고인 또는 변호인이 신청한 증거의 조사, 상소이유를 보충하는 서면의 제출 등으로 추가 심리가 필요한 부득이한 경우에는 3차에 한하여 갱신할 수 있다.(제92조 제2항)

① [○] 체포된 피의자에 대하여 구속영장을 청구받은 판사는 지체 없이 피의자를 심문하여야 하며, 특별한 사정이 없는 한 구속영장이 **청구된 날의 다음날까지 심문하여야** 한다.(제201조의2 제1항)

② [○] 구속기간이 만료될 무렵에 종전 구속영장에 기재된 범죄사실과 **다른 범죄사실로 피고인을 구속하였다는** 사정만으로는 피고인에 대한 **구속이 위법하다고** 할 수 **없다.**(대법원 2000. 11. 10. 2000모134)

④ [○] 피고인을 구속한 때에는 변호인이 있는 경우에는 변호인에게 피고사건명, 구속일시·장소, 범죄사실의 요지 등을 지체 없이 **서면으로 알려야** 한다.(제87조)

171 피고인 구속에 관한 다음 설명 중 가장 옳지 않은 것은?

24 법원9급 [Superlative ★★★]

☐☐☐

① 법원은 피고인에 대하여 범죄사실의 요지, 구속의 이유와 변호인을 선임할 수 있음을 말하고 변명할 기회를 준 후가 아니면 구속할 수 없고, 이러한 사전청문절차는 합의부원 1인이 진행할 수는 없으므로 재판부를 구성하는 법관 전원이 참여한 가운데 이루어져야 한다.

② 사전청문절차는 피고인의 출석 하에 이루어지는 것이 원칙이나, 피고인이 출석하기 어려운 특별한 사정이 있고 상당하다고 인정하는 때에는 검사와 변호인의 의견을 들어 비디오 등 중계장치에 의한 중계시설을 통하여 진행할 수 있다.

③ 피고인을 구속하는 구속영장에는 피고인의 성명, 주거, 죄명, 공소사실의 요지, 인치 구금할 장소, 발부년월일, 그 유효기간과 그 기간을 경과하면 집행에 착수하지 못하며 영장을 반환하여야 할 취지를 기재하여야 하나, 피고인의 성명이 분명하지 아니한 때에는 인상, 체격, 기타 피고인을 특정할 수 있는 사항으로 피고인을 표시할 수 있다.

④ 법원은 피고인의 현재지의 지방법원판사에게 피고인의 구속을 촉탁할 수 있고, 이 경우 촉탁을 받은 지방법원판사는 피고인이 관할구역 내에 현재하지 아니한 때에는 그 현재지의 지방법원판사에게 다시 피고인의 구속을 촉탁할 수 있으며, 촉탁을 받은 지방법원판사는 구속영장을 발부하여야 한다.

해설

① [×] 법원은 **합의부원으로 하여금** 형사소송법 제72조(구속과 이유의 고지)의 절차를 이행하게 할 수 있다.(제72조의2 제1항)

② [○] 법원은 피고인이 출석하기 어려운 특별한 사정이 있고 상당하다고 인정하는 때에는 검사와 변호인의 의견을 들어 비디오 등 **중계장치에 의한 중계시설을 통하여 제72조의 절차를 진행할 수 있다.**(제72조의2 제2항)

③ [○] 구속영장에는 피고인의 성명, 주거, 죄명, 공소사실의 요지, 인치 구금할 장소, 발부년월일, 그 유효기간과 그 기간을 경과하면 집행에 착수하지 못하며 영장을 반환하여야 할 취지를 기재하고 재판장 또는 수명법관이 서명날인하여야 한다. 피고인의 **성명이 분명하지 아니한 때에는 인상, 체격, 기타 피고인을 특정할 수 있는 사항으로 피고인을 표시할 수 있다.**(제75조 제1항·제2항)

④ [○] 법원은 피고인의 현재지의 지방법원판사에게 피고인의 구속을 촉탁할 수 있다. 수탁판사는 피고인이 관할구역 내에 현재하지 아니한 때에는 그 현재지의 지방법원판사에게 전촉할 수 있다. 수탁판사는 구속영장을 발부하여야 한다.(제77조 제1항부터 제3항)

172 감정유치에 관한 다음 설명 중 옳지 않은 것은?

11 법원9급 [Essential ★]

① 구속 중인 피고인에 대하여 감정유치장이 집행되었을 때에는 피고인이 유치되어 있는 기간 구속은 그 집행이 정지된 것으로 간주한다.

② 감정유치기간은 미결구금일수의 산입에 있어서 이를 구속으로 간주하여 산입한다.

③ 불구속 피고인에 대하여 감정유치장을 발부하여 구속할 때에는 범죄사실의 요지와 변호인을 선임할 수 있음을 알려주어야 한다.

④ 불구속 상태에서 감정유치장에 의하여 유치된 피고인은 보석을 청구할 수 있다.

해설

④ [×] 구속에 관한 규정은 감정유치에 관하여 이를 준용한다. 단, **보석에 관한 규정은 그러하지 아니하다.**(제172조 제7항)

① [○] 구속 중인 피고인에 대하여 감정유치장이 집행되었을 때에는 피고인이 유치되어 있는 기간 **구속은 그 집행이 정지된 것으로 간주한다.**(제172조의2 제1항)

② [○] 감정유치기간은 미결구금일수의 산입에 있어서 이를 **구속으로 간주하여 산입한다.**(제172조 제8항)

③ [○] 구속에 관한 규정은 **감정유치에 관하여 이를 준용한다.**(제172조 제7항)

173 수사상 감정유치에 관한 설명 중 가장 적절하지 않은 것은?

16 경찰승진 [Core ★★]

① 피의자에 대한 감정유치기간은 피의자의 구속기간에 산입한다.

② 검사는 감정을 위촉하는 경우에 피의자의 정신 또는 신체에 관한 감정을 위하여 유치처분이 필요할 때에는 판사에게 이를 청구하여야 한다.

③ 불구속 피고인에 대하여 감정유치장을 발부하여 구속할 때에는 범죄사실의 요지와 변호인을 선임할 수 있음을 알려주어야 한다.

④ 감정유치는 감정을 목적으로 신체의 자유를 구속하는 강제처분이므로 법관이 발부하는 영장, 즉 감정유치장을 요한다.

해설

① [×] 구속 중인 피의자에 대하여 감정유치장이 집행되었을 때에는 피의자가 유치되어 있는 기간 **구속은 그 집행이 정지된 것으로 간주한다.**(제172조의2 제1항, 제221조의3 제2항) 즉, 감정유치기간은 피의자의 구속기간에 산입하지 아니한다.

② [○] 검사는 형사소송법 제221조의 규정에 의하여 감정을 위촉하는 경우에 유치처분이 필요할 때에는 **판사에게 이를 청구하여야 한다.**(제221조의3 제1항)

③ [○] 구속에 관한 규정은 **감정유치에 관하여 이를 준용한다.**(제172조 제7항)

④ [○] 감정유치를 함에는 **감정유치장을 발부하여야 한다.**(제172조 제4항)

174 구속 및 구속기간에 대한 설명으로 가장 적절한 것은? (다툼이 있으면 판례에 의함)

□□□

18 경찰승진 [Essential ★]

① 「형사소송법」 제88조는 '피고인을 구속한 때에는 즉시 공소사실의 요지와 변호인을 선임할 수 있음을 알려야 한다.'고 규정하고 있는바, 이를 위반하였다면 구속영장의 효력은 당연히 상실된다.

② 구속기간연장허가결정이 있는 경우에 그 연장기간은 「형사소송법」 제203조(검사의 구속기간)의 규정에 의한 구속기간 만료일부터 기산한다.

③ 피고인에게 구속의 사유가 없거나 소멸된 때에는 법원은 직권 또는 검사, 피고인, 변호인 등의 청구에 의하여 결정으로 구속을 취소하여야 한다.

④ 구속 중인 피고인에 대하여 감정유치장이 집행된 경우 피고인이 유치되어 있는 기간 구속은 그 집행이 정지되지 아니한다.

해설

③ [○] 피고인에게 구속의 사유가 없거나 소멸된 때에는 법원은 **직권** 또는 검사, 피고인, 변호인 등의 **청구**에 의하여 결정으로 구속을 취소하여야 한다.(제93조)

① [×] 형사소송법 제88조는 '피고인을 구속한 때에는 즉시 공소사실의 요지와 변호인을 선임할 수 있음을 알려야 한다'고 규정하고 있는바, 이는 사후 청문절차에 관한 규정으로서 **이를 위반하였다 하여 구속영장의 효력에 어떠한 영향을 미치는 것은 아니다.**(대법원 2000. 11. 10. 2000모134)

② [×] 구속기간연장허가결정이 있는 경우에 그 연장기간은 **종전 구속기간만료 다음날로부터** 기산한다.(규칙 제99조)

④ [×] 구속 중인 피고인에 대하여 감정유치장이 집행되었을 때에는 피고인이 유치되어 있는 기간 **구속은 그 집행이 정지된 것으로 간주한다.**(제172조의2 제1항)

Ⅱ 구제수단(접견교통권 및 석방제도)

참고 피의자 · 피고인 석방 절차 등

구분	적부심 석방	피의자보석	피고인보석	구속의 집행정지	구속의 취소
주체	법원	법원	법원	법원 · 검사 · 사법경찰관	법원 · 검사 · 사법경찰관
대상	피의자	피의자	피고인	피의자 · 피고인	피의자 · 피고인
절차	청구	직권	청구 · 직권	직권	청구 · 직권
사유	체포 · 구속이 부당한 때	구속적부심사시 법원의 재량	필요적 보석이 원칙	상당한 이유가 있는 때	구속의 사유가 없거나 소멸한 때
검사의 의견청취	명문 규정 없음	명문 규정 없음	의견을 물어야 함 (예외 없음)	의견을 물어야 함 (급속을 요하는 경우 예외)	의견을 물어야 함 (검사 청구 또는 급속을 요하는 경우 예외)
보증금	없음	없음	있을 수 있음	없음	없음
영장의 효력	효력 상실	효력 상실	효력 지속	효력 지속	효력 상실
불복	불복할 수 없음	① 검사: 보통항고 ② 피의자: 보통항고	① 검사: 보통항고 ② 피고인: 보통항고	① 검사: 보통항고 ② 피고인: 보통항고	① 검사: 즉시항고 ② 피고인: 보통항고

175 체포 또는 구속된 피의자의 변호인과의 접견교통권과 관련된 다음의 설명 중 가장 옳지 않은 것
☐☐☐ 은? (다툼이 있으면 판례에 의함)

16 경찰간부 [Core ★★]

① 변호인은 신체구속을 당한 피의자와 접견하고 서류 또는 물건을 수수할 수 있으며, 의사로 하여금 진료하게 할 수 있으나, 변호인이 되려는 자는 일정한 범위 내에서 접견교통권이 제한될 수 있다.

② 변호인 접견시 교도관 또는 경찰관의 참여는 허용되지 않는다.

③ 변호인의 접견교통권은 피의자의 인권보장과 방어준비를 위하여 필수불가결한 권리이므로 법령에 의한 제한이 없는 한 수사기관에 의한 처분은 물론 법원의 결정으로도 이를 제한할 수 없다.

④ 변호인과의 접견교통권은 체포 또는 구속된 피의자뿐만 아니라 임의동행된 피의자나 피내사자에게도 인정된다.

해설

① [×] **변호인 또는 변호인이 되려는 자는** 신체구속을 당한 피고인 또는 피의자와 접견하고 서류 또는 물건을 수수할 수 있으며 의사로 하여금 진료하게 할 수 있다.(제34조)

② [○] 미결수용자와 변호인과의 접견에는 교도관이 참여하지 못하며 그 내용을 **청취 또는 녹취하지 못한다.** 다만, 보이는 거리에서 미결수용자를 관찰할 수 있다.(형집행법 제84조 제1항)

③ [○] 변호인의 접견교통권은 신체구속을 당한 피고인이나 피의자의 인권보장과 방어준비를 위하여 필수불가결한 권리이므로 법령에 의한 제한이 없는 한 수사기관의 처분은 물론 법원의 결정으로도 이를 제한할 수 없다. (대법원 1991. 3. 28. 91모24 박노해 시인 접견불허사건)

④ [○] 임의동행의 형식으로 수사기관에 연행된 피의자에게도 변호인 또는 변호인이 되려는 자와의 접견교통권은 당연히 인정된다고 보아야 하고 임의동행의 형식으로 연행된 피내사자의 경우에도 이는 마찬가지이다.(대법원 1996. 6. 3. 96모18 이병기 <종로저널> 발행인 사건)

176 접견교통권에 관한 설명으로 가장 적절하지 않은 것은? (다툼이 있으면 판례에 의함)

24 경찰승진 [Core ★★]

① 미결수용자가 가지는 변호인과의 접견교통권은 그와 표리관계인 변호인의 접견교통권과 함께 헌법상 기본권으로 보장되고 있다.

② 미결수용자의 변호인이 교도관에게 변호인 접견을 신청하는 경우 미결수용자의 형사사건에 관하여 변호인이 실제 변호를 할 의사가 있는지 여부는 교도관의 심사대상이 된다.

③ 임의동행의 형식으로 수사기관에 연행된 피의자에게도 변호인 또는 변호인이 되려는 자와의 접견교통권은 당연히 인정되고, 이는 임의동행의 형식으로 연행된 피혐의자의 경우에도 마찬가지이다.

④ 변호인의 접견교통권이 제한된 위법한 상태에서 얻어진 피의자의 자백은 그 증거능력을 부인하여 유죄의 증거에서 배제하여야 하며, 이러한 위법증거의 배제는 실질적이고 완전하게 증거에서 제외함을 뜻하는 것이다.

해설

② [×] 미결수용자의 변호인이 교도관에게 변호인 접견을 신청하는 경우 미결수용자의 형사사건에 관하여 변호인이 구체적으로 어떠한 변호 활동을 하는지, **실제 변호를 할 의사가 있는지 여부 등은 교도관의 심사대상이 되지 않는다.**(대법원 2022. 6. 22. 2021도244 6명의 집사변호사 사건)

① [○] 미결수용자가 가지는 변호인과의 접견교통권은 그와 표리 관계인 변호인(변호인이 되려고 하는 사람을 포함한다)의 접견교통권과 함께 **헌법상 기본권으로 보장되고 있다.**(대법원 2022. 6. 22. 2021도244 6명의 집사변호사 사건)

③ [○] 임의동행의 형식으로 수사기관에 연행된 피의자에게도 변호인 또는 변호인이 되려는 자와의 접견교통권은 당연히 인정된다고 보아야 하고 **임의동행의 형식으로 연행된 피내사자의 경우에도 이는 마찬가지이다.**(대법원 1996. 6. 3. 96모18 이병기 <종로저널> 발행인 사건)

정답 | 175 ①   176 ②

④ [〇] 변호인의 접견교통권 제한은 헌법이 보장하는 기본권을 침해하는 것으로서 이러한 위법한 상태에서 얻어진 피의자의 자백은 그 증거능력을 부인하여 유죄의 증거에서 배제하여야 하며 이러한 위법증거의 배제는 실질적이고 완전하게 증거에서 제외함을 뜻한다.(대법원 2007. 12. 13. 2007도7257 일심회 사건)

177

□□□

접견교통권에 관한 설명 중 가장 적절한 것은? (다툼이 있으면 판례에 의함) 17 경찰승진 [Essential ★]

① 접견교통권의 주체는 체포·구속을 당한 피의자이고, 신체 구속상태에 있지 않은 피의자는 포함되지 않는다.

② 미결수용자와 변호인과의 접견에는 교도관이 참여할 수 있다.

③ 국가정보원 사법경찰관이 경찰서 유치장에 구금되어 있던 피의자에 대하여 의사의 진료를 받게 할 것을 신청한 변호인에게 국가정보원이 추천하는 의사의 참여를 요구한 것은 변호인의 수진권을 침해하는 위법한 처분에 해당한다.

④ 신체구속을 당한 피고인 또는 피의자에 대한 변호인의 접견교통권은 수사기관의 처분 등에 의해 이를 제한할 수 없고, 다만 법령에 의하여서만 제한이 가능하다.

해설

④ [〇] 행형법시행령 제176조는 '형사소송법 제34조, 제89조, 제209조의 규정에 의하여 피고인 또는 피의 자가 의사의 진찰을 받는 경우에는 교도관 및 의무관이 참여하고 그 경과를 신분장부에 기재하여야 한다'고 규정하고 있는바 행형법시행령 제176조의 규정은 변호인의 수진권 행사에 대한 법령상의 제한에 해당한다고 보아야 할 것이고, 그렇다면 국가정보원 사법경찰관이 경찰서 유치장에 구금되어 있던 피의자에 대하여 의사의 진료를 받게 할 것을 신청한 변호인에게 국가정보원이 추천하는 의사의 참여를 요구한 것은 행형법시행령 제176조의 규정에 근거한 것으로서 적법하고 이를 가리켜 변호인의 수진권을 침해하는 위법한 처분이라고 할 수는 없다.(대법원 2002. 5. 6. 2000모112 국정원추천 의사 참여 요구사건)

① [×] 비록 법에는 접견교통권 등 변호인의 조력을 받을 권리의 주체를 체포 또한 구속을 당한 피의자·피고인이라고 규정하고 있으나(헌법 제12조 제4항, 형사소송법 제34조 등), 신체구속 상태에 있지 않은 피의자도 당연히 접견교통권의 주체가 될 수 있다.(헌법재판소 2004. 9. 23. 2000헌마138 총선시민연대 낙선운동 사건)

② [×] 미결수용자와 변호인과의 접견에는 교도관이 참여하지 못하며 그 내용을 청취 또는 녹취하지 못한다. 다만, 보이는 거리에서 미결수용자를 관찰할 수 있다.(형집행법 제84조 제1항)

③ [×] 국가정보원 사법경찰관이 경찰서 유치장에 구금되어 있던 피의자에 대하여 의사의 진료를 받게 할 것을 신청한 변호인에게 국가정보원이 추천하는 의사의 참여를 요구한 것은 행형법시행령 제176조의 규정에 근거한 것으로서 적법하고 이를 가리켜 변호인의 수진권을 침해하는 위법한 처분이라고 할 수는 없다.(대법원 2002. 5. 6. 2000모112 국정원추천 의사 참여 요구사건)

178 접견교통권에 관한 설명 중 가장 적절하지 않은 것은? (다툼이 있으면 판례에 의함)

□□□

23 경찰채용 [Core ★★]

① 변호인의 접견교통의 상대방인 신체구속을 당한 사람이 그 변호인을 자신의 범죄행위에 공범으로 가담시키려고 하였다는 등의 사정만으로 그 변호인의 신체구속을 당한 사람과의 접견교통을 금지하는 것이 정당화될 수는 없다.

② 형사소송법 제34조에 따르면 변호인 또는 변호인이 되려는 자는 신체구속을 당한 피고인 또는 피의자와 접견하고 서류 또는 물건을 수수할 수 있으며 의사로 하여금 진료하게 할 수 있으므로, 변호인이 되려는 의사를 표시한 자가 객관적으로 변호인이 될 가능성이 있다고 인정된다면 신체구속을 당한 피고인 또는 피의자와 접견하지 못하도록 제한해서는 안된다.

③ 변호인의 구속된 피고인 또는 피의자와의 접견교통권은 피고인 또는 피의자 자신이 가지는 변호인과의 접견교통권과는 성질을 달리하는 것으로서 헌법상 보장된 권리라고 할 수 없으므로 수사기관의 처분 등에 의하여 이를 제한할 수 있으며 반드시 법령에 의하여서만 제한 가능한 것은 아니다.

④ 변호인의 조력을 받을 권리를 보장하는 목적은 피의자 또는 피고인의 방어권 행사를 보장하기 위한 것이므로 변호인의 조력을 받을 기회가 충분히 보장되었다고 인정될 수 있는 경우에는 미결수용자 또는 변호인이 원하는 특정한 시점에 접견이 이루어지지 못하였다 하더라도 그것만으로 곧바로 변호인의 조력을 받을 권리가 침해되었다고 단정할 수는 없다.

해설

③ [×] **변호인의 구속된 피고인 또는 피의자와의 접견교통권은** 피고인 또는 피의자 자신이 가지는 변호인과의 접견교통권과는 성질을 달리하는 것으로서 **헌법상 보장된 권리라고는 할 수 없고,** 형사소송법 제34조에 의하여 비로소 보장되는 권리이지만 신체구속을 당한 피고인 또는 피의자의 인권보장과 방어준비를 위하여 필수불가결한 권리이므로 **수사기관의 처분 등에 의하여 이를 제한할 수 없고, 다만 법령에 의하여서만 제한이 가능하다.**(대법원 2002. 5. 6. 2000모112 **국정원추천 의사 참여 요구사건**)

① [○] 변호인의 접견교통의 상대방인 신체구속을 당한 사람이 그 변호인을 자신의 범죄행위에 **공범으로 가담시키려고 하였다는 등의 사정만으로 그 변호인의 신체구속을 당한 사람과의 접견교통을 금지하는 것이 정당화될 수는 없다.**(대법원 2007. 1. 31. 2006모656 일심회 마이클장 사건 l)

② [○] 형사소송법 제34조에 따르면 변호인 또는 변호인이 되려는 자는 신체구속을 당한 피고인 또는 피의자와 접견하고 서류 또는 물건을 수수할 수 있으며 의사로 하여금 진료하게 할 수 있으므로, 변호인이 되려는 의사를 표시한 자가 객관적으로 변호인이 될 가능성이 있다고 인정된다면 신체구속을 당한 피고인 또는 피의자와 **접견하지 못하도록 제한해서는 안 된다.**(대법원 2017. 3. 9. 2013도16162 쌍용차사태 변호사 불법체포사건)

④ [○] 변호인의 조력을 받을 권리를 보장하는 목적은 피의자 또는 피고인의 방어권 행사를 보장하기 위한 것이므로 변호인의 조력을 받을 기회가 충분히 보장되었다고 인정될 수 있는 경우에는 미결수용자 또는 변호인이 원하는 특정한 시점에 접견이이루어지지 못하였다 하더라도 그것만으로 곧바로 변호인의 조력을 받을 권리가 침해되었다고 단정할 수는 없다.(헌법재판소 2011. 5. 26. 2009헌마341 현충일 접견제한 사건)

정답 | 177 ④   178 ③

179

접견교통권에 관한 다음 설명 중 가장 적절하지 않은 것은? (다툼이 있으면 판례에 의함)

15 경찰채용 [Superlative ★★★]

① 변호인의 구속된 피고인 또는 피의자와의 접견교통권은 피고인 또는 피의자 자신이 가지는 변호인과의 접견교통권과는 성질을 달리하는 것으로서, 헌법상 보장된 권리라고는 할 수 없다.

② 미결수용자의 변호인 접견권 역시 국가안전보장·질서유지 또는 공공복리를 위해 필요한 경우에는 법률로써 제한될 수 있음은 당연하다.

③ 미결수용자 또는 변호인이 원하는 특정한 시점에 접견이 이루어지지 못하였다 하더라도 그것만으로 곧바로 변호인의 조력을 받을 권리가 침해되었다고 단정할 수는 없다.

④ 구치소장의 접견불허처분에 대하여서는 형사소송법 제417조에 의한 준항고로 다툴 수 있다.

해설

④ [×] 준항고는 수사기관인 검사 또는 사법경찰관의 구금처분 등에 대한 불복수단이므로(제417조), 수사기관이 아닌 구치소장의 접견불허처분에 대하여는 **준항고 아니라 행정소송이나 헌법소원으로 이를 다투어야 한다.** (대법원 1992. 5. 8. 91누7552, 헌법재판소 2011. 5. 26. 2009헌마341 현충일 접견제한 사건 등)

① [○] 변호인의 구속된 피고인 또는 피의자와의 접견교통권은 피고인 또는 피의자 자신이 가지는 변호인과의 접견교통권과는 성질을 달리하는 것으로서 헌법상 보장된 권리라고는 할 수 없고, 형사소송법 제34조에 의하여 비로소 보장되는 권리이지만 신체구속을 당한 피고인 또는 피의자의 인권보장과 방어준비를 위하여 필수불가결한 권리이므로 **수사기관의 처분 등에 의하여 이를 제한할 수 없고, 다만 법령에 의하여서만 제한이 가능하다.**(대법원 2002. 5. 6. 2000모112 국정원추천 의사 참여 요구사건)

② [○] **변호인의 조력을 받을 권리** 역시 다른 모든 헌법상 기본권과 마찬가지로 국가안전보장질서유지 또는 공공복리를 위하여 필요한 경우에는 **법률로써 제한할 수 있다.**(헌법재판소 2011. 5. 26. 2009헌마341 현충일 접견제한 사건)

③ [○] (1) 미결수용자 또는 변호인이 원하는 특정한 시점에 접견이 이루어지지 못하였다 하더라도 그것만으로 곧바로 변호인의 조력을 받을 권리가 침해되었다고 단정할 수는 없는 것이고, 변호인의 조력을 받을 권리가 침해되었다고 하기 위해서는 접견이 불허된 특정한 시점을 전후한 수사 또는 재판의 진행 경과에 비추어 보아, 그 시점에 접견이 불허됨으로써 피의자 또는 피고인의 방어권 행사에 어느 정도는 불이익이 초래되었다고 인정할 수 있어야만 하며, 그 시점을 전후한 변호인 접견의 상황이나 수사 또는 재판의 진행 과정에 비추어 미결수용자가 방어권을 행사하기 위해 변호인의 조력을 받을 기회가 충분히 보장되었다고 인정될 수 있는 경우에는, 비록 미결수용자 또는 그 상대방인 변호인이 원하는 특정 시점에는 접견이 이루어지지 못하였다 하더라도 변호인의 조력을 받을 권리가 침해되었다고 할 수 없는 것이다. (2) 불구속 상태에서 재판을 받은 후 선고기일에 출석하지 않아 구속된 피고인을, 국선변호인이 접견하고 자 하였으나 공휴일(2009. 6. 6.)이라는 이유로 접견이 불허되었다가 그로부터 이틀 후 접견이 이루어지고, 다시 그로부터 열흘 넘게 지난 후 공판이 이루어진 경우 피고인의 변호인의 조력을 받을 권리를 침해했다고 할 수 없다.(헌법재판소 2011. 5. 26. 2009헌마341 현충일 접견제한 사건)

180 변호인의 조력을 받을 권리에 관한 설명 중 가장 적절하지 않은 것은? (다툼이 있으면 판례에 의함)

□□□
20 경찰승진 [Core ★★]

① 변호인의 조력을 받을 권리는 불구속 피의자·피고인 모두에게 포괄적으로 인정되는 권리이므로 신체 구속상태에 있지 아니한 자도 변호인의 조력을 받을 권리의 주체가 될 수 있다.

② 변호인이 되려는 의사를 표시한 자가 객관적으로 변호인이 될 가능성이 있다고 인정되는 데도, 형사소송법 제34조에서 정한 '변호인 또는 변호인이 되려는 자'가 아니라고 보아 신체구속을 당한 피고인 또는 피의자와 접견하지 못하도록 제한하여서는 아니 된다.

③ 구치소장이 형의 집행 및 수용자의 처우에 관한 법률 및 그 시행규칙의 규정에 따라 변호인 접견실에 영상녹화, 음성수신, 확대기능 등이 없는 CCTV를 설치하여 미결수용자와 변호인 간의 접견을 관찰하였다 하더라도 이를 통해 대화내용을 알게 되는 것이 불가능하였다면 변호인의 조력을 받을 권리를 침해한 것이라고 할 수 없다.

④ 교도관이 변호인 접견이 종료된 뒤 변호인과 미결수용자가 지켜보는 가운데 미결수용자와 변호인 간에 주고받는 서류를 확인하여 그 제목을 소송관계처리부에 기재하여 등재한 행위는 이를 통해 내용에 대한 검열이 이루어질 수 없었다 하더라도 침해의 최소성 요건을 갖추지 못하였으므로 변호인의 조력을 받을 권리를 침해한다.

해설

④ [×] 교도관이 미결수용자와 변호인 간에 주고받는 서류를 확인하고 소송관계서류처리부에 그 제목을 기재하여 등재한 행위는 형집행법 제43조 제3항과 제8항에 근거를 두고 이루어진 것으로, 변호인 접견이 종료된 뒤 이루어지고 교도관은 변호인과 미결수용자가 지켜보는 가운데 서류를 확인하여 그 제목 등을 소송관계처리부에 기재하여 등재할 뿐 **내용에 대한 검열이 이루어지는 것이 아니므로 변호인의 조력을 받을 권리나 개인정보자기결정권을 침해하지 않는다.**(헌법재판소 2016. 4. 28. 2015헌마243 접견실내 CCTV와 수수서류 확인사건)

① [○] 비록 법에는 접견교통권 등 변호인의 조력을 받을 권리의 주체를 체포 또한 구속을 당한 피의자·피고인이라고 규정하고 있으나(헌법 제12조 제4항, 형사소송법 제34조 등), **신체구속 상태에 있지 않은 피의자도 당연히 접견교통권의 주체가 될 수 있다.**(헌법재판소 2004. 9. 23. 2000헌마138 총선시민연대 낙선운동 사건)

② [○] (1) 변호인이 되려는 의사를 표시한 자가 객관적으로 변호인이 될 가능성이 있다고 인정되는데도, 형사소송법 제34조에서 정한 '변호인 또는 변호인이 되려는 자'가 아니라고 보아 **신체구속을 당한 피고인 또는 피의자와 접견하지 못하도록 제한하여서는 아니 된다.** (2) 변호사 A가 노동조합으로부터 근로자들이 연행될 경우 적절한 조치를 취해 줄 것을 부탁한다는 내용의 공문을 받았고 조합원 B에 대한 체포 현장에서 변호사 신분증을 제시하면서 변호인이 되려는 자로서 접견을 요청하였다면, 형사소송법 제34조에서 정한 접견교통권이 인정된다.(대법원 2017. 3. 9. 2013도16162 쌍용차사태 변호사 불법체포사건)

③ [○] 구치소 내의 변호인접견실에 CCTV를 설치하여 미결수용자와 변호인 간의 접견을 관찰한 행위는 형집행법 제94조 제1항과 제4항에 근거를 두고 이루어진 것으로, 교도관의 육안에 의한 시선계호를 CCTV 장비에 의한 시선계호로 대체한 것에 불과하고 또한 (CCTV는 영상만 실시간으로 촬영할 뿐 영상녹화 기능이나 음성수신기능이 활성화되어 있지 않고 확대기능도 없으므로) **접견내용의 비밀이 침해되거나 접견교통에 방해가 되지 않으므로 변호인의 조력을 받을 권리를 침해하지 않는다.**(헌법재판소 2016. 4. 28. 2015헌마243 접견실내 CCTV와 수수서류 확인사건)

181
□□□
변호인에 관한 설명 중 옳지 않은 것은? (다툼이 있으면 판례에 의함)   23 변호사 [Core ★★]

① 변호인 선임에 관한 서면을 제출하지 않았지만 변호인이 되려는 의사를 표시하고 객관적으로 변호인이 될 가능성이 있는 경우에 이와 같이 변호인이 되려는 자에게도 피의자를 접견할 권한이 있기 때문에 수사기관이 정당한 이유 없이 접견을 거부해서는 안된다.

② 피압수자가 수사기관에 압수·수색영장의 집행에 참여하지 않는다는 의사를 명시한 경우에 그 변호인에게 형사소송법 제219조, 제122조의 영장집행과 참여권자에 대한 통지 규정에 따라 미리 집행의 일시와 장소를 통지하는 등으로 압수·수색영장의 집행에 참여할 기회를 별도로 보장하여야 하는 것은 아니다.

③ 수사기관이 피의자신문시 정당한 사유가 없음에도 변호인참여를 거부하는 처분을 하는 경우에 변호인은 준항고를 할 수 있다.

④ 피의자 또는 그 변호인은 검사 또는 사법경찰관이 수사 중인 사건에 관한 본인의 진술이 기재된 부분 및 본인이 제출한 서류의 전부 또는 일부에 대한 열람·복사를 신청할 수 있다.

⑤ 직권으로 국선변호인을 선정하여야 하는 사유 중 하나인 형사소송법 제33조 제1항 제1호의 '피고인이 구속된 때'라고 함은 피고인이 당해 형사사건에서 구속되어 재판을 받고 있는 경우를 의미하고, 피고인이 별건으로 구속되어 있거나 다른 형사사건에서 유죄로 확정되어 수형 중인 경우는 이에 해당하지 아니한다.

해설

② [×] 형사소송법 제219조, 제121조가 규정한 **변호인의 참여권은 피압수자의 보호를 위하여 변호인에게 주어진 고유권이다.** 따라서 설령 피압수자가 수사기관에 압수·수색영장의 집행에 참여하지 않는다는 의사를 명시하였다고 하더라도 특별한 사정이 없는 한 **그 변호인에게는** 형사소송법 제219조, 제122조에 따라 **미리 집행의 일시와 장소를 통지하는 등으로 압수·수색영장의 집행에 참여할 기회를 별도로 보장하여야 한다.** (대법원 2020. 11. 26. 2020도10729 노래방 화장실 몰카 사건)

⑤ [×] 형사소송법 제33조 제1항 제1호의 문언, 위 법률조항의 입법 과정에서 고려된 '신체의 자유', '변호인의 조력을 받을 권리', '공정한 재판을 받을 권리' 등 헌법상 기본권 규정의 취지와 정신 및 입법 목적 그리고 피고인이 처한 입장 등을 종합하여 보면, 형사소송법 제33조 제1항 제1호의 '피고인이 구속된 때'라고 함은 피고인이 해당 형사사건에서 구속되어 재판을 받고 있는 경우에 한정된다고 볼 수 없고, 피고인이 별건으로 구속영장이 발부되어 집행되거나 다른 형사사건에서 유죄판결이 확정되어 그 판결의 집행으로 구금 상태에 있는 경우 또한 포괄하고 있다고 보아야 한다.(대법원 2024. 5. 23. 2021도6357 전합)

① [○] 변호인 선임에 관한 서면을 제출하지 않았지만 변호인이 되려는 의사를 표시하고 객관적으로 변호인이 될 가능성이 있는 경우에 이와 같이 **변호인이 되려는 자에게도 피의자를 접견할 권리가 있기 때문에 수사기관이 정당한 이유 없이 접견을 거부해서는 안된다.**(대법원 2017. 3. 9. 2013도16162 쌍용차사태 변호사 불법체포사건)

③ [○] 수사기관이 피의자신문 시 정당한 사유가 없음에도 변호인참여를 거부하는 처분을 하는 경우에 변호인은 **준항고를 할 수 있다.**(제417조)

④ [○] 피의자 또는 그 변호인은 검사 또는 사법경찰관이 수사 중인 사건에 관한 본인의 진술이 기재된 부분 및 본인이 제출한 서류의 전부 또는 일부에 대한 열람·복사를 신청할 수 있다.(수사준칙 제69조 제1항)

182

접견교통권에 대한 설명으로 가장 적절하지 않은 것은? (다툼이 있으면 판례에 의함)

① 변호인이 되려는 의사를 표시한 자가 객관적으로 변호인이 될 가능성이 있다고 인정되는데도, 형사소송법 제34조에서 정한 '변호인 또는 변호인이 되려는 자'가 아니라고 보아 신체구속을 당한 피고인 또는 피의자와 접견하지 못하도록 제한하여서는 아니 된다.

② 교도관이 미결수용자와 변호인 간에 주고받는 서류내용의 검열없이 금지물품 차단 등을 위해 서류를 확인하고, 소송관계서류처리부에 그 제목을 기재하여 등재한 행위는 접견당사자의 소송수행에 관한 개인정보자기결정권 제한이므로, 이러한 행위는 그 자체로 변호인의 접견교통권을 침해한 것이다.

③ 변호인의 접견교통의 상대방인 신체구속을 당한 사람이 그 변호인을 자신의 범죄행위에 공범으로 가담시키려고 하였다는 등의 사정만으로 그 변호인의 신체구속을 당한 사람과의 접견교통을 금지하는 것이 정당화될 수는 없다.

④ 변호인의 조력을 받을 권리가 침해되었다고 하기 위해서는 특정 시점에 접견이 불허됨으로써 피의자의 방어권 행사에 어느 정도는 불이익이 초래되었다고 인정할 수 있어야 한다.

해설

② [×] 교도관이 미결수용자와 변호인 간에 주고받는 서류를 확인하고 소송관계서류처리부에 그 제목을 기재하여 등재한 행위는 형집행법 제43조 제3항과 제8항에 근거를 두고 이루어진 것으로, 변호인 접견이 종료된 뒤 이루어지고 교도관은 변호인과 미결수용자가 지켜보는 가운데 서류를 확인하여 그 제목 등을 소송관계처리부에 기재하여 등재할 뿐 내용에 대한 검열이 이루어지는 것이 아니므로 **변호인의 조력을 받을 권리나 개인정보자기결정권을 침해하지 않는다.**(헌법재판소 2016. 4. 28. 2015헌마243 접견실내 CCTV와 수수서류 확인 사건)

① [O] (1) 변호인이 되려는 의사를 표시한 자가 객관적으로 변호인이 될 가능성이 있다고 인정되는데도, 형사소송법 제34조에서 정한 '변호인 또는 변호인이 되려는 자'가 아니라고 보아 신체구속을 당한 피고인 또는 피의자와 접견하지 못하도록 제한하여서는 아니 된다. (2) 변호사 A가 노동조합으로부터 근로자들이 연행될 경우 적절한 조치를 취해 줄 것을 부탁한다는 내용의 공문을 받았고 조합원 B에 대한 체포 현장에서 변호사 신분증을 제시하면서 변호인이 되려는 자로서 접견을 요청하였다면, 형사소송법 제34조에서 정한 접견교통권이 인정된다.(대법원 2017. 3. 9. 2013도16162 쌍용차사태 변호사 불법체포사건)

③ [O] 변호인의 접견교통의 상대방인 신체구속을 당한 사람이 그 변호인을 자신의 범죄행위에 공범으로 가담시키려고 하였다는 등의 사정만으로 그 변호인의 신체구속을 당한 사람과의 접견교통을 금지하는 것이 정당화될 수는 없다.(대법원 2007. 1. 31. 2006모656 일심회 마이클장 사건 I)

④ [O] 미결수용자 또는 변호인이 원하는 특정한 시점에 접견이 이루어지지 못하였다 하더라도 그것만으로 곧바로 변호인의 조력을 받을 권리가 침해되었다고 단정할 수는 없는 것이고, 변호인의 조력을 받을 권리가 침해되었다고 하기 위해서는 접견이 불허된 특정한 시점을 전후한 수사 또는 재판의 진행 경과에 비추어 보아, 그 시점에 접견이 불허됨으로써 피의자 또는 피고인의 방어권 행사에 어느 정도는 불이익이 초래되었다고 인정할

수 있어야만 하며, 그 시점을 전후한 변호인 접견의 상황이나 수사 또는 재판의 진행과정에 비추어 미결수용자가 방어권을 행사하기 위해 변호인의 조력을 받을 기회가 충분히 보장되었다고 인정될 수 있는 경우에는, 비록 미결수용자 또는 그 상대방인 변호인이 원하는 특정 시점에는 접견이 이루어지지 못하였다 하더라도 변호인의 조력을 받을 권리가 침해되었다고 할 수 없는 것이다.(헌법재판소 2011. 5. 26. 2009헌마341 **현충일 접견제한 사건**)

183 접견교통권에 대한 설명으로 가장 적절하지 않은 것은? (다툼이 있으면 판례에 의함)

□□□

19 경찰채용 [Core ★★]

① 국가정보원 사법경찰관이 경찰서 유치장에 구금되어 있던 피의자에 대하여 의사의 진료를 받게 할 것을 신청한 변호인에게 국가정보원이 추천하는 의사의 참여를 요구한 것은 변호인의 수진권을 침해하는 위법한 처분이라고 할 수 있다.

② 변호인이 되려는 의사를 표시한 자가 객관적으로 변호인이 될 가능성이 있다고 인정되는 데도, 「형사소송법」 제34조에서 정한 '변호인 또는 변호인이 되려는 자'가 아니라고 보아 신체구속을 당한 피고인 또는 피의자와 접견하지 못하도록 제한하여서는 아니 된다.

③ 변호인의 접견교통의 상대방인 신체구속을 당한 사람이 그 변호인을 자신의 범죄행위에 공범으로 가담시키려고 하였다는 등의 사정만으로, 그 변호인의 신체구속을 당한 사람과의 접견교통을 금지하는 것이 정당화될 수는 없다.

④ 피의자가 구속되어 국가안전기획부에서 조사를 받다가 변호인의 접견신청이 불허되어 이에 대한 준항고를 제기 중에 검찰로 송치되어 검사가 피의자를 신문하여 제1회 피의자신문조서를 작성한 후 준항고절차에서 위 접견불허처분이 취소되어 접견이 허용된 경우에는 검사의 피의자에 대한 위 제1회 피의자신문은 변호인의 접견교통을 침해한 상황에서 시행된 것이다.

해설

① [×] 국가정보원 사법경찰관이 경찰서 유치장에 구금되어 있던 피의자에 대하여 의사의 진료를 받게할 것을 신청한 변호인에게 국가정보원이 추천하는 의사의 참여를 요구한 것은 **행형법시행령 제176조의 규정에 근거한 것으로서 적법하고 이를 가리켜 변호인의 수진권을 침해하는 위법한 처분이라고 할 수는 없다.**(대법원 2002. 5. 6. 2000모112 **국정원추천 의사 참여 요구사건**)

② [○] (1) 변호인이 되려는 의사를 표시한 자가 객관적으로 변호인이 될 가능성이 있다고 인정되는데도, 형사소송법 제34조에서 정한 **'변호인 또는 변호인이 되려는 자'가 아니라고 보아 신체구속을 당한 피고인 또는 피의자와 접견하지 못하도록 제한하여서는 아니 된다.** (2) 변호사 A가 노동조합으로부터 근로자들이 연행될 경우 적절한 조치를 취해 줄 것을 부탁한다는 내용의 공문을 받았고 조합원 B에 대한 체포 현장에서 변호사 신분증을 제시하면서 변호인이 되려는 자로서 접견을 요청하였다면, 형사소송법 제34조에서 정한 접견교통권이 인정된다.(대법원 2017. 3. 9. 2013도16162 **쌍용차사태 변호사 불법체포사건**)

③ [○] 신체구속을 당한 피의자 또는 피고인이 범한 것으로 의심받고 있는 범죄행위에 해당 변호인이 관련되어 있다는 등의 사유에 기하여 그 변호인의 변호활동을 광범위하게 규제하는 변호인의 제척과 같은 제도를 두고 있지 아니한 우리 법제 아래에서는, 변호인의 접견교통의 상대방인 신체구속을 당한 사람이 그 변호인을 자신의 범죄행위에 공범으로 가담시키려고 하였다는 등의 사정만으로 그 변호인의 신체구속을 당한 사람과의 접견교통을 금지하는 것이 정당화될 수는 없다.(대법원 2007. 1. 31. 2006모656 일심회 마이클장 사건Ⅰ)

④ [○] 피고인이 구속되어 국가안전기획부에서 조사를 받다가 변호인의 접견신청이 불허되어 이에 대한 준항고를 제기중에 검찰로 송치되어 검사가 피고인을 신문하여 제1회 피의자신문조서를 작성한 후 준항고절차에서 위 접견불허처분이 취소되어 접견이 허용된 경우에는 검사의 피고인에 대한 위 제1회 피의자신문은 변호인의 접견교통을 금지한 위법상태가 계속된 상황에서 시행된 것으로 보아야 할 것이므로 그 피의자신문조서는 증거능력이 없다.(대법원 1990. 9. 25. 90도1586 홍성담 화가 사건)

184 접견교통권에 관한 설명 중 옳지 않은 것은 모두 몇 개인가? (다툼이 있으면 판례에 의함)

㉠ 변호인의 구속 피의자에 대한 접견이 접견신청일이 경과하도록 이루어지지 아니한 것은 실질적으로 접견불허가처분이 있는 것과 동일시된다.

㉡ 법원은 도망하거나 또는 죄증을 인멸할 염려가 있다고 인정할 만한 상당한 이유가 있는 때에는 직권 또는 검사의 청구에 의하여 결정으로 구속된 피고인과 비변호인과의 접견을 금하거나 의류, 양식, 의료품의 수수를 금지할 수 있다.

㉢ 검사에 의하여 피의자에 대한 변호인접견이 부당하게 제한되어 있는 동안에 작성된 피의자신문조서는 증거능력이 인정되지 않는다.

㉣ 미결수용자와 변호인과의 접견에는 교도관이 참여할 수 있다.

㉤ 사법경찰관이 경찰서 유치장에 수용된 피의자에 대한 변호인의 수진권 행사에 의무관의 참여를 요구한 것은 변호인의 수진권을 침해하는 위법한 처분이라 할 수 없다.

① 1개   ② 2개   ③ 3개   ④ 4개

해설

② ㉡㉣ 2 항목이 틀리다.

㉠ [○] 접견신청일이 경과하도록 접견이 이루어지지 아니한 것은 실질적으로 **접견불허가처분**이 있는 것과 동일시된다.(대법원 1991. 3. 28. 91모24 박노해 시인 접견불허사건)

㉡ [×] 의류, 양식, 의료품의 **수수를 금지 또는 압수할 수 없다.**(제91조 단서)

ⓒ [○] 검사 작성의 피의자신문조서가 검사에 의하여 피의자에 대한 변호인의 접견이 부당하게 제한되고 있는 동안에 작성된 경우에는 **증거능력이 없다.**(대법원 1990. 8. 24. 90도1285 서경원 의원 방북사건)

ⓓ [×] 변호인과의 접견에는 **교도관이 참여하지 못하며** 그 내용을 청취 또는 녹취하지 못한다. 다만, 보이는 거리에서 미결수용자를 관찰할 수 있다.(형집행법 제84조 제1항)

ⓔ [○] 행형법시행령 제176조는 '형사소송법 제34조, 제89조, 제209조의 규정에 의하여 피고인 또는 피의자가 의사의 진찰을 받는 경우에는 교도관 및 의무관이 참여하고 그 경과를 신분장부에 기재하여야 한다'고 규정하고 있는바 행형법시행령 제176조의 규정은 변호인의 수진권 행사에 대한 법령상의 제한에 해당한다고 보아야 할 것이고, 그렇다면 국가정보원 사법경찰관이 경찰서 유치장에 구금되어 있던 피의자에 대하여 의사의 진료를 받게 할 것을 신청한 변호인에게 **국가정보원이 추천하는 의사의 참여를 요구**한 것은 행형법시행령 제176조의 규정에 근거한 것으로서 적법하고 이를 가리켜 **변호인의 수진권을 침해하는 위법한 처분이라고 할 수는 없다.** (대법원 2002. 5. 6. 2000모112 국정원추천 의사 참여 요구사건)

185
□□□

접견교통권에 관한 다음 설명 중 틀린 것은 모두 몇 개인가? (다툼이 있으면 판례에 의함)

16 경찰채용 [Core ★★]

㉠ 국가정보원 사법경찰관이 경찰서 유치장에 구금되어 있던 피의자에 대하여 의사의 진료를 받게 할 것을 신청한 변호인에게 국가정보원이 추천하는 의사의 참여를 요구한 것은 변호인의 수진권을 침해하는 위법한 처분이라고 할 수 있다.

㉡ 수사기관의 형사소송법 제243조의2에 따른 변호인의 참여 등에 관한 처분에 대하여 불복이 있으면 준항고에 의해서 할 수 있다.

㉢ 변호인의 접견교통권은 법령에 의한 제한이 없는 한 수사기관의 처분이나 법원의 결정으로 제한할 수 없다.

㉣ 법원은 도망하거나 또는 죄증을 인멸할 염려가 있다고 인정할 만한 상당한 이유가 있는 때에는 직권 또는 검사의 청구에 의하여 결정으로 구속된 피고인과 비변호인과의 접견을 금하거나 수수할 서류 기타 물건의 검열, 의류 및 의료품을 포함한 물건의 수수를 금지 또는 압수를 할 수 있다.

① 0개   ② 1개   ③ 2개   ④ 3개

해설

③ ㉠㉣ 2 항목이 옳지 않다.

㉠ [×] 행형법시행령 제176조는 '형사소송법 제34조, 제89조, 제209조의 규정에 의하여 피고인 또는 피의자가 의사의 진찰을 받는 경우에는 교도관 및 의무관이 참여하고 그 경과를 신분장부에 기재하여야 한다'고 규정하고 있는바 행형법시행령 제176조의 규정은 변호인의 수진권 행사에 대한 법령상의 제한에 해당한다고 보아야 할 것이고, 그렇다면 **국가정보원 사법경찰관이** 경찰서 유치장에 구금되어 있던 피의자에 대하여 의사의 진

를 받게 할 것을 신청한 변호인에게 국가정보원이 추천하는 의사의 참여를 요구한 것은 행형법시행령 제176조의 규정에 근거한 것으로서 적법하고 이를 가리켜 변호인의 수진권을 침해하는 **위법한 처분**이라고 할 수는 **없다.**(대법원 2002. 5. 6. 2000모112 국정원추천 의사 참여 요구사건)

ⓒ [O] 검사 또는 사법경찰관의 변호인의 피의자신문 참여에 관한 처분에 대하여 불복이 있으면 **법원에 그 처분**의 취소 또는 변경을 청구할 수 있다.(제417조)

ⓒ [O] 변호인의 접견교통권은 신체구속을 당한 피고인이나 피의자의 인권보장과 방어준비를 위하여 필수불가결한 권리이므로 **법령에 의한 제한이 없는 한 수사기관의 처분은 물론 법원의 결정으로도 이를 제한할 수 없다.** (대법원 1991. 3. 28. 91모24 박노해 시인 접견불허사건)

ⓔ [×] 법원은 도망하거나 또는 죄증을 인멸할 염려가 있다고 인정할 만한 상당한 이유가 있는 때에는 직권 또는 검사의 청구에 의하여 결정으로 구속된 피고인과 비변호인과의 접견을 금하거나 수수할 서류 기타물건의 검열, 수수의 금지 또는 압수를 할 수 있다. 단, **의류, 양식, 의료품의 수수를 금지 또는 압수할 수 없다.**(제91조)

186 다음 사례에 대한 설명으로 옳지 않은 것은? (다툼이 있으면 판례에 의함)

17 국가7급 [Superlative ★★★]

사법경찰관 甲은 ○○노동조합 시위현장에서 6명의 조합원을 ⊙ 집회 및 시위에 관한 법률 위반 혐의로 현행범 체포 후 경찰서로 연행하였고, ⓒ 그 과정에서 체포의 이유를 설명하지 않다가 조합원들의 항의를 받고 1시간이 지난 후 그 이유를 설명하였다. 한편 위 노동조합으로부터 사전에 "조합원이 경찰에 강제 연행될 경우 신속한 변호사 접견이 이루어질 수 있도록 적절한 조치를 취해달라"는 공문을 받은 ⓒ 변호사 A는 시위 현장에서 위 상황을 목격한 후 甲에게 자신이 변호사임을 밝히고 노동조합의 공문을 보여주며 조합원들을 접견할 수 있도록 해달라고 요청하였다. ⓔ 하지만 甲은 이에 응하지 않았다.

① ⊙과 관련, 현행범 체포의 요건을 갖추었는지를 판단할 때 수사기관에 상당한 재량의 여지가 있으나, 체포 당시 상황으로 보아도 체포 요건 충족에 관한 甲의 판단이 경험칙에 비추어 현저히 합리성을 잃은 경우에는 체포는 위법하다.

② ⓒ과 관련, 특별한 사정이 없는 한 체포 당시에 체포 이유를 고지하였어야 하므로 항의를 받은 후에야 체포 이유를 고지한 것은 위법하다.

③ ⓒ과 관련, A는 변호인이 되려는 자로서 접견교통권을 갖는다.

④ ⓔ과 관련, A는 법원에 甲의 처분의 취소를 청구할 수 없다.

해설

④ [×] 甲의 접견거부처분에 대하여 A는 **법원에 그 취소를 청구할 수 있다.**(제417조)
①③ [○] 노동조합 파업 현장에서 경찰을 지휘하던 지휘관인 피고인이 체포된 근로자를 접견하게 해 달라고 요구하며 호송차량의 진행을 막은 변호사인 피해자를 공무집행방해죄의 현행범으로 체포한 경우, 이는 체포 당시 상황을 고려하여 경험칙에 비추어 현저하게 합리성을 잃지 않은 채 판단하면 체포 요건이 충족되지 아니함을 충분히 알 수 있었는데도, 자신의 재량 범위를 벗어난다는 사실을 인식하고 그와 같은 결과를 용인한 채 피해자를 체포한 것이므로 **직권남용체포죄와 직권남용권리행사방해죄가 성립한다.**(대법원 2017. 3. 9. 2013도16162 **쌍용차사태 변호사 불법체포사건**)
② [○] 쌍용자동차 공장을 점거·농성 중이던 조합원 6명이 공장 밖으로 나오자, 전투경찰대원들이 '고착관리'라는 명목으로 조합원을 방패로 에워싸 이동하지 못하게 한 것은 형사소송법상 체포에 해당함에도, **전투경찰대원들이 체포 후 30~40분이 지난 후 피고인 등의 항의를 받고 나서야 비로소 체포의 이유 등을 고지한 것은 적법한 공무집행이라고 볼 수 없으므로** 피고인이 전투경찰대원들의 방패를 손으로 잡아당기거나 전투경찰대원들을 발로 차고 몸으로 밀었다고 하더라도 공무집행방해죄는 성립하지 아니한다.(대법원 2017. 3. 15. 2013도2168 **쌍용차사태 권영국 변호사 사건**)

187 체포·구속적부심사에 대한 설명으로 옳지 않은 것은? (다툼이 있으면 판례에 의함)

19 국가9급 [Core ★★]

① 체포·구속적부심사의 청구권자(형사소송법 제214조의2 제1항)는 변호인선임권자(형사소송법 제30조 제2항)보다 범위가 넓다.

② 구속적부심사절차와 달리 체포적부심사절차에서는 보증금 납입조건부 피의자석방결정을 할 수 없다.

③ 구속적부심사청구에 대한 법원의 결정에는 기각결정과 석방결정, 보증금납입조건부 석방결정이 있으며, 검사와 피의자는 이와 같은 법원의 결정에 대해 항고할 수 없다.

④ 구속적부심문조서는 특히 신용할 만한 정황에 의하여 작성된 문서이므로 특별한 사정이 없는 한, 증거동의 여부와 상관 없이 당연히 증거능력이 인정된다.

해설

③ [×] 기각결정과 석방결정에 대하여 검사와 피의자는 항고할 수 없으나, **보증금납입조건부 석방결정에 대하여는 항고할 수 있다.**(제214조의2 제8항, 대법원 1997. 8. 27. 97모21)
① [○] 체포·구속적부심사의 청구권자는 체포·구속된 피의자 또는 그 변호인, 법정대리인, 배우자, 직계친족, 형제자매나 가족, 동거인 또는 고용주이고, 변호인선임권자는 피고인·피의자 또는 그 법정대리인, 배우자, 직계친족과 형제자매이므로 전자가 후자보다 범위가 더 넓다.(제214조의2 제1항, 제30조)
② [○] 제214조의2 제5항, 대법원 1997. 8. 27. 97모21
④ [○] 구속적부심문조서는 형사소송법 제311조가 규정한 문서에는 해당하지 않는다 할 것이나, 특히 신용할 만한 정황에 의하여 작성된 문서라고 할 것이므로 특별한 사정이 없는 한, 피고인이 증거로 함에 부동의 하더라도 형사소송법 제315조 제3호에 의하여 당연히 그 증거능력이 인정된다.(대법원 2004. 1. 16. 2003도5693 **구속적부심문조서 사건**)

188 체포와 구속에 대한 설명으로 옳은 것만을 모두 고르면? (다툼이 있으면 판례에 의함)

□□□

20 국가9급 [Core ★★]

> ㉠ 구속영장에 구금장소로 기재된 특정 경찰서 유치장에 피의자가 구속집행되었다가 같은 날 조사
>   차 별도의 특별수사기관에 인도된 후 위 영장기재 경찰서 유치장에 인도되지 않고 그 수사기관
>   에 사실상 계속 구금되어 있었다면, 이러한 사실상 구금장소의 임의적 변경은 위법하다.
> ㉡ 체포적부심사절차에서는 체포된 피의자를 보증금 납입을 조건으로 석방할 수 있다.
> ㉢ 공범 또는 공동피의자의 구속적부심사 순차청구가 수사방해의 목적임이 명백하더라도 법원
>   은 피의자에 대한 심문 없이 그 청구를 기각해서는 아니 된다.
> ㉣ 체포적부심사청구를 받은 법원이 그 청구가 이유 있다고 인정한 때에는 결정으로 체포된 피의
>   자의 석방을 명하여야 하며, 검사는 이 결정에 대하여 항고하지 못한다.

① ㉠㉢   ② ㉠㉣

③ ㉡㉢   ④ ㉡㉣

해설

② ㉠㉣ 2 항목이 옳다.

㉠ [○] 피의자에 대한 사실상의 구금장소의 임의적 변경은 피의자의 방어권이나 **접견교통권의 행사에 중대한 장애**를 초래하는 것이므로 위법하다.(대법원 1996. 5. 15. 95모94 전창일 범민련 부의장 사건)

㉡ [×] 현행법상 **체포된 피의자에 대하여는 보증금 납입을 조건으로 한 석방이 허용되지 않는다.**(제214조의2 제5항, 대법원 1997. 8. 27. 97모21)

㉢ [×] 공범 또는 공동피의자의 구속적부심사 순차청구가 수사방해의 목적임이 명백한 경우 법원은 **피의자에 대한 심문 없이 결정으로 청구를 기각할 수 있다.**(제214조의2 제3항 제2호)

㉣ [○] 청구가 이유있다고 인정한 때에는 결정으로 체포 또는 구속된 피의자의 석방을 명하여야 한다.(제214조의2 제4항) 제3항과 제4항의 결정에 대하여는 **항고하지 못한다.**(제214조의2 제8항)

189 체포 구속적부심사제도에 관한 다음 설명 중 옳은 것은 모두 몇 개인가? (다툼이 있으면 판례에
□□□ 의함)

18 경찰간부 [Superlative ★★★]

> ⊙ 체포·구속적부심사에 관한 법원의 기각결정과 석방결정에 대하여는 항고가 허용되지 않는다.
> ⓛ 보증금납입조건부 피의자석방의 대상자는 구속된 피의자에 한하고 체포된 피의자는 포함되지 않는다.
> ⓒ 체포영장 또는 구속영장을 발부한 법관은 체포·구속적부심사 청구된 피의자의 석방 여부를 결정하기 위한 심문·조사·결정에 관여하지 못하고 이는 체포영장 또는 구속영장을 발부한 법관 외에는 심문·조사·결정을 할 판사가 없는 경우에도 마찬가지이다.
> ⓔ 구속적부심사가 청구된 이후 검사가 기소하였더라도 법원은 청구가 이유 있다고 인정한 때에는 결정으로 석방을 명하여야 한다.
> ⓜ 공범 또는 공동피의자의 순차청구가 수사방해의 목적이 명백한 때에는 법원은 심문 없이 결정으로 청구를 기각할 수 있다.

① 2개   ② 3개   ③ 4개   ④ 5개

해설

③ ⊙ⓛⓔⓜ 4 항목이 옳다.

⊙ [ㅇ] 체포·구속적부심사에 관한 법원의 기각결정과 석방결정에 대하여는 **항고가 허용되지 않는다.**(제214조의2 제8항)

ⓛ [ㅇ] 현행법상 **체포된 피의자에 대하여는 보증금 납입을 조건으로 한 석방이 허용되지 않는다.**(제214조의2 제5항, 대법원 1997. 8. 27. 97모21)

ⓒ [×] 체포영장 또는 구속영장을 발부한 법관은 체포·구속적부심사의 심문·조사·결정에 관여하지 못한다.
다만, **체포영장 또는 구속영장을 발부한 법관 외에는 심문·조사·결정을 할 판사가 없는 경우에는 그러하지 아니하다.**(제214조의2 제12항)

ⓔ [ㅇ] 구속적부심사가 청구된 이후 검사가 기소하였더라도 법원은 청구가 이유 있다고 인정한 때에는 **결정으로 석방을 명하여야 한다.**(제214조의2 제4항)

ⓜ [ㅇ] 공범 또는 공동피의자의 순차청구가 수사방해의 목적이 명백한 때에는 법원은 **심문 없이 결정으로 청구를 기각할 수 있다.**(제214조의2 제3항)

190 다음 사례에 대한 설명 중 가장 적절하지 않은 것은? (다툼이 있으면 판례에 의함)

> 검사 A는 2002.11.28. 甲에 대하여 개발제한구역의 지정 및 관리에 관한 특별조치법 위반혐의에 대하여 조사한 다음, 판사에게 구속영장을 청구하였고, 판사는 형사소송법 제201조의2의 규정에 따른 피의자심문을 한 다음, 2002.11.29. 甲에 대하여 구속영장을 발부하였다.
> 그런데, 甲이 2002.11.30. 위 구속이 부당하다는 이유로 구속적부심사를 청구하자, 검사 A는 같은 날 甲에 대한 공소를 제기하였다.

① 체포·구속적부심사제도는 수사기관에 의하여 체포 또는 구속된 피의자에 대하여 법원이 체포 또는 구속의 적법 여부와 그 필요성을 심사하여 그 체포 또는 구속이 부적법·부당한 경우에 피의자를 석방시키는 제도이다.

② 체포 또는 구속된 피의자 또는 그 변호인, 법정대리인, 배우자, 직계친족, 형제자매나 가족, 동거인 또는 고용주는 관할법원에 체포 또는 구속의 적부심사를 청구할 수 있다.

③ 위 사례에서 甲은 피고인으로 신분이 변경되었기 때문에, 법원은 구속적부심사청구를 기각하여야 한다.

④ 체포·구속적부심사에 관한 법원의 기각결정 및 석방결정에 대하여는 항고하지 못한다.

해설

③ [×] 법원은 적부심사의 청구가 이유 없다고 인정한 때에는 결정으로 이를 기각하고, **이유 있다고 인정한 때에는 결정으로 체포 또는 구속된 피의자의 석방을 명하여야 한다. 심사청구 후 피의자에 대하여 공소제기가 있는 경우에도 또한 같다.**(제214조의2 제4항)

①② [○] 체포 또는 구속된 피의자 또는 그 변호인, 법정대리인, 배우자, 직계친족, 형제자매나 가족, 동거인 또는 고용주는 관할법원에 체포 또는 구속의 적부심사를 청구할 수 있다.(제214조의2 제1항)

④ [○] 체포·구속적부심사에 관한 법원의 기각결정 및 석방결정에 대하여는 항고하지 못한다.(제214조의2 제8항)

191

□□□

체포·구속된 자에 대한 권리에 관한 설명 중 가장 옳지 않은 것은? (다툼이 있으면 판례에 의함)

14 경찰간부 [Superlative ★★★]

① 접견교통권은 피고인 또는 피의자 이외에 용의자 또는 피내사자에게도 인정된다.

② 신체구속을 당한 피의자가 범하였다고 의심받는 범죄행위에 자신의 변호인이 관련되었다는 사정만으로 그 변호인과의 접견교통을 금지할 수는 없다.

③ 구속된 피의자가 체포·구속적부심사청구권을 행사한 다음 검사가 공소제기를 한 경우, 비록 적부심사에 따른 석방결정이 있어도 피의자는 피고인으로 신분이 변동되었으므로, 법원은 구속취소나 보석에 의하여 석방하여야 한다.

④ 체포·구속적부심사의 청구는 현행범인으로 체포된 자, 긴급체포된 자에게도 청구권이 인정된다.

해설

③ [×] 체포·구속적부심사 청구에 대하여 법원이 이유 있다고 인정한 때에는 **결정으로 체포 또는 구속된 피의자의 석방을 명하여야 한다. 심사청구후 피의자에 대하여 공소제기가 있는 경우에도 또한 같다.**(제214조의2 제4항) 따라서 피의자가 피고인으로 신분이 변동되었더라도 법원의 석방결정이 있으면 피고인은 석방된다.

① [○] 임의동행의 형식으로 수사기관에 연행된 피의자에게도 변호인 또는 변호인이 되려는 자와의 접견교통권은 당연히 인정된다고 보아야 하고 **임의동행의 형식으로 연행된 피내사자의 경우에도 이는 마찬가지이다.**(대법원 1996. 6. 3. 96모18 이병기 <종로저널> 발행인 사건)

② [○] 신체구속을 당한 피의자 또는 피고인이 범한 것으로 의심받고 있는 범죄행위에 해당 변호인이 관련되어 있다는 등의 사유에 기하여 그 변호인의 변호활동을 광범위하게 규제하는 변호인의 제척과 같은 제도를 두고 있지 아니한 우리 법제 아래에서는, 변호인의 접견교통의 상대방인 신체구속을 당한 사람이 그 변호인을 **자신의 범죄행위에 공범으로 가담시키려고 하였다는 등의 사정만으로 그 변호인의 신체구속을 당한 사람과의 접견교통을 금지하는 것이 정당화될 수는 없다.**(대법원 2007. 1. 31. 2006모656 일심회 마이클장 사건)

④ [○] 체포 또는 구속된 피의자 또는 그 변호인, 법정대리인, 배우자, 직계친족, 형제자매나 **가족, 동거인 또는 고용주는 관할법원에 체포 또는 구속의 적부심사를 청구할 수 있다.**(제214조의2 제1항)

192 체포·구속적부심에 관한 다음 기술 중 가장 옳지 않은 것은? (다툼이 있으면 판례에 의함)

□□□
11 법원9급 [Core ★★]

① 구속적부심문조서는 특히 신용할 만한 정황에 의하여 작성된 문서라고 할 것이므로, 특별한 사정이 없는 한 피고인이 증거로 함에 부동의하더라도 당연히 그 증거능력이 인정된다.

② 청구를 받은 법원은 청구서가 접수된 때부터 48시간 이내에 체포 또는 구속된 피의자를 심문하고 수사관계서류와 증거물을 조사하여 그 청구가 이유 있다고 인정한 때에는 결정으로 체포 또는 구속된 피의자의 석방을 명하여야 하며, 석방결정은 그 결정서의 등본이 검찰청에 송달된 때에 효력을 발생한다. 심사청구 후 피의자에 대하여 공소제기가 있는 경우에도 또한 같다.

③ 체포·구속적부심사청구에 대한 법원의 석방결정에 대해서는 항고가 허용되지 않으나, 기각결정에 대해서는 항고가 허용된다.

④ 보증금납입조건부 피의자석방제도는 구속적부심사의 청구가 있을 때에만 허용되며, 법원의 직권에 의하여 석방을 명할 수 있을 뿐인 직권보석이다.

해설

③ [×] 법원의 석방결정은 물론 **기각결정에 대해서도 불복하지 못한다.**(제214조의2 제8항)

① [○] 법원 또는 합의부원, 검사, 변호인, 청구인이 구속된 피의자를 심문하고 그에 대한 피의자의 진술 등을 기재한 구속적부심문조서는 형사소송법 제311조가 규정한 문서에는 해당하지 않는다 할 것이나, 특히 신용할 만한 정황에 의하여 작성된 문서라고 할 것이므로 특별한 사정이 없는 한, 피고인이 증거로 함에 부동의하더라도 형사소송법 제315조 제3호에 의하여 당연히 그 증거능력이 인정된다.(대법원 2004. 1. 16. 2003도5693)

② [○] 청구를 받은 법원은 청구서가 접수된 때부터 48시간 이내에 체포 또는 구속된 피의자를 심문하고 수사관계서류와 증거물을 조사하여 그 청구가 이유 있다고 인정한 때에는 결정으로 체포 또는 구속된 피의자의 석방을 명하여야 하며, 석방결정은 그 결정서의 등본이 검찰청에 송달된 때에 효력을 발생한다. 심사청구 후 피의자에 대하여 공소제기가 있는 경우에도 또한 같다.(제214조의2 제4항)

④ [○] 법원은 구속된 피의자에 대하여 피의자의 출석을 보증할 만한 보증금의 납입을 조건으로 하여 결정으로 석방을 명할 수 있다.(제214조의2 제5항)

193 체포 · 구속적부심사에 관한 설명으로 가장 적절하지 않은 것은? (다툼이 있으면 판례에 의함)

□□□
24 경찰승진 [Superlative ★★★]

① 체포되거나 구속된 피의자 또는 그 변호인, 법정대리인, 배우자, 직계친족, 형제자매나 가족, 동거인 또는 고용주는 관할법원에 체포 또는 구속의 적부심사를 청구할 수 있다.

② 법원은 청구권자 아닌 사람이 구속의 적부심사를 청구하는 경우에는 심문 없이 결정으로 청구를 기각할 수 있는데, 이와 같은 기각결정에 대해서는 항고할 수 없다.

③ 법원은 구속된 피의자에 대하여 피의자의 출석을 보증할 만한 보증금의 납입을 조건으로 하여 결정으로 석방을 명할 수 있는데, 석방된 피의자가 출석요구를 받고 정당한 이유없이 출석하지 아니하더라도 동일한 범죄사실로 재차 체포하거나 구속할 수 없다.

④ 기소전 보증금 납입 조건부 석방결정에 대하여 피의자나 검사가 그 취소의 실익이 있는 한 형사소송법 제402조에 의하여 항고할 수 있다.

해설

> ③ [×] 보증금 납입을 조건으로 석방된 피의자가 ⓐ 도망한 때 ⓑ 도망하거나 범죄의 증거를 인멸할 염려가 있다고 믿을 만한 충분한 이유가 있는 때 ⓒ **출석요구를 받고 정당한 이유없이 출석하지 아니한 때** ⓓ 주거의 제한이나 그 밖에 법원이 정한 조건을 위반한 때를 **제외하고는 동일한 범죄사실로 재차 체포하거나 구속할 수 없다.**(제214조의3 제2항) 석방된 피의자가 출석요구를 받고 정당한 이유없이 출석하지 않은 경우 동일한 범죄사실로 재차 체포하거나 구속할 수 있다.
>
> ① [○] 체포되거나 구속된 피의자 또는 그 변호인, 법정대리인, 배우자, 직계친족, 형제자매나 가족, 동거인 또는 고용주는 관할법원에 **체포 또는 구속의 적부심사(適否審査)를 청구할 수 있다.**(제214조의2 제1항)
>
> ② [○] 법원은 제1항에 따른 청구가 다음 각 호의 어느 하나에 해당하는 때에는 제4항에 따른 **심문 없이 결정으로 청구를 기각할 수 있다.** 제3항과 제4항의 결정에 대해서는 **항고할 수 없다.**(제214조의2 제3항 · 제8항)
>
> ④ [○] 기소 후 보석결정에 대하여 항고가 인정되는 점에 비추어 그 보석결정과 성질 및 내용이 유사한 **기소전 보증금납입조건부 석방결정에 대하여도 항고할 수 있도록 하는 것이 균형에 맞는 측면도 있다** 할 것이므로 형사소송법 제214조의2 제4항[현재 제214조의2 제5항]의 석방결정에 대하여는 피의자나 검사가 그 취소의 실익이 있는 한 제402조에 의하여 항고할 수 있다.(대법원 1997. 8. 27. 97모21 **긴급체포적부심 사건**)

194 다음 <보기> 중 체포 · 구속적부심사와 관련된 설명으로 옳지 않은 것은 모두 몇 개인가? (다툼이 있으면 판례에 의함)

21 해경채용 [Core ★★]

> ⊙ 동거인이나 고용주도 체포·구속적부심사를 청구할 수 있으나 피고인은 청구할 수 없다.
> ⓛ 구속영장을 발부한 법관도 구속적부심사의 심문·조사·결정에 관여할 수 있는 경우가 있다.
> ⓒ 심사청구 후 검사가 전격 기소한 경우에도 법원은 심사청구에 대한 판단을 해야 한다.
> ⓔ 체포적부심을 신청한 피의자에 대하여 법원은 직권으로 보증금 납입조건부 석방결정을 할 수 있다.
> ⓜ 체포·구속적부심사청구에 대한 법원의 석방 결정에 대하여는 항고가 허용되지 않으나 기각 결정에 대해서는 항고가 허용된다.

① 2개
② 3개
③ 4개
④ 5개

해설

① ⓔⓜ 2 항목이 옳지 않다.
⊙ [○] 체포되거나 구속된 피의자 또는 그 변호인, 법정대리인, 배우자, 직계친족, 형제자매나 가족, 동거인 또는 고용주는 관할법원에 체포 또는 구속의 적부심사(適否審査)를 청구할 수 있다.(제214조의2 제1항)
ⓛ [○] 체포영장이나 구속영장을 발부한 법관은 제4항부터 제6항까지의 심문·조사·결정에 관여할 수 없다. 다만, 체포영장이나 구속영장을 발부한 법관 외에는 심문·조사·결정을 할 판사가 없는 경우에는 그러하지 아니하다.(제214조의2 제12항)
ⓒ [○] 심사 청구 후 피의자에 대하여 공소제기가 있는 경우에도 또한 같다.(제214조의2 제5항)
ⓔ [×] 현행법상 체포된 피의자에 대하여는 보증금납입을 조건으로 한 석방이 허용되지 않는다.(대법원 1997. 8. 27. 97모21)
ⓜ [×] 법원의 석방결정은 물론 기각결정에 대해서도 **불복하지 못한다**.(제214조의2 제8항)

195
□□□ 체포 · 구속적부심사제도에 대한 <보기>의 설명 중 옳은 것은 모두 몇 개인가? (다툼이 있으면 판례에 의함)

24 해경채용 [Core ★★]

> ㉠ 체포적부심사절차에서는 체포된 피의자를 보증금납입을 조건으로 석방할 수 있다.
> ㉡ 구속적부심사가 청구된 이후 검사가 기소하였더라도 법원은 청구가 이유 있다고 인정한 때에는 결정으로 석방을 명하여야 한다.
> ㉢ 공범 또는 공동피의자의 순차적 구속적부심사청구가 수사방해의 목적이 명백한 때에는 법원은 심문 없이 결정으로 청구를 기각할 수 있다.
> ㉣ 체포적부심사청구를 받은 법원이 그 청구가 이유 있다고 인정한 때에는 결정으로 체포된 피의자의 석방을 명하여야 하며, 검사는 이 결정에 대하여 항고하지 못한다.

① 1개   ② 2개
③ 3개   ④ 4개

해설

③ ㉡㉢㉣ 3 항목이 옳다.

㉠ [×] 현행법상 **체포된 피의자에 대하여는 보증금 납입을 조건으로 한 석방이 허용되지 않는다.**(제214조의2 제5항, 대법원 1997. 8. 27. 97모21 긴급체적부심 사건)

㉡ [○] 심사 청구 후 피의자에 대하여 **공소제기가 있는 경우에도 또한 같다.**(제214조의2 제4항)

㉢ [○] 공범 또는 공동피의자의 순차적 구속적부심사청구가 수사방해의 목적이 명백한 때에는 법원은 심문 없이 **결정으로 청구를 기각할 수 있다.**(제214조의2 제3항 제2호)

㉣ [○] 제3항과 제4항의 결정에 대해서는 **항고할 수 없다.**(제214조의2 제8항)

196 다음은 체포 · 구속적부심사제도에 대한 설명이다. 적절하지 않은 것은 모두 몇 개인가? (다툼이 있으면 판례에 의함)

> ㉠ 구속적부심문조서는 법원 또는 법관 면전에서 작성된 조서로서 형사소송법 제311조에 의하여 당연히 그 증거능력이 인정된다.
> ㉡ 법원이 수사관계서류와 증거물을 접수한 때부터 결정 후 검찰청에 반환된 때까지의 기간은 수사기관의 체포 · 구속기간에 산입하지 아니한다.
> ㉢ 법원은 체포 및 구속적부심사청구가 있는 경우 피의자의 출석을 보증할만한 보증금의 납입을 조건으로 석방을 명할 수 있다.
> ㉣ 법원은 체포 또는 구속된 피의자에 대한 심문이 종료된 때로부터 24시간 이내에 체포 · 구속적부심사청구에 대한 결정을 하여야 한다.
> ㉤ 체포 · 구속적부심사청구에 대한 법원의 결정에는 항고할 수 있다.
> ㉥ 체포 또는 구속적부심사결정에 의하여 석방된 피의자가 도망하거나 죄증을 인멸하는 경우를 제외하고는 동일한 범죄사실에 관하여 재차 체포 또는 구속하지 못한다.

① 3개 ② 4개
③ 5개 ④ 6개

해설

① ㉠㉢㉤ 3 항목이 옳지 않다.
㉠ [×] 구속적부심문조서는 특히 신용할 만한 정황에 의하여 작성된 문서라고 할 것이므로 **형사소송법 제315조 제3호에 의하여** 당연히 그 증거능력이 인정된다.(대법원 2004. 1. 16. 2003도5693)
㉡ [○] **법원이 수사관계서류와 증거물을 접수한 때부터 결정 후 검찰청에 반환**된 때까지의 기간은 수사기관의 체포 · 구속기간에 산입하지 아니한다.(제214조의2 제13항)
㉢ [×] 현행법상 **체포된 피의자에 대하여는 보증금 납입을 조건으로 한 석방이 허용되지 않는다.**(제214조의2 제5항, 대법원 1997. 8. 27. 97모21)
㉣ [○] 법원은 체포 또는 구속된 피의자에 대한 심문이 종료된 때로부터 **24시간 이내에 체포 · 구속적부심사청구에 대한 결정을 하여야 한다.**(규칙 제106조)
㉤ [×] 체포 · 구속적부심사청구에 대한 법원의 석방결정에 대해서는 **불복할 수 없다.**(제214조의2 제8항)
㉥ [○] 체포 또는 구속적부심사결정에 의하여 석방된 피의자가 도망하거나 **죄증을 인멸하는 경우를 제외하고는 동일한 범죄사실에 관하여 재차 체포 또는 구속하지 못한다.**(제214조의3 제1항)

197 체포 · 구속적부심사에 대한 설명으로 옳은 것만을 모두 고르면? (다툼이 있으면 판례에 의함)

□□□

23 국가7급 [Core ★★]

ㄱ 체포영장이나 구속영장을 발부한 법관은 체포·구속적부심사의 심문·조사·결정에 관여할 수 없지만, 체포영장이나 구속영장을 발부한 법관 외에는 심문·조사·결정을 할 판사가 없는 경우에는 그러하지 아니하다.

ㄴ 체포·구속적부심사결정에 의하여 석방(보증금납입조건부 피의자석방의 경우는 제외한다)된 피의자가 도망할 우려가 있거나 범죄의 증거를 인멸할 염려가 있는 경우에는 동일한 범죄사실로 재차 체포하거나 구속할 수 있다.

ㄷ 보증금납입을 조건으로 석방된 피의자가 동일한 범죄사실에 관하여 형의 선고를 받고 그 판결이 확정된 후 집행하기 위한 소환을 받고 정당한 이유없이 출석하지 아니하거나 도망한 때에는 검사의 결정으로 보증금의 전부 또는 일부를 몰수하여야 한다.

ㄹ 구속적부심문조서는 특히 신용할 만한 정황에 의하여 작성된 문서라고 할 것이므로 특별한 사정이 없는 한 피고인이 증거로 함에 부동의하더라도 형사소송법 제315조 제3호에 의하여 당연히 그 증거능력이 인정된다.

---

① ㄱㄴ   ② ㄱㄹ

③ ㄴㄷ   ④ ㄷㄹ

해설

② ㄱㄹ 2 항목이 옳다.

ㄱ [○] 체포영장이나 구속영장을 발부한 법관은 제4항부터 제6항까지의 **심문·조사·결정에 관여할 수 없다.** 다만, 체포영장이나 구속영장을 발부한 법관 외에는 심문·조사·결정을 할 판사가 없는 경우에는 그러하지 아니하다.(제214조의2 제12항)

ㄴ [×] 체포 또는 구속 적부심사결정에 의하여 **석방된 피의자가 도망하거나 범죄의 증거를 인멸하는 경우를 제외하고는** 동일 범죄사실로 재차 체포하거나 구속할 수 없다.(제214조의3 제1항)

ㄷ [×] **법원은** 보증금납입조건부로 석방된 자가 동일한 범죄사실에 관하여 형의 선고를 받고 그 판결이 확정된 후 집행하기 위한 소환을 받고 정당한 이유없이 출석하지 아니하거나 도망한 때에는 **직권 또는 검사의 청구에 의하여 결정으로 보증금의 전부 또는 일부를 몰수하여야 한다.**(제214조의4 제2항)

ㄹ [○] 구속적부심문조서는 형사소송법 제311조가 규정한 문서에는 해당하지 않는다 할 것이나 특히 신용할 만한 정황에 의하여 작성된 문서라고 할 것이므로 특별한 사정이 없는 한 피고인이 증거로 함에 부동의하더라도 형사소송법 제315조 제3호에 의하여 당연히 그 증거능력이 인정된다.(대법원 2004. 1. 16. 2003도5693 **구속적부심문조서 사건**)

198

다음은 체포 · 구속에 관한 설명이다. ㉠부터 ㉤까지의 설명 중 옳고 그름의 표시(○, ×)가 모두 바르게 된 것은? (다툼이 있으면 판례에 의함)

22 경찰채용 [Core ★★]

㉠ 검사는 긴급체포한 피의자를 구속영장 청구 없이 석방한 경우에는 석방한 날로부터 30일 이내에 긴급체포서사본과 함께 법정기재사항이 기재된 서면으로 법원에 통지하여야 하고, 만약 사후에 석방통지가 법에 따라 이루어지지 않은 사정이 있다면 그와 같은 사정만으로도 긴급체포 중에 작성된 피의자신문조서의 증거능력은 소급하여 부정된다.

㉡ 구속영장 발부에 의하여 적법하게 구금된 피의자가 피의자신문을 위한 출석요구에 응하지 아니하면서 수사기관 조사실에 출석을 거부한다면 수사기관은 그 구속영장의 효력에 의하여 피의자를 조사실로 구인할 수 있는데, 이 경우 피의자신문절차도 강제수사의 한 방법으로 진행되어야 하므로 수사기관은 피의자를 신문하기 전에 진술거부권이 있음을 고지하여야 한다.

㉢ 검사의 구속영장 청구 전 피의자 대면조사는 강제수사가 아니므로 피의자는 검사의 출석 요구에 응할 의무가 없다.

㉣ 영장실질심사는 필요적 변호사건이므로 심문할 피의자에게 변호인이 없는 때에는 지방법원판사는 직권으로 변호인을 선정하여야 한다. 이 경우 변호인 선정의 효력은 구속영장 청구가 기각된 경우에도 제1심까지 효력이 있다.

㉤ 공동피의자의 순차적인 체포 · 구속적부심사청구가 수사방해를 목적으로 하고 있음이 명백한 때에는 법원은 피의자에 대한 심문 없이 결정으로 청구를 기각할 수 있으며, 이와 같은 결정에 대해서는 피의자가 항고할 수 없다.

① ㉠ ○ ㉡ ○ ㉢ × ㉣ ○ ㉤ ×
② ㉠ ○ ㉡ × ㉢ ○ ㉣ ○ ㉤ ×
③ ㉠ × ㉡ ○ ㉢ ○ ㉣ × ㉤ ○
④ ㉠ × ㉡ × ㉢ ○ ㉣ × ㉤ ○

해설

④ 이 지문이 옳은 연결이다.

㉠ [×] 피의자가 2009.11. 2. 22:00경 긴급체포되어 조사를 받고 구속영장이 청구되지 아니하여 2009.11.4. 20:10경 석방되었음에도 검사가 **30일 이내에 법원에 석방통지를 하지 않았더라도**, 긴급체포 당시의 상황과 경위, 긴급체포 후 조사 과정 등에 특별한 위법이 있다고 볼 수 없는 이상, 단지 사후에 석방통지가 이루어지지 않았다는 사정만으로 그 긴급체포에 의한 유치 중에 작성된 피의자신문조서들의 작성이 **소급하여 위법하게 된다고 볼 수는 없다.**(대법원 2014. 8. 26. 2011도6035 이기하 오산시장 수뢰사건)

㉡ [×] 구속영장 발부에 의하여 적법하게 구금된 피의자가 피의자신문을 위한 출석 요구에 응하지 아니하면서 수사기관 조사실에의 출석을 거부한다면 수사기관은 그 구속영장의 효력에 의하여 피의자를 조사실로 구인할 수 있다. 다만 이러한 경우에도 그 피의자신문 절차는 어디까지나 **임의수사의 한 방법으로 진행되어야 할 것이므로** 피의자는 헌법 제12조 제2항과 형사소송법 제244조의3에 따라 일체의 진술을 하지 아니하거나 개개의 질문에 대하여 진술을 거부할 수 있고, 수사기관은 피의자를 신문하기 전에 그와 같은 권리를 알려주어야 한다.(대법원 2013. 7. 1. 2013모160 **구속피의자 국정원 구인사건**)

© [○] 검사의 구속영장 청구 전 **피의자 대면조사는 강제수사가 아니므로** 피의자는 검사의 출석 요구에 응할 의무가 없다.(대법원 2010. 10. 28. 2008도11999 인치명령 불응사건)
② [×] 심문할 피의자에게 변호인이 없는 때에는 지방법원판사는 직권으로 변호인을 선정하여야 한다. 이 경우 변호인의 선정은 **피의자에 대한 구속영장 청구가 기각되어 효력이 소멸한 경우를 제외하고는** 제1심까지 효력이 있다.(형사소송법 제201조의2 제8항)
⑩ [○] 공동피의자의 순차적인 체포·구속적부심사청구가 수사방해를 목적으로 하고 있음이 명백한 때에는 법원은 피의자에 대한 **심문 없이 결정으로 청구를 기각할 수 있으며**, 이와 같은 결정에 대해서는 피의자가 **항고할 수 없다.**(제214조의2 제3항·제8항)

199

형사소송절차상 피의자를 보호하기 위한 제도에 관한 설명으로 가장 적절하지 않은 것은?

15 경찰채용 [Core ★★]

① 체포·구속적부심사의 청구를 받은 법원은 청구서가 접수된 때부터 48시간 이내에 체포 또는 구속된 피의자를 심문하고 수사관계서류와 증거물을 조사하여야 한다.

② 미체포된 피의자에 대하여 구속영장을 청구받은 판사는 피의자가 죄를 범하였다고 의심할 만한 이유가 있는 경우에 피의자가 도망하는 등의 사유로 심문할 수 없는 경우 외에는 피의자를 구인한 후 심문하여야 한다.

③ 체포·구속적부심사에 관한 법원의 결정에 대하여는 기각결정과 석방결정을 불문하고 항고가 허용되지 않는다.

④ 보증금납입조건부 피의자석방제도는 체포된 피의자가 아니라 구속된 피의자의 보석청구로 보증금의 납입을 조건으로 석방하는 제도이다.

해설

④ [×] 구속적부심사에서 '피의자'보석은 법원의 직권에 의하여 석방을 명할 수 있을 뿐인 직권·재량 보석이기 때문에 **피의자에게 보석청구권이 인정되는 것은 아니다.**(제214조의2 제5항) 따라서 보석청구권이 인정되고 예외사유가 없는 한 반드시 보석을 허가해야 하는 '피고인'보석과 차이가 난다.(제95조)
① [○] 체포·구속적부심사의 청구를 받은 법원은 청구서가 접수된 때부터 **48시간 이내에 체포 또는 구속된 피의자를 심문**하고 수사관계서류와 증거물을 조사하여야 한다.(제214조의2 제4항)
② [○] 미체포된 피의자에 대하여 구속영장을 청구받은 판사는 피의자가 죄를 범하였다고 의심할 만한 이유가 있는 경우에 **피의자가 도망하는 등의 사유로 심문할 수 없는 경우 외에는 피의자를 구인한 후 심문하여야 한다.**(제214조의2 제2항)
③ [○] 체포·구속적부심사청구에 대한 **기각결정에 대하여는 항고하지 못한다.**(제214조의2 제8항)

200 형사소송법상 체포 · 구속에 관한 설명으로 옳은 것은 모두 몇 개인가?   15 경찰채용 [Core ★★]

☐☐☐

> ㉠ 체포된 피의자에 대하여 구속영장을 청구받은 판사는 지체없이 심문하여야 한다.
>   이 경우 특별한 사정이 없는 한 구속영장이 청구된 때부터 24시간 이내에 피의자를 심문하여
>   야 한다.
> ㉡ 구속의 사유가 없거나 소멸된 때에는 법원은 직권 또는 검사, 피고인, 변호인과 제30조 제2항
>   에 규정한 자의 청구에 의하여 결정으로 구속을 취소하여야 한다.
> ㉢ 피고인을 구속한 때에는 변호인이 있는 경우에는 변호인에게 피고사건명, 구속일시 · 장소,
>   범죄사실의 요지, 구속의 이유와 변호인을 선임할 수 있는 취지를 지체 없이 서면으로 알려야
>   한다.
> ㉣ 체포 · 구속적부심사의 심문기일에 출석한 검사 · 변호인은 법원의 심문이 끝난 후에 피의자를
>   심문할 수 있다.

① 0개   ② 1개
③ 2개   ④ 3개

해설

③ ㉡㉢ 2 항목이 옳다.
㉠ [×] 체포된 피의자에 대하여 구속영장을 청구받은 판사는 지체 없이 피의자를 심문하여야 한다. 이 경우 특별
   한 사정이 없는 한 **구속영장이 청구된 날의 다음날까지** 심문하여야 한다.(제201조의2 제1항)
㉡ [○] 구속의 사유가 없거나 소멸된 때에는 법원은 **직권 또는 검사, 피고인, 변호인과 제30조 제2항에 규정한**
   자의 청구에 의하여 결정으로 구속을 취소하여야 한다.(제93조)
㉢ [○] 피고인을 구속한 때에는 변호인이 있는 경우에는 변호인에게 피고사건명, 구속일시 · 장소, 범죄사실의
   요지, 구속의 이유와 변호인을 선임할 수 있는 취지를 **지체 없이 서면으로 알려야 한다.**(제87조 제1항)
㉣ [×] 심문기일에 출석한 검사 · 변호인은 법원의 심문이 끝난 후 **의견을 진술할 수 있다.** 다만, 필요한 경우에
   는 심문 도중에도 판사의 허가를 얻어 의견을 진술할 수 있다.(규칙 제105조 제1항) 피의자를 심문하는 주체
   는 법원이지, 검사나 변호인이 아님을 주의하여야 한다.(제214조의2 제4항)

201
보석제도에 관한 설명 중 옳은 것은? (다툼이 있으면 판례에 의함) 10 법원승진 [Core ★★]

□□□

① 보석청구는 피고인 본인뿐 아니라 피고인의 법정대리인, 배우자, 직계친족, 형제자매는 청구할 수 있으나 가족, 동거인은 보석을 청구할 수 없다.

② 피고인이 누범이나 상습범에 해당하는 때에도 상당한 이유가 있는 경우에는 법원이 직권 또는 보석청구권자의 청구에 의하여 보석을 허가할 수 있다.

③ 법원이 검사의 의견을 듣지 아니한 채 보석에 관한 결정을 하였다면 그 결정은 취소되어야 한다.

④ 피고인이 집행유예기간 중에 있을 때에는 보석을 허가할 수 없다.

해설

② [O] 법원은 형사소송법 제95조의 규정에 불구하고 상당한 이유가 있는 때에는 **직권** 또는 제94조에 규정한 자의 **청구에 의하여 결정으로 보석을 허가할 수 있다.**(제96조)

① [×] 피고인, 피고인의 변호인·법정대리인·배우자·직계친족·형제자매·**가족·동거인 또는 고용주는** 법원에 구속된 피고인의 보석을 청구할 수 있다.(제94조)

③ [×] 검사의 의견청취의 절차는 보석에 관한 결정의 본질적 부분이 되는 것은 아니므로 설사 법원이 검사의 의견을 듣지 아니한 채 보석에 관한 결정을 하였다고 하더라도 그 **결정이 적정한 이상 절차상의 하자만을 들어 그 결정을 취소할 수는 없다.**(대법원 1997. 11. 27. 97모88)

④ [×] 피고인이 집행유예의 기간 중에 있어 집행유예의 결격자라고 하여 보석을 허가할 수 없는 것은 아니고 형사소송법 제95조는 그 제1 내지 5호[개정법 6호] 이외의 경우에는 필요적으로 보석을 허가하여야 한다.(대법원 1990. 4. 18. 90모22)

202
보석제도에 관한 다음 설명 중 가장 옳지 않은 것은? 19 법원9급 [Essential ★]

□□□

① 보석의 청구를 받은 법원은 이미 제출한 자료만을 검토하여 보석을 허가하거나 불허가할지 여부가 명백하다면, 심문기일을 열지 않은 채 보석의 허가 여부에 관한 결정을 할 수도 있다.

② 보석허가결정으로 구속영장은 효력이 소멸하므로 피고인이 도망하는 등 피고인을 재구금할 필요가 생긴 때에는 법원이 피고인에 대해 새로운 구속영장을 발부하여야 한다.

③ 보석보증금은 현금으로 전액이 납부되어야 하고 유가증권이나 피고인 외의 자가 제출한 보증서로써 이를 갈음하기 위해서는 반드시 법원의 허가를 받아야 한다.

④ 출석보증서의 제출을 보석조건으로 한 법원의 보석허가결정에 따라 석방된 피고인이 정당한 사유 없이 기일에 불출석하는 경우, 출석보증인에 대하여 500만원 이하의 과태료를 부과하는 제재를 가할 수 있다.

해설

② [×] 보석은 보증금 납입 등을 조건으로 구속의 집행을 정지하는 제도이므로 **구속영장은 효력이 소멸하지 않** 고 또한 피고인이 도망하는 등 피고인을 재구금할 필요가 생긴 때에는 **보석취소 결정의 등본에 의하여 피고인** 을 **재구금하여야 한다.**(규칙 제56조 제1항)

① [○] 이미 제출한 자료만으로 보석을 허가하거나 불허가할 것이 명백한 때에는 심문기일을 열지 않은 채 보석 의 허가 여부에 관한 결정을 할 수도 있다.(규칙 제54조의2)

③ [○] 법원은 유가증권 또는 피고인 외의 자가 제출한 보증서로써 보증금에 갈음함을 허가할 수 있다.(제100조 제1항·제3항)

④ [○] 보석허가결정에 따라 석방된 피고인이 정당한 사유 없이 기일에 불출석하는 경우에는 결정으로 그 출석 보증인에 대하여 500만원 이하의 과태료를 부과할 수 있다.(제100조의2 제1항)

203 다음은 보석에 대한 설명이다. 옳은 것은 모두 몇 개인가? (다툼이 있으면 판례에 의함)

☐☐☐
13 경찰채용 [Superlative ★★★]

㉠ 법원은 보석의 조건을 정함에 있어서 범죄의 성질 및 죄상(罪狀), 증거의 증명력, 피고인의 전과·
성격·환경 및 자산, 피해자에 대한 배상 등 범행 후의 정황에 관련된 사항을 고려하여야 한다.

㉡ 법원은 유가증권 또는 피고인 외의 자가 제출한 보증서로써 보증금에 갈음함을 허가할 수 있다.

㉢ 법원은 피고인이 정당한 사유 없이 보석조건을 위반한 경우에는 결정으로 피고인에 대하여
1천만원 이하의 과태료를 부과하거나 20일 이내의 감치에 처할 수 있다. 이와 같은 결정에
대하여는 즉시항고를 할 수 있다.

㉣ 구속 또는 보석을 취소하거나 구속영장의 효력이 소멸된 때에는 몰취하지 아니한 보증금 또는
담보를 청구한 날로부터 7일 이내에 환부하여야 한다.

㉤ 구속영장의 효력이 소멸한 때에는 보석조건은 즉시 그 효력을 상실한다.

① 2개   ② 3개   ③ 4개   ④ 5개

해설

④ 모든 항목이 맞다.

㉠ [○] 법원은 보석의 조건을 정함에 있어서 범죄의 성질 및 죄상(罪狀), **증거의 증명력,** 피고인의 전과·성
격·환경 및 자산, 피해자에 대한 배상 등 범행 후의 정황에 관련된 사항을 고려하여야 한다.(제99조 제1항)

㉡ [○] 법원은 유가증권 또는 **피고인 외의 자가 제출한 보증서로써** 보증금에 갈음함을 허가할 수 있다.(제100조 제3항)

㉢ [○] 법원은 피고인이 정당한 사유 없이 보석조건을 위반한 경우에는 결정으로 피고인에 대하여 **1천만원** 이하 의 과태료를 부과하거나 **20일** 이내의 감치에 처할 수 있다. 이와 같은 결정에 대하여는 즉시항고를 할 수 있 다.(제102조 제3항·제4항)

정답 | 201 ②   202 ②   203 ④

ⓔ [○] 구속 또는 보석을 취소하거나 구속영장의 효력이 소멸된 때에는 몰취하지 아니한 보증금 또는 담보를 청구한 날로부터 7일 이내에 환부하여야 한다.(제104조)
ⓜ [○] **구속영장의 효력이 소멸**한 때에는 보석조건은 즉시 그 효력을 상실한다.(제104조의2 제1항)

204 보석에 대한 설명으로 옳지 않은 것은? (다툼이 있으면 판례에 의함) 12 국가7급 [Core ★★]

□□□

① 피고인, 피고인의 변호인·법정대리인·배우자·직계친족·형제자매·가족·동거인 또는 고용주는 법원에 구속된 피고인의 보석을 청구할 수 있다.

② 구속영장의 효력이 소멸한 때에는 보석조건은 즉시 그 효력을 상실한다.

③ 검사의 의견청취의 절차는 보석에 관한 결정의 본질적 부분이 되는 것이 아니므로 법원이 검사의 의견을 듣지 아니한 채 보석에 관한 결정을 하였다고 하더라도 그 결정이 적정한 이상, 절차상의 하자만을 들어 그 결정을 취소할 수는 없다.

④ 검사가 보통항고의 방법으로 보석허가결정에 대하여 불복하는 것은 허용되지 아니한다.

해설

④ [×] 보석허가결정에 대하여 검사는 **보통항고할 수 있다.**(제403조 제2항)
① [○] 피고인, 피고인의 변호인·법정대리인·배우자·직계친족·형제자매·가족·동거인 또는 고용주는 법원에 구속된 피고인의 **보석을 청구할 수 있다.**(제94조)
② [○] **구속영장의 효력이 소멸**한 때에는 보석조건은 즉시 그 효력을 상실한다.(제104조의2 제1항)
③ [○] 검사의 의견청취의 절차는 보석에 관한 결정의 **본질적 부분이 되는 것은 아니므로** 설사 법원이 검사의 의견을 듣지 아니한 채 보석에 관한 결정을 하였다고 하더라도 그 결정이 적정한 이상 절차상의 하자만을 들어 그 결정을 취소할 수는 없다.(대법원 1997. 11. 27. 97모88 검사 의견청취× 사건)

205 보석제도에 관한 다음 설명 중 가장 적절하지 않은 것은? (다툼이 있으면 판례에 의함)

□□□
14 경찰채용 [Core ★★]

① 법원은 피고인 이외의 자가 작성한 출석보증서를 제출할 것을 조건으로 한 보석허가결정에 따라 석방된 피고인이 정당한 사유 없이 기일에 불출석 하는 경우에는 결정으로 그 출석보증인에 대하여 과태료를 부과하거나 감치에 처할 수 있다.

② 법원이 검사의 의견을 듣지 아니한 채 보석에 관한 결정을 하였다고 하더라도 그 결정이 적정하다면, 절차상의 하자만을 들어 그 결정을 취소할 수는 없다.

③ 피고인이 집행유예기간 중에 있어도 보석이 가능하다.

④ 보석취소의 결정이 있는 때에는 그 취소결정의 등본에 의하여 피고인을 재구금하여야 한다.

해설

① [×] 출석보증인에 대하여는 **감치에 처할 수 없고** 500만원 이하의 과태료만 부과할 수 있다.(제100조의2 제1항)
② [○] 검사의 의견청취의 절차는 보석에 관한 결정의 본질적 부분이 되는 것은 아니므로 설사 법원이 검사의 의견을 듣지 아니한 채 보석에 관한 결정을 하였다고 하더라도 그 결정이 적정한 이상 **절차상의 하자만을 들어 그 결정을 취소할 수는 없다.**(대법원 1997. 11. 27. 97모88 검사 의견청취× 사건)
③ [○] 피고인이 집행유예의 기간 중에 있어 집행유예의 결격자라고 하여 보석을 허가할 수 없는 것은 아니고 형사소송법 제95조는 그 제1 내지 5호[개정법 제1 내지 6호] 이외의 경우에는 필요적으로 보석을 허가하여야 한다는 것이지, 여기에 해당하는 경우에는 보석을 허가하지 아니할 것을 규정한 것이 아니므로 집행유예기간 중에 있는 피고인의 보석을 허가한 것이 누범과 상습범에 대하여는 보석을 허가하지 아니할 수 있다는 형사소송법 제95조 제2호의 취지에 위배되어 위법이라고 할 수 없다.(대법원 1990. 4. 18. 90모22)
④ [○] 보석취소의 결정이 있는 때에는 그 **취소결정의 등본에 의하여 피고인을 재구금하여야 한다.**(규칙 제56조 제1항)

---

206 체포 · 구속에 관한 설명 중 옳지 않은 것을 모두 고른 것은? (다툼이 있으면 판례에 의함)

□□□
16 변호사 [Core ★★]

⊙ 체포영장에 의하여 체포한 피의자를 구속하고자 할 때에는 검사는 체포한 때로부터 48시간 이내에 관할지방법원판사로부터 구속영장을 발부받아야 한다.
ⓛ 체포적부심사절차에서 보증금 납입을 조건으로 체포된 피의자를 석방할 수 있다.
ⓒ 보석을 허가하거나 구속을 취소하는 법원의 결정에 대하여 검사는 즉시항고를 할 수 있다.
ⓔ 보석보증금몰수결정은 반드시 보석취소결정과 동시에 하여야만 하는 것이 아니라 보석취소결정 후에 별도로 할 수도 있다.

① ㉠ⓛ
② ⓛⓔ
③ ㉠ⓛⓒ
④ ㉠ⓒⓔ
⑤ ⓛⓒⓔ

해설

③ ㉠ⓛⓒ 3 항목이 옳지 않다.
㉠ [×] 체포한 피의자를 구속하고자 할 때에는 **체포한 때부터 48시간 이내에 구속영장을 청구하여야 하고** 그 기간 내에 구속영장을 청구하지 아니하거나 또는 (그 기간내에 구속영장을 청구하였으나 사후에) 발부받지 못한 때에는 피의자를 즉시 석방하여야 한다.(제200조의2 제5항, 제200조의4 제2항, 규칙 제100조 제2항)
ⓛ [×] 현행법상 **체포된 피의자에 대하여는 보증금 납입을 조건으로 한 석방이 허용되지 않는다.**(제214조의2 제5항, 대법원 1997. 8. 27. 97모21)

© [×] **보석을 허가하는 결정에 대하여 검사는 보통항고를 할 수 있다.**(형사소송법 제403조 제2항) 구속을 취소하는 결정에 대하여 검사는 즉시항고를 할 수 있다.(형사소송법 제97조 제4항)

② [○] 보석보증금을 몰수하려면 반드시 보석취소와 동시에 하여야만 가능한 것이 아니라 보석취소 후에 별도로 보증금몰수결정을 할 수도 있다.(대법원 2001. 5. 29. 2000모22 全合)

207

□□□ 다음 중 보석, 구속집행정지, 구속취소 등에 관한 설명으로 가장 옳은 것은? (다툼이 있으면 판례에 의함)

20 해경간부 [Essential ★]

① 구속을 취소하는 결정이나 구속의 집행을 정지하는 결정에 대하여 검사는 즉시항고할 수 있다.

② 법원은 구속집행정지에 앞서 반드시 검사의 의견을 물어야 한다.

③ 법원은 보석을 취소하는 때에는 직권 또는 검사의 청구에 따라 보증금 또는 담보의 전부를 몰취하는 결정을 하여야 한다.

④ 구속영장의 효력이 소멸한 때에는 주거제한 등의 보석조건은 즉시 그 효력을 상실한다.

해설

④ [○] 구속영장의 효력이 소멸한 때에는 주거제한 등의 보석조건은 즉시 그 효력을 상실한다.(제104조의2 제1항)

① [×] 구속을 취소하는 결정에 대하여 검사는 즉시항고를 할 수 있다.(제97조 제4항) **구속의 집행을 정지하는 결정에 대하여는 검사는 보통항고를 할 수 있다.**(제403조 제2항)

② [×] 법원이 구속의 집행을 정지하는 결정을 함에는 검사의 의견을 물어야 한다. 단, **급속을 요하는 경우에는 그러하지 아니하다.**(제101조 제2항)

③ [×] 법원은 보석을 취소하는 때에는 직권 또는 검사의 청구에 따라 결정으로 보증금 또는 담보의 전부 또는 일부를 **몰취할 수 있다.**(제103조 제2항)

208 법원의 구속집행정지에 관한 다음 설명 중 가장 적절하지 않은 것은? (다툼이 있으면 판례에
□□□ 의함)

13 경찰승진 [Core ★★]

① 구속의 집행정지결정은 법원의 직권 또는 피고인의 청구에 의한다.

② 구속의 집행정지 취소사유와 보석 취소사유는 동일하다.

③ 최근 헌법재판소의 결정에 의할 때, 검사는 법원의 구속집행정지결정에 관하여 즉시항고 할
수 없다.

④ 헌법 제44조(국회의원 불체포특권)에 의하여 구속된 국회의원에 대한 석방요구가 있으면 당
연히 구속영장의 집행이 정지된다.

해설

① [×] 피고인에 대한 구속집행정지는 법원이 **직권으로** 행한다.(제101조 제1항)

② [○] 법원은 피고인이 다음 각 호의 어느 하나에 해당하는 경우에는 **직권** 또는 검사의 **청구**에 따라 결정으로
보석 또는 구속의 집행정지를 취소할 수 있다.(제102조 제2항)

1. 도망한 때
2. 도망하거나 죄증을 인멸할 염려가 있다고 믿을 만한 충분한 이유가 있는 때
3. 소환을 받고 정당한 사유 없이 출석하지 아니한 때
4. 피해자, 당해 사건의 재판에 필요한 사실을 알고 있다고 인정되는 자 또는 그 친족의 생명·신체·재산에
해를 가하거나 가할 염려가 있다고 믿을 만한 충분한 이유가 있는 때
5. 법원이 정한 조건을 위반한 때

③ [○] **구속집행정지결정에 대한 검사의 즉시항고를 인정하는 형사소송법 제101조 제3항**은 검사의 불복을 피
고인에 대한 구속집행을 정지할 필요가 있다는 법원의 판단보다 우선시킬 뿐만 아니라, 사실상 법원의 구속집
행정지결정을 무의미하게 할 수 있는 권한을 검사에게 부여한 것이라는 점에서 헌법 제12조 제1항의 적법절차
원칙 및 제12조 제3항의 영장주의 원칙에 **위배될 뿐만 아니라,** 법원의 판단에 따라 잠시 석방될 필요가 있는
피고인이 검사의 즉시항고에 의하여 석방되지 못하게 되는 불이익보다 구속집행정지된 피고인이 도망하거나
증거를 인멸하는 것을 예방하기 위한 공익이 크다고 할 수 없으므로 **과잉금지원칙에도 위배된다.**(헌법재판소
2012. 6.27. 2011헌가36 강간범 모친상 사건)

④ [○] 헌법 제44조(국회의원 불체포특권)에 의하여 **구속된 국회의원에 대한 석방요구가 있으면 당연히 구속
영장의 집행이 정지된다.**(제101조 제4항)

209 구속집행정지에 관한 다음 설명 중 가장 옳지 않은 것은?　　　21 해경채용 [Essential ★]

□□□

① 구속영장의 효력을 소멸시키지 않는다는 점에서 구속취소와 다르다.

② 보석취소의 경우와 동일한 사유가 있는 때에는 결정으로 구속집행정지결정을 취소할 수 있다.

③ 기간을 정한 구속집행정지결정의 경우 그 기간 만료에 의하여 별도의 결정 없이 구속의 집행
력이 되살아나므로 구속영장의 효력에 의하여 다시 구금된다.

④ 법원은 구속집행정지에 앞서 반드시 검사의 의견을 물어야 한다.

해설

④ [×] 법원이 구속의 집행을 정지하는 결정을 함에는 검사의 의견을 물어야 한다. 단, **급속을 요하는 경우에는
그러하지 아니하다.**(제101조 제2항)

①③ [○] 통설의 입장으로 옳은 설명이다.

② [○] 법원은 피고인이 다음 각 호의 어느 하나에 해당하는 경우에는 직권 또는 검사의 청구에 따라 결정으로
보석 또는 구속의 집행정지를 취소할 수 있다.(제102조 제2항)

210 구속의 집행정지와 취소에 대한 설명으로 가장 적절하지 않은 것은? (다툼이 있으면 판례에

□□□ 의함)　　　20 경찰채용 [Core ★★]

① 구속의 사유가 없거나 소멸된 때에는 법원은 직권 또는 검사, 피고인, 변호인과 형사소송법
제30조 제2항에 규정된 자의 청구에 의하여 결정으로 구속을 취소하여야 한다.

② 피고인 甲은 형사소송법 제72조에 정한 사전 청문절차 없이 발부된 구속영장에 기하여 구속
되었다. 제1심 법원이 그 위법을 시정하기 위하여 구속취소결정 후 적법한 청문절차를 밟아
甲에 대한 구속영장을 발부하였고, 甲이 이 청문절차부터 제1, 2심의 소송절차에 이르기까지
변호인의 조력을 받았다면, 법원은 甲에 대한 구속영장 발부와 집행에 관한 소송절차의 법령
위반 등을 다투는 상고이유 주장은 받아들이지 않는다.

③ 법원은 형사소송법 제101조 제4항에 따라 구속영장의 집행이 정지된 국회의원이 소환을 받고
도 정당한 사유 없이 출석하지 아니한 때에는 그 회기 중이라도 구속영장의 집행정지를 취소
할 수 있다.

④ 법원은 상당한 이유가 있는 때에는 결정으로 구속된 피고인을 친족·보호단체 기타 적당한 자
에게 부탁하거나 피고인의 주거를 제한하여 구속의 집행을 정지할 수 있고, 이때 급속을 요하
는 경우를 제외하고는 검사의 의견을 물어야 한다.

해설

③ [×] 헌법 제44조에 의하여 구속된 국회의원에 대한 석방요구가 있으면 당연히 구속영장의 집행이 정지된다. (제101조 제4항) 구속영장의 집행정지는 **그 회기 중 취소하지 못한다.**(제102조 제2항)
① [○] 구속의 사유가 없거나 소멸된 때에는 법원은 **직권** 또는 검사, 피고인, 변호인과 형사소송법 제30조 제2항에 규정된 자의 **청구**에 의하여 결정으로 구속을 취소하여야 한다.(제93조)
② [○] 피고인에 대한 신체구금 과정에 피고인의 방어권이 본질적으로 침해되어 원심판결의 정당성마저 인정하기 어렵다고 볼 정도의 위법은 없다. 따라서 피고인에 대한 구속영장 발부와 집행에 관한 소송절차의 법령위반 등을 다투는 상고이유 주장은 받아들이지 않는다.(대법원 2019. 2. 28. 2018도19034)
④ [○] 법원은 상당한 이유가 있는 때에는 결정으로 구속된 피고인을 친족·보호단체 기타 적당한 자에게 부탁하거나 피고인의 주거를 제한하여 구속의 집행을 정지할 수 있고, 이때 급속을 요하는 경우를 제외하고는 검사의 의견을 물어야 한다.(제101조 제1항·제2항)

211 보석, 구속집행정지, 구속취소 등에 관한 다음 설명 중 옳은 것은?　　11 법원9급 변형 [Core ★★]

□□□
① 구속을 취소하는 결정이나 구속의 집행을 정지하는 결정에 대하여 검사는 즉시항고를 할 수 있다.
② 재판장은 보석에 관한 결정을 하기 전에 검사의 의견을 물어야 하나, 급속을 요하는 경우에는 그러하지 아니하다.
③ 구속영장의 효력이 소멸한 때에는 주거제한 등의 보석조건은 즉시 그 효력을 상실한다.
④ 법원은 보석을 취소하는 때에는 직권 또는 검사의 청구에 따라 보증금 또는 담보의 전부를 몰취하는 결정을 하여야 한다.

해설

③ [○] **구속영장의 효력이 소멸한 때에는 주거제한 등의 보석조건은 즉시 그 효력을 상실한다.**(제104조의2 제1항)
① [×] 구속을 취소하는 결정에 대하여 즉시항고를 할 수 있으나(제97조 제4항), **구속의 집행을 정지하는 결정**에 대하여는 **즉시항고를 할 수 없다.**(헌법재판소 2012. 6. 27. 2011헌가36)
② [×] 재판장은 보석에 관한 결정을 하기 전에 **(급속을 요하는지 여부를 불문하고) 검사의 의견을 물어야 한다.**(제97조 제1항) 이 점에서 급속을 요하는 경우에는 의견을 묻지 않아도 되는 구속의 집행정지와 구별된다. (제102조 제2항)
④ [×] 법원은 보석을 취소하는 때에는 직권 또는 검사의 청구에 따라 결정으로 보증금 또는 담보의 **전부 또는 일부를 몰취할 수 있다.**(제103조 제1항)

212 다음 중 구속영장이 실효되는 사유는 모두 몇 개인가?

08 경찰채용 [Superlative ★★★]

□□□

㉠ 구속집행정지결정의 고지	㉡ 자유형판결의 선고
㉢ 공소기각판결의 선고	㉣ 무죄판결의 선고
㉤ 면소판결의 선고	㉥ 보석허가결정의 고지
㉦ 선고유예판결의 선고	㉧ 형면제판결의 선고
㉨ 관할위반판결의 선고	

① 3개 ② 4개

③ 5개 ④ 6개

해설

③ ㉢㉣㉤㉦㉧ 5 항목의 경우 구속영장은 그 효력을 상실한다.(제331조)

㉠ 구속의 집행만을 잠시 정지하는 것이므로 **구속영장은 실효되지 아니한다.**

㉡ 자유형 판결은 **확정되어야 구속영장이 실효된다.**

㉥ 보석이란 구속된 피고인에 대하여 보증금납입 등을 조건으로 구속의 집행을 정지하는 제도를 말한다.
  따라서 보석허가결정이 내려져도 **구속영장은 실효되지 아니한다.**

㉨ 관할위반판결이 선고되어도 **구속영장은 실효되지 아니한다.**(제331조 반대해석)

제3절 | 압수 · 수색 · 검증 등

213 압수 · 수색에 대한 설명으로 다음 중 틀린 것은 모두 몇 개인가? (다툼이 있으면 판례에 의함)

□□□

15 경찰채용 [Core ★★]

> ㉠ 검사가 폐수무단방류 혐의가 인정된다는 이유로 피의자들의 공장부지, 건물, 기계류 일체 및
> 폐수운반차량 7대에 대하여 한 압수처분은 수사상의 필요에서 행하는 압수의 본래의 취지를
> 넘는 것으로 상당성이 없을 뿐만 아니라, 수사상의 필요와 그로 인한 개인의 재산권 침해의
> 정도를 비교형량해 보면 비례성의 원칙에 위배되어 위법하다.
> ㉡ 형사소송법은 제215조에서 검사가 압수·수색 영장을 청구할 수 있는 시기를 공소제기 전으
> 로 명시적으로 한정하고 있지는 아니하나, 일단 공소가 제기된 후에는 피고사건에 관하여
> 검사로서는 형사소송법 제215조에 의하여 압수·수색을 할 수 없다고 보아야 하며, 그럼에도
> 검사가 공소제기 후 형사소송법 제215조에 따라 수소법원 이외의 지방법원 판사에게 청구하
> 여 발부받은 영장에 의하여 압수·수색을 하였다면, 그와 같이 수집된 증거는 기본적 인권
> 보장을 위해 마련된 적법한 절차에 따르지 않은 것으로서 원칙적으로 유죄의 증거로 삼을
> 수 없다.
> ㉢ 경찰관이 이른바 전화사기죄 범행의 혐의자를 긴급체포하면서 그가 보관하고 있던 다른 사람
> 의 주민등록증, 운전면허증 등을 압수한 경우, 이는 (구) 형사소송법 제217조 제1항에서 규정
> 한 해당 범죄사실의 수사에 필요한 범위 내의 압수가 아니므로, 이를 위 혐의자의 점유이탈물
> 횡령죄 범행에 대한 유죄의 증거로 사용할 수 없다.

① 없음 ② 1개 ③ 2개 ④ 3개

해설

> ② ㉢ 항목만 옳지 않다.
> ㉠ [O] 검사의 압수처분은 수사상의 필요에서 행하는 압수의 본래의 취지를 넘는 것으로 상당성이 없을 뿐만
> 아니라 수사상의 필요와 그로 인한 개인의 재산권 침해의 정도를 비교형량해 보면 **비례성의 원칙에 위배**되어
> 위법하다.(대법원 2004. 3. 23. 2003모126)
> ㉡ [O] 검사가 공소제기 후 형사소송법 제215조에 따라 **수소법원 이외의 지방법원판사에게 청구하여 발부받은
> 영장에 의하여 압수 · 수색**을 하였다면, 그와 같이 수집된 증거는 기본적 인권 보장을 위해 마련된 적법한 절차
> 에 따르지 않은 것으로서 원칙적으로 유죄의 증거로 삼을 수 없다.(대법원 2011. 4. 28. 2009도10412 **공정위
> 사무관 수뢰사건**)
> ㉢ [X] 경찰관이 이른바 전화사기죄 범행의 혐의자를 긴급체포하면서 그가 보관하고 있던 다른 사람의 주민등록
> 증, 운전면허증 등을 압수한 경우, 이는 구 형사소송법 제217조 제1항에서 규정한 **해당 범죄사실의 수사에
> 필요한 범위 내의 압수로서 적법하므로** 이를 위 혐의자의 **점유이탈물횡령죄 범행에 대한 증거로 사용할 수
> 있다.**(대법원 2008. 7. 10. 2008도2245)

정답 | 212 ③ 213 ②

214

□□□

전자정보의 압수·수색에 대한 설명으로 옳지 않은 것은? (다툼이 있으면 판례에 의함)

16 국가9급 [Superlative ★★★]

① 전자정보에 대한 압수·수색은 원칙적으로 영장 발부의 사유로 된 범죄 혐의사실과 관련된 부분만을 문서 출력물로 수집하거나 수사기관이 휴대한 저장매체에 해당 파일을 복제하는 방식으로 이루어져야 한다.

② 수사기관 사무실 등으로 반출된 저장매체 또는 복제본에서 혐의사실 관련성에 대한 구분 없이 임의로 저장된 전자정보를 문서로 출력하거나 파일로 복제하는 행위는 원칙적으로 영장주의 원칙에 반하는 위법한 압수가 된다.

③ 전자정보가 담긴 저장매체 또는 복제본을 수사기관 사무실 등으로 옮겨 이를 복제·탐색·출력하는 경우, 피압수자 측에 절차 참여를 보장한 취지가 실질적으로 침해되었더라도 수사기관이 저장매체 또는 복제본에서 혐의사실과 관련된 전자정보만을 복제·출력하였다면 그 압수·수색은 적법하다.

④ 전자정보에 대한 압수·수색이 종료되기 전에 혐의사실과 관련된 전자정보를 적법하게 탐색하는 과정에서 별도의 범죄혐의와 관련된 전자정보를 우연히 발견한 경우, 수사기관으로서는 더 이상의 추가 탐색을 중단하고 법원으로부터 별도의 범죄혐의에 대한 압수·수색영장을 발부받은 경우에 한하여 그러한 정보에 대하여도 적법하게 압수·수색을 할 수 있다.

해설

③ [×] 전자정보가 담긴 저장매체 또는 하드카피나 이미징 등 형태(복제본)를 수사기관 사무실 등으로 옮겨 복제·탐색·출력하는 경우에도, 그와 같은 일련의 과정에서 형사소송법 제219조, 제121조에서 규정하는 피압수·수색 당사자(피압수자)나 변호인에게 참여의 기회를 보장하고 혐의사실과 무관한 전자정보의 임의적인 복제 등을 막기 위한 적절한 조치를 취하는 등 영장주의 원칙과 적법절차를 준수하여야 한다. 만약 그러한 조치가 취해지지 않았다면 피압수자 측이 참여하지 아니한다는 의사를 명시적으로 표시하였거나 절차 위반 행위가 이루어진 과정의 성질과 내용 등에 비추어 피압수자 측에 절차 참여를 보장한 취지가 실질적으로 침해되었다고 볼 수 없을 정도에 해당한다는 등의 특별한 사정이 없는 이상 압수·수색이 적법하다고 평가할 수 없고, 비록 수사기관이 저장매체 또는 복제본에서 혐의사실과 관련된 전자정보만을 복제·출력하였다 하더라도 달리 볼 것은 아니다.(대법원 2015. 7. 16. 2011모1839 全合 종근당 압수·수색사건)

①②④ [○] (1) 수사기관의 전자정보에 대한 압수·수색은 원칙적으로 영장 발부의 사유로 된 범죄 혐의사실과 관련된 부분만을 문서 출력물로 수집하거나 수사기관이 휴대한 저장매체에 해당 파일을 복제하는 방식으로 이루어져야 하고, 저장매체 자체를 직접 반출하거나 그 저장매체에 들어 있는 전자파일 전부를 하드카피나 이미징 등 형태(이하 '복제본')로 수사기관 사무실 등 외부로 반출하는 방식으로 압수·수색하는 것은 현장의 사정이나 전자정보의 대량성으로 인하여 관련 정보 획득에 긴 시간이 소요되거나 전문 인력에 의한 기술적 조치가 필요한 경우 등 범위를 정하여 출력 또는 복제하는 방법이 불가능하거나 압수의 목적을 달성하기에 현저히 곤란하다고 인정되는 때에 한하여 예외적으로 허용될 수 있을 뿐이다. (2) 이처럼 저장매체 자체 또는 적법하게 획득한 복제본을 탐색하여 혐의사실과 관련된 전자정보를 문서로 출력하거나 파일로 복제하는 일련의 과정 역시 전체적으로 하나의 영장에 기한 압수·수색의 일환에 해당한다 할 것이므로, 그러한 경우의 문서출력 또는 파일복제의 대상 역시 저장매체 소재지에서의 압수·수색과 마찬가지로 혐의사실과 관련된 부분으로 한정

> 되어야 함은 헌법 제12조 제1항, 제3항과 형사소송법 제114조, 제215조의 적법절차 및 영장주의 원칙이나 앞서 본 비례의 원칙에 비추어 당연하다. 따라서 수사기관 사무실 등으로 반출된 저장매체 또는 복제본에서 혐의사실 관련성에 대한 구분 없이 임의로 저장된 전자정보를 문서로 출력하거나 파일로 복제하는 행위는 원칙적으로 영장주의 원칙에 반하는 위법한 압수가 된다.(대법원 2015. 7. 19. 2011모1839 全合 종근당 압수·수색 사건)

215 전자정보 압수·수색에 대한 설명으로 옳은 것은 몇 개인가? (다툼이 있으면 판례에 의함)

□□□

20 경찰채용 [Core ★★]

┌───

ⓐ 전자정보에 대한 압수·수색영장을 집행할 때에는 원칙적으로 영장 발부의 사유인 혐의사실과 관련된 부분만을 문서 출력물로 수집하거나 수사기관이 휴대한 저장매체에 해당 파일을 복사하는 방식으로 이루어져야 하고, 집행현장 사정상 위와 같은 방식에 의한 집행이 불가능하거나 현저히 곤란한 부득이한 사정이 존재하더라도 저장매체 자체를 직접 혹은 하드카피나 이미징 등 형태로 수사기관 사무실 등 외부로 반출하여 해당파일을 압수·수색할 수 있도록 영장에 기재되어 있고 실제 그와 같은 사정이 발생한 때에 한하여 위 방법이 예외적으로 허용될 수 있을 뿐이다.

ⓑ 수사기관 사무실 등으로 반출된 저장매체 또는 복제본에서 혐의사실 관련성에 대한 구분 없이 임의로 저장된 전자정보를 문서로 출력하거나 파일로 복제하는 행위는 원칙적으로 영장주의 원칙에 반하는 위법한 압수가 된다.

ⓒ 수사기관이 피의자 甲의 공직선거법 위반 범행을 영장 범죄사실로 하여 발부받은 압수·수색영장의 집행 과정에서 乙, 丙 사이의 대화가 녹음된 녹음파일을 압수하여 乙, 丙의 공직선거법 위반 혐의사실을 발견한 사안에서, 별도의 압수·수색영장을 발부받지 않고 압수한 위 녹음파일은 위법수집증거로서 증거능력이 없다.

ⓓ 수사기관이 정보저장매체에 기억된 정보 중에서 키워드 또는 확장자 검색 등을 통해 범죄혐의사실과 관련 있는 정보를 선별한 다음 정보저장매체와 동일하게 비트열 방식으로 복제하여 생성한 파일('이미지 파일')을 제출받아 압수하였다면 이로써 압수의 목적물에 대한 압수·수색 절차는 종료된 것이므로, 수사기관이 수사기관 사무실에서 위와 같이 압수된 이미지 파일을 탐색·복제·출력하는 과정에서도 피의자 등에게 참여의 기회를 보장하여야 하는 것은 아니다.

└───

① 1개　　　　　　　　　　② 2개

③ 3개　　　　　　　　　　④ 4개

해설

④ 모든 항목이 옳다.

㉠㉡ [O] (1) 전자정보에 대한 압수·수색영장의 집행에 있어서는 원칙적으로 영장 발부의 사유로 된 혐의사실과 관련된 부분만을 문서 출력물로 수집하거나 수사기관이 휴대한 저장매체에 해당 파일을 복사하는 방식으로 이루어져야 하고, 집행현장의 사정상 위와 같은 방식에 의한 **집행이 불가능하거나 현저히 곤란한 부득이한 사정이 존재하더라도** 그와 같은 경우에 그 저장매체 자체를 직접 혹은 하드카피나 이미징 등 형태로 수사기관 사무실 등 외부로 반출하여 해당 파일을 압수·수색할 수 있도록 영장에 기재되어 있고 실제 그와 같은 사정이 발생한 때에 한하여 예외적으로 허용될 수 있을 뿐이다. (2) 나아가 이처럼 저장매체 자체를 수사기관 사무실 등으로 옮긴 후 영장에 기재된 범죄 혐의 관련 전자정보를 탐색하여 해당 전자정보를 문서로 출력하거나 파일을 복사하는 과정 역시 전체적으로 압수·수색영장 집행의 일환에 포함된다고 보아야 한다.

따라서 그러한 경우의 문서출력 또는 파일복사의 대상 역시 혐의사실과 관련된 부분으로 한정되어야 함은 헌법 제12조 제1항, 제3항, 형사소송법 제114조, 제215조의 적법절차 및 영장주의의 원칙상 당연하다.

그러므로 수사기관 사무실 등으로 옮긴 저장매체에서 범죄혐의와의 관련성에 대한 구분 없이 저장된 전자정보 중 임의로 문서출력 혹은 파일복사를 하는 행위는 특별한 사정이 없는 한 영장주의 등 원칙에 반하는 위법한 집행이 된다.(대법원 2014. 2. 27. 2013도12155 **최태원 SK그룹회장 사건**)

㉢ [O] '피의자 : 甲, 압수할 물건 : 乙이 소지하고 있는 휴대전화 등, 범죄사실 : 甲은 공천과 관련하여 새누리당 공천심사위원에게 돈 봉투를 제공하였다 등'이라고 기재된 압수·수색영장에 의하여 검찰청 수사관이 乙의 주거지에서 그의 휴대전화를 압수하고 그 휴대전화에서 추출한 전자정보를 분석하던 중 피고인 乙, 丙 사이의 대화가 녹음된 녹음파일을 통하여 피고인들에 대한 공직선거법위반의 혐의점을 발견하고 수사를 개시하였으나, 피고인들로부터 녹음파일을 임의로 제출받거나 새로운 압수·수색영장을 발부받지 아니한 경우, 그 녹음파일은 압수·수색영장에 의하여 압수할 수 있는 물건 내지 전자정보로 볼 수 없으므로(형사소송법 제215조 제1항에 규정된 '해당사건'과 관계가 있다고 인정할 수 있는 것에 해당한다고 할 수 없으므로) 피고인들의 공소사실(피고인 乙, 丙 사이의 정당 후보자 추천 및 선거운동 관련 대가제공 요구 및 약속 범행)에 대해서는 증거능력이 부정된다.(대법원 2014. 1. 16. 2013도7101 **현영희 의원 사건**)

㉣ [O] 수사기관이 정보저장매체에 기억된 정보 중에서 키워드 또는 확장자 검색 등을 통해 범죄 혐의 사실과 관련 있는 정보를 선별한 다음 정보저장매체와 동일하게 **비트열 방식으로 복제 하여 생성한 파일**(이하 '이미지 파일'이라 한다)을 제출받아 압수하였다면 이로써 압수의 목적물에 대한 압수·수색 절차는 종료된 것이므로, 수사기관이 수사기관 사무실에서 위와 같이 압수된 이미지 파일을 탐색·복제·출력하는 과정에서도 피의자 등에게 참여의 기회를 보장하여야 하는 것은 아니다.(대법원 2018. 2. 8. 2017도13263 **유흥주점 탈세 사건**)

216

□□□

구속에 대한 설명으로 옳지 않은 것은? (다툼이 있으면 판례에 의함)

① 피의자에 대한 구속영장의 제시와 집행이 그 발부 시로부터 정당한 사유 없이 시간이 지체되어 이루어진 경우라도 구속영장이 그 유효기간 내에 집행되었다면 이 기간 동안의 체포 내지 구금 상태는 위법한 것으로 볼 수 없다.

② 구속기간연장을 허가하지 않는 판사의 결정이 있는 경우 이에 대하여는 준항고가 허용되지 않는다.

③ 사법경찰관리는 구속영장을 집행할 때에는 피의자에게 반드시 영장을 제시하고 그 사본을 교부하여야 하나, 이를 소지하지 않은 경우에 급속을 요하는 때에는 피의자에 대하여 피의사실의 요지와 영장이 발부되었음을 알리고 집행할 수 있으며, 집행을 완료한 후에는 신속히 구속영장을 제시하고 그 사본을 교부하여야 한다.

④ 검사는 다액 50만원 이하의 벌금, 구류 또는 과료에 해당하는 범죄에 관하여는 피의자가 일정한 주거가 없는 경우에 한하여 구속영장을 받아 피의자를 구속할 수 있다.

⑤ 구속적부심사에 의하여 석방된 피의자가 도망하거나 범죄의 증거를 인멸하는 경우를 제외하고는 수사기관은 그 피의자를 동일한 범죄사실로 재차 체포하거나 구속할 수 없다.

해설

① [×] 법관이 검사의 청구에 의하여 체포된 피의자의 구금을 위한 구속영장을 발부하면 검사와 사법경찰관리는 지체 없이 신속하게 구속영장을 집행하여야 한다. **피의자에 대한 구속영장의 제시와 집행이 그 발부 시로부터 정당한 사유 없이 시간이 지체되어 이루어졌다면 구속영장이 그 유효기간 내에 집행되었다고 하더라도 위 기간 동안의 체포 내지 구금상태는 위법하다.**(대법원 2021. 4. 29. 2020도16438 **구속영장 집행 지체 사건**)

② [○] 구속기간의 연장을 허가하지 아니하는 지방법원판사의 결정에 대하여는 **항고의 방법으로는 불복할 수 없고** 나아가 그 지방법원판사는 수소법원으로서의 재판장 또는 수명법관도 아니므로 그가 한 재판은 **준항고의 대상이 되지도 않는다.**(대법원 1997. 6. 16. 97모1 **구속기간연장기각 재항고 사건**)

③ [○] 체포영장을 집행함에는 피고인에게 반드시 이를 제시하고 그 사본을 교부하여야 하며 신속히 지정된 법원 기타 장소에 인치하여야 한다. 체포영장을 소지하지 아니한 경우에 급속을 요하는 때에는 피고인에 대하여 **공소사실의 요지와 영장이 발부되었음을 고하고 집행할 수 있다.** 전항의 집행을 완료한 후에는 신속히 체포영장을 제시하고 그 사본을 교부하여야 한다.(형사소송법 제85조 제1항·제3항·제4항, 제209조)

④ [○] 다액 50만원 이하의 벌금, 구류 또는 과료에 해당하는 범죄에 관하여는 피의자가 **일정한 주거가 없는 경우에 한한다.**(형사소송법 제201조 제1항)

⑤ [○] 제214조의2 제4항에 따른 체포 또는 구속 적부심사결정에 의하여 석방된 피의자가 **도망하거나 범죄의 증거를 인멸하는 경우를 제외하고는** 동일한 범죄사실로 재차 체포하거나 구속할 수 없다.(형사소송법 제214조의3 제1항)

217

□□□

압수 · 수색에 대한 설명으로 가장 적절하지 않은 것은? (다툼이 있으면 판례에 의함)

19 경찰채용 [Core ★★]

① 압수·수색영장에 기재한 혐의사실과 범죄와의 객관적 관련성은 압수·수색영장에 기재된 혐의사실의 내용과 수사의 대상, 수사 경위 등을 종합하여 구체적·개별적 연관관계가 있는 경우에는 인정되지만, 혐의사실과 단순히 동종 또는 유사 범행이라는 사유만으로 관련성이 있다고 할 것은 아니다.

② 압수·수색영장 대상자와 피의자 사이에 요구되는 인적 관련성은 압수·수색영장에 기재된 대상자의 공동정범이나 교사범 등 공범이나 간접정범은 물론 필요적 공범 등에 대한 피고사건에 대해서도 인정될 수 있다.

③ 피압수자에게 영장의 표지인 첫 페이지와 피압수자의 혐의사실 부분만을 보여주고 나머지 부분을 확인하지 못하게 한 것은 압수·수색영장의 필요적 기재사항이나 그와 일체를 이루는 사항을 충분히 알 수 있도록 제시한 것이라 할 수 없다.

④ 수사기관이 압수·수색에 착수하면서 그 장소의 관리책임자에게 영장을 제시하였다면, 물건을 소지하고 있는 다른 사람으로부터 이를 압수하고자 하는 때에는 그 사람에게 따로 영장을 제시할 필요는 없다.

해설

④ [×] 수사기관이 압수·수색에 착수하면서 그 장소의 관리책임자에게 영장을 제시하였다고 하더라도, 물건을 소지하고 있는 다른 사람으로부터 이를 압수하고자 하는 때에는 **그 사람에게 따로 영장을 제시하여야 한다.** (대법원 2017. 9. 21. 2015도12400 정상혁 보은군수 사건)

①② [○] (1) 압수·수색영장의 범죄 혐의사실과 관계있는 범죄라는 것은 압수·수색영장에 기재한 혐의사실과 객관적 관련성이 있고 압수·수색영장 대상자와 피의자 사이에 인적 관련성이 있는 범죄를 의미한다. (2) 그 중 혐의사실과의 객관적 관련성은 압수·수색영장에 기재된 **혐의사실 자체** 또는 그와 **기본적 사실관계가 동일한 범행과 직접 관련되어 있는 경우**는 물론 범행 동기와 경위, 범행 수단과 방법, 범행 시간과 장소 등을 증명하기 위한 **간접증거나 정황증거** 등으로 사용될 수 있는 경우에도 인정될 수 있다. 그 관련성은 압수·수색영장에 기재된 혐의사실의 내용과 수사의 대상, 수사 경위 등을 종합하여 구체적·개별적 연관관계가 있는 경우에만 인정된다고 보아야 하고, 혐의사실과 단순히 **동종 또는 유사 범행**이라는 사유만으로 관련성이 있다고 할 것은 아니다. (3) 그리고 피의자와 사이의 인적 관련성은 압수·수색영장에 기재된 대상자의 **공동정범이나 교사범 등 공범이나 간접정범은 물론 필요적 공범** 등에 대한 피고사건에 대해서도 인정될 수 있다.(대법원 2017. 12. 5. 2017도13458 최명길 의원 사건)

③ [○] (1) 사법경찰관이 피압수자인 乙(보은군수 甲의 비서실장)에게 압수·수색영장을 제시하면서 표지에 해당하는 첫 페이지와 乙의 혐의사실이 기재된 부분만을 보여주고, 영장의 내용 중 압수·수색·검증할 물건, 압수·수색·검증할 장소, 압수·수색·검증을 필요로 하는 사유, 압수 대상 및 방법의 제한 등 **필요적 기재사항 및 그와 일체를 이루는 부분을 확인하지 못하게 한 것은 적법한 압수·수색영장의 제시라고 볼 수 없어**, 이에 따라 압수된 동향보고 서류와 乙의 휴대전화는 적법한 절차에 따라 수집된 증거라고 보기 어렵다. (2) 또한 사법경찰관이 위법하게 압수한 乙의 휴대전화에 저장된 내용을 출력하여 증거를 수집하는 과정에서 乙에게 참여권을 보장하지 않았고, 압수된 전자정보에 대한 목록을 작성하여 교부하지도 않았으며, 휴대전화를 10일 내에 반환하라는 영장 기재 제한을 위반하였는 바, 이에 따라 압수한 휴대전화 출력물도 적법한 절차에 따라

수집된 증거라고 보기 어렵다. (3) 따라서 동향보고 서류와 乙 휴대전화 출력물은 적법한 절차에 따르지 아니하고 수집된 증거로서 증거능력이 없고, 예외적으로 그 증거능력을 인정할 만한 사정도 보이지 아니하고 또한 위와 같은 위법수집증거의 2차적 증거인 조서(사법경찰관과 검사가 동향보고 서류와 乙 휴대전화 출력물을 제시한 상태에서 얻은 乙에 대한 피의자신문조서 등)는 절차적 위법과 인과관계가 희석 또는 단절되었다고 볼 수 없어 그 증거능력을 인정하기 어렵다.(대법원 2017. 9. 21. 2015도12400 정상혁 보은군수 사건)

218
☐☐☐

아래 사례에 대한 설명 중 가장 적절하지 않은 것은? (다툼이 있으면 판례에 의함)

17 경찰채용 [Essential ★]

> 검사가 압수·수색영장을 발부받아 甲 주식회사 빌딩 내 乙의 사무실을 압수·수색하였는 데, 저장매체에 범죄혐의와 관련된 정보(이하 '유관정보')와 범죄혐의와 무관한 정보(이하 '무관정보')가 혼재된 것으로 판단하여 甲 회사의 동의를 받아 저장매체를 수사기관 사무실로 반출한 다음 乙 측의 참여하에 저장매체에 저장된 전자정보파일 전부를 '이미징'의 방법으로 다른 저장매체로 복제(이하 '제1처분')하고, 乙 측의 참여 없이 이미징한 복제본을 외장 하드디스크에 재복제(이하 '제2처분')하였으며, 乙 측의 참여 없이 하드디스크에서 유관정보를 탐색하는 과정에서 甲 회사의 별건 범죄혐의와 관련된 전자정보 등 무관정보도 함께 출력(이하 '제3처분')하였다.

① 수사기관의 전자정보에 대한 압수·수색은 원칙적으로 영장 발부의 사유로 된 범죄혐의사실과 관련된 부분만을 문서 출력물로 수집하거나 수사기관이 휴대한 저장매체에 해당 파일을 복제하는 방식으로 이루어져야 하고, 저장매체 자체를 직접 반출하거나 저장매체에 들어있는 전자파일 전부를 하드카피나 이미징 등 형태(이하 '복제본')로 수사기관 사무실 등 외부로 반출하는 방식으로 압수·수색하는 것은 현장의 사정이나 전자정보의 대량성으로 관련 정보 획득에 긴 시간이 소요되거나 전문인력에 의한 기술적 조치가 필요한 경우 등 범위를 정하여 출력 또는 복제하는 방법이 불가능하거나 압수의 목적을 달성하기에 현저히 곤란하다고 인정되는 때에 한하여 예외적으로 허용될 수 있을 뿐이다.

② 저장매체 자체 또는 적법하게 획득한 복제본을 탐색하여 혐의사실과 관련된 전자정보를 문서로 출력하거나 파일로 복제하는 일련의 과정 역시 전체적으로 하나의 영장에 기한 압수·수색에 해당하므로, 그러한 경우의 문서출력 또는 파일복제의 대상 역시 저장매체 소재지에서의 압수·수색과 마찬가지로 혐의사실과 관련된 부분으로 한정되어야 한다.

③ 위 사례에서 준항고인이 전체 압수·수색 과정을 단계적·개별적으로 구분하여 각 단계의 개별 처분의 취소를 구할 경우 준항고법원은 특별한 사정이 없는 한 구분된 개별 처분의 위법이나 취소 여부를 판단하여야 한다.

④ 위 사례에서 제1처분은 위법하다고 볼 수 없으나, 제2처분·제3처분은 제1처분 후 피압수·수색 당사자에게 계속적인 참여권을 보장하는 등의 조치가 이루어지지 아니한 채 유관정보는 물론 무관정보까지 재복제·출력한 것으로서 영장이 허용한 범위를 벗어나고 적법절차를 위반한 위법한 처분이다.

해설

③ [×] 전자정보에 대한 압수·수색 과정에서 이루어진 현장에서의 **저장매체 압수·이미징·탐색·복제 및 출력행위 등 수사기관의 처분은 하나의 영장에 의한 압수·수색 과정에서 이루어지는 것이고**, 그러한 일련의 행위가 모두 진행되어 압수·수색이 종료된 이후에는 특정단계의 처분만을 취소하더라도 그 이후의 압수·수색을 저지한다는 것을 상정할 수 없고 수사기관으로 하여금 압수·수색의 결과물을 보유하도록 할 것인지 가 문제될 뿐이다. 그러므로 이 경우에는 준항고인이 전체 압수·수색 과정을 단계적·개별적으로 구분하여 각 단계의 개별 처분의 취소를 구하더라도 **준항고법원으로서는 특별한 사정이 없는 한 그 구분된 개별처분의 위법이나 취소 여부를 판단할 것이 아니라 당해 압수·수색 과정 전체를 하나의 절차로 파악하여** 그 과정에서 나타난 위법이 압수·수색 절차 전체를 위법하게 할 정도로 중대한지 여부에 따라 전체적으로 그 압수·수색 처분을 취소할 것인지를 가려야 한다.(대법원 2015. 7. 19. 2011모1839 全合 종근당 압수·수색 사건)

①②④ [○] (1) 수사기관의 전자정보에 대한 압수·수색은 원칙적으로 영장 발부의 사유로 된 범죄 혐의사실과 관련된 부분만을 문서 출력물로 수집하거나 수사기관이 휴대한 저장매체에 해당 파일을 복제하는 방식으로 이루어져야 하고, 저장매체 자체를 직접 반출하거나 그 저장매체에 들어 있는 전자파일 전부를 하드카피나 이미징 등 형태(이하 '복제본')로 수사기관 사무실 등 외부로 반출하는 방식으로 압수·수색하는 것은 현장의 사정이나 전자정보의 대량성으로 인하여 관련 정보 획득에 긴 시간이 소요되거나 전문인력에 의한 기술적 조치가 필요한 경우 등 범위를 정하여 출력 또는 복제하는 방법이 불가능하거나 압수의 목적을 달성하기에 현저히 곤란하다고 인정되는 때에 한하여 **예외적으로 허용될 수 있을 뿐이다.** (2) 이처럼 저장매체 자체 또는 적법하게 획득한 복제본을 탐색하여 혐의사실과 관련된 전자정보를 문서로 출력하거나 파일로 복제하는 일련의 과정 역시 전체적으로 하나의 영장에 기한 압수·수색의 일환에 해당한다 할 것이므로, 그러한 경우의 문서출력 또는 파일복제의 대상 역시 저장매체 소재지에서의 압수·수색과 마찬가지로 **혐의사실과 관련된 부분으로 한정** 되어야 함은 헌법 제12조 제1항, 제3항과 형사소송법 제114조, 제215조의 적법절차 및 영장주의 원칙이나 앞서 본 비례의 원칙에 비추어 당연하다. 따라서 수사기관 사무실 등으로 반출된 저장매체 또는 복제본에서 혐의사실 관련성에 대한 구분 없이 임의로 저장된 전자정보를 문서로 출력하거나 파일로 복제하는 행위는 원칙적으로 영장주의 원칙에 반하는 **위법한 압수가 된다.**(대법원 2015. 7. 19. 2011모1839 全合 종근당 압수·수색사건)

219

☐☐☐ 전자정보에 대한 압수 · 수색에 관한 다음 설명 중 가장 옳지 않은 것은? (다툼이 있으면 판례에 의함)

21 법원9급 [Essential ★]

① 전자정보에 대한 압수 · 수색은 사생활의 비밀과 자유, 정보에 대한 자기결정권, 재산권 등을 침해할 우려가 크므로 포괄적으로 이루어져서는 아니되고 비례의 원칙에 따라 필요한 최소한의 범위 내에서 이루어져야 한다.

② 전자정보가 담긴 저장매체 또는 복제본을 수사기관 사무실 등으로 옮겨 이를 복제 · 탐색 · 출력하는 경우에도, 그와 같은 일련의 과정에서 형사소송법 제219조, 제121조에서 규정하는 피압수 · 수색 당사자나 그 변호인에게 참여의 기회를 보장하고 혐의사실과 무관한 전자정보의 임의적인 복제 등을 막기 위한 적절한 조치를 취하는 등 영장주의 원칙과 적법절차를 준수하여야 한다.

③ 전자정보에 대한 압수 · 수색이 종료되기 전에 혐의사실과 관련된 전자정보를 적법하게 탐색하는 과정에서 별도의 범죄혐의와 관련된 전자정보를 우연히 발견한 경우라면, 수사기관은 더 이상의 추가 탐색을 중단하고 법원에서 별도의 범죄혐의에 대한 압수 · 수색영장을 발부받은 경우에 한하여 그러한 정보에 대하여도 적법하게 압수 · 수색을 할 수 있다.

④ 준항고인이 전체 압수 · 수색 과정을 단계적 · 개별적으로 구분하여 각 단계의 개별 처분의 취소를 구한 경우, 특별한 사정이 없는 한 준항고법원으로서는 그 구분된 개별 처분의 위법이나 취소 여부를 판단하여야 한다.

해설

④ [×] 전자정보에 대한 압수 · 수색 과정에서 이루어진 현장에서의 저장매체 압수 · 이미징 · 탐색 · 복제 및 출력행위 등 수사기관의 처분은 하나의 영장에 의한 압수 · 수색 과정에서 이루어지는 것이고, 그러한 일련의 행위가 모두 진행되어 압수 · 수색이 종료된 이후에는 특정단계의 처분만을 취소하더라도 그 이후의 압수 · 수색을 저지한다는 것을 상정할 수 없고 수사기관으로 하여금 압수 · 수색의 결과물을 보유하도록 할 것인지가 문제될 뿐이다. 그러므로 이 경우에는 준항고인이 전체 압수 · 수색 과정을 단계적 · 개별적으로 구분하여 각 단계의 개별 처분의 취소를 구하더라도 **준항고법원으로서는 특별한 사정이 없는 한 그 구분된 개별 처분의 위법이나 취소 여부를 판단할 것이 아니라 당해 압수 · 수색 과정 전체를 하나의 절차로 파악하여** 그 과정에서 나타난 위법이 압수 · 수색 절차 전체를 위법하게 할 정도로 중대한지 여부에 따라 전체적으로 그 압수 · 수색 처분을 취소할 것인지를 가려야 한다.(대법원 2015. 7. 19. 2011모1839 全合 **종근당 압수 · 수색사건**)

① [○] 전자정보에 대한 압수 · 수색은 사생활의 비밀과 자유, 정보에 대한 자기결정권, 재산권 등을 침해할 우려가 크므로 포괄적으로 이루어져서는 아니되고 비례의 원칙에 따라 필요한 **최소한의 범위 내에서 이루어져야 한다.**(대법원 2017. 11. 14. 2017도3449 **권선택 대전시장 사건**)

② [○] 형사소송법은 수사기관이 압수 · 수색영장을 집행할 때에는 피압수자 또는 변호인이 그 집행에 참여할 수 있도록 규정하고 있다(제219조, 제121조). 이는 저장매체 자체 또는 적법하게 획득한 복제본을 탐색하여 혐의사실과 관련된 전자정보를 문서로 출력하거나 파일로 복제하는 일련의 과정에서도 적용된다. 이러한 과정에서 수사기관은 피압수자나 그 변호인에게 참여의 기회를 보장하고 혐의사실과 무관한 전자정보의 임의적인 복제 등을 막기 위한 적절한 조치를 취하는등 영장주의 원칙과 적법절차를 준수하여야 한다.(대법원 2017. 11. 14. 2017도3449 **권선택 대전시장 사건**)

정답 | 219 ④

③ [O] 전자정보에 대한 압수·수색이 종료되기 전에 혐의사실과 관련된 전자정보를 적법하게 탐색하는 과정에서 별도의 범죄혐의와 관련된 전자정보를 우연히 발견하면, 수사기관은 더 이상의 추가 탐색을 중단하고 법원에서 별도의 범죄혐의에 대한 압수·수색영장을 발부받은 경우에 한하여 그러한 정보를 적법하게 압수·수색할 수 있다. 이 경우에도 특별한 사정이 없는 한 피압수자에게 형사소송법 제219조, 제121조, 제129조에 따라 참여권을 보장하고 압수한 전자정보 목록을 교부하는 등 피압수자의 이익을 보호하기 위한 적절한 조치를 하여야 한다.(대법원 2017. 11. 14. 2017도3449 권선택 대전시장 사건)

220 전자정보의 압수·수색에 관한 설명으로 옳지 않은 것은? (다툼이 있으면 판례에 의함)

□□□

22 소방간부 [Core ★★]

① 전자정보에 대한 압수·수색영장을 집행할 때에는 원칙적으로 영장 발부의 사유로 된 혐의사실과 관련된 부분만을 문서 출력물로 수집하거나 수사기관이 휴대한 저장매체에 해당 파일을 복사하는 방식으로 이루어져야 한다.

② 수사기관은 전자정보의 복사 또는 출력이 불가능하거나 현저히 곤란한 부득이한 사정이 있는 경우에는 압수·수색영장에 저장매체 자체를 직접 또는 하드카피나 이미징 등 형태로 수사기관 사무실 등 외부로 반출하여 해당 파일을 압수·수색할 수 있도록 기재되어 있지 않더라도 압수목적물인 저장매체 자체를 수사관서로 반출할 수 있다.

③ 전자정보가 담긴 저장매체 또는 복제본을 수사기관 사무실 등으로 옮겨 이를 복제·탐색·출력하는 경우 피압수자 측에 절차 참여를 보장한 취지가 실질적으로 침해되었다면 수사기관이 저장매체 또는 복제본에서 혐의사실과 관련된 전자정보만을 복제·출력하였더라도 그 압수·수색은 위법하다.

④ 수사기관이 정보저장매체에 기억된 정보 중에서 키워드 또는 확장자 검색 등을 통해 범죄혐의사실과 관련 있는 정보를 선별한 다음 정보저장매체와 동일하게 비트열 방식으로 복제하여 생성한 파일(이미지 파일)을 제출받아 압수하였다면 이로써 압수의 목적물에 대한 압수·수색 절차는 종료된 것이므로 수사기관의 수사기관 사무실에서 위와 같이 압수된 이미지 파일을 탐색·복제·출력 하는 과정에서 피의자 등에게 참여의 기회를 보장하여야 하는 것은 아니다.

⑤ 증거로 제출된 전자문서 파일의 원본 동일성은 증거능력의 요건에 해당하므로 검사가 그 존재에 대하여 구체적으로 주장·증명해야 한다.

해설

② [×] 전자정보에 대한 압수·수색영장의 집행에 있어서는 원칙적으로 영장 발부의 사유로 된 혐의사실과 관련된 부분만을 문서 출력물로 수집하거나 수사기관이 휴대한 저장매체에 해당 파일을 복사하는 방식으로 이루어져야 하고, 집행현장의 사정상 위와 같은 방식에 의한 집행이 불가능하거나 현저히 곤란한 부득이한 사정이 존재하더라도 그와 같은 경우에 **그 저장매체 자체를 직접 혹은 하드카피나 이미징 등 형태로 수사기관 사무**

실 등 외부로 반출하여 해당 파일을 압수·수색할 수 있도록 영장에 기재되어 있고 실제 그와 같은 사정이 발생한 때에 한하여 예외적으로 허용될 수 있을 뿐이다.(대법원 2014. 2. 27. 2013도12155 **최태원 SK그룹회장 사건**)

① [O] 전자정보에 대한 압수·수색영장을 집행할 때에는 원칙적으로 영장 발부의 사유로 된 혐의사실과 관련된 부분만을 문서 출력물로 수집하거나 수사기관이 휴대한 저장매체에 **해당 파일을 복사하는 방식으로 이루어져야 한다.**(대법원 2014. 2. 27. 2013도12155 **최태원 SK그룹회장 사건**)

③ [O] 전자정보가 담긴 저장매체 또는 복제본을 수사기관 사무실 등으로 옮겨 이를 복제·탐색·출력하는 경우 피압수자 측에 절차 참여를 보장한 취지가 **실질적으로 침해되었다면** 수사기관이 저장매체 또는 복제본에서 혐의사실과 관련된 전자정보만을 복제·출력하였더라도 그 **압수·수색은 위법하다.**(대법원 2020. 11. 26. 2020도10729 **노래방 화장실 몰카 사건**)

④ [O] 수사기관이 정보저장매체에 기억된 정보 중에서 키워드 또는 확장자 검색 등을 통해 범죄 혐의사실과 관련 있는 정보를 선별한 다음 정보저장매체와 동일하게 **비트열 방식으로 복제**하여 생성한 파일(이미지파일)을 제출받아 압수하였다면 이로써 압수의 목적물에 대한 **압수·수색절차는 종료된 것**이므로 수사기관의 수사기관 사무실에서 위와 같이 압수된 이미지 파일을 탐색·복제·출력 하는 과정에서 피의자 등에게 **참여의 기회를 보장하여야 하는 것은 아니다.**(대법원 2018. 2. 8. 2017도13263 **유흥주점 탈세 사건**)

⑤ [O] 증거로 제출된 전자문서 파일의 원본 동일성은 증거능력의 요건에 해당하므로 검사가 그 존재에 대하여 **구체적으로 주장·증명해야 한다.**(대법원 2018. 2. 8. 2017도13263 **유흥주점 탈세 사건**)

221 전자정보의 압수·수색에 대한 설명으로 옳지 않은 것은? (다툼이 있으면 판례에 의함)
□□□
22 국가7급 [Core ★★]

① 수사기관의 전자정보에 대한 압수·수색은 원칙적으로 영장 발부의 사유로 된 범죄 혐의 사실과 관련된 부분만을 문서 출력물로 수집하거나 수사기관이 휴대한 저장매체에 해당 파일을 복제하는 방식으로 이루어져야 한다.

② 임의제출된 정보저장매체에서 압수의 대상이 되는 전자정보의 범위를 넘어서는 전자정보에 대해 수사기관이 영장 없이 압수·수색하여 취득한 증거는 사후에 피고인이 이를 증거로 함에 동의하였다고 하여 그 위법성이 치유되지 않는다.

③ 피의자가 휴대전화를 임의제출하면서 원격지에 저장되어 있는 전자정보를 수사기관에 제출한다는 의사로 클라우드에 접속하기 위한 아이디와 비밀번호를 임의로 제공하였더라도 그 클라우드에 저장된 전자정보를 임의제출하는 것으로 볼 수는 없다.

④ 수사기관이 甲을 피의자로 하여 발부받은 압수·수색영장에 기하여 인터넷서비스업체인 A주식회사를 상대로 A주식회사의 본사 서버에 저장되어 있는 甲의 전자정보인 SNS 대화내용 등에 대하여 압수·수색을 실시한 경우 수사기관은 압수·수색 과정에서 甲에게 참여권을 보장하여야 한다.

정답 | 220 ② 221 ③

해설

③ [×] 피의자가 휴대전화를 임의제출하면서 휴대전화에 저장된 전자정보가 아닌 클라우드 등 제3자가 관리하는 원격지에 저장되어 있는 전자정보를 수사기관에 제출한다는 의사로 수사기관에게 클라우드 등에 접속하기 위한 아이디와 비밀번호를 임의로 제공하였다면 **위 클라우드 등에 저장된 전자정보를 임의제출하는 것으로 볼 수 있다.**(대법원 2021. 7. 29. 2020도14654 음란물 저장 휴대폰 압수사건)

① [○] (1) 수사기관의 전자정보에 대한 압수·수색은 원칙적으로 영장 발부의 사유로 된 범죄 **혐의사실과 관련된 부분만을 문서 출력물로 수집하거나 수사기관이 휴대한 저장매체에 해당 파일을 복제하는 방식으로 이루어져야 한다.** 다만 예외적으로 저장매체 자체를 직접 반출하거나 그 저장매체에 들어 있는 전자파일 전부를 하드카피나 이미징(imaging) 등의 형태(이하 '복제본'이라 한다)로 수사기관 사무실 등 외부로 반출하는 방식으로 압수·수색하는 것이 허용될 수 있다. 가령 현장의 사정이나 전자정보의 대량성으로 말미암아 관련 정보 획득에 긴 시간이 들거나 전문 인력에 의한 기술적 조치가 필요한 경우 등과 같이 범위를 정하여 출력하거나 복제하는 방법이 불가능하거나 압수의 목적을 달성하기에 현저히 곤란하다고 인정되는 때에 한하여 저장매체 자체 또는 복제본을 외부에 반출하는 방식으로 압수·수색을 할 수 있다. (2) 저장매체 자체 또는 적법하게 획득한 복제본을 탐색하여 혐의사실과 관련된 전자정보를 문서로 출력하거나 파일로 복제하는 일련의 과정은 전체적으로 하나의 영장에 따른 압수·수색이라고 볼 수 있다. 문서출력 또는 파일복제의 대상은 저장매체 소재지에서 하는 압수·수색과 마찬가지로 혐의사실과 관련된 부분에 한정되어야 한다. 따라서 수사기관 사무실 등으로 반출된 저장매체 또는 복제본에서 혐의사실 관련성에 대한 구분 없이 임의로 저장된 전자정보를 문서로 출력하거나 파일로 복제하는 행위는 원칙적으로 영장주의 원칙에 반하는 위법한 압수가 된다.(대법원 2017. 11. 14. 2017도3449 권선택 대전시장 사건)

② [○] 임의제출된 정보저장매체에서 압수의 대상이 되는 전자정보의 범위를 초과하여 수사기관 임의로 전자정보를 탐색·복제·출력하는 것은 원칙적으로 위법한 압수·수색에 해당하므로 허용될 수 없다. 만약 전자정보에 대한 압수·수색이 종료되기 전에 범죄혐의사실과 관련된 전자정보를 적법하게 탐색하는 과정에서 별도의 범죄혐의와 관련된 전자정보를 우연히 발견한 경우라면 수사기관은 더 이상의 추가탐색을 중단하고 법원으로부터 별도의 범죄혐의에 대한 압수·수색영장을 발부받은 경우에 한하여 그러한 정보에 대하여도 적법하게 압수·수색을 할 수 있다. 따라서 임의제출된 정보저장매체에서 압수의 대상이 되는 전자정보의 범위를 넘어서는 전자정보에 대해 수사기관이 영장 없이 압수·수색하여 취득한 증거는 위법수집증거에 해당하고 **사후에 법원으로부터 영장이 발부되었다거나 피고인이나 변호인이 이를 증거로 함에 동의하였다고 하여 그 위법성이 치유되는 것도 아니다.**(대법원 2021. 11. 25. 2016도82 지하철 몰카 여친 몰카 사건)

④ [○] 수사기관이 준항고인 甲을 피의자로 하여 발부받은 압수·수색영장에 기하여 인터넷서비스업체인 A주식회사를 상대로 A회사의 본사 서버에 저장되어 있는 준항고인의 전자정보인 카카오톡 대화내용 등에 대하여 압수·수색을 실시하였는데, 준항고인은 수사기관이 압수·수색 과정에서 참여권을 보장하지 않는 등의 위법이 있다는 이유로 압수·수색의 취소를 청구한 사안에서, 수사기관이 압수·수색영장을 집행할 때 처분의 상대방인 A 회사에 영장을 팩스로 송부하였을 뿐 영장 원본을 제시하지 않은 점, A 회사는 서버에서 일정 기간의 준항고인의 카카오톡 대화내용을 모두 추출한 다음 그중에서 압수·수색영장의 범죄사실과 관련된 정보만을 분리하여 추출할 수 없어 그 기간의 모든 대화내용을 수사기관에 이메일로 전달하였는데, 여기에는 준항고인이 자신의 부모, 친구 등과 나눈 일상적 대화 등 혐의사실과 관련 없는 내용이 포함되어 있는 점, 수사기관은 압수·수색 과정에서 준항고인에게 미리 집행의 일시와 장소를 통지하지 않았고, A 회사로부터 준항고인의 카카오톡 대화내용을 취득한 뒤 전자정보를 탐색·출력하는 과정에서도 준항고인에게 참여 기회를 부여하지 않았으며, 혐의사실과 관련된 부분을 선별하지 않고 그 일체를 출력하여 증거물로 압수하였고, 압수·수색영장 집행 이후 A 회사와 준항고인에게 압수한 전자정보 목록을 교부하지 않은 점 등 제반 사정에 비추어 볼 때, 원심이 A 회사의 본사 서버에 보관된 준항고인의 카카오톡 대화내용에 대한 압수·수색영장의 집행에 의하여 전자정보를 취득하는 것이 참여권자에게 통지하지 않을 수 있는 형사소송법 제122조 단서의 '급속을 요하는 때'에 해당하지 않는다고 판단한 것은 잘못이나, 그 과정에서 압수·수색영장의 원본을 제시하지 않은 위법, 수사기관이 A 회사로부터 입수한 전자정보에서 범죄 혐의사실과 관련된 부분의 선별 없이 그 일체를 출력하여 증거물로 압수한 위법, 그 과정에서 서비스이용자로서 실질적 피압수자이자 피의자인 준항고인에게 참여권을 보장하지 않은 위법과 압수한 전자정보 목록을 교부하지 않은 위법을 종합하면, 압수·수색에서 나타난 위법이 압수·수색절차 전체를 위법하게 할 정도로 중대하다고 보아 압수·수색을 취소한 원심의 결론을 수긍할 수 있다.(대법원 2022. 5. 31. 2016모587)

222

전자정보의 압수·수색에 대한 설명으로 가장 적절한 것은? (다툼이 있으면 판례에 의함)

① 전자정보에 대한 압수·수색이 종료되기 전에 혐의사실과 관련된 전자정보를 적법하게 탐색하는 과정에서 별도의 범죄혐의와 관련된 전자정보를 우연히 발견한 경우라면 따로 압수·수색영장을 발부받지 않고 그 전자정보를 적법하게 압수·수색할 수 있다.

② 전자정보가 담긴 저장매체를 수사기관 사무실 등으로 옮겨 복제·탐색·출력하는 경우에는 변호인의 참여기회를 보장할 필요는 없다.

③ 전자정보에 대한 압수·수색영장을 집행할 때에는 원칙적으로 영장발부의 사유인 혐의사실과 관련된 부분만을 문서 출력물로 수집하거나 수사기관이 휴대한 저장매체에 해당 파일을 복사하는 방법으로 이루어져야 한다.

④ 압수·수색영장에 저장매체 자체를 직접 또는 하드카피나 이미징 등 형태로 수사기관 사무실 등 외부로 반출하여 해당 파일을 압수·수색할 수 있도록 기재되어 있지 않더라도, 수사기관이 전자정보의 복사 또는 출력이 불가능하거나 현저히 곤란한 부득이한 사정이 있을 때에는 압수목적물인 저장매체 자체를 수사관서로 반출할 수 있다.

해설

③ [○] 수사기관의 전자정보에 대한 압수·수색은 원칙적으로 영장 발부의 사유로 된 범죄 혐의사실과 관련된 부분만을 문서 출력물로 수집하거나 수사기관이 휴대한 저장매체에 해당 파일을 복제하는 방식으로 이루어져야 한다.(대법원 2017. 11. 14. 2017도3449 권선택 대전시장 사건)

① [×] 전자정보에 대한 압수·수색이 종료되기 전에 혐의사실과 관련된 전자정보를 적법하게 탐색하는 과정에서 별도의 범죄혐의와 관련된 전자정보를 우연히 발견하면, 수사기관은 더 이상의 추가 탐색을 중단하고 법원에서 별도의 범죄혐의에 대한 압수·수색영장을 발부받은 경우에 한하여 그러한 정보를 적법하게 압수·수색할 수 있다.(대법원 2017. 11. 14. 2017도3449 권선택 대전시장 사건)

② [×] 형사소송법은 수사기관이 압수·수색영장을 집행할 때에는 피압수자 또는 변호인이 그 집행에 참여할 수 있도록 규정하고 있다(제219조, 제121조). 이는 저장매체 자체 또는 적법하게 획득한 복제본을 탐색하여 혐의사실과 관련된 전자정보를 문서로 출력하거나 파일로 복제하는 일련의 과정에서도 적용된다. 이러한 과정에서 수사기관은 피압수자나 그 변호인에게 참여의 기회를 보장하고 혐의사실과 무관한 전자정보의 임의적인 복제 등을 막기 위한 적절한 조치를 취하는등 영장주의 원칙과 적법절차를 준수하여야 한다.(대법원 2017. 11. 14. 2017도3449 권선택 대전시장 사건)

④ [×] 전자정보에 대한 압수·수색영장의 집행에 있어서는 원칙적으로 영장 발부의 사유로 된 혐의사실과 관련된 부분만을 문서 출력물로 수집하거나 수사기관이 휴대한 저장매체에 해당 파일을 복사하는 방식으로 이루어져야 하고, 집행현장의 사정상 위와 같은 방식에 의한 집행이 불가능하거나 현저히 곤란한 부득이한 사정이 존재하더라도 그와 같은 경우에 그 저장매체 자체를 직접 혹은 하드카피나 이미징 등 형태로 수사기관 사무실 등 외부로 반출하여 해당 파일을 압수·수색할 수 있도록 영장에 기재되어 있고 실제 그와 같은 사정이 발생한 때에 한하여 예외적으로 허용될 수 있을 뿐이다.(대법원 2014. 2. 27. 2013도12155 최태원 SK그룹회장 사건)

정답 | 222 ③

223

☐☐☐ 정보저장매체의 압수·수색에 관한 설명으로 가장 적절하지 않은 것은? (다툼이 있으면 판례에 의함)

24 경대편입 [Core ★★]

① 수사기관의 전자정보에 대한 압수·수색은 원칙적으로 영장 발부의 사유로 된 범죄 혐의사실과 관련된 부분만을 문서 출력물로 수집하거나 수사기관이 휴대한 저장매체에 해당 파일을 복제하는 방식으로 이루어져야 하고, 수사기관 사무실 등 외부로 저장매체자체를 직접 반출하는 방식으로 압수·수색하는 것은 예외적으로만 허용된다.

② 압수의 목적을 달성하기에 현저히 곤란한 사정이 인정되어 전자정보가 담긴 저장매체를 수사기관 사무실 등으로 옮겨 혐의사실과 관련된 전자정보만을 복제·탐색·출력하는 경우에도 피압수·수색 당사자나 변호인에게 참여의 기회를 보장하여야 한다.

③ 수사기관이 범죄 혐의사실과 관련 있는 전자정보를 선별 압수한 후 그와 관련이 없는 나머지 정보를 삭제·폐기·반환하지 아니한 채 보관하고 있더라도 사후에 위 나머지 정보에 대하여 법원으로부터 압수·수색영장을 발부받거나 피고인 또는 변호인이 이를 증거로 함에 동의하였다면 증거로 사용할 수 있다.

④ 수사기관이 압수·수색영장에 적힌 '수색할 장소'에 있는 컴퓨터 등 정보처리장치에 저장된 전자정보 외에 원격지 서버에 저장된 전자정보를 압수·수색하기 위해서는 그 영장에 적힌 '압수할 물건'에 별도로 원격지 서버 저장 전자정보가 특정되어 있어야 하고, '압수할 물건'에 컴퓨터 등 정보처리장치 저장 전자정보만 기재되어 있다면 컴퓨터 등 정보처리장치를 이용하여 원격지 서버 저장전자정보를 압수할 수는 없다.

해설

③ [×] 법원은 압수·수색영장의 집행에 관하여 범죄 혐의사실과 관련 있는 전자정보의 탐색·복제·출력이 완료된 때에는 지체 없이 영장 기재 범죄 혐의사실과 관련이 없는 나머지 전자정보에 대해 삭제·폐기 또는 피압수자 등에게 반환할 것을 정할 수 있다. 수사기관이 범죄 혐의사실과 관련 있는 정보를 선별하여 압수한 후에도 그와 관련이 없는 나머지 정보를 삭제·폐기·반환하지 아니한 채 그대로 보관하고 있다면 범죄 혐의사실과 관련이 없는 부분에 대하여는 압수의 대상이 되는 전자정보의 범위를 넘어서는 전자정보를 영장 없이 압수·수색하여 취득한 것이어서 위법하고, **사후에 법원으로부터 압수·수색영장이 발부되었다거나 피고인이나 변호인이 이를 증거로 함에 동의하였다고 하여 그 위법성이 치유된다고 볼 수 없다.**(대법원 2022. 1.14. 2021모1586 휴대전화 3번 압수·수색 사건)

① [○] 전자정보에 대한 압수·수색영장의 집행에 있어서는 원칙적으로 영장 발부의 사유로 된 혐의사실과 관련된 부분만을 문서 출력물로 수집하거나 수사기관이 휴대한 저장매체에 해당 파일을 복사하는 방식으로 이루어져야 하고, 집행현장의 사정상 위와 같은 방식에 의한 집행이 불가능하거나 현저히 곤란한 부득이한 사정이 존재하더라도 그와 같은 경우에 그 저장매체 자체를 직접 혹은 하드카피나 이미징 등 형태로 수사기관 사무실 등 외부로 반출하여 **해당 파일을 압수·수색할 수 있도록 영장에 기재되어 있고 실제 그와 같은 사정이 발생한 때에 한하여 예외적으로 허용될 수 있을 뿐이다.**(대법원 2014. 2.27. 2013도12155 최태원 SK그룹회장 사건)

② [○] 저장매체에 대한 압수·수색 과정에서 범위를 정하여 출력·복제하는 방법이 불가능하거나 압수의 목적을 달성하기에 현저히 곤란한 예외적인 사정이 인정되어 전자정보가 담긴 저장매체, 하드카피나 이미징 (imaging) 등 형태(이하 '복제본'이라 한다)를 수사기관 사무실 등으로 옮겨 복제·탐색·출력하는 경우에도

피압수자나 변호인에게 참여 기회를 보장하고 혐의사실과 무관한 전자정보의 임의적인 복제 등을 막기 위한 적절한 조치를 취하는 등 영장주의 원칙과 적법절차를 준수하여야 한다.(대법원 2020.11.26. 2020도10729 노래방 화장실 몰카 사건)

④ [○] 압수할 전자정보가 저장된 저장매체로서 압수·수색영장에 기재된 수색장소에 있는 컴퓨터, 하드디스크, 휴대전화와 같은 컴퓨터 등 정보처리장치와 수색장소에 있지는 않으나 컴퓨터 등 정보처리장치와 정보통신망으로 연결된 원격지의 서버 등 저장매체(이하 '원격지 서버'라 한다)는 소재지, 관리자, 저장 공간의 용량 측면에서 서로 구별된다. 원격지 서버에 저장된 전자정보를 압수·수색하기 위해서는 컴퓨터 등 정보처리장치를 이용하여 정보통신망을 통해 원격지 서버에 접속하고 그곳에 저장되어 있는 전자정보를 컴퓨터 등 정보처리장치로 내려 받거나 화면에 현출시키는 절차가 필요하므로 컴퓨터 등 정보처리장치 자체에 저장된 전자정보와 비교하여 압수·수색의 방식에 차이가 있다. 원격지 서버에 저장되어 있는 전자정보와 컴퓨터 등 정보처리장치에 저장되어 있는 전자정보는 그 내용이나 질이 다르므로 압수·수색으로 얻을 수 있는 전자정보의 범위와 그로 인한 기본권 침해 정도도 다르다. 따라서 수사기관이 압수·수색영장에 적힌 '수색할 장소'에 있는 컴퓨터 등 정보처리장치에 저장된 전자정보 외에 원격지 서버에 저장된 전자정보를 압수·수색하기 위해서는 **압수·수색영장에 적힌 '압수할 물건'에 별도로 원격지 서버 저장 전자정보가 특정되어 있어야 한다.** 압수·수색영장에 적힌 '압수할 물건'에 컴퓨터 등 정보처리장치 저장 전자정보만 기재되어 있다면 컴퓨터 등 정보처리장치를 이용하여 원격지 서버 저장 전자정보를 압수할 수는 없다.(대법원 2022. 6.30. 2020모735 Virtual Desktop Infrastructure 수색사건)

224 압수·수색에 대한 설명으로 옳지 않은 것만을 모두 고르면? (다툼이 있으면 판례에 의함)

□□□
21 국가9급 [Core ★★]

㉠ 수사기관이 정보저장매체에 기억된 정보 중에서 범죄 혐의사실과 관련 있는 정보를 선별한 다음, 선별한 파일을 복제하여 생성한 파일을 제출받아 적법하게 압수하였다면 수사기관 사무실에서 위와 같이 압수된 이미지 파일을 탐색·복제·출력하는 과정에서 피의자 등에게 참여의 기회를 보장하여야 하는 것은 아니다.

㉡ 영장담당판사가 발부한 압수·수색영장에 법관의 서명이 있다면 비록 날인이 없다고 하더라도 그 압수·수색영장은 형사소송법이 정한 요건을 갖추지 못하였다고 볼 수는 없다.

㉢ 압수·수색영장의 피처분자가 현장에 없거나 현장에서 그를 발견할 수 없는 등 영장제시가 현실적으로 불가능한 경우에도 영장을 제시하지 아니한 채 압수·수색을 하면 위법하다.

㉣ 수사기관이 압수·수색영장을 집행하면서 압수·수색 대상 기관에 팩스로 영장 사본을 송신하기만 하였을 뿐 영장 원본을 제시하거나 압수조서와 압수물 목록을 작성하여 피압수·수색 당사자에게 교부하지도 않았다면 그 압수·수색은 위법하다.

① ㉠㉡　　　　　② ㉠㉣　　　　　③ ㉡㉢　　　　　④ ㉢㉣

해설

③ ⓛⓒ 2 항목이 옳지 않다.

ⓐ [O] 수사기관이 정보저장매체에 기억된 정보 중에서 키워드 또는 확장자 검색 등을 통해 범죄 혐의 사실과 관련 있는 정보를 **선별**한 다음 정보저장매체와 동일하게 비트열 방식으로 복제하여 생성한 파일(이하 '이미지 파일'이라 한다)을 제출받아 압수하였다면 이로써 압수의 목적물에 대한 압수·수색 절차는 종료된 것이므로, 수사기관이 수사기관 사무실에서 위와 같이 압수된 이미지 파일을 탐색·복제·출력하는 과정에서도 **피의자 등에게 참여의 기회를 보장하여야** 하는 것은 아니다.(대법원 2018. 2. 8. 2017도13263 유흥주점 탈세 사건)

ⓛ [×] 압수·수색·검증영장 **법관의 서명·날인란에 서명만 있고 날인이 없는 경우 형사소송법이 정한 요건 을 갖추지 못하여 적법하게 발부되었다고 볼 수 없으나**, 위와 같은 결함은 피고인의 기본적 인권보장 등 법익 침해 방지와 관련성이 적으므로 절차 조항 위반의 내용과 정도가 중대하지 않고 절차 조항이 보호하고자하는 권리나 법익을 본질적으로 침해하였다고 볼 수 없다. 오히려 이러한 경우에까지 공소사실과 관련성이 높은 파일 출력물의 증거능력을 배제하는 것은 적법절차의 원칙과 실체적 진실규명의 조화를 도모하고 이를 통하여 형사사법 정의를 실현하려는 취지에 반하는 결과를 초래할 수 있다.(대법원 2019. 7. 11. 2018도20504 **판사 날인 누락사건**)

ⓒ [×] 형사소송법 제219조가 준용하는 제118조는 '압수·수색영장은 처분을 받는 자에게 반드시 제시하여 야 한다'고 규정하고 있으나, 이는 영장제시가 현실적으로 가능한 상황을 전제로 한 규정으로 보아야 하고, 피처분자가 현장에 없거나 현장에서 그를 발견할 수 없는 경우 등 **영장제시가 현실적으로 불가능한 경우에는 영장을 제시하지 아니한 채 압수·수색을 하더라도 위법하다고 볼 수 없다.**(대법원 2015. 1. 22. 2014도10978 소슴 이석기 의원 사건) 다만, 제118조는 "압수·수색영장은 처분을 받는 자에게 반드시 제시하여야 하고, 처분을 받는 자가 피고인인 경우에는 그 사본을 교부하여야 한다. 다만, 처분을 받는 자가 현장에 없는 등 영장의 제시나 그 사본의 교부가 현실적으로 불가능한 경우 또는 처분을 받는 자가 영장의 제시나 사본의 교부를 거부한 때에는 예외로 한다."로 2022.2.3. 개정되었다.

ⓔ [O] 수사기관이 이메일에 대한 압수·수색영장을 집행할 당시 피압수자인 네이버 주식회사에 **팩스로 영장사 본을 송신했을 뿐** 그 원본을 제시하지 않았고, 압수조서와 압수물 목록을 작성하여 피압수·수색 당사자에게 교부하였다고 볼 수 없는 경우 이러한 방법으로 압수된 이메일은 위법수집증거로 원칙적으로 **유죄의 증거로 삼을 수 없다.**(대법원 2017. 9. 7. 2015도10648 안재구 경북대 교수 사건)

225

□□□ 압수·수색에 관한 설명 중 옳고 그름의 표시(○, ×)가 바르게 된 것은? (다툼이 있으면 판례에 의함)

24 경찰채용 [Core ★★]

ⓐ 압수·수색의 처분을 받는 자가 여럿인 경우에는 모두에게 개별적으로 영장을 제시해야 하며, 이 경우 피의자에게는 개별적으로 해당 영장의 사본을 교부해야 하는데, 피의자에게 영장을 제시하거나 영장의 사본을 교부할 때에는 사건관계인의 개인정보가 피의자의 방어권 보장을 위해 필요한 정도를 넘어 불필요하게 노출되지 않도록 유의해야 한다.

ⓛ 압수·수색영장의 범죄 혐의사실과 관계있는 범죄라는 것은 압수·수색영장에 기재한 혐의사실과 객관적 관련성이 있고 압수·수색영장 대상자와 피의자 사이에 인적 관련성이 있는 범죄를 의미하는데, 이러한 인적 관련성은 압수·수색영장에 기재된 대상자의 공동정범이나 교사범 등 공범이나 간접정범에 대한 피고사건에 대해서만 인정되는 것이지, 필요적 공범에 대한 피고사건에 대해서 인정되는 것은 아니다.

ⓒ 현행범 체포현장이나 범죄현장에서 소지자 등이 임의로 제출하는 물건은 영장 없이 압수할 수 있으며, 다만 이 경우 검사나 사법경찰관은 사후에 지체 없이 영장을 받아야 한다.

ⓔ 수사기관에 의해 참여권을 고지받은 피압수자가 압수·수색현장에 출입한 상태에서 수사기관이 정보저장매체에 기억된 정보 중에서 키워드 또는 확장자 검색 등을 통해 범죄 혐의사실과 관련 있는 정보를 선별한 다음 정보저장매체와 동일하게 비트열 방식으로 복제하여 생성한 파일을 제출받아 압수한 경우 수사기관이 수사기관 사무실에서 위와 같이 압수된 이미지 파일을 탐색·복제·출력하는 과정에서도 피의자 등에게 참여의 기회를 보장하여야 한다.

① ㉠ ○ ㉡ ○ ㉢ × ㉣ ×
② ㉠ ○ ㉡ × ㉢ × ㉣ ×
③ ㉠ ○ ㉡ × ㉢ × ㉣ ○
④ ㉠ × ㉡ × ㉢ ○ ㉣ ○

해설

② 이 지문이 옳은 연결이다.

㉠ [○] 압수·수색 또는 검증의 처분을 받는 자가 여럿인 경우에는 모두에게 개별적으로 영장을 제시해야 한다. 이 경우 피의자에게는 개별적으로 해당 영장의 사본을 교부해야 한다.(수사준칙 제38조 제2항) 검사 또는 사법경찰관은 제1항 및 제2항에 따라 피의자에게 영장을 제시하거나 영장의 사본을 교부할 때에는 사건관계인의 개인정보가 피의자의 **방어권 보장을 위해 필요한 정도를 넘어 불필요하게 노출되지 않도록** 유의해야 한다.(수사준칙 제38조 제3항)

㉡ [×] (중략) 그리고 피의자와 사이의 인적 관련성은 압수·수색영장에 기재된 대상자의 범죄를 의미하는 것이나 그의 공동정범이나 교사범 등 공범이나 간접정범은 물론 **필요적 공범 등에 대한 피고사건에 대해서도 인정될 수 있다.**(대법원 2021. 7. 29. 2020도14654 음란물 저장 휴대폰 압수사건)

㉢ [×] 현행범 체포현장이나 범죄현장에서도 소지자 등이 임의로 제출하는 물건은 형사소송법 제218조에 의하여 영장 없이 압수하는 것이 허용되고, 이 경우 **검사나 사법경찰관은 별도로 사후에 영장을 받을 필요가 없다.**(대법원 2022. 1. 27. 2020도1716 주거침입몰카 사건)

㉣ [×] 수사기관이 정보저장매체에 기억된 정보 중에서 키워드 또는 확장자 검색 등을 통해 범죄 혐의 사실과 관련 있는 정보를 선별한 다음 정보저장매체와 동일하게 비트열 방식으로 복제 하여 생성한 파일(이하 '이미지 파일'이라 한다)을 제출받아 압수하였다면 이로써 압수의 목적물에 대한 압수·수색 절차는 종료된 것이므로, 수사기관이 **수사기관 사무실에서 위와 같이 압수된 이미지 파일을 탐색·복제·출력하는 과정에서도 피의자 등에게 참여의 기회를 보장하여야 하는 것은 아니다.**(대법원 2018. 2. 8. 2017도13263 유흥주점 탈세 사건)

226 압수·수색에 관한 설명으로 옳은 것은 모두 몇 개인가? (다툼이 있으면 판례에 의함)

□□□

24 경찰간부 [Core ★★]

> ⊙ 압수·수색영장의 집행 과정에서 피압수자의 지위가 참고인에서 피의자로 전환될 수 있는 증거가 발견되었더라도 그 증거가 압수·수색영장에 기재된 범죄사실과 객관적으로 관련되어 있다면 이는 압수·수색영장의 집행 범위 내에 있으므로 다시 피압수자에 대하여 영장을 발부받을 필요는 없다.
>
> ⊙ 수사기관이 압수·수색에 착수하면서 그 장소의 관리책임자에게 압수·수색영장을 제시하였더라도 물건을 소지하고 있는 다른 사람으로부터 이를 압수하고자 하는 때에는 그 소지자에게 따로 영장을 제시하여야 한다.
>
> ⊙ 수사기관이 휴대전화 등을 압수할 당시 압수당한 피의자가 수사기관에게 압수·수색영장의 구체적인 확인을 요구하였으나 수사기관이 영장의 범죄사실 기재 부분을 보여주지 않고 겉표지만 보여 주었다 하더라도 그 후 변호인이 피의자조사에 참여하면서 영장을 확인하였다면 위 압수처분의 위법성은 치유된다.
>
> ⊙ 수사기관이 압수·수색영장을 제시하고 집행에 착수하여 압수·수색을 실시하고 그 집행을 종료하였으나 동일한 장소 또는 목적물에 대하여 다시 압수·수색할 필요가 있는 경우 앞서 발부받은 압수·수색영장의 유효기간이 남아 있다면 그 영장을 제시하고 다시 압수·수색을 할 수 있다.

① 1개   ② 2개   ③ 3개   ④ 4개

해설

② ⊙⊙ 2 항목이 옳다.

⊙ [○] 압수·수색영장의 집행 과정에서 피압수자의 지위가 참고인에서 피의자로 전환될 수 있는 증거가 발견되었더라도 그 증거가 압수·수색영장에 기재된 범죄사실과 객관적으로 관련되어 있다면 이는 압수·수색영장의 집행 범위 내에 있으므로 **다시 피압수자에 대하여 영장을 발부받을 필요는 없다.**(대법원 2017. 12. 5. 2017도13458 **최명길 의원 사건**)

⊙ [○] 수사기관이 압수·수색에 착수하면서 그 장소의 관리책임자에게 압수·수색영장을 제시하였더라도 물건을 소지하고 있는 다른 사람으로부터 이를 압수하고자 하는 때에는 그 **소지자에게 따로 영장을 제시하여야 한다.**(대법원 2017. 9. 21. 2015도12400 **정상혁 보은군수 사건**)

⊙ [×] 원심은, "수사기관이 재항고인의 휴대전화 등을 압수할 당시 재항고인에게 영장을 제시하였는데 재항고인은 영장의 구체적인 확인을 요구하였던 점, 이후 재항고인의 변호인은 재항고인에 대한 조사에 참여하면서 영장을 확인하였던 점을 인정할 수 있다. 수사기관이 압수처분을 함에 있어 재항고인에게 **영장의 범죄사실 기재 부분을 보여주지 않았다고 하더라도** 압수·수색영장을 제시하지 않았다고 보기 어렵다."라고 판단하여 준항고 청구를 기각하였다. 원심의 사실인정에 따르더라도 **수사기관이 압수처분 당시 재항고인으로부터 영장 내용의 구체적인 확인을 요구받았음에도 압수·수색영장의 내용을 보여주지 않았다고 보여진다.** 그렇다면 형사소송법 제219조, 제118조에 따른 **적법한 압수·수색영장의 제시를 인정하기 어렵고** 따라서 원심으로서는 압수처분 당시 수사기관이 요건을 갖추어 재항고인에게 압수·수색영장을 제시하였는지 여부를 판단하여야 할 것이다.(대법원 2020. 4. 16. 2019모3526 **영장을 구체적으로 확인해 달라 사건**) 변호인이 피의자조사에 참여하면서 영장을 확인하였더라도 압수처분의 위법성은 치유되지 않는다.

㉣ [×] 수사기관이 압수 · 수색영장을 제시하고 집행에 착수하여 압수 · 수색을 실시하고 그 집행을 종료하였다면 이미 그 영장은 목적을 달성하여 효력이 상실되는 것이고, 동일한 장소 또는 목적물에 대하여 다시 압수 · 수색할 필요가 있는 경우라면 그 필요성을 소명하여 법원으로부터 새로운 압수 · 수색영장을 발부받아야 하는 것이지, 앞서 발부 받은 **압수 · 수색영장의 유효기간이 남아있다고 하여 이를 제시하고 다시 압수 · 수색을 할 수는 없다.**(대법원 1999. 12. 1. 99모161 **민혁당 연락책 사건**)

227 □□□ **압수 · 수색영장의 집행에 관한 다음 설명 중 가장 옳지 않은 것은? (다툼이 있으면 판례에 의함)**

23 법원9급 [Essential ★]

① 압수·수색영장은 처분을 받는 자에게 반드시 제시하여야 하나, 처분을 받는 자가 현장에 없는 등 영장의 제시나 그 사본의 교부가 현실적으로 불가능한 경우 또는 처분을 받는 자가 영장의 제시나 사본의 교부를 거부한 때에는 예외로 한다.

② 피압수자가 수사기관에 압수·수색영장의 집행에 참여하지 않는다는 의사를 명시하였다면 특별한 사정이 없는 한 그 변호인에게는 미리 집행의 일시와 장소를 통지하지 아니한 채 압수·수색을 하더라도 위법하다고 볼 수 없다.

③ 압수·수색영장의 집행에 피압수자나 변호인의 참여 기회를 보장하여야 하나, 피압수자측이 압수·수색영장의 집행 과정에 참여하지 않는다는 의사를 명시적으로 표시하였거나 절차 위반 행위가 이루어진 과정의 성질과 내용 등에 비추어 피압수자에게 절차 참여를 보장한 취지가 실질적으로 침해되었다고 볼 수 없는 경우에는 압수·수색의 적법성을 부정할 수 없다.

④ 수사기관이 압수·수색에 착수하면서 그 장소의 관리책임자에게 영장을 제시하였다고 하더라도 물건을 소지하고 있는 다른 사람으로부터 이를 압수하고자 하는 때에는 그 사람에게 따로 영장을 제시하여야 한다.

해설

② [×] 형사소송법 제219조, 제121조가 규정한 **변호인의 참여권은 피압수자의 보호를 위하여 변호인에게 주어진 고유권이다.** 따라서 설령 피압수자가 수사기관에 압수 · 수색영장의 집행에 참여하지 않는다는 의사를 명시하였다고 하더라도 특별한 사정이 없는 한 **그 변호인에게는** 형사소송법 제219조, 제122조에 따라 **미리 집행의 일시와 장소를 통지하는 등으로 압수 · 수색영장의 집행에 참여할 기회를 별도로 보장하여야 한다.** (대법원 2020. 11. 26. 2020도10729 **노래방 화장실 몰카 사건**)

① [○] 압수 · 수색영장은 처분을 받는 자에게 **반드시 제시하여야 하나,** 처분을 받는 자가 현장에 없는 등 영장의 제시나 그 사본의 교부가 **현실적으로 불가능한 경우 또는 처분을 받는 자가 영장의 제시나 사본의 교부를 거부한 때에는 예외로 한다.**(제118조, 제219조)7

정답 | 226 ② 227 ②

③ [○] 압수 · 수색영장의 집행에 피압수자나 변호인의 참여 기회를 보장하여야 하나, 피압수자 측이 압수 · 수색영장의 집행 과정에 참여하지 않는다는 의사를 명시적으로 표시하였거나 절차 위반행위가 이루어진 과정의 성질과 내용 등에 비추어 피압수자에게 절차 참여를 보장한 취지가 실질적으로 침해되었다고 볼 수 없는 경우에는 압수 · 수색의 적법성을 부정할 수 없다.(대법원 2020. 11. 26. 2020도10729 **노래방 화장실 몰카사건**)

④ [○] 수사기관이 압수 · 수색에 착수하면서 그 장소의 관리책임자에게 영장을 제시하였다고 하더라도 물건을 소지하고 있는 다른 사람으로부터 이를 압수하고자 하는 때에는 그 사람에게 따로 영장을 제시하여야 한다.(대법원 2017. 9. 21. 2015도12400 **정상혁 보은군수 사건**)

228 압수 · 수색에 대한 설명으로 가장 적절한 것은? (다툼이 있으면 판례에 의함)

□□□
22 경찰승진 [Essential ★]

① 사법경찰관은 긴급체포된 자가 소유 · 소지 또는 보관하는 물건에 대하여 긴급히 압수할 필요가 있는 경우에는 체포한 때부터 48시간 이내에 한하여 영장 없이 압수 · 수색 또는 검증을 할 수 있다.

② 범행직후의 범죄장소에서 수사상 필요가 있는 때에는 긴급한 경우가 아니더라도 수사기관은 영장 없이 압수 · 수색 또는 검증을 할 수 있으나, 사후에 지체 없이 영장을 받아야 한다.

③ 경찰관이 현행범인 체포 당시 피의자로부터 임의제출방식으로 압수한 휴대전화기에 대하여 작성한 압수조서 중 압수경위란에 피의자의 범행을 목격한 사람의 진술이 기재된 경우 이는 형사소송법 제312조 제5항에서 정한 '피고인이 아닌 자가 수사과정에서 작성한 진술서'에 준하는 것으로 볼 수 있지만, 휴대전화기에 대한 임의제출절차가 적법하지 않다면 위 압수조서에 기재된 피의자의 범행을 목격한 사람의 진술 역시 피의자가 증거로 함에 동의하더라도 유죄를 인정하기 위한 증거로 사용할 수 없다.

④ 형사소송법 제218조를 위반하여 소유자, 소지자 또는 보관자가 아닌 자로부터 제출받은 물건을 영장없이 압수한 경우 그 '압수물' 및 '압수물을 찍은 사진'은 이를 유죄 인정의 증거로 사용할 수 없는 것이고, 헌법과 형사소송법이 선언한 영장주의의 중요성에 비추어 볼 때 피고인이나 변호인이 이를 증거로 함에 동의하였다고 하더라도 달리 볼 것은 아니다.

해설

④ [○] 형사소송법 제218조를 위반하여 소유자, 소지자 또는 보관자가 **아닌 자로부터 제출받은 물건을 영장없이 압수한 경우 그 '압수물' 및 '압수물을 찍은 사진'은** 이를 유죄 인정의 증거로 사용할 수 없는 것이고, 헌법과 형사소송법이 선언한 영장주의의 중요성에 비추어 볼 때 **피고인이나 변호인이 이를 증거로 함에 동의하였다고 하더라도 달리 볼 것은 아니다.**(대법원 2010. 1. 28. 2009도10092 **쇠파이프 압수사건**)

① [×] 사법경찰관은 긴급체포된 자가 소유·소지 또는 보관하는 물건에 대하여 긴급히 압수할 필요가 있는 경우에는 체포한 때부터 **24시간 이내에 한하여** 영장 없이 압수·수색 또는 검증을 할 수 있다.(제217조 제1항)
② [×] 범행 중 또는 범행직후의 범죄 장소에서 **긴급을 요하여 법원판사의 영장을 받을 수 없는 때에는** 영장없이 압수, 수색 또는 검증을 할 수 있다. 이 경우에는 사후에 지체 없이 영장을 받아야 한다.(제216조 제3항)
③ [×] 휴대전화기에 대한 압수조서 중 '압수경위'란에 기재된 내용은 피고인이 공소사실과 같은 범행을 저지르는 현장을 직접 목격한 사람의 진술이 담긴 것으로서 형사소송법 제312조 제5항에서 정한 '피고인이 아닌 자가 수사과정에서 작성한 진술서'에 준하는 것으로 볼 수 있고, 이에 따라 휴대전화기에 대한 임의제출절차가 적법하였는지 여부에 영향을 받지 않는 별개의 독립적인 증거에 해당하므로 피고인이 증거로 함에 동의한 이상 유죄를 인정하기 위한 증거로 사용할 수 있다.(대법원 2019. 11. 14. 2019도13290 지하철 몰카 사건 I)

229 전자정보의 압수·수색에 대한 설명으로 가장 적절하지 않은 것은? (다툼이 있으면 판례에 의함)

19 경찰채용 [Essential ★]

① 피의자의 이메일 계정에 대한 접근권한에 갈음하여 발부받은 압수·수색영장의 효력은 대한민국의 사법관할권이 미치지 아니하는 해외 이메일서비스제공자의 해외 서버 및 그 해외 서버에 소재하는 저장매체 속 피의자의 전자정보에 대하여까지 미치지는 않는다.
② 피의자의 이메일 계정에 대한 접근권한에 갈음하여 발부받은 압수·수색영장에 따라 국내 원격지의 저장매체에 적법하게 접속하여 내려받거나 현출된 전자정보를 대상으로 하여 범죄 혐의사실과 관련된 부분에 대하여 압수·수색하는 것은 「형사소송법」 제120조 제1항에서 정한 압수·수색영장의 집행에 필요한 처분에 해당한다.
③ 수사기관이 정보저장매체에 기억된 정보 중에서 키워드 또는 확장자 검색 등을 통해 범죄혐의사실과 관련 있는 정보를 선별한 다음 정보저장매체와 동일하게 비트열 방식으로 복제하여 생성한 이미지 파일을 제출받아 압수하였다면, 이후 압수된 이미지 파일을 탐색·복제·출력하는 과정에서 피의자 등에게 참여의 기회를 보장하여야 하는 것은 아니다.
④ 전자정보에 대한 압수·수색이 종료되기 전에 혐의사실과 관련된 전자정보를 적법하게 탐색하는 과정에서 별도의 범죄혐의와 관련된 전자정보를 우연히 발견한 경우라면, 수사기관은 더 이상의 추가 탐색을 중단하고 법원에서 별도의 범죄혐의에 대한 압수·수색영장을 발부받은 경우에 한하여 그러한 정보에 대하여도 적법하게 압수·수색을 할 수 있다.

해설

① [×] 압수 · 수색할 전자정보가 압수 · 수색영장에 기재된 수색장소에 있는 컴퓨터 등 정보처리장치 내에 있지 아니하고 그 정보처리장치와 정보통신망으로 연결되어 제3자가 관리하는 **원격지의 서버 등 저장매체에 저장되어 있는 경우에도**, 수사기관이 피의자의 이메일 계정에 대한 접근권한에 갈음하여 발부받은 영장에 따라 영장 기재 수색장소에 있는 컴퓨터 등 정보처리장치를 이용하여 적법하게 취득한 피의자의 이메일 계정 아이디와 비밀번호를 입력하는 등 피의자가 접근하는 통상적인 방법에 따라 그 원격지의 저장매체에 접속하고 그곳에 저장되어 있는 피의자의 이메일 관련 전자정보를 수색장소의 정보처리장치로 내려받거나 그 화면에 **현출시키는 것 역시**(이는 형사소송법 제120조 제1항에서 정한 '압수 · 수색영장의 집행에 필요한 처분'에 해당한다) 피의자의 소유에 속하거나 소지하는 전자정보를 대상으로 이루어지는 것이므로 그 전자정보에 대한 압수 · 수색도 허용되고, 이는 원격지의 저장매체가 국외에 있는 경우라 하더라도 달리 볼 것은 아니다.(대법원 2017. 11. 29. 2017도9747 원격 이메일 압수 · 수색사건)

② [O] (1) 인터넷서비스이용자는 인터넷서비스제공자와 체결한 서비스이용계약에 따라 그 인터넷서비스를 이용하여 개설한 이메일 계정과 관련 서버에 대한 접속권한을 가지고, 해당 이메일 계정에서 생성한 이메일 등 전자정보에 관한 작성 · 수정 · 열람 · 관리 등의 처분권한을 가지며, 전자정보의 내용에 관하여 사생활의 비밀과 자유 등의 권리보호이익을 가지는 주체로서 해당 전자정보의 소유자 내지 소지자라고 할 수 있다. 또한 인터넷서비스제공자는 서비스이용약관에 따라 전자정보가 저장된 서버의 유지 · 관리책임을 부담하고, 해당 서버 접속을 위해 입력된 아이디와 비밀번호 등이 인터넷서비스이용자가 등록한 것과 일치하면 접속하려는 자가 인터넷서비스이용자인지 여부를 확인하지 아니하고 접속을 허용하여 해당 전자정보를 정보통신망으로 연결되어 있는 컴퓨터 등 다른 정보처리장치로 이전, 복제 등을 할 수 있도록 하는 것이 일반적이다. (2) 따라서 수사기관이 인터넷서비스이용자인 피의자를 상대로 피의자의 컴퓨터 등 정보처리장치 내에 저장되어 있는 이메일 등 전자정보를 압수 · 수색하는 것은 전자정보의 소유자 내지 소지자를 상대로 해당 전자정보를 **압수 · 수색하는 대물적 강제처분으로 허용된다.**(대법원 2017. 11. 29. 2017도 9747 원격 이메일 압수 · 수색사건)

③ [O] 수사기관이 정보저장매체에 기억된 정보 중에서 키워드 또는 확장자 검색 등을 통해 범죄 혐의 사실과 관련 있는 정보를 **선별한** 다음 정보저장매체와 동일하게 비트열 방식으로 복제하여 생성한 파일(이하 '이미지 파일'이라 한다)을 제출받아 압수하였다면 이로써 압수의 목적물에 대한 압수 · 수색 절차는 종료된 것이므로, 수사기관이 수사기관 사무실에서 위와 같이 압수된 이미지 파일을 탐색 · 복제 · 출력하는 과정에서도 피의자 **등에게 참여의 기회를 보장하여야 하는 것은 아니다.**(대법원 2018. 2. 8. 2017도13263 유흥주점 탈세 사건)

④ [O] (1) 전자정보에 대한 압수 · 수색에 있어 그 저장매체 자체를 외부로 반출하거나 하드카피 · 이미징 등의 형태로 복제본을 만들어 외부에서 그 저장매체나 복제본에 대하여 압수 · 수색이 허용되는 예외적인 경우에도 혐의사실과 관련된 전자정보 이외에 이와 무관한 전자정보를 탐색 · 복제 · 출력하는 것은 원칙적으로 위법한 압수 · 수색에 해당하므로 허용될 수 없다. (2) 그러나 전자정보에 대한 압수 · 수색이 종료되기 전에 혐의사실과 관련된 전자정보를 적법하게 탐색하는 과정에서 별도의 범죄혐의와 관련된 전자정보를 우연히 발견한 경우라면, 수사기관으로서는 더 이상의 추가 탐색을 중단하고 법원으로부터 별도의 범죄혐의에 대한 압수 · 수색영장을 발부받은 경우에 한하여 그러한 정보에 대하여도 적법하게 압수 · 수색을 할 수 있다.(대법원 2015. 7. 19. 2011모1839 숲슴 종근당 압수 · 수색사건)

230 전자정보 또는 디지털 증거에 대한 설명 중 가장 적절하지 않은 것은? (다툼이 있는 경우 판례에 □□□ 의함)

19 경찰채용 [Essential ★]

① 이메일의 형태로 송수신이 완료된 전자정보는 「통신비밀보호법」상의 감청대상이 아니다.

② 피의자가 소지·소유하고 있는 컴퓨터 등에 대한 압수·수색영장으로 해당 컴퓨터와 정보통신 망으로 연결되어 제3자가 관리하는 원격지 서버에 대한 압수·수색을 할 수 있다.

③ 수사기관이 범죄를 수사함에 있어 현재 범행이 행하여지고 있거나 행하여진 직후이고, 증거보 전의 필요성 내지 긴급성이 있으며, 일반적으로 허용되는 상당한 방법에 의하여 촬영된 사진 이라도 영장 없이 사진촬영이 이루어졌다면 그 사진촬영은 위법하다.

④ 압수의 목적물이 정보저장매체인 경우에는 원칙적으로 기억된 정보의 범위를 정하여 출력하 거나 제출받아야 하고, 예외적으로 그 방법이 불가능하거나 압수의 목적을 달성하기에 현저히 곤란하다고 인정되는 때에는 그 취지가 압수·수색영장에 기재되어 있어야 정보저장매체를 압 수할 수 있다.

해설

③ [×] 누구든지 자기의 얼굴이나 모습을 함부로 촬영당하지 않을 자유를 가지나, 이러한 자유도 무제한으로 보 장되는 것은 아니고 국가의 안전보장 · 질서유지 · 공공복리를 위하여 필요한 경우에는 그 범위 내에서 상당한 제한이 있을 수 있으며, 수사기관이 범죄를 수사함에 있어 현재 범행이 행하여지고 있거나 행하여진 직후이고, 증거보전의 필요성 및 긴급성이 있으며, 일반적으로 허용되는 상당한 방법으로 촬영한 경우라면 **위 촬영이 영 장 없이 이루어졌다 하여 이를 위법하다고 단정할 수 없다.**(대법원 2013. 7. 26. 2013도2511 왕재산 간첩단 사건)

① [○] '전기통신의 감청'은 현재 이루어지고 있는 전기통신의 내용을 지득 · 채록하는 경우와 통신의 송 · 수신 을 직접적으로 방해하는 경우를 의미하는 것이지 전자우편이 송신되어 수신인이 이를 확인하는 등으로 **이미 수신이 완료된 전기통신에 관하여 남아 있는 기록이나 내용을 열어보는 등의 행위는 포함하지 않는다.**(대법원 2013. 11. 28. 2010도12244 밀양시장 이메일 해킹사건)

② [○] 압수 · 수색할 전자정보가 압수 · 수색영장에 기재된 수색장소에 있는 컴퓨터 등 정보처리장치 내에 있지 아니하고 그 정보처리장치와 정보통신망으로 연결되어 제3자가 관리하는 **원격지의 서버 등 저장매체에 저장되 어 있는 경우에도**, 수사기관이 피의자의 이메일 계정에 대한 접근권한에 갈음하여 발부받은 영장에 따라 영장 기재 수색장소에 있는 컴퓨터 등 정보처리장치를 이용하여 적법하게 취득한 피의자의 이메일 계정 아이디와 비밀번호를 입력하는 등 피의자가 접근하는 통상적인 방법에 따라 그 원격지의 저장매체에 접속하고 그곳에 저장되어 있는 피의자의 이메일 관련 전자정보를 수색장소의 정보처리장치로 내려받거나 그 화면에 현출시키 는 것 역시(이는 형사소송법 제120조 제1항에서 정한 '압수 · 수색영장의 집행에 필요한 처분'에 해당한다) 피의자의 소유에 속하거나 소지하는 전자정보를 대상으로 이루어지는 것이므로 그 전자정보에 대한 **압수 · 수 색도 허용되고, 이는 원격지의 저장매체가 국외에 있는 경우라** 하더라도 달리 볼 것은 아니다.(대법원 2017. 11. 29. 2017도9747 원격 이메일 압수 · 수색사건)

④ [○] 전자정보에 대한 압수 · 수색영장의 집행에 있어서는 원칙적으로 영장 발부의 사유로 된 혐의사실과 관련 된 부분만을 문서 출력물로 수집하거나 수사기관이 휴대한 저장매체에 해당 파일을 복사하는 방식으로 이루어

지 야 하고, 집행현장의 사정상 위와 같은 방식에 의한 집행이 불가능하거나 현저히 곤란한 부득이한 사정이 존재하더라도 그와 같은 경우에 그 저장매체 자체를 직접 혹은 하드카피나 이미징 등 형태로 수사기관 사무실 등 외부로 반출하여 해당 파일을 압수·수색할 수 있도록 영장에 기재되어 있고 실제 그와 같은 사정이 발생한 때에 한하여 예외적으로 허용될 수 있을 뿐이다.(대법원 2014. 2. 27. 2013도12155 SK그룹회장 사건)

231

□□□ **전자정보의 압수에 대한 설명으로 옳은 것은? (다툼이 있으면 판례에 의함)** 22 국가9급 [Core ★★]

① 피의자 소유 정보저장매체를 제3자가 보관하고 있던 중 이를 수사기관에 임의제출하면서 그곳에 저장된 모든 전자정보를 일괄하여 임의제출한다는 의사를 밝힌 경우에도 특별한 사정이 없는 한 수사기관은 범죄혐의사실과 관련된 전자정보에 한정하여 영장 없이 적법하게 압수할 수 있다.

② 임의제출된 전자정보매체에서 압수의 대상이 되는 전자정보의 범위를 넘어서는 전자정보에 대해 수사기관이 영장 없이 압수·수색하여 취득한 증거는 위법수집증거에 해당하지만, 사후에 법원으로부터 영장이 발부되었거나 피고인 또는 변호인이 이를 증거로 함에 동의하였다면 그 위법성은 치유된다.

③ 정보저장매체를 임의제출 받아 이를 탐색·복제·출력하는 경우 압수·수색 당시 또는 이와 시간적으로 근접한 시기까지 해당 정보저장매체를 현실적으로 지배·관리하지는 아니하였더라도 그곳에 저장되어 있는 개별 전자정보의 생성·이용 등에 관여한 자에 대하여서는 압수·수색절차에 대한 참여권을 보장해 주어야 한다.

④ 수사기관이 임의제출된 정보저장매체에서 범죄혐의사실이 아닌 별도의 범죄혐의와 관련된 전자정보를 우연히 발견한 경우 당해 정보저장매체에 대한 임의제출에 기한 압수·수색이 종료되기 전이라면 별도의 영장을 발부받지 않고 이를 적법하게 압수·수색할 수 있으나 임의제출에 의한 압수·수색이 종료되었던 경우에는 별도의 범죄혐의에 대한 압수·수색영장을 발부받아야 이를 적법하게 압수할 수 있다.

해설

① [O] 임의제출자인 제3자가 제출의 동기가 된 범죄혐의사실과 구체적·개별적 연관관계가 인정되는 범위를 넘는 전자정보까지 일괄하여 임의제출한다는 의사를 밝혔더라도 그 정보저장매체 내 전자정보 전반에 관한 처분권이 그 제3자에게 있거나 그에 관한 피의자의 동의 의사를 추단할 수 있는 등의 특별한 사정이 없는 한 그 임의제출을 통해 수사기관이 영장 없이 적법하게 압수할 수 있는 전자정보의 범위는 범죄혐의사실과 관련된 전자정보에 한정된다.(대법원 2021. 11. 18. 2016도348 숲승 몰카피해자 휴대폰 2대 임의제출 사건)

②④ [×] 임의제출된 정보저장매체에서 압수의 대상이 되는 전자정보의 범위를 초과하여 수사기관 임의로 전자정보를 탐색·복제·출력하는 것은 원칙적으로 위법한 압수·수색에 해당하므로 허용될 수 없다. 만약 전자정보에 대한 압수·수색이 종료되기 전에 범죄혐의사실과 관련된 전자정보를 적법하게 탐색하는 과정에서 별도의 범죄혐의와 관련된 전자정보를 우연히 발견한 경우라면 수사기관은 더 이상의 추가탐색을 중단하고 법원으로부터 별도의 범죄혐의에 대한 압수·수색영장을 발부받은 경우에 한하여 그러한 정보에 대하여도 적법하게 압수·수색을 할 수 있다. 따라서 임의제출된 정보저장매체에서 압수의 대상이 되는 전자정보의 범위를 넘어서는 전자정보에 대해 수사기관이 영장 없이 압수·수색하여 취득한 증거는 위법수집증거에 해당하고 사후에 법원으로부터 영장이 발부되었다거나 피고인이나 변호인이 이를 증거로 함에 동의하였다고 하여 그 위법성이 치유되는 것도 아니다.(대법원 2021. 11. 18. 2016도348 全合 몰카피해자 휴대폰 2대 임의제출 사건)

③ [×] 피해자 등 제3자가 피의자의 소유·관리에 속하는 정보저장매체를 영장에 의하지 않고 임의제출한 경우에는 실질적 피압수자인 피의자가 수사기관으로 하여금 그 전자정보 전부를 무제한 탐색하는 데 동의한 것으로 보기 어려울 뿐만 아니라 피의자 스스로 임의제출한 경우 피의자의 참여권 등이 보장되어야 하는 것과 견주어 보더라도 특별한 사정이 없는 한 형사소송법 제219조, 제121조, 제129조에 따라 피의자에게 참여권을 보장하고 압수한 전자정보 목록을 교부하는 등 피의자의 절차적 권리를 보장하기 위한 적절한 조치가 이루어져야 한다. 이와 같이 정보저장매체를 임의제출한 피압수자에 더하여 임의제출자 아닌 피의자에게도 참여권이 보장되어야 하는 '피의자의 소유·관리에 속하는 정보저장매체'라 함은, 피의자가 압수·수색 당시 또는 이와 시간적으로 근접한 시기까지 해당 정보저장매체를 현실적으로 지배·관리하면서 그 정보저장매체 내 전자정보 전반에 관한 전속적인 관리처분권을 보유·행사하고, 달리 이를 자신의 의사에 따라 제3자에게 양도하거나 포기하지 아니한 경우로서 피의자를 그 정보저장매체에 저장된 전자정보에 대하여 실질적인 압수·수색 당사자로 평가할 수 있는 경우를 말하는 것이다. 이에 해당하는지 여부는 민사법상권리의 귀속에 따른 법률적·사후적 판단이 아니라 압수·수색 당시 외형적·객관적으로 인식 가능한 사실상의 상태를 기준으로 판단하여야 한다. 이러한 정보저장매체의 외형적·객관적 지배·관리 등 상태와 별도로 단지 피의자나 그 밖의 제3자가 과거 그 정보저장매체의 이용 내지 개별 전자정보의 생성·이용 등에 관여한 사실이 있다거나 그 과정에서 생성된 전자정보에 의해 식별되는 정보주체에 해당한다는 사정만으로 그들을 실질적으로 압수·수색을 받는 당사자로 취급하여야 하는 것은 아니다.(대법원 2022. 1. 27. 2021도11170 정경심 교수 사건)

232
□□□ 전자정보에 대한 대물적 강제처분의 설명 중 가장 적절하지 않은 것은? (다툼이 있으면 판례에 의함)

21 경찰채용 [Essential ★]

① 사법경찰관이 피의자 주거지에서 압수·수색영장을 집행할 경우, 피의자가 현장에 없거나 현장에서 발견할 수 없어 영장제시가 현실적으로 불가능하다면 영장을 제시하지 아니한 채 압수수색을 하더라도 위법한 압수·수색으로 볼 수 없다.

② 피의자 이메일 계정에 대한 접근권한에 갈음해 발부받은 압수·수색영장의 효력은 국가의 사법주권으로 인해 해외 이메일서비스 제공자의 해외 서버 및 해외 서버에 경유하는 저장매체 속 피의자의 전자정보에는 미치지 않는다.

③ 수사기관이 저장매체 자체 또는 적법하게 획득한 복제본을 탐색하여 유관정보를 문서로 출력하거나 파일로 복제하는 일련의 과정은 전체적으로 하나의 영장에 기한 압수·수색의 일환에 해당한다.

④ 삭제된 파일을 복구하고 암호화된 파일을 복호화하는 과정도 전체적으로 압수·수색과정의 일환에 포함되므로, 복호화 과정에서도 원칙적으로 참여권을 보장해야 한다.

해설

② [×] **압수·수색할 전자정보가** 압수·수색영장에 기재된 수색장소에 있는 컴퓨터 등 정보처리장치 내에 있지 아니하고 그 정보처리장치와 정보통신망으로 연결되어 제3자가 관리하는 **원격지의 서버 등 저장매체에 저장되어 있는 경우에도**, 수사기관이 피의자의 이메일 계정에 대한 접근권한에 갈음하여 발부받은 영장에 따라 영장 기재 수색장소에 있는 컴퓨터 등 정보처리장치를 이용하여 적법하게 취득한 피의자의 이메일계정 아이디와 비밀번호를 입력하는 등 피의자가 접근하는 통상적인 방법에 따라 그 원격지의 저장매체에 접속하고 그곳에 저장되어 있는 피의자의 이메일 관련 전자정보를 수색장소의 정보처리장치로 내려받거나 그 화면에 현출시키는 것 역시(이는 형사소송법 제120조 제1항에서 정한 '압수·수색영장의 집행에 필요한 처분'에 해당한다) **피의자의 소유에 속하거나 소지하는 전자정보를 대상으로 이루어지는 것이므로 그 전자정보에 대한 압수·수색도 허용되고, 이는 원격지의 저장매체가 국외에 있는 경우라 하더라도 달리 볼 것은 아니다.**(대법원 2017. 11. 29. 2017도9747 **원격 이메일 압수·수색사건**)

① [○] 형사소송법 제219조가 준용하는 제118조는 '압수·수색영장은 처분을 받는 자에게 반드시 제시하여야 한다'고 규정하고 있으나, 이는 영장제시가 현실적으로 가능한 상황을 전제로 한 규정으로 보아야 하고, 피처분자가 현장에 없거나 현장에서 그를 발견할 수 없는 경우 등 **영장제시가 현실적으로 불가능한 경우에는 영장을 제시하지 아니한 채 압수·수색을 하더라도 위법하다고 볼 수 없다.**(대법원 2015. 1. 22. 2014도10978 **전 승 이석기 의원 사건**) 다만, 제118조는 "압수·수색영장은 처분을 받는 자에게 반드시 제시하여야 하고, 처분을 받는 자가 피고인인 경우에는 그 사본을 교부하여야 한다. 다만, 처분을 받는 자가 현장에 없는 등 영장의 제시나 그 사본의 교부가 현실적으로 불가능한 경우 또는 처분을 받는 자가 영장의 제시나 사본의 교부를 거부한 때에는 예외로 한다."로 2022.2.3. 개정되었다.

③ [○] 저장매체 자체 또는 적법하게 획득한 복제본을 탐색하여 혐의사실과 관련된 전자정보를 문서로 출력하거나 파일로 복제하는 **일련의 과정은 전체적으로 하나의 영장에 따른 압수·수색이라고 볼 수 있다.** 문서출력 또는 파일복제의 대상은 저장매체 소재지에서 하는 압수·수색과 마찬가지로 혐의사실과 관련된 부분에 한정되어야 한다. 이러한 결론이 헌법과 형사소송법에서 정하고 있는 적법절차와 영장주의 원칙이나 비례의 원칙에 부합한다.(대법원 2017. 11. 14. 2017도3449 **권선택 대전시장 사건**)

④ [○] 원심은, 수사관들이 압수한 디지털 저장매체 원본이나 복제본을 국가정보원 사무실 등으로 옮긴 후 범죄혐의와 관련된 전자정보를 수집하거나 확보하기 위하여 삭제된 파일을 복구하고 **암호화된 파일을 복호화하는**

과정도 전체적으로 압수 · 수색과정의 일환에 포함되므로 그 과정에서 피고인들과 변호인에게 압수 · 수색 일시와 장소를 통지하지 아니한 것은 형사소송법 제219조, 제122조 본문, 제121조에 위배되나, 피고인들은 일부 현장 압수 · 수색과정에는 직접 참여하기도 하였고, 직접 참여하지 아니한 압수 · 수색절차에도 피고인들과 관련된 참여인들의 참여가 있었던 점, 현장에서 압수된 디지털 저장매체는 제3자의 서명하에 봉인되고 그 해쉬(Hash)값도 보존되어 있어 복호화 과정 등에 대한 사전통지 누락이 증거수집에 영향을 미쳤다고 보이지 않는 점 등 그 판시와 같은 사정을 들어, 위 압수 · 수색과정에서 수집된 디지털 관련 증거들은 유죄 인정의 증거로 사용할 수 있는 예외적인 경우에 해당한다는 이유로 위 증거들의 증거능력을 인정하였다. 원심의 위와 같은 판단은 정당한 것으로 수긍할 수 있다.(대법원 2015. 1. 22. 2014도10978 全合 **이석기 의원 사건**)

---

233 전자정보 압수 · 수색에 관한 다음 설명 중 옳지 않은 것은 모두 몇 개인가? (다툼이 있으면 판례
□□□ 에 의함)

23 경찰채용 [Core ★★]

> ㉠ 수사기관이 압수·수색 영장에 적힌 '수색할 장소'에 있는 컴퓨터 등 정보처리장치에 저장된 전자정보 외에 원격지 클라우드에 저장된 전자정보를 압수·수색하기 위해서는 압수·수색영장에 적힌 '압수할 물건'에 별도로 원격지 클라우드저장 전자정보가 특정되어 있어야 한다.
>
> ㉡ 수사기관이 전자정보에 대한 압수·수색이 종료되기 전에 혐의사실과 관련된 전자정보를 적법하게 탐색하는 과정에서 별도 범죄혐의와 관련된 전자정보를 우연히 발견한 경우 대법원은 '우연한 육안발견 원칙(plain view doctrine)'에 의해 별도의 영장 없이 우연히 발견한 별도 범죄혐의와 관련된 전자정보를 압수·수색할 수 있다고 판시하였다.
>
> ㉢ 수사기관이 피의자의 이메일 계정에 대한 접근권한에 갈음하여 발부받은 압수·수색영장에 따라, 원격지의 저장매체에 적법하게 접속하여 내려받거나 현출된 전자정보를 대상으로 하여 범죄혐의 사실과 관련된 부분에 대하여 압수·수색하는 것은 특별한 사정이 없는 한 허용되지만, 원격지 저장매체가 국외에 있는 경우에는 허용되지 않는다.
>
> ㉣ 수사기관이 범죄 혐의사실과 관련 있는 정보를 선별하여 압수한 후에도 그와 관련이 없는 나머지 정보를 법원의 영장 내용에 반하여 삭제·폐기·반환하지 아니한 채 그대로 보관하고 있다면, 범죄혐의사실과 관련이 없는 부분에 대하여는 압수의 대상이 되는 전자정보의 범위를 넘어서는 전자정보를 영장 없이 압수·수색하여 취득한 것이어서 위법하다.
>
> ㉤ 피의자가 휴대전화를 임의제출하면서 휴대전화에 저장된 전자정보가 아닌 클라우드 등 제3자가 관리하는 원격지에 저장되어있는 전자정보를 수사기관에 제출한다는 의사로 수사기관에게 클라우드 등에 접속하기 위한 아이디와 비밀번호를 임의로 제공하였다면 위 클라우드 등에 저장된 전자정보를 임의제출하는 것으로 볼 수 있다.

① 1개   ② 2개   ③ 3개   ④ 4개

해설

② 2 항목이 옳지 않다.

㉠ [O] 압수할 전자정보가 저장된 저장매체로서 압수·수색영장에 기재된 수색장소에 있는 컴퓨터, 하드디스크, 휴대전화와 같은 컴퓨터 등 정보처리장치와 수색장소에 있지는 않으나 컴퓨터 등 정보처리장치와 정보통신망으로 연결된 원격지의 서버 등 저장매체(이하 '원격지 서버'라 한다)는 소재지, 관리자. 저장 공간의 용량 측면에서 서로 구별된다. 원격지 서버에 저장된 전자정보를 압수·수색하기 위해서는 컴퓨터 등 정보처리장치를 이용하여 정보통신망을 통해 원격지 서버에 접속하고 그곳에 저장되어 있는 전자정보를 컴퓨터 등 정보처리장치로 내려받거나 화면에 현출시키는 절차가 필요하므로 컴퓨터 등 정보처리장치 자체에 저장된 전자정보와 비교하여 압수·수색의 방식에 차이가 있다. 원격지 서버에 저장되어 있는 전자정보와 컴퓨터 등 정보처리장치에 저장되어 있는 전자정보는 그 내용이나 질이 다르므로 압수·수색으로 얻을 수 있는 전자정보의 범위와 그로 인한 기본권 침해 정도도 다르다. 따라서 수사기관이 압수·수색 영장에 적힌 '수색할 장소'에 있는 컴퓨터 등 정보처리장치에 저장된 전자정보 외에 원격지 서버에 저장된 전자정보를 압수·수색하기 위해서는 **압수·수색영장에 적힌 '압수할 물건'에 별도로 원격지 서버 저장 전자정보가 특정되어 있어야 한다.** 압수·수색영장에 적힌 '압수할 물건'에 컴퓨터 등 정보처리장치 저장 전자정보만 기재되어 있다면 컴퓨터 등 정보처리장치를 이용하여 원격지 서버 저장 전자정보를 압수할 수 는 없다.(대법원 2022. 6. 30. 2020모735 Virtual Desktop Infrastructure 수색사선)

㉡ [×] 전자정보에 대한 압수·수색이 종료되기 전에 혐의사실과 관련된 전자정보를 적법하게 탐색하는 과정에서 별도의 범죄혐의와 관련된 전자정보를 우연히 발견한 경우라면 수사기관으로서는 **더 이상의 추가 탐색을 중단하고 법원으로부터 별도의 범죄혐의에 대한 압수·수색영장을 발부받은 경우에 한하여 그러한 정보에 대하여도 적법하게 압수·수색을 할 수 있다.**(대법원 2015. 7. 19. 2011모1839 **全合 종근당 압수·수색사건**)

㉢ [×] 압수·수색할 전자정보가 압수·수색영장에 기재된 수색장소에 있는 컴퓨터 등 정보처리장치 내에 있지 아니하고 그 정보처리장치와 정보통신망으로 연결되어 제3자가 관리하는 원격지의 서버 등 저장매체에 저장되어 있는 경우에도 수사기관이 피의자의 이메일 계정에 대한 접근권한에 갈음하여 발부받은 영장에 따라 영장 기재 수색장소에 있는 컴퓨터 등 정보처리장치를 이용하여 적법하게 취득한 피의자의 이메일 계정 아이디와 비밀번호를 입력하는 등 피의자가 접근하는 통상적인 방법에 따라 그 원격지의 저장매체에 접속하고 그곳에 저장되어 있는 피의자의 이메일 관련 전자정보를 수색장소의 정보처리장치로 내려받거나 그 화면에 현출시키는 것 역시(이는 형사소송법 제120조 제1항에서 정한 '압수·수색영장의 집행에 필요한 처분'에 해당한다) **피의자의 소유에 속하거나 소지하는 전자정보를 대상으로 이루어지는 것이므로 그 전자정보에 대한 압수·수색도 허용되고, 이는 원격지의 저장매체가 국외에 있는 경우라 하더라도 달리볼 것은 아니다.**(대법원 2017. 11. 29. 2017도9747 원격 이메일 압수·수색사건)

㉣ [O] 법원은 압수·수색영장의 집행에 관하여 범죄 혐의사실과 관련 있는 전자정보의 탐색·복제·출력이 완료된 때에는 지체 없이 영장 기재 범죄 혐의사실과 관련이 없는 나머지 전자정보에 대해 삭제·폐기 또는 피압수자 등에게 반환할 것을 정할 수 있다. 수사기관이 범죄 혐의사실과 관련 있는 정보를 선별하여 압수한 후에도 그와 관련이 없는 나머지 정보를 삭제·폐기·반환하지 아니한 채 그대로 보관하고 있다면 범죄 혐의사실과 관련이 없는 부분에 대하여는 압수의 대상이 되는 전자정보의 범위를 넘어서는 전자정보를 영장 없이 압수·수색하여 취득한 것이어서 위법하고, 사후에 법원으로부터 압수·수색영장이 발부되었다거나 피고인이나 변호인이 이를 증거로 함에 동의하였다고 하여 그 위법성이 치유된다고 볼 수 없다.(대법원 2022. 1. 14. 2021모1586 휴대전화 3번 압수·수색사건)

㉤ [O] 피의자가 휴대전화를 임의제출하면서 휴대전화에 저장된 전자정보가 아닌 클라우드 등 제3자가 관리하는 원격지에 저장되어 있는 전자정보를 수사기관에 제출한다는 의사로 수사기관에게 클라우드 등에 접속하기 위한 아이디와 비밀번호를 임의로 제공하였다면 위 클라우드 등에 저장된 전자정보를 임의제출하는 것으로 볼 수 있다.(대법원 2021. 7. 29. 2020도14654 음란물 저장 휴대폰 압수사건)

234
수사상 압수 · 수색 · 검증에 대한 설명으로 가장 적절하지 않은 것은? (다툼이 있으면 판례에
의함)
18 경찰채용 [Core ★★]

① 수사기관이 피의자 등을 참여시킨 상태에서 정보저장매체에 기억된 정보 중에서 키워드 또는
확장자 검색 등을 통해 범죄 혐의사실과 관련 있는 정보를 선별한 다음 정보저장매체와 동일
하게 비트열 방식으로 복제하여 생성한 이미지 파일을 제출받아 적법하게 압수하였다면, 이로
써 압수의 목적물에 대한 압수·수색 절차는 종료된 것이므로, 수사기관이 수사기관 사무실에
서 이와 같이 압수된 이미지 파일을 탐색·복제·출력하는 과정에서는 피의자 등에게 참여의
기회를 보장하여야 하는 것은 아니다.

② 압수·수색영장에서 압수할 물건을 '압수장소에 보관중인 물건'이라고 기재하고 있는 것을 '압
수장소에 현존하는 물건'으로 해석할 수는 없다.

③ 수사기관이 인터넷서비스이용자인 피의자를 상대로 피의자의 컴퓨터 등 정보처리장치 내에 저
장되어 있는 이메일 등 전자정보를 압수·수색하는 것은 전자정보의 소유자 내지 소지자를 상
대로 해당 전자정보를 압수·수색하는 대물적 강제처분으로「형사소송법」의 해석상 허용된다.

④ 지방법원판사가 한 압수·수색·검증영장 발부 여부에 관한 재판에 대하여는「형사소송법」제
416조에서 규정한 준항고의 방법으로 불복할 수 있다.

해설

④ [×] 지방법원판사가 한 압수영장발부의 재판에 대하여는 **준항고로 불복할 수 없고** 나아가 같은 법 제402조,
제403조에서 규정하는 항고는 법원이 한 결정을 그 대상으로 하는 것이므로 법원의 결정이 아닌 지방법원판사
가 한 압수영장발부의 재판에 대하여 그와 같은 항고의 방법으로도 불복할 수 없다.(대법원 1997. 9. 29. 97
모66)

① [○] 수사기관이 정보저장매체에 기억된 정보 중에서 키워드 또는 확장자 검색 등을 통해 범죄 혐의 사실과
관련 있는 정보를 **선별**한 다음 정보저장매체와 동일하게 비트열 방식으로 복제하여 생성한 파일(이하 '이미지
파일'이라 한다)을 제출받아 압수하였다면 이로써 압수의 목적물에 대한 압수 · 수색 절차는 종료된 것이므로,
수사기관이 수사기관 사무실에서 위와 같이 압수된 이미지 파일을 탐색 · 복제 · 출력하는 과정에서도 **피의자
등에게 참여의 기회를 보장하여야** 하는 것은 아니다.(대법원 2018. 2. 8. 2017도13263 유흥주점 탈세 사건)

② [○] 법관이 압수 · 수색영장을 발부하면서 '압수할 물건'을 특정하기 위하여 기재한 문언은 이를 엄격하게 해
석하여야 하고 함부로 피압수자 등에게 불리한 내용으로 확장 또는 유추 해석하는 것은 허용될 수 없다. 압
수 · 수색영장에서 압수할 물건을 '**압수장소에 보관 중인 물건**'이라고 기재하고 있는 것을 '**압수장소에 현존하
는 물건**'으로 해석할 수 없다.(대법원 2009. 3. 12. 2008도763 김태환 제주지사 사건)

③ [○] 압수 · 수색할 전자정보가 압수 · 수색영장에 기재된 수색장소에 있는 컴퓨터 등 정보처리장치 내에 있지
아니하고 그 정보처리장치와 정보통신망으로 연결되어 제3자가 관리하는 원격지의 서버 등 저장매체에 저장되
어 있는 경우에도, 수사기관이 피의자의 이메일 계정에 대한 접근권한에 갈음하여 발부받은 영장에 따라 영장
기재 수색장소에 있는 컴퓨터 등 정보처리장치를 이용하여 적법하게 취득한 피의자의 이메일 계정 아이디와
비밀번호를 입력하는 등 피의자가 접근하는 통상적인 방법에 따라 그 원격지의 저장매체에 접속하고 그곳에

저장되어 있는 피의자의 이메일 관련 전자정보를 수색장소의 정보처리장치로 내려받거나 그 화면에 현출시키는 것 역시(이는 형사소송법 제120조 제1항에서 정한 '압수·수색영장의 집행에 필요한 처분'에 해당한다) 피의자의 소유에 속하거나 소지하는 전자정보를 대상으로 이루어지는 것이므로 그 **전자정보에 대한 압수·수색도 허용되고**, 이는 원격지의 저장매체가 국외에 있는 경우라 하더라도 달리 볼 것은 아니다.(대법원 2017. 11. 29. 2017도9747 **원격 이메일 압수·수색사건**)

235 압수·수색에 대한 설명으로 가장 적절하지 않은 것은? (다툼이 있으면 판례에 의함)

□□□

21 경찰채용 [Essential ★]

① 설령 피압수자가 수사기관에 압수·수색영장의 집행에 참여하지 않는다는 의사를 명시하였다고 하더라도, 특별한 사정이 없는 한 그 변호인에게는 미리 집행의 일시와 장소를 통지하는 등으로 압수·수색영장의 집행에 참여할 기회를 별도로 보장하여야 한다.

② 압수·수색영장을 집행하는 수사기관은 원칙적으로 피압수자로 하여금 법관이 발부한 영장에 의한 압수·수색이라는 사실을 확인함과 동시에 「형사소송법」이 압수·수색영장에 필요적으로 기재하도록 정한 사항이나 그와 일체를 이루는 사항을 충분히 알 수 있도록 압수·수색영장을 제시하여야 한다.

③ 저장매체에 대한 압수·수색 과정에서 압수의 목적을 달성하기에 현저히 곤란한 예외적인 사정이 인정되어 전자정보가 담긴 저장매체 등을 수사기관 사무실 등으로 옮겨 복제·탐색·출력하는 경우에도 피압수자나 변호인에게 참여 기회를 보장하여야 하는데, 이는 수사기관이 저장매체 등에서 혐의사실과 관련된 전자정보만을 복제·출력하는 경우에도 마찬가지이다.

④ 검사나 사법경찰관에게는 현행범 체포현장에서 소지자 등이 임의로 제출하는 물건을 「형사소송법」 제218조에 의하여 영장 없이 압수하는 것이 허용되는데, 이후 검사나 사법경찰관이 압수한 물건을 계속 압수할 필요가 있는 경우에는 지체 없이 영장을 청구하여야 한다.

해설

④ [×] 현행범 체포현장이나 범죄현장에서도 소지자 등이 임의로 제출하는 물건은 형사소송법 제218조에 의하여 영장 없이 압수하는 것이 허용되고, 이 경우 검사나 사법경찰관은 **별도로 사후에 영장을 받을 필요가 없다.**(대법원 2020. 4. 9. 2019도17142 **지하철 몰카 사건Ⅱ**)

① [○] 형사소송법 제219조, 제121조가 규정한 변호인의 참여권은 피압수자의 보호를 위하여 변호인에게 주어진 **고유권**이다. 따라서 설령 피압수자가 수사기관에 압수·수색영장의 집행에 참여하지 않는다는 의사를 명시하였다고 하더라도 특별한 사정이 없는 한 그 변호인에게는 형사소송법 제219조, 제122조에 따라 미리 집행의 일시와 장소를 통지하는 등으로 압수·수색영장의 집행에 **참여할 기회를 별도로 보장하여야 한다.**(대법원 2020. 11. 26. 2020도10729 **노래방 화장실 몰카 사건**)

② [○] 압수·수색영장을 집행하는 수사기관은 피압수자로 하여금 법관이 발부한 영장에 의한 압수·수색이라는 사실을 확인함과 동시에 형사소송법이 압수·수색영장에 필요적으로 기재하도록 정한 사항이나 그와 일체를 이루는 사항을 충분히 알 수 있도록 압수·수색영장을 제시하여야 한다.(대법원 2020. 4. 16. 2019모3526)

③ [○] 수사기관의 전자정보에 대한 압수·수색은 원칙적으로 영장 발부의 사유로 된 범죄 **혐의사실과 관련된** 부분만을 문서 출력물로 수집하거나 수사기관이 휴대한 저장매체에 해당 파일을 복제하는 방식으로 이루어져야 한다.(대법원 2017. 11. 14. 2017도3449 **대전시장 사건**)

---

236 다음 사례에 대한 설명 중 가장 적절한 것은? (다툼이 있으면 판례에 의함)

□□□

> A는 2022. 2. 10. 甲의 집에서 자고 있는 사이 甲이 자신의 의사에 반해 나체를 촬영한 범행을 저질렀다며 경찰에 甲을 신고하였다. A는 甲을 신고하면서 甲의 집에서 가지고 나온 甲 소유의 휴대폰 2대(휴대폰1, 휴대폰2)를 사법경찰관 P에게 임의제출하였고, P는 A에게 제출범위에 관한 의사를 따로 확인하지 않았다. P는 휴대폰1에 저장된 동영상 파일을 통해 甲의 A에 대한 범행을 확인한 후, 휴대폰2에서도 甲의 범행의 증거를 찾던 중 2021. 1.경 A가 아닌 B와 C의 나체를 불법 촬영한 동영상 30개와 사진을 발견하였다. P는 발견한 동영상과 사진을 CD에 복제한 후 압수·수색 영장을 발부받아 이 CD를 압수하였다.

① 휴대폰은 임의제출물이기 때문에 2대의 휴대폰에 저장된 전자정보 전부가 임의제출되어 압수된 것으로 취급할 수 있다.

② 2021. 1.경 범행 동영상은 2022. 2. 10. 범행과 동종·유사한 범행이므로 2022. 2. 10. 범행과 구체적·개별적 연관관계가 없다 하더라도 2022. 2. 10. 범행 혐의사실과 관련성이 있다.

③ A가 제출한 휴대폰이 임의제출물이라 하더라도 휴대폰을 탐색하는 과정에서 甲에게 참여권을 보장하고 압수목록을 교부해야 한다.

④ 압수된 CD에 저장된 동영상과 휴대폰2에 저장된 원본 동영상과의 동일성은 검사가 주장·입증해야 하며, 엄격한 증명의 방법으로 증명되어야 한다.

해설

③ [○] 피해자 등 제3자가 피의자의 소유·관리에 속하는 정보저장매체를 영장에 의하지 않고 임의제출한 경우에는 실질적 피압수자인 피의자가 수사기관으로 하여금 그 전자정보 전부를 무제한 탐색하는 데 동의한 것으로 보기 어려울 뿐만 아니라 피의자 스스로 임의제출한 경우 피의자의 참여권 등이 보장되어야 하는 것과 견주어 보더라도 특별한 사정이 없는 한 형사소송법 제219조, 제121조, 제129조에 따라 **피의자에게 참여권을 보장하고 압수한 전자정보 목록을 교부하는 등 피의자의 절차적 권리를 보장하기 위한 적절한 조치가 이루어져야 한다.**(대법원 2021. 11. 18. 2016도348 숲슴 몰카피해자 휴대폰 2대 임의제출 사건) A가 제출한 휴대폰이 임의제출물이라 하더라도 휴대폰을 탐색하는 과정에서 甲에게 참여권을 보장하고 압수목록을 교부해야 한다.

① [×] 헌법과 형사소송법이 구현하고자 하는 적법절차, 영장주의, 비례의 원칙은 물론, 사생활의 비밀과 자유, 정보에 대한 자기결정권 및 재산권의 보호라는 관점에서 정보저장매체 내 전자정보가 가지는 중요성에 비추어 볼 때 정보저장매체를 임의제출하는 사람이 거기에 담긴 전자정보를 지정하거나 제출 범위를 한정하는 취지로 한 의사표시는 엄격하게 해석하여야 하고, 확인되지 않은 제출자의 의사를 수사기관이 함부로 추단하는 것은 허용될 수 없다. 따라서 수사기관이 제출자의 의사를 쉽게 확인할 수 있음에도 이를 확인하지 않은 채 **특정 범죄혐의사실과 관련된 전자정보와 그렇지 않은 전자정보가 혼재된 정보저장매체를 임의제출받은 경우 그 정보저장매체에 저장된 전자정보 전부가 임의제출되어 압수된 것으로 취급할 수는 없다. 이 경우 제출자의 임의제출 의사에 따라 압수의 대상이 되는 전자정보의 범위를 어떻게 특정할 것인지가 문제된다.**(대법원 2021. 11. 18. 2016도348 숲슴 몰카피해자 휴대폰 2대 임의제출 사건) 휴대폰이 임의제출물이라고 하더라도 2대의 휴대폰에 저장된 전자정보 전부가 임의제출되어 압수된 것으로 취급할 수는 없다.

② [×] 수사기관은 피의사실과 관계가 있다고 인정할 수 있는 것에 한정하여 증거물 또는 몰수할 것으로 사료하는 물건을 압수할 수 있다(형사소송법 제219조, 제106조). 따라서 전자정보를 압수하고자 하는 수사기관이 정보저장매체와 거기에 저장된 전자정보를 임의제출의 방식으로 압수할 때 제출자의 구체적인 제출범위에 관한 의사를 제대로 확인하지 않는 등의 사유로 인해 임의제출자의 의사에 따른 전자정보 압수의 대상과 범위가 명확하지 않거나 이를 알 수 없는 경우에는 임의제출에 따른 압수의 동기가 된 범죄혐의사실과 관련되고 이를 증명할 수 있는 최소한의 가치가 있는 전자정보에 한하여 압수의 대상이 된다. 이때 범죄혐의사실과 관련된 전자정보에는 범죄혐의 사실 그 자체 또는 그와 기본적 사실관계가 동일한 범행과 직접 관련되어 있는 것은 물론 범행 동기와 경위, 범행 수단과 방법, 범행 시간과 장소 등을 증명하기 위한 간접증거나 정황증거 등으로 사용될 수 있는 것도 포함될 수 있다. 다만 **그 관련성은 임의 제출에 따른 압수의 동기가 된 범죄혐의사실의 내용과 수사의 대상, 수사의 경위, 임의제출의 과정 등을 종합하여 구체적·개별적 연관관계가 있는 경우에만 인정되고, 범죄 혐의사실과 단순히 동종 또는 유사 범행이라는 사유만으로 관련성이 있다고 할 것은 아니다.**(대법원 2021. 11. 18. 2016도348 숲슴 몰카피해자 휴대폰 2대 임의제출 사건) 2021. 1.경 범행 동영상이 2022. 2. 10. 범행과 동종·유사한 범행이라고 하더라도 2022. 2. 10. 범행과 구체적·개별적 연관관계가 없다면 2022. 2. 10. 범행 혐의사실과 관련성이 있다고 볼 수 없다.

④ [×] 전자문서를 수록한 파일 등의 경우에는 그 성질상 작성자의 서명 혹은 날인이 없을 뿐만 아니라 작성자·관리자의 의도나 특정한 기술에 의하여 그 내용이 편집·조작될 위험성이 있음을 고려하여, 원본임이 증명되거나 혹은 원본으로부터 복사한 사본일 경우에는 복사 과정에서 편집되는 등 인위적 개작 없이 원본의 내용 그대로 복사된 사본임이 증명되어야만 하고, 그러한 증명이 없는 경우에는 쉽게 그 증거능력을 인정할 수 없다. 그리고 **증거로 제출된 전자문서 파일의 사본이나 출력물이 복사·출력 과정에서 편집되는 등 인위적 개작 없이 원본 내용을 그대로 복사·출력한 것이라는 사실은 전자문서 파일의 사본이나 출력물의 생성과 전달 및 보관 등의 절차에 관여한 사람의 증언이나 진술, 원본이나 사본 파일 생성 직후의 해시값의 비교, 전자문서 파일에 대한 검증·감정 결과 등 제반 사정을 종합하여 판단할 수 있다. 이러한 원본 동일성은 증거능력의 요건에 해당하므로 검사가 그 존재에 대하여 구체적으로 주장·증명해야 한다.**(대법원 2018. 2. 8. 2017도13263 유흥주점 탈세 사건) 판례의 취지에 의할 때 압수된 CD에 저장된 동영상과 휴대폰2에 저장된 원본 동영상과의 동일성은 검사가 주장·입증하여야 하지만, 반드시 엄격한 증명의 방법으로 증명될 필요는 없다.

237

압수 · 수색에 관한 다음 설명 중 옳지 않은 것은 모두 몇 개인가? (다툼이 있으면 판례에 의함)

> ㉠ 수사기관 사무실 등으로 옮긴 저장매체에서 범죄혐의 관련성에 대한 구분 없이 저장된 전자정보 중 임의로 문서출력 혹은 파일복사를 하는 행위는 특별한 사정이 없는 한 영장주의에 위반된다.
>
> ㉡ 수사기관이 압수·수색영장을 제시하고 집행에 착수하여 압수·수색을 실시하고 그 집행을 종료하였는데 동일한 장소 또는 목적물에 대하여 다시 압수·수색할 필요가 있는 경우 압수·수색영장의 유효기간이 남아 있으면 이를 제시하고 다시 압수·수색을 할 수 있다.
>
> ㉢ 형사소송법 제133조 제1항의 '증거에 공할 압수물'에는 증거물로서의 성격과 몰수할 것으로 사료되는 물건으로서의 성격을 가진 압수물이 포함되어 있다.
>
> ㉣ 검사가 공소제기 후 형사소송법 제215조에 따라 수소법원 이외의 지방법원판사에게 청구하여 발부받은 영장에 의하여 압수·수색하였다면, 그와 같이 수집된 증거는 원칙적으로 유죄의 증거로 삼을 수 없다.
>
> ㉤ 공소제기 후 법원이 공판정 외에서 압수·수색을 하는 경우에도 영장발부가 필요하고, 이는 검사가 청구하여야 한다.

① 1개   ② 2개   ③ 3개   ④ 4개

해설

② ㉡㉤ 2 항목이 옳지 않다.

㉠ [O] 저장매체 자체를 수사기관 사무실 등으로 옮긴 후 영장에 기재된 범죄 혐의 관련 전자정보를 탐색하여 해당 전자정보를 문서로 출력하거나 파일을 복사하는 과정 역시 전체적으로 압수·수색영장 집행의 일환에 포함된다고 보아야 한다. 따라서 그러한 경우의 문서출력 또는 파일복사의 대상 역시 혐의사실과 관련된 부분으로 한정되어야 함은 헌법 제12조 제1항, 제3항, 형사소송법 제114조, 제215조의 적법절차 및 영장주의의 원칙상 당연하다. 그러므로 수사기관 사무실 등으로 옮긴 저장매체에서 **범죄혐의와의 관련성에 대한 구분 없이 저장된 전자정보 중 임의로 문서출력 혹은 파일복사를 하는 행위는** 특별한 사정이 없는 한 영장주의 등 원칙에 반하는 **위법한 집행이** 된다.(대법원 2014. 2. 27. 2013도12155 최태원 SK그룹회장 사건)

㉡ [×] 수사기관이 압수·수색영장을 제시하고 집행에 착수하여 압수·수색을 실시하고 그 집행을 종료하였다면 이미 그 영장은 목적을 달성하여 효력이 상실되는 것이고, 동일한 장소 또는 목적물에 대하여 다시 압수·수색할 필요가 있는 경우라면 그 필요성을 소명하여 법원으로부터 새로운 압수·수색영장을 발부 받아야 하는 것이지, 앞서 발부 받은 **압수·수색영장의 유효기간이 남아있다고 하여 이를 제시하고 다시 압수·수색을 할 수는 없다.**(대법원 1999. 12. 1. 99모161 민혁당 연락책 사건)

㉢ [O] 형사소송법 제133조 제1항 후단이, 제2항의 '증거에만 공할' 목적으로 압수할 물건과는 따로이 '증거에 공할' 압수물에 대하여 법원의 재량에 의하여 가환부할 수 있도록 규정한 것을 보면 **'증거에 공할 압수물'에는 증거물로서의 성격과 몰수할 것으로 사료되는 물건으로서의 성격을 가진 압수물이 포함되어 있다고** 해석함이 상당하다.(대법원 1998. 4. 16. 97모25)

   ◉ [○] 검사가 공소제기 후 형사소송법 제215조에 따라 **수소법원 이외의 지방법원판사에게** 청구하여 발부받은 **영장에** 의하여 압수·수색을 하였다면, 그와 같이 수집된 증거는 기본적 인권 보장을 위해 마련된 적법한 절차에 따르지 않은 것으로서 원칙적으로 유죄의 증거로 삼을 수 없다.(대법원 2011. 4. 28. 2009도10412 **공정위 사무관 수뢰사건**)

   ◉ [×] 공소가 제기된 후에는 그 피고사건에 관한 형사절차의 모든 권한이 사건을 주재하는 수소법원의 권한에 속하게 되며, 수사의 대상이던 피의자는 검사와 대등한 당사자인 피고인으로서의 지위에서 방어권을 행사하게 되므로, 공소제기 후 구속·압수·수색 등 피고인의 기본적 인권에 직접 영향을 미치는 강제처분은 원칙적으로 수소법원의 판단에 의하여 이루어지지 않으면 안된다.(대법원 2011. 4. 28. 2009도10412 **공정위 사무관 수뢰사건**) 법원이 공판정 외에서 압수·수색을 하는 경우에도 영장발부가 필요하지만, 이 경우 **검사의 청구는 요하지 아니한다.**

238 다음의 사례에 대한 설명으로 옳은 것은 모두 몇 개인가? (다툼이 있으면 판례에 의함)

□□□

20 해경승진 [Superlative ★★★]

> A해양경찰서 소속 사법경찰관 甲은 피고인 乙이 바지선을 타고 밀입국하면서 필로폰을 밀수한다는 제보를 받고, 항내에 도착한 바지선을 수색하였다. 경찰관 甲은 선용품창고 선반 위에 숨어 있던 피고인 乙과 필로폰을 발견하여, 필로폰 밀수입 및 밀입국 등의 현행범으로 체포하였다. 경찰관 甲은 필로폰 약 6.1kg을 제시하고 "필로폰을 임의제출하면 영장없이 압수할 수 있고 압수될 경우 임의로 돌려받지 못하며, 임의제출하지 않으면 영장을 발부받아서 압수하여야 한다."라고 설명하면서 필로폰을 임의로 제출할 의사가 있는지를 물었고, 피고인 乙은 "그 정도는 저도 압니다."라는 말과 함께 승낙을 받아 필로폰을 압수하였다.

> ㉠ 현행범인으로 체포하기 위하여 행위의 가벌성, 범죄의 현행성·시간적 접착성, 범인·범죄의 명백성 이외에 체포의 필요성 즉, 도망 또는 증거인멸의 염려가 있어야 한다.
>
> ㉡ 「형사소송법」 제211조가 현행범인으로 규정한 '범죄의 실행의 즉후인 자'라고 함은, 범죄의 실행행위를 종료한 직후의 범인이라는 것이 제3자의 입장에서 볼 때 명백한 경우를 일컫는 것이다.
>
> ㉢ 현행범인 체포의 요건을 갖추었는지는 체포 당시의 상황을 기초로 판단하여야 하고, 이에 관한 수사주체의 판단에는 상당한 재량의 여지가 있다.
>
> ㉣ A해양경찰서 소속 사법경찰관 甲은 피고인 乙이 바지선에서 임의로 제출한 필로폰에 대하여 영장 없이 압수할 수 있고, 사후에 영장을 받을 필요가 없다.

① 1개   ② 2개   ③ 3개   ④ 4개

해설

③ ㉠㉢㉣ 3 항목이 옳다.
㉠㉢ [O] 현행범인으로 체포하기 위하여는 행위의 가벌성, 범죄의 현행성·시간적 접착성, 범인·범죄의 명백성 외에 **체포의 필요성, 즉 도망 또는 증거인멸의 염려가 있어야 하는데**, 이러한 현행범인 체포의 요건을 갖추었는지는 체포 당시의 상황을 기초로 판단하여야 하고, 이에 관한 수사주체의 판단에는 상당한 재량의 여지가 있다고 할 것이다. 따라서 **체포 당시의 상황**에서 보아 그 요건에 관한 수사주체의 판단이 경험칙에 비추어 현저히 합리성이 없다고 인정되지 않는 한 수사주체의 현행범인 체포를 위법하다고 단정할 것은 아니다.(대법원 2016. 2. 18. 2015도13726 **바지선 필로폰 밀수사건**)
㉡ [×] 형사소송법 제211조가 현행범인으로 규정한 '범죄의 실행의 즉후인 자'라고 함은 범죄의 실행행위를 종료한 직후의 범인이라는 것이 **체포하는 자의 입장에서 볼 때** 명백한 경우를 일컫는다.(대법원 2007. 4. 13. 2007도1249 **청전지구대 사건**)
㉣ [O] 현행범 체포현장이나 범죄장소에서도 소지자 등이 임의로 제출하는 물건은 형사소송법 제218조에 의하여 영장 없이 압수할 수 있고, 이 경우에는 검사나 사법경찰관이 **사후에 영장을 받을 필요가 없다.**(대법원 2016. 2. 18. 2015도13726 **바지선 필로폰 밀수사건**)

239 압수·수색에 관한 설명 중 옳지 않은 것은 모두 몇 개인가? (다툼이 있으면 판례에 의함)

□□□
20 경찰간부 [Superlative ★★★]

㉠ 압수·수색영장은 피압수자로 하여금 법관이 발부한 영장에 의한 압수·수색이라는 사실을 확인함과 동시에 압수·수색 영장에 필요적으로 기재하도록 정한 사항이나 그와 일체를 이루는 사항을 충분히 알 수 있도록 제시하여야 한다.

㉡ 수사기관이 압수·수색에 착수하면서 그 장소의 관리책임자에게 영장을 제시하였더라도, 물건을 소지하고 있는 다른 사람으로부터 이를 압수하고자 하는 때에는 그 사람에게 따로 영장을 제시하여야 한다.

㉢ 검사가 영장을 집행하면서 영장 기재 압수·수색의 장소에서 압수할 전자정보를 용이하게 하드카피·이미지 또는 문서로 출력할 수 있음에도 저장매체 자체를 반출하여 가지고 간 경우, 직무집행지의 관할 법원에 수사기관의 압수처분에 대하여 취소 또는 변경을 청구할 수 있다.

㉣ 사건 관련 차량으로부터 채취된 강판과 페인트를 피의자가 아닌 차량의 보관자가 임의제출하였는데 이를 감정하기 위해서 압수한 것은 영장주의 위배가 아니다.

㉤ 수사기관이 금융회사가 발행하는 매출전표의 거래명의자에 관한 정보를 수사 목적으로 금융회사에 요구하는 경우 법관이 발부한 영장에 의하지 않아도 된다.

① 1개   ② 2개   ③ 3개   ④ 4개

해설

① ⑩ 항목만 옳지 않다.

⊙ [○] 압수 · 수색영장을 집행하는 수사기관은 피압수자로 하여금 법관이 발부한 영장에 의한 압수 · 수색이라는 사실을 확인함과 동시에 형사소송법이 압수 · 수색영장에 필요적으로 기재하도록 정한 사항이나 그와 일체를 이루는 사항을 **충분히 알 수 있도록 압수 · 수색영장을 제시하여야 한다.**(대법원 2017. 9. 21. 2015도12400 정상혁 보은군수 사건)

ⓒ [○] 압수 · 수색영장은 현장에서 피압수자가 여러 명일 경우에는 그들 모두에게 개별적으로 영장을 제시해야 하는 것이 원칙이다. 수사기관이 압수 · 수색에 착수하면서 그 장소의 관리책임자에게 영장을 제시하였다고 하더라도, 물건을 소지하고 있는 다른 사람으로부터 이를 압수하고자 하는 때에는 그 사람에게 **따로 영장을 제시하여야 한다.**(대법원 2017. 9. 21. 2015도12400 정상혁 보은군수 사건)

ⓒ [○] 전자정보를 용이하게 하드카피 · 이미지 또는 문서로 출력할 수 있음에도 **저장매체 자체를 반출하여 가지고 간 경우 이는 위법**하므로(제106조 제3항, 제219조), 이에 대하여 형사소송법 제417조에 의하여 직무집행지의 관할 법원에 수사기관의 압수처분에 대하여 취소 또는 변경을 청구할 수 있다(준항고를 제기할 수 있다).

ⓔ [○] 강판조각은 형사소송법 제218조에 규정된 유류물에, 차량에서 탈거 또는 채취된 보강용 강판과 페인트는 **차량의 보관자가 감정을 위하여 임의로 제출한 물건에 각 해당**함을 알 수 있으므로, 강판조각과 보강용 강판 및 차량에서 채취된 페인트는 형사소송법 제218조에 의하여 **영장 없이 압수할 수 있다.**(대법원 2011. 5. 26. 2011도1902 장흥 방호벽충돌 아내살해사건)

ⓜ [×] 수사기관이 범죄의 수사를 목적으로 '거래정보 등'을 획득하기 위해서는 법관의 영장이 필요하다고 할 것이고, 신용카드에 의하여 물품을 거래할 때 '금융회사 등'이 발행하는 **매출전표의 거래명의자에 관한 정보 또한 금융실명법에서 정하는 '거래정보 등'에 해당**한다고 할 것이므로, 수사기관이 금융회사 등에 그와 같은 정보를 요구하는 경우에도 **법관이 발부한 영장에 의하여야 한다.**(대법원 2013. 3. 28. 2012도13607 대구 할머니 절도사건)

240 압수 · 수색에 관한 설명 중 옳지 않은 것을 모두 고른 것은? (다툼이 있으면 판례에 의함)

□□□

㉠ 피압수자가 수사기관에 압수·수색영장의 집행에 참여하지 않는다는 의사를 명시하였다면 특별한 사정이 있는 경우를 제외하고는 그 변호인에게 압수·수색영장의 집행에 참여할 기회를 별도로 보장하지 않아도 무방하다.

㉡ 수사기관이 범죄 혐의사실과 관련 있는 정보를 선별하여 압수한 후에도 그와 관련이 없는 나머지 정보를 삭제·폐기·반환하지 아니한 채 그대로 보관하고 있다면 범죄 혐의사실과 관련이 없는 부분에 대하여는 압수의 대상이 되는 전자정보의 범위를 넘어서는 전자정보를 영장 없이 압수·수색하여 취득한 것이어서 위법하고, 사후에 법원으로부터 압수·수색영장이 발부되었다거나 피고인이나 변호인이 이를 증거로 함에 동의하였다고 하여 그 위법성이 치유된다고 볼 수 없다.

㉢ 정보저장매체를 임의제출한 피압수자에 더하여 임의제출자 아닌 피의자에게도 참여권이 보장되어야 하는 '피의자의 소유·관리에 속하는 정보저장매체'란, 피의자가 압수·수색 당시 또는 이와 시간적으로 근접한 시기까지 해당 정보저장매체를 현실적으로 지배·관리하면서 그 정보저장매체 내 전자정보 전반에 관한 전속적인 관리처분권을 보유·행사하고, 달리 이를 자신의 의사에 따라 제3자에게 양도하거나 포기하지 아니한 경우로서, 피의자를 그 정보저장매체에 저장된 전자정보에 대하여 실질적인 피압수자로 평가할 수 있는 경우를 말한다.

㉣ 실질적인 피압수자에 해당하는지 여부는 압수·수색 당시 외형적·객관적으로 인식가능한 사실상의 상태를 기준으로 판단하여야 하는바, 피의자나 그 밖의 제3자가 과거 그 정보저장매체의 이용 내지 개별 전자정보의 생성·이용 등에 관여한 사실이 있다거나 그 과정에서 생성된 전자정보에 의해 식별되는 정보주체에 해당한다는 사정이 있다면 그들을 실질적으로 압수·수색을 받는 당사자로 취급하여야 한다.

㉤ 피의자가 휴대전화를 임의제출하면서 휴대전화에 저장된 전자정보가 아닌 클라우드 등 제3자가 관리하는 원격지에 저장되어 있는 전자정보를 수사기관에 제출한다는 의사로 수사기관에게 클라우드 등에 접속하기 위한 아이디와 비밀번호를 임의로 제공하였다면 위 클라우드 등에 저장된 전자정보를 임의제출하는 것으로 볼 수 있다.

① ㉠㉣

② ㉡㉣

③ ㉣㉤

④ ㉠㉡㉣

⑤ ㉠㉢㉤

해설

① ㉠㉣ 2 항목이 옳지 않다.

㉠ [×] 형사소송법 제219조, 제121조가 규정한 **변호인의 참여권은 피압수자의 보호를 위하여 변호인에게 주어진 고유권이다.** 따라서 설령 피압수자가 수사기관에 압수·수색영장의 집행에 참여하지 않는다는 의사를 명시하였다고 하더라도 특별한 사정이 없는 한 그 변호인에게는 형사소송법 제219조, 제122조에 따라 **미리 집행의 일시와 장소를 통지하는 등으로 압수·수색영장의 집행에 참여할 기회를 별도로 보장하여야 한다.** (대법원 2020.11.26. 2020도10729 노래방 화장실 몰카 사건)

㉡ [○] 법원은 압수·수색영장의 집행에 관하여 범죄 혐의사실과 관련 있는 전자정보의 탐색·복제·출력이 완료된 때에는 지체 없이 영장 기재 범죄 혐의사실과 관련이 없는 나머지 전자정보에 대해 삭제·폐기 또는 피압수자 등에게 반환할 것을 정할 수 있다. 수사기관이 범죄 혐의사실과 관련 있는 정보를 선별하여 압수한 후에도 그와 관련이 없는 나머지 정보를 삭제·폐기·반환하지 아니한 채 그대로 보관하고 있다면 범죄 혐의사실과 관련이 없는 부분에 대하여는 압수의 대상이 되는 전자정보의 범위를 넘어서는 전자정보를 영장 없이 압수·수색하여 취득한 것이어서 위법하고, 사후에 법원으로부터 압수·수색영장이 발부되었다거나 피고인이나 변호인이 이를 증거로 함에 동의하였다고 하여 그 위법성이 치유된다고 볼 수 없다.(대법원 2022. 1.14. 2021모1586 휴대전화 3번 압수·수색 사건)

㉢ [○] 피해자 등 제3자가 피의자의 소유·관리에 속하는 정보저장매체를 임의제출한 경우에는 실질적 피압수자인 피의자가 수사기관으로 하여금 그 전자정보 전부를 무제한 탐색하는 데 동의한 것으로 보기 어려울 뿐만 아니라 피의자 스스로 임의제출한 경우 피의자의 참여권 등이 보장되어야 하는 것과 견주어 보더라도 특별한 사정이 없는 한 피의자에게 참여권을 보장하고 압수한 전자정보 목록을 교부하는 등 피의자의 절차적 권리를 보장하기 위한 적절한 조치가 이루어져야 한다. 이와 같이 정보저장매체를 임의제출한 피압수자에 더하여 임의제출자 아닌 피의자에게도 참여권이 보장되어야 하는 '피의자의 소유·관리에 속하는 정보저장매체'라 함은 피의자가 압수·수색 당시 또는 이와 시간적으로 근접한 시기까지 해당 정보저장매체를 현실적으로 지배·관리하면서 그 정보저장매체 내 전자정보 전반에 관한 전속적인 관리처분권을 보유·행사하고, 달리 이를 자신의 의사에 따라 제3자에게 양도하거나 포기하지 아니한 경우로서 피의자를 그 정보저장매체에 저장된 전자정보 전반에 대한 실질적인 압수·수색 당사자로 평가할 수 있는 경우를 말하는 것이다.(대법원 2023. 9.18. 2022도7453 손습 정경심 교수 참여배제 사건)

㉣ [×] 이에 해당하는지 여부는 민사법상 권리의 귀속에 따른 법률적·사후적 판단이 아니라 압수·수색 당시 외형적·객관적으로 인식 가능한 사실상의 상태를 기준으로 판단하여야 한다. 이러한 정보저장매체의 외형적·객관적 지배·관리 등 상태와 별도로 단지 피의자나 그 밖의 제3자가 과거 그 정보저장매체의 이용 내지 개별 전자정보의 생성·이용 등에 관여한 사실이 있다거나 그 과정에서 생성된 전자정보에 의해 식별되는 정보주체에 해당한다는 사정만으로 그들을 실질적으로 압수·수색을 받는 당사자로 취급하여야 하는 것은 아니다.(대법원 2023. 9.18. 2022도7453 손습 정경심 교수 참여배제 사건)

㉤ [○] 피의자가 휴대전화를 임의제출하면서 휴대전화에 저장된 전자정보가 아닌 클라우드 등 제3자가 관리하는 원격지에 저장되어 있는 전자정보를 수사기관에 제출한다는 의사로 수사기관에게 클라우드 등에 접속하기 위한 아이디와 비밀번호를 임의로 제공하였다면 위 클라우드 등에 저장된 전자정보를 임의제출하는 것으로 볼 수 있다.(대법원 2021. 7.29. 2020도14654 음란물 저장 휴대폰 압수사건)

241 다음 사례에 대한 설명 중 가장 적절한 것은? (다툼이 있으면 판례에 의함)

☐☐☐
22 경찰채용 [Superlative ★★★]

> 사법경찰관 P는 甲을 「정보통신망 이용촉진 및 정보보호 등에 관한 법률」상 명예훼손 혐의로 수사하면서 압수·수색 영장을 발부받아 甲의 집에서 그의 컴퓨터를 압수·수색하였다. P는 甲의 컴퓨터 하드디스크를 하드카피 방법으로 복제본을 생성한 후 수사기관 사무실로 가지고 나왔다. P는 甲에게 참여권을 고지하지 않은 채 甲의 참여 없이 반출한 복제본을 탐색하는 과정에서 우연히 성폭력범죄의 처벌 등에 관한 특례법 위반죄에 해당되는 성폭력범죄 동영상 파일을 발견하였다. 이후 P는 압수·수색 영장을 발부받아 이 동영상 파일을 압수하였다.

① 사법경찰관 P는 압수목록에 컴퓨터 하드디스크 규격과 개수를 기재한 후 하드카피 방법으로 복제본을 생성한 때 지체 없이 甲에게 교부하여야 한다.

② 압수·수색 영장집행은 甲의 집에서 하드디스크 복제본을 생성한 때 종료된 것이므로 탐색과정에서는 甲에게 참여권을 보장하지 않아도 된다.

③ 甲의 컴퓨터를 압수·수색함에 있어서 압수·수색영장 집행사실을 미리 알려주면 컴퓨터에 저장된 파일을 삭제할 염려 등이 있더라도 사전에 집행의 일시와 장소를 甲에게 통지하여 참여권을 보장해야 한다.

④ 성폭력범죄 동영상 파일을 우연히 발견하고 사후에 영장을 발부받았다 하더라도 이 동영상 파일은 증거능력이 인정되지 않는다.

해설

④ [○] 수사기관이 피압수자 측에게 참여의 기회를 보장하거나 압수한 전자정보 목록을 교부하지 않는 등 영장주의 원칙과 적법절차를 준수하지 않은 위법한 압수·수색 과정을 통하여 취득한 증거는 위법수집증거에 해당하고, 사후에 법원으로부터 영장이 발부되었다거나 피고인이나 변호인이 이를 증거로 함에 동의하였다고 하여 위법성이 치유되는 것도 아니다.(대법원 2022. 7. 28. 2022도2960 성매매알선 피의자 휴대전화 압수사건) '성폭력범죄 동영상 파일'은 사법경찰관 P가 甲에게 참여의 기회를 보장하거나 압수한 전자정보 목록을 교부하지 않는 등 영장주의 원칙과 적법절차를 준수하지 않은 위법한 압수·수색 과정을 통하여 취득한 증거이므로 위법수집증거에 해당한다. 따라서 사후에 영장을 발부받았다 하더라도 이 동영상 파일은 증거능력이 인정되지 않는다.

① [×] 주임검사 등은 전자정보의 **탐색·복제·출력을 완료한 경우**에는 지체 없이 피압수자 등에게 압수한 **전자정보의 상세목록을 교부해야 한다.**(디지털 증거의 수집·분석 및 관리규정 제23조 제1항) 압수목록은 하드카피 방법으로 복제본을 생성한 때에 甲에게 교부하는 것이 아니라 수사기관 사무실에서 관련 전자정보를 탐색·복제·출력한 후에 甲에게 교부하여야 한다.

② [×] 압수·수색 영장집행은 甲의 집에서 하드디스크 복제본을 생성한 때 종료된 것이 아니라 그 이후 수사기관 사무실에서 관련 전자정보를 탐색·복제·출력시까지도 계속 되는 것이므로 **그 탐색과정에서도 甲에게 참여권을 보장해 주어야 한다.**

③ [×] 압수·수색영장을 집행함에는 미리 집행의 일시와 장소를 형사소송법 제121조에 규정한 자에게 통지하여야 한다. 단, 참여하지 아니한다는 의사를 명시한 때 또는 급속을 요하는 때에는 예외로 한다.(형사소송법 제122조, 제219조) 형사소송법 제122조 단서의 '**급속을 요하는 때**'라고 함은 압수·수색영장 **집행 사실을 미리 알려주면 증거물을 은닉할 염려 등이 있어 압수·수색의 실효를 거두기 어려울 경우라고 해석함이 옳다.**(대법원 2012. 10. 11. 2012도7455 **범민련 남측본부 사건**) 甲의 컴퓨터를 압수·수색함에 있어서 압수·수색영장 집행사실을 미리 알려주면 컴퓨터에 저장된 파일을 삭제할

242 ☐☐☐ 형사소송법 제216조 내지 제217조의 규정에 따른 영장에 의하지 아니한 압수·수색에 관한 설명 중 옳은 것은? (다툼이 있으면 판례에 의함)

16 변호사 [Core ★★]

① 무면허운전으로 현행범체포된 피의자에 대하여 절도 범행이 의심되는 상황에서 사법경찰관은 경찰서 주차장에 세워 둔 피의자 차량의 문을 열고 내부를 수색하여 절도 범행의 증거물인 현금, 수표 등을 영장없이 압수할 수 있다.

② 사법경찰관이 특수절도 혐의로 지명수배되어 도피 중인 피의자의 숙소에 대하여 제보를 받고 급습하였는데 피의자가 숙소에 없는 경우 그곳에 있는 특수절도 범행의 증거물인 통장, 카드 등을 영장없이 압수할 수 있다.

③ 사법경찰관은 속칭 '대포통장' 거래 혐의로 체포영장이 발부된 피의자를 공원에서 체포한 후 피의자를 주거지에 데리고 가 범행 증거물인 통장을 영장없이 압수할 수 있다.

④ 음주운전 혐의가 있는 피의자가 교통사고를 야기한 후 의식불명의 상태로 병원 응급실에 후송되었고 피의자의 신체와 의복에서 술 냄새 등이 현저하더라도 병원 응급실을 범죄 장소에 준한다고 볼 수 없으므로 영장없이 채혈할 수 없다.

⑤ 사법경찰관은 속칭 '전화사기' 피의자를 주거지에서 긴급체포하면서 그 주거지에 보관하던 타인의 주민등록증, 운전면허증이 든 지갑 등을 영장없이 압수할 수 있다.

해설

⑤ [○] 이는 긴급체포된 자의 소유물 등에 대한 압수로써 **영장없이 주민등록증 등을 압수할 수 있다.**
   ※ 경찰관이 이른바 전화사기죄 범행의 혐의자를 긴급체포하면서 그가 보관하고 있던 다른 사람의 주민등록증, 운전면허증 등을 압수한 경우, 이는 구 형사소송법 제217조 제1항에서 규정한 해당 범죄사실의 수사에 필요한 범위 내의 압수로서 적법하므로 이를 위 혐의자의 점유이탈물횡령죄 범행에 대한 증거로 사용할 수 있다.(대법원 2008. 7. 10. 2008도2245)
① [×] 지문의 경우는 영장주의 예외 그 어디에도 해당하지 않으므로 **압수할 수 없다.** 경찰서 주차장은 체포현장도 아니고 범죄장소도 아니다. 그리고 피의자는 긴급체포된 자도 아니다.
② [×] 지문의 경우는 영장주의 예외 그 어디에도 해당하지 않으므로 **압수할 수 없다.** 피의자가 숙소에 없어 사법경찰관이 피의자를 체포하지 못했으므로 그 숙소는 체포현장도 아니고 또한 범죄장소도 아니다.

③ [×] 지문의 경우는 영장주의 예외 그 어디에도 해당하지 않으므로 **압수할 수 없다.** 피의자의 주거지는 체포현장도 아니고 범죄장소도 아니다. 그리고 피의자는 긴급체포된 자도 아니다.

④ [×] 이는 범죄장소에서의 긴급 압수로 영장없이 **채혈할 수 있다.**

※ (1) 음주운전 중 교통사고를 야기한 후 피의자가 의식불명 상태에 빠져 있는 등으로 호흡조사에 의한 음주측정이 불가능하고 혈액 채취에 대한 동의를 받을 수도 없을 뿐만 아니라 법원으로부터 혈액 채취에 대한 감정처분허가장이나 사전 압수영장을 발부받을 시간적 여유도 없는 긴급한 상황이 생길 경우 (2) 피의자의 신체 내지 의복류에 주취로 인한 냄새가 강하게 나는 등 형사소송법 제211조 제2항 제3호가 정하는 범죄의 증적이 현저한 준현행범인으로서의 요건이 갖추어져 있고 교통사고 발생 시각으로부터 사회통념상 범행 직후라고 볼 수 있는 시간 내라면 (3) **피의자의 생명·신체를 구조하기 위하여 사고현장으로부터 곧바로 후송된 병원 응급실 등의 장소는 형사소송법 제216조 제3항의 범죄장소에 준한다** 할 것이므로, 검사 또는 사법경찰관은 피의자의 혈중알콜농도등 증거의 수집을 위하여 의료법상 의료인의 자격이 있는 자로 하여금 의료용 기구로 의학적인 방법에 따라 필요최소한의 한도 내에서 **피의자의 혈액을 채취하게 한 후 그 혈액을 영장 없이 압수할 수 있다.** 다만, 이 경우 형사소송법 제216조 제3항 단서, 형사소송규칙 제58조, 제107조 제1항 제3호에 따라 사후에 지체 없이 강제채혈에 의한 압수의 사유 등을 기재한 영장청구서에 의하여 법원으로부터 압수영장을 받아야 한다.(대법원 2012. 11. 15. 2011도15258 **구로 강제채혈사건**)

243
□□□ **영장 없는 압수·수색·검증에 관한 설명 중 옳지 않은 것은? (다툼이 있으면 판례에 의함)**

21 경찰간부 [Core ★★]

① 체포영장이 발부된 피의자를 체포하기 위하여 경찰관이 타인의 주거 등을 수색하는 경우에는 그 피의자가 그 장소에 소재할 개연성 이외에도 별도로 사전에 수색영장을 발부받기 어려운 긴급한 사정이 있는 경우에만 제한적으로 이루어져야 한다.

② 음주운전 중 교통사고를 야기하고 의식불명 상태에 빠져 병원응급실에 후송된 피의자의 신체 내지 의복류에 주취로 인한 냄새가 강하게 나고, 교통사고 발생 시각으로부터 사회통념상 범행 직후라고 볼 수 있는 시간 내라면 경찰관은 의료진에게 요청하여 피의자의 혈액을 채취하도록 하여 압수할 수 있다.

③ 경찰관이 음주운전과 관련한 도로교통법위반죄의 수사를 목적으로 미성년자인 피의자의 혈액을 채취해야 할 경우, 피의자에게 의사능력이 있다면 피의자 본인의 동의를 받아서 하면 되고, 별도로 법정대리인의 동의를 받을 필요는 없다.

④ 경찰관이 2020. 10. 5. 20:00 도로에서 마약류 거래를 하고 있는 피의자를 긴급체포한 뒤 같은 날 20:24경 영장 없이 체포현장에서 약 2km 떨어진 피의자의 주거지에 대한 수색을 실시해서 작은 방 서랍장 등에서 메스암페타민 약 10g을 압수한 것은 위법하다.

해설

④ [×] 경찰관들이 저녁 8시경 도로에서 위장거래자와 만나서 마약류 거래를 하고 있는 **피고인을 긴급체포하면서 현장에서 메트암페타민을 압수하고, 저녁 8시 24분경 체포 현장에서 약 2km 떨어진 피고인의 주거지에서 메트암페타민 약 4.82g을 추가로 찾아내어 이를 압수한 다음 법원으로부터 사후 압수 · 수색영장을 발부받은 경우,** 피고인에 대한 긴급체포 사유, 압수 · 수색의 시각과 경위, 사후 영장의 발부 내역 등에 비추어 피고인의 주거지에서 긴급 압수한 메트암페타민 4.82g은 긴급체포의 사유가 된 범죄사실 수사에 필요한 범위 내의 것으로서 **적법하게 압수되었다고 할 것이다.**(대법원 2017. 9. 12. 2017도10309 **필로폰 거래자 긴급체포사건**) 판례의 취지에 의할 때 옳지 않은 지문이다.

① [○] 타인의 주거나 타인이 간수하는 가옥, 건조물, 항공기, 선차 내에서의 피의자 수색. 다만, 제200조의 2(영장체포) 또는 제201조(구속)에 따라 피의자를 체포 또는 구속하는 경우의 피의자 수색은 **미리 수색영장을 발부받기 어려운 긴급한 사정이 있는 때에 한정한다.**(제216조 제1항 제1호)

② [○] (1) 음주운전 중 교통사고를 야기한 후 피의자가 의식불명 상태에 빠져 있는 등으로 호흡조사에 의한 음주측정이 불가능하고 혈액 채취에 대한 동의를 받을 수도 없을 뿐만 아니라 법원으로부터 혈액 채취에 대한 감정처분허가장이나 사전 압수영장을 발부받을 시간적 여유도 없는 긴급한 상황이 생길 경우 (2) 피의자의 신체 내지 의복류에 주취로 인한 냄새가 강하게 나는 등 형사소송법 제211조 제2항 제3호가 정하는 범죄의 증적이 현저한 준현행범인으로서의 요건이 갖추어져 있고 교통사고 발생 시각으로부터 사회통념상 범행 직후라고 볼 수 있는 시간 내라면 (3) 피의자의 생명 · 신체를 구조하기 위하여 사고현장으로부터 곧바로 후송된 병원 응급실 등의 장소는 형사소송법 제216조 제3항의 범죄장소에 준한다 할 것이므로, 검사 또는 사법경찰관은 피의자의 혈중알콜농도등 증거의 수집을 위하여 의료법상 **의료인의 자격이 있는 자로 하여금 의료용 기구로 의학적인 방법에 따라 필요최소한의 한도 내에서 피의자의 혈액을 채취하게 한 후 그 혈액을 영장 없이 압수할 수 있다.** 다만, 이 경우 형사소송법 제216조 제3항 단서, 형사소송규칙 제58조, 제107조 제1항 제3호에 따라 사후에 지체 없이 강제채혈에 의한 압수의 사유 등을 기재한 영장청구서에 의하여 법원으로부터 압수영장을 받아야 한다.(대법원 2012. 11. 15. 2011도15258 **구로 강제채혈사건**)

③ [○] 음주운전과 관련한 도로교통법 위반죄의 범죄수사를 위하여 미성년자인 피의자의 혈액채취가 필요한 경우에도 피의자에게 의사능력이 있다면 피의자 본인만이 혈액채취에 관한 유효한 동의를 할 수 있고, 피의자에게 의사능력이 없는 경우에도 명문의 규정이 없는 이상 **법정대리인이 피의자를 대리하여 동의할 수는 없다.**(대법원 2014. 11. 13. 2013도1228 **의정부 강제채혈사건**)

244 압수 · 수색에 대한 설명으로 가장 적절하지 않은 것은? (다툼이 있으면 판례에 의함)

□□□

① 형사소송법 제216조(영장에 의하지 아니한 강제처분)의 규정에 의하면 범행 중 또는 범행 직후의 범죄 장소에서 긴급을 요하여 법원판사의 영장을 받을 수 없는 때에는 영장 없이 압수할 수 있으며, 이 경우에는 사후 48시간 이내에 영장을 받아야 한다.

② 형사소송법 제200조의3(긴급체포)에 따라 체포된 자가 소유하는 물건에 대하여 긴급히 압수할 필요가 있는 경우에 사법경찰관은 체포한 때부터 24시간 이내에 한하여 영장 없이 압수할 수 있다.

③ 수사기관이 압수·수색영장을 집행하면서 팩스로 영장 사본을 송신하기만 하고 영장 원본을 제시하거나 압수조서와 압수물목록을 작성하여 피압수·수색 당사자에게 교부하지도 않은 채 피고인의 이메일을 압수했다면 그 압수·수색은 위법하다.

④ 영장 발부의 사유로 된 범죄 혐의사실과 무관한 별개의 증거를 압수하였을 경우 이는 원칙적으로 유죄 인정의 증거로 사용할 수 없으나, 압수·수색의 목적이 된 범죄나 이와 관련된 범죄의 경우에는 그 압수·수색의 결과를 유죄의 증거로 사용할 수 있다.

해설

① [×] 범행 중 또는 범행직후의 범죄 장소에서 긴급을 요하여 법원판사의 영장을 받을 수 없는 때에는 영장없이 압수, 수색 또는 검증을 할 수 있다. 이 경우에는 사후에 **지체 없이** 영장을 받아야 한다.(제216조 제3항)

② [○] 형사소송법 제200조의3(긴급체포)에 따라 체포된 자가 소유하는 물건에 대하여 긴급히 압수할 필요가 있는 경우에 사법경찰관은 **체포한 때부터 24시간 이내에 한하여** 영장 없이 압수할 수 있다.(제217조 제1항)

③ [○] 수사기관이 이메일에 대한 압수·수색영장을 집행할 당시 피압수자인 네이버 주식회사에 팩스로 영장 사본을 송신했을 뿐 그 원본을 제시하지 않았고, 압수조서와 압수물 목록을 작성하여 피압수·수색 당사자에게 교부하였다고 볼 수 없는 경우 이러한 방법으로 압수된 이메일은 위법수집증거로 원칙적으로 유죄의 증거로 삼을 수 없다.(대법원 2017. 9. 7. 2015도10648 안재구 경북대 교수 사건)

④ [○] 영장 발부의 사유로 된 범죄 혐의사실과 무관한 별개의 증거를 압수하였을 경우 이는 원칙적으로 유죄인정의 증거로 사용할 수 없다. 그러나 압수·수색의 목적이 된 범죄나 이와 관련된 범죄의 경우에는 그 압수·수색의 결과를 유죄의 증거로 사용할 수 있다.(대법원 2021. 7. 29. 2020도14654 음란물 저장 휴대폰 압수사건)

245
□□□ 영장에 의하지 아니한 강제처분에 대한 설명으로 가장 적절하지 않은 것은? (다툼이 있으면 판례에 의함)

19 경찰채용 [Essential ★]

① 체포영장의 집행을 위하여 타인의 주거를 수색하는 경우 별도로 영장을 발부받기 어려운 긴급한 사정이 있는지 여부를 구별하지 않고 피의자가 그 장소에 소재할 개연성만 소명되면 수색영장 없이 피의자 수색을 할 수 있도록 허용하는 형사소송법 제216조 제1항 제1호 중 제200조의2에 관한 부분은 영장주의에 위반된다.

② 사법경찰관은 긴급체포된 자가 소유·소지 또는 보관하는 물건에 대하여 긴급히 압수할 필요가 있는 경우에는 체포한 때부터 24시간 이내에 한하여 영장 없이 압수·수색 또는 검증을 할 수 있다.

③ 긴급체포된 자가 소유·소지 또는 보관하는 물건을 영장 없이 압수한 이후 이 물건을 계속 압수할 필요가 있는 경우 사법경찰관은 압수한 때부터 48시간 이내에 압수·수색영장을 청구하여야 한다.

④ 교통사고를 가장한 살인사건의 범행일로부터 약 3개월 가까이 경과한 후 범죄에 이용된 승용차의 일부분인 강판조각이 범행현장에서 발견된 경우 이 강판조각은 형사소송법 제218조에 규정된 유류물에 해당하므로 영장 없이 압수할 수 있다.

해설

③ [×] 압수한 물건을 계속 압수할 필요가 있는 경우에는 **지체 없이** 압수·수색영장을 청구하여야 한다. 이 경우 **압수·수색영장의 청구는 체포한 때부터 48시간 이내에 하여야 한다.**(제217조 제2항)

① [○] (1) 헌법 제12조 제3항과는 달리 헌법 제16조 후문은 "주거에 대한 압수나 수색을 할 때에는 검사의 신청에 의하여 법관이 발부한 영장을 제시하여야 한다."라고 규정하고 있을 뿐 영장주의에 대한 예외를 명문화하고 있지 않으나, 그 장소에 범죄혐의 등을 입증할 자료나 피의자가 존재할 개연성이 있고, 사전에 영장을 발부받기 어려운 긴급한 사정이 있는 경우에는 제한적으로 영장주의의 예외를 허용할 수 있다고 보는 것이 타당하다. (2) 형사소송법 제216조 제1항 제1호 중 제200조의2에 관한 부분은 체포영장을 발부받아 피의자를 체포하는 경우에 '필요한 때'에는 영장 없이 타인의 주거 등 내에서 피의자 수사를 할 수 있다고 규정함으로써, 별도로 영장을 발부받기 어려운 긴급한 사정이 있는지 여부를 구별하지 아니하고 피의자가 소재할 개연성이 있으면 영장 없이 타인의 주거 등을 수색할 수 있도록 허용하고 있는데, 이는 체포영장이 발부된 피의자가 타인의 주거 등에 소재할 개연성은 인정되나, 수색에 앞서 영장을 발부받기 어려운 긴급한 사정이 인정되지 않는 경우에도 영장 없이 피의자 수색을 할 수 있다는 것이므로 **헌법 제16조의 영장주의 예외 요건을 벗어난다.**(헌법재판소 2018. 4. 26. 2015헌바370 철도노조 집행부 체포사건) 심판 대상 조항(형사소송법 제216조 제1항 제1호 중 제200조의2에 관한 부분)은 2020. 3.31.을 시한으로 국회가 법률을 개정할 때까지 형식적으로는 존재하지만 그 내용이 위헌이므로 '체포영장이 발부된 피의자가 타인의 주거 등에 소재할 개연성이 소명되고, 그 장소를 수색하기에 앞서 별도로 수색영장을 발부받기 어려운 긴급한 사정이 있는 경우에 한하여' 적용된다.

② [○] 검사 또는 사법경찰관은 제200조의3에 따라 체포된 자가 소유·소지 또는 보관하는 물건에 대하여 긴급히 압수할 필요가 있는 경우에는 체포한 때부터 **24시간 이내에 한하여 영장 없이 압수·수색 또는 검증을 할 수 있다.**(제217조 제1항)

④ [○] 강판조각은 형사소송법 제218조에 규정된 유류물에, 차량에서 탈거 또는 채취된 보강용 강판과 페인트는 차량의 보관자가 감정을 위하여 임의로 제출한 물건에 각 해당함을 알 수 있으므로, 강판조각과 보강용 강판 및 차량에서 채취된 페인트는 형사소송법 제218조에 의하여 영장 없이 압수할 수 있다.(대법원 2011. 5. 26. 2011도1902 장흥 방호벽충돌 아내살해사건)

246

□□□

압수·수색에 관한 설명 중 옳지 않은 것은? (다툼이 있으면 판례에 의함) 22 변호사 [Core ★★]

① 수사기관이 압수·수색영장을 제시하고 집행에 착수하여 압수·수색을 실시하고 그 집행을 종료하였다면 이미 그 영장은 목적을 달성하여 효력이 상실되는 것이므로 동일한 장소 또는 목적물에 대하여 다시 압수·수색할 필요가 있는 경우라도 그 영장을 제시하고 다시 압수·수색을 할 수 없다.

② 압수·수색할 전자정보가 영장에 기재된 수색장소에 있는 컴퓨터에 있지 않고 그 컴퓨터와 정보통신망으로 연결되어 제3자가 관리하는 원격지의 서버에 저장되어 있는 경우, 영장에 기재된 수색장소의 컴퓨터를 이용하여 원격지의 저장매체에 접속하는 것은 피의자가 접근하는 통상적인 방법에 따라 한 것이라도 허용된 집행의 장소적 범위를 벗어난 것으로 위법하다.

③ 압수·수색영장에 기재된 혐의사실과의 객관적 관련성은 압수·수색영장에 기재된 혐의사실 자체 또는 그와 기본적 사실관계가 동일한 범행과 직접 관련되어 있는 경우는 물론 범행 동기와 경위 등을 증명하기 위한 간접증거나 정황증거 등으로 사용될 수 있는 경우에도 인정될 수 있다.

④ 압수·수색영장은 처분을 받는 자에게 반드시 제시하여야 하지만, 피처분자가 현장에 없거나 현장에서 그를 발견할 수 없는 경우 등 영장제시가 현실적으로 불가능한 경우에는 영장을 제시하지 아니한 채 압수·수색을 하더라도 위법하다고 볼 수 없다.

⑤ 형사소송법 제215조는 검사가 압수·수색영장을 청구할 수 있는 시기를 공소제기 전으로 한정하고 있지 않지만, 그럼에도 일단 공소가 제기된 후에는 피고사건에 관하여 검사로서는 형사소송법 제215조에 의하여 압수·수색을 할 수 없다.

해설

② [×] **압수·수색할 전자정보가** 압수·수색영장에 기재된 수색장소에 있는 컴퓨터 등 정보처리장치 내에 있지 아니하고 그 정보처리장치와 정보통신망으로 연결되어 제3자가 관리하는 **원격지의 서버 등 저장매체에 저장되어 있는 경우에도,** 수사기관이 피의자의 이메일 계정에 대한 접근권한에 갈음하여 발부받은 영장에 따라 영장 기재 수색장소에 있는 컴퓨터 등 정보처리장치를 이용하여 적법하게 취득한 피의자의 이메일 계정 아이디와 비밀번호를 입력하는 등 피의자가 접근하는 통상적인 방법에 따라 그 원격지의 저장매체에 접속하고 그곳에 저장되어 있는 피의자의 이메일 관련 전자정보를 수색장소의 정보처리장치로 내려받거나 그 화면에 현출시키는 것 역시(이는 형사소송법 제120조 제1항에서 정한 '압수·수색영장의 집행에 필요한 처분'에 해당한다) 피의자의 소유에 속하거나 소지하는 전자정보를 대상으로 이루어지는 것이므로 그 전자정보에 대한 **압수·수색도 허용되고,** 이는 원격지의 저장매체가 국외에 있는 경우라 하더라도 달리 볼 것은 아니다.(대법원 2017. 11. 29. 2017도9747 원격 이메일 압수·수색사건)

① [○] 수사기관이 압수·수색영장을 제시하고 집행에 착수하여 압수·수색을 실시하고 그 집행을 종료하였다면 이미 그 영장은 목적을 달성하여 효력이 상실되는 것이므로 동일한 장소 또는 목적물에 대하여 다시 압수·수색할 필요가 있는 경우라도 그 영장을 제시하고 **다시 압수·수색을 할 수 없다.**(대법원 1999. 12. 1. 99모161 민혁당 연락책 사건)

③ [○] 압수·수색영장에 기재된 혐의사실과의 객관적 관련성은 압수·수색영장에 기재된 혐의사실 자체 또는

그와 기본적 사실관계가 동일한 범행과 직접 관련되어 있는 경우는 물론 범행 동기와 경위 등을 증명하기 위한 간접증거나 정황증거 등으로 사용될 수 있는 경우에도 인정될 수 있다.(대법원 2021. 7. 29. 2021도3756 필로폰 교부 → 필로폰 투약 사건)

④ [○] 압수·수색영장은 처분을 받는 자에게 반드시 제시하여야 하지만, 피처분자가 현장에 없거나 현장에서 그를 발견할 수 없는 경우 등 영장제시가 현실적으로 불가능한 경우에는 영장을 제시하지 아니한 채 압수·수색을 하더라도 위법하다고 볼 수 없다.(대법원 2015. 1. 22. 2014도10978 숲숭 이석기 의원 사건)

⑤ [○] 형사소송법 제215조는 검사가 압수·수색영장을 청구할 수 있는 시기를 공소제기 전으로 한정하고 있지 않지만, 그럼에도 일단 공소가 제기된 후에는 피고사건에 관하여 검사로서는 형사소송법 제215조에 의하여 압수·수색을 할 수 없다.(대법원 2011. 4. 28. 2009도10412 공정위 사무관 수뢰사건)

247

□□□ 압수·수색에 대한 설명으로 옳지 않은 것은? (다툼이 있으면 판례에 의함) 15 국가9급 [Essential ★]

① 경찰관이 간호사로부터 진료 목적으로 채혈된 甲의 혈액 중 일부를 주취운전 여부에 대한 감정을 목적으로 제출받아 압수한 경우 특별한 사정이 없는 한 그 압수절차가 甲 또는 그의 가족의 동의 및 영장 없이 행하여졌더라도 적법절차의 위반이 아니다.

② 수사기관이 피의자 甲의 공직선거법 위반 혐의로 발부받은 압수·수색영장의 집행과정에서 甲의 혐의사실과 무관한 乙과 丙 사이의 대화가 녹음된 파일을 압수한 경우 위 녹음파일은 위법수집증거이므로 乙과 丙의 공직선거법 위반 혐의사실을 입증하는 증거로 사용할 수 없다.

③ 음주운전과 관련한 도로교통법 위반죄의 수사를 위하여 미성년자인 피의자의 혈액채취가 필요한 경우 피의자에게 의사능력이 없는 때에는 법정대리인이 피의자를 대리하여 동의하면 영장 없이 혈액을 채취할 수 있다.

④ 경찰관이 음주운전자를 단속하면서 주취운전이라는 범죄행위로 체포·구속하지 아니한 경우에도 필요하다면 그 음주운전자의 차량열쇠는 영장 없이 압수할 수 있다.

해설

③ [×] 음주운전과 관련한 도로교통법 위반죄의 범죄수사를 위하여 미성년자인 피의자의 혈액채취가 필요한 경우에도 피의자에게 의사능력이 있다면 피의자 본인만이 혈액채취에 관한 유효한 동의를 할 수 있고, **피의자에게 의사능력이 없는 경우에도 명문의 규정이 없는 이상 법정대리인이 피의자를 대리하여 동의할 수는 없다.**(대법원 2014. 11. 13. 2013도1228 의정부 강제채혈사건)

① [○] 의료인이 진료 목적으로 채혈한 환자의 혈액을 수사기관에 임의로 제출하였다면 그 혈액의 증거사용에 대하여도 환자의 사생활의 비밀 기타 인격적 법익이 침해되는 등의 특별한 사정이 없는 한 반드시 그 환자의 동의를 받아야 하는 것이 아니고 따라서 **경찰관이 간호사로부터 진료 목적으로 이미 채혈되어 있던 피고인의 혈액 중 일부를 주취운전 여부에 대한 감정을 목적으로 임의로 제출 받아 이를 압수한 경우 그 압수절차가 피고인 또는 피고인의 가족의 동의 및 영장 없이 행하여졌다고 하더라도 이에 적법절차를 위반한 위법이 있다고 할 수 없다.**(대법원 1999. 9. 3. 98도968 **공주의료원** 사건)

② [○] '피의자: 甲, 압수할 물건: 乙이 소지하고 있는 휴대전화 등, 범죄사실: 甲은 공천과 관련하여 새누리당 공천심사위원에게 돈 봉투를 제공하였다 등'이라고 기재된 압수·수색영장에 의하여 검찰청 수사관이 乙의 주거지에서 그의 휴대전화를 압수하고 그 휴대전화에서 추출한 전자정보를 분석하던 중 피고인 乙, 丙 사이의 대화가 녹음된 녹음파일을 통하여 피고인들에 대한 공직선거법위반의 혐의점을 발견하고 수사를 개시하였으나, 피고인들로부터 녹음파일을 임의로 제출받거나 새로운 압수·수색영장을 발부받지 아니한 경우, 그 녹음파일은 압수·수색영장에 의하여 압수할 수 있는 물건 내지 전자정보로 볼 수 없으므로(형사소송법 제215조 제1항에 규정된 '해당사건'과 관계가 있다고 인정할 수 있는 것에 해당한다고 할 수 없으므로) 피고인들의 공소사실(피고인 乙, 丙 사이의 정당 후보자 추천 및 선거운동 관련 대가제공 요구 및 약속 범행)에 대해서는 증거능력이 부정된다.(대법원 2014. 1. 16. 2013도7101 **현영희 의원 사건**)

④ [○] **주취운전**이라는 범죄행위로 당해 음주운전자를 구속·체포하지 아니한 경우에도 필요하다면 그 **차량열쇠**는 범행 중 또는 범행 직후의 범죄장소에서의 압수로서 형사소송법 제216조 제3항에 의하여 영장 없이 이를 압수할 수 있다.(대법원 1998. 5. 8. 97다54482)

248

□□□

압수에 대한 설명으로 가장 적절하지 않은 것은? (다툼이 있으면 판례에 의함) 21 경찰승진 [Essential ★]

① 경찰관이 진료 목적으로 이미 채혈되어 있던 피고인의 혈액 중 일부를 주취운전 여부에 대한 감정을 목적으로 간호사로부터 임의로 제출받아 이를 압수한 경우 간호사가 혈액의 소지자 겸 보관자인 병원 또는 담당의사를 대리하여 혈액을 경찰관에게 임의로 제출할 수 있는 권한이 없었다고 볼 특별한 사정이 없는 이상, 이를 위법하다고 볼 수 없다.

② 피해자의 신고를 받고 현장에 출동한 경찰서 과학수사팀 소속 경찰관이 피해자가 범인과 함께 술을 마신 테이블 위에 놓여 있던 맥주컵에서 지문 6점, 물컵에서 지문 8점, 맥주병에서 지문 2점을 각각 현장에서 직접 채취한 후, 지문채취 대상물을 적법한 절차에 의하지 않고 압수하였더라도 채취된 지문은 위법수집증거라고 할 수 없다.

③ 현행범 체포현장이나 범죄장소에서도 소지자 등이 임의로 제출하는 물건은 영장 없이 압수할 수 있다. 이 경우 검사나 사법경찰관은 사후에 영장을 받아야 한다.

④ 소유자, 소지자 또는 보관자가 아닌 자로부터 제출받은 물건을 영장없이 압수한 경우 그 압수물 및 압수물을 찍은 사진은 유죄 인정의 증거로 사용할 수 없다.

해설

③ [×] 현행범 체포현장이나 범죄현장에서도 소지자 등이 임의로 제출하는 물건은 형사소송법 제218조에 의하여 영장 없이 압수하는 것이 허용되고, 이 경우 검사나 사법경찰관은 별도로 **사후에 영장을 받을 필요가 없다.**(대법원 2020. 4. 9. 2019도17142 **지하철 몰카 사건II**)

정답 | 247 ③   248 ③

① [○] 의료인이 **진료 목적**으로 채혈한 환자의 혈액을 수사기관에 임의로 제출하였다면 그 혈액의 증거사용에 대하여도 환자의 사생활의 비밀 기타 인격적 법익이 침해되는 등의 특별한 사정이 없는 한 반드시 그 환자의 동의를 받아야 하는 것이 아니고 따라서 경찰관이 간호사로부터 진료 목적으로 이미 채혈되어 있던 피고인의 혈액 중 일부를 주취운전 여부에 대한 감정을 목적으로 임의로 제출 받아 이를 압수한 경우 그 압수절차가 피고인 또는 피고인의 가족의 동의 및 영장 없이 행하여졌다고 하더라도 이에 적법절차를 위반한 위법이 있다고 할 수 없다.(대법원 1999. 9. 3. 98도968 **공주의료원 사건**)

② [○] **범행 현장에서 지문채취 대상물**(맥주병, 맥주컵, 물컵)에 대한 지문채취가 먼저 이루어진 이상, 수사기관이 그 이후에 지문채취 대상물을 적법한 절차에 의하지 아니한 채 압수하였다고 하더라도 위와 같이 채취된 지문은 위법하게 압수한 지문채취 대상물로부터 획득한 2차적 증거에 해당하지 아니함이 분명하여 이를 가리켜 위법수집증거라고 할 수 없다.(대법원 2008. 10. 23. 2008도7471 **인천 주점 강도강간 사건**)

④ [○] 형사소송법 제218조는 '사법경찰관은 소유자, 소지자 또는 보관자가 임의로 제출한 물건을 영장없이 압수할 수 있다'고 규정하고 있는바, 위 규정에 위반하여 소유자, 소지자 또는 보관자가 **아닌 자**로부터 제출받은 물건을 영장없이 압수한 경우 그 압수물 및 압수물을 찍은 사진은 이를 유죄 인정의 증거로 사용할 수 없는 것이고, 헌법과 형사소송법이 선언한 영장주의의 중요성에 비추어 볼 때 **피고인이나 변호인이 이를 증거로** 함에 동의하였다고 하더라도 달리 볼 것은 아니다.(대법원 2010. 1. 28. 2009도10092 **쇠파이프 압수사건**)

249 압수 · 수색에 대한 설명으로 가장 적절한 것은? (다툼이 있으면 판례에 의함)

☐☐☐

19 경찰채용 [Core ★★]

① 검사나 사법경찰관은 현행범체포 현장이나 범죄장소에서 소지자 등이 임의로 제출하는 물건을 영장 없이 압수할 수 있으나, 이 경우 사후에 영장을 받아야 한다.

② 범행 중 또는 범행 직후의 범죄장소에서 영장 없이 압수·수색 또는 검증을 할 수 있도록 규정한 형사소송법 제216조 제3항의 요건 중 어느 하나라도 갖추지 못한 경우, 그 압수·수색 또는 검증은 위법하나 사후에 법원으로부터 영장을 발부받았다면 그 위법성이 치유된다.

③ 검사가 압수·수색영장의 효력이 상실되었음에도 다시 그 영장에 기하여 피의자의 주거에 대한 압수·수색을 실시하여 증거물 또는 몰수할 것으로 사료되는 물건을 압수한 경우 압수 자체가 위법하게 됨은 별론으로 하더라도 몰수의 효력에는 영향을 미치지 않는다.

④ 압수·수색영장은 현장에서 피압수자가 여러 명일 경우에는 그들 모두에게 개별적으로 영장을 제시해야 하나, 그 장소의 관리책임자에게 영장을 제시하였다면 압수하고자 하는 물건을 소지하고 있는 사람에게는 따로 영장을 제시할 것까지 요하지 아니한다.

해설

③ [○] (1) 몰수는 반드시 압수되어 있는 물건에 대하여서만 하는 것이 아니므로 몰수대상 물건이 압수되어 있는가 하는 점 및 적법한 절차에 의하여 압수되었는가 하는 점은 몰수의 요건이 아니다. (2) 검찰이 압수·수색영장에 의하여 피고인의 주거에 대한 압수·수색을 실시하여 그 집행을 종료함으로써 압수·수색영장이 효력을 상실하였음에도, 위 압수·수색영장에 기하여 다시 피고인의 주거에 대한 압수·수색을 실시하여 현금 6,000만원을 압수하였다고 하더라도 압수 자체가 위법하게 됨은 별론으로 하고, 그것이 현금 6,000만원의 몰수의 효력에 영향을 미칠 수 없다.(대법원 2003. 5. 30. 2003도705 **압수위법 몰수적법** 사건)

① [×] 현행범 체포현장이나 범죄장소에서도 소지자 등이 임의로 제출하는 물건은 형사소송법 제218조에 의하여 영장 없이 압수할 수 있고, 이 경우에는 검사나 사법경찰관이 **사후에 영장을 받을 필요가 없다.**(대법원 2016. 2. 18. 2015도13726 **바지선 필로폰 밀수사건**)

② [×] 범행 중 또는 범행직후의 범죄 장소에서 긴급을 요하여 법원 판사의 영장을 받을 수 없는 때에는 영장 없이 압수·수색 또는 검증을 할 수 있으나, 사후에 지체 없이 영장을 받아야 한다(형사소송법 제216조 제3항). 형사소송법 제216조 제3항의 요건 중 어느 하나라도 갖추지 못한 경우에 그러한 압수·수색 또는 검증은 위법하며, 이에 대하여 사후에 **법원으로부터 영장을 발부받았다고 하여 그 위법성이 치유되지 아니한다.**(대법원 2017. 11. 29. 2014도16080 **노래방 압수·수색** 사건)

④ [×] 압수·수색영장은 현장에서 피압수자가 여러 명일 경우에는 그들 모두에게 개별적으로 영장을 제시해야 하는 것이 원칙이다. 수사기관이 압수·수색에 착수하면서 그 장소의 관리책임자에게 영장을 제시하였다고 하더라도, **물건을 소지하고 있는 다른 사람으로부터 이를 압수하고자 하는 때에는 그 사람에게 따로 영장을 제시하여야 한다.**(대법원 2017. 9. 21. 2015도12400 **정상혁 보은군수** 사건)

---

250 압수·수색 절차에 관한 설명으로 가장 적절하지 않은 것은? (다툼이 있으면 판례에 의함)

□□□ 　　　　　　　　　　　　　　　　　　　　　　　　　　　　　23 경찰채용 [Essential ★]

① 압수·수색영장은 원칙적으로 처분을 받는 자에게 반드시 제시하고, 처분을 받는 자가 피의자인 경우에는 그 사본을 교부해야 하는데, 이는 준항고 등 피압수자의 불복신청의 기회를 실질적으로 보장하기 위한 것이다.

② 압수·수색영장을 소지하지 아니한 경우에 급속을 요하는 때에는 피의자에 대하여 공소사실의 요지와 영장이 발부되었음을 고지하고 집행할 수 있다.

③ 압수·수색영장 통지의 예외 사유인 '급속을 요하는 때'란 압수·수색영장 집행 사실을 미리 알려주면 증거물을 은닉할 염려 등이 있어 압수·수색의 실효를 거두기 어려울 경우를 의미한다.

④ 수사기관이 A회사에서 압수·수색영장을 집행하면서 A회사에 팩스로 영장 사본을 송신하기만 하고 영장 원본을 제시하지 않았고 또한 압수조서와 압수물 목록을 작성하여 피압수·수색 당사자에게 교부하지 않은 채 피고인의 이메일을 압수한 후 이를 증거로 제출한 것은 적법절차 원칙의 실질적인 내용을 침해한 것이다.

해설

② [×] 압수 · 수색영장은 **처분을 받는 자에게 반드시 제시하여야 하고, 처분을 받는 자가 피고인인 경우에는 그 사본을 교부하여야 한다.** 다만, 처분을 받는 자가 현장에 없는 등 영장의 제시나 그 사본의 교부가 현실적으로 불가능한 경우 또는 처분을 받는 자가 영장의 제시나 사본의 교부를 거부한 때에는 예외로 한다.(형사소송법 제118조, 제219조) 압수 · 수색의 경우 이른바 영장의 긴급집행은 허용되지 않는다.

① [○] 형사소송법이 압수 · 수색영장을 집행하는 경우에 피압수자에게 반드시 압수 · 수색영장을 제시하도록 규정한 것은 법관이 발부한 영장 없이 압수 · 수색을 하는 것을 방지하여 영장주의 원칙을 절차적으로 보장하고, 압수 · 수색영장에 기재된 물건, 장소, 신체에 대해서만 압수 · 수색을 하도록 하여 개인의 사생활과 재산권의 침해를 최소화하는 한편, 준항고 등 피압수자의 불복신청의 기회를 실질적으로 보장하기 위한 것이다.(대법원 2017. 9. 21. 2015도12400 **보은군수 사건**)

③ [○] '급속을 요하는 때'라고 함은 압수 · 수색영장 집행 사실을 미리 알려주면 증거물을 은닉할 염려 등이 있어 압수 · 수색의 실효를 거두기 어려울 경우라고 해석함이 옳고, 그와 같이 합리적인 해석이 가능하므로 형사소송법 제122조 단서가 명확성의 원칙 등에 반하여 위헌이라고 볼 수 없다.(대법원 2012. 10. 11. 2012도7455 **범민련 남측본부 사건**)

④ [○] 수사기관이 이메일에 대한 압수 · 수색영장을 집행할 당시 피압수자인 네이버 주식회사에 팩스로 영장 사본을 송신했을 뿐 그 원본을 제시하지 않았고, 압수조서와 압수물 목록을 작성하여 피압수 · 수색 당사자에게 교부하였다고 볼 수 없는 경우 이러한 방법으로 압수된 이메일은 위법수집증거로 원칙적으로 유죄의 증거로 삼을 수 없다.(대법원 2017. 9. 7. 2015도10648 **경북대 교수 사건**)

251 수사에 대한 설명으로 옳지 않은 것은? (다툼이 있으면 판례에 의함)
□□□   18 국가7급 [Core ★★]

① 헌법 제16조 후문은 "주거에 대한 압수나 수색을 할 때에는 검사의 신청에 의하여 법관이 발부한 영장을 제시하여야 한다."라고 규정하고 있을 뿐 영장주의에 대한 예외를 마련하고 있지 않지만, 주거에 대한 압수나 수색에 있어 영장주의가 예외 없이 반드시 관철되어야 하는 것은 아니다.

② 피의자가 구속 당시에 헌법 및 형사소송법에 규정된 사항 (구속의 이유 및 변호인의 조력을 받을 권리)을 고지받지 못하였고, 구금기간 중 면회거부 등의 처분을 받은 경우, 이는 형사소송법 제93조의 구속취소사유에 해당한다.

③ 검사는 증거에 사용할 압수물에 대하여 소유자 등에 의한 가환부의 청구가 있는 경우, 가환부를 거부할 수 있는 특별한 사정이 없는 한 가환부에 응하여야 한다.

④ 재소자가 법령에 근거하여 위탁한 비망록을 교도관이 수사기관에 임의로 제출하였다면, 재소자의 사생활의 비밀 기타 인격적 법익이 침해되는 등의 특별한 사정이 없는 한 그 비망록의 증거사용에 대하여 반드시 재소자의 동의를 받아야 하는 것은 아니다.

해설

② [×] 체포, 구금 당시에 헌법 및 형사소송법에 규정된 사항(체포, 구금의 이유 및 변호인의 조력을 받을 권리) 등을 고지받지 못하였고, 그 후의 구금기간 중 면회거부 등의 처분을 받았다 하더라도 이와 같은 사유는 형사소송법 제93조 소정의 **구속취소 사유에는 해당하지 아니한다.**(대법원 1991. 12. 30. 91모76)

① [○] (1) 헌법 제12조 제3항과는 달리 헌법 제16조 후문은 "주거에 대한 압수나 수색을 할 때에는 검사의 신청에 의하여 법관이 발부한 영장을 제시하여야 한다."라고 규정하고 있을 뿐 영장주의에 대한 예외를 명문화하고 있지 않으나, 그 장소에 범죄혐의 등을 입증할 자료나 **피의자가 존재할 개연성이 있고, 사전에 영장을 발부받기 어려운 긴급한 사정이 있는 경우에는 제한적으로 영장주의의 예외를 허용할 수 있다고 보는 것이 타당하다.** (2) 형사소송법 제216조 제1항 제1호 중 제200조의2에 관한 부분은 체포영장을 발부받아 피의자를 체포하는 경우에 '필요한 때'에는 영장 없이 타인의 주거 등 내에서 피의자 수사를 할 수 있다고 규정함으로써, 별도로 영장을 발부받기 어려운 긴급한 사정이 있는지 여부를 구별하지 아니하고 피의자가 소재할 개연성이 있으면 영장 없이 타인의 주거 등을 수색할 수 있도록 허용하고 있는데, 이는 체포영장이 발부된 피의자가 타인의 주거 등에 소재할 개연성은 인정되나, 수색에 앞서 영장을 발부받기 어려운 긴급한 사정이 인정되지 않는 경우에도 영장 없이 피의자 수색을 할 수 있다는 것이므로 헌법 제16조의 영장주의 예외 요건을 벗어난다.(헌법재판소 2018. 4. 26. 2015헌바370 **철도노조 집행부 체포사건**)

③ [○] 검사는 증거에 사용할 압수물에 대하여 가환부의 청구가 있는 경우 가환부를 거부할 수 있는 특별한 사정이 없는 한 형사소송법 제218조의2 제1항에 의하여 **가환부에 응하여야 한다.** 그리고 그러한 특별한 사정이 있는지 여부는 범죄의 태양, 경중, 몰수 대상인지 여부, 압수물의 증거로서의 가치, 압수물의 은닉 · 인멸 · 훼손될 위험, 수사나 공판수행 상의 지장 유무, 압수에 의하여 받는 피압수자 등의 불이익의 정도 등 여러 사정을 검토하여 종합적으로 판단하여야 한다.(대법원 2017. 9. 29. 2017모236 **자동차 가환부신청사건**)

④ [○] 교도관이 재소자가 맡긴 비망록을 수사기관에 임의로 제출하였다면 그 비망록의 증거사용에 대하여도 재소자의 사생활의 비밀 기타 인격적 법익이 침해되는 등의 특별한 사정이 없는 한 반드시 그 재소자의 동의를 받아야 하는 것은 아니고 따라서 검사가 교도관으로부터 보관하고 있던 피고인의 비망록을 뇌물수수 등의 증거자료로 **임의로 제출받아 이를 압수한 경우** 그 압수절차가 피고인의 승낙 및 영장 없이 행하여졌다고 하더라도 이에 **적법절차를 위반한 위법이 있다고 할 수 없다.**(대법원 2008. 5. 15. 2008도1097 **김태촌 비망록 사건**)

252 수사기관의 대물적 강제처분에 대한 다음 설명 중 가장 적절하지 않은 것은? (다툼이 있으면 판례
□□□ 에 의함)

13 경찰채용 [Essential ★]

① 음란물 유포의 범죄혐의를 이유로 압수·수색영장을 발부받은 사법경찰관이 피고인의 주거지를 수색하는 과정에서 대마를 발견하자, 피고인을 마약류관리에 관한 법률 위반죄의 현행범으로 체포하면서 대마를 압수하였으나 그 다음날 피고인을 석방하고도 사후 압수·수색영장을 발부받지 않은 경우 압수물의 증거능력이 부정된다.

② 범행 중 또는 범행 직후의 범죄 장소에서 긴급을 요하여 법원판사의 영장을 받을 수 없는 때에는 영장 없이 압수·수색 또는 검증을 할 수 있으나, 이 경우에는 사후에 지체 없이 영장을 받아야 한다.

③ 경찰관이 이른바 전화사기죄 범행의 혐의자를 긴급체포하면서 그가 보관하고 있던 다른 사람의 주민등록증, 운전면허증 등을 압수한 경우, 이는 형사소송법 제217조 제1항에서 규정한 해당 범죄사실의 수사에 필요한 범위 내의 압수가 아니므로, 이를 위 혐의자의 점유이탈물횡령죄 범행에 대한 유죄의 증거로 사용할 수 없다.

④ 소유자, 소지자 또는 보관자가 아닌 피해자로부터 임의로 제출받은 물건을 영장없이 압수한 경우 그 '압수물' 및 '압수물을 찍은 사진'에 대해 피고인이나 변호인이 증거동의를 하였다 하더라도 이를 유죄 인정의 증거로 사용할 수 없다.

해설

③ [×] 경찰관이 이른바 전화사기죄 범행의 혐의자를 긴급체포하면서 그가 보관하고 있던 다른 사람의 주민등록증, 운전면허증 등을 압수한 경우, 이는 구 형사소송법 제217조 제1항에서 규정한 **해당 범죄사실의 수사에 필요한 범위 내의 압수로서 적법하므로** 이를 위 혐의자의 **점유이탈물횡령죄** 범행에 대한 **증거로 사용할 수 있다.**(대법원 2008. 7. 10. 2008도2245)

① [〇] 정보통신망법상 **음란물 유포**의 범죄혐의를 이유로 압수·수색영장을 발부받은 사법경찰리가 피고인의 주거지를 수색하는 과정에서 **대마를 발견**하자, 피고인을 마약법위반죄의 현행범으로 체포하면서 대마를 압수하였으나, 그 다음날 **피고인을 석방하였음에도 사후 압수·수색영장을 발부받지 않은 경우,** 위 압수물과 압수조서는 형사소송법상 **영장주의를 위반하여 수집한 증거로서 증거능력이** 부정된다.(대법원 2009. 5. 14. 2008도10914 스와핑 카페 운영자 사건)

② [〇] 범행 중 또는 범행 직후의 범죄 장소에서 긴급을 요하여 법원판사의 영장을 받을 수 없는 때에는 영장 없이 압수·수색 또는 검증을 할 수 있으나, 이 경우에는 **사후에 지체 없이 영장을 받아야 한다.**(제216조 제3항)

④ [〇] 형사소송법 제217조 규정에 위반하여 소유자, 소지자 또는 보관자가 아닌 자로부터 제출받은 물건을 영장 없이 압수한 경우 그 압수물 및 압수물을 찍은 사진은 이를 유죄 인정의 증거로 사용할 수 없는 것이고, 헌법과 형사소송법이 선언한 영장주의의 중요성에 비추어 볼 때 피고인이나 변호인이 이를 **증거로 함에 동의하였다고 하더라도 달리 볼 것은 아니다.**(대법원 2010. 1. 28. 2009도10092 쇠파이프 압수사건)

253

강제처분에 대한 설명으로 옳지 않은 것은? (다툼이 있으면 판례에 의함) 22 국가9급 [Essential ★]

① 수사기관이 압수·수색에 착수하면서 그 장소의 관리책임자에게 영장을 제시하였더라도 물건을 소지하고 있는 다른 사람으로부터 이를 압수하고자 하는 때에는 그 사람에게도 따로 영장을 제시하여야 한다.

② 우편물 통관검사절차에서 이루어지는 우편물의 개봉, 시료채취, 성분분석 등의 검사는 수출입물품에 대한 적정한 통관 등을 목적으로 한 행정조사의 성격을 가지는 것으로서 수사기관의 강제처분이라고 할 수 없으므로 압수·수색영장 없이 우편물의 개봉, 시료채취, 성분분석 등 검사가 진행되었다 하더라도 특별한 사정이 없는 한 위법하다고 볼 수 없다.

③ 피처분자가 현장에 없거나 현장에서 그를 발견할 수 없는 경우 등 영장 제시가 현실적으로 불가능한 경우에는 영장을 제시하지 아니한 채 압수·수색을 하더라도 위법하다고 볼 수 없다.

④ 여자의 신체에 대하여 수색할 때에는 의사와 성년 여자를 참여하게 하여야 한다.

해설

④ [×] 여자의 신체에 대하여 수색할 때에는 **성년의 여자를** 참여하게 하여야 한다.(제124조, 제219조)

① [○] 수사기관이 압수·수색에 착수하면서 그 장소의 관리책임자에게 영장을 제시하였더라도 물건을 소지하고 있는 다른 사람으로부터 이를 압수하고자 하는 때에는 그 사람에게도 따로 영장을 제시하여야 한다.(대법원 2017. 9. 21. 2015도12400 보은군수 사건)

② [○] 우편물 통관검사절차에서 이루어지는 우편물의 개봉, 시료채취, 성분분석 등의 검사는 수출입물품에 대한 적정한 통관 등을 목적으로 한 행정조사의 성격을 가지는 것으로서 수사기관의 강제처분이라고 할 수 없으므로 압수·수색영장 없이 우편물의 개봉, 시료채취, 성분분석 등 검사가 진행되었다 하더라도 특별한 사정이 없는 한 위법하다고 볼 수 없다.(대법원 2013. 9. 26. 2013도7718 통제배달사건Ⅰ)

③ [○] 피처분자가 현장에 없거나 현장에서 그를 발견할 수 없는 경우 등 영장제시가 현실적으로 불가능한 경우에는 영장을 제시하지 아니한 채 압수·수색을 하더라도 위법하다고 볼 수 없다.(대법원 2015. 1. 22. 2014도10978 全合)

254 압수 · 수색에 관한 설명으로 가장 적절하지 않은 것은? (다툼이 있으면 판례에 의함)

24 경찰승진 [Core ★★]

① 사법경찰관은 사본을 확보한 경우 등 압수를 계속할 필요가 없다고 인정되는 압수물 및 증거에 사용할 압수물에 대하여 공소제기 전이라도 소유자, 소지자, 보관자 또는 제출인의 청구가 있는 때에는 검사의 지휘를 받아 환부 또는 가환부하여야 한다.

② 정보저장매체의 외형적 · 객관적 지배 · 관리 등 상태와 별도로 단지 피의자나 그 밖의 제3자가 과거 그 정보저장매체의 이용 내지 개별 전자정보의 생성 · 이용 등에 관여한 사실이 있다는 사정만으로 그들을 실질적으로 압수 · 수색을 받는 당사자로 취급하여야 하는 것은 아니다.

③ 피처분자가 현장에 없거나 현장에서 그를 발견할 수 없는 경우 등 영장제시가 현실적으로 불가능한 경우에는 영장을 제시하지 아니한 채 압수 · 수색을 하더라도 위법하다고 볼 수 없다.

④ 정보저장매체를 임의제출한 피압수자에 더하여 임의제출자 아닌 피의자에게도 참여권이 보장되어야 하는 '피의자의 소유 · 관리에 속하는 정보저장매체'에 해당하는지 여부는 민사법상 권리의 귀속에 따른 법률적 판단을 기준으로 종합적으로 판단하여야 한다.

해설

④ [×] 피해자 등 제3자가 피의자의 소유 · 관리에 속하는 정보저장매체를 영장에 의하지 않고 임의제출한 경우에는 실질적 피압수자인 피의자가 수사기관으로 하여금 그 전자정보 전부를 무제한 탐색하는 데 동의한 것으로 보기 어려울 뿐만 아니라 피의자 스스로 임의제출한 경우 피의자의 참여권 등이 보장되어야 하는 것과 견주어 보더라도 특별한 사정이 없는 한 형사소송법 제219조, 제121조, 제129조에 따라 피의자에게 참여권을 보장하고 압수한 전자정보 목록을 교부하는 등 피의자의 절차적 권리를 보장하기 위한 적절한 조치가 이루어져야 한다. 이와 같이 정보저장매체를 임의제출한 피압수자에 더하여 임의제출자 아닌 피의자에게도 참여권이 보장되어야 하는 '피의자의 소유 · 관리에 속하는 정보저장매체'라 함은 피의자가 압수 · 수색 당시 또는 이와 시간적으로 근접한 시기까지 해당 정보저장매체를 현실적으로 지배 · 관리하면서 그 정보저장매체 내 전자정보 전반에 관한 전속적인 관리처분권을 보유 · 행사하고, 달리 이를 자신의 의사에 따라 제3자에게 양도하거나 포기하지 아니한 경우로써 피의자를 그 정보저장매체에 저장된 전자정보에 대하여 실질적인 압수 · 수색 당사자로 평가할 수 있는 경우를 말하는 것이다. **이에 해당하는지 여부는 민사법상 권리의 귀속에 따른 법률적 · 사후적 판단이 아니라 압수 · 수색 당시 외형적 · 객관적으로 인식 가능한 사실상의 상태를 기준으로 판단하여야 한다.**(대법원 2022. 1. 27. 2021도11170 정경심 교수 사건)

① [○] 검사는 사본을 확보한 경우 등 압수를 계속할 필요가 없다고 인정되는 압수물 및 증거에 사용할 압수물에 대하여 공소제기 전이라도 소유자, 소지자, 보관자 또는 제출인의 **청구가 있는 때에는 환부 또는 가환부하여야 한다.** 사법경찰관의 환부 또는 가환부 처분에 관하여는 제1항부터 제3항까지의 규정을 준용한다.(제218조의2 제1항 · 제4항)

② [○] 정보저장매체의 외형적 · 객관적 지배 · 관리 등 상태와 별도로 단지 피의자나 그 밖의 제3자가 과거 그 **정보저장매체의 이용 내지 개별 전자정보의 생성 · 이용 등에 관여한 사실이 있다거나 그 과정에서 생성된 전자정보에 의해 식별되는 정보주체에 해당한다는 사정만으로 그들을 실질적으로 압수 · 수색을 받는 당사자로 취급하여야 하는 것은 아니다.**(대법원 2022. 1. 27. 2021도11170 정경심 교수 사건)

③ [○] 형사소송법 제219조가 준용하는 제118조는 '압수 · 수색영장은 처분을 받는 자에게 반드시 제시하여야 한다'고 규정하고 있으나 이는 **영장제시가 현실적으로 가능한 상황을 전제로 한 규정으로 보아야 하고, 피처분자가 현장에 없거나 현장에서 그를 발견할 수 없는 경우 등 영장제시가 현실적으로 불가능한 경우에는 영장을 제시하지 아니한 채 압수 · 수색을 하더라도 위법하다고 볼 수 없다.**(대법원 2015. 1. 22. 2014도10978 全 合 이석기 의원 사건)

255 압수·수색에 관한 설명 중 옳지 않은 것은? (다툼이 있으면 판례에 의함)

① 수사기관이 2022. 9. 12. 甲을 성폭력범죄의 처벌 등에 관한 특례법 위반(카메라등이용촬영)의 현행범으로 체포하면서 휴대전화를 임의제출받은 후 피의자신문 과정에서 甲과 함께 휴대전화를 탐색하던 중 2022. 6.경의 동일한 범행에 관한 영상을 발견하고 그 영상을 甲에게 제시하였으며 甲이 해당 영상을 언제, 어디에서 촬영한 것인지 쉽게 알아보고 그에 관해 구체적으로 진술하였던 경우에 甲에게 전자정보의 파일 명세가 특정된 압수목록이 작성·교부되지 않았더라도 甲의 절차상 권리가 실질적으로 침해되었다고 볼 수 없다.

② 甲이 A 소유 모텔 객실에 위장형 카메라를 몰래 설치해 불법촬영을 하였는데 이후 甲의 범행을 인지한 수사기관이 A로부터 임의제출 형식으로 위 카메라를 압수한 경우 카메라의 메모리카드에 사실상 대부분 압수의 대상이 되는 전자정보만이 저장되어 있어 해당 전자정보인 불법촬영 동영상을 탐색·출력하는 과정에서 위 임의제출에 따른 통상의 압수절차 외에 별도의 조치가 따로 요구되는 것은 아니므로 甲에게 참여의 기회를 보장하지 않고 전자정보 압수목록을 작성·교부하지 않았다는 점만으로 곧바로 위 임의제출물의 증거능력을 부정할 수 없다.

③ 정보저장매체를 임의제출한 피압수자에 더하여 임의제출자 아닌 피의자에게도 참여권이 보장되어야 하는 '피의자의 소유·관리에 속하는 정보저장매체'에 해당하는지 여부는 전자정보에 의해 식별되는 정보주체의 정보자기결정권을 고려할 때 압수·수색 당시 외형적·객관적으로 인식 가능한 사실상의 상태가 아니라 민사법상 권리의 귀속에 따른 법률적·사후적 판단을 기준으로 판단하여야 한다.

④ 수사기관은 압수 직후 현장에서 압수물 목록을 바로 작성하여 교부해야 하는 것이 원칙이고 압수된 전자정보의 상세목록에는 정보의 파일 명세가 특정되어 있어야 하며 수사기관은 이를 출력한 서면을 교부하거나 전자파일 형태로 복사해 주거나 이메일을 전송하는 등의 방식으로도 할 수 있다.

⑤ 수사기관이 압수·수색영장으로 압수한 휴대전화가 클라우드 서버에 로그인되어 있는 상태를 이용하여 클라우드 서버에서 불법촬영물을 다운로드받아 압수한 경우 압수·수색영장에 적힌 '압수할 물건'에 원격지 서버 저장 전자정보가 기재되어 있지 않았다면 압수한 불법촬영물은 유죄의 증거로 사용할 수 없다.

해설

③ [×] 정보저장매체를 임의제출한 피압수자에 더하여 임의제출자 아닌 피의자에게도 참여권이 보장되어야하는 '피의자의 소유·관리에 속하는 정보저장매체'라 함은 피의자가 압수·수색 당시 또는 이와 시간적으로 근접한 시기까지 해당 정보저장매체를 현실적으로 지배·관리하면서 그 정보저장매체 내 전자정보 전반에 관한 전속적인 관리처분권을 보유·행사하고, 달리 이를 자신의 의사에 따라 제3자에게 양도하거나 포기하지 아니한 경우로써 피의자를 그 정보저장매체에 저장된 전자정보에 대하여 실질적인 압수·수색 당사자로 평가할 수 있는 경우를 말하는 것이다. 이에 해당하는지 여부는 **민사법상 권리의 귀속에 따른 법률적·사후적 판단이 아니라 압수·수색 당시 외형적·객관적으로 인식 가능한 사실상의 상태를 기준으로 판단하여야 한다.** 이러한 정보저장매체의 외형적·객관적 지배·관리 등 상태와 별도로 단지 피의자나 그 밖의 제3자가 과거 그 정보저장매체의 이용 내지 개별 전자정보의 생성·이용 등에 관여한 사실이 있다거나 그 과정에서 생성된 전자정보에 의해 식별되는 정보주체에 해당한다는 사정만으로 그들을 실질적으로 압수·수색을 받는 당사자로 취급하여야 하는 것은 아니다.(대법원 2022. 1. 27. 2021도11170 정경심 교수 사건)

① [○] 수사기관이 2022. 9. 12. 甲을 성폭력범죄의 처벌 등에 관한 특례법 위반(카메라등이용촬영)의 현행범으로 체포하면서 휴대전화를 임의제출받은 후 피의자신문 과정에서 甲과 함께 휴대전화를 탐색하던 중 2022. 6.경의 동일한 범행에 관한 영상을 발견하고 그 영상을 甲에게 제시하였으며 **甲이 해당 영상을 언제, 어디에서 촬영한 것인지 쉽게 알아보고 그에 관해 구체적으로 진술하였던 경우**에 甲에게 전자정보의 파일 명세가 특정된 압수목록이 작성·교부되지 않았더라도 甲의 절차상 권리가 실질적으로 침해되었다고 볼 수 없다.(대법원 2022. 2. 17. 2019도4938 임의제출 순수자백 몰카범 사건)

② [○] 甲이 A 소유 모텔 객실에 위장형 카메라를 몰래 설치해 불법촬영을 하였는데 이후 甲의 범행을 인지한 수사기관이 A로부터 임의제출 형식으로 위 카메라를 압수한 경우 카메라의 메모리카드에 사실상 **대부분 압수의 대상이 되는 전자정보만이 저장되어 있어** 해당 전자정보인 불법촬영 동영상을 탐색·출력하는 과정에서 위 임의제출에 따른 통상의 압수절차 외에 별도의 조치가 따로 요구되는 것은 아니므로 甲에게 참여의 기회를 보장하지 않고 전자정보 압수목록을 작성·교부하지 않았다는 점만으로 곧바로 위 임의제출물의 증거능력을 부정할 수 없다.(대법원 2021. 11. 25. 2019도7342 모텔 몰카 압수사건)

④ [○] 수사기관은 압수 직후 현장에서 압수물 목록을 바로 작성하여 교부해야 하는 것이 원칙이고 압수된 전자정보의 상세목록에는 정보의 파일 명세가 특정되어 있어야 하며 **수사기관은 이를 출력한 서면을 교부하거나 전자파일 형태로 복사해 주거나 이메일을 전송하는 등의 방식으로도 할 수 있다.**(대법원 2018. 2. 8. 2017도13263 유흥주점 탈세 사건)

⑤ [○] 수사기관이 압수·수색영장으로 압수한 휴대전화가 클라우드 서버에 로그인되어 있는 상태를 이용하여 클라우드 서버에서 불법촬영물을 다운로드받아 압수한 경우 압수·수색영장에 적힌 '압수할 물건'에 원격지 서버 저장 전자정보가 기재되어 있지 않았다면 압수한 불법촬영물은 유죄의 증거로 사용할 수 없다.(대법원 2022. 6. 30. 2020모735 Virtual Desktop Infrastructure 수색사건)

256

압수 · 수색에 관한 다음 설명 중 틀린 것은 모두 몇 개인가? (다툼이 있으면 판례에 의함)

> ㉠ 압수·수색영장에서 압수할 물건을 '압수장소에 보관중인 물건'이라고 기재하고 있는 것을 '압수장소에 현존하는 물건'으로 해석할 수는 없다.
>
> ㉡ 소유자, 소지자 또는 보관자가 아닌 자로부터 제출받은 물건을 영장없이 압수한 '압수물' 및 '압수물을 찍은 사진'은 이를 유죄 인정의 증거로 사용할 수 없지만 피고인이나 변호인이 이를 증거로 함에 동의하였다면 증거능력이 인정된다.
>
> ㉢ 수사기관이 압수·수색에 착수하면서 그 장소의 관리책임자에게 영장을 제시하였다면 물건을 소지하고 있는 다른 사람으로부터 이를 압수하고자 하는 때 그 사람에게 따로 영장을 제시할 필요는 없다.
>
> ㉣ 검사가 공소제기 후 형사소송법 제215조에 따라 수소법원 이외의 지방법원 판사에게 청구하여 발부받은 영장에 의하여 압수·수색을 하였다면, 그와 같이 수집된 증거는 원칙적으로 유죄의 증거로 삼을 수 없다.
>
> ㉤ 전자정보에 대한 압수·수색에 있어 저장매체 자체를 외부로 반출하거나 하드카피·이미징 등의 형태로 복제본을 만들어 외부에서 저장매체나 복제본에 대하여 압수·수색이 허용되는 예외적인 경우에도 혐의사실과 관련된 전자정보 이외에 이와 무관한 전자정보를 탐색·복제·출력하는 것은 원칙적으로 위법한 압수·수색에 해당하므로 허용될 수 없다.

① 1개 　　　② 2개 　　　③ 3개 　　　④ 4개

해설

> ② ㉡㉢ 2 항목이 옳지 않다.
>
> ㉠ [O] 법관이 압수 · 수색영장을 발부하면서 '압수할 물건'을 특정하기 위하여 기재한 문언은 이를 엄격하게 해석하여야 하고 함부로 피압수자 등에게 불리한 내용으로 확장 또는 유추 해석하는 것은 허용될 수 없다. 압수 · 수색영장에서 압수할 물건을 '압수장소에 보관 중인 물건'이라고 기재하고 있는 것을 '압수장소에 현존하는 물건'으로 해석할 수 없다.(대법원 2009. 3. 12. 2008도763 김태환 제주지사 사건)
>
> ㉡ [×] 형사소송법 제217조 규정에 위반하여 소유자, 소지자 또는 보관자가 아닌 자로부터 제출받은 물건을 영장 없이 압수한 경우 그 압수물 및 압수물을 찍은 사진은 이를 **유죄 인정의 증거로 사용할 수 없는 것**이고, 헌법과 형사소송법이 선언한 영장주의의 중요성에 비추어 볼 때 피고인이나 변호인이 **이를 증거로 함에 동의하였다고 하더라도 달리 볼 것은 아니다.**(대법원 2010. 1. 28. 2009도10092 쇠파이프 압수사건)
>
> ㉢ [×] 압수 · 수색영장은 처분을 받는 자에게 반드시 제시하여야 하는바, 현장에서 압수 · 수색을 당하는 사람이 여러 명일 경우에는 그 사람들 모두에게 개별적으로 영장을 제시해야 하는 것이 원칙이고, 수사기관이 압수 · 수색에 착수하면서 그 장소의 관리책임자에게 영장을 제시하였다고 하더라도 **물건을 소지하고 있는 다른 사람으로부터 이를 압수하고자 하는 때에는 그 사람에게 따로 영장을 제시하여야 한다.**(대법원 2009. 3. 12. 2008도763 김태환 제주지사 사건)

정답 | 256 ②

㉣ [○] 검사가 공소제기 후 형사소송법 제215조에 따라 **수소법원 이외의 지방법원판사**에게 청구하여 발부받은 영장에 의하여 압수·수색을 하였다면, 그와 같이 수집된 증거는 기본적 인권 보장을 위해 마련된 적법한 절차에 따르지 않은 것으로서 원칙적으로 **유죄의 증거로 삼을 수 없다.**(대법원 2011. 4. 28. 2009도10412 **공정위 사무관 수뢰사건**)

㉤ [○] 저장매체 자체 또는 적법하게 획득한 복제본을 탐색하여 혐의사실과 관련된 전자정보를 문서로 출력하거나 파일로 복제하는 일련의 과정 역시 전체적으로 하나의 영장에 기한 압수·수색의 일환에 해당한다할 것이므로, 그러한 경우의 문서출력 또는 파일복제의 대상 역시 저장매체 소재지에서의 압수·수색과 마찬가지로 **혐의사실과 관련된 부분으로 한정되어야 함은 헌법 제12조 제1항, 제3항과 형사소송법 제114조, 제215조의 적법절차 및 영장주의 원칙**이나 앞서 본 비례의 원칙에 비추어 당연하다. 따라서 수사기관 사무실 등으로 반출된 저장매체 또는 복제본에서 혐의사실 관련성에 대한 구분 없이 임의로 저장된 전자정보를 문서로 출력하거나 파일로 복제하는 행위는 원칙적으로 영장주의 원칙에 반하는 위법한 압수가 된다.(대법원 2015. 7. 19. 2011모1839 全合 **종근당 압수·수색사건**)

257

□□□

다음 사례에서 P가 할 수 있는 조치에 대한 설명으로 옳은 것은? (다툼이 있으면 판례에 의함)

22 국가9급 [Core ★★]

> 미성년자 甲은 음주운전을 하다가 교통사고를 내고 구급차에 실려 병원으로 이송되었다. 사법경찰관 P는 응급실에 누워 있는 甲에게서 술냄새가 강하게 나는 것을 인지하고 甲을 도로교통법위반(음주운전)죄로 입건하기 위해 증거 수집의 목적으로 甲의 혈액을 취득·보관하려고 한다.

① P가 甲의 동의 없이 혈액을 강제로 취득하는 것은 형사소송법이 정한 압수의 방법으로 하여야 하고, 감정에 필요한 처분으로는 이를 할 수 없다.

② 甲이 응급실에서 의식을 잃지 않고 의사능력이 있는 경우라도 甲은 미성년자이므로 P는 甲의 법정대리인의 동의를 얻어야 그의 혈액을 압수할 수 있다.

③ 위 응급실은 형사소송법 제216조 제3항의 범죄장소에 준한다고 볼 수 없으므로 P는 긴급 체포시 압수의 방법으로 영장 없이 甲의 혈액을 취득할 수 있다.

④ P는 당시 간호사가 위 혈액의 소지자 겸 보관자인 의료기관 또는 담당 의사를 대리하여 혈액을 경찰관에게 임의로 제출할 수 있는 권한이 없었다고 볼 특별한 사정이 없는 이상 간호사로부터 진료 목적으로 채혈해 놓은 甲의 혈액을 임의로 제출받아 영장 없이 압수할 수 있다.

해설

④ [○] 의료인이 진료 목적으로 채혈한 환자의 혈액을 수사기관에 임의로 제출하였다면 그 혈액의 증거사용에 대하여도 환자의 사생활의 비밀 기타 인격적 법익이 침해되는 등의 특별한 사정이 없는 한 반드시 그 환자의 동의를 받아야 하는 것이 아니고 따라서 경찰관이 간호사로부터 진료 목적으로 이미 채혈되어 있던 피고인의 혈액 중 일부를 주취운전 여부에 대한 감정을 목적으로 임의로 **제출 받아 이를 압수한 경우 그 압수절차가 피고인 또는 피고인의 가족의 동의 및 영장 없이 행하여졌다고 하더라도 이에 적법절차를 위반한 위법이 있다고 할 수 없다.**(대법원 1999. 9. 3. 98도968 **공주의료원 사건**) P는 간호사로부터 진료 목적으로 채혈해 놓은 甲의 혈액을 임의로 제출받아 영장 없이 압수할 수 있다.

① [×] 수사기관이 범죄 증거를 수집할 목적으로 피의자의 동의 없이 피의자의 혈액을 취득·보관하는 행위는 법원으로부터 **감정처분허가장을 받아** 형사소송법 제221조의4 제1항, 제173조 제1항에 의한 '**감정에 필요한 처분**'으로도 할 수 있지만, 형사소송법 제219조, 제106조 제1항에 정한 **압수의 방법으로도 할 수 있고**, 압수의 방법에 의하는 경우 혈액의 취득을 위하여 피의자의 신체로부터 혈액을 채취하는 행위는 그 혈액의 압수를 위한 것으로서 형사소송법 제219조, 제120조 제1항에 정한 '압수영장의 집행에 있어 필요한 처분'에 해당한다.(대법원 2012. 11. 15. 2011도15258 **구로 강제채혈사건**) P는 압수의 방법으로 또는 감정에 필요한 처분으로 甲의 동의 없이 혈액을 강제로 취득할 수 있다.

② [×] 음주운전과 관련한 도로교통법 위반죄의 범죄수사를 위하여 미성년자인 피의자의 혈액채취가 필요한 경우에도 **피의자에게 의사능력이 있다면 피의자 본인만이 혈액채취에 관한 유효한 동의를 할 수 있고**, 피의자에게 의사능력이 없는 경우에도 명문의 규정이 없는 이상 법정대리인이 피의자를 대리하여 동의할 수는 없다.(대법원 2014. 11. 13. 2013도1228 **의정부 강제채혈사건**) 甲에게 의사능력이 있다면 P는 甲의 법정대리인의 동의를 얻지 않더라도 甲의 동의만 얻으면 혈액을 압수할 수 있다.

③ [×] (1) 음주운전 중 교통사고를 야기한 후 피의자가 의식불명 상태에 빠져 있는 등으로 호흡조사에 의한 음주측정이 불가능하고 혈액 채취에 대한 동의를 받을 수도 없을 뿐만 아니라 법원으로부터 혈액 채취에 대한 감정처분허가장이나 사전 압수영장을 발부받을 시간적 여유도 없는 긴급한 상황이 생길 경우 (2) 피의자의 신체 내지 의복류에 주취로 인한 냄새가 강하게 나는 등 형사소송법 제211조 제2항 제3호가 정하는 범죄의 증적이 현저한 준현행범인으로서의 요건이 갖추어져 있고 교통사고 발생 시각으로부터 사회통념상 범행 직후라고 볼 수 있는 시간 내라면 (3) 피의자의 생명·신체를 구조하기 위하여 사고현장으로 부터 곧바로 후송된 **병원 응급실 등의 장소는 형사소송법 제216조 제3항의 범죄장소에 준한다 할 것이므로** 검사 또는 사법경찰관은 피의자의 혈중알콜농도등 증거의 수집을 위하여 의료법상 의료인의 자격이 있는 자로 하여금 의료용 기구로 의학적인 방법에 따라 필요최소한의 한도 내에서 피의자의 혈액을 채취하게 한 후 그 혈액을 영장 없이 압수할 수 있다. 다만, 이 경우 형사소송법 제216조 제3항 단서, 형사소송규칙 제58조, 제107조 제1항 제3호에 따라 사후에 지체 없이 강제채혈에 의한 압수의 사유 등을 기재한 영장청구서에 의하여 법원으로부터 압수영장을 받아야 한다.(대법원 2012. 11. 15. 2011도15258 **구로 강제채혈사건**) 응급실은 형사소송법 제216조 제3항의 범죄장소에 준하므로 P는 '범죄장소에서의 압수의 방법으로' 영장없이 甲의 혈액을 취득할 수 있다.

정답 | 257 ④

258

☐☐☐ 압수 · 수색에 관한 설명 중 가장 적절하지 않은 것은? (다툼이 있으면 판례에 의함)

23 경대편입 [Core ★★]

① 경찰관이 전화사기죄 범행의 혐의자를 긴급체포하면서 그가 보관하고 있던 다른 사람의 주민등록증, 운전면허증 등을 압수한 사안에서, 이는 해당 범죄사실의 수사에 필요한 범위 내의 압수로서 적법하므로, 이를 위 혐의자의 점유이탈물횡령죄 범행에 대한 증거로 사용할 수 있다.

② 압수 · 수색영장의 범죄 혐의사실과 객관적 관련성이 있는 범죄라는 것은 압수 · 수색영장에 기재된 혐의사실 자체 또는 그와 기본적 사실관계가 동일한 범행과 직접 관련되어 있는 경우는 포함되지만 단지 범행 동기와 경위, 범행 수단과 방법, 범행 시간과 장소 등을 증명하기 위한 간접증거나 정황증거 등으로 사용될 수 있는 경우는 인정되지 않는다.

③ 수사기관이 압수 · 수색에 착수하면서 그 장소의 관리책임자에게 영장을 제시하였더라도 물건을 소지하고 있는 다른 사람으로부터 이를 압수하고자 하는 때에는 그 사람에게 따로 영장을 제시하여야 한다.

④ 전자정보에 대한 압수 · 수색이 종료되기 전에 혐의사실과 관련된 전자정보를 적법하게 탐색하는 과정에서 별도의 범죄혐의와 관련된 전자정보를 우연히 발견하면 수사기관은 더 이상의 추가 탐색을 중단하고 법원에서 별도의 범죄혐의에 대한 압수 · 수색영장을 발부받은 경우에 한하여 그러한 정보를 적법하게 압수 · 수색할 수 있다.

⑤ 수사기관이 압수 · 수색영장을 집행하면서 甲 회사에 팩스로 영장 사본을 송신하기만 하고 영장 원본을 제시하거나 압수조서와 압수물목록을 작성하여 피압수 · 수색 당사자에게 교부하지도 않았다면 그 압수 · 수색은 위법하다.

해설

② [×] (1) 압수 · 수색영장의 범죄 혐의사실과 관계있는 범죄라는 것은 압수 · 수색영장에 기재한 혐의사실과 객관적 관련성이 있고 압수 · 수색영장 대상자와 피의자 사이에 인적 관련성이 있는 범죄를 의미한다. (2) 그 중 혐의사실과의 객관적 관련성은 압수 · 수색영장에 기재된 혐의사실 자체 또는 그와 기본적 사실관계가 동일한 범행과 직접 관련되어 있는 경우는 물론 범행 동기와 경위, 범행 수단과 방법, 범행 시간과 장소 등을 증명하기 위한 간접증거나 정황증거 등으로 사용될 수 있는 경우에도 인정될 수 있다. 이러한 객관적 관련성은 압수 · 수색영장에 기재된 혐의사실의 내용과 수사의 대상, 수사 경위 등을 종합하여 구체적 · 개별적 연관관계가 있는 경우에만 인정된다고 보아야 하고, 혐의사실과 단순히 동종 또는 유사 범행이라는 사유만으로 객관적 관련성이 있다고 할 것은 아니다.(대법원 2021. 7. 29. 2021도3756 **필로폰 교부 → 필로폰 투약 사건**)

① [○] 경찰관이 이른바 전화사기죄 범행의 혐의자를 긴급체포하면서 그가 보관하고 있던 다른 사람의 주민등록증, 운전면허증 등을 압수한 경우 이는 구 형사소송법 제217조 제1항에서 규정한 해당 범죄사실의 수사에 필요한 범위 내의 압수로서 적법하므로 이를 위 혐의자의 **점유이탈물횡령죄 범행에 대한 증거로 사용할 수 있다.**(대법원 2008. 7. 10. 2008도2245 **전화사기범 압수 · 수색사건**)

③ [○] 압수 · 수색영장은 현장에서 피압수자가 여러 명일 경우에는 그들 모두에게 개별적으로 영장을 제시해야 하는 것이 원칙이다. 수사기관이 압수 · 수색에 착수하면서 그 장소의 관리책임자에게 영장을 제시하였다고 하더라도 물건을 소지하고 있는 다른 사람으로부터 이를 압수하고자 하는 때에는 그 사람에게 따로 영장을 제시하여야 한다.(대법원 2017. 9. 21. 2015도12400 **정상혁 보은군수 사건**)

④ [○] 전자정보에 대한 압수·수색이 종료되기 전에 혐의사실과 관련된 전자정보를 적법하게 탐색하는 과정에서 별도의 범죄혐의와 관련된 전자정보를 우연히 발견하면, 수사기관은 더 이상의 추가 탐색을 중단하고 법원에서 별도의 범죄혐의에 대한 압수·수색영장을 발부받은 경우에 한하여 그러한 정보를 적법하게 압수·수색할 수 있다. 이 경우에도 특별한 사정이 없는 한 피압수자에게 형사소송법 제219조, 제121조, 제129조에 따라 참여권을 보장하고 압수한 전자정보 목록을 교부하는 등 피압수자의 이익을 보호하기 위한 적절한 조치를 하여야 한다.(대법원 2017. 11. 14. 2017도3449 **권선택 대전시장 사건**)

⑤ [○] 수사기관이 이메일에 대한 압수·수색영장을 집행할 당시 피압수자인 네이버 주식회사에 팩스로 영장 사본을 송신했을 뿐 그 원본을 제시하지 않았고, 압수조서와 압수물 목록을 작성하여 피압수·수색 당사자에게 교부하였다고 볼 수 없는 경우 이러한 방법으로 압수된 이메일은 위법수집증거로 원칙적으로 유죄의 증거로 삼을 수 없다.(대법원 2017. 9. 7. 2015도10648 **안재구 경북대 교수 사건**)

259 영장주의에 관한 설명 중 가장 적절하지 않은 것은? (다툼이 있으면 판례에 의함)

□□□
23 경찰채용 [Essential ★]

① 수사기관이 甲주식회사에서 압수·수색영장을 집행하면서 甲회사에 팩스로 영장 사본을 송신하기만 하고 영장 원본을 제시하거나 압수조서와 압수물 목록을 작성하여 피압수·수색 당사자에게 교부하지도 않은 채 피고인의 이메일을 압수한 후 이를 증거로 제출한 사안에서, 위와 같은 방법으로 압수된 이메일은 형사소송법 등에서 정한 절차를 위반한 것으로 유죄 인정의 증거로 사용할 수 없다.

② 법원이 피고인에 대하여 구속영장을 발부하기 전에 형사소송법 제72조에서 규정한 절차를 거치지 아니하였다 하더라도 같은 규정에 따른 절차적 권리가 실질적으로 보장되었다면 위 사전 청문절차를 거치지 않은 것만으로 그 구속영장 발부결정이 위법하다고 볼 것은 아니다.

③ 형사소송법 제88조는 "피고인을 구속한 때에는 즉시 공소사실의 요지와 변호인을 선임할 수 있음을 알려야 한다"고 규정하고 있는바, 이는 사후 청문절차에 관한 규정으로서 이를 위반한 경우 구속영장의 효력에 어떠한 영향을 미치는 것은 아니다.

④ 형사소송법 제217조 제2항·제3항에 위반하여 압수·수색영장을 발부받지 아니하고도 즉시 반환하지 아니한 압수물은 이를 유죄인정의 증거로 사용할 수 없지만, 피고인이나 변호인이 이를 증거로 함에 동의하였다면 유죄 인정의 증거로 사용할 수 있다.

CRIMINAL PROCEDURE **LAW**

해설

④ [×] (사법경찰관이 피의자를 긴급체포하면서 그 체포현장에서 물건을 압수한 경우) 형사소송법 제217조 제2항, 제3항에 위반하여 압수·수색영장을 청구하여 이를 발부받지 아니하고도 즉시 반환하지 아니한 압수물은 이를 유죄 인정의 **증거로 사용할 수 없는 것이고, 피고인이나 변호인이 이를 증거로 함에 동의하였다고 하더라도 달리 볼 것은 아니다.**(대법원 2009. 12. 24. 2009도11401 긴급체포 사기범 사건)

① [O] 수사기관이 이메일에 대한 압수·수색영장을 집행할 당시 피압수자인 네이버 주식회사에 팩스로 영장 사본을 송신했을 뿐 그 원본을 제시하지 않았고, 압수조서와 압수물 목록을 작성하여 피압수·수색 당사자에게 교부하였다고 볼 수 없는 경우 이러한 방법으로 **압수된 이메일은 위법수집증거로 원칙적으로 유죄의 증거로 삼을 수 없다.**(대법원 2017. 9. 7. 2015도10648 안재구 경북대 교수 사건)

② [O] 형사소송법 제72조는 '피고인에 대하여 범죄사실의 요지, 구속의 이유와 변호인을 선임할 수 있음을 말하고 변명할 기회를 준 후가 아니면 구속할 수 없다'고 규정하고 있는바, 이는 피고인을 구속함에 있어 법관에 의한 사전 청문절차를 규정한 것으로서 구속영장을 집행함에 있어 집행기관이 취하여야 하는 절차가 아니라 구속영장 발부함에 있어 수소법원 등 법관이 취하여야 하는 절차라 할 것이므로 법원이 피고인에 대하여 구속영장을 발부함에 있어 사전에 위 규정에 따른 절차를 거치지 아니한 채 구속영장을 발부하였다면 그 **발부결정은 위법하다고 할 것이나,** 위 규정은 피고인의 절차적 권리를 보장하기 위한 규정이므로 **이미 변호인을 선정하여 공판절차에서 변명과 증거의 제출을 다하고 그의 변호 아래 판결을 선고받은 경우 등과 같이 위 규정에서 정한 절차적 권리가 실질적으로 보장되었다고 볼 수 있는 경우에는 이에 해당하는 절차의 전부 또는 일부를 거치지 아니한 채 구속영장을 발부하였다 하더라도 이러한 점만으로 그 발부결정이 위법하다고 볼 것은 아니다.**(대법원 2000. 11. 10. 2000모134 형소법 제72조·제88조 간과사건)

③ [O] 형사소송법 제88조는 '피고인을 구속한 때에는 즉시 공소사실의 요지와 변호인을 선임할 수 있음을 알려야 한다'고 규정하고 있는바, 이는 **사후 청문절차에 관한 규정으로서 이를 위반하였다 하여 구속영장의 효력에 어떠한 영향을 미치는 것은 아니다.**(대법원 2000. 11. 10. 2000모134 형소법 제72조·제88조 간과사건)

260 압수·수색에 관한 설명으로 가장 적절하지 않은 것은? (다툼이 있으면 판례에 의함)

□□□

21 경찰채용 [Essential ★]

① 사법경찰관은 긴급체포된 자가 소유·소지 또는 보관하는 물건에 대하여 긴급히 압수할 필요가 있는 경우에는 체포한 때부터 24시간 이내에 한하여 영장 없이 압수·수색 또는 검증을 할 수 있으며, 이 경우 압수·수색 또는 검증은 체포현장이 아닌 장소에서도 할 수 있다.

② 경찰관이 현행범인 체포 당시 임의제출방식으로 피의자로부터 압수한 휴대전화기에 대하여 작성한 압수조서 중 압수경위란에 피의자의 범행을 직접 목격한 사람의 진술이 기재된 경우, 이는 형사소송법 제312조 제5항에서 정한 '피고인이 아닌 자가 수사과정에서 작성한 진술서'에 준하며, 휴대전화기에 대한 임의제출 절차가 적법하지 않다면 압수조서에 기재된 진술은 증거로 할 수 없다.

③ 사법경찰관은 소유자·소지자 또는 보관자가 임의로 제출한 물건을 영장 없이 압수할 수 있으므로 현행범 체포현장이나 범죄현장에서도 소지자 등이 임의로 제출하는 물건을 영장없이 압수하는 것이 허용되고, 이 경우 별도로 사후에 영장을 받을 필요가 없다.

④ 사법경찰관은 피의사실이 중대하고 범죄혐의가 명백함에도 불구하고 피의자가 장시간의 설득에도 소변의 임의제출을 거부하면서 영장집행에 저항하여 다른 방법으로 수사 목적을 달성하기 곤란하다고 판단한 때에는 '압수·수색영장의 집행에 필요한 처분'으로 필요 최소한의 한도 내에서 피의자를 강제로 인근병원으로 데리고 가서 의사로 하여금 피의자의 신체에서 소변을 채취하는 것이 허용된다.

해설

② [×] 휴대전화기에 대한 압수조서 중 '압수경위'란에 기재된 내용은, 피고인이 범행을 저지르는 현장을 직접 목격한 사람의 진술이 담긴 것으로서 형사소송법 제312조 제5항에서 정한 '피고인이 아닌 자가 수사과정에서 작성한 진술서'에 준하는 것으로 볼 수 있고, 이에 따라 **휴대전화기에 대한 임의제출절차가 적법하였는지 여부에 영향을 받지 않는 별개의 독립적인 증거에 해당하므로 피고인이 증거로 함에 동의한 이상 유죄를 인정하기 위한 증거로 사용할 수 있다.**(대법원 2019. 11. 14. 2019도13290 지하철 몰카 사건Ⅰ)

① [○] 형사소송법 제217조는 수사기관이 피의자를 긴급체포한 상황에서 피의자가 체포되었다는 사실이 공범이나 관련자들에게 알려짐으로써 관련자들이 증거를 파괴하거나 은닉하는 것을 방지하고, 범죄사실과 관련된 증거물을 신속히 확보할 수 있도록 하기 위한 것이다. 이 규정에 따른 압수·수색 또는 검증은 체포현장에서의 압수·수색 또는 검증을 규정하고 있는 형사소송법 제216조 제1항 제2호와 달리, **체포현장이 아닌 장소에서도 긴급체포된 자가 소유·소지 또는 보관하는 물건을 대상으로 할 수 있다.**(대법원 2017. 9. 12. 2017도10309 **필로폰 거래자 긴급체포사건**)

③ [○] 현행범 체포현장이나 범죄현장에서도 소지자 등이 임의로 제출하는 물건은 형사소송법 제218조에 의하여 영장 없이 압수하는 것이 허용되고, 이 경우 검사나 사법경찰관은 **별도로 사후에 영장을 받을 필요가 없다.**(대법원 2020. 4. 9. 2019도17142 **지하철 몰카 사건Ⅱ**)

④ [○] 압수·수색의 방법으로 소변을 채취하는 경우 압수대상물인 피의자의 소변을 확보하기 위한 수사기관의 노력에도 불구하고, 피의자가 인근 병원 응급실 등 소변 채취에 적합한 장소로 이동하는 것에 동의하지 않거나 저항하는 등 임의동행을 기대할 수 없는 사정이 있는 때에는 수사기관으로서는 소변 채취에 적합한 장소로 피의자를 데려가기 위해서 필요 최소한의 유형력을 행사하는 것이 허용되는데, 이는 형사소송법 제219조, 제120조 제1항에서 정한 '압수·수색영장의 집행에 필요한 처분'에 해당한다.(대법원 2018. 7. 12. 2018도6219 **부산 강제채뇨 사건**)

261 사법경찰관 甲은 잠복 끝에 필로폰 투약혐의로 지명수배된 A를 긴급체포하였다. 이후 甲은 필로
□□□ 폰 투약혐의에 관하여 A의 소변, 모발, 투약에 사용된 도구 등에 대한 압수 · 수색 · 검증영장을
발부받은 다음 A의 주거지를 수색하여 사용 흔적이 있는 주사기를 압수하였다. 이후 위 영장에 따
라 3시간 가량 소변과 모발을 제출하도록 A를 설득하였음에도 A가 계속 거부하면서 자해를 하자
이를 제압하고 강제로 병원 응급실로 데려가 응급구조사로 하여금 A의 신체에서 소변을 채취하
도록 하여 이를 압수하였다. 다음 중 위 사례에 대한 설명으로 옳지 않은 것은? (다툼이 있으면 판
례에 의함)

20 해경채용 [Core ★★]

> ㉠ 범죄수사를 위하여 강제채뇨가 부득이하다고 인정되는 경우에 최후의 수단으로 적법한 절차
> 에 따라 허용된다고 보아야 하고, 이때 의사, 간호사, 그 밖의 숙련된 의료인 등으로 하여금
> 소변 채취에 적합한 장비와 시설을 갖춘 곳에서 피의자의 신체와 건강을 해칠 위험이 적고
> 피의자의 굴욕감 등을 최소화 하는 방법으로 소변을 채취하여야 한다.
> ㉡ A의 필로폰 투약혐의를 입증하기 위해 A의 동의 없이 소변을 채취하는 것은 감정에 필요한
> 처분으로 할 수도 있고 압수·수색의 방법으로도 할 수 있다.
> ㉢ A가 인근 병원 응급실로 이동하는 것에 동의하지 않고 저항하는 등 임의 동행을 기대할 수
> 없는 사정이 있어 甲이 소변채취에 적합한 응급실로 데려가기 위해 필요 최소한의 유형력을
> 행사한 것이라면 이는 압수·수색영장의 집행에 필요한 처분에 해당하고 적법하다.

① ㉠㉡㉢   ② ㉠㉡   ③ ㉢   ④ 없음

해설

> ④ 모든 항목이 옳다.
> ㉠ [O] (1) 강제채뇨는 피의자가 임의로 소변을 제출하지 않는 경우 피의자에 대하여 강제력을 사용해서 도뇨관
> (導尿管, catheter)을 요도를 통하여 방광에 삽입한 뒤 체내에 있는 소변을 배출시켜 소변을 취득 · 보관하는
> 행위이다. (2) 피의자에게 범죄 혐의가 있고 그 범죄가 중대한지, 소변성분 분석을 통해서 범죄혐의를 밝힐 수
> 있는지, 범죄 증거를 수집하기 위하여 피의자의 신체에서 소변을 확보하는 것이 필요한 것인지, 채뇨가 아닌 다른
> 수단으로는 증명이 곤란한지 등을 고려하여 범죄수사를 위해서 강제채뇨가 부득이하다고 인정되는 경우에 최후의
> 수단으로 적법한 절차에 따라 허용된다고 보아야 하고, 이때 의사, 간호사, 그 밖의 숙련된 의료인 등으로 하여금
> 소변 채취에 적합한 의료장비와 시설을 갖춘 곳에서 피의자의 신체와 건강을 해칠 위험이 적고 피의자의 굴욕감
> 등을 최소화하는 방법으로 소변을 채취하여야 한다.(대법원 2018. 7. 12. 2018도6219 부산 강제채뇨 사건)
> ㉡ [O] 수사기관이 범죄 증거를 수집할 목적으로 피의자의 동의 없이 피의자의 소변을 채취하는 것은 법원으로
> 부터 감정허가장을 받아 형사소송법 제221조의4 제1항, 제173조 제1항에서 정한 '감정에 필요한 처분'으로
> 할 수 있지만(피의자를 병원 등에 유치할 필요가 있는 경우에는 형사소송법 제221조의3에 따라 법원으로부터
> 감정유치장을 받아야 한다), 형사소송법 제219조, 제106조 제1항, 제109조에 따른 압수 · 수색의 방법으로도
> 할 수 있고, 이러한 압수 · 수색의 경우에도 수사기관은 원칙적으로 형사소송법 제215조에 따라 판사로부터
> 압수 · 수색영장을 적법하게 발부받아 집행해야 한다.(대법원 2018. 7. 12. 2018도6219 부산 강제채뇨 사건)
> ㉢ [O] 압수 · 수색의 방법으로 소변을 채취하는 경우 압수대상물인 피의자의 소변을 확보하기 위한 수사기관의 노력
> 에도 불구하고, 피의자가 인근 병원 응급실 등 소변 채취에 적합한 장소로 이동하는 것에 동의하지 않거나 저항하는
> 등 임의동행을 기대할 수 없는 사정이 있는 때에는 수사기관으로서는 소변 채취에 적합한 장소로 피의자를 데려가
> 기 위해서 필요 최소한의 유형력을 행사하는 것이 허용되는데, 이는 형사소송법 제219조, 제120조 제1항에서 정
> 한 '압수 · 수색영장의 집행에 필요한 처분'에 해당한다.(대법원 2018. 7. 12. 2018도6219 부산 강제채뇨 사건)

262

21 국가9급 [Core ★★]

형사절차에 대한 설명으로 옳지 않은 것은? (다툼이 있으면 판례에 의함)

① 체포·구속적부심사에 대한 법원의 기각결정에 대하여는 항고하지 못하지만, 보증금납입조건 부 석방결정에 대하여는 항고할 수 있다.

② 법원은 피고인이 도망하거나 죄증을 인멸할 염려가 있다고 믿을 만한 충분한 이유가 있는 때 에는 직권으로 보석을 취소할 수 있으며, 이러한 보석취소결정에 대하여는 항고할 수 있다.

③ 수사기관이 법원으로부터 영장 또는 감정처분허가장을 발부받지 아니한 채 피의자의 동의 없 이 피의자의 신체로부터 혈액을 채취하고 사후에도 지체 없이 영장을 발부받지 아니한 채 혈 액 중 알코올농도에 관한 감정을 의뢰하였더라도 이러한 과정을 거쳐 얻은 감정의뢰회보 등은 피고인이나 변호인의 동의가 있다면 유죄의 증거로 사용할 수 있다.

④ 압수·수색의 방법으로 소변을 채취하는 경우 압수대상물인 피의자의 소변을 확보하기 위한 수사기관의 노력에도 불구하고, 피의자가 소변 채취에 적합한 인근 병원 등으로 이동하는 것에 저항하는 등 임의동행을 기대할 수 없는 사정이 있는 때에는, 수사기관으로서는 소변채취에 적합한 장소로 피의자를 데려가기 위해서 필요 최소한의 유형력을 행사하는 것이 허용된다.

해설

③ [×] 수사기관이 법원으로부터 영장 또는 감정처분허가장을 발부받지 아니한 채 피의자의 동의 없이 피의자의 신체로부터 혈액을 채취하고 더구나 사후적으로도 지체 없이 이에 대한 영장을 발부받지 아니하고서 위와 같이 **강제채혈한 피의자의 혈액 중 알코올농도에 관한 감정이 이루어졌다면** 이러한 감정결과보고서 등은 **피고인 이나 변호인의 증거동의 여부를 불문하고 유죄인정의 증거로 사용할 수 없다.**(대법원 2012. 11. 15. 2011 도15258 **구로 강제채혈** 사건)

① [○] 체포·구속적부심사에 대한 법원의 기각결정에 대하여는 **항고하지 못한다.**(제214조의2 제8항) 보증금 납입 조건부 석방결정에 대하여도 항고할 수 있도록 하는 것이 균형에 맞는 측면도 있다 할 것이므로, 같은 법 제214조의2 제4항의 석방결정에 대하여는 피의자나 검사가 그 취소의 실익이 있는 한 같은 법 제402조에 의하여 **항고할 수 있다.**(대법원 1997. 8. 27. 97모21)

② [○] 법원은 피고인이 다음 각 호의 어느 하나에 해당하는 경우에는 직권 또는 검사의 청구에 따라 결정으로 보석 또는 구속의 집행정지를 취소할 수 있다. 법원의 관할 또는 판결 전의 소송절차에 관한 결정에 대하여는 특히 즉시항고를 할 수 있는 경우 외에는 항고하지 못한다. 구금, 보석, 압수나 압수물의 환부에 관한 결정 또는 감정하기 위한 피고인의 유치에 관한 결정에 적용하지 아니한다.(제102조 제2항, 제403조 제1항·제2항)

④ [○] 압수·수색의 방법으로 소변을 채취하는 경우 압수대상물인 피의자의 소변을 확보하기 위한 수사기관의 노력에도 불구하고, 피의자가 인근 병원 응급실 등 소변 채취에 적합한 장소로 이동하는 것에 동의하지 않거나 저항하는 등 임의동행을 기대할 수 없는 사정이 있는 때에는 수사기관으로서는 소변 채취에 적합한 장소로 피의자를 데려가기 위해서 **필요 최소한의 유형력을 행사하는 것이** 허용되는데, 이는 형사소송법 제219조, 제 120조 제1항에서 정한 '압수·수색영장의 집행에 필요한 처분'에 해당한다.(대법원 2018. 7. 12. 2018도 6219 **부산 강제채뇨** 사건)

263 강제수사에 대한 설명으로 옳은 것만을 모두 고르면? (다툼이 있으면 판례에 의함)

□□□

22 국가7급 [Core ★★]

> ㉠ 사인에 의하여 현행범인으로 체포된 후 불필요한 지체 없이 사법경찰관리에게 인도된 경우 구속영장 청구기간인 48시간의 기산점은 사법경찰관리가 현행범인을 인도받은 때이다.
> ㉡ 사법경찰관이 피의자에 대하여 압수·수색영장을 집행할 경우 피의자에게 영장의 원본을 제시하면 족하고 영장의 사본을 교부할 필요는 없다.
> ㉢ 검사의 체포영장 또는 구속영장 청구에 대한 지방법원판사의 재판은 준항고의 대상이 된다.
> ㉣ 피압수자가 수사기관에 압수·수색영장의 집행에 참여하지 않는다는 의사를 명시하였다고 하더라도 특별한 사정이 없는 한 그 변호인에게는 형사소송법 제219조, 제122조에 따라 미리 집행의 일시와 장소를 통지하는 등으로 압수·수색영장의 집행에 참여할 기회를 별도로 보장하여야 한다.

① ㉠㉡

② ㉠㉣

③ ㉡㉢

④ ㉠㉡㉣

해설

② ㉠㉣ 2 항목이 옳다.

㉠ [○] 검사 등이 아닌 이에 의하여 현행범인이 체포된 후 불필요한 지체 없이 검사 등에게 인도된 경우 구속영장 청구기간인 48시간의 기산점은 체포시가 아니라 **검사 등이 현행범인을 인도받은 때라고 할 것이다.**(대법원 2011. 12. 22. 2011도12927 **소말리아 해적 사건**)

㉡ [×] 압수·수색영장은 처분을 받는 자에게 반드시 제시하여야 하고, **처분을 받는 자가 피의자인 경우에는 그 사본을 교부하여야 한다.** 다만, 처분을 받는 자가 현장에 없는 등 영장의 제시나 그 사본의 교부가 현실적으로 불가능한 경우 또는 처분을 받는 자가 영장의 제시나 사본의 교부를 거부한 때에는 예외로 한다.(제118조, 제219조)

㉢ [×] 검사의 체포 또는 구속영장청구에 대한 지방법원판사의 재판은 항고의 대상이 되는 '법원의 결정'에 해당되지 아니하고 **준항고의 대상이 되는 '재판장 또는 수명법관의 구금 등에 관한 재판'에도 해당되지 아니한다.**(대법원 2006. 12. 18. 2006모646 **론스타 대표 사건**)

㉣ [○] 형사소송법 제219조, 제121조가 규정한 변호인의 참여권은 피압수자의 보호를 위하여 변호인에게 주어진 **고유권이다.** 따라서 설령 피압수자가 수사기관에 압수·수색영장의 집행에 참여하지 않는다는 의사를 명시하였다고 하더라도 특별한 사정이 없는 한 그 변호인에게는 형사소송법 제219조, 제122조에 따라 미리 집행의 일시와 장소를 통지하는 등으로 압수·수색영장의 집행에 참여할 기회를 별도로 보장하여야 한다.(대법원 2020. 11. 26. 2020도10729 **노래방 화장실 몰카 사건**)

264 압수물의 처리에 대한 설명으로 가장 적절하지 않은 것은? (다툼이 있으면 판례에 의함)

☐☐☐

① 세관이 시계행상이 소지하고 있던 외국산시계를 관세장물의 혐의가 있다고 하여 압수하였던 것을 검사가 그것이 관세포탈품인지를 확인할 수 없어 그 사건을 기소중지처분 하였다면 위 압수물은 국고에 귀속시킬 수 없다.

② '증거에 공할 압수물'에는 증거물로서의 성격을 가진 압수물은 포함되나 몰수할 것으로 사료되는 물건으로서의 성격을 가진 압수물은 포함되지 않는다.

③ 위험발생의 염려가 있는 압수물은 폐기할 수 있다.

④ 피해품인 압수물은 피고인에 대한 범죄의 증명이 없게 된 경우에는 압수물의 존재만으로 그 유죄의 증거가 될 수 없다.

해설

② [×] 형사소송법 제133조 제1항 후단이, 제2항의 '증거에만 공할' 목적으로 압수할 물건과는 따로이 '증거에 공할' 압수물에 대하여 법원의 재량에 의하여 가환부할 수 있도록 규정한 것을 보면 **'증거에 공할 압수물'에는 증거물로서의 성격과 몰수할 것으로 사료되는 물건으로서의 성격을 가진 압수물이 포함되어 있다고 해석함이 상당하다.**(대법원 1998. 4. 16. 97모25)

① [○] 세관이 시계행상이 소지하고 있던 외국산시계를 관세장물의 혐의가 있다고 하여 압수하였던 것을 검사가 그것이 관세포탈품인지를 확인할 수 없어 그 사건을 기소중지처분하였다면 위 압수물은 **관세장물이라고 단정할 수 없으므로** 국고에 귀속시킬 수 없음은 물론 압수를 더 이상 단속할 필요도 없다.(대법원 1988. 12. 14. 88모55)

③ [○] 위험발생의 염려가 있는 압수물은 **폐기할 수 있다.**(제130조 제2항, 제219조)

④ [○] 압수물(피해품)은 피고인에 대한 범죄의 증명이 없게 된 경우에는 **압수물의 존재만으로 그 유죄의 증거가 될 수 없다.**(대법원 1984. 3. 27. 83도3067)

265 압수물의 처리에 관한 설명 중 가장 적절한 것은? (다툼이 있으면 판례에 의함)

□□□

14 경찰승진 [Core ★★]

① 피고인에게 의견을 진술할 기회를 주지 아니한 채 한 가환부결정은 형사소송법 제135조(압수물처분과 당사자에의 통지)에 위배되지만 재판결과에는 영향을 미치지 않았다 할 것이다.

② 약속어음이 범죄행위로 인하여 생긴 위조문서인 경우에는 아무도 이를 소유하는 것이 허용되지 않는 물건이므로 몰수가 될 뿐 환부나 가환부할 수 없다. 다만, 검사는 몰수의 선고가 있은 뒤에 형사소송법 제485조에 의하여 위조표시를 하여 환부할 수 있다.

③ 외국산 물품을 관세장물의 혐의가 있다고 보아 압수하였다가 그것이 언제, 누구에 의하여 관세 포탈된 물건인지 알 수 없어 기소중지 처분을 한 경우라도 그 압수물은 관세장물이라고 볼 수 있으므로 국고에 귀속시킬 수 있을 뿐만 아니라 압수를 계속할 필요성도 인정된다.

④ 형사소송법상의 압수장물의 환부에 관한 규정은 이해관계인이 민사소송절차에 의하여 그 권리를 주장함에 영향을 미친다.

해설

② [○] (위조된) **약속어음**은 범죄행위로 인하여 생긴 위조문서로서 아무도 이를 소유하는 것이 허용되지 않는 물건이므로 몰수가 될 뿐 환부나 가환부할 수 없고 다만 검사는 몰수의 선고가 있은 뒤에 형사소송법 제485조에 의하여 **위조의 표시**를 하여 환부할 수 있다.(대법원 1984. 7. 24. 84모43)

① [×] 피고인에게 의견을 진술할 기회를 주지 아니한 채 한 가환부 결정은 형사소송법 제135조에 위배하여 위법하고 **이 위법은 재판의 결과에 영향을 미쳤다 할 것이다.**(대법원 1980. 2. 5. 80모3)

③ [×] 외국산 물품(다이아몬드)을 관세장물의 혐의가 있다고 보아 압수하였다 하더라도 그것이 언제, 누구에 의하여 관세포탈된 물건인지 알 수 없어 기소중지 처분을 한 경우에는 **그 압수물은 관세장물이라고 단정할 수 없어** 이를 국고에 귀속시킬 수 없을 뿐만 아니라 **압수를 더 이상 계속할 필요도 없는 것이다**(필요적으로 **제출인에게 환부해 주어야 한다**).(대법원 1996. 8. 16. 94모51 全合 다이아몬드 포기 사건)

④ [×] 압수한 장물로서 피해자에게 환부할 이유가 명백한 것은 판결로써 피해자에게 환부하는 선고를 하여야 하지만, 위 규정은 **이해관계인이 민사소송절차에 의하여 그 권리를 주장함에 영향을 미치지 아니한다.**(제333조)

266

압수물의 환부 또는 가환부에 대한 설명으로 옳지 않은 것은?

23 경찰간부 [Superlative ★★★]

① 검사는 압수를 계속할 필요가 없다고 인정되는 압수물 및 증거에 사용할 압수물에 대하여 공소제기 전이라도 소유자, 소지자, 보관자 또는 제출인의 청구가 있는 때에는 환부 또는 가환부하여야 한다.

② 소유자 등의 환부 또는 가환부 청구에 대해 검사가 이를 거부하는 경우 신청인은 해당 검사의 소속 검찰청에 대응한 법원에 압수물의 환부 또는 가환부 결정을 청구할 수 있다.

③ 검사가 가환부 처분을 할 경우에는 미리 피해자, 피의자 또는 변호인에게 통지해야 한다.

④ 압수한 장물은 압수를 계속할 필요가 없다고 인정되는 경우 피해자의 청구가 있는 때에는 공소제기 전이라도 피해자에게 환부하여야 한다.

해설

④ [×] 제134조(압수장물의 피해자환부) 압수한 장물은 피해자에게 환부할 이유가 명백한 때에는 피고사건의 종결 전이라도 결정으로 **피해자에게 환부할 수 있다.** 제219조(준용규정) 제106조, 제107조, 제109조 내지 제112조, 제114조, 제115조 제1항 본문, 제2항, 제118조부터 제132조까지, 제134조, 제135조, 제140조, 제141조, 제333조 제2항, 제486조의 규정은 검사 또는 사법경찰관의 본장의 규정에 의한 압수, 수색 또는 검증에 준용한다. 단, 사법경찰관이 제130조, 제132조 및 제134조에 따른 처분을 함에는 검사의 지휘를 받아야 한다. 따라서 **수사기관의 피해자환부도** 제134조를 준용하므로, 공소제기 전에도 피해자에게 환부하여야 한다가 아니라, 피해자에게 **환부할 수 있다로 되어야 한다.**

①② [〇] 소유자 등의 환부 또는 가환부 청구에 대하여 검사가 이를 거부하는 경우에는 신청인은 해당 검사의 소속 검찰청에 대응한 법원에 압수물의 환부 또는 가환부 결정을 청구할 수 있다.(제218조의2 제1항·제2항)

③ [〇] 검사가 가환부 처분을 할 경우에는 검사, 피해자, 피고인 또는 변호인에게 미리 통지하여야 한다.(제135조, 제219조)

267

□□□

압수 · 수색에 관한 다음 설명 중 옳은 것은 모두 몇 개인가? (다툼이 있으면 판례에 의함)

12 경찰채용 [Core ★★]

> ㉠ 검사는 사본을 확보한 경우 등 압수를 계속할 필요가 없다고 인정되는 압수물 및 증거에 사용할 압수물에 대하여 공소제기 전이라도 소유자, 소지자, 보관자 또는 제출인의 청구가 있는 때에는 환부 또는 가환부하여야 한다.
>
> ㉡ 검사가 뇌물수수죄로 기소한 후, 공소사건에 관하여 형사소송법 제215조에 따라 수소법원이 아닌 지방법원 판사로부터 압수·수색영장을 발부받아 추가로 뇌물로 제공된 수표의 발행전 표사본 등을 압수한 것은 위법하다.
>
> ㉢ 여관과 같이 야간에 공중이 출입할 수 있는 장소에서의 압수·수색영장을 집행함에는 언제나 야간집행의 제한을 받지 아니한다.
>
> ㉣ 경찰관이 전화사기 범행의 혐의자를 긴급체포하면서 그가 보관하고 있던 타인의 주민등록증, 운전면허증을 압수한 것은 위법하므로 위 혐의자의 점유이탈물횡령죄의 증거로 사용할 수 없다.
>
> ㉤ 압수·수색영장을 제시하고 집행에 착수하여 압수·수색을 실시하고 그 집행을 종료한 후, 그 압수·수색영장의 유효기간 내에 동일한 장소 또는 목적물에 대하여 다시 압수·수색할 필요가 있는 경우, 종전의 압수·수색영장을 제시하고 다시 압수·수색할 수 있다.

① 1개 ② 2개 ③ 3개 ④ 4개

해설

② ㉠㉡ 2 항목이 맞다.

㉠ [O] 검사는 사본을 확보한 경우 등 압수를 계속할 필요가 없다고 인정되는 압수물 및 증거에 사용할 압수물에 대하여 공소제기 전이라도 소유자, 소지자, 보관자 또는 제출인의 청구가 있는 때에는 **환부 또는 가환부하여야 한다.**(제218조의2 제1항)

㉡ [O] (1) 공소가 제기된 후에는 그 피고사건에 관한 형사절차의 모든 권한이 사건을 주재하는 수소법원의 권한에 속하게 되며, 수사의 대상이던 피의자는 검사와 대등한 당사자인 피고인으로서의 지위에서 방어권을 행사하게 되므로, 공소제기 후 구속 · 압수 · 수색 등 피고인의 기본적 인권에 직접 영향을 미치는 강제처분은 원칙적으로 수소법원의 판단에 의하여 이루어지지 않으면 안 된다. (2) **검사가 공소제기 후 형사소송법 제215조에 따라 수소법원 이외의 지방법원판사에게 청구하여 발부받은 영장에 의하여 압수 · 수색을** 하였다면, 그와 같이 수집된 증거는 기본적 인권 보장을 위해 마련된 적법한 절차에 따르지 않은 것으로서 원칙적으로 **유죄의 증거로 삼을 수 없다.**(대법원 2011. 4. 28. 2009도10412 공정위 사무관 수뢰사건)

㉢ [×] 압수 · 수색영장에 야간집행을 할 수 있는 기재가 없더라도 여관, 음식점 기타 야간에 공중이 출입할 수 있는 장소는 야간이어도 압수 · 수색을 할 수 있다. 다만, **이는 공개한 시간 내에 한한다.**(제126조 제2호, 제219조)

㉣ [×] (1) 이 사건 증거물은 피고인이 보관하던 다른 사람의 주민등록증, 운전면허증 및 그것이 들어있던 지갑으로서, 피고인이 이른바 전화사기죄의 범행을 저질렀다는 범죄사실 등으로 긴급체포된 직후 압수되었는바, 그 압수 당시 위 범죄사실의 수사에 필요한 범위 내의 것으로서 전화사기범행과 관련된다고 의심할만한 상당한 이유가 있었다고 보이므로 적법하게 압수되었다고 할 것이다. (2) 원심이 **증거물이 위법수집증거에 해당한다는 피고인의 주장을 배척하고, 이를 증거로 삼아 점유이탈물횡령죄의 공소사실을 유죄로 인정한 제1심판결을 유지한 조치는 정당하다.**(대법원 2008. 7. 10. 2008도2245)

ⓒ [×] 수사기관이 압수·수색영장을 제시하고 집행에 착수하여 압수·수색을 실시하고 그 집행을 종료하였다면 이미 그 영장은 목적을 달성하여 효력이 상실되는 것이고, 앞서 발부 받은 **압수·수색영장의 유효기간이 남아 있다고 하여 이를 제시하고 다시 압수·수색을 할 수는 없다.**(대법원 1999. 12. 1. 99모161)

268 압수·수색영장의 집행에 대한 설명으로 옳은 것은? (다툼이 있으면 판례에 의함)

24 국가9급 [Essential ★]

① 압수·수색영장은 피처분자에게 반드시 제시하여야 하므로 집행현장에서 피처분자를 발견할 수 없는 경우 등 영장제시가 현실적으로 불가능하더라도 영장을 제시하지 아니한 채 압수·수색을 하는 것은 위법하다.
② 사법경찰관이 압수·수색영장에 의하여 피의자 이외의 사람의 주거를 수색하는 경우 그 주거주(住居主)에게 미리 집행의 일시와 장소를 통지하여야 한다.
③ 사법경찰관이 압수·수색영장에 의하여 여관을 수색하는 경우 그 영장에 야간집행을 할 수 있는 기재가 없다면 공개된 시간 내라도 야간에는 집행할 수 없다.
④ 수사기관이 작성하여 피압수자 등에게 교부해야 하는 압수물목록은 압수 직후 현장에서 바로 작성하여 교부하여야 함을 원칙으로 한다.

해설

④ [○] 압수조서에는 작성연월일과 함께 품종, 외형상의 특징과 수량을 기재하여야 하고, 그 내용은 객관적 사실에 부합하여야 하므로 압수목록 역시 압수물의 특징을 객관적 사실에 맞게 구체적으로 기재하여야 하는데, 압수방법·장소·대상자별로 명확히 구분한 후 압수물의 품종·종류·명칭·수량·외형상 특징 등을 최대한 구체적이고 정확하게 특정하여 기재하여야 한다. 이는 수사기관의 압수 처분에 대한 사후적 통제수단임과 동시에 피압수자 등이 압수물에 대한 환부·가환부 청구를 하거나 부당한 압수처분에 대한 준항고를 하는 등 권리행사절차를 밟는 데 가장 기초적인 자료가 되므로 이러한 권리행사에 지장이 없도록 **압수 직후 현장에서 바로 작성하여 교부하는 것이 원칙이다.**(대법원 2024. 1. 5. 2021모385 여인닷컴 사건)
① [×] 압수·수색영장은 처분을 받는 자에게 반드시 제시하여야 하고, 처분을 받는 자가 피고인인 경우에는 그 사본을 교부하여야 한다. 다만, **처분을 받는 자가 현장에 없는 등 영장의 제시나 그 사본의 교부가 현실적으로 불가능한 경우** 또는 처분을 받는 자가 영장의 제시나 사본의 교부를 거부한 때에는 **예외로 한다.**(제118조, 제219조)
② [×] 타인의 주거, 간수자 있는 가옥, 건조물, 항공기 또는 선박·차량 안에서 압수·수색영장을 집행할 때에는 **주거주, 간수자 또는 이에 준하는 사람을 참여하게 하여야 한다.**(제123조 제2항, 제219조)
③ [×] 사법경찰관이 압수·수색영장에 의하여 여관을 수색하는 경우 그 영장에 야간집행을 할 수 있는 기재가 없더라도 공개된 시간 내라면 **야간에도 집행할 수 있다.**(제125조, 제126조, 제219조)

269
□□□

압수 · 수색에 관한 설명 중 가장 적절하지 않은 것은? (다툼이 있으면 판례에 의함)

22 경찰채용 [Essential ★]

① 검사 또는 사법경찰관이 피의자를 영장에 의하여 체포하는 경우에 필요한 때에는 영장없이 타인의 주거나 타인이 간수하는 가옥, 건조물, 항공기, 선차 안에서의 피의자 수색이 허용된다.

② 검사 또는 사법경찰관은 피의자를 현행범인으로 체포하는 경우에 필요한 때에는 영장없이 체포현장에서 압수·수색을 할 수 있다.

③ 수사기관이 범죄 혐의사실과 관련 있는 정보를 선별하여 압수한 후에도 그와 관련이 없는 나머지 정보를 삭제·폐기·반환하지 아니한 채 그대로 보관하고 있다면 범죄 혐의사실과 관련이 없는 부분에 대하여는 압수의 대상이 되는 전자정보의 범위를 넘어서는 전자정보를 영장없이 압수·수색하여 취득한 것이어서 위법하고, 사후에 압수·수색영장이 발부되었다거나 피고인이나 변호인이 이를 증거로 함에 동의하였다고 하여 그 위법성이 치유된다고 볼 수 없다.

④ 검사는 사본을 확보한 경우 등 압수를 계속할 필요가 없다고 인정되는 압수물 및 증거에 사용할 압수물에 대하여 공소제기 전이라도 소유자, 소지자, 보관자 또는 제출인의 청구가 있는 때에는 환부 또는 가환부하여야 한다.

해설

① [×] 검사 또는 사법경찰관은 영장에 의하여 피의자를 체포하는 경우에 필요한 때에는 영장없이 타인의 주거나 타인이 간수하는 가옥, 건조물, 항공기, 선차 내에서의 피의자 수색을 할 수 있다. 다만 **미리 수색영장을 발부받기 어려운 긴급한 사정이 있는 때에 한정한다.**(제216조 제1항 제1호) 위 단서 내용이 빠졌으므로 옳지 않은 지문으로 보아야 한다.

② [○] 검사 또는 사법경찰관은 피의자를 현행범인으로 체포하는 경우에 필요한 때에는 **영장 없이 체포현장에서 압수 · 수색을 할 수 있다.**(제216조 제1항 제2호)

③ [○] 수사기관이 범죄 혐의사실과 관련 있는 정보를 선별하여 압수한 후에도 그와 관련이 없는 나머지 정보를 삭제 · 폐기 · 반환하지 아니한 채 그대로 보관하고 있다면 범죄 혐의사실과 관련이 없는 부분에 대하여는 압수의 대상이 되는 전자정보의 범위를 넘어서는 전자정보를 영장없이 압수 · 수색하여 취득한 것이어서 위법하고, **사후에 압수 · 수색영장이 발부되었다거나 피고인이나 변호인이 이를 증거로 함에 동의하였다고 하여 그 위법성이 치유된다고 볼 수 없다.**(대법원 2022. 1. 14. 2021모1586 휴대전화 3번 압수 · 수색 사건)

④ [○] **검사는 사본을 확보한 경우 등 압수를 계속할 필요가 없다고 인정되는 압수물 및 증거에 사용할 압수물에 대하여 공소제기 전이라도 소유자, 소지자, 보관자 또는 제출인의 청구가 있는 때에는 환부 또는 가환부하여야 한다.**(제218조의2 제1항)

270 「형사소송법」상 압수물의 환부 및 가환부에 대한 설명으로 옳은 것을 모두 고른 것은? (다툼이 있
□□□ 으면 판례에 의함)

> ㉠ 수사기관의 압수물의 환부에 관한 처분의 취소를 구하는 준항고는 소송 계속 중 준항고로써
> 달성하고자 하는 목적이 이미 이루어졌거나 시일의 경과 또는 그 밖의 사정으로 인하여 그
> 이익이 상실된 경우에도 적법하다.
> ㉡ 검사는 사본을 확보한 경우 등 압수를 계속할 필요가 없다고 인정되는 압수물 및 증거에 사용
> 할 압수물에 대하여 공소제기 전이라도 소유자, 소지자, 보관자 또는 제출인의 청구가 있는
> 때에는 환부 또는 가환부할 수 있다.
> ㉢ 증거에만 공할 목적으로 압수한 물건으로서 그 소유자 또는 소지자가 계속 사용하여야 할
> 물건은 사진촬영 기타 원형보존의 조치를 취하고 신속히 가환부하여야 한다.
> ㉣ 압수한 장물로서 피해자에게 환부할 이유가 명백한 것은 판결로써 피해자에게 환부하는 선고
> 를 하여야 한다.

① ㉠㉡   ② ㉡㉣

③ ㉢㉣   ④ ㉠㉡㉢

해설

㉢ ㉢㉣ 2 항목이 옳다.
㉠ [×] (1) 수사기관의 압수물의 환부에 관한 처분의 취소를 구하는 준항고는 일종의 항고소송이므로 통상의 항
고소송에서와 마찬가지로 그 이익이 있어야 하고, **소송 계속 중 준항고로써 달성하고자 하는 목적이 이미
이루어졌거나 시일의 경과 또는 그 밖의 사정으로 인하여 그 이익이 상실된 경우에는 준항고는 그 이익이
없어 부적법하게 된다.** (2) 검사가 영장에 기재된 기간 내에 서버데크를 준항고인들에게 환부하지 아니하였다
고 하더라도 검사가 원심 소송 계속 중 이를 준항고인들에게 환부한 이상 준항고를 통하여 달성하고자 하는
목적은 이미 이루어졌으므로 준항고는 그 이익이 없어 부적법하다.(대법원 2015. 10. 15. 2013모1970 **통합
진보당 압수서버 반환거부사건**)
㉡ [×] 검사는 사본을 확보한 경우 등 압수를 계속할 필요가 없다고 인정되는 압수물 및 증거에 사용할 압수물에
대하여 공소제기 전이라도 소유자, 소지자, 보관자 또는 제출인의 청구가 있는 때에는 **환부 또는 가환부하여야
한다.**(제218조의2 제1항)
㉢ [○] **증거에만 공할 목적으로 압수한 물건으로서 그 소유자 또는 소지자가 계속 사용하여야 할 물건은 사진촬
영 기타 원형보존의 조치를 취하고 신속히 가환부하여야 한다.**(제133조 제2항)
㉣ [○] 압수한 장물로서 피해자에게 환부할 이유가 명백한 것은 판결로써 피해자에게 환부하는 선고를 하여야
한다.(제333조 제1항)

271

형사소송법 절차 중 압수와 수색에 대한 설명이다. <보기> 중 옳지 않은 것은 모두 몇 개인가?

□□□

21 해경채용 [Superlative ★★★]

〈보기〉

㉠ 일출 전, 일몰 후에는 압수·수색영장에 야간집행을 할 수 있는 기재가 없으면 그 영장을 집행하기 위하여 타인의 주거, 간수자 있는 가옥, 건조물, 항공기 또는 선차 내에 들어가지 못한다.

㉡ 압수·수색영장의 집행을 중지한 경우에 필요한 때에는 집행이 종료될 때까지 그 장소를 폐쇄하거나 간수자를 둘 수 있다.

㉢ 수색한 경우에 증거물 또는 몰취할 물건이 없는 때에는 그 취지의 증명서를 교부하여야 한다.

㉣ 압수한 경우에는 압수조서와 목록을 작성하여 소유자, 소지자, 보관자 기타 이에 준할 자에게 교부하여야 한다.

㉤ 몰수하여야 할 압수물로서 멸실·파손·부패 또는 현저한 가치 감소의 염려가 있거나 보관하기 어려운 압수물은 매각하여 대가를 보관하여야 한다.

㉥ 압수한 장물은 피해자에게 환부할 이유가 명백한 때에는 피고사건의 종결 전이라도 결정으로 피해자에게 환부하여야 한다.

㉦ 여자의 신체에 대하여 수색할 때에는 성년의 여자를 참여하게 하여야 한다.

① 2개

② 3개

③ 4개

④ 5개

해설

② ㉣㉤㉥ 3 항목이 옳지 않다.

㉠ [O] **일출 전, 일몰 후에는 압수·수색영장에 야간집행을 할 수 있는 기재가 없으면 그 영장을 집행하기 위하여 타인의 주거, 간수자 있는 가옥, 건조물, 항공기 또는 선차 내에 들어가지 못한다.**(제125조, 제219조)

㉡ [O] 압수·수색영장의 집행을 중지한 경우에 필요한 때에는 집행이 종료될 때까지 그 **장소를 폐쇄하거나 간수자를 둘 수 있다.**(제127조, 제219조)

㉢ [O] 수색한 경우에 증거물 또는 몰취할 물건이 없는 때에는 그 **취지의 증명서를 교부하여야 한다.**(제128조, 제219조)

㉣ [X] 압수한 경우에는 목록을 작성하여 소유자, 소지자, 보관자 기타 이에 준할 자에게 교부하여야 한다.(제129조, 제219조) 압수목록은 교부하여야 하지만 **압수조서는 교부하지 않는다.**

㉤ [X] 몰수하여야 할 압수물로서 멸실·파손·부패 또는 현저한 가치 감소의 염려가 있거나 보관하기 어려운 압수물은 매각하여 **대가를 보관할 수 있다.**(제132조 제1항, 제219조)

㉥ [X] 압수한 장물은 피해자에게 환부할 이유가 명백한 때에는 피고사건의 종결 전이라도 결정으로 피해자에게 **환부할 수 있다.**(제134조, 제219조)

㉦ [O] **여자의 신체에 대하여 수색할 때에는 성년의 여자를 참여하게 하여야 한다.**(제124조, 제219조)

272 다음은 압수물에 대한 설명이다. 타당한 것을 모두 고르시오.　　14 경찰간부 [Superlative ★★★]

□□□

> ㉠ 압수한 장물로서 피해자에게 환부할 이유가 명백한 것은 판결로써 피해자에게 환부하는 선고를 하여야 한다.
>
> ㉡ ㉠의 경우 장물을 처분하였을 때에는 판결로써 그 대가로 취득한 것을 피해자에게 교부하는 선고를 하여야 한다.
>
> ㉢ 가환부한 장물에 대하여 별단의 선고가 없는 때에는 환부의 선고가 있는 것으로 간주한다.
>
> ㉣ ㉠, ㉡, ㉢의 경우 이해관계인이 민사소송 절차에 의하여 그 권리를 주장함에 영향을 미치지 아니한다.
>
> ㉤ 압수한 서류 또는 물품에 대하여 몰수의 선고가 없는 때에는 압수는 그대로 유지된다.

① ㉠, ㉡, ㉢　　　　　　　　　　　② ㉠, ㉢, ㉣, ㉤

③ ㉡, ㉢, ㉣, ㉤　　　　　　　　　④ ㉠, ㉡, ㉢, ㉣

해설

④ ㉠㉡㉢㉣ 4 항목이 옳다.

㉠㉡㉢㉣ [○] 압수한 장물로서 피해자에게 환부할 이유가 명백한 것은 판결로써 피해자에게 환부하는 선고를 하여야 한다.(제333조 제1항) 장물을 처분하였을 때에는 판결로써 그 대가로 취득한 것을 피해자에게 교부하는 선고를 하여야 한다.(동조 제2항) 가환부한 장물에 대하여 별단의 선고가 없는 때에는 환부의 선고가 있는 것으로 간주한다.(동조 제3항) 전3항의 규정은 이해관계인이 민사소송절차에 의하여 그 권리를 주장함에 영향을 미치지 아니한다.(동조 제4항)

㉤ [×] 압수한 서류 또는 물품에 대하여 몰수의 선고가 없는 때에는 **압수를 해제한 것으로 간주한다.**(제332조)

273

□□□ 압수물의 처리와 관련된 설명 중 옳은 것(○)과 옳지 않은 것(×)을 올바르게 연결한 것은?(다툼이 있으면 판례에 의함)

19 해경간부 [Superlative ★★★]

> ㉠ 수사단계에서 소유권을 포기한 압수물에 대하여 형사재판에서 몰수형이 선고되지 않은 경우, 피압수자는 국가에 대하여 민사소송으로 그 반환을 청구할 수 있다.
>
> ㉡ 압수한 장물로서 피해자에게 환부할 이유가 명백한 것은 판결로써 피해자에게 환부하는 선고를 하여야 한다.
>
> ㉢ 압수한 장물은 피해자에게 환부할 이유가 명백한 때에는 피고사건의 종결 전이라도 피해자에게 환부할 수 있다.
>
> ㉣ 사법상 피해자가 압수장물의 인도청구권에 관하여 사실상·법률상 다소라도 의문이 있는 경우에는 압수장물을 피해자에게 환부할 이유가 명백할 때에 해당하지 않는다.
>
> ㉤ 압수한 서류 또는 물품에 대하여 몰수의 선고가 없는 때에는 압수는 그대로 유지된다.
>
> ㉥ 외국산 물품을 관세장물의 혐의가 있다고 보아 압수하였다가 그것이 언제, 누구에 의하여 관세포탈된 물건인지 알 수 없어 기소중지처분을 한 경우라도 그 압수물은 관세장물이라고 볼 수 있으므로 국고에 귀속시킬 수 있을 뿐만 아니라 압수를 계속할 필요성도 인정된다.

① ㉠ ○ ㉡ ○ ㉢ ○ ㉣ ○ ㉤ ○ ㉥ ×
② ㉠ ○ ㉡ ○ ㉢ ○ ㉣ ○ ㉤ × ㉥ ×
③ ㉠ ○ ㉡ ○ ㉢ × ㉣ ○ ㉤ × ㉥ ×
④ ㉠ ○ ㉡ × ㉢ ○ ㉣ ○ ㉤ × ㉥ ×

해설

② 이 지문이 옳은 연결이다.

㉠ [○] 수사단계에서 소유권을 포기한 압수물에 대하여 형사재판에서 몰수형이 선고되지 않은 경우, 피압수자는 국가에 대하여 **민사소송으로 그 반환을 청구할 수 있다**.(대법원 2000. 12. 22. 2000다27725 **수표 포기사건**)

㉡ [○] 압수한 장물로서 피해자에게 환부할 이유가 명백한 것은 판결로써 피해자에게 환부하는 선고를 하여야 한다.(제333조 제1항)

㉢ [○] 압수한 장물은 피해자에게 환부할 이유가 명백한 때에는 피고사건의 종결 전이라도 피해자에게 환부할 수 있다.(제134조)

㉣ [○] 형사소송법 제134조 소정의 '환부할 이유가 명백한 때'라 함은 사법상 피해자가 그 압수된 물건의 인도를 청구할 수 있는 권리가 있음이 명백한 경우를 의미하고 인도청구권에 관하여 사실상, **법률상 다소라도 의문이 있는 경우에는 환부할 명백한 이유가 있는 경우라고는 할 수 없다**.(대법원 1984. 7. 16. 84모38 **까나리사건**)

㉤ [×] 압수한 서류 또는 물품에 대하여 몰수의 선고가 없는 때에는 **압수를 해제한 것으로 간주한다**.(제332조)

㉥ [×] 외국산 물품을 관세장물의 혐의가 있다고 보아 압수하였다 하더라도 그것이 언제, 누구에 의하여 관세포탈된 물건인지 알 수 없어 기소중지 처분을 한 경우에는 그 압수물은 관세장물이라고 단정할 수 없어 이를 국고에 귀속시킬 수 없을 뿐만 아니라 압수를 더 이상 계속할 필요도 없다.(대법원 1996. 8. 16. 94모51 소송 **다이아몬드 포기 사건**)

274 다음 중 압수물의 환부 및 가환부에 관한 설명으로 가장 옳지 않은 것은? (다툼이 있으면 판례에 □□□ 의함)

22 해경승진 [Core ★★]

① 가환부결정을 함에는 미리 검사·피해자·피고인 또는 변호인에게 통지하여야 한다.

② 증거에만 공할 목적으로 압수한 물건으로서 그 소유자 또는 소지자가 계속 사용하여야 할 물건은 사진촬영 기타 원형보존의 조치를 취하고 신속히 가환부하여야 한다.

③ 임의적 가환부의 대상이 되는 '증거에 공할 압수물'에는 증거물로서의 성격과 몰수할 것으로 사료되는 물건으로서의 성격을 가진 압수물이 포함되어 있다고 해석함이 상당하다.

④ 검사는 사본을 확보한 경우 등 압수를 계속할 필요가 없다고 인정되는 압수물 및 증거에 사용할 압수물에 대하여 공소제기 전이라도 소유자, 소지자, 보관자 또는 제출인의 청구가 있는 때에는 환부 또는 가환부할 수 있다.

해설

④ [×] 검사는 사본을 확보한 경우 등 압수를 계속할 필요가 없다고 인정되는 압수물 및 증거에 사용할 압수물에 대하여 공소제기 전이라도 소유자, 소지자, 보관자 또는 제출인의 청구가 있는 때에는 **환부 또는 가환부하여야 한다.**(제218조의2 제1항)

① [O] **가환부결정을 함에는 검사, 피해자, 피고인 또는 변호인에게 미리 통지하여야 한다.**(제135조)

② [O] **증거에만 공할 목적으로 압수한 물건으로서 그 소유자 또는 소지자가 계속 사용하여야 할 물건은 사진촬영 기타 원형보존의 조치를 취하고 신속히 가환부하여야 한다.**(제133조 제2항)

③ [O] (1) 형사소송법 제133조 제1항 후단이, 제2항의 '증거에만 공할' 목적으로 압수할 물건과는 따로이 '증거에 공할' 압수물에 대하여 법원의 재량에 의하여 가환부할 수 있도록 규정한 것을 보면 **'증거에 공할 압수물'에는 증거물로서의 성격과 몰수할 것으로 사료되는 물건으로서의 성격을 가진 압수물이 포함되어 있다고 해석함이 상당하다.** (2) 몰수할 것이라고 사료되어 압수한 물건 중 법률의 특별한 규정에 의하여 필요적으로 몰수할 것에 해당하거나 누구의 소유도 허용되지 아니하여 몰수할 것에 해당하는 물건에 대한 압수는 몰수재판의 집행을 보전하기 위하여 한 것이라는 의미도 포함된 것이므로 그와 같은 압수 물건은 가환부의 대상이 되지 않지만, 그 밖의 형법 제48조에 해당하는 물건에 대하여는 이를 몰수할 것인지는 법원의 재량에 맡겨진 것이므로 특별한 사정이 없다면 수소법원이 피고 본안사건에 관한 종국판결에 앞서 이를 가환부함에 법률상의 지장이 없다.(대법원 1998. 4. 16. 97모25)

275

☐☐☐

압수 · 수색에 관한 설명 중 옳지 않은 것은 모두 몇 개인가? (다툼이 있으면 판례에 의함)

11 경찰채용 [Superlative ★★★]

ⓐ 압수·수색영장의 집행에 참여할 수 있는 당사자의 권리는 급속을 요하는 때에는 제한될 수 있다.

ⓑ 수소법원이 종국재판의 선고시에 가환부한 장물에 대하여 별단의 선고를 하지 아니한 때에는 환부의 선고가 있는 것으로 간주된다.

ⓒ 가환부의 대상은 증거로 사용될 압수물에 한하므로, 몰수의 대상이 되는 물건은 비록 임의적 몰수의 대상에 해당하는 물건이라도 이를 가환부할 수 없다.

ⓓ 압수·수색영장은 사전에 제시하여야 하나, 급속을 요하는 때에는 범죄사실의 요지와 영장이 발부되었음을 고하고 집행할 수 있다. 이 경우에 집행을 완료한 후에는 신속히 압수·수색영장을 제시하여야 한다.

ⓔ 수사기관과 법원은 압수할 물건을 지정하여 소유자 등에게 제출을 명할 수 있다.

ⓕ 압수·수색영장의 유효기간이 남아 있는 한 동일한 영장으로 같은 장소에서 중복적으로 압수·수색하는 것이 가능하다.

---

① 1개

② 2개

③ 3개

④ 4개

해설

④ ⓒⓓⓔⓕ 4 항목이 틀리다.

ⓐ [○] 압수 · 수색영장을 집행함에는 미리 집행의 일시와 장소를 검사, 피고인 또는 변호인에게 통지하여야 한다. 단, 검사, 피고인 또는 변호인이 참여하지 아니한다는 의사를 명시한 때 또는 급속을 요하는 때에는 예외로 한다.(제122조)

ⓑ [○] 가환부한 장물에 대하여 별단의 선고를 하지 아니한 때에는 환부의 선고가 있는 것으로 간주된다.(제333조 제3항)

ⓒ [×] 형법 제48조에 해당하는 물건(임의적 몰수의 대상인 물건)에 대하여는 이를 몰수할 것인지는 법원의 재량에 맡겨진 것이므로 특별한 사정이 없다면 수소법원이 피고 본안사건에 관한 종국판결에 앞서 이를 **가환부함에 법률상의 지장이 없는** 것으로 보아야 한다.(대법원 1998. 4. 16. 97모25)

ⓓ [×] 압수 · 수색영장은 처분을 받는 자에게 반드시 제시하여야 하고, 처분을 받는 자가 피고인인 경우에는 그 사본을 교부하여야 한다. 다만, 처분을 받는 자가 현장에 없는 등 영장의 제시나 그 사본의 교부가 현실적으로 불가능한 경우 또는 처분을 받는 자가 영장의 제시나 사본의 교부를 거부한 때에는 예외로 한다.(제118조, 제219조)

ⓔ [×] 제출명령은 법원만이 할 수 있다. 비록 형사소송법 제219조와 제106조 제2항에 의하여 수사기관도 제출명령을 할 수 있는 것처럼 보이지만, 영장주의 원칙상 **수사기관은 제출명령을 할 수 없다**는 것이 통설의 입장이다.

ⓕ [×] 수사기관이 압수 · 수색영장을 제시하고 집행에 착수하여 압수 · 수색을 실시하고 그 집행을 종료하였다면 이미 그 영장은 목적을 달성하여 효력이 상실되는 것이고, 앞서 발부 받은 압수 · 수색영장의 유효기간이 남아 있다고 하여 **이를 제시하고 다시 압수 · 수색을 할 수는 없다.**(대법원 1999. 12. 1. 99모161)

276
☐☐☐

<보기>의 설명에 대하여 옳고(○) 그름(×)을 알맞게 표시한 것은? (다툼이 있으면 판례에 의함)

24 소방간부 [Superlative ★★★]

ⓘ 구 「정보통신망 이용촉진 및 정보보호 등에 관한 법률」상 음란물 유포의 범죄혐의를 이유로 압수·수색영장을 발부받은 사법경찰리가 피고인의 주거지를 수색하는 과정에서 대마를 발견하자, 피고인을 「마약류관리에 관한 법률」 위반죄의 현행범으로 체포하면서 대마를 압수하였으나 그 다음날 피고인을 석방하였음에도 사후 압수·수색영장을 발부받지 않은 경우 압수물과 압수조서는 증거능력이 부정된다.

ⓛ 압수의 대상을 압수·수색영장의 범죄사실 자체와 직접적으로 연관된 물건에 한정할 것은 아니고, 압수·수색영장의 범죄사실과 기본적 사실관계가 동일한 범행 또는 동종·유사의 범행과 관련된다고 의심할 만한 상당한 이유가 있는 범위 내에서는 압수를 실시할 수 있다.

ⓒ 압수·수색영장에서 압수할 물건을 '압수장소에 보관중인 물건'이라고 기재하고 있었다면 이는 '압수장소에 현존하는 물건'이라고 해석할 수 있다.

ⓔ 피의자가 휴대전화를 임의제출하면서 휴대전화에 저장된 전자정보가 아닌 클라우드 등 제3자가 관리하는 원격지에 저장되어 있는 전자정보를 수사기관에 제출한다는 의사로 수사기관에게 클라우드 등에 접속하기 위한 아이디와 비밀번호를 임의로 제공하였다면 위 클라우드 등에 저장된 전자정보를 임의제출하는 것으로 볼 수 있다.

ⓜ 수사기관이 압수·수색영장을 제시하고 집행에 착수하여 압수·수색을 실시하고 그 집행을 종료한 후, 동일한 장소 또는 목적물에 대하여 다시 압수·수색할 필요가 있는 경우에 앞서 발부받은 압수·수색영장의 유효기간이 남아있다면 이를 제시하고 다시 압수·수색을 할 수 있다.

---

① ⓘ × ⓛ × ⓒ ○ ⓔ ○ ⓜ ○
② ⓘ ○ ⓛ × ⓒ ○ ⓔ × ⓜ ×
③ ⓘ ○ ⓛ ○ ⓒ × ⓔ ○ ⓜ ×
④ ⓘ × ⓛ × ⓒ ○ ⓔ × ⓜ ○
⑤ ⓘ ○ ⓛ ○ ⓒ × ⓔ × ⓜ ×

해설

③ 이 지문이 옳은 연결이다.

ⓘ [○] 정보통신망법상 음란물 유포의 범죄혐의를 이유로 압수·수색영장을 발부받은 사법경찰리가 피고인의 주거지를 수색하는 과정에서 대마를 발견하자 피고인을 마약법위반죄의 현행범으로 체포하면서 대마를 압수하였으나 그 다음날 피고인을 석방하였음에도 사후 압수·수색영장을 발부받지 않은 경우 압수물과 압수조서는 **형사소송법상 영장주의를 위반하여 수집한 증거로서 증거능력이 부정된다.**(대법원 2009. 5. 14. 2008도10914 스와핑카페 운영자 사건)

ⓛ [○] 압수의 대상을 압수·수색영장의 범죄사실 자체와 직접적으로 연관된 물건에 한정할 것은 아니고 압수·수색영장의 범죄사실과 기본적 사실관계가 동일한 범행 또는 동종·유사의 범행과 관련된다고 의심할 만한 상당한 이유가 있는 범위 내에서는 압수를 실시할 수 있다. 그리고 피의자와 사이의 인적 관련성은 압수·

수색영장에 기재된 대상자의 공동정범이나 교사범 등 공범이나 간접정범은 물론 필요적 공범 등에 대한 피고사건에 대해서도 인정될 수 있다.(대법원 2018. 10. 12. 2018도6252 **부정 당내경선운동 사건**)

ⓒ [×] 헌법과 형사소송법이 구현하고자 하는 적법절차와 영장주의의 정신에 비추어 볼 때, 법관이 압수·수색영장을 발부하면서 압수할 물건을 특정하기 위하여 기재한 문언은 이를 엄격하게 해석하여야 하고 함부로 피압수자 등에게 불리한 내용으로 확장 또는 유추 해석하는 것은 허용될 수 없다. 압수·수색영장에서 압수할 물건을 **'압수장소에 보관 중인 물건'**이라고 기재하고 있는 것을 **'압수장소에 현존하는 물건'**으로 해석할 수 없다.(대법원 2009. 3. 12. 2008도763 **김태환 제주지사 사건**)

ⓔ [○] 피의자가 휴대전화를 임의제출하면서 휴대전화에 저장된 전자정보가 아닌 클라우드 등 제3자가 관리하는 원격지에 저장되어 있는 전자정보를 수사기관에 제출한다는 의사로 수사기관에게 클라우드 등에 접속하기 위한 **아이디와 비밀번호를 임의로 제공하였다면 위 클라우드 등에 저장된 전자정보를 임의제출하는 것으로 볼 수 있다.**(대법원 2021. 7. 29. 2020도14654 **음란물 저장 휴대폰 압수사건**)

ⓜ [×] 형사소송법 제215조에 따른 압수·수색영장은 수사기관의 압수·수색에 대한 허가장으로서 거기에 기재되는 유효기간은 집행에 착수할 수 있는 종기(終期)를 의미하는 것이므로 수사기관이 압수·수색영장을 제시하고 집행에 착수하여 압수·수색을 실시하고 그 집행을 종료하였다면 이미 그 영장은 목적을 달성하여 효력이 상실되는 것이고, 동일한 장소 또는 목적물에 대하여 다시 압수·수색할 필요가 있는 경우라면 그 필요성을 소명하여 법원으로부터 새로운 압수·수색영장을 발부받아야 하는 것이지 **앞서 발부받은 압수·수색영장의 유효기간이 남아있다고 하여 이를 제시하고 다시 압수·수색을 할 수 없다.**(대법원 2023. 10. 18. 2023도8752 **카사노바 성매매·몰카범 사건**)

277 대물적 강제수사에 관한 설명 중 옳은 것(○)과 옳지 않은 것(×)을 올바르게 조합한 것은? (다툼
□□□ 이 있으면 판례에 의함)

17 변호사 [Superlative ★★★]

ⓐ 수사기관이 압수·수색에 착수하면서 그 장소의 관리책임자에게 영장을 제시하였다고 하더라도, 물건을 소지하고 있는 다른 사람으로부터 이를 압수하고자 하는 때에는 그 사람에게 따로 영장을 제시하여야 한다.

ⓑ 압수·수색영장의 피처분자가 현장에 없거나 현장에서 그를 발견할 수 없는 등 영장제시가 현실적으로 불가능한 경우라도 영장을 제시하지 아니한 채 압수·수색을 하면 위법하다.

ⓒ 압수·수색영장을 한 번 집행하였다면, 아직 그 영장의 유효기간이 남아 있더라도 동일한 장소 또는 목적물에 대하여 압수·수색을 하기 위하여는 다시 새로운 압수·수색영장을 발부받아야 한다.

ⓓ 교도관이 재소자가 맡긴 비망록을 수사기관에 임의로 제출한 경우, 그 비망록의 증거사용에 대하여 재소자의 사생활의 비밀 기타 인격적 법익이 침해되는 등의 특별한 사정이 없는 한 반드시 그 재소자의 동의를 받아야 하는 것은 아니다.

ⓔ 피압수자인 피의자가 압수물에 대하여 소유권을 포기하였다 하더라도 환부사유가 생기고 피압수자가 환부를 청구하면 검사는 이를 환부하여야 한다.

① ㉠ × ㉡ ○ ㉢ × ㉣ ○ ㉤ ×   ② ㉠ ○ ㉡ × ㉢ ○ ㉣ ○ ㉤ ○

③ ㉠ × ㉡ × ㉢ ○ ㉣ × ㉤ ○   ④ ㉠ ○ ㉡ × ㉢ ○ ㉣ × ㉤ ×

⑤ ㉠ ○ ㉡ ○ ㉢ × ㉣ ○ ㉤ ○

② 이 지문이 옳은 연결이다.

㉠ [○] 압수·수색영장은 처분을 받는 자에게 반드시 제시하여야 하는바, 현장에서 압수·수색을 당하는 사람이 여러 명일 경우에는 그 사람들 모두에게 개별적으로 영장을 제시해야 하는 것이 원칙이고, 수사기관이 압수·수색에 착수하면서 그 장소의 관리책임자에게 영장을 제시하였다고 하더라도 물건을 소지하고 있는 다른 사람으로부터 이를 압수하고자 하는 때에는 그 사람에게 **따로 영장을 제시하여야 한다.**(대법원 2009. 3. 12. 2008도763 **김태환 제주지사 사건**)

㉡ [×] 형사소송법 제219조가 준용하는 제118조는 '압수·수색영장은 처분을 받는 자에게 반드시 제시하여야 한다'고 규정하고 있으나, 이는 영장제시가 현실적으로 가능한 상황을 전제로 한 규정으로 보아야 하고, 피처분자가 현장에 없거나 현장에서 그를 발견할 수 없는 경우 등 **영장제시가 현실적으로 불가능한 경우에는 영장을 제시하지 아니한 채 압수·수색을 하더라도 위법하다고 볼 수 없다.**(대법원 2015. 1. 22. 2014도10978 全合 **이석기 의원 사건**) 다만, 제118조는 "압수·수색영장은 처분을 받는 자에게 반드시 제시하여야 하고, 처분을 받는 자가 피고인인 경우에는 그 사본을 교부하여야 한다. 다만, 처분을 받는 자가 현장에 없는 등 영장의 제시나 그 사본의 교부가 현실적으로 불가능한 경우 또는 처분을 받는 자가 영장의 제시나 사본의 교부를 거부한 때에는 예외로 한다."로 2022.2.3. 개정되었다.

㉢ [○] 형사소송법 제215조에 의한 압수·수색 영장은 수사기관의 압수·수색에 대한 허가장으로서 거기에 기재되는 유효기간은 집행에 착수할 수 있는 종기(終期)를 의미하는 것일 뿐이므로 수사기관이 압수·수색영장을 제시하고 집행에 착수하여 압수·수색을 실시하고 그 집행을 종료하였다면 이미 그 영장은 목적을 달성하여 효력이 상실되는 것이고, 동일한 장소 또는 목적물에 대하여 다시 압수·수색할 필요가 있는 경우라면 그 필요성을 소명하여 법원으로부터 새로운 압수·수색영장을 발부받아야 하는 것이지 앞서 발부받은 압수·수색영장의 유효기간이 남아있다고 하여 이를 제시하고 다시 압수·수색을 할 수는 없다.(대법원 2023. 3.16. 2020도5336 **대마구입 회망자 현행범체포 사건**)

㉣ [○] 교도관이 재소자가 맡긴 비망록을 수사기관에 임의로 제출하였다면 그 비망록의 증거사용에 대하여도 재소자의 사생활의 비밀 기타 인격적 법익이 침해되는 등의 특별한 사정이 없는 한 반드시 그 재소자의 동의를 받아야 하는 것은 아니고 따라서 검사가 교도관으로부터 보관하고 있던 피고인의 비망록을 뇌물수수 등의 증거자료로 임의로 제출받아 이를 압수한 경우 그 압수절차가 피고인의 승낙 및 영장 없이 행하여졌다고 하더라도 이에 적법절차를 위반한 위법이 있다고 할 수 없다.(대법원 2008. 5.15. 2008도1097 **김태촌 비망록 사건**)

㉤ [○] 피압수자 등 환부를 받을 자가 압수 후 그 소유권을 포기하는 등에 의하여 실체법상의 권리를 상실하더라도 그 때문에 압수물을 환부하여야 하는 수사기관의 의무에 어떠한 영향을 미칠 수 없고 또한 수사기관에 대하여 형사소송법상의 환부청구권을 포기한다는 의사표시를 하더라도 그 효력이 없어 그에 의하여 수사기관의 필요적 환부의무가 면제된다고 볼 수는 없으므로 압수물의 소유권이나 그 환부청구권을 포기하는 의사표시로 인하여 환부의무에 대응하는 압수물에 대한 환부청구권이 소멸하는 것은 아니다.(대법원 1996. 8.16. 94모51 全合 **다이아몬드 포기 사건**)

정답 | 277 ②

제2장 수사의 개시 349

278

□□□ 수사상 검증과 감정에 관한 다음 설명 중 가장 옳지 않은 것은? (다툼이 있으면 판례에 의함)

14 경찰간부 [Core ★★]

① 법원의 검증은 영장을 필요로 하지 않는 반면, 수사상 검증은 원칙적으로 영장이 필요하며 검증목적물은 인체라도 가능하다.

② 수사기관이 증거를 수집할 목적으로 피의자의 동의 없이 피의자의 혈액을 취득·보관하는 행위는 법원으로부터 감정처분허가장을 받아 '감정에 필요한 처분'으로도 할 수 있지만 압수의 방법으로도 할 수 있는데 이는 '압수영장의 집행에 있어 필요한 처분'에 해당한다.

③ 감정유치는 피의자나 피해자의 정신 또는 신체의 감정을 위하여 계속적인 유치와 관찰이 필요한 때에 인정된다.

④ 여자의 신체를 검사하는 경우에는 의사나 성년의 여자가 참여하여야 한다.

해설

③ [×] 감정유치의 대상자는 피의자나 피고인일 뿐, **피해자에 대하여는 할 수 없다.**(제173조 제3항, 제221조의3)

① [○] (1) **법원은 사실을 발견함에 필요한 때에는 검증을 할 수 있다.**(제139조) (2) 검사는 범죄수사에 필요한 때에는 피의자가 죄를 범하였다고 의심할 만한 정황이 있고 해당 사건과 관계가 있다고 인정할 수 있는 것에 한정하여 지방법원판사에게 청구하여 발부받은 영장에 의하여 압수, 수색 또는 검증을 할 수 있다.(제215조)

② [○] 수사기관이 범죄 증거를 수집할 목적으로 피의자의 동의 없이 피의자의 혈액을 취득·보관하는 행위는 법원으로부터 감정처분허가장을 받아 형사소송법 제221조의4 제1항, 제173조 제1항에 의한 '감정에 필요한 처분'으로도 할 수 있지만, 형사소송법 제219조, 제106조 제1항에 정한 압수의 방법으로도 할 수 있고, 압수의 방법에 의하는 경우 혈액의 취득을 위하여 피의자의 신체로부터 혈액을 채취하는 행위는 그 혈액의 압수를 위한 것으로서 형사소송법 제219조, 제120조 제1항에 정한 '압수영장의 집행에 있어 필요한 처분'에 해당한다.(대법원 2012. 11. 15. 2011도15258 구로 강제채혈사건)

④ [○] **여자의 신체를 검사하는 경우에는 의사나 성년의 여자가 참여하여야 한다.**(제141조 제3항, 제173조 제5항)

핵심정리 통신제한조치 대상범죄

구분	내용
형법	① 내란, 외환(제92조 내지 제101조), 국교(제107조·제108조·제111조 내지 제113조), 공안(제114조·제115조), 폭발물 ② 공무원 직무(제127조·제129조 내지 제133조), 도주·범인은닉, 방화·실화(제164조 내지 제167조·제172조 내지 제173조·제174조·제175조), 아편, 통화, 유가증권·우표·인지(제214조 내지 제217조·제223조·제224조) ③ 살인, 체포·감금, 협박(제283조 제1항·제284조·제285조·제286조), 약취·유인·인신매매, 강간·추행(제297조 내지 제301조의2·제305조), 신용·업무·경매(제315조), 권리행사방해(제324조의2 내지 제324조의4·제324조의5), 절도·강도(제329조 내지 제331조·제332조·제333조 내지 제341조·제342조), 공갈(not 사기, 상해, 공무집행방해, 직무유기 등)

특별법	① 군형법에 규정된 범죄(제6장·제10장 제외) ② 국가보안법, 군사기밀보호법, 군사시설보호법에 규정된 범죄 ③ 마약류관리에관한법률에 규정된 범죄(제58조 내지 제62조) ④ 폭력행위등처벌에관한법률에 규정된 범죄(제4조·제5조) ⑤ 총포·도검·화약류등단속법에 규정된 범죄(제70조·제71조 제1호 내지 제3호) ⑥ 특정범죄가중처벌등에관한법률에 규정된 범죄(제2조 내지 제8조·제10조 내지 제12조) ⑦ 특정경제범죄가중처벌등에관한법률에 규정된 범죄(제3조 내지 제9조) ⑧ 「국제상거래에 있어서 외국공무원에 대한 뇌물방지법」에 규정된 범죄(제3조 및 제4조)

279 다음 중 수사상 감정유치에 대한 설명으로 가장 옳은 것은? 24 해경승진 [Essential ★]

□□□
① 감정유치는 감정을 목적으로 신체의 자유를 구속하는 강제처분이므로 법관이 발부하는 영장, 즉 감정유치장을 요한다.
② 피의자에 대한 감정유치 기간은 피의자의 구속기간에 산입한다.
③ 감정유치는 피의자나 피해자의 정신 또는 신체의 감정을 위하여 계속적인 유치와 관찰이 필요한 때에 인정된다.
④ 구속 중인 피의자에 대하여는 감정유치를 할 수 없다.

해설

① [O] 피의자의 정신 또는 신체에 관한 감정에 필요한 때에는 법원은 기간을 정하여 병원 기타 적당한 장소에 피의자를 유치하게 할 수 있고 감정이 완료되면 즉시 유치를 해제하여야 한다. 전항의 유치를 함에는 **감정유치장을 발부하여야 한다.**(제172조 제4항, 제221조의3 제1항·제2항)
②④ [×] **구속 중인 피의자에 대하여** 감정유치장이 집행되었을 때에는 피의자가 유치되어 있는 기간 **구속은 그 집행이 정지된 것으로 간주한다.**(제172조의2 제1항, 제221조의3 제2항)
③ [×] **피의자의** 정신 또는 신체에 관한 감정에 필요한 때에는 (검사의 청구를 받은) 판사는 기간을 정하여 병원 기타 적당한 장소에 피의자를 유치하게 할 수 있고 감정이 완료되면 즉시 유치를 해제하여야 한다.(제172조 제3항, 제221조의3 제1항·제2항) 피해자에 대한 감정유치는 허용되지 않는다.

280 통신제한조치에 관한 설명 중 가장 적절하지 않은 것은? (다툼이 있으면 판례에 의함)

□□□

14 경찰승진 [Core ★★]

① 무전기와 같은 무선전화기를 이용한 통화가 통신비밀보호법 제3조 제1항 소정의 '타인간의 대화'에 포함된다.

② 범죄수사를 위한 통신제한조치의 기간은 원칙적으로 2월을 초과하지 못하고 그 기간 중 통신제한조치의 목적이 달성되었을 경우에는 즉시 종료하여야 한다.

③ 형법상 강간죄, 공갈죄, 경매입찰방해죄는 통신제한조치 대상범죄에 해당한다.

④ 통신제한조치 허가서에 의하여 허가된 통신제한조치가 '전기통신감청 및 우편물 검열'인 경우 그 후 연장결정서에 당초 허가 내용에 없던 '대화녹음'이 기재되어 있다 하더라도 이는 대화녹음의 적법한 근거가 될 수 없다.

해설

① [×] **무전기와 같은 무선전화기를 이용한 통화**가 통비법에서 규정하고 있는 **전기통신에 해당**함은 전화통화의 성질 및 법 규정 내용에 비추어 명백하므로 이를 같은 법 제3조 제1항 소정의 **'타인간의 대화'에 포함된다고 할 수 없다.**(대법원 2003. 11. 13. 2001도6213)

② [○] 범죄수사를 위한 통신제한조치의 기간은 원칙적으로 2월을 초과하지 못하고 그 기간 중 통신제한조치의 목적이 달성되었을 경우에는 즉시 종료하여야 한다.(통비법 제6조 제7항)

③ [○] 통비법 제5조 제1항

④ [○] 통신제한조치에 대한 기간연장결정은 원허가의 내용에 대하여 단지 기간을 연장하는 것일 뿐 원허가의 대상과 범위를 초과할 수 없다 할 것이므로, 통신제한조치허가서에 의하여 허가된 통신제한조치가 '전기통신감청 및 우편물 검열'뿐인 경우 그 후 연장결정서에 당초 허가 내용에 없던 '대화녹음'이 기재되어 있다 하더라도 이는 대화녹음의 적법한 근거가 되지 못한다.(대법원 1999. 9. 3. 99도2317 **영남위원회 사건**)

281 다음 중 통신제한조치 적용대상 범죄에 해당하는 것을 모두 고른 것은?

□□□

18 경찰승진 [Superlative ★★★]

> ㉠ 「형법」상 내란죄　　　　　㉡ 「형법」상 약취·유인죄
> ㉢ 「형법」상 사기죄　　　　　㉣ 「형법」상 공무집행방해죄
> ㉤ 「자동차관리법」 위반

① ㉠㉡

② ㉠㉡㉢

③ ㉠㉡㉢㉣

④ ㉠㉡㉢㉣㉤

해설

① ㉠ 형법상 내란죄와 ㉡ 형법상 약취·유인죄(통비법 제5조)는 통신제한조치 적용대상 범죄에 해당한다. ㉢㉣㉤은 통신제한조치 적용대상 범죄에 해당하지 않는다.

282
□□□

「통신비밀보호법」상 통신제한조치에 대한 설명으로 가장 적절한 것은? (다툼이 있으면 판례에 의함)

21 경찰승진 [Core ★★]

① 전기통신의 감청은 전기통신이 이루어지고 있는 상황에서 실시간으로 전기통신의 내용을 지득·채록하는 경우와 통신의 송·수신을 직접적으로 방해하는 경우뿐만 아니라 이미 수신이 완료된 전기통신에 관하여 남아 있는 기록이나 내용을 열어보는 등의 행위도 포함한다.

② 사법경찰관이 「통신비밀보호법」 제8조에 따른 긴급통신제한조치를 할 경우에는 미리 검사의 지휘를 받아야 한다. 다만, 특히 급속을 요하여 미리 지휘를 받을 수 없는 사유가 있는 경우에는 긴급통신제한조치의 집행착수 후 지체 없이 검사의 승인을 얻어야 한다.

③ 「형법」상 절도죄, 강도죄, 사기죄, 공갈죄는 「통신비밀보호법」상 범죄수사를 위한 통신제한조치가 가능한 범죄이다.

④ 불법감청에 의하여 녹음된 전화통화의 내용은 「통신비밀보호법」에 의하여 증거능력이 없으나 피고인이나 변호인이 이를 증거로 함에 동의한 때에는 예외적으로 증거능력이 인정된다.

해설

② [○] 사법경찰관이 긴급통신제한조치를 할 경우에는 **미리 검사의 지휘를 받아야 한다.** 다만, 특히 급속을 요하여 미리 지휘를 받을 수 없는 사유가 있는 경우에는 긴급통신제한조치의 집행착수 후 **지체 없이 검사의 승인을 얻어야 한다.**(통비법 제8조 제3항)

① [×] '**전기통신의 감청**'은 전기통신이 이루어지고 있는 상황에서 실시간으로 그 전기통신의 내용을 지득·채록하는 경우와 통신의 송·수신을 직접적으로 방해하는 경우를 의미하는 것이지 **이미 수신이 완료된 전기통신에 관하여 남아 있는 기록이나 내용을 열어보는 등의 행위는 포함하지 않는다.**(대법원 2016. 10. 13. 2016도8137 **코리아연대 사건**)

③ [×] 절도죄, 강도죄, 공갈죄는 통신제한조치가 가능한 범죄이지만, **사기죄는 통신제한조치가 가능한 범죄가 아니다.**(통비법 제5조 제1항)

④ [×] 제3자의 경우는 설령 전화통화 당사자 일방의 동의를 받고 그 통화 내용을 녹음하였다 하더라도 그 상대방의 동의가 없었던 이상 통비법 제3조 제1항 위반이 되고, 이와 같이 불법감청에 의하여 녹음된 전화통화의 내용은 **증거능력이 없다. 이는 피고인이나 변호인이 이를 증거로 함에 동의하였다고 하더라도 달리 볼 것은 아니다.**(대법원 2010. 10. 14. 2010도9016 **공범자 통화 녹음사건**)

정답 | 280 ① **281** ① **282** ②

283 다음 <보기> 중 통신비밀보호법에 대한 설명으로 옳은 것만을 있는 대로 고른 것은? (다툼이 있
□□□ 으면 판례에 의함)

23 해경간부 [Core ★★]

〈보기〉

㉠ 사람의 목소리인 이상 상대방에게 의사를 전달하는 말이 아닌 단순한 비명소리나 탄식 등이라
할지라도 통신비밀보호법이 보호하는 타인간의 대화에 해당한다.

㉡ 통신비밀보호법상 전기통신의 감청은 전기 통신이 이루어지고 있는 상황에서 실시간으로 전
기통신의 내용을 지득·채록하는 경우와 통신의 송·수신을 직접적으로 방해하는 경우뿐만
아니라 이미 수신이 완료된 전기통신에 관하여 남아 있는 기록이나 내용을 열어보는 등의
행위를 포함한다.

㉢ 통신제한조치허가서에 의하여 허가된 통신 제한조치가 전기통신 감청 및 우편물 검열뿐인
경우 그 후 연장결정서에 당초 허가 내용에 없던 대화녹음이 기재되어 있다고 하더라고 이는
대화녹음의 적법한 근거가 되지 못한다.

㉣ 검사는 형의 집행을 위하여 필요한 경우 전기통신사업법에 의한 전기통신사업자에게 통신사
실 확인자료의 열람이나 제출을 요청할 수 있고, 이 경우에는 관할 지방법원(보통군사법원을
포함한다) 또는 지원에 허가를 받아야 한다.

---

① ㉠㉡　　　　② ㉠㉣　　　　③ ㉡㉢　　　　④ ㉢㉣

해설

④ ㉢㉣ 2 항목이 옳다.

㉠ [×] 통신비밀보호법에서 보호하는 타인 간의 '대화'는 원칙적으로 현장에 있는 당사자들이 육성으로 말을 주
고받는 의사소통행위를 가리키므로 사람의 육성이 아닌 사물에서 발생하는 음향은 타인간의 '대화'에 해당하지
않고 또한 사람의 목소리라고 하더라도 상대방에게 의사를 전달하는 말이 아닌 **단순한 비명소리나 탄식 등은
타인과 의사소통을 하기 위한 것이 아니라면 특별한 사정이 없는 한 타인간의 '대화'에 해당한다고 볼 수
없다.**(대법원 2017. 3. 15. 2016도19843 우당탕 악 사건)

㉡ [×] '전기통신의 감청'은 전기통신이 이루어지고 있는 상황에서 실시간으로 그 전기통신의 내용을 지득·채록
하는 경우와 통신의 송·수신을 직접적으로 방해하는 경우를 의미하는 것이지 **이미 수신이 완료된 전기통신
에 관하여 남아 있는 기록이나 내용을 열어보는 등의 행위는 포함하지 않는다.**(대법원 2016. 10. 13. 2016
도8137 코리아연대 사건)

㉢ [○] 통신제한조치허가서에 의하여 허가된 통신 제한조치가 전기통신 감청 및 우편물 검열뿐인 경우 그 후
연장결정서에 당초 허가 내용에 없던 대화녹음이 기재되어 있다고 하더라고 이는 대화녹음의 적법한 근거가
되지 못한다.(대법원 1999. 9. 3. 99도2317 영남위원회 사건)

㉣ [○] 검사는 형의 집행을 위하여 필요한 경우 전기통신사업법에 의한 전기통신사업자에게 통신사실확인자료의
열람이나 제출을 요청할 수 있고, 이 경우에는 **관할 지방법원(보통군사법원을 포함한다) 또는 지원에 허가를
받아야 한다.**(통비법 제13조 제1항·제3항)

284

□□□

통신제한조치에 관한 설명으로 옳지 않은 것은? (다툼이 있으면 판례에 의함) 22 소방간부 [Core ★★]

① 통신제한조치는 통신비밀보호법 제5조의 범죄를 계획 또는 실행하고 있거나 실행하였다고 의심할 만한 충분한 이유가 있고, 다른 방법으로는 그 범죄의 실행을 저지하거나 범인의 체포 또는 증거수집이 어려운 경우에 한하여 허가할 수 있다.

② 전기통신의 감청은 전기통신이 이루어지고 있는 상황에서 실시간으로 전기통신의 내용을 지득·채록하는 경우 통신의 송·수신을 직접적으로 방해하는 경우를 의미하는 것이므로 이미 수신이 완료된 전기통신에 관하여 남아 있는 기록이나 내용을 열어보는 등의 행위는 포함하지 않는다.

③ 피고인이 범행 후 피해자에게 전화를 걸어오자 피해자가 증거를 수집하려고 그 전화내용을 녹음한 경우 그것이 피고인 모르게 녹음된 것이라 하여 이를 위법하게 수집된 증거라고 할 수 없다.

④ 3인간의 대화에서 그 중 한 사람이 대화를 녹음하는 경우 다른 두 사람의 발언은 그 녹음자에 대한 관계에서 통신비밀보호법 제3조 제1항에서 정한 '타인간의 대화'라고 할 수 없다.

⑤ 검사 또는 사법경찰관은 통신비밀보호법 제12조의2 제5항에 따라 통신제한조치로 취득한 전기통신을 폐기한 때에는 폐기의 이유와 범위 및 일시 등을 기재한 폐기결과보고서를 작성하여 피의자의 수사기록 또는 피내사자의 내사사건 기록에 첨부하고 폐기일부터 14일 이내에 통신제한조치를 허가한 법원에 송부하여야 한다.

해설

⑤ [×] 검사 또는 사법경찰관은 통신비밀보호법 제12조의2 제5항에 따라 통신제한조치로 취득한 전기통신을 폐기한 때에는 폐기의 이유와 범위 및 일시 등을 기재한 폐기결과보고서를 작성하여 피의자의 수사기록 또는 피내사자의 내사사건기록에 첨부하고, 폐기일부터 **7일 이내에** 통신제한조치를 허가한 법원에 송부하여야 한다.(통비법 제12조의2 제6항)

① [○] 통신제한조치는 통신비밀보호법 제5조의 범죄를 **계획 또는 실행**하고 있거나 **실행하였다고 의심할 만한 충분한 이유가** 있고, 다른 방법으로는 그 범죄의 실행을 저지하거나 범인의 체포 또는 증거수집이 어려운 경우에 한하여 허가할 수 있다.(통비법 제5조 제1항)

② [○] 전기통신의 감청은 전기통신이 이루어지고 있는 상황에서 실시간으로 전기통신의 내용을 지득·채록하는 경우 통신의 송·수신을 직접적으로 방해하는 경우를 의미하는 것이므로 이미 수신이 완료된 전기통신에 관하여 남아 있는 기록이나 내용을 열어보는 등의 행위는 포함하지 않는다.(대법원 2016. 10. 13. 2016도8137 코리아연대 사건)

③ [○] 피고인이 범행 후 피해자에게 전화를 걸어오자 피해자가 증거를 수집하려고 그 전화내용을 녹음한 경우 그것이 피고인 모르게 녹음된 것이라 하여 이를 위법하게 수집된 증거라고 할 수 없다.(대법원 1997. 3. 28. 97도240 강간범 통화 녹음사건)

④ [○] **3인간의 대화**에서 그 중 한 사람이 대화를 녹음하는 경우 다른 두 사람의 발언은 그 녹음자에 대한 관계에서 통신비밀보호법 제3조 제1항에서 정한 '**타인간의 대화**'라고 할 수 없다.(대법원 2014. 5. 16. 2013도16404 아이유 택시 사건)

정답 | 283 ④   284 ⑤

285

□□□

통신제한조치에 대한 설명으로 가장 적절하지 않은 것은? (다툼이 있으면 판례에 의함)

22 경찰간부 [Core ★★]

① 통신제한조치의 기간은 2개월을 초과하지 못하고, 그 기간 중 통신제한조치의 목적이 달성되었을 경우에는 즉시 종료하여야 한다. 다만, 범죄수사를 위한 통신제한조치의 허가요건이 존속하는 경우에는 소명자료를 첨부하여 2개월의 범위에서 통신제한조치기간의 연장을 청구할 수 있다.

② 통신기관 등은 통신제한조치허가서에 기재된 통신제한조치대상자의 전화번호 등이 사실과 일치하지 않을 경우에는 그 집행을 거부할 수 있으며, 어떠한 경우에도 전기통신에 사용되는 비밀번호를 누설할 수 없다.

③ 3인간의 대화에 있어서 그 중 한 사람이 그 대화를 녹음하는 경우에 다른 두 사람의 발언은 그 녹음자에 대한 관계에서 '타인간의 대화'라고 할 수 없다.

④ 통신제한조치의 집행주체가 제3자의 도움을 받지 않고서는 '대화의 녹음·청취'가 사실상 불가능하거나 곤란한 사정이 있는 경우에는 비례의 원칙에 위배되지 않는 한 제3자에게 집행을 위탁하거나 그로부터 협조를 받아 '대화의 녹음·청취'를 할 수 있는데, 이 경우 통신기관 등이 아닌 일반 사인에게는 당해 통신제한조치를 청구한 목적과 그 집행 또는 협조일시 및 대상을 기재한 대장을 작성하여 비치할 의무가 있다.

해설

④ [×] '대화의 녹음·청취'에 관하여 통신비밀보호법 제14조 제2항은 통신비밀보호법 제9조 제1항 전문을 적용하여 집행주체가 집행한다고 규정하면서도, 통신기관 등에 대한 집행위탁이나 협조요청에 관한 같은 법 제9조 제1항 후문을 적용하지 않고 있으나, 이는 '대화의 녹음·청취'의 경우 통신제한조치와 달리 통신기관의 업무와 관련이 적다는 점을 고려한 것일 뿐이므로 반드시 집행주체가 '대화의 녹음·청취'를 직접 수행하여야 하는 것은 아니다. 따라서 집행주체가 제3자의 도움을 받지 않고서는 '대화의 녹음·청취'가 사실상 불가능하거나 곤란한 사정이 있는 경우에는 비례의 원칙에 위배되지 않는 한 제3자에게 집행을 위탁하거나 그로부터 협조를 받아 '대화의 녹음·청취'를 할 수 있다고 봄이 타당하고, **그 경우 통신기관 등이 아닌 일반 사인에게 대장을 작성하여 비치할 의무가 있다고 볼 것은 아니다.**(대법원 2015. 1. 22. 2014도10978 全合 **이석기 의원 사건**)

① [○] 통신제한조치의 기간은 **2개월**을 초과하지 못하고, 그 기간 중 통신제한조치의 목적이 달성되었을 경우 에는 즉시 종료하여야 한다. 다만, 범죄수사를 위한 통신제한조치의 허가요건이 존속하는 경우에는 소명자료를 첨부하여 **2개월**의 범위에서 통신제한조치기간의 연장을 청구할 수 있다.(통비법 제6조 제7항)

② [○] 통신기관 등은 통신제한조치허가서에 기재된 통신제한조치대상자의 전화번호 등이 사실과 일치하지 않을 경우에는 그 집행을 거부할 수 있으며, 어떠한 경우에도 전기통신에 사용되는 **비밀번호를 누설할 수 없다.**(통비법 제9조 제4항)

③ [○] **3인간의 대화**에서 그 중 한 사람이 그 대화를 녹음 또는 청취하는 경우에 다른 두 사람의 발언은 그 녹음자 또는 청취자에 대한 관계에서 통비법 제3조 제1항에서 정한 '**타인간의 대화**'라고 **할 수 없으므로**, 이러한 녹음 또는 청취하는 행위 및 그 내용을 공개하거나 누설하는 행위가 통비법 제16조 제1항에 해당한다고 볼 수 없다.(대법원 2014. 5. 16. 2013도16404 **아이유 택시 사건**)

286 통신제한조치 등에 관한 다음 설명 중 가장 적절하지 않은 것은? (다툼이 있으면 판례에 의함)

□□□

① 통신제한조치의 대상인 전기통신에는 전화뿐 아니라 전자우편도 포함되고, 「전자우편」이라 함은 컴퓨터 통신망을 통해서 메시지를 전송하는 것 또한 전송된 메시지를 말한다.

② 검사 또는 사법경찰관이 통신사실 확인자료제공을 요청하는 경우에는 요청사유, 해당 가입자와의 연관성 및 필요한 자료의 범위를 기록한 서면으로 관할 지방법원 또는 지원의 허가를 받아야 한다.

③ 범죄수사를 위한 통신제한조치의 대상범죄에 형법상 강요죄, 권리행사방해죄, 강제집행면탈죄는 포함되지 않는다.

④ 사법경찰관은 통신제한조치를 집행한 사건에 관하여 검사로부터 공소를 제기하였다는 통보를 받은 경우에는 그 대상자 또는 전기통신의 가입자에게 통신제한조치를 집행한 사실 등을 통지할 필요가 없다.

해설

④ [×] **사법경찰관은** 제6조 제1항 및 제8조 제1항에 따라 통신제한조치를 집행한 사건에 관하여 검사로부터 공소를 제기하거나 제기하지 아니하는 처분(기소중지 또는 참고인중지 결정은 제외한다)의 통보를 받거나 검찰송치를 하지 아니하는 처분(수사중지 결정은 제외한다) 또는 내사사건에 관하여 입건하지 아니하는 처분을 한 때에는 그 날부터 30일 이내에 우편물 검열의 경우에는 그 대상자에게, 감청의 경우에는 그 대상이 된 전기통신의 가입자에게 통신제한조치를 집행한 사실과 집행기관 및 그 기간 등을 **서면으로 통지하여야 한다.**(통비법 제9조의2 제2항)

① [○] "전기통신"이라 함은 전화·전자우편·회원제정보서비스·모사전송·무선호출 등과 같이 유선·무선·광선 및 기타의 전자적 방식에 의하여 모든 종류의 음향·문언·부호 또는 영상을 송신하거나 수신하는 것을 말한다.(통비법 제2조 제3호)

② [○] 제1항 및 제2항에 따라 통신사실 확인자료제공을 요청하는 경우에는 요청사유, 해당 가입자와의 연관성 및 필요한 자료의 범위를 기록한 서면으로 관할 **지방법원**(보통군사법원을 포함한다. 이하 같다) 또는 **지원의 허가를 받아야 한다.**(통비법 제13조 제3항)

③ [○] 강요죄, 권리행사방해죄, 강제집행면탈죄 등은 통신제한조치의 대상범죄에 포함되지 않는다.(통비법 제5조 제1항)

287 강제처분에 대한 설명 중 가장 적절하지 않은 것은? (다툼이 있으면 판례에 의함)

☐☐☐
20 경찰채용 [Superlative ★★★]

① 압수·수색영장 대상자와 피의자 사이에 요구되는 인적 관련성은 압수·수색영장에 기재된 대상자의 공동정범, 간접정범, 교사범 등은 물론이며 필요적 공범 등에 대한 피고사건에 대해서도 인정될 수 있다.

② 사법경찰관은 피내사자를 대상으로 하는 통신제한조치에 대한 허가를 검사에게 신청하고, 검사는 법원에 대하여 그 허가를 청구할 수 있다.

③ 통신비밀보호법 제12조의2에 의하면 사법경찰관은 인터넷회선을 통하여 송신·수신하는 전기통신을 대상으로 제6조 또는 제8조(제5조 제1항의 요건에 해당하는 사람에 대한 긴급통신제한조치에 한정한다)에 따른 통신제한조치를 집행한 경우 그 전기통신의 보관 등을 하고자 하는 때에는 집행종료일부터 14일 이내에 보관 등이 필요한 전기통신을 선별하여 검사에게 보관 등의 승인을 신청하고 검사는 신청일부터 14일 이내에 통신제한조치를 허가한 법원에 그 승인을 청구할 수 있다.

④ 마약류 불법거래 방지에 관한 특례법 제4조 제1항에 따른 조치의 일환으로 특정한 수출입물품을 개봉하여 검사하고 그 내용물의 점유를 취득한 행위는 수출입물품에 대한 적정한 통관 등을 목적으로 하는 조사와 달리 범죄수사인 압수 또는 수색에 해당하여 사전 또는 사후에 영장을 받아야 한다.

해설

③ [×] 사법경찰관은 (중략) 집행종료일부터 14일 이내에 보관 등이 필요한 전기통신을 선별하여 검사에게 보관 등의 승인을 신청하고, 검사는 신청일부터 **7일 이내**에 통신제한조치를 허가한 법원에 그 승인을 청구할 수 있다.(통비법 제12조의2 제2항)

> **통신비밀보호법(2020. 3. 24. 법률 제17090호로 일부개정된 것)**
>
> **제12조의2【범죄수사를 위하여 인터넷 회선에 대한 통신제한조치로 취득한 자료의 관리】** ① 검사는 인터넷회선을 통하여 송신·수신하는 전기통신을 대상으로 제6조 또는 제8조(제5조 제1항의 요건에 해당하는 사람에 대한 긴급통신제한조치에 한정한다)에 따른 통신제한조치를 집행한 경우 그 전기통신을 제12조 제1호에 따라 사용하거나 사용을 위하여 보관(이하 이 조에서 "보관 등"이라 한다)하고자 하는 때에는 집행종료일부터 14일 이내에 보관 등이 필요한 전기통신을 선별하여 통신제한조치를 허가한 법원에 보관 등의 승인을 청구하여야 한다.
>
> ② 사법경찰관은 인터넷 회선을 통하여 송신·수신하는 전기통신을 대상으로 제6조 또는 제8조(제5조 제1항의 요건에 해당하는 사람에 대한 긴급통신제한조치에 한정한다)에 따른 통신제한조치를 집행한 경우 그 전기통신의 보관 등을 하고자 하는 때에는 집행종료일부터 14일 이내에 보관 등이 필요한 전기통신을 선별하여 검사에게 보관 등의 승인을 신청하고, 검사는 신청일부터 7일 이내에 통신제한 조치를 허가한 법원에 그 승인을 청구할 수 있다.
>
> ③ 제1항 및 제2항에 따른 승인청구는 통신제한조치의 집행 경위, 취득한 결과의 요지, 보관등이 필요한 이유를 기재한 서면으로 하여야 하며, 다음 각 호의 서류를 첨부하여야 한다.
>
> 1. 청구이유에 대한 소명자료

2. 보관 등이 필요한 전기통신의 목록

3. 보관 등이 필요한 전기통신. 다만, 일정 용량의 파일 단위로 분할하는 등 적절한 방법으로 정보저장매체에 저장·봉인하여 제출하여야 한다.

④ 법원은 청구가 이유 있다고 인정하는 경우에는 보관등을 승인하고 이를 증명하는 서류(이하 이 조에서 "승인서"라 한다)를 발부하며, 청구가 이유 없다고 인정하는 경우에는 청구를 기각하고 이를 청구인에게 통지한다.

⑤ 검사 또는 사법경찰관은 제1항에 따른 청구나 제2항에 따른 신청을 하지 아니하는 경우에는 집행종료일부터 14일(검사가 사법경찰관의 신청을 기각한 경우에는 그 날부터 7일) 이내에 통신제한조치로 취득한 전기통신을 폐기하여야 하고, 법원에 승인청구를 한 경우(취득한 전기통신의 일부에 대해서만 청구한 경우를 포함한다)에는 제4항에 따라 법원으로부터 승인서를 발부받거나 청구기각의 통지를 받은 날부터 7일 이내에 승인을 받지 못한 전기통신을 폐기하여야 한다.

⑥ 검사 또는 사법경찰관은 제5항에 따라 통신제한조치로 취득한 전기통신을 폐기한 때에는 폐기의 이유와 범위 및 일시 등을 기재한 폐기결과보고서를 작성하여 피의자의 수사기록 또는 피내사자의 내사사건기록에 첨부하고, 폐기일부터 7일 이내에 통신제한조치를 허가한 법원에 송부하여야 한다.

① [○] (1) 압수·수색영장의 범죄 혐의사실과 관계있는 범죄라는 것은 압수·수색영장에 기재한 혐의사실과 객관적 관련성이 있고 압수·수색영장 대상자와 피의자 사이에 인적 관련성이 있는 범죄를 의미한다. (2) 그 중 혐의사실과의 객관적 관련성은 압수·수색영장에 기재된 혐의사실 자체 또는 그와 기본적 사실관계가 동일한 범행과 직접 관련되어 있는 경우는 물론 범행 동기와 경위, 범행 수단과 방법, 범행 시간과 장소 등을 증명하기 위한 간접증거나 정황증거 등으로 사용될 수 있는 경우에도 인정될 수 있다. 그 관련성은 압수·수색영장에 기재된 혐의사실의 내용과 수사의 대상, 수사 경위 등을 종합하여 구체적·개별적 연관관계가 있는 경우에만 인정된다고 보아야 하고, 혐의사실과 단순히 동종 또는 유사 범행이라는 사유만으로 관련성이 있다고 할 것은 아니다. (3) 그리고 피의자와 사이의 인적 관련성은 압수·수색영장에 기재된 대상자의 공동정범이나 교사범 등 공범이나 간접정범은 물론 **필요적 공범 등**에 대한 **피고사건에 대해서도 인정될 수 있다.**(대법원 2017. 12. 5. 2017도13458 **최명길 의원 사건**)

② [○] 사법경찰관은 제5조 제1항의 요건이 구비된 경우에는 검사에 대하여 **각 피의자별** 또는 각 **피내사자별**로 통신제한조치에 대한 허가를 신청하고, 검사는 법원에 대하여 그 허가를 청구할 수 있다.(통비법 제6조 제2항)

④ [○] 마약류 불법거래방지에 관한 특례법 제4조 제1항에 따른 조치의 일환으로 특정한 수출입물품을 개봉하여 검사하고 그 내용물의 **점유를 취득한 행위**는 수출입물품에 대한 적정한 통관 등을 목적으로 조사를 하는 경우와는 달리, 범죄수사인 압수 또는 수색에 해당하여 **사전 또는 사후에 영장을 받아야 한다.**(대법원 2017. 7. 18. 2014도8719 **통제배달사건Ⅱ**)

288 인터넷통신망을 통하여 흐르는 전기신호 형태의 패킷(packet)을 중간에 확보하여 그 내용을 지
□□□ 득하는 소위 패킷감청에 대한 설명으로 가장 적절한 것은? (다툼이 있으면 판례에 의함)

21 경찰승진 [Superlative ★★★]

① 패킷감청은 사건과 무관한 불특정 다수의 방대한 정보까지 수집되어 개인의 통신 및 사생활의
비밀과 자유를 침해하기 때문에 헌법불합치결정이 선고되었고, 현재 패킷감청에 의한 통신제
한조치는 허용되지 않는다.

② 사법경찰관은 「통신비밀보호법」에 따른 패킷감청을 집행하여 그 전기통신을 보관하고자 하는
때에는 집행종료일로부터 14일 이내에 보관 등이 필요한 전기통신을 선별하여 통신제한조치
를 허가한 법원에 그 승인을 청구할 수 있다.

③ 법원이 패킷감청으로 취득한 자료의 보관을 위한 승인청구를 기각한 경우, 사법경찰관은 청구
기각의 통지를 받은 날부터 7일 이내에 해당 전기통신을 폐기하고, 폐기결과보고서를 작성하
여 7일 이내에 검사에게 송부하여야 한다.

④ 「통신비밀보호법」은 패킷감청으로 취득한 자료의 관리에 관한 절차(「통신비밀보호법」 제12
조의2)의 위반에 대해서는 벌칙 조항을 두고 있지 않다.

해설

④ [○] 통비법은 패킷감청으로 취득한 자료의 관리에 관한 절차(통신비밀보호법 제12조의2) 위반 행위에 대한
벌칙 조항을 두고 있지 않다.

① [×] 헌법재판소는 통비법 제5조 제2항 중 '인터넷 회선을 통하여 송신·수신하는 전기통신'에 관한 부분은
인터넷 감청의 특성상 다른 통신제한조치에 비하여 수사기관이 취득하는 자료가 매우 방대함에도 불구하고 수
사기관이 감청 집행으로 취득한 자료에 대한 처리 등을 객관적으로 통제할 수 있는 절차가 마련되어 있지 않다
는 취지로 헌법불합치결정을 하였다.(헌법재판소 2018. 8. 30. 2016헌마263) 이에 따라 국회가 2020. 3.24.
통비법 제12조의2를 신설하여 패킷감청(인터넷 회선을 통하여 송신·수신하는 전기통신에 대한 통신제한조
치)에 대한 합헌성을 제고하였다. 즉 **2020. 3. 24. 이후부터 패킷감청에 의한 통신제한조치도 합법적으로
(합헌적으로) 허용된다.**

② [×] 사법경찰관은 인터넷 회선을 통하여 송신·수신하는 전기통신을 대상으로 통신제한조치를 집행한 경우
그 전기통신의 보관 등을 하고자 하는 때에는 집행종료일부터 14일 이내에 보관 등이 필요한 전기통신을 선별
하여 **검사에게 보관 등의 승인을 신청하고,** 검사는 신청일부터 7일 이내에 통신제한조치를 허가한 법원에 그
승인을 청구할 수 있다.(통비법 제12조의2 제2항)

③ [×] 검사 또는 사법경찰관은 보관 등의 승인 청구나 신청을 하지 아니하는 경우에는 집행종료일부터 14일(검
사가 사법경찰관의 신청을 기각한 경우에는 그 날부터 7일) 이내에 통신제한조치로 취득한 전기통신을 폐기하
여야 하고, 법원에 승인청구를 한 경우(취득한 전기통신의 일부에 대해서만 청구한 경우를 포함한다)에는 법원
으로부터 승인서를 발부받거나 청구기각의 통지를 받은 날부터 7일 이내에 승인을 받지 못한 전기통신을 폐기
하여야 한다.(통비법 제12조의2 제2항) **검사 또는 사법경찰관은** 통신제한조치로 취득한 전기통신을 폐기한
때에는 폐기의 이유와 범위 및 일시 등을 기재한 **폐기결과보고서를 작성하여** 피의자의 수사기록 또는 피내사
자의 내사사건기록에 첨부하고, **폐기일부터 7일 이내에 통신제한조치를 허가한 법원에 송부하여야 한다.**(통
비법 제12조의2 제6항)

289

다음 중 통신비밀보호법상 통신제한조치에 관한 긴급처분의 요건으로 가장 옳지 않은 것은?

22 해경승진 [Core ★★]

① 국가안보를 위협하는 음모행위

② 범인의 체포 또는 증거의 수집이 어려운 경우

③ 조직범죄의 계획이나 실행 등과 같은 긴박한 상황이 있는 경우

④ 직접적인 사망이나 심각한 상해의 위험을 야기할 수 있는 범죄

해설

② [×] 범인의 체포 또는 증거의 수집이 어려운 경우는 **통신제한조치 긴급처분 요건에 해당하지 않는다.**

①③④ [○] 검사, 사법경찰관 또는 정보수사기관의 장은 국가안보를 위협하는 음모행위, 직접적인 사망이나 심각한 상해의 위험을 야기할 수 있는 범죄 또는 조직범죄등 중대한 범죄의 계획이나 실행 등 긴박한 상황에 있고 제5조 제1항 또는 제7조 제1항 제1호의 규정에 의한 요건을 구비한 자에 대하여 제6조 또는 제7조 제1항 및 제3항의 규정에 의한 절차를 거칠 수 없는 긴급한 사유가 있는 때에는 법원의 허가없이 통신제한조치를 할 수 있다.(통비법 제8조 제1항)

290 통신비밀보호법상 감청에 관한 설명으로 가장 적절하지 않은 것은? (다툼이 있으면 판례에 의함)

☐☐☐

24 경찰승진 [Core ★★]

① 전화통화 당사자의 일방이 상대방 모르게 통화내용을 녹음하는 것은 감청에 해당하지 아니하지만 제3자의 경우는 설령 전화통화 당사자 일방의 동의를 받고 그 통화내용을 녹음하였다 하더라도 그 상대방의 동의가 없었던 이상 통신비밀보호법 제3조를 위반한 불법감청에 해당한다.

② 통신비밀보호법 제3조 제1항 본문에 의하면 누구든지 이 법과 형사소송법 또는 군사법원법의 규정에 의하지 않고는 공개되지 않은 타인간의 대화를 녹음하거나 청취하지 못하는데, 여기서 말하는 '공개되지 않았다.'는 것은 반드시 비밀과 동일한 의미는 아니다.

③ 인터넷개인방송의 방송자가 비밀번호를 설정하는 등 그 수신 범위를 한정하는 비공개 조치를 취하지 않고 방송을 송출하는 경우 그 시청자는 인터넷개인방송의 당사자인 수신인에 해당하고, 이러한 시청자가 방송 내용을 지득·채록하는 것은 통신비밀보호법에서 정한 감청에 해당하지 않는다.

④ A가 비공개 조치를 한 후 인터넷개인방송을 하는 과정에서 A와 잘 아는 사이인 甲이 불상의 방법으로 접속하거나 시청하고 있다는 사정을 알면서도 방송을 중단하거나 甲을 배제하는 조치를 취하지 아니하고, 오히려 甲의 시청 사실을 전제로 甲을 상대로 한 발언을 하기도 하는 등 계속 진행을 하였더라도 甲이 해당 방송을 시청하면서 음향·영상 등을 청취하거나 녹음하였다면 통신비밀보호법 제3조를 위반한 불법감청에 해당한다.

해설

④ [×] 그러나 인터넷개인방송의 방송자가 비밀번호를 설정하는 등으로 비공개 조치를 취한 후 방송을 송출하는 경우에는 방송자로부터 허가를 받지 못한 사람은 당해 인터넷개인방송의 당사자가 아닌 '제3자'에 해당하고, 이러한 제3자가 비공개 조치가 된 인터넷개인방송을 비정상적인 방법으로 시청·녹화하는 것은 통신비밀보호법상의 감청에 해당할 수 있다. 다만, **방송자가 이와 같은 제3자의 시청·녹화 사실을 알거나 알 수 있었음에도 방송을 중단하거나 그 제3자를 배제하지 않은 채 방송을 계속 진행하는 등 허가받지 아니한 제3자의 시청·녹화를 사실상 승낙·용인한 것으로 볼 수 있는 경우**에는 불특정인 혹은 다수인을 직·간접적인 대상으로 하는 인터넷개인방송의 일반적 특성상 그 제3자 역시 인터넷개인방송의 당사자에 포함될 수 있으므로 이러한 제3자가 방송 내용을 지득·채록하는 것은 통신비밀보호법에서 정한 **감청에 해당하지 않는다.**(대법원 2022. 10. 27. 2022도9877 **인터넷개인방송 비정상적 시청·녹화 사건**) 甲은 방송의 당사자에 포함될 뿐 당사자가 아닌 제3자에 해당한다고 볼 수는 없으므로 甲이 방송을 시청하면서 음향·영상 등을 청취하거나 녹음하였더라도 통신비밀보호법 제3조를 위반한 불법감청에 해당하지 않는다.

① [○] 전기통신의 감청은 제3자가 전기통신의 당사자인 송신인과 수신인의 동의를 받지 아니하고 전기통신 내용을 녹음하는 등의 행위를 하는 것만을 말한다고 해석함이 타당하므로 전기통신에 해당하는 전화통화 당사자의 일방이 상대방 모르게 통화 내용을 녹음하는 것은 여기의 감청에 해당하지 않는다. 그러나 제3자의 경우는 설령 전화통화 당사자 일방의 동의를 받고 그 통화 내용을 녹음하였다 하더라도 그 **상대방의 동의가 없었던 이상** 이는 여기의 감청에 해당하여 **통신비밀보호법 제3조 제1항 위반**이 되고, 이와 같이 제3조 제1항을 위반한 불법감청에 의하여 녹음된 전화통화의 내용은 제4조에 의하여 **증거능력이 없다.**(대법원 2019. 3. 14. 2015도1900 **변호사 매형, 검사 처남 사건**)

② [○] 통신비밀보호법 제3조 제1항에서 '공개되지 않았다'는 것은 반드시 비밀과 동일한 의미는 아니고 구체적으로 공개된 것인지는 발언자의 의사와 기대, 대화의 내용과 목적, 상대방의 수, 장소의 성격과 규모, 출입의 통제 정도, 청중의 자격 제한 등 객관적인 상황을 종합적으로 고려하여 판단해야 한다.(대법원 2022. 8. 31. 2020도1007 대화내용 녹음 교회 장로 전송사건)

③ [○] 인터넷개인방송의 방송자가 비밀번호를 설정하는 등 그 수신 범위를 한정하는 비공개 조치를 취하지 않고 방송을 송출하는 경우 누구든지 시청하는 것을 포괄적으로 허용하는 의사라고 볼 수 있으므로 그 시청자는 인터넷개인방송의 당사자인 수신인에 해당하고, 이러한 시청자가 방송 내용을 지득·채록하는 것은 통신비밀보호법에서 정한 감청에 해당하지 않는다.(대법원 2022. 10. 27. 2022도9877 인터넷개인방송 비정상적 시청·녹화 사건)

291

다음 설명 중 옳은 것을 모두 고른 것은? (다툼이 있으면 판례에 의함) 　17 변호사 [Superlative ★★★]

☐☐☐

> ㉠ 전자우편이 송신되어 수신인이 이를 확인하는 등으로 이미 수신이 완료된 전기통신에 관하여 남아 있는 기록이나 내용을 열어보는 등의 행위는 「통신비밀보호법」에서 규정하는 '전기통신의 감청'에 포함되지 않는다.
>
> ㉡ 「통신비밀보호법」 제3조 제1항은 "공개되지 아니한 타인간의 대화를 녹음 또는 청취하지 못한다."라고 규정하고 있는데, 3인 간의 대화에서 그 중 한 사람이 그 대화를 녹음 또는 청취하는 경우에 다른 두 사람의 발언은 그 녹음자 또는 청취자에 대한 관계에서 위 규정에서 말하는 '타인 간의 대화'라고 할 수 없다.
>
> ㉢ 수사기관이 구속수감되어 있던 甲으로부터 피고인의 마약류관리에 관한 법률 위반(향정)범행에 대한 진술을 듣고 추가적인 증거를 확보할 목적으로, 甲에게 그의 압수된 휴대전화를 제공하여 피고인과 통화하고 위 범행에 관한 통화 내용을 녹음하게 한 경우, 甲이 통화당사자가 되므로 그 녹음을 증거로 사용할 수 있다.
>
> ㉣ 경찰관이 노래방의 도우미 알선 영업단속 실적을 올리기 위하여 그에 대한 제보나 첩보가 없는데도 손님을 가장하고 들어가 도우미를 불러줄 것을 요구하였으나 한 차례 거절당한 후에 다시 찾아가 도우미를 불러 줄 것을 요구하여 도우미가 오자 단속하였다면 이는 위법한 함정수사에 해당한다.
>
> ㉤ 위법한 함정수사에 기하여 공소를 제기한 피고사건은 범죄로 되지 아니하므로 형사소송법 제325조의 규정에 따라 법원은 판결로써 무죄를 선고하여야 한다.

① ㉠㉡㉢　　　　② ㉠㉡㉣　　　　③ ㉠㉢㉤

④ ㉡㉣㉤　　　　⑤ ㉢㉣㉤

CRIMINAL PROCEDURE **LAW**

해설

② ㉠㉡㉣ 3 항목이 옳다.

㉠ [O] '전기통신의 감청'은 현재 이루어지고 있는 전기통신의 내용을 지득·채록하는 경우와 통신의 송·수신을 직접적으로 방해하는 경우를 의미하는 것이지 전자우편이 송신되어 수신인이 이를 확인하는 등으로 이미 수신이 완료된 전기통신에 관하여 남아 있는 기록이나 내용을 열어보는 등의 행위는 포함하지 않는다.(대법원 2013. 11. 28. 2010도12244 밀양시장 이메일 해킹사건)

㉡ [O] 3인간의 대화에서 그 중 한 사람이 그 대화를 녹음 또는 청취하는 경우에 다른 두 사람의 발언은 그 녹음자 또는 청취자에 대한 관계에서 통비법 제3조 제1항에서 정한 '타인간의 대화'라고 할 수 없으므로, 이러한 녹음 또는 청취하는 행위 및 그 내용을 공개하거나 누설하는 행위가 통비법 제16조 제1항에 해당한다고 볼 수 없다.(대법원 2014. 5. 16. 2013도16404 아이유 택시 사건)

㉢ [×] 수사기관이 구속수감된 甲으로 하여금 피고인의 범행에 관한 통화 내용을 녹음하게 한 행위는 **수사기관 스스로가 주체가 되어 구속수감된 자의 동의만을 받고 상대방인 피고인의 동의가 없는 상태에서 그들의 통화 내용을 녹음한 것으로서** 범죄수사를 위한 통신제한조치의 허가 등을 받지 아니한 불법감청에 해당한다고 보아야 할 것이므로, 그 녹음 자체는 물론이고 이를 근거로 작성된 수사보고의 기재 내용과 첨부녹취록 및 첨부 mp3 파일도 모두 **피고인과 변호인의 증거동의에 상관없이 증거능력이 없다.**(대법원 2010. 10. 14. 2010도9016)

㉣ [O] 경찰관이 노래방의 도우미 알선 영업 단속 실적을 올리기 위하여 그에 대한 제보나 첩보가 없는데도 손님을 가장하고 들어가 도우미를 불러낸 경우 수사기관이 사술이나 계략 등을 써서 피고인의 범의를 유발케 한 것으로서 **위법하다.**(대법원 2008. 10. 23. 2008도7362 안산 노래방 사건)

㉤ [×] 본래 범의를 가지지 아니한 자에 대하여 수사기관이 사술이나 계략 등을 써서 범의를 유발케 하여 범죄인을 검거하는 함정수사는 위법함을 면할 수 없고 이러한 함정수사에 기한 공소제기는 그 절차가 법률의 규정에 위반하여 무효인 때에 해당한다고 볼 것이다.(대법원 2008. 10. 23. 2008도7362 안산 노래방 사건) **법원은 형사소송법 제327조 제2호에 의하여 공소기각판결을 선고하여야 한다.**

292 통신비밀보호법에 관한 설명으로 옳지 않은 것은? (다툼이 있으면 판례에 의함)

24 소방간부 [Superlative ★★★]

① 방송자가 인터넷을 도관 삼아 인터넷서비스제공 업체 또는 온라인서비스제공자인 인터넷개인방송 플랫폼업체의 서버를 이용하여 실시간 또는 녹화된 형태로 음성, 영상물을 방송함으로써 불특정 혹은 다수인이 이를 수신·시청할 수 있게 하는 인터넷개인방송은 통신비밀보호법상 전기통신에 해당한다.

② 통신비밀보호법상 '감청'이라 함은 전기통신에 대하여 당사자의 동의 없이 전자장치·기계장치등을 사용하여 통신의 음향·문언·부호·영상을 청취·공독하여 그 내용을 지득 또는 채록하거나 전기통신의 송·수신을 방해하는 것을 말한다.

③ 인터넷개인방송의 방송자가 비밀번호를 설정하는 등으로 비공개 조치를 취한 후 방송을 송출하는 경우 방송자로부터 허가를 받지 못한 사람이 비공개 조치가 된 인터넷개인방송을 비정상적인 방법으로 시청·녹화하는 것은 통신비밀보호법상의 감청에 해당할 수 있다.

④ 인터넷개인방송의 방송자가 비공개 조치를 취한 후 방송을 송출하는 경우 방송자로부터 허가를 받지 못한 제3자의 시청·녹화 사실을 방송자가 알거나 알 수 있었음에도 방송을 중단하거나 그제3자를 배제하지 않은 채 방송을 계속 진행하여 그 제3자가 방송 내용을 지득·채록하였다면 통신비밀보호법에서 정한 감청에 해당한다.

⑤ 전기통신의 당사자의 일방이 상대방 모르게 통신의 음향·영상 등을 청취하거나 녹음하는 것은 통신비밀보호법상 감청에 해당하지 아니한다.

해설

④ [×] 다만, 방송자가 이와 같은 제3자의 시청·녹화 사실을 알거나 알 수 있었음에도 방송을 중단하거나 그 제3자를 배제하지 않은 채 방송을 계속 진행하는 등 **허가받지 아니한 제3자의 시청·녹화를 사실상 승낙·용인한 것으로 볼 수 있는 경우에는** 불특정인 혹은 다수인을 직·간접적인 대상으로 하는 인터넷개인방송의 일반적 특성상 그 제3자 역시 인터넷개인방송의 당사자에 포함될 수 있으므로 **이러한 제3자가 방송 내용을 지득·채록하는 것은 통신비밀보호법에서 정한 감청에 해당하지 않는다.**(대법원 2022. 10. 27. 2022도9877 인터넷개인방송 비정상적 시청·녹화 사건)

①②⑤ [○] (1) 통신비밀보호법 제2조에 의하면 '전기통신'이란 유선·무선·광선 및 기타의 전자적 방식에 의하여 모든 종류의 음향·문언·부호 또는 영상을 송신하거나 수신하는 것을 말하고(제3호), '감청'이란 전기통신에 대하여 당사자의 동의 없이 전자장치·기계장치 등을 사용하여 통신의 음향·문언·부호·영상을 청취·공독하여 그 내용을 지득 또는 채록하거나 전기통신의 송·수신을 방해하는 것을 말한다(제7호). 통신비밀보호법 제3조는 통신비밀보호법, 형사소송법, 군사법원법의 규정에 의하지 아니한 전기통신의 감청을 금지하고 있고, 같은 법 제4조는 위 규정을 위반하여 불법감청에 의하여 지득 또는 채록된 전기통신의 내용은 재판 또는 징계절차에서 증거로 사용할 수 없다고 정하고 있다. 위와 같은 전기통신의 감청은 제3자가 전기통신의 당사자인 송신인과 수신인의 동의를 받지 아니하고 통신비밀보호법 제2조 제7호 소정의 각 행위를 하는 것만을 말한다고 풀이함이 상당하므로 전기통신의 당사자의 일방이 상대방 모르게 통신의 음향·영상 등을 청취하거나 녹음하는 것은 여기의 감청에 해당하지 아니하지만, 제3자의 경우는 설령 당사자 일방의 동의를 받고 그 통신의 음향·영상을 청취하거나 녹음하였다 하더라도 그 상대방의 동의가 없었던 이상 이는 통신비밀보호법 제3조 제1항 위반이 된다. (2) 방송자가 인터넷을 도관 삼아 인터넷서비스제공업체 또는 온라인서비스제공자인 인터넷개인방송 플랫폼업체의 서버를 이용하여 실시간 또는 녹화된 형태로 음성, 영상물을 방송함으로써 불특정 혹은 다수인이 이를 수신·시청할 수 있게 하는 인터넷개인방송은 그 성격이나 통신비밀보호법의 위와 같은 규정에 비추어 전기통신에 해당함은 명백하다.(대법원 2022. 10. 27. 2022도9877 인터넷개인방송 비정상적 시청·녹화 사건)

③ [○] 인터넷개인방송의 방송자가 비밀번호를 설정하는 등으로 비공개 조치를 취한 후 방송을 송출하는 경우에는 방송자로부터 허가를 받지 못한 사람은 당해 인터넷개인방송의 당사자가 아닌 '제3자'에 해당하고, 이러한 제3자가 비공개 조치가 된 인터넷개인방송을 비정상적인 방법으로 시청·녹화하는 것은 통신비밀보호법상의 감청에 해당할 수 있다.(대법원 2022. 10. 27. 2022도9877 인터넷개인방송 비정상적 시청·녹화 사건)

293 통신비밀보호법상 사법경찰관의 통신제한조치(전기통신의 감청)에 관한 설명으로 옳은 것을
□□□ 모두 고른 것은?

21 경찰채용 [Core ★★]

㉠ 일정한 요건이 구비된 경우에는 검사에 대하여 각 피의자별 또는 각 피내사자별로 통신제한조치에 대한 허가를 신청하고, 검사는 법원에 대하여 그 허가를 청구할 수 있다.

㉡ 통신제한조치의 기간은 3개월을 초과하지 못하나 허가요건이 존속하는 경우에는 3개월의 범위에서 통신제한조치기간의 연장을 청구할 수 있다. 다만, 통신제한조치의 연장을 청구하는 경우에 통신제한조치의 총 연장기간은 1년(일정한 범죄의 경우는 3년)을 초과할 수 없다.

㉢ 통신제한조치를 집행한 사건에 관하여 검사로부터 공소를 제기하거나 제기하지 아니하는 처분(기소중지 또는 참고인중지결정은 제외한다)의 통보를 받거나 검찰송치를 하지 아니하는 처분(수사중지 결정은 제외한다) 또는 내사사건에 관하여 입건하지 아니하는 처분을 한 때에는 그 날부터 30일 이내에 감청의 대상이 된 전기통신의 가입자에게 통신제한조치를 집행한 사실과 집행기관 및 그 기간 등을 서면으로 통지하여야 한다.

㉣ 인터넷 회선을 통하여 송신·수신하는 전기통신을 대상으로 통신제한조치를 집행한 경우 그 전기통신의 보관 등을 하고자 하는 때에는 집행종료일부터 10일 이내에 보관 등이 필요한 전기통신을 선별하여 검사에게 보관 등의 승인을 신청하고, 검사는 신청일부터 10일 이내에 통신제한조치를 허가한 법원에 그 승인을 청구할 수 있다.

---

① ㉠㉢ ② ㉠㉣

③ ㉡㉢ ④ ㉡㉣

해설

① ㉠㉢ 2 항목이 옳다.

㉠ [O] 일정한 요건이 구비된 경우에는 검사에 대하여 각 피의자별 또는 각 피내사자별로 통신제한조치에 대한 허가를 신청하고, 검사는 **법원에 대하여 그 허가를 청구할 수 있다.**(통비법 제6조 제2항)

㉡ [X] 통신제한조치의 기간은 **2개월을** 초과하지 못하고, 그 기간 중 통신제한조치의 목적이 달성되었을 경우에는 즉시 종료하여야 한다. 다만, 허가요건이 존속하는 경우에는 소명자료를 첨부하여 **2개월의 범위에서** 통신제한조치기간의 연장을 청구할 수 있다.(통비법 제6조 제7항) 검사 또는 사법경찰관이 통신제한조치의 연장을 청구하는 경우에 통신제한조치의 총 연장기간은 1년을 초과할 수 없다. 다만, 일정한 범죄의 경우에는 통신제한조치의 총 연장기간이 3년을 초과할 수 없다.(통비법 제6조 제8항)

㉢ [O] 통신제한조치를 집행한 사건에 관하여 검사로부터 공소를 제기하거나 제기하지 아니하는 처분(기소중지 또는 참고인중지결정은 제외한다)의 통보를 받거나 검찰송치를 하지 아니하는 처분(수사중지 결정은 제외한다) 또는 내사사건에 관하여 입건하지 아니하는 처분을 한 때에는 그 날부터 30일 이내에 감청의 대상이 된 전기통신의 가입자에게 통신제한조치를 집행한 사실과 집행기관 및 그 기간 등을 **서면으로 통지하여야 한다.**(통비법 제9조의2 제2항)

㉣ [X] 사법경찰관은 인터넷 회선을 통하여 송신·수신하는 전기통신을 대상으로 통신제한조치를 집행한 경우 그 전기통신의 보관 등을 하고자 하는 때에는 집행종료일부터 **14일 이내에** 보관 등이 필요한 전기통신을 선별하여 검사에게 보관 등의 승인을 신청하고, 검사는 신청일부터 **7일 이내에** 통신제한조치를 허가한 법원에 그 승인을 청구할 수 있다.(통비법 제12조의2 제2항)

294

대물적 강제처분에 대한 설명으로 옳지 않은 것은? (다툼이 있으면 판례에 의함)

① 경찰관이 이른바 전화사기죄 범행의 혐의자를 긴급체포하면서 그가 보관하고 있던 다른 사람의 주민등록증을 압수하고 적법하게 사후영장을 발부받았다면 이는 해당 범죄사실의 수사에 필요한 범위 내의 압수로서 적법하므로 그 주민등록증을 위 혐의자의 점유이탈물횡령죄 범행에 대한 유죄의 증거로 사용할 수 있다.

② 정보통신망 이용촉진 및 정보보호 등에 관한 법률상 음란물유포의 범죄혐의를 이유로 압수·수색영장을 발부받은 수사기관이 피의자의 주거지를 수색하는 과정에서 대마를 발견하자 피의자를 마약류관리에 관한 법률 위반죄의 현행범으로 체포하면서 대마를 압수하고 압수조서를 작성하였으나 사후 압수·수색영장을 발부받지 않았다면 위 압수물과 압수조서는 영장주의를 위반한 것이어서 증거능력이 부정된다.

③ '소유자, 소지자 또는 보관자'가 아닌 자로부터 제출받은 물건을 영장 없이 압수한 경우 그 압수물 및 압수물을 찍은 사진은 피고인이나 변호인이 증거로 함에 동의하였다고 하더라도 유죄인정의 증거로 사용할 수 없다.

④ 검사는 통신사실 확인자료제공을 받은 사건에 관하여 공소제기를 하지 아니하는 처분(기소중지·참고인중지 결정은 제외한다) 또는 입건을 하지 아니하는 처분을 한 경우 그 처분을 한 날부터 1년이 경과한 때부터 30일 이내에 통신사실 확인자료제공을 받은 사실과 제공요청기관 및 그 기간 등을 통신사실 확인자료제공의 대상이 된 당사자에게 서면으로 통지하여야 한다.

해설

④ [×] 검사 또는 사법경찰관은 통신사실 확인자료제공을 받은 사건에 관하여 다음 각 호의 구분에 따라 정한 기간 내에 통신사실 확인자료제공을 받은 사실과 제공요청기관 및 그 기간 등을 **통신사실 확인자료제공의 대상이 된 당사자에게 서면으로 통지하여야 한다.**(통비법 제13조의3 제1항)

  1. 공소를 제기하거나 공소제기·검찰송치를 하지 아니하는 처분(기소중지·참고인중지 또는 수사중지 결정은 제외한다) 또는 입건을 하지 아니하는 처분을 한 경우: **그 처분을 한 날부터 30일 이내** <단서 생략>
  2. 기소중지·참고인중지 또는 수사중지 결정을 한 경우: 그 결정을 한 날부터 1년(제6조 제8항 각 호의 어느 하나에 해당하는 범죄인 경우에는 3년)이 경과한 때부터 30일 이내 <단서 생략>
  3. 수사가 진행 중인 경우: 통신사실 확인자료제공을 받은 날부터 1년(제6조 제8항 각 호의 어느 하나에 해당하는 범죄인 경우에는 3년)이 경과한 때부터 30일 이내

① [O] 경찰관이 이른바 전화사기죄 범행의 혐의자를 긴급체포하면서 그가 보관하고 있던 다른 사람의 주민등록증, 운전면허증 등을 압수한 경우 이는 구 형사소송법 제217조 제1항에서 규정한 해당 범죄사실의 수사에 필요한 범위 내의 압수로서 적법하므로 이를 위 혐의자의 **점유이탈물횡령죄 범행에 대한 증거로 사용할 수 있다.**(대법원 2008. 7. 10. 2008도2245 전화사기범 압수·수색사건)

② [○] 정보통신망법상 음란물 유포의 범죄혐의를 이유로 압수·수색영장을 발부받은 사법경찰리가 피고인의 주거지를 수색하는 과정에서 대마를 발견하자 피고인을 마약법위반죄의 현행범으로 체포하면서 대마를 압수하였으나, 그 다음날 피고인을 석방하였음에도 사후 압수·수색영장을 발부받지 않은 경우 압수물과 압수조서는 형사소송법상 영장주의를 위반하여 수집한 증거로서 증거능력이 부정된다.(대법원 2009. 5. 14. 2008도10914 스와핑카페 운영자 사건)

③ [○] 형사소송법 제218조는 '사법경찰관은 소유자, 소지자 또는 보관자가 임의로 제출한 물건을 영장없이 압수할 수 있다'고 규정하고 있는바, 위 규정에 위반하여 소유자, 소지자 또는 보관자가 아닌 자로부터 제출받은 물건을 영장없이 압수한 경우 그 압수물 및 압수물을 찍은 사진은 이를 유죄 인정의 증거로 사용할 수 없는 것이고, 헌법과 형사소송법이 선언한 영장주의의 중요성에 비추어 볼 때 피고인이나 변호인이 이를 증거로 함에 동의하였다고 하더라도 달리 볼 것은 아니다.(대법원 2010. 1. 28. 2009도10092 쇠파이프 압수사건)

295

□□□

수사기관의 강제처분에 관한 설명으로 가장 적절하지 않은 것은? (다툼이 있으면 판례에 의함)

22 경찰채용 [Core ★★]

① 통신비밀보호법에 규정된 통신제한조치상의 '전기통신의 감청'은 '감청'의 개념 규정에 비추어 이미 수신이 완료된 전기통신에 관하여 남아 있는 기록이나 내용을 열어보는 등의 행위는 포함하지 않는다.

② 공무원에게 금품을 제공한 혐의로 발부된 통신사실 확인자료제공 요청 허가서에 대상자로 기재되어 있는 피고인 甲이 피고인 乙의 뇌물수수 범행의 증뢰자라면 위 허가서에 의하여 제공받은 甲과 乙의 통화내역을 乙의 수뢰사실의 증명을 위한 증거로 사용할 수 있다.

③ 임의제출물의 압수는 압수물에 대한 수사기관의 점유취득이 제출자의 의사에 따라 이루어지므로 임의제출된 정보저장매체에서 압수의 대상이 되는 전자정보의 범위를 초과하여 수사기관이 임의로 전자정보를 탐색 복제·출력하는 것은 원칙적으로 위법한 압수·수색에 해당한다고 할 수 없다.

④ 수사기관이 범죄증거를 수집할 목적으로 피의자의 동의 없이 피의자의 소변을 채취하기 위해서는 법원으로부터 감정허가장을 받아 형사소송법 제221조의4 제1항, 제173조 제1항에서 정한 '감정에 필요한 처분'으로 할 수 있지만, 형사소송법 제219조, 제106조 제1항, 제109조에 따른 압수·수색의 방법으로도 할 수 있다.

해설

③ [×] 수사기관은 피의사실과 관계가 있다고 인정할 수 있는 것에 한정하여 증거물 또는 몰수할 것으로 사료하는 물건을 압수할 수 있다(형사소송법 제219조, 제106조). 따라서 전자정보를 압수하고자 하는 수사기관이 정보저장매체와 거기에 저장된 전자정보를 임의제출의 방식으로 압수할 때, 제출자의 구체적인 제출범위에 관한 의사를 제대로 확인하지 않는 등의 사유로 인해 **임의제출자의 의사에 따른 전자정보 압수의 대상과 범위가 명확하지 않거나 이를 알 수 없는 경우에는 임의제출에 따른 압수의 동기가 된 범죄혐의사실과 관련되고 이를 증명할 수 있는 최소한의 가치가 있는 전자정보에 한하여 압수의 대상이 된다.** 이때 범죄혐의사실과 관련된 전자정보에는 범죄혐의 사실 그 자체 또는 그와 기본적 사실관계가 동일한 범행과 직접 관련되어 있는 것은 물론 범행 동기와 경위, 범행 수단과 방법, 범행 시간과 장소 등을 증명하기 위한 간접증거나 정황증거 등으로 사용될 수 있는 것도 포함될 수 있다.(대법원 2021. 11. 18. 2016도348 全合 **몰카피해자 휴대폰 2대 임의제출 사건**) 압수의 대상이 되는 전자정보의 범위를 초과하여 수사기관이 임의로 전자정보를 탐색 복제 · 출력하는 것은 원칙적으로 위법하다.

① [○] 통신비밀보호법에 규정된 통신제한조치상의 '전기통신의 감청'은 '감청'의 개념 규정에 비추어 **이미 수신이 완료된 전기통신에 관하여 남아 있는 기록이나 내용을 열어보는 등의 행위는 포함하지 않는다.**(대법원 2016. 10. 13. 2016도8137 **코리아연대 사건**)

② [○] 공무원에게 금품을 제공한 혐의로 발부된 통신사실 확인자료제공 요청 허가서에 대상자로 기재되어 있는 피고인 甲이 피고인 乙의 뇌물수수 범행의 증뢰자라면 위 **허가서에 의하여 제공받은 甲과 乙의 통화내역을 乙의 수뢰사실의 증명을 위한 증거로 사용할 수 있다.**(대법원 2017. 1. 25. 2016도13489 **부산 함바비리 사건**)

④ [○] 수사기관이 범죄증거를 수집할 목적으로 피의자의 동의 없이 피의자의 소변을 채취하기 위해서는 법원으로부터 감정허가장을 받아 형사소송법 제221조의4 제1항, 제173조 제1항에서 정한 '감정에 필요한 처분'으로 할 수 있지만, 형사소송법 제219조, 제106조 제1항, 제109조에 따른 **압수 · 수색의 방법으로도 할 수 있다.** (대법원 2018. 7. 12. 2018도6219 **부산 강제채뇨 사건**)

296

□□□ 통신비밀보호법상의 통신제한조치에 관한 설명으로 옳은 것을 모두 고른 것은? (다툼이 있으면 판례에 의함)

24 경찰채용 [Superlative ★★★]

> ㉠ 전기통신의 감청은 '감청'의 개념 규정에 비추어 전기통신이 이루어지고 있는 상황에서 실시간으로 전기통신의 내용을 지득·채록하는 경우와 전기통신의 송·수신을 직접적으로 방해하는 경우를 의미하는 것이므로, 이미 수신이 완료된 전기통신에 관하여 남아있는 기록이나 내용을 열어보는 등의 행위는 포함하지 않는다.
>
> ㉡ 범죄수사를 위한 통신제한조치의 기간은 1개월을 초과하지 못하고, 그 기간 중 통신제한조치의 목적이 달성되었을 경우에는 즉시 종료하여야 한다.
>
> ㉢ 사법경찰관은 통신비밀보호법 제8조에 따른 긴급통신제한 조치를 한 경우에 집행에 착수한 때부터 36시간 이내에 법원의 허가를 받지 못한 경우에는 해당 조치를 즉시 중지하고 해당 조치로 취득한 자료를 폐기하여야 한다.
>
> ㉣ 사법경찰관은 통신제한조치를 집행한 사건에 관하여 검사가 공소를 제기하거나 제기하지 아니하는 처분(기소중지 또는 참고인중지 결정은 포함한다)의 통보를 받은 때에는 그 통보를 받은 날부터 30일 이내에 감청의 대상이 된 전기통신의 가입자에게 통신제한조치를 집행한 사실과 집행기관 및 그 기간 등을 서면으로 통지하여야 한다.
>
> ㉤ 통신비밀보호법 제3조 제1항을 위반한 불법감청에 의하여 녹음된 전화통화의 내용은 통신비밀보호법 제4조에 의하여 원칙적으로 증거능력이 없으나, 피고인이나 변호인이 이를 증거로 함에 동의하였다면 증거능력이 인정된다.

① ㉠㉢   ② ㉡㉤   ③ ㉠㉡㉤   ④ ㉠㉢㉣

해설

① ㉠㉢ 2 항목이 옳다.

㉠ [O] '전기통신의 감청'은 전기통신이 이루어지고 있는 상황에서 실시간으로 그 전기통신의 내용을 지득·채록하는 경우와 통신의 송·수신을 직접적으로 방해하는 경우를 의미하는 것이지 **이미 수신이 완료된 전기통신에 관하여 남아 있는 기록이나 내용을 열어보는 등의 행위는 포함하지 않는다.**(대법원 2016. 10. 13. 2016도 8137 코리아연대 사건)

㉡ [×] 범죄수사를 위한 통신제한조치의 기간은 **2개월을 초과하지 못하고**, 그 기간 중 통신제한조치의 목적이 달성되었을 경우에는 즉시 종료하여야 한다.(통비법 제6조 제7항)

㉢ [O] 검사, 사법경찰관 또는 정보수사기관의 장은 긴급통신제한조치의 집행에 착수한 때부터 36시간 이내에 법원의 허가를 받지 못한 경우에는 **해당 조치를 즉시 중지하고 해당 조치로 취득한 자료를 폐기하여야 한다.** (통비법 제8조 제5항)

㉣ [×] 사법경찰관은 통신제한조치를 집행한 사건에 관하여 검사로부터 공소를 제기하거나 제기하지 아니하는 **처분(기소중지 또는 참고인중지 결정은 제외한다)**의 통보를 받거나 검찰송치를 하지 아니하는 처분(수사중지 결정은 제외한다) 또는 내사사건에 관하여 입건하지 아니하는 처분을 한 때에는 그 날부터 30일 이내에 우편물 검열의 경우에는 그 대상자에게, 감청의 경우에는 그 대상이 된 전기통신의 가입자에게 통신제한조치를 집행한 사실과 집행기관 및 그 기간 등을 서면으로 통지하여야 한다.(통비법 제9조의2 제2항)

㉤ [×] 통신비밀보호법 제3조 제1항을 위반한 불법감청에 의하여 녹음된 전화통화의 내용은 제4조에 의하여 증거능력이 없다. **이는 피고인이나 변호인이 이를 증거로 함에 동의하였다고 하더라도 달리 볼 것은 아니다.** (대법원 2019. 3. 14. 2015도1900 변호사 매형, 검사 처남 사건)

제4절 l 판사에 의한 강제처분

297 증거보전절차에 관한 다음 설명 중 옳지 않은 것은 모두 몇 개인가?　　19 경찰간부 [Core ★★]

☐☐☐

> ㉠ 증거보전의 청구기각결정에 대하여는 불복할 수 없다.
> ㉡ 증거보전은 제1회 공판기일 전에 한하여 할 수 있고 공소제기 전·후를 불문한다.
> ㉢ 증거보전을 청구할 때에는 서면 또는 구술로 소명해야 한다.
> ㉣ 증거보전을 청구할 수 있는 처분은 피의자신문, 증인신문, 감정, 검증과 압수·수색에 한한다.
> ㉤ 검사, 피고인 피의자 또는 변호인은 법원의 허가를 얻어 서류와 증거물을 열람 또는 등사할 수 있다.

① 1개　　　　　　　　　　② 2개
③ 3개　　　　　　　　　　④ 4개

해설

④ ㉠㉢㉣㉤ 4 항목이 옳지 않다.
㉠ [×] 증거보전의 청구기각결정에 대하여는 **3일 이내에 항고할 수 있다.**(제184조 제4항)
㉡ [O] 검사, 피고인, 피의자 또는 변호인은 미리 증거를 보전하지 아니하면 그 증거를 사용하기 곤란한 사정이 있는 때에는 **제1회 공판기일 전**이라도 판사에게 압수, 수색, 검증, 증인신문 또는 감정을 청구할 수 있다.(제184조 제1항)
㉢ [×] 증거보전을 청구할 때에는 **서면으로** 그 사유를 소명해야 한다.(제184조 제3항)
㉣ [×] 검사, 피고인, 피의자 또는 변호인은 미리 증거를 보전하지 아니하면 그 증거를 사용하기 곤란한 사정이 있는 때에는 제1회 공판기일 전이라도 판사에게 압수, 수색, 검증, 증인신문 또는 감정을 청구할 수 있다.(제184조 제1항) **피의자신문에 해당하는 사항을 증거보전의 방법으로 청구할 수 없다.**(대법원 1979. 6. 12. 79도792)
㉤ [×] 검사, 피고인, 피의자 또는 변호인은 **판사의 허가를** 얻어 증거보전의 처분에 관한 서류와 증거물을 열람 또는 등사할 수 있다.(제185조)

298 증거보전제도에 대한 설명으로 가장 적절하지 않은 것은? (다툼이 있으면 판례에 의함)

□□□

16 경찰채용 [Core ★★]

① 검사, 피고인, 피의자 또는 변호인은 미리 증거를 보전하지 아니하면 그 증거를 사용하기 곤란한 사정이 있는 때에는 제1회 공판기일 전이라도 판사에게 압수, 수색, 검증, 증인신문 또는 감정을 청구할 수 있다.

② 증거보전은 제1심 제1회 공판기일 전에 한하여 허용되는 것이므로 재심청구사건에서는 증거보전절차는 허용되지 아니한다.

③ 검사, 피고인, 피의자 또는 변호인은 법원의 허가를 얻어 증거보전의 처분에 관한 서류와 증거물을 열람 또는 등사할 수 있다.

④ 증거보전의 청구를 함에는 서면으로 그 사유를 소명하여야 한다.

해설

③ [×] 검사, 피고인, 피의자 또는 변호인은 **판사의 허가**를 얻어 증거보전의 처분에 관한 서류와 증거물을 열람 또는 등사할 수 있다.(제185조)

① [○] 검사, 피고인, 피의자 또는 변호인은 미리 증거를 보전하지 아니하면 그 증거를 사용하기 곤란한 사정이 있는 때에는 제1회 공판기일 전이라도 판사에게 **압수, 수색, 검증, 증인신문 또는 감정을 청구할 수 있다.**(제184조 제1항)

② [○] 증거보전이란 장차 공판에 있어서 사용하여야 할 증거가 멸실되거나 또는 그 사용하기 곤란한 사정이 있을 경우에 당사자의 청구에 의하여 공판전에 미리 그 증거를 수집보전하여 두는 제도로서 제1심 제1회 공판기일 전에 한하여 허용되는 것이므로 **재심청구사건에서는 증거보전절차는 허용되지 아니한다.**(대법원 1984. 3. 29. 84모15)

④ [○] 제1항의 청구를 함에는 **서면**으로 그 사유를 **소명**하여야 한다.(제184조 제3항)

299 다음은 증거보전제도에 대한 설명이다. 가장 적절하지 않은 것은? (다툼이 있으면 판례에 의함)

13 경찰채용 [Superlative ★★★]

① 검사, 피고인, 피의자 또는 변호인은 미리 증거를 보전하지 아니하면 그 증거를 사용하기 곤란한 사정이 있는 때에는 제1회 공판기일 전이라도 판사에게 압수, 수색, 검증, 증인신문 또는 감정을 청구할 수 있다.

② 공동피고인과 피고인이 뇌물을 주고받은 사이로 필요적 공범관계에 있다고 하더라도 검사는 수사단계에서 피고인에 대한 증거를 미리 보전하기 위하여 필요한 경우에는 판사에게 공동피고인을 증인으로 신문할 것을 청구할 수 있다.

③ 증거보전절차에서 증인신문을 하면서, 증인신문의 일시와 장소를 피의자 및 변호인에게 미리 통지하지 아니하여 증인신문에 참여할 수 있는 기회를 주지 아니하였고, 또 변호인이 제1심 공판기일에 위 증인신문조서의 증거조사에 관하여 이의신청을 하였다면, 위 증인신문조서는 증거능력이 없다 할 것이나, 그 증인이 후에 법정에서 그 조서의 진정 성립을 인정한 경우에는 다시 증거능력을 취득한다.

④ 증거보전을 청구함에는 서면으로 그 사유를 소명하여야 하며, 증거보전 청구를 기각하는 결정에 대하여는 3일 이내에 항고할 수 있다.

해설

③ [×] 증인신문의 일시와 장소를 피의자 및 변호인에게 미리 통지하지 아니하여 증인신문에 참여할 수 있는 기회를 주지 아니하였고 또 변호인이 제1심 공판기일에 증인신문조서의 증거조사에 관하여 이의신청을 하였다면, 증인신문조서는 증거능력이 없다 할 것이고, **그 증인이 후에 법정에서 그 조서의 진정성립을 인정한다 하여 다시 그 증거능력을 취득한다고 볼 수도 없다.**(대법원 1992. 2. 28. 91도2337)

① [○] 검사, 피고인, 피의자 또는 변호인은 미리 증거를 보전하지 아니하면 그 증거를 사용하기 곤란한 사정이 있는 때에는 제1회 공판기일 전이라도 판사에게 **압수, 수색, 검증, 증인신문 또는 감정**을 청구할 수 있다.(제184조 제1항)

② [○] 공동피고인과 피고인이 뇌물을 주고받은 사이로 필요적 공범관계에 있다고 하더라도 검사는 수사단계에서 피고인에 대한 증거를 미리 보전하기 위하여 필요한 경우에는 판사에게 **공동피고인을 증인으로 신문할 것을 청구할 수 있다.**(대법원 1988. 11. 8. 86도1646 **치안본부 경위 수뢰사건**)

④ [○] 증거보전의 청구를 함에는 **서면으로 그 사유를 소명하여야 한다.**(제184조 제3항) 청구를 기각하는 결정에 대하여는 **3일 이내에 항고할 수 있다.**(동조 제4항)

300

□□□ 수사상 증거보전에 관한 설명 중 옳은 것만을 모두 고르면? (다툼이 있으면 판례에 의함)

21 경찰간부 [Core ★★]

> ㉠ 아동·청소년대상 성범죄의 피해자, 그 법정대리인 또는 경찰은 피해자가 공판기일에 출석하여 증언하는 것에 현저히 곤란한 사정이 있을 때에는 그 사유를 소명하여 아동·청소년의 성보호에 관한 법률 제26조에 따라 촬영된 영상물 또는 그 밖의 다른 증거물에 대하여 해당 성범죄를 수사하는 검사에게 증거보전의 청구를 할 것을 요청할 수 있다.
>
> ㉡ 증거보전을 청구할 수 있는 것은 압수·수색·검증·증인신문·감정에 한하므로 피고인신문 및 피고인과 공범관계에 있는 공동피고인에 대한 신문은 허용되지 않는다.
>
> ㉢ 지방법원판사는 증거보전의 청구가 부적법하거나 필요없다고 인정할 때에는 청구기각결정을 하여야 한다. 증거보전 청구기각결정에 대해서는 3일 이내에 항고할 수 있다.
>
> ㉣ 검사가 증거보전청구를 한 경우 증거보전을 한 판사는 이에 관한 서류와 증거물을 지체 없이 검사에게 송부해야 한다.

① ㉠㉡

② ㉠㉢

③ ㉡㉢

④ ㉢㉣

해설

> ② ㉠㉢ 2 항목이 옳다.
>
> ㉠ [○] 아동·청소년대상 성범죄의 피해자, 그 법정대리인 또는 경찰은 피해자가 공판기일에 출석하여 증언하는 것에 현저히 곤란한 사정이 있을 때에는 그 사유를 소명하여 제26조에 따라 촬영된 영상물 또는 그 밖의 다른 증거물에 대하여 해당 **성범죄를 수사하는 검사에게** 「형사소송법」 제184조 제1항에 따른 증거보전의 청구를 할 것을 요청할 수 있다.(아청법 제27조 제1항)
>
> ㉡ [×] (1) 피의자신문 또는 피고인신문에 해당하는 사항을 증거보전의 방법으로 청구할 수 없다.(대법원 1979. 6. 12. 79도792, 대법원 1972. 11. 28. 72도2104) (2) **공동피고인과 피고인이 뇌물을 주고받은 사이로 필요적 공범관계에 있다고 하더라도** 검사는 수사단계에서 피고인에 대한 증거를 미리 보전하기 위하여 필요한 경우에는 판사에게 **공동피고인을 증인으로 신문할 것을 청구할 수 있다.**(대법원 1988. 11. 8. 86도1646 **치안본부 경위 수뢰사건**)
>
> ㉢ [○] 청구를 기각하는 결정에 대하여는 **3일** 이내에 항고할 수 있다.(제184조 제4항)
>
> ㉣ [×] 증거보전에 의하여 압수한 물건 또는 작성한 조서는 **증거보전을 한 판사가 속하는 법원에 보관한다.**(제185조 참고)

301

수사상 증거보전절차에 대한 설명으로 가장 적절하지 않은 것은? (다툼이 있으면 판례에 의함)

23 경찰승진 [Core ★★]

① 증거보전의 청구권자는 검사, 피고인, 피의자 또는 변호인이며, 형사입건되기 전의 자는 피의자가 아니므로 증거보전을 청구할 수 없다.

② 범죄의 수사에 없어서는 아니될 사실을 안다고 명백히 인정되는 자가 형사소송법 제221조에 의한 출석 또는 진술을 거부한 경우에는 검사는 제1회 공판기일 전에 한하여 판사에게 그에 대한 증인신문을 청구할 수 있다.

③ 증거보전은 제1심 제1회 공판기일 전에 한하여 허용되는 것이므로 재심청구사건에서는 증거보전절차는 허용되지 아니한다.

④ 증거보전절차에서 피고인과 공동피고인이 뇌물을 주고받은 사이로 필요적 공범관계에 있는 경우 검사는 판사에게 공동피고인을 증인으로 신문할 것을 청구할 수 없다.

해설

④ [×] **공동피고인과 피고인이 뇌물을 주고받은 사이로 필요적 공범관계에 있다고 하더라도** 검사는 수사단계에서 피고인에 대한 증거를 미리 보전하기 위하여 필요한 경우에는 판사에게 **공동피고인을 증인으로 신문할 것을 청구할 수 있다.**(대법원 1988. 11. 8. 86도1646 치안본부 경위 수뢰사건)

① [○] 증거보전은 피고인 또는 피의자가 **형사입건도 되기 전에는 청구할 수 없다.**(대법원 1979. 6. 12. 79도792 사문서변조 증거보전 사건)

② [○] 범죄의 수사에 없어서는 아니될 사실을 안다고 명백히 인정되는 자가 형사소송법 제221조에 의한 출석 또는 진술을 거부한 경우에는 **검사는 제1회 공판기일 전에 한하여 판사에게 그에 대한 증인신문을 청구할 수 있다.**(제221조의2 제1항)

③ [○] 증거보전이란 장차공판에 있어 사용하여야 할 증거가 멸실되거나 또는 사용하기 곤란한 사정이 있을 경우에 당사자의 청구에 의하여 공판전에 미리 그 증거를 수집·보전하여 두는 제도로서 제1심 제1회 공판기일 전에 한하여 허용되는 것이므로 **재심청구를 한 사건에 증거보전절차는 허용되지 아니한다.**(대법원 1984. 3. 29. 84모15 재심 증거보전청구 사건)

302 형사소송법상 증거보전(제184조)과 증인신문(제221조의2)에 관한 다음 설명 중 가장 옳은 것
□□□ 은? (다툼이 있으면 판례에 의함)   12 경찰채용 [Core ★★]

① 증거보전(제184조)은 제1심 제1회 공판기일 전에 허용되는 것이나, 재심청구사건에서도 실체
   적 진실발견을 위하여 증거보전청구가 예외적으로 허용된다.

② 수사단계에서 검사는 증거보전(제184조)을 위하여 필요적 공범관계에 있는 공동피고인을 증
   인으로 신문할 수 없다.

③ 판사가 형사소송법 제184조에 의한 증거보전절차로 증인신문을 하는 경우에 동법 제163조의
   참여의 기회를 주지 아니한 경우라도 피고인과 변호인이 증인신문조서를 증거로 할 수 있음에
   동의하여 별다른 이의없이 적법하게 증거조사를 거친 경우에는 위 증인신문조서는 증인신문
   절차가 위법하였는지의 여부에 관계없이 증거능력이 부여된다.

④ 증거보전(제184조)청구를 기각하는 결정에 대하여는 항고할 수 없으나, 증인신문(제221조의
   2)청구를 기각하는 결정에 대하여는 불복할 수 있다.

해설

③ [○] 판사가 형사소송법 제184조에 의한 증거보전절차로 증인신문을 하는 경우에는 동법 제163조에 따라 검
   사, 피의자 또는 변호인에게 증인신문의 시일과 장소를 미리 통지하여 증인신문에 참여할 수 있는 기회를 주어
   야 하나, 참여의 기회를 주지 아니한 경우라도 피고인과 변호인이 증인신문조서를 **증거로 할 수 있음에 동의하**
   여 별다른 이의없이 적법하게 증거조사를 거친 경우에는 증인신문조서는 증인신문절차가 위법하였는지의 여
   부에 관계없이 증거능력이 부여된다.(대법원 1988. 11. 8. 86도1646 치안본부 경위 수뢰사건)
① [×] 재심청구사건에서는 **증거보전청구는 허용되지 아니한다.**(대법원 1984. 3. 29. 84모15)
② [×] 공동피고인과 피고인이 뇌물을 주고받은 사이로 필요적 공범관계에 있다고 하더라도 검사는 수사단계에
   서 피고인에 대한 증거를 미리 보전하기 위하여 필요한 경우에는 판사에게 **공동피고인을 증인으로 신문할 것**
   을 청구할 수 있다.(대법원 1988. 11. 8. 86도1646 치안본부 경위 수뢰사건)
④ [×] 증거보전청구를 기각하는 결정에 대하여는 **3일 이내에 항고할 수 있으나**(제184조 제4항), 증인신문청구
   를 기각하는 결정에 대하여는 **불복할 수 없다.**

303 형사소송법 제221조의2 '증인신문의 청구'에 관한 설명으로 옳은 것은? 12 경찰간부 [Core ★★]

□□□

① 판사가 증인신문기일을 정한 때에는 피고인·피의자 또는 변호인에게 이를 통지하여 증인신문에 참여할 수 있도록 해야 한다.

② 검사가 공소를 제기한 이후에는 증인신문의 청구는 허용되지 아니한다.

③ 검사, 피고인, 피의자 또는 변호인이 증인신문을 청구함에는 서면으로 그 사유를 소명하여야 한다.

④ 범죄수사에 없어서는 아니될 사실을 안다고 명백히 인정되는 자가 수사기관의 출석요구에 응하지 않거나 진술을 거부하거나 또는 진술번복의 염려가 있는 경우에는 판사에게 증인신문을 청구할 수 있다.

해설

① [○] 판사가 증인신문기일을 정한 때에는 피고인·피의자 또는 변호인에게 이를 통지하여 **증인신문에 참여할 수 있도록 해야 한다.**(제221조의2 제5항)

②③ [×] **검사는** 공소제기 전후를 불문하고 **제1회 공판기일 전까지** 증인신문을 청구할 수 있다.(제221조의2 제1항)

④ [×] **참고인의 진술번복의 염려는** 증인신문청구의 요건이 아니다.(제221조의2 제1항)

304 형사소송법 제184조의 수사상 증거보전과 형사소송법 제221조의2의 증인신문에 관한 설명으로 가장 적절하지 않은 것은? (다툼이 있으면 판례에 의함)

□□□ 23 경찰채용 [Essential ★]

① 증거보전은 수사단계뿐 아니라 공소제기 이후에도 제1심 제1회 공판기일 전에 한하여 허용되지만, 재심청구사건에서는 증거 보전절차가 허용되지 않는다.

② 형사소송법 제221조의2의 증인신문청구를 하려면 증인의 진술로서 증명할 대상인 피의사실이 존재해야 하는데, 피의사실은 수사기관 내심의 혐의만으로는 존재한다고 할 수 없고, 고소·고발 또는 자수를 받는 등 수사의 대상으로 삼고 있음을 외부로 표현한 때에 비로소 그 존재를 인정할 수 있다.

③ 증거보전을 청구할 수 있는 것은 압수·수색·검증·증인신문·감정이어서 피의자의 신문을 구하는 청구는 할 수 없지만, 필요적 공범관계에 있는 공동피고인을 증인으로 신문할 것을 청구할 수 있다.

④ 형사소송법 제221조의2의 증인신문에 관한 서류는 증인신문을 한 법원이 보관하므로 공소제기 이전에도 피의자 또는 변호인은 판사의 허가를 얻어 서류와 증거물을 열람 또는 등사할 수 있다.

해설

④ [×] 판사는 증인신문을 한 때에는 지체 없이 이에 관한 **서류를 검사에게 송부하여야 한다.**(형사소송법 제221조의2 제6항) 이 서류에 대하여 피의자 또는 변호인은 **열람이나 등사를 할 수 없다.**

① [O] 증거보전이란 장차공판에 있어 사용하여야 할 증거가 멸실되거나 또는 사용하기 곤란한 사정이 있을 경우에 당사자의 청구에 의하여 공판 전에 미리 그 증거를 수집·보전하여 두는 제도로서 제1심 제1회 공판기일 전에 한하여 허용되는 것이므로 **재심청구를 한 사건에 증거보전절차는 허용되지 아니한다.**(대법원 1984. 3. 29. 84모15 재심 증거보전청구 사건)

② [O] 증인신문청구를 하려면 증인의 진술로서 증명할 대상인 피의사실이 존재하여야 하고, 피의사실은 수사기관이 어떤 자에 대하여 내심으로 혐의를 품고 있는 정도의 상태만으로는 존재한다고 할 수 없고 고소, 고발 또는 자수를 받거나 또는 수사기관 스스로 범죄의 혐의가 있다고 보아 수사를 개시하는 범죄의 인지 등 수사의 대상으로 삼고 있음을 **외부적으로 표현한 때에 비로소 그 존재를 인정할 수 있다.**(대법원 1989. 6. 20. 89도648 서울시장 사건)

③ [O] (1) 피의자신문에 해당하는 사항을 증거보전의 방법으로 청구할 수 없다.(대법원 1979. 6. 12. 79도792) (2) 공동피고인과 피고인이 뇌물을 주고받은 사이로 필요적 공범관계에 있다고 하더라도 검사는 수사단계에서 피고인에 대한 증거를 미리 보전하기 위하여 필요한 경우에는 판사에게 **공동피고인을 증인으로 신문할 것을 청구할 수 있다.**(대법원 1988. 11. 8. 86도1646 치안본부 경위 수뢰사건)

305 형사소송법 제184조에 의한 증거보전(A)과 제221조의2에 의한 증인신문의 청구(B)에 관한 설
□□□ 명 중 옳지 않은 것은? (다툼이 있으면 판례에 의함) 24 변호사 [Core ★★]

① A는 피의자 또는 피고인이 형사입건이 되기 전에는 청구할 수 없다.

② 피의자신문에 해당하는 사항을 A의 방법으로 청구할 수는 없고, 설령 A의 방법으로 피의자를
신문하였고 그 신문내용 가운데 다른 공범에 관한 부분의 진술이 있다 하더라도 그 공범이
그 신문 당시 형사입건이 되어 있지 않았다면 그 공범에 관한 증거보전의 효력도 인정할 수
없다.

③ 판사가 A절차에 의한 증인신문을 하는 경우에는 검사, 피의자 또는 변호인에게 증인신문의
시일과 장소를 미리 통지하여 증인신문에 참여할 수 있는 기회를 주어야 하나, 참여의 기회를
주지 아니한 경우라도 피고인과 변호인이 증인신문조서를 증거로 할 수 있음에 동의하여 별다
른 이의 없이 적법하게 증거조사를 거친 경우에는 위 증인신문조서는 증거능력이 인정된다.

④ 검사 또는 사법경찰관에게 임의의 진술을 한 참고인이 공판기일에 전의 진술과 다른 진술을
할 염려가 있고 그의 진술이 범죄의 증명에 없어서는 아니 될 것으로 인정될 경우에도 검사는
제1회 공판기일 전에 한하여 B의 절차에 따라 판사에게 그에 대한 증인신문을 청구할 수 있다.

⑤ A와 B의 절차에 의한 증인신문조서는 형사소송법 제311조에 의하여 증거능력이 인정된다.

해설

④ [×] 범죄의 수사에 없어서는 아니될 사실을 안다고 명백히 인정되는 자가 **출석 또는 진술을 거부한 경우**에는
검사는 제1회 공판기일 전에 한하여 판사에게 그에 대한 증인신문을 청구할 수 있다.(형사소송법 제221조의2
제1항) 지문과 같은 사유는 증인신문청구의 요건이 아니다.

① [O] 증거보전은 피고인 또는 피의자가 **형사입건도 되기 전에는 청구할 수 없다.**(대법원 1979. 6. 12. 79도
792 사문서변조 증거보전 사건)

② [O] **피의자신문에 해당하는 사항을 증거보전의 방법으로 청구할 수 없다.**(대법원 1979. 6. 12. 79도792
사문서변조 증거보전 사건)

③ [O] 판사가 형사소송법 제184조에 의한 증거보전절차로 증인신문을 하는 경우에는 동법 제163조에 따라 검
사, 피의자 또는 변호인에게 증인신문의 시일과 장소를 미리 통지하여 증인신문에 참여할 수 있는 기회를 주어
야 하나, 참여의 기회를 주지 아니한 경우라도 피고인과 변호인이 증인신문조서를 증거로 할 수 있음에 동의하
여 별다른 이의없이 적법하게 증거조사를 거친 경우에는 증인신문조서는 증인신문절차가 위법하였는지의 여
부에 관계없이 증거능력이 부여된다.(대법원 1988. 11. 8. 86도1646 치안본부 경위 수뢰사건)

⑤ [O] 공판준비 또는 공판기일에 피고인이나 피고인 아닌 자의 진술을 기재한 조서와 법원 또는 법관의 검증의
결과를 기재한 조서는 증거로 할 수 있다.(형사소송법 제311조)

제1절 | 수사의 종결

306 불기소결정의 사유와 그 유형을 바르게 연결한 것은?

□□□

13 국가7급 [Superlative ★★★]

① 피의사실이 인정되지만 형법 제51조의 사항을 고려하여 소추하지 않는 경우 – 공소권 없음

② 피의사실이 범죄구성요건에 해당하지만 법률상 범죄의 성립을 조각하는 사유가 있어 범죄를 구성하지 않는 경우 – 죄가 안됨

③ 피의사실이 인정되고 수사기관의 추적을 받고 있지만 행방이 묘연하여 당장 기소하기 어려운 경우– 기소유예

④ 범죄행위시에 처벌되던 행위가 범죄 후 법령의 개폐로 형이 폐지된 경우 – 혐의 없음

해설

② 검찰사건사무규칙 제69조 제3항 제3호
① **기소유예**의 불기소처분 사유이다.(동규칙 제69조 제3항 제1호)
③ **기소중지**의 불기소처분 사유이다.(동규칙 제73조)
④ **공소권 없음**의 불기소처분 사유이다.(동규칙 제69조 제3항 제4호)

307 다음 중 불기소 결정의 사유와 그 유형을 바르게 묶은 것은 모두 몇 개인가?

□□□

19 해경채용 [Superlative ★★★]

> ㉠ 수사중 피의자가 사망한 경우 – 공소권 없음
>
> ㉡ 피의사실이 범죄구성요건에 해당하지만 법률상 범죄의 성립을 조각하는 사유가 있어 범죄를 구성하지 않는 경우 – 죄가 안됨
>
> ㉢ 고소장 제출 후 고소인이 출석요구에 불응하거나 소재불명되어 고소 사실에 대한 진술을 청취할 수 없는 경우 – 각하
>
> ㉣ 고소사건에서 동일사건에 대하여 이미 검사의 불기소처분이 있는 경우 – 공소권 없음
>
> ㉤ 범죄행위시에 처벌되던 행위가 범죄 후 법령의 개폐로 형이 폐지된 경우 – 혐의 없음

① 1개   ② 2개   ③ 3개   ④ 4개

해설

③ ㉠㉡㉢ 3 항목이 옳다.

㉠㉡㉢ [O] 검찰사건사무규칙 제69조 제3항 제3호부터 제5호

㉣ [×] '**각하**' 처분을 하여야 한다.(동규칙 제69조 제3항 제5호)

㉤ [×] '**공소권 없음**' 처분을 하여야 한다.(동규칙 제69조 제3항 제4호)

---

308 다음 중 '공소권 없음'을 주문으로 불기소처분하는 경우에 해당하는 것을 모두 모아놓은 것은?

13 경찰간부 [Superlative ★★★]

㉠ 통고처분의 이행된 경우

㉡ 고소사건에서 동일사건에 관하여 이미 검사의 불기소처분이 있는 경우

㉢ 고소가 형사소송법 제224조 소정의 '고소의 제한'에 위반한 경우

㉣ 소년법에 의한 보호처분이 확정된 경우

㉤ 친고죄의 경우에 고소가 없거나 무효인 경우

㉥ 고소권자가 아닌 자가 고소한 경우

① ㉠, ㉣　　　　　　　　　　② ㉡, ㉢, ㉥

③ ㉠, ㉣, ㉤　　　　　　　　④ ㉡, ㉤, ㉥

해설

③ ㉠㉣㉤ '**공소권 없음**' 주문의 불기소처분을 하여야 한다.(검찰사건사무규칙 제69조 제3항 제4호)

㉡㉢㉥ '**각하**' 주문의 불기소처분을 하여야 한다.(검찰사건사무규칙 제69조 제3항 제5호)

309

□□□

다음 〈보기〉 중 수사종결에 대한 설명으로 옳지 않은 것을 모두 고른 것은? (다툼이 있으면 판례에 의함)

23 해경승진 [Core ★★]

〈보기〉

㉠ 검사가 공소제기 후에 그 피고사건에 관하여 수소법원이 아닌 지방법원판사에게 청구하여 발부받은 영장에 의하여 압수·수색하는 것은 공소유지를 위해 필요한 경우에 한하여 적법하다.

㉡ 검사의 불기소처분이 있는 경우 일사부재리의 원칙이 적용되므로 다시 공소를 제기할 수 없다.

㉢ 검사는 형사소송법상 불기소처분 또는 타관송치를 한 때에는 피해자에게 즉시 그 취지를 통지하여야 한다.

㉣ 사법경찰관으로부터 사건을 검사에게 송치하지 아니하는 취지와 그 이유를 통지받은 사람은 통지를 받은 날로부터 30일 이내에 해당 사법경찰관의 소속관서의 장에게 이의를 신청할 수 있다.

① ㉠㉡㉢㉣

② ㉠㉡㉢

③ ㉠㉢㉣

④ ㉡㉢㉣

해설

① 모든 항목이 옳지 않다.

㉠ [×] 검사가 공소제기 후 형사소송법 제215조에 따라 수소법원 이외의 지방법원판사에게 청구하여 발부받은 영장에 의하여 압수·수색을 하였다면, 그와 같이 수집된 증거는 기본적 인권 보장을 위해 마련된 **적법한 절차에 따르지 않은 것으로서 원칙적으로 유죄의 증거로 삼을 수 없다.**(대법원 2011. 4. 28. 2009도10412 공정위 사무관 수뢰사건)

㉡ [×] 검사의 불기소처분에는 확정재판에 있어서의 확정력과 같은 효력이 없어 **일단 불기소처분을 한 후에도 공소시효가 완성되기 전이면 언제라도 공소를 제기할 수 있다.**(대법원 2009. 10. 29. 2009도6614)

㉢ [×] 검사는 불기소 또는 타관송치의 처분을 한 때에는 **피의자에게** 즉시 그 취지를 통지하여야 한다.(제258조 제2항)

㉣ [×] 사법경찰관으로부터 사건을 검사에게 송치하지 아니하는 취지와 그 이유를 통지받은 사람(고발인을 제외한다)은 해당 사법경찰관의 소속 관서의 장에게 **이의를 신청할 수 있다.**(제245조의7 제1항) 특별히 이의신청 기간의 제한이 있는 것은 아니다.

310 수사의 종결에 관한 설명 중 가장 적절하지 않은 것은? (다툼이 있으면 판례에 의함)

□□□

15 경찰승진 [Core ★★]

① 검사의 수사종결 처분에는 공소제기, 불기소처분, 타관송치 등이 있다.

② 검사는 불기소처분을 한 때에는 피의자에게 즉시 그 취지를 통지하여야 한다.

③ 검사의 불기소처분이 있는 경우 일사부재리원칙이 적용되므로 다시 수사를 재개할 수 없다.

④ 수사 중 피의자가 사망한 경우 검사는 공소권 부존재를 이유로 불기소처분을 하여야 한다.

해설

③ [×] 검사의 불기소처분에는 확정재판에 있어서의 확정력과 같은 효력이 없어 일단 불기소처분을 한 후에도 공소시효가 완성되기 전이면 언제라도 공소를 제기할 수 있다.(대법원 2009. 10. 29. 2009도6614)

① [○] 제246조, 제247조, 제256조 등

② [○] 검사는 불기소 또는 타관송치의 처분을 한 때에는 **피의자에게 즉시 그 취지를 통지하여야 한다.**(제258조 제2항)

④ [○] 검찰사건사무규칙 제69조 제3항 제4호

311 고소 · 고발사건의 처리와 처분 통지에 관한 다음 설명 중 가장 적절하지 않은 것은?

□□□

13 경찰승진 [Essential ★]

① 검사는 고소 또는 고발있는 사건에 관하여 공소제기하거나, 제기하지 아니하는 처분, 공소의 취소 또는 타관송치를 한 때에는 그 처분한 날로부터 7일 이내에 서면으로 고소인 또는 고발인에게 그 취지를 통지하여야 한다.

② 검사는 고소 또는 고발있는 사건에 관하여 공소를 제기하지 아니하는 처분을 한 경우에 고소인 또는 고발인의 청구가 있는 때에는 7일 이내에 고소인 또는 고발인에게 그 이유를 서면으로 설명하여야 한다.

③ 검사는 불기소처분 또는 타관송치를 한 때에는 피해자에게 즉시 그 취지를 통지하여야 한다.

④ 검사는 범죄로 인한 피해자 또는 그 법정대리인(피해자가 사망한 경우에는 그 배우자 · 직계친족 · 형제자매를 포함한다)의 신청이 있는 때에는 당해 사건의 공소제기 여부, 공판의 일시 · 장소, 재판결과, 피의자 · 피고인의 구속 · 석방 등 구금에 관한 사실 등을 신속하게 통지하여야 한다.

해설

③ [×] 검사는 불기소 또는 타관송치를 한 때에는 **피의자에게 즉시 그 취지를 통지하여야 한다.**(제258조 제2항)

정답 | 309 ① 310 ③ 311 ③

① [○] 검사는 고소 또는 고발있는 사건에 관하여 공소를 제기하거나 제기하지 아니하는 처분, 공소의 취소 또는 타관송치의 송치를 한 때에는 그 처분한 날로부터 7일 이내에 서면으로 **고소인 또는 고발인에게 그 취지를 통지하여야 한다.**(제258조 제1항)

② [○] 검사는 고소 또는 고발있는 사건에 관하여 공소를 제기하지 아니하는 처분을 한 경우에 고소인 또는 고발인의 청구가 있는 때에는 7일 이내에 **고소인 또는 고발인에게 그 이유를** 서면으로 **설명하여야 한다.**(제259조)

④ [○] **검사는** 범죄로 인한 피해자 또는 그 법정대리인(피해자가 사망한 경우에는 그 배우자·직계친족·형제자매를 포함한다)의 **신청이** 있는 때에는 당해 사건의 공소제기 여부, 공판의 일시·장소, 재판결과, 피의자·피고인의 구속·석방 등 구금에 관한 사실 등을 신속하게 **통지하여야 한다.**(제259조의2)

312 수사의 종결처분에 대한 설명 중 가장 적절하지 않은 것은? (다툼이 있으면 판례에 의함)

18 경찰승진 [Essential ★]

① 검사는 고소 또는 고발있는 사건에 관하여 공소제기, 불기소, 공소취소 또는 타관송치의 처분을 한 때에는 그 처분한 날로부터 7일 이내에 서면으로 고소인 또는 고발인에게 그 취지를 통지하여야 한다.

② 검사는 고소 또는 고발있는 사건에 관하여 공소를 제기하지 아니하는 처분을 한 경우에 고소인 또는 고발인의 청구가 있는 때에는 7일 이내 고소인 또는 고발인에게 그 이유를 서면으로 설명하여야 한다.

③ 검사는 범죄로 인한 피해자 또는 그 법정대리인의 신청이 있는 때에는 당해 사건의 공소제기 여부, 공판의 일시·장소, 재판결과, 피의자·피고인의 구속·석방 등 구금에 관한 사실 등을 신속하게 통지하여야 한다.

④ 검사의 불기소처분이 있는 경우 일사부재리의 원칙이 적용되므로 다시 공소를 제기할 수 없다.

해설

④ [×] 검사의 불기소처분에는 확정재판에 있어서의 확정력과 같은 효력이 없어 **일단 불기소처분을 한 후에도 공소시효가 완성되기 전이면 언제라도 공소를 제기할 수 있다.**(대법원 2009. 10. 29. 2009도6614)

① [○] 검사는 고소 또는 고발있는 사건에 관하여 공소제기, 불기소, 공소취소 또는 타관송치의 처분을 한 때에는 그 처분한 날로부터 7일 이내에 서면으로 고소인 또는 고발인에게 그 취지를 통지하여야 한다.(제258조 제1항)

② [○] 검사는 고소 또는 고발있는 사건에 관하여 공소를 제기하지 아니하는 처분을 한 경우에 고소인 또는 고발인의 청구가 있는 때에는 7일 이내 고소인 또는 고발인에게 그 이유를 서면으로 설명하여야 한다.(제259조)

③ [○] 검사는 범죄로 인한 피해자 또는 그 법정대리인의 신청이 있는 때에는 당해 사건의 공소제기 여부, 공판의 일시·장소, 재판결과, 피의자·피고인의 구속·석방 등 구금에 관한 사실 등을 신속하게 **통지하여야 한다.**(제259조의2)

313 사법경찰관의 사건 송치, 불송치에 관한 설명으로 옳지 않은 것은? (다툼이 있으면 판례에 의함)

① 경찰서장은 20만원 이하의 벌금, 구류 또는 과료에 처할 범죄 사건에 대하여 즉결심판을 청구할 수 있으나, 촉법소년과 우범소년에 대하여는 직접 소년부송치를 할 수 없다.

② 공소시효 임박 사건이나 중요사건에 대하여 검사와 사법경찰관은 송치 전에 수사할 사항, 증거수집 대상, 법령 적용 등에 관하여 상호 의견을 제시·교환할 것을 요청할 수 있다.

③ 사법경찰관이 불송치 결정을 한 때에는 서류와 증거를 검사에게 송부한 날부터 7일 이내에 서면으로 고소인, 고발인, 피해자 등에게 사건을 검사에게 송치하지 않는 취지와 그 이유를 통지해야 한다.

④ 경찰관이 고소사건을 처리하지 아니하였음에도 경찰범죄정보시스템에 그 사건을 검찰에 송치한 것으로 허위사실을 입력한 경우에는 공전자기록위작죄에서 말하는 위작에 해당한다.

해설

① [×] (전문) 즉결심판법 제2조, 제3조 제1항 (후문) 촉법소년 및 우범소년이 있을 때에는 경찰서장은 **직접 관할 소년부에 송치하여야 한다.**(소년법 제4조 제2항)

② [○] 검사와 사법경찰관은 다음 각 호의 어느 하나에 해당하는 사건(이하 "중요사건"이라 한다)의 경우에는 송치 전에 수사할 사항, 증거 수집의 대상, 법령의 적용, 범죄수익 환수를 위한 조치 등에 관하여 **상호 의견을 제시·교환할 것을 요청할 수 있다.** 이 경우 검사와 사법경찰관은 특별한 사정이 없으면 상대방의 요청에 응해야 한다.(수사준칙 제7조 제1항)

③ [○] 사법경찰관은 제245조의5 제2호의 경우에는 그 송부한 날부터 **7일 이내에 서면으로 고소인·고발인·** 피해자 또는 그 법정대리인(피해자가 사망한 경우에는 그 배우자·직계친족·형제자매를 포함한다)에게 사건을 검사에게 송치하지 아니하는 취지와 그 이유를 통지하여야 한다.(형사소송법 제245조의6)

④ [○] 경찰서 조사계 소속 경찰관인 피고인 甲이 사실은 A에 대한 고소사건을 처리하지 아니하였음에도 불구하고 조사계 소속 일용직으로서 정을 모르는 乙을 통하여 경찰범죄정보시스템에 그 사건을 검찰에 송치한 것으로 허위사실을 입력한 경우 **공전자기록위작죄가 성립한다.**(대법원 2005. 6. 9. 2004도6132 **허위 검찰송치 입력사건**)

314

☐☐☐

수사종결에 관한 설명으로 옳지 않은 것은? (다툼이 있으면 판례에 의함)

① 사법경찰관은 고소 또는 고발사건을 포함하여 범죄를 수사한 때 범죄의 혐의가 있다고 인정되는 경우 지체 없이 검사에게 사건을 송치하고, 관계 서류와 증거물을 검사에게 송부하여야 하고, 검사는 고소 또는 고발을 수리한 날로부터 3월 이내에 수사를 완료하여 공소제기 여부를 결정하여야 한다.

② 검사의 불기소처분에는 확정재판에 있어서의 확정력과 같은 효력이 없어 일단 불기소처분을 한 후에도 공소시효가 완성되기 전이면 언제라도 공소를 제기할 수 있다.

③ 검사는 고소 또는 고발사건에 관하여 공소를 제기하지 아니하는 처분을 한 때에는 그 처분을 한 날로부터 7일 이내에 서면으로 고소인 또는 고발인에게 그 취지를 통지하여야 한다.

④ 사법경찰관으로부터 사건을 검사에게 송치하지 아니하는 취지와 그 이유를 통지받은 사람(고발인을 제외한다)은 해당 사법경찰관의 소속 관서의 장에게 이의를 신청할 수 있다.

⑤ 검사의 재수사요청에도 사법경찰관이 기존의 불송치결정을 유지하는 경우 검사가 사법경찰관의 불송치결정이 위법·부당하다고 판단되어 송치받아 수사할 필요가 있더라도 사건송치를 요구할 수 없다.

해설

⑤ [×] 검사는 사법경찰관이 '기존의 불송치 결정 유지' 재수사 결과를 통보한 사건에 대해서 다시 재수사를 요청하거나 송치 요구를 할 수 없다. 다만, 검사는 사법경찰관이 사건을 송치하지 않은 **위법 또는 부당이 시정되지 않아 사건을 송치받아 수사할 필요가 있는 다음 각 호의 경우**에는 형사소송법 제197조의3에 따라 사건송치를 요구할 수 있다.(수사준칙 제64조 제2항)

> 1. 관련 법령 또는 법리에 위반된 경우
> 2. 범죄 혐의의 유무를 명확히 하기 위해 재수사를 요청한 사항에 관하여 그 이행이 이루어지지 않은 경우. 다만, 불송치 결정의 유지에 영향을 미치지 않음이 명백한 경우는 제외한다.
> 3. 송부받은 관계 서류 및 증거물과 재수사 결과만으로도 범죄의 혐의가 명백히 인정되는 경우
> 4. 공소시효 또는 형사소추의 요건을 판단하는 데 오류가 있는 경우

① [○] 범죄의 혐의가 있다고 인정되는 경우에는 지체 없이 검사에게 사건을 송치하고, 관계 서류와 증거물을 검사에게 송부하여야 한다.(제245조의5 제1호) 검사가 고소 또는 고발에 의하여 범죄를 수사할 때에는 고소 또는 고발을 수리한 날로부터 **3월 이내에 수사를 완료하여 공소제기 여부를 결정하여야 한다.**(제257조)

② [○] 검사의 불기소처분에는 확정재판에 있어서의 확정력과 같은 효력이 없어 일단 **불기소처분을 한 후에도 공소시효가 완성되기 전이면 언제라도 공소를 제기할 수 있다.**(대법원 2009. 10. 29. 2009도6614 서초세무서장 2회 고발사건)

③ [○] 검사는 고소 또는 고발있는 사건에 관하여 공소를 제기하지 아니하는 처분을 한 경우에 고소인 또는 고발인의 청구가 있는 때에는 **7일 이내에 고소인 또는 고발인에게 그 이유를 서면으로 설명하여야 한다.**(제258조 제1항)

④ [○] 제245조의6의 통지를 받은 사람(**고발인을 제외한다**)은 해당 사법경찰관의 소속 관서의 장에게 이의를 신청할 수 있다.(제245조의7 제1항)

315 「검사와 사법경찰관의 상호협력과 일반적 수사준칙에 관한 규정」에 따른 수사의 종결에 대한 설명으로 가장 적절하지 않은 것은?

23 경찰승진 [Core ★★]

① 사법경찰관은 사건을 수사한 경우에는 피의자중지, 참고인중지와 같은 수사중지결정을 할 수 있으며, 이 경우 7일 이내에 사건기록을 검사에게 송부해야 한다.

② 사법경찰관은 피의자중지 결정 후 그 내용을 고소인·고발인·피해자 또는 그 법정대리인(피해자가 사망한 경우에는 그 배우자·직계친족·형제자매를 포함한다)에게 통지해야 한다.

③ 사법경찰관으로부터 수사중지 결정의 통지를 받은 사람은 해당 사법경찰관이 소속된 바로 위 상급경찰관서의 장에게 이의를 제기할 수 있다.

④ 사법경찰관으로부터 수사중지 결정의 통지를 받은 사람은 해당 수사중지 결정이 법령에 위반되는 경우에 한하여 검사에게 형사소송법 제197조의3 제1항에 따른 신고를 할 수 있다.

해설

④ [×] 사법경찰관으로부터 수사중지 결정의 통지를 받은 사람은 해당 수사중지 결정이 **법령위반, 인권침해 또는 현저한 수사권 남용이라고 의심되는 경우** 검사에게 형사소송법 제197조의3 제1항에 따른 신고를 할 수 있다.(수사준칙 제54조 제3항)

> **형사소송법(2022. 5. 9. 법률 제18862호로 일부개정된 것)**
>
> 제197조의3【시정조치요구 등】① 검사는 사법경찰관리의 수사과정에서 **법령위반, 인권침해 또는 현저한 수사권 남용이 의심되는 사실의 신고가 있거나** 그러한 사실을 인식하게 된 경우에는 사법경찰관에게 사건기록 등본의 송부를 요구할 수 있다.

① [○] 사법경찰관은 사건을 수사한 경우에는 피의자중지, 참고인중지와 같은 수사중지결정을 할 수 있으며, 이 경우 **7일 이내에 사건기록을 검사에게 송부**해야 한다.(수사준칙 제51조 제1항 제4호, 제4항)

② [○] 사법경찰관은 피의자중지 결정 후 그 내용을 **고소인·고발인·피해자 또는 그 법정대리인**(피해자가 사망한 경우에는 그 배우자·직계친족·형제자매를 포함한다)에게 통지해야 한다.(수사준칙 제53조 제1항)

③ [○] 사법경찰관으로부터 **수사중지 결정의 통지를 받은 사람은** 해당 사법경찰관이 소속된 바로 위 **상급경찰관서의 장에게 이의를 제기할 수 있다.**(수사준칙 제54조 제1항)

316

□□□

수사의 종결에 관한 설명으로 가장 적절하지 않은 것은? (다툼이 있으면 판례에 의함)

22 경찰채용 [Core ★★]

① 사법경찰관은 사건을 수사한 경우에는 혐의없음, 죄가안됨, 공소권없음, 각하와 같은 불송치 결정을 할 수 있지만 기소유예는 할 수 없다.

② 검사와 사법경찰관의 상호협력과 일반적 수사준칙에 관한 규정 제53조 및 제54조에 의하면 사법경찰관은 수사종결 후 그 내용을 고소인등과 피의자에게 통지해야 하는데, 특히 수사중지 결정 통지를 받은 사람은 해당 사법경찰관이 소속된 경찰관서의 장에게 이의를 제기할 수 있다.

③ 검사가 수사를 종결하고 공소제기한 이후 형사소송법 제215조에 따라 수소법원 이외의 지방 법원 판사에게 청구하여 발부받은 영장에 의하여 압수·수색을 하였다면 이는 위법한 압수· 수색에 해당한다.

④ 검사의 무혐의 불기소처분에 대해 재정신청을 받은 법원은 당해 불기소처분이 위법하다 하더 라도 기록에 나타난 제반 사정을 고려하여 기소유예의 불기소처분을 할 만한 사건이라고 인정 되는 경우에는 재정신청을 기각할 수 있다.

해설

② [×] 사법경찰관으로부터 수사중지 결정의 통지를 받은 사람은 **해당 사법경찰관이 소속된 바로 위 상급경찰 관서의 장에게** 이의를 제기할 수 있다.(수사준칙 제54조 제1항)

① [○] 사법경찰관은 사건을 수사한 경우에는
  1. 법원송치
  2. 검찰송치
  3. 불송치
    가. **혐의없음**
      1) **범죄인정안됨**
      2) **증거불충분**
    나. **죄가안됨**
    다. **공소권없음**
    라. **각하**
  4. 수사중지
    가. 피의자중지
    나. 참고인중지
  5. 이송구분에 따라 결정해야 한다.(수사준칙 제51조 제1항) 사법경찰관은 기소유예는 할 수 없다.

③ [○] 검사가 수사를 종결하고 공소제기한 이후 형사소송법 제215조에 따라 **수소법원 이외의 지방법원 판사에 게 청구하여 발부받은 영장에 의하여 압수·수색을 하였다면 이는 위법한 압수·수색에 해당한다.**(대법원 2011. 4. 28. 2009도10412 **공정위 사무관 수뢰사건**)

④ [○] 검사의 무혐의 불기소처분에 대해 재정신청을 받은 법원은 당해 불기소처분이 위법하다 하더라도 기록에 나타난 제반 사정을 고려하여 **기소유예의 불기소처분을 할 만한 사건이라고 인정되는 경우에는 재정신청을 기각할 수 있다.**(대법원 1997. 4. 22. 97모30 **김문수 후보 재정신청사건**)

317 재정신청에 관한 설명 중 가장 적절하지 않은 것은?

16 경찰승진 [Essential ★]

① 재정신청은 대리인에 의하여 할 수 있으며 공동신청권자 중 1인의 신청은 그 전원을 위하여 효력을 발생한다.

② 법원은 직권 또는 피의자의 신청에 따라 재정신청인에게 피의자가 재정신청절차에서 부담하였거나 부담할 변호인선임료 등 비용의 전부 또는 일부의 지급을 명할 수 있다.

③ 재정신청을 취소한 자는 다시 재정신청을 할 수 없다.

④ 고소인 또는 고발인은 대상범죄에 제한 없이 모든 범죄에 대하여 재정신청을 할 수 있다.

해설

④ [×] 고소인은 **고소권자로서 고소한 범죄**에 대하여, 고발인은 형법 **제123조부터 제126조까지의 범죄(공직선거법에 규정된 일정한 범죄 등도 포함)**에 대하여 재정신청을 할 수 있다.(제260조 제1항)

① [○] 재정신청은 대리인에 의하여 할 수 있으며 **공동신청권자 중 1인의 신청은 그 전원을 위하여 효력을 발생한다.**(제264조 제1항)

② [○] 법원은 직권 또는 피의자의 신청에 따라 재정신청인에게 피의자가 재정신청절차에서 부담하였거나 부담할 변호인선임료 등 비용의 전부 또는 일부의 지급을 명할 수 있다.(제262조의3 제2항)

③ [○] 재정신청을 취소한 자는 다시 재정신청을 할 수 없다.(제264조 제2항)

318 다음 중 고발인이라 할지라도 예외적으로 재정신청을 할 수 있는 죄에 해당하지 않은 것은?

15 경찰채용 [Essential ★]

① 피의사실공표죄　　　　　　　　② 직권남용죄

③ 직무유기죄　　　　　　　　　　④ 불법체포·감금죄

해설

③ 직무유기죄는 고발인이 재정신청을 할 수 있는 범죄가 아니다.(제260조 제1항)

319 재정신청과 관련하여 가장 옳지 않은 것은? (다툼이 있으면 판례에 의함) 11 경찰승진 [Essential ★]

□□□

① 재정신청은 협의의 불기소처분에는 허용되나 기소유예의 처분에 대하여는 허용되지 않는다.

② 재정신청은 대리인에 의하여 할 수 있으며 공동신청권자중 1인의 신청은 그 전원을 위하여 효력을 발생한다.

③ 재정신청사건의 심리는 특별한 사정이 없는 한 공개하지 아니한다.

④ 재정신청에서 재정신청인에 대한 비용부담결정에 대해서는 즉시항고가 가능하다.

해설

① [×] 재정신청의 대상인 불기소처분의 이유에는 제한이 없으므로 협의의 불기소처분은 물론 **기소유예에 대해서도 재정신청을 할 수 있다.**(제260조 제1항)

② [○] 재정신청은 대리인에 의하여 할 수 있으며 공동신청권자 중 1인의 신청은 그 **전원을 위하여 효력을 발생한다.**(제264조 제1항)

③ [○] 재정신청사건의 심리는 특별한 사정이 없는 한 **공개하지 아니한다.**(제262조 제3항)

④ [○] **비용부담의 결정**에 대하여는 **즉시항고를 할 수 있다.**(제262조의3 제3항)

320 다음 중 재정신청에 관한 설명으로 가장 옳지 않은 것은? (다툼이 있으면 판례에 의함)

□□□

21 해경간부 [Essential ★]

① 대통령에게 제출한 청원서를 대통령비서실로부터 이관 받은 검사가 진정사건으로 내사한 후 내사종결처리 하였다면, 위 내사종결처리는 고소 또는 고발사건에 대한 불기소처분이라고 볼 수 없어 재정신청의 대상이 되지 아니한다.

② 구금 중인 고소인이 재정신청서를 재정신청기간 내에 교도소장에게 제출하였다면, 재정신청서가 이 기간 내에 불기소처분을 한 검사가 속하는 지방검찰청 검사장 또는 지청장에게 도달하지 아니하였더라도 재정신청서의 제출은 적법하다.

③ 재정신청 제기기간이 경과된 후에 재정신청보충서를 제출하면서 원래의 재정신청에 재정신청 대상으로 포함되어 있지 않은 고발사실을 재정신청의 대상으로 추가한 경우, 그 재정신청보충서에서 추가한 부분에 관한 재정신청은 법률상 방식에 어긋난 것으로서 부적법하다.

④ 고등법원에 재정신청을 하기 위해서는 「검찰청법」 제10조에 따른 항고를 거쳐야 한다. 다만, 검사가 공소시효 만료일 30일 전까지 공소를 제기하지 아니하는 경우에는 그러하지 아니하다.

해설

② [×] 재정신청서에 대하여는 형사소송법에 제344조 제1항과 같은 특례규정이 없으므로 설령 구금 중인 고소인이 재정신청서를 그 기간 안에 교도소장 또는 그 직무를 대리하는 사람에게 제출하였다 하더라도 재정신청서가 10일 안에 불기소처분을 한 검사가 소속한 지방검찰청의 검사장 또는 지청장에게 도달하지 아니한 이상 이를 **적법한 재정신청서의 제출이라고 할 수 없다.**(대법원 1998. 12. 14. 98모127)

① [O] 대통령에게 제출한 청원서를 대통령비서실로부터 이관받은 검사가 진정사건으로 내사 후 내사종결처리한 경우 **내사종결처리는 고소 또는 고발사건에 대한 불기소처분이라고 볼 수 없어 재정신청의 대상이 되지 아니한다.**(대법원 1991. 11. 5. 91모68)

③ [O] 재정신청 제기기간이 경과된 후에 재정신청보충서를 제출하면서 원래의 재정신청에 재정신청 대상으로 포함되어 있지 않은 고발사실을 재정신청의 대상으로 추가한 경우 그 **재정신청보충서에서 추가한 부분에 관한 재정신청은 법률상 방식에 어긋난 것으로서 부적법하다.**(대법원 1997. 4. 22. 97모30 김문수 후보 재정신청사건)

④ [O] 고등법원에 재정신청을 하기 위해서는 「검찰청법」 제10조에 따른 항고를 거쳐야 한다. 다만, 검사가 공소시효 만료일 30일 전까지 공소를 제기하지 아니하는 경우에는 그러하지 아니하다.(제260조 제2항 제3호)

321 재정신청에 관한 다음 설명 중 옳은 것은 모두 몇 개인가? (다툼이 있으면 판례에 의함)

□□□ 　　　　　　　　　　　　　　　　　　　　　　　12 경찰채용 [Core ★★]

　⊙ 재정신청은 대리인에 의하여 할 수 있으며 공동신청권자 중 1인의 신청은 그 전원을 위하여 효력을 발생한다.

　ⓛ 재정신청사건의 심리는 특별한 사정이 없는 한 공개하지 아니하고, 재정신청인에 대한 비용부담 결정에 대하여는 즉시항고를 할 수 있다.

　ⓒ 법원이 재정신청서에 재정신청을 이유 있게 하는 사유가 기재되어 있지 않음에도 이를 간과한 채 공소제기결정을 한 관계로 그에 따른 공소가 제기되어 본안사건의 절차가 개시된 후에는, 다른 특별한 사정이 없는 한 이제 그 본안사건에서 위와 같은 잘못을 다툴 수 없다.

　ⓔ 검사는 법원의 결정에 따라 공소를 제기한 때에도 공소취소를 할 수 있다.

　ⓜ 법원은 재정신청서를 송부받은 때에는 송부받은 날로부터 10일 이내에 피의자 이외에 재정신청인에게도 그 사유를 통지하여야 한다.

① 2개　　　　② 3개　　　　③ 4개　　　　④ 5개

해설

③ ⊙ⓛⓒⓜ 4 항목이 맞다.

⊙ [O] 재정신청은 대리인에 의하여 할 수 있으며 **공동신청권자 중 1인의 신청은 그 전원을 위하여 효력을 발생한다.**(제264조 제1항)

ⓛ [○] 재정신청사건의 심리는 특별한 사정이 없는 한 공개하지 아니하고, 재정신청인에 대한 **비용부담 결정에** 대하여는 **즉시항고를 할 수 있다.**(제262조 제3항, 제262조의3)

ⓒ [○] 법원이 재정신청서에 재정신청을 이유 있게 하는 사유가 기재되어 있지 않음에도 이를 간과한 채 형사소 송법 제262조 제2항 제2호 소정의 공소제기결정을 한 관계로 그에 따른 **공소가 제기되어 본안사건의 절차가 개시된 후에는,** 다른 특별한 사정이 없는 한 이제 그 본안사건에서 위와 같은 **잘못을 다툴 수 없다.** 그렇지 아니하고 위와 같은 잘못을 본안사건에서 다툴 수 있다고 한다면 이는 재정신청에 대한 결정에 대하여 그것이 기각결정이든 인용결정이든 불복할 수 없도록 한 법 제262조 제4항의 규정취지에 위배하여 형사소송절차의 안정성을 해칠 우려가 있기 때문이다. 또한 위와 같은 잘못은 본안사건에서 공소사실 자체에 대하여 무죄, 면 소, 공소기각 등을 할 사유에 해당하는지를 살펴 무죄 등의 판결을 함으로써 그 잘못을 바로잡을 수 있는 것이 다. 뿐만 아니라 본안사건에서 심리한 결과 범죄사실이 유죄로 인정되는 때에는 이를 처벌하는 것이 오히려 형사소송의 이념인 실체적 정의를 구현하는 데 보다 충실하다는 점도 고려하여야 한다.(대법원 2010. 11. 11. 2009도224)

ⓔ [×] 법원의 공소제기결정에 따라 검사가 공소를 제기한 때에는 **공소취소를 할 수 없다.**(제264조의2)

ⓜ [○] 법원은 재정신청서를 송부받은 때에는 송부받은 날로부터 10일 이내에 피의자 이외에 재정신청인에게도 그 **사유를 통지하여야 한다.**(규칙 제120조)

---

322 재정신청에 관한 다음 설명 중 (   ) 안의 내용으로 옳게 묶은 것은?

☐☐☐
18 경찰간부 [Superlative ★★★]

> (1) 고소한 자가 검사로부터 공소를 제기하지 아니한다는 통지를 받은 때에 그 검사 소속의 지방 검찰청 소재지를 관할하는 (㉠)법원에 그 당부에 관한 재정을 신청하려면 검찰청법 제10조 에 따른 항고를 거쳐야 한다.
> (2) 법원은 재정신청이 법률상의 방식에 위배되거나 이유 없는 때에는 신청을 기각한다. 기각결정에 대하여는 (㉡)를 할 수 있다. 한편 신청이 이유 있는 때에는 사건에 대한 공소제 기를 결정한다. 이 결정에 대하여는 불복할 수 없다.
> (3) 법원은 재정신청의 기각결정을 하거나 재정신청인이 신청을 취소한 경우에는 결정으로 (㉢) 에게 신청절차에 따른 비용의 전부 또는 일부를 부담하게 할 수 있다.

① ㉠ 지방   ㉡ 준항고   ㉢ 지방검찰청장

② ㉠ 고등   ㉡ 즉시항고   ㉢ 재정신청인

③ ㉠ 지방   ㉡ 즉시항고   ㉢ 재정신청인

④ ㉠ 고등   ㉡ 준항고   ㉢ 재정신청인

해설

② ㉠ 제260조 제1항 ㉡ 제262조 제4항 ㉢ 제262조의3 제1항

323 재정신청에 관한 설명 중 옳지 않은 것은? (다툼이 있으면 판례에 의함)

23 변호사 [Core ★★]

① 구금 중인 고소인이 재정신청서를 법정기간 안에 교도소장 또는 그 직무를 대리하는 사람에게 제출하였다면 설령 재정신청서가 그 기간 안에 불기소처분을 한 검사가 소속한 지방검찰청의 검사장 또는 지청장에게 도달하지 않았더라도 적법한 재정신청서의 제출로 보아야 한다.

② 재정신청 제기기간이 경과된 후에 재정신청보충서를 제출하면서 원래의 재정신청 대상으로 포함되어 있지 않은 고발사실을 추가한 경우에 그 재정신청보충서에서 추가한 부분에 관한 재정신청은 부적법하다.

③ 재정신청이 있으면 재정결정이 확정될 때까지 공소시효의 진행이 정지된다.

④ 법원이 재정신청 대상 사건이 아님에도 이를 간과한 채 공소제기결정을 하였더라도 그에 따른 공소가 제기되어 본안 사건의 절차가 개시된 후에는 다른 특별한 사정이 없는 한 본안 사건에서 위와 같은 잘못을 다툴 수는 없다.

⑤ 형사소송법 제262조 제4항 후문은 재정신청 기각결정이 확정된 사건에 대하여는 다른 중요한 증거를 발견한 경우를 제외하고는 소추할 수 없다고 규정하고 있는바, 여기에서 '다른 중요한 증거를 발견한 경우'에는 단순히 재정신청 기각결정의 정당성에 의문이 제기되거나 범죄피해자의 권리를 보호하기 위하여 형사재판절차를 진행할 필요가 있는 정도의 증거가 있는 경우는 포함되지 않는다.

해설

① [×] 재정신청서에 대하여는 형사소송법에 제344조 제1항과 같은 특례규정이 없으므로 설령 구금 중인 고소인이 재정신청서를 그 기간 안에 교도소장 또는 그 직무를 대리하는 사람에게 제출하였다 하더라도 재정신청서가 10일 안에 불기소처분을 한 검사가 소속한 지방검찰청의 검사장 또는 지청장에게 도달하지 아니한 이상 이를 **적법한 재정신청서의 제출이라고 할 수 없다.**(대법원 1998. 12. 14. 98모127 **재정신청서 재소자특례 사건**)

② [○] 재정신청 제기기간이 경과된 후에 재정신청보충서를 제출하면서 원래의 재정신청 대상으로 포함되어 있지 않은 고발사실을 추가한 경우에 그 **재정신청보충서에서 추가한 부분에 관한 재정신청은 부적법하다.**(대법원 1997. 4. 22. 97모30 **김문수 후보 재정신청사건**)

③ [○] 재정신청이 있으면 재정결정이 확정될 때까지 **공소시효의 진행이 정지된다.**(제262조의4 제1항)

④ [○] 법원이 재정신청 대상 사건이 아님에도 이를 간과한 채 공소제기결정을 하였더라도 그에 따른 공소가 제기되어 본안 사건의 절차가 개시된 후에는 다른 특별한 사정이 없는 한 본안 사건에서 위와 같은 잘못을 다툴 수는 없다.(대법원 2017. 11. 14. 2017도13465 **후보자비방죄 재정신청 인용사건**)

⑤ [○] 형사소송법 제262조 제4항 후문은 재정신청 기각결정이 확정된 사건에 대하여는 다른 중요한 증거를 발견한 경우를 제외하고는 소추할 수 없다고 규정하고 있는바, 여기에서 '다른 중요한 증거를 발견한 경우'에는 단순히 재정신청 기각결정의 정당성에 의문이 제기되거나 범죄피해자의 권리를 보호하기 위하여 형사재판절차를 진행할 필요가 있는 정도의 증거가 있는 경우는 포함되지 않는다.(대법원 2018. 12. 28. 2014도17182 **관련 민사판결 발견 사건**)

정답 | 322 ②　323 ①

324 다음 중 재정신청과 관련된 설명으로 가장 옳지 않은 것은? (다툼이 있으면 판례에 의함)

☐☐☐

22 해경간부 [Core ★★]

① 재정신청사건의 심리 중에는 관련 서류 및 증거물을 열람 또는 등사할 수 없다. 다만, 법원은 형사소송법 제262조 제2항 후단의 증거조사 과정에서 작성된 서류의 전부 또는 일부의 열람 또는 등사를 허가할 수 있다.

② 재정신청에 대한 기각결정에 대해서는 법령위반을 이유로 대법원에 즉시항고 할 수 있다. 단, 법정 기간의 준수 여부는 도달주의 원칙에 따라 재항고장이 법원에 도달한 시점을 기준으로 하고, 재소자 특칙은 준용되지 않는다.

③ 재정신청 공동신청권자 중 1인의 신청은 그 전원을 위하여 효력을 발생하나 그 취소의 경우에는 다른 공동신청권자에게 효력을 미치지 아니한다.

④ 재정신청의 관할법원이 재정신청이 이유 있다고 인정하는 때에는 그 사건을 심판에 부칠 것을 결정하고 공소유지 변호사를 임명하여 그 사건을 심판하여야 한다.

해설

④ [×] 법원은 공소제기결정을 한 때에는 관할 지방검찰청 검사장 또는 지청장에게 사건기록을 함께 송부하여야 한다. 재정결정서를 송부받은 관할 지방검찰청 검사장 또는 지청장은 지체 없이 담당 검사를 지정하고 **지정받은 검사는 공소를 제기하여야 한다.**(제262조 제5항·제6항) 지문은 2007. 6. 1. 형사소송법 개정 전의 내용으로 지금은 당연히 옳지 않다.

① [○] 재정신청사건의 심리 중에는 관련 서류 및 증거물을 **열람 또는 등사할 수 없다.** 다만, 법원은 형사소송법 제262조 제2항 후단의 증거조사 과정에서 작성된 서류의 전부 또는 일부의 열람 또는 등사를 허가할 수 있다.(제262조의2)

② [○] **재정신청 기각결정에 대한 재항고나 그 재항고 기각결정에 대한 즉시항고로서의 재항고에 대한 법정기간**의 준수 여부는 도달주의 원칙에 따라 재항고장이나 즉시항고장이 법원에 도달한 시점을 기준으로 판단하여야 하고, 거기에 **재소자 피고인 특칙은 준용되지 아니한다**고 해석함이 타당하다.(대법원 2015. 7. 16. 2013모 2347 全合 너무 짧은 3일 사건)

③ [○] 재정신청 공동신청권자 중 1인의 신청은 그 전원을 위하여 효력을 발생하나 그 취소의 경우에는 다른 **공동신청권자에게 효력을 미치지 아니한다.**(제264조 제1항·제3항)

325 재정신청에 대한 설명 중 가장 적절한 것은? (다툼이 있으면 판례에 의함) 18 경찰승진 [Essential ★]

☐☐☐

① 검사의 불기소처분에 대하여 고소인은 재정신청을 할 수 있으나 고발인은 할 수 없다.

② 재정신청사건의 심리는 항고절차에 준하여 진행되며 심리 중에는 증거조사가 허용되지 아니한다.

③ 재정신청은 대리인에 의하여 할 수 있으며 공동신청권자 중 1인의 신청은 그 전원을 위하여 효력을 발생하고, 재정신청의 취소도 다른 공동신청권자에게 효력을 발생한다.

④ 「형사소송법」 제262조 제4항 후문에서 말하는 '재정신청 기각결정이 확정된 사건'이라 함은 재정신청 사건을 담당하는 법원에서 공소제기의 가능성과 필요성 등에 관한 심리와 판단이 현실적으로 이루어져 재정신청 기각결정의 대상이 된 사건만을 의미한다.

해설

④ [ㅇ] 「형사소송법」 제262조 제4항 후문에서 말하는 '재정신청 기각결정이 확정된 사건'이라 함은 재정신청 사건을 담당하는 법원에서 공소제기의 가능성과 필요성 등에 관한 **심리와 판단이 현실적으로 이루어져 재정신청 기각결정의 대상이 된 사건만을 의미한다.**(대법원 2015. 9. 10. 2012도14755)

① [×] 고소인은 **고소권자로서 고소한 범죄**에 대하여, 고발인은 **형법 제123조부터 제126조까지의 범죄(공직선거법에 규정된 일정한 범죄 등도 포함)**에 대하여 재정신청을 할 수 있다.(제260조 제1항)

② [×] 법원은 필요한 때에는 **증거를 조사할 수 있다.**(제262조 제2항)

③ [×] **재정신청의 취소는** 다른 공동신청권자에게 **효력이 미치지 아니한다.**(제264조 제3항)

326

재정신청에 관한 아래 사례와 관련하여 가장 적절하지 않은 것은? (다툼이 있으면 판례에 의함)

> 甲은 상해죄로 乙을 서울서부지방검찰청에 고소하였으나 담당검사 A는 혐의없음(증거불충분) 결정을 하였다. 甲은 A의 결정에 대하여 항고를 하였으며, 서울고등검찰청 담당검사 B는 수사가 미진하였다는 이유로 재기수사명령을 내렸다. 재기수사명령에 따라 서울서부지방검찰청 검사 C는 재수사를 하였지만 역시 증거가 없다는 이유로 B의 승인을 얻어 다시 혐의없음(증거불충분) 결정을 하였다.

① 甲은 검사 C의 처분에 대하여 바로 재정신청을 할 수 있다.

② 甲의 재정신청 심리 중 乙의 변호사 丙이 수사서류의 열람·등사를 신청한 경우, 법원은 이를 허가할 수 없는 것이 원칙이다.

③ 甲의 재정신청에 대한 법원의 공소제기결정에 따라 기소된 공판절차에서 검사는 공소취소를 할 수 없다.

④ 법원은 심리 결과 乙의 혐의가 인정되지만 甲이 먼저 싸움을 걸었고, 상해정도가 비교적 경미한 점 등 기소유예처분을 할 만한 사건이라고 인정되더라도 검사의 혐의없음 처분자체가 잘못된 것인 이상 재정신청기각결정은 할 수 없다.

해설

④ [×] 검사의 무혐의 불기소처분이 위법하다 하더라도 기록에 나타난 여러 가지 사정을 고려하여 기소유예의 불기소처분을 할 만한 사건이라고 인정되는 경우에는 **재정신청을 기각할 수 있다.**(대법원 1997. 4. 22. 97모 30)

① [○] 재정신청을 하려면 검찰청법 제10조에 따른 항고를 거쳐야 한다. 다만, 다음 각 호의 어느 하나에 해당하는 경우에는 그러하지 아니하다.(제260조 제2항)
1. 항고 이후 재기수사가 이루어진 다음에 다시 공소를 제기하지 아니한다는 통지를 받은 경우
2. 항고 신청 후 항고에 대한 처분이 행하여지지 아니하고 **3개월**이 경과한 경우
3. 검사가 **공소시효 만료일 30일** 전까지 공소를 제기하지 아니하는 경우

② [○] 재정신청사건의 심리 중에는 관련 서류 및 증거물을 열람 또는 등사할 수 없다. 다만, 법원은 증거조사과정에서 작성된 서류의 전부 또는 일부의 열람 또는 등사를 허가할 수 있다.(제262조의2)

③ [○] 법원의 공소제기결정에 따라 **검사가 공소를 제기한 때에는 공소취소를 할 수 없다.**(제264조의2)

327 재정신청에 대한 설명 중 옳고 그름(○, ×)의 표시가 바르게 된 것은? (다툼이 있으면 판례에 의함)

□□□
21 경찰채용 [Superlative ★★★]

> ㉠ 피의자가 불기소처분을 받은 것을 이유로 피해자가 재정신청을 하면서 재정신청 사유란에 "추후 제출하겠습니다"라고만 기재하여 재정신청서를 제출하였고, 관할 고등법원은 공소제기 결정을 하였다. 이 경우 재정신청서 작성은 법률상 방식에 위배되었음이 명백하고 이에 의한 공소제기 결정이 이루어졌다면 이러한 공소제기 결정은 재항고로 다툴 수 없다.
>
> ㉡ 재정신청이 있는 경우에 법원은 검사의 무혐의 불기소처분이 위법하더라도 기록에 나타난 여러 가지 사정을 고려하여 기소유예의 불기소처분을 할 만한 사건이라고 인정되는 경우에는 재정신청을 기각할 수 있다.
>
> ㉢ 재정신청에 대하여 법원의 공소제기 결정이 있게 되면 공소제기가 의제된다.
>
> ㉣ 고소인 또는 고발인이 수인인 경우 공동신청권자 중 1인의 신청은 전원을 위하여 효력을 발생하지만, 재정신청의 취소는 다른 공동신청권자에게 효력을 미치지 않는다.

① ㉠(×) ㉡(○) ㉢(×) ㉣(×)   ② ㉠(×) ㉡(×) ㉢(○) ㉣(○)

③ ㉠(○) ㉡(×) ㉢(○) ㉣(○)   ④ ㉠(○) ㉡(○) ㉢(×) ㉣(○)

해설

> ④ 이 지문이 옳은 연결이다.
>
> ㉠ [○] 법원이 재정신청서에 재정신청을 이유 있게 하는 사유가 기재되어 있지 않음에도 이를 간과한 채 형사소송법 제262조 제2항 제2호 소정의 공소제기결정을 한 관계로 그에 따른 공소가 제기되어 본안사건의 절차가 개시된 후에는, 다른 특별한 사정이 없는 한 이제 그 **본안사건에서 위와 같은 잘못을 다툴 수 없다.**(대법원 2010. 11. 11. 2009도224)
>
> ㉡ [○] 검사의 무혐의 불기소처분이 위법하다 하더라도 기록에 나타난 여러 가지 사정을 고려하여 **기소유예의 불기소처분을 할 만한 사건이라고 인정되는 경우에는 재정신청을 기각할 수 있다.**(대법원 1997. 4. 22. 97모30)
>
> ㉢ [×] 공소제기 결정에 따른 재결정서를 송부받은 관할 지방검찰청 검사장 또는 지청장은 지체 없이 담당검사를 지정하고 **지정받은 검사는 공소를 제기하여야 한다.**(제262조 제6항) 공소제기 결정으로 공소제기가 있는 것으로 의제되는 것은 아니다.
>
> ㉣ [○] 재정신청은 대리인에 의하여 할 수 있으며 공동신청권자 중 1인의 신청은 그 전원을 위하여 효력을 발생한다.(제264조 제1항) 재정신청의 취소는 다른 공동신청권자에게 효력을 미치지 아니한다.(제264조 제3항)

328 재정신청에 관한 다음 기술 중 (   )에 들어갈 숫자를 맞게 짝지은 것은? 12 법원9급 [Essential ★]

□□□

> ㉠ 검사가 공소시효 만료일 (   )일 전까지 공소를 제기하지 아니하는 경우에는 항고전치주의의 예외를 인정하여 곧바로 재정신청을 할 수 있게 하였다.
> ㉡ 항고기각결정을 통지받은 날 또는 항고전치주의의 예외 적용을 받는 경우에는 각 호(위 ㉠의 경우를 제외)의 사유가 발생한 날로부터 (   )일 이내에 지방검찰청검사장 또는 지청장에게 재정신청서를 제출하여야 한다.
> ㉢ 항고전치주의가 적용되는 경우, 재정신청서를 제출받은 지방검찰청검사장 또는 지청장은 재정신청서를 제출받은 날부터 (   )일 이내에 재정신청서·의견서·수사 관계 서류 및 증거물을 관할 고등검찰청을 경유하여 관할 고등법원에 송부하여야 한다.
> ㉣ 법원은 재정신청서를 송부받은 날부터 (   )일 이내에 피의자 및 재정신청인에게 그 사실을 통지하여야 한다.

① 30 − 10 − 7 − 10
② 10 − 10 − 7 − 30
③ 10 − 10 − 30 − 7
④ 30 − 10 − 10 − 7

해설

① 30 − 10 − 7 − 10
㉠ 제260조 제2항 제3호   ㉡ 제260조 제3항
㉢ 제261조   ㉣ 제262조 제1항, 규칙 제120조

329 재정신청에 관한 설명 중 적절한 것을 모두 고른 것은? (다툼이 있으면 판례에 의함)

□□□
17 경찰승진 [Core ★★]

> ㉠ 재정신청사건에 대한 법원의 공소제기결정에 따라 검사가 공소를 제기한 때에는 공소취소를 할 수 없다.
>
> ㉡ 법원은 재정신청 기각결정 또는 재정신청 취소가 있는 경우에는 결정으로 재정신청인에게 신청절차에 의하여 생긴 비용의 전부 또는 일부를 부담하게 하여야 한다.
>
> ㉢ 재정신청이 있는 경우에 법원은 검사의 무혐의 불기소처분이 위법하다 하더라도 기록에 나타난 여러 가지 사정을 고려하여 기소유예의 불기소처분을 할 만한 사건이라고 인정되는 경우에는 재정신청을 기각할 수 있다.
>
> ㉣ 재정신청의 관할법원은 불기소처분을 한 검사 소속의 지방검찰청 소재지를 관할하는 지방법원 합의부이다.
>
> ㉤ 법원이 재정신청서에 재정신청을 이유 있게 하는 사유가 기재되어 있지 않음에도 이를 간과한 채 형사소송법 제262조 제2항 제2호 소정의 공소제기결정을 한 관계로 그에 따른 공소가 제기되어 본안사건의 절차가 개시된 후에는 다른 특별한 사정이 없는 한 이제 그 본안사건에서 위와 같은 잘못을 다툴 수 없다.

① ㉠㉡㉢   ② ㉠㉢㉣   ③ ㉠㉢㉤   ④ ㉡㉣㉤

해설

③ ㉠㉢㉤ 3 항목이 옳다.

㉠ [O] 검사는 공소제기 결정에 따라 공소를 제기한 때에는 이를 **취소할 수 없다.**(제264조의2)

㉡ [×] 법원은 재정신청 기각결정 또는 재정신청 취소가 있는 경우에는 결정으로 재정신청인에게 신청절차에 의하여 생긴 비용의 전부 또는 일부를 **부담하게 할 수 있다.**(제262조의3 제1항)

㉢ [O] 재정신청이 있는 경우에 법원은 검사의 무혐의 불기소처분이 위법하다 하더라도 기록에 나타난 여러가지 사정을 고려하여 **기소유예의 불기소처분을 할 만한 사건이라고 인정되는 경우에는 재정신청을 기각할 수 있다.**(대법원 1997. 4. 22. 97모30 김문수 후보 재정신청사건)

㉣ [×] 재정신청의 관할법원은 불기소처분을 한 검사 소속의 지방검찰청 소재지를 관할하는 **고등법원이다.**(제260조 제1항)

㉤ [O] 법원이 재정신청서에 재정신청을 이유 있게 하는 사유가 기재되어 있지 않음에도 이를 간과한 채 형사소송법 제262조 제2항 제2호 소정의 공소제기결정을 한 관계로 그에 따른 공소가 제기되어 **본안사건의 절차가 개시된 후에는**, 다른 특별한 사정이 없는 한 이제 그 **본안사건에서 위와 같은 잘못을 다툴 수 없다.** 그렇지 아니하고 위와 같은 잘못을 본안사건에서 다툴 수 있다고 한다면 이는 재정신청에 대한 결정에 대하여 그것이 기각결정이든 인용결정이든 불복할 수 없도록 한 법 제262조 제4항의 규정취지에 위배하여 형사소송절차의 안정성을 해칠 우려가 있기 때문이다. 또한 위와 같은 잘못은 본안사건에서 공소사실 자체에 대하여 무죄, 면소, 공소기각 등을 할 사유에 해당하는지를 살펴 무죄 등의 판결을 함으로써 그 잘못을 바로잡을 수 있는 것이다. 뿐만 아니라 본안사건에서 심리한 결과 범죄사실이 유죄로 인정되는 때에는 이를 처벌하는 것이 오히려 형사소송의 이념인 실체적 정의를 구현하는 데 보다 충실하다는 점도 고려하여야 한다.(대법원 2010. 11. 11. 2009도224)

330
□□□ 수사의 종결에 관한 설명으로 옳고 그름의 표시(○, ×)가 바르게 된 것은? (다툼이 있으면 판례에 의함)

24 경찰간부 [Core ★★]

> ⊙ 고소인과 고발인은 사법경찰관으로부터 사건불송치 통지를 받은 경우에 해당 사법경찰관의 소속 관서의 장에게 이의를 신청할 수 있다.
> ⓛ 사법경찰관은 범죄혐의가 인정되지 않는다고 판단하는 경우 검사에게 사건을 송치할 필요는 없으나, 불송치결정서와 압수물 총목록, 기록목록 등 관계 서류와 증거물을 검사에게 송부하여야 한다.
> ⓒ 검사의 불기소처분에 의해 기본권을 침해받은 자는 헌법소원을 제기할 수 있으므로 고소하지 않은 피해자 및 기소유예 처분을 받은 피의자는 헌법소원을 제기할 수 있으나 고발인은 특별한 사정이 없는 한 자기관련성이 없으므로 헌법소원심판을 청구할 수 없다.
> ⓔ 검사의 불기소처분에 대한 헌법소원에 있어서 그 대상이 된 범죄에 대하여 공소시효가 완성되었더라도 헌법소원을 제기할 수 있다.

① ⊙ ○ ⓛ × ⓒ ○ ⓔ ○   ② ⊙ ○ ⓛ × ⓒ × ⓔ ×

③ ⊙ × ⓛ ○ ⓒ ○ ⓔ ×   ④ ⊙ × ⓛ ○ ⓒ × ⓔ ○

해설

> ③ 이 지문이 옳은 연결이다.
> ⊙ [×] 사법경찰관으로부터 사건불송치 통지를 받은 사람(**고발인을 제외한다**)은 해당 사법경찰관의 소속 관서의 장에게 이의를 신청할 수 있다.(제245조의7 제1항)
> ⓛ [○] 사법경찰관은 법 제245조의5제2호 및 이 영 제51조 제1항 제3호에 따라 불송치 결정을 하는 경우 **불송치의 이유를 적은 불송치 결정서와 함께 압수물 총목록, 기록목록 등 관계 서류와 증거물을 검사에게 송부해야 한다.**(수사준칙 제62조 제1항)
> ⓒ [○] 청구인은 "**고소권자로서 고소한 자**"에 해당하지 않아 형사소송법 제260조 제1항 소정의 재정신청 절차를 취할 수도 없다. 따라서 이 사건 심판청구 중 불기소처분의 취소를 구하는 부분은 보충성 요건을 갖춘 것으로 봄이 상당하다.(헌법재판소 2008. 11. 27. 2008헌마399), 형사피의자로 입건되었던 자가 기소유예처분을 받았을 때 스스로 무고함을 주장하여 헌법소원심판을 청구할 수 있다.(헌법재판소 1992. 11. 12. 91헌마146), 피의자들의 이 사건 범행으로 인해 법률상의 불이익을 받게 되는 형사피해자라고 보기 어렵고, 단지 간접적인 사실상 이해관계를 가지는 고발인에 불과하다 할 것이다. 따라서 청구인 권○룡의 심판청구는 자기관련성이 없어 부적법하다.(헌법재판소 2013. 10. 24. 2012헌마41)
> ⓔ [×] 범죄에 대한 공소시효가 완성되었을 때에는 그 범죄에 대한 불기소처분의 취소를 구하는 헌법소원심판청구는 **권리보호의 이익이 없으며** 또 헌법소원 제기 후에 그 공소시효가 완성된 경우에도 역시 그 헌법소원은 **권리보호의 이익이 없어 부적법하다.**(헌법재판소 2004. 12. 21. 2004헌마930)

331 현행법상 검사의 불기소처분에 대한 불복방법에 관한 다음 설명 중 가장 적절하지 않은 것은? (다툼이 있으면 판례에 의함)

① 불기소처분이 위법·부당할지라도 불기소처분 당시에 공소시효가 완성되어 공소권이 없는 경우에는 위 불기소처분에 대한 재정신청은 허용되지 않는다.

② 고등법원에 재정신청을 하기 위해서는 검찰항고전치주의에 따라 먼저 검찰청법 제10조에 의한 검찰항고를 거쳐야 하는 것이 원칙이지만, 검사가 공소시효 만료일 30일 전까지 공소를 제기하지 않은 경우에는 검찰항고 없이 곧바로 재정신청을 할 수 있다.

③ 고등법원의 공소제기결정에는 공소제기를 강제하는 효과가 있어 검사와 피의자는 이에 대하여 불복할 수 없으며, 공소시효에 관하여는 공소제기결정이 있는 날에 공소가 제기된 것으로 본다.

④ 헌법소원의 보충성에 따라 고소인은 검사의 불기소처분에 대하여 재정신청을 거쳐 헌법재판소에 헌법소원을 청구할 수 있다.

해설

④ [×] 공권력의 행사 또는 불행사로 인하여 헌법상 보장된 기본권을 침해받은 자는 법원의 재판을 제외하고는 헌법재판소에 헌법소원심판을 청구할 수 있다.(헌법재판소법 제68조 제1항 본문) 법원의 재판인 **재정신청을 거친 후에는 고소인은 헌법소원을 청구할 수 없다.**

① [○] 검사의 불기소처분 당시에 공소시효가 완성되어 공소권이 없는 경우에는 위 불기소처분에 대한 재정신청은 허용되지 않는다.(대법원 1990. 7. 16. 90모34)

② [○] 재정신청을 하려면 검찰청법 제10조에 따른 항고를 거쳐야 한다. 다만, 다음 각 호의 어느 하나에 해당하는 경우에는 그러하지 아니하다.(제260조 제2항)
  1. 항고 이후 재기수사가 이루어진 다음에 다시 공소를 제기하지 아니한다는 통지를 받은 경우
  2. 항고 신청 후 항고에 대한 처분이 행하여지지 아니하고 **3개월**이 경과한 경우
  3. 검사가 **공소시효 만료일 30일 전**까지 공소를 제기하지 아니하는 경우

③ [○] **공소제기결정에 대하여는 불복할 수 없다.**(제262조 제4항) 공소제기결정이 있는 때에는 공소시효에 관하여 그 결정이 있는 날에 공소가 제기된 것으로 본다.(제262조의4 제2항)

332

□□□

재정신청에 관한 다음 설명 중 가장 옳지 않은 것은? (다툼이 있으면 판례에 의함)

19 법원9급 [Core ★★]

① 형사소송법 제262조 제4항 후문은 재정신청 기각결정이 확정된 사건에 대하여 다른 중요한 증거를 발견한 경우를 제외하고는 소추할 수 없도록 규정하고 있는데, 재정신청 기각결정의 대상에 명시적으로 포함되지 않았다고 하더라도 고소의 효력이 미치는 객관적 범위 내에서는 위와 같은 재소추 제한의 효력이 그대로 미친다.

② 법원이 재정신청 대상 사건이 아님에도 이를 간과한 채 공소제기결정을 하였더라도, 그에 따른 공소가 제기되어 본안사건의 절차가 개시된 후에는 다른 특별한 사정이 없는 한 본안사건에서 위와 같은 잘못을 다툴 수 없다.

③ 재정신청 제기기간이 경과된 후에 재정신청보충서를 제출하면서 원래의 재정신청에 재정신청 대상으로 포함되어 있지 않은 고발사실을 재정신청의 대상으로 추가한 경우, 그 재정신청보충서에서 추가한 부분에 관한 재정신청은 법률상 방식에 어긋난 것으로서 부적법하다.

④ 재정신청절차는 고소·고발인이 검찰의 불기소처분에 불복하여 법원에 그 당부에 관한 판단을 구하는 절차로서 검사가 공소를 제기하여 공판절차가 진행되는 형사재판절차와는 다르며 또한 고소·고발인인 재정신청인은 검사에 의하여 공소가 제기되어 형사재판을 받는 피고인과는 지위가 본질적으로 다르다.

해설

① [×] 다른 중요한 증거를 발견한 경우를 제외하고는 소추할 수 없도록 규정한 형사소송법 제262조 제4항 후문에서 말하는 '제2항 제1호의 결정(재정신청 기각결정)이 확정된 사건'은 재정신청사건을 담당하는 법원에서 공소제기의 가능성과 필요성 등에 관한 심리와 판단이 현실적으로 이루어져 재정신청 기각결정의 대상이 된 사건만을 의미하므로, **재정신청 기각결정의 대상이 되지 않은 사건은 '제2항 제1호의 결정이 확정된 사건'이라고 할 수 없고, 설령 재정신청 기각결정의 대상이 되지 않은 사건이 고소인의 고소내용에 포함되어 있었다 하더라도 이와 달리 볼 수 없다.**(대법원 2015. 9. 10. 2012도14755)

② [○] 법원이 재정신청 대상 사건이 아님에도 이를 간과한 채 형사소송법 제262조 제2항 제2호에 따라 공소제기결정을 하였다고 하더라도, 그에 따른 공소가 제기되어 본안사건의 절차가 개시된 후에는 다른 특별한 사정이 없는 한 본안사건에서 위와 같은 잘못을 다툴 수 없다.(대법원 2017. 11. 14. 2017도13465 **후보자비방죄 재정신청 인용사건**)

③ [○] 재정신청 제기기간이 경과된 후에 재정신청보충서를 제출하면서 원래의 재정신청에 재정신청 대상으로 포함되어 있지 않은 고발사실을 재정신청의 대상으로 추가한 경우, 그 **재정신청보충서에서 추가한 부분에 관한 재정신청은 법률상 방식에 어긋난 것으로서 부적법하다.**(대법원 1997. 4. 22. 97모30 **김문수 후보 재정신청 사건**)

④ [○] 재정신청절차는 고소·고발인이 검찰의 불기소처분에 불복하여 법원에 그 당부에 관한 판단을 구하는 절차로서 검사가 공소를 제기하여 **공판절차가 진행되는 형사재판절차와는 다르며** 또한 고소·고발인인 재정신청인은 검사에 의하여 공소가 제기되어 **형사재판을 받는 피고인과는 지위가 본질적으로 다르다.**(대법원 2015. 7. 16. 2013모2347 **소송 너무 짧은 3일 사건**)

333 다음 중 재정신청에 대한 설명으로 가장 옳지 않은 것은? (다툼이 있으면 판례에 의함)

23 해경승진 [Essential ★]

① 법원은 재정신청인이 그 신청을 취소한 경우 결정으로 재정신청인에게 신청절차에 의하여 생긴 비용의 전부 또는 일부를 부담하게 할 수 있다.

② 재정신청사건의 심리는 특별한 사정이 없는 한 공개하지 아니하고, 재정신청인에 대한 비용부담 결정에 대하여는 즉시항고를 할 수 있다.

③ 고소권자인 고소인이 검사의 불기소처분에 불복하여 재정신청을 하려면 검찰청법 제10조에 따른 항고를 반드시 거친 후, 그 검사 소속의 지방검찰청 소재지를 관할하는 고등법원에 재정신청서를 제출하여야 한다.

④ 고등법원이 재정신청 기각결정이 확정된 사건에 대하여는 다른 중요한 증거를 발견한 경우를 제외하고는 소추할 수 없는데, 이 경우 재정신청 기각결정이 확정된 사건이라 함은 재정신청 사건을 담당하는 법원에서 공소제기 가능성과 필요성 등에 관한 심리와 판단이 현실적으로 이루어져 재정신청 기각결정의 대상이 된 사건만을 의미한다.

해설

③ [×] 재정신청을 하려면 「검찰청법」 제10조에 따른 항고를 거쳐야 한다. 다만, **다음 각 호의 어느 하나에 해당하는 경우에는 그러하지 아니하다.**(제260조 제2항) 재정신청을 하려는 자는 항고기각 결정을 통지받은 날부터 10일 이내에 **지방검찰청검사장 또는 지청장에게 재정신청서를 제출하여야 한다.**(제260조 제3항) 검찰항고 전치주의의 예외가 존재하며, 재정신청서 제출하는 곳도 고등법원이 아니라 지방검찰청검사장 또는 지청장이다.

① [○] 법원은 재정신청인이 그 신청을 취소한 경우 결정으로 재정신청인에게 신청절차에 의하여 생긴 비용의 **전부 또는 일부를 부담하게 할 수 있다.**(제262조의3 제1항)

② [○] 재정신청사건의 심리는 특별한 사정이 없는 한 **공개하지 아니한다.**(제262조 제3항) 재정신청인에 대한 비용부담 결정에 대하여는 **즉시항고를 할 수 있다.**(제262조의3 제3항)

④ [○] 고등법원이 재정신청 기각결정이 확정된 사건에 대하여는 다른 중요한 증거를 발견한 경우를 제외하고는 소추할 수 없는데, 이 경우 재정신청 기각결정이 확정된 사건이라 함은 재정신청사건을 담당하는 **법원에서 공소제기 가능성과 필요성 등에 관한 심리와 판단이 현실적으로 이루어져 재정신청 기각결정의 대상이 된 사건만을 의미한다.**(대법원 2015. 9. 10. 2012도14755 횡령 일부 재정신청기각 사건)

334 재정신청에 관한 다음 설명 중 가장 옳지 않은 것은? (다툼이 있으면 판례에 의함)

□□□

21 법원9급 [Core ★★]

① 형사소송법 제262조 제4항 후문은 재정신청 기각결정이 확정된 사건에 대하여는 다른 중요한 증거를 발견한 경우를 제외하고는 소추할 수 없다고 규정하고 있다. 여기에서 '다른 중요한 증거를 발견한 경우'란 재정신청 기각결정 당시에 제출된 증거에 새로 발견된 증거를 추가하면 충분히 유죄의 확신을 가지게 될 정도의 증거가 있는 경우를 말하고, 단순히 재정신청 기각결정의 정당성에 의문이 제기되거나 범죄피해자의 권리를 보호하기 위하여 형사재판절차를 진행할 필요가 있는 정도의 증거가 있는 경우는 여기에 해당하지 않는다. 그리고 관련 민사판결에서의 사실인정 및 판단은, 그러한 사실인정 및 판단의 근거가 된 증거자료가 새로 발견된 증거에 해당할 수 있음은 별론으로 하고, 그 자체가 새로 발견된 증거라고 할 수는 없다.

② 법원은 재정신청서를 송부받은 때에는 송부받은 날부터 7일 이내에 피의자에게 그 사실을 통지하여야 한다.

③ 형사소송법 제260조에 따른 재정신청이 있으면 제262조에 따른 재정결정이 확정될 때까지 공소시효의 진행이 정지된다.

④ 재정신청사건의 심리 중에는 관련 서류 및 증거물을 열람 또는 등사할 수 없다. 다만, 법원은 형사소송법 제262조 제2항 후단의 증거조사과정에서 작성된 서류의 전부 또는 일부의 열람 또는 등사를 허가할 수 있다.

해설

② [×] 법원은 재정신청서를 송부받은 때에는 송부받은 날부터 **10일 이내에** 피의자에게 그 사실을 통지하여야 한다.(제262조 제1항)

① [○] 형사소송법 제262조 제4항 후문의 '다른 중요한 증거를 발견한 경우'란 재정신청 기각결정 당시에 제출된 증거에 새로 발견된 증거를 추가하면 충분히 유죄의 확신을 가지게 될 정도의 증거가 있는 경우를 말하고, 단순히 재정신청 기각결정의 정당성에 의문이 제기되거나 **범죄피해자의 권리를 보호**하기 위하여 형사재판절차를 진행할 필요가 있는 정도의 증거가 있는 경우는 여기에 해당하지 않는다. 그리고 관련 민사판결에서의 **사실인정 및 판단**은, 그러한 사실인정 및 판단의 근거가 된 증거자료가 새로 발견된 증거에 해당할 수 있음은 별론으로 하고, 그 자체가 새로 발견된 증거라고 할 수는 없다.(대법원 2018. 12. 28. 2014도17182 **관련 민사판결 발견 사건**)

③ [○] 형사소송법 제260조에 따른 재정신청이 있으면 제262조에 따른 **재정결정이 확정될 때까지 공소시효의 진행이 정지**된다.(제262조의4 제1항)

④ [○] 재정신청사건의 심리 중에는 관련 서류 및 증거물을 열람 또는 등사할 수 없다. 다만, 법원은 형사소송법 제262조 제2항 후단의 증거조사과정에서 작성된 서류의 전부 또는 일부의 **열람 또는 등사를 허가할 수 있다.** (제262조의2)

제3절 | 공소제기 후의 수사

335 공소제기 후 수사에 대한 설명 중 가장 옳지 않은 것은? (다툼이 있으면 판례에 의함)
□□□
13 경찰간부 [Essential ★]

① 공소제기 후라도 임의수사는 허용된다.

② 공판절차에서 피고인은 검사와 대등한 지위를 가지는 당사자이므로 공소제기 후에 수사기관이 피고인을 구속할 수는 없고, 피고인 구속은 법원의 권한에 속한다.

③ 검사 작성 피고인에 대한 진술조서가 공소제기 후에 작성된 것이라는 이유만으로 곧 그 증거능력이 없다고 할 수 없다.

④ 참고인조사는 공소제기 후에도 허용되므로 공판준비 또는 공판기일에 이미 증언을 마친 증인을 검사가 다시 소환하여 피고인에게 유리한 증언내용을 추궁하여 이를 번복시킨 진술조서는 증거능력이 인정된다.

해설

④ [×] 공판준비 또는 공판기일에서 이미 증언을 마친 증인을 검사가 소환한 후 피고인에게 유리한 그 증언내용을 추궁하여 이를 일방적으로 번복시키는 방식으로 작성한 진술조서는 **피고인이 증거로 할 수 있음에 동의하지 아니하는 한 그 증거능력이 없다.**(대법원 2000. 6. 15. 99도1108 全合 **청탁교제비 사건**)

① [○] 통설의 입장이다.

② [○] **공소가 제기된 후에는 그 피고사건에 관한 형사절차의 모든 권한이 사건을 주재하는 수소법원의 권한에 속하게 되며, 수사의 대상이던 피의자는 검사와 대등한 당사자인 피고인으로서의 지위에서 방어권을 행사하게 되므로, 공소제기 후 구속·압수·수색 등 피고인의 기본적 인권에 직접 영향을 미치는 강제처분은 원칙적으로 수소법원의 판단에 의하여 이루어지지 않으면 안 된다.**(대법원 2011. 4. 28. 2009도10412 **공정위사무관 수뢰사건**)

③ [○] **검사 작성의 피고인에 대한 진술조서가 공소제기 후에 작성된 것이라는 이유만으로는 곧 그 증거능력이 없다고 할 수 없다.**(대법원 1984. 9. 25. 84도1646)

336 공소제기 후의 수사에 대한 설명으로 가장 적절하지 않은 것은? (다툼이 있으면 판례에 의함)

21 경찰승진 [Essential ★]

① 공소제기 후 수사기관에 의한 피고인의 구속은 허용되지 않는다.

② 검사가 공소제기 후에 피고인에 대해 작성한 진술조서는 항상 증거능력이 없다.

③ 검사 또는 사법경찰관이 피고인에 대한 구속영장을 집행하는 경우에 필요한 때에는 영장없이 구속현장에서 압수·수색·검증을 할 수 있다.

④ 공소가 제기된 후에는 그 피고사건에 관하여 수사기관은 「형사소송법」 제215조에 의하여 압수·수색을 할 수 없다고 보아야 하며, 그럼에도 검사가 공소제기 후 「형사소송법」 제215조에 따라 수소법원 이외의 지방법원 판사에게 청구하여 발부받은 영장에 의하여 압수·수색을 하였다면, 그와 같이 수집된 증거는 기본적 인권 보장을 위해 마련된 적법한 절차에 따르지 않은 것으로서 원칙적으로 유죄의 증거로 삼을 수 없다.

해설

② [×] 검사 작성의 피고인에 대한 진술조서가 공소제기 후에 작성된 것이라는 이유만으로는 곧 **그 증거능력이 없다고 할 수 없다.**(대법원 1984. 9. 25. 84도1646)

① [○] 공소가 제기된 후에는 그 피고사건에 관한 형사절차의 모든 권한이 사건을 주재하는 수소법원의 권한에 속하게 되며, 수사의 대상이던 피의자는 검사와 대등한 당사자인 피고인으로서의 지위에서 방어권을 행사하게 되므로, 공소제기 후 구속·압수·수색 등 피고인의 기본적 인권에 직접 영향을 미치는 강제처분은 원칙적으로 **수소법원의 판단에 의하여 이루어지지 않으면 안된다.**(대법원 2011. 4. 28. 2009도10412 **공정위 사무관 수뢰사건**)

③ [○] 검사 또는 사법경찰관이 피고인에 대한 구속영장을 집행하는 경우에 필요한 때에는 영장 없이 **구속현장에서 압수·수색·검증을 할 수 있다.**(제216조 제2항)

④ [○] 검사가 공소제기 후 형사소송법 제215조에 따라 수소법원 이외의 지방법원판사에게 청구하여 발부받은 영장에 의하여 압수·수색을 하였다면, 그와 같이 수집된 증거는 기본적 인권 보장을 위해 마련된 적법한 절차에 따르지 않은 것으로서 원칙적으로 유죄의 증거로 삼을 수 없다.(대법원 2011. 4. 28. 2009도10412 **공정위 사무관 수뢰사건**)

337

□□□

공소제기 후의 수사에 관한 설명으로 가장 적절하지 않은 것은? (다툼이 있으면 판례에 의함)

21 경찰채용 [Essential ★]

① 검사가 공소제기 후 형사소송법 제215조에 따라 수소법원 이외의 지방법원판사에게 청구하여 발부받은 영장에 의하여 압수·수색을 하였다면 이는 적법한 절차에 따르지 않은 것으로서 원칙적으로 유죄의 증거로 삼을 수 없다.

② 검사 작성의 피고인에 대한 진술조서가 공소제기 후에 작성된 것이라는 이유만으로는 곧 그 증거능력이 없다고 할 수 없다.

③ 검사 또는 사법경찰관이 피고인에 대한 구속영장을 집행하는 경우에 필요한 때에는 그 집행현장에서 영장없이 압수, 수색, 검증을 할 수 있다.

④ 제1심에서 피고인에 대하여 무죄판결이 선고되어 검사가 항소한 후 수사기관이 항소심 공판기일에 증인으로 신청하여 신문할 수 있는 사람을 특별한 사정 없이 미리 수사기관에 소환하여 작성한 진술조서는 피고인이 증거로 할 수 있음에 동의하지 않는 한 증거능력이 없다. 그러나 그 참고인이 나중에 법정에 증인으로 출석하여 진술조서의 성립의 진정을 인정하고 피고인 측에 반대신문의 기회가 부여되면 그 진술조서를 증거로 할 수 있다.

해설

④ [×] 제1심에서 피고인에 대하여 무죄판결이 선고되어 검사가 항소한 후, 수사기관이 항소심 공판기일에 증인으로 신청하여 신문할 수 있는 사람을 특별한 사정 없이 미리 수사기관에 소환하여 작성한 **진술조서는 피고인이 증거로 할 수 있음에 동의하지 않는 한 증거능력이 없다.** 검사가 공소를 제기한 후 참고인을 소환하여 피고인에게 불리한 진술을 기재한 진술조서를 작성하여 이를 공판절차에 증거로 제출할 수 있게 한다면, 피고인과 대등한 당사자의 지위에 있는 검사가 수사기관으로서의 권한을 이용하여 일방적으로 법정 밖에서 유리한 증거를 만들 수 있게 하는 것이므로 당사자주의·공판중심주의·직접심리주의에 반하고 피고인의 공정한 재판을 받을 권리를 침해하기 때문이다. **참고인이 나중에 법정에 증인으로 출석하여 진술조서의 성립의 진정을 인정하고 피고인 측에 반대신문의 기회가 부여된다 하더라도 진술조서의 증거능력을 인정할 수 없음은 마찬가지이다.**(대법원 2019. 11. 28. 2013도6825 양재동 화물터미널 복합개발사업 사건)

① [○] **검사가 공소제기 후 형사소송법 제215조에 따라 수소법원 이외의 지방법원판사에게 청구**하여 발부받은 영장에 의하여 압수·수색을 하였다면, 그와 같이 수집된 증거는 기본적 인권 보장을 위해 마련된 적법한 절차에 따르지 않은 것으로서 원칙적으로 유죄의 증거로 삼을 수 없다.(대법원 2011. 4. 28. 2009도10412 공정위 사무관 수뢰사건)

② [○] 검사 작성의 피고인에 대한 진술조서가 공소제기 후에 작성된 것이라는 이유만으로는 곧 그 증거능력이 없다고 할 수 없다.(대법원 1984. 9. 25. 84도1646)

③ [○] 검사 또는 사법경찰관이 피고인에 대한 구속영장을 집행하는 경우에 필요한 때에는 그 **집행현장에서 영장없이 압수, 수색, 검증을 할 수 있다.**(제216조 제2항)

338 공소제기 후 수사에 대한 설명으로 가장 적절하지 않은 것은? (다툼이 있으면 판례에 의함)

□□□

19 경찰승진 [Essential ★]

① 검사 작성의 피고인에 대한 진술조서가 공소제기 후에 작성된 것이라는 이유만으로는 곧 그 증거능력이 없다고 할 수 없다.

② 공소제기된 피고인의 구속상태를 계속 유지할 것인지 여부에 관한 판단은 전적으로 당해 수소법원의 전권에 속한다.

③ 검사 또는 사법경찰관이 피고인에 대한 구속영장을 집행하는 경우에 필요한 때에는 영장없이 구속현장에서 압수·수색·검증을 할 수 있다.

④ 공소제기 후 증거물의 소유자인 제3자가 임의로 제출하는 피고사건에 대한 그 증거물을 수사기관이 압수하는 것은 위법하다.

해설

④ [×] 검사, 사법경찰관은 피의자 기타인의 유류한 물건이나 소유자, 소지자 또는 보관자가 임의로 제출한 물건을 영장없이 압수할 수 있다.(제218조) 공소제기 후 제3자가 임의로 제출하는 증거물을 수사기관이 압수하는 것은 **위법하지 않다.**

① [○] 검사 작성의 피고인에 대한 진술조서가 공소제기 후에 작성된 것이라는 이유만으로는 곧 그 **증거능력이 없다고 할 수 없다.**(대법원 1984. 9. 25. 84도1646)

② [○] 검사의 의견청취의 절차는 보석에 관한 결정의 본질적 부분이 되는 것은 아니므로 설사 법원이 검사의 의견을 듣지 아니한 채 보석에 관한 결정을 하였다고 하더라도 그 결정이 적정한 이상 절차상의 하자만을 들어 그 결정을 취소할 수는 **없다.**(대법원 1997. 11. 27. 97모88 **검사 의견청취×** 사건)

③ [○] 검사 또는 사법경찰관이 피고인에 대한 구속영장을 집행하는 경우에 필요한 때에는 영장 없이 **구속현장**에서 압수·수색·검증을 할 수 있다.(제216조 제2항)

제3편

증거

제1장 증거의 의의와 종류
제2장 증거의 기본원칙
제3장 자백배제법칙과 위법수집증거배제법칙

제1장 증거의 의의와 종류

001 증거에 대한 설명으로 가장 적절한 것은? (다툼이 있으면 판례에 의함)

21 경찰승진 [Essential ★]

□□□

① 간접증거가 개별적으로 완전한 증명력을 가지지 못한다면, 전체 증거를 상호 관련하여 종합적으로 고찰하여 증명력이 있는 것으로 판단되더라도 그에 의하여 범죄사실을 인정할 수 없다.

② 살인죄와 같이 법정형이 무거운 범죄의 경우에도 직접증거 없이 간접증거만으로도 유죄를 인정할 수 있다.

③ 상해사건에서 피해자 진단서는 상해사실 자체에 대한 직접증거에 해당한다.

④ 증거능력이란 요증사실을 증명하는 증거의 힘, 증거의 실질적 가치를 말하며, 이는 법관의 자유심증에 의해 결정된다.

해설

② [○] 살인죄 등과 같이 법정형이 무거운 범죄의 경우에도 직접증거 없이 **간접증거만에 의하여 유죄를 인정할 수 있고**, 살해의 방법이나 피해자의 사망경위에 관한 중요한 단서인 피해자의 사체가 멸실된 경우라 하더라도 간접증거를 상호 관련하에서 종합적으로 고찰하여 살인죄의 공소사실을 인정할 수 있다. 이 경우 범행 전체를 부인하는 피고인에 대하여 살인죄의 죄책을 인정하기 위해서는 피해자의 사망이 살해의사를 가진 피고인의 행위로 인한 것임이 합리적인 의심의 여지가 없을 정도로 증명되어야 한다.(대법원 2012. 9. 27. 2012도2658 **부산 시신없는 살인 사건Ⅰ**)

① [×] 간접증거가 개별적으로는 범죄사실에 대한 완전한 증명력을 가지지 못하더라도 전체 증거를 상호관련하에 종합적으로 고찰할 경우 그 단독으로는 가지지 못하는 종합적 증명력이 있는 것으로 판단되면 **그에 의하여도 범죄사실을 인정할 수 있다.**(대법원 2013. 6. 27. 2013도4172 **부산 시신없는 살인 사건Ⅱ**)

③ [×] 상해사건 발생 직후 피해자를 진찰한 바 있는 의사의 진술 및 상해진단서를 발행한 **의사의 진술이나 진단서는 가해자의 상해사실 자체에 대한 직접적인 증거가 되는 것은 아니고**, 다른 증거에 의하여 상해의 가해행위가 인정되는 경우에 그에 대한 상해의 부위나 정도의 점에 대한 증거가 된다.(대법원 1995. 9. 29. 95도852 **종로 신혼예식장 자해사건**)

④ [×] 요증사실을 증명하는 증거의 힘, 즉 증거의 실질적 가치는 **증명력을 말하며**, 이는 법관의 자유판단에 의한다.(제308조)

002 다음 중 가장 옳은 것은? (다툼이 있으면 판례에 의함)

① 증거능력이란 요증사실을 증명하는 증거의 힘, 증거의 실질적 가치를 의미하며, 이는 법관의 자유심증에 의해 결정된다.

② 상해사건에서 피해자 진단서는 상해 사실자체에 대한 직접증거에 해당한다.

③ 살인죄와 같은 법정형이 무거운 범죄의 경우에도 직접증거 없이 간접증거만으로도 유죄를 인정할 수 있다.

④ 간접증거가 개별적으로는 범죄사실에 대한 완전한 증명력을 가지지 못한다면 전체 증거를 상호 관련하여 종합적으로 고찰하여 증명력이 있는 것으로 판단되더라도 그에 의하여 범죄사실을 인정할 수 없다.

해설

③ [O] 살인죄와 같이 법정형이 무거운 범죄의 경우에도 직접증거 없이 간접증거만으로도 유죄를 인정할 수 있으나 그 경우에도 주요사실의 전제가 되는 간접사실의 인정은 합리적 의심을 허용하지 않을 정도의 증명이 있어야 하고, 그 하나하나의 **간접사실이 상호 모순, 저촉이 없어야 함은 물론 논리와 경험칙, 과학법칙에 의하여 뒷받침되어야 한다.**(대법원 2017. 5. 30. 2017도1549 95억 보험살인 의심사건)

① [×] 요증사실을 증명하는 증거의 힘 즉, 증거의 실질적 가치는 **증명력을 말하며,** 이는 법관의 자유판단에 의한다.(형사소송법 제308조)

② [×] 상해사건 발생 직후 피해자를 진찰한 바 있는 의사의 진술 및 상해진단서를 발행한 **의사의 진술이나 진단서는 가해자의 상해사실 자체에 대한 직접적인 증거가 되는 것은 아니고,** 다른 증거에 의하여 상해의 가해행위가 인정되는 경우에 그에 대한 상해의 부위나 정도의 점에 대한 증거가 된다.(대법원 1995. 9. 29. 95도852 종로 신혼예식장 자해사건)

④ [×] 간접증거가 개별적으로는 범죄사실에 대한 완전한 증명력을 가지지 못하더라도 전체 증거를 상호 관련하에 종합적으로 고찰할 경우 그 단독으로는 가지지 못하는 종합적 증명력이 있는 것으로 판단되면 **그에 의하여도 범죄사실을 인정할 수 있다.**(대법원 2013. 6. 27. 2013도4172 부산 시신없는 살인 사건Ⅱ)

003 다음 중 판례의 태도로 가장 적절하지 않은 것은?

① 형사재판에서 이와 관련된 다른 형사사건의 확정판결에서 인정된 사실은 특별한 사정이 없는 한 유력한 증거자료가 되는 것이나 당해 형사재판에서 제출된 다른 증거 내용에 비추어 관련 형사사건 확정판결의 사실판단을 그대로 채택하기 어렵다고 인정될 경우에는 이를 배척할 수 있다.

② 부검의(剖檢醫)가 사체에 대한 부검을 실시한 후 어떤 것을 유력한 사망원인으로 지시한다고 하여 그 밖의 다른 사인이 존재할 가능성을 가볍게 배제하여서는 아니되고 특히 형사재판에서 부검의의 소견에 주로 의지하여 유죄의 인정을 하기 위해서는 다른 가능한 사망원인을 모두 배제하기 위한 치밀한 논증의 과정을 거치지 않으면 아니된다.

③ 상해죄의 피해자가 제출하는 상해진단서는 일반적으로 의사가 당해 피해자의 진술을 토대로 상해의 원인을 파악한 후 의학적 전문지식을 동원하여 관찰·판단한 상해의 부위와 정도 등을 기재한 것으로서 거기에 기재된 상해가 곧 피고인의 범죄행위로 인하여 발생한 것이라는 사실을 직접 증명하는 증거가 되기에 충분하다.

④ 형사재판에서 범죄사실의 인정은 법관으로 하여금 합리적인 의심을 할 여지가 없을 정도의 확신을 가지게 하는 증명력을 가진 엄격한 증거에 의하여야 하므로 검사의 증명이 위와 같은 확신을 가지게 하는 정도에 충분히 이르지 못한 경우에는 비록 피고인의 주장이나 변명이 모순되거나 석연치 않은 면이 있는 등 유죄의 의심이 간다고 하더라도 피고인의 이익으로 판단하여야 한다.

해설

③ [×] 상해사건 발생 직후 피해자를 진찰한 바 있는 의사의 진술 및 상해진단서를 발행한 의사의 진술이나 진단서는 **가해자의 상해사실 자체에 대한 직접적인 증거가 되는 것은 아니고,** 다른 증거에 의하여 상해의 가해행위가 인정되는 경우에 그에 대한 상해의 부위나 정도의 점에 대한 증거가 된다.(대법원 1995. 9. 29. 95도852)

① [○] 형사재판에서 이와 관련된 다른 형사사건의 확정판결에서 인정된 사실은 특별한 사정이 없는 한 유력한 증거자료가 되는 것이나 당해 형사재판에서 제출된 다른 증거 내용에 비추어 **관련 형사사건 확정판결의 사실판단을 그대로 채택하기 어렵다고 인정될 경우에는 이를 배척할 수 있다.**(대법원 2012. 6. 14. 2011도15653 **수원 노숙소녀 상해치사사건**)

② [○] 부검의(剖檢醫)가 사체에 대한 부검을 실시한 후 어떤 것을 유력한 사망원인으로 지시한다고 하여 그 밖의 다른 사인이 존재할 가능성을 가볍게 배제하여서는 아니되고 특히 형사재판에서 **부검의의 소견에 주로 의지하여 유죄의 인정을 하기 위해서는 다른 가능한 사망원인을 모두 배제하기 위한 치밀한 논증의 과정을 거치지 않으면 아니된다.**(대법원 2012. 6. 28. 2012도231 **마포 의사부인 살해 사건**)

④ [○] 형사재판에서 범죄사실의 인정은 법관으로 하여금 합리적인 의심을 할 여지가 없을 정도의 확신을 가지게 하는 증명력을 가진 엄격한 증거에 의하여야 하므로 **검사의 증명이 위와 같은 확신을 가지게 하는 정도에 충분히 이르지 못한 경우에는** 비록 피고인의 주장이나 변명이 모순되거나 석연치 않은 면이 있는 등 유죄의 의심이 간다고 하더라도 **피고인의 이익으로 판단하여야 한다.**(대법원 2013. 3. 28. 2012도16086)

004 자유심증주의에 대한 설명으로 옳지 않은 것은? (다툼이 있으면 판례에 의함)

15 국가9급 [Essential ★]

① 형사재판에서 당해 사건과 관련된 다른 형사사건의 확정판결에서 인정된 사실은 배척할 수 없다.

② 상해진단서는 특별한 사정이 없는 한 피해자의 진술과 더불어 피고인의 상해사실에 대한 유력한 증거가 되며, 합리적인 근거없이 그 증명력을 함부로 배척할 수는 없다.

③ 공동피고인 중 1인이 다른 공동피고인들과 공동하여 범행을 하였다고 자백한 경우 그 자백을 전부 믿어 공동피고인들 전부에 대하여 유죄를 인정하거나 그 전부를 배척하여야만 하는 것은 아니다.

④ 항소법원이 제1심에서 채용된 증거의 신빙성에 의문이 있는 경우 이미 증거조사를 거친 동일한 증거라도 그 증거의 신빙성에 대하여 더 심리하여 본 후 그 채부를 판단하여야 한다.

해설

① [×] 형사재판에 있어서 이와 관련된 다른 형사사건의 확정판결에서 인정된 사실은 특별한 사정이 없는 한 유력한 증거자료가 되는 것이나, 당해 형사재판에서 제출된 다른 증거 내용에 비추어 **관련 형사사건의 확정판결에서의 사실판단을 그대로 채택하기 어렵다고 인정될 경우에는 이를 배척할 수 있다.**(대법원 2012. 6. 14. 2011도15653 **수원 노숙소녀 상해치사사건**)

② [○] 상해에 대한 진단일자 및 상해진단서 작성일자가 상해 발생시점과 시간상으로 근접하고 상해진단서 발급 경위에 특별히 신빙성을 의심할 만한 사정이 없으며 거기에 기재된 상해 부위와 정도가 피해자가 주장하는 상해의 원인 내지 경위와 일치하는 경우에는, 그 무렵 피해자가 제3자로부터 폭행을 당하는 등으로 달리 상해를 입을 만한 정황이 발견되거나 의사가 허위로 진단서를 작성한 사실이 밝혀지는 등의 특별한 사정이 없는 한, 그 상해진단서는 피해자의 진술과 더불어 피고인의 상해 사실에 대한 유력한 증거가 되고, 합리적인 근거 없이 그 증명력을 함부로 배척할 수 없다.(대법원 2011. 1. 27. 2010도12728 **유리컵 조각을 던진 사건**)

③ [○] 공동피고인 중의 1인이 다른 공동피고인들과 공동하여 범행을 하였다고 자백한 경우, 반드시 그 자백을 전부 믿어 공동피고인들 전부에 대하여 유죄를 인정하거나 그 전부를 배척하여야 하는 것은 아니고, 자유심증주의의 원칙상 법원으로서는 자백한 피고인 자신의 범행에 관한 부분만을 취신하고 다른 공동피고인들이 범행에 관여하였다는 부분을 배척할 수도 있다.(대법원 1995. 12. 8. 95도2043)

④ [○] 형사재판에서 **항소심은 사후심 겸 속심의 구조이므로**, 제1심이 채용한 증거에 대하여 그 신빙성에 의문은 가지만 그렇다고 직접 증거조사를 한 제1심의 자유심증이 명백히 잘못되었다고 볼 만한 합리적인 사유도 나타나 있지 아니한 경우에는, 비록 동일한 증거라고 하더라도 다시 한번 증거조사를 하여 항소심이 느끼고 있는 의문점이 과연 그 증거의 신빙성을 부정할 정도의 것인지 알아보거나, 그 증거의 신빙성에 대하여 입증의 필요성을 느끼지 못하고 있는 검사에 대하여 항소심이 가지고 있는 의문점에 관하여 입증을 촉구하는 등의 방법으로 그 증거의 신빙성에 대하여 더 심리하여 본 후 그 채부를 판단하여야 하고, 그 증거의 신빙성에 의문이 간다는 사유만으로 더 이상 아무런 심리를 함이 없이 그 증거를 곧바로 배척하여서는 아니된다.(대법원 1996. 12. 6. 96도2461 **성남 교통사고 사건**)

005 증명에 관한 설명으로 옳지 않은 것은? (다툼이 있으면 판례에 의함) 21 소방간부 [Core ★★]

□□□

① 공연히 사실을 적시하여 사람의 명예를 훼손한 행위가 「형법」 제310조의 규정에 따라 위법성이 조각되기 위해서는 행위자가 진실한 사실로서 오로지 공공의 이익에 관한 때임을 법관으로 하여금 의심할 여지가 없을 정도의 확신을 가지게 하는 증명력을 가진 엄격한 증거에 의하여 증명하여야 하는 것은 아니다.

② 상해진단서가 주로 통증이 있다는 피해자의 주관적인 호소 등에 의존하여 의학적인 가능성만으로 발급된 때에도 법원은 다른 사정의 고려 없이 상해진단서만으로 상해죄의 증명력을 판단해야 한다.

③ 혈액채취에 의한 검사결과를 믿지 못할 특별한 사정이 없는 한 혈액검사에 의한 음주측정치가 호흡측정기에 의한 음주측정치보다 측정 당시의 혈중알코올농도에 더 근접한 음주측정치라고 봄이 경험칙에 부합한다.

④ 몰수·추징의 대상이 되는지 여부는 범죄구성요건 사실에 관한 것이 아니어서 엄격한 증명은 필요 없다.

⑤ 증거의 증명력을 법관의 자유판단에 의하도록 하는 것은 그것이 실체적 진실발견에 적합하기 때문이지 법관의 자의적 판단을 인용한다는 것은 아니다.

해설

> ② [×] 상해진단서가 주로 통증이 있다는 피해자의 주관적인 호소 등에 의존하여 의학적인 가능성만으로 발급된 때에는 진단 일자 및 진단서 작성일자가 상해 발생 시점과 시간상으로 근접하고 상해진단서 발급경위에 특별히 신빙성을 의심할 만한 사정은 없는지, 상해진단서에 기재된 상해 부위 및 정도가 피해자가 주장하는 상해의 원인 내지 경위와 일치하는지, 피해자가 호소하는 불편이 기왕에 존재하던 신체 이상과 무관한 새로운 원인으로 생겼다고 단정할 수 있는지, 의사가 상해진단서를 발급한 근거 등을 두루 살피는 외에도 피해자가 **상해 사건 이후 진료를 받은 시점, 진료를 받게 된 동기와 경위, 그 이후의 진료 경과 등을 면밀히 살펴 논리와 경험법칙에 따라 증명력을 판단하여야 한다.**(대법원 2016. 11. 25. 2016도15018 **오피스텔몸싸움 사건**)
> ① [○] 공연히 사실을 적시하여 사람의 명예를 훼손한 행위가 형법 제310조의 규정에 따라서 위법성이 조각되어 처벌대상이 되지 않기 위하여는, 그것이 진실한 사실로서 오로지 공공의 이익에 관한 때에 해당된다는 점을 행위자가 증명하여야 하는 것이나, 그 증명은 유죄의 인정에 있어 요구되는 것과 같이 법관으로 하여금 의심할 여지가 없을 정도의 확신을 가지게 하는 증명력을 가진 **엄격한 증거에 의하여야 하는 것은 아니므로**, 이때에는 전문증거에 대한 증거능력의 제한을 규정한 형사소송법 제310조의2는 적용될 여지가 없다.(대법원 1996. 10. 25. 95도1473 **재건축사업 방해사건**)
> ③ [○] (1) 혈액의 채취 또는 검사과정에서 인위적인 조작이나 관계자의 잘못이 개입되는 등 혈액채취에 의한 검사결과를 믿지 못할 특별한 사정이 없는 한 **혈액검사에 의한 음주측정치가 호흡측정기에 의한 음주측정치보다 측정 당시의 혈중알콜농도에 더 근접한 음주측정치라고 보는 것이 경험칙에 부합한다.** (2) 따라서 법원이 호흡측정기에 의한 음주측정치를 배척하고, 혈액채취에 의한 검사결과를 채택하여 도로교통법위반의 범죄사실에 대하여 무죄를 선고한 것은 정당하다.(대법원 2004. 2. 13. 2003도6905)
> ④ [○] 몰수, 추징의 대상이 되는지 여부나 추징액의 인정은 **엄격한 증명을 필요로 하지 아니하다.**(대법원 2015. 4. 23. 2015도1233)

⑤ [○] 자유심증주의를 규정한 형사소송법 제308조가 증거의 증명력을 법관의 자유판단에 의하도록 한 것은 그것이 실체적 진실발견에 적합하기 때문이지 법관의 자의적인 판단을 인용한다는 것은 아니다.(대법원 2019. 8. 29. 2018도2738 전합 국정농단 이재용 부회장 사건)

006 증명에 대한 설명으로 옳지 않은 것은? (다툼이 있으면 판례에 의함) 23 국가7급 [Superlative ★★★]

① 진정한 양심과 같은 불명확한 사실의 부존재를 증명하는 것은 사회통념상 불가능한 반면 그 존재를 증명하는 것은 좀 더 쉬우므로 예비군법위반사건에서 양심상의 이유로 예비군훈련 거부의 정당성을 주장하는 피고인은 자신의 양심이 깊고 확고하며 진실하여 '정당한 사유'에 해당한다는 점을 증명하여야 한다.

② 공직선거법상 허위사실공표죄에서 의혹을 받을 사실이 존재한다고 적극적으로 주장하는 피고인은 그러한 사실의 존재를 수긍할 만한 소명자료를 제시할 부담을 지고, 검사는 제시된 그 자료의 신빙성을 탄핵하는 방법으로 허위성을 증명할 수 있다.

③ 공판조서의 기재가 명백한 오기인 경우를 제외하고는 공판기일의 소송절차로서 공판조서에 기재된 것은 조서만으로 증명하여야 하고, 그 증명력은 공판조서 이외의 자료에 의한 반증이 허용되지 않는 절대적인 것이다.

④ 수사기관이 영장발부의 사유로 된 범죄혐의사실과 무관한 별개의 증거를 압수한 후에 피압수자에게 환부하고 이를 임의제출받아 다시 압수한 경우 그 제출에 임의성이 있다는 점에 관하여는 검사가 합리적 의심을 배제할 수 있을 정도로 증명하여야 한다.

해설

① [×] **정당한 사유가 없다는 사실은 범죄구성요건이므로 검사가 증명하여야 한다.** 다만 진정한 양심의 부존재를 증명한다는 것은 마치 특정되지 않은 기간과 공간에서 구체화되지 않은 사실의 부존재를 증명하는 것과 유사하다. 위와 같은 불명확한 사실의 부존재를 증명하는 것은 사회통념상 불가능한 반면 그 존재를 주장·증명하는 것이 좀 더 쉬우므로, 이러한 사정은 검사가 증명책임을 다하였는지를 판단할 때 고려하여야 한다. 따라서 **양심상의 이유로 예비군훈련 거부를 주장하는 피고인**은 자신의 예비군훈련 거부가 그에 따라 행동하지 않고서는 인격적 존재가치가 파멸되고 말 것이라는 절박하고 구체적인 양심에 따른 것이며 **그 양심이 깊고 확고하며 진실한 것이라는 사실의 존재를 수긍할 만한 소명자료를 제시하고, 검사는 제시된 자료의 신빙성을 탄핵하는 방법으로 진정한 양심의 부존재를 증명할 수 있다.** 이때 예비군훈련 거부자가 제시하여야할 소명자료는 적어도 검사가 그에 기초하여 정당한 사유가 없다는 것을 증명하는 것이 가능할 정도로 구체성을 갖추어야 한다.(대법원 2021. 1. 28. 2018도4708 종교적 예비군훈련거부 사건)

정답 | 005 ②   006 ①

② [○] 허위사실공표죄에 있어서 의혹을 받을 일을 한 사실이 없다고 주장하는 사람에 대하여 의혹을 받을 사실이 존재한다고 적극적으로 주장하는 자는 그러한 사실의 존재를 수긍할 만한 소명자료를 제시할 부담을 지고, **검사는 제시된 그 자료의 신빙성을 탄핵하는 방법으로 허위성의 증명을 할 수 있다.** 이때 제시하여야 할 소명자료는 위 법리에 비추어 단순히 소문을 제시하는 것만으로는 부족하고, 적어도 허위성에 관한 검사의 증명활동이 현실적으로 가능할 정도의 구체성은 갖추어야 하며, 이러한 소명자료의 제시가 없거나 제시된 소명자료의 신빙성이 탄핵된 때에는 허위사실 공표의 책임을 져야 한다.(대법원 2018. 9. 28. 2018도10447 文후보 아들 특혜채용 제보조작사건)

③ [○] 공판조서의 기재가 명백한 오기인 경우를 제외하고는 공판기일의 소송절차로서 공판조서에 기재된 것은 조서만으로써 증명하여야 하고, 그 **증명력은 공판조서 이외의 자료에 의한 반증이 허용되지 않는 절대적인 것이다.**(대법원 2018. 4. 26. 2017도19019 사채 동원 경영권 인수사건)

④ [○] 압수·수색은 영장 발부의 사유로 된 범죄 혐의사실과 관련된 증거에 한하여 할 수 있는 것이므로 영장 발부의 사유로 된 범죄 혐의사실과 무관한 별개의 증거를 압수하였을 경우 이는 원칙적으로 유죄 인정의 증거로 사용할 수 없다. 다만 수사기관이 그 별개의 증거를 피압수자 등에게 환부하고 후에 이를 임의제출받아 다시 압수하였다면 그 증거를 압수한 최초의 절차 위반행위와 최종적인 증거수집 사이의 인과관계가 단절되었다고 평가할 수 있는 사정이 될 수 있으나 환부 후 다시 제출하는 과정에서 수사기관의 우월적 지위에 의하여 임의제출의 명목으로 실질적으로 강제적인 압수가 행하여질 수 있으므로 그 제출에 임의성이 있다는 점에 관하여는 검사가 합리적 의심을 배제할 수 있을 정도로 증명하여야 하고, 임의로 제출된 것이라고 볼 수 없는 경우에는 그 증거능력을 인정할 수 없다.(대법원 2016. 3. 10. 2013도11233 광우병의심 소고기 유통사건)

007 증명에 관한 설명으로 가장 적절하지 않은 것은? (다툼이 있으면 판례에 의함)

24 경대편입 [Essential ★]

① 증거위조죄의 적용대상인 '증거'에는 범죄의 성립에 관한 증거 외에 양형의 기초가 되는 정상관계 사실에 관한 증거도 포함된다. 그런데 양형의 기초가 되는 정상관계 사실은 매우 복잡하고 비유형적일 뿐만 아니라 형사소송법 제307조가 규정한 엄격한 증명의 대상에도 해당하지 않는다.

② 탄핵증거의 제출에 있어서도 상대방에게 이에 대한 공격방어의 수단을 강구할 기회를 사전에 부여하여야 한다는 점에서 그 증거와 증명하고자 하는 사실과의 관계 및 입증취지 등을 미리 구체적으로 명시하여야 할 것이나, 증명력을 다투고자 하는 증거의 어느 부분에 의하여 진술의 어느 부분을 다투려고 한다는 것을 사전에 상대방에게 알려야 하는 것은 아니다.

③ 어떤 소송절차가 진행된 내용이 공판조서에 기재되지 않았다고 하여 당연히 그 소송절차가 당해 공판기일에 행하여지지 않은 것으로 추정되는 것은 아니고 공판조서에 기재되지 않은 소송절차의존재가 공판조서에 기재된 다른 내용이나 공판조서 이외의 자료로 증명될 수 있고, 이는 소송법적 사실이므로 자유로운 증명의 대상이 된다.

④ 범행에 관한 간접증거만이 존재하고 더구나 그 간접증거의 증명력에 한계가 있는 경우 범인으로 지목되고 있는 자에게 범행을 저지를 만한 동기가 발견되지 않는다면 만연히 무엇인가 동기가 분명히 있는데도 이를 범인이 숨기고 있다고 단정할 것이 아니라 반대로 간접증거의 증명력이 그만큼 떨어진다고 평가하는 것이 형사증거법의 이념에 부합하는 것이다.

해설

② [×] 탄핵증거의 제출에 있어서도 상대방에게 이에 대한 공격방어의 수단을 강구할 기회를 사전에 부여하여야 한다는 점에서 그 증거와 증명하고자 하는 사실과의 관계 및 입증취지 등을 미리 구체적으로 명시하여야 할 것이므로 **증명력을 다투고자 하는 증거의 어느 부분에 의하여 진술의 어느 부분을 다투려고 한다는 것을 사전에 상대방에게 알려야 한다.**(대법원 2005. 8. 19. 2005도2617 **탄핵증거라는 입증취지× 사건**)

① [○] 증거위조죄의 적용대상인 '증거'에는 범죄의 성립에 관한 증거 외에 양형의 기초가 되는 정상관계 사실에 관한 증거도 포함된다. 그런데 양형의 기초가 되는 정상관계 사실은 매우 복잡하고 비유형적일 뿐만 아니라 **형사소송법 제307조가 규정한 엄격한 증명의 대상에도 해당하지 않는다.**(대법원 2021. 1. 28. 2020도2642 **허위 입금확인증 사건**)

③ [○] 어떤 소송절차가 진행된 내용이 공판조서에 기재되지 않았다고 하여 당연히 그 소송절차가 당해 공판기일에 행하여지지 않은 것으로 추정되는 것은 아니고 공판조서에 기재되지 않은 소송절차의 존재가 공판조서에 기재된 다른 내용이나 **공판조서 이외의 자료로 증명될 수 있고,** 이는 소송법적 사실이므로 자유로운 증명의 **대상이 된다.**(대법원 2023. 6. 15. 2023도3038 **병원장 기여금·보험료 횡령사건**)

④ [○] 범행에 관한 간접증거만이 존재하고 더구나 그 간접증거의 증명력에 한계가 있는 경우 범인으로 지목되고 있는 자에게 **범행을 저지를 만한 동기가 발견되지 않는다면** 만연히 무엇인가 동기가 분명히 있는데도 이를 범인이 숨기고 있다고 단정할 것이 아니라 반대로 간접증거의 증명력이 그만큼 떨어진다고 평가하는 것이 형사증거법의 이념에 부합한다.(대법원 2022. 6. 16. 2022도2236 **구미 아이 바꿔치기 사건**)

008 엄격한 증명의 대상이면서 검사에게 거증책임이 있는 것으로 가장 적절한 것은? (다툼이 있으면
□□□ 판례에 의함)
18 경찰채용 [Core ★★]

① 「형사소송법」 제312조 제4항에서 정한 '특히 신빙할 수 있는 상태'의 존재 입증

② 몰수대상이 되는지 여부나 추징액의 인정 등 '몰수·추징의 사유' 입증

③ 명예훼손죄의 위법성조각사유인 「형법」 제310조 규정 중 '진실한 사실로서 오로지 공공의 이
익에 관한 것'인지 여부에 대한 입증

④ 「형법」 제6조 단서의 '행위지 법률에 의하여 범죄를 구성하는지' 여부에 대한 입증

해설

④ [○] 형법 제6조 단서의 '행위지의 법률에 의하여 범죄를 구성하는지 여부'에 대해서는 **엄격한 증명에 의하여**
검사가 이를 입증하여야 할 것이다.(대법원 2017. 3. 22. 2016도17465 파이시티 사건)

① [×] 형사소송법 제312조 제4항에 규정된 '특히 신빙할 수 있는 상태'는 증거능력의 요건에 해당하므로 검사
가 그 존재에 대하여 구체적으로 주장·증명하여야 하지만, 이는 소송상의 사실에 관한 것이므로 엄격한 증명을
요하지 아니하고 **자유로운 증명으로 족하다.**(대법원 2012. 7. 26. 2012도2937 지원장 출신 원로변호사 사기
사건)

② [×] 몰수, 추징의 대상이 되는지 여부나 추징액의 인정은 **엄격한 증명을 필요로 하지 아니하다.**(대법원
2015. 4. 23. 2015도1233)

③ [×] 공연히 사실을 적시하여 사람의 명예를 훼손한 행위가 형법 제310조의 규정에 따라서 위법성이 조각되어
처벌대상이 되지 않기 위하여는 그것이 **진실한 사실로서 오로지 공공의 이익에 관한 때에 해당된다는 점을**
행위자가 증명하여야 하는 것이고, 법원이 적법하게 증거를 채택하여 조사한 다음 형법 제310조 소정의 위법
성조각사유의 요건이 입증되지 않는다면 그 불이익은 피고인이 부담하는 것이다.(대법원 2004. 5. 28. 2004
도1497 제약회사 비방사건)

009 증거재판주의와 관련하여 가장 옳지 않은 것은? (다툼이 있으면 판례에 의함) 11 경찰승진 [Core ★★]
□□□
① 증거재판주의란 '사실의 인정은 증거에 의하여야 한다'는 증거법의 기본원칙을 말한다.

② 피고인의 검찰진술의 임의성 유무가 다투어지는 경우 법원은 엄격한 증명의 방법에 의해 그
임의성 유무를 판단하여야 한다.

③ 엄격한 증명 이외에 자유로운 증명의 경우에도 심증의 정도는 모두 합리적 의심이 없는 확신
또는 증명을 요한다.

④ 피해자는 71세의 노인으로 피고인이 구타하고 넘어뜨려 부상하였다고 경찰과 법정에서 진술
하고 있으나 이는 폭행을 당했다는 이해 상반하는 상대방의 일방적 진술에 불과하여 위 피해
자의 증언만으로는 상해사실을 인정할 수 없다.

해설

② [×] 피고인의 검찰 진술의 임의성의 유무가 다투어지는 경우에는 법원은 구체적인 사건에 따라 증거조사의 방법이나 증거능력의 제한을 받지 아니하고 제반 사정을 종합 참작하여 적당하다고 인정되는 방법에 의하여 **자유로운 증명으로 그 임의성 유무를 판단하면 된다.**(대법원 2004. 3. 26. 2003도8077)

① [○] 제307조 제1항

③ [○] 통설의 입장이다.

④ [○] 피해자는 **71세의 노인**으로 피고인이 구타하고 넘어뜨려 부상하였다고 경찰과 법정에서 진술하고 있으나 이는 폭행을 당했다는 이해 상반하는 상대방의 일방적 진술에 불과하여 피해자의 증언만으로는 상해사실을 인정할 수 없다.(대법원 1983. 2. 8. 82도2971)

---

010 엄격한 증명과 자유로운 증명에 대한 다음 설명(㉠~㉣) 중 옳고 그름의 표시(○, ×)가 바르게 된 것은? (다툼이 있으면 판례에 의함)

20 경찰채용 [Core ★★]

> ㉠ 내란선동죄에서 국헌문란의 목적은 초과주관적 위법요소로서 엄격한 증명사항에 속하므로 확정적 인식임을 요한다.
>
> ㉡ 법원은 재심청구 이유의 유무를 판단함에 필요한 경우에는 사실을 조사할 수 있으며, 공판절차에 적용되는 엄격한 증거조사 방식에 따라야 한다.
>
> ㉢ 공모관계를 인정하기 위해서는 엄격한 증명이 요구되지만 피고인이 공모관계를 부인하는 경우에는 상당한 관련성이 있는 간접사실 또는 정황사실을 증명하는 방법으로 이를 증명할 수밖에 없다.
>
> ㉣ 목적범의 목적은 내심의 의사로서 이를 직접 증명하는 것이 불가능하므로 고의 등과 같이 내심의 의사를 인정하는 통상적인 방법에 따라 정황사실 또는 간접사실 등에 의하여 이를 증명하여야 한다.

① ㉠ ○ ㉡ ○ ㉢ ○ ㉣ ×

② ㉠ ○ ㉡ × ㉢ ○ ㉣ ○

③ ㉠ × ㉡ ○ ㉢ × ㉣ ×

④ ㉠ × ㉡ × ㉢ ○ ㉣ ○

해설

④ 이 지문이 옳은 연결이다.

㉠ [×] 국헌문란의 목적은 범죄 성립을 위하여 고의 외에 요구되는 초과주관적 위법요소로서 엄격한 증명사항에 속하나, 확정적 인식임을 요하지 아니하며, 다만 **미필적 인식이 있으면 족하다.**(대법원 2015. 1. 22. 2014도 10978 **숙습 이석기 의원 사건**)

㉡ [×] 재심의 청구를 받은 법원은 재심청구 이유의 유무를 판단함에 필요한 경우에는 사실을 조사할 수 있으며, **공판절차에 적용되는 엄격한 증거조사 방식에 따라야만 하는 것은 아니다.**(대법원 2019. 3. 21. 2015모 2229 **숙습 여순반란 희생자 재심사건**)

정답 | 008 ④ 009 ② 010 ④

© [○] 공모관계를 인정하기 위해서는 엄격한 증명이 요구되지만 피고인이 공모관계를 부인하는 경우에는 상당한 관련성이 있는 간접사실 또는 정황사실을 증명하는 방법으로 이를 증명할 수밖에 없다.(대법원 2018. 4. 19. 2017도14322 全合 국정원 대선개입 사건)

② [○] 목적범의 목적은 내심의 의사로서 이를 직접 증명하는 것이 불가능하므로 고의 등과 같이 내심의 의사를 인정하는 통상적인 방법에 따라 정황사실 또는 간접사실 등에 의하여 이를 증명하여야 한다.(대법원 2015. 1. 22. 2014도10978 全合 이석기 의원 사건)

011

□□□ 엄격한 증명과 자유로운 증명에 대한 설명으로 가장 적절하지 않은 것은? (다툼이 있으면 판례에 의함)

23 경찰승진 [Essential ★]

① 범죄구성요건에 해당하는 사실을 증명하기 위한 근거가 되는 과학적인 연구결과는 엄격한 증명을 요한다.

② 증거조사를 거치지 아니하였고 피고인이 이를 증거로 사용함에 동의를 한 바도 없기 때문에 증거능력이 인정되지 않는 증거라도 구성요건 사실을 추인하게 하는 간접사실의 인정자료로는 허용된다.

③ 대한민국 영역 외에서 대한민국 국민에 대하여 범죄를 저지른 외국인에 대하여 우리나라 형법을 적용하여 처벌함에 있어 행위지의 법률에 의하여 범죄를 구성하는지는 엄격한 증명을 요한다.

④ 공모관계를 인정하기 위해서는 엄격한 증명이 요구되지만, 피고인이 범죄의 주관적 요소인 공모관계를 부인하는 경우에는 사물의 성질상 이와 상당한 관련성이 있는 간접사실 또는 정황사실을 증명하는 방법으로 이를 증명할 수밖에 없다.

해설

② [×] 구성요건에 해당하는 사실은 엄격한 증명에 의하여 이를 인정하여야 하고, **증거능력이 없는 증거는 구성요건 사실을 추인하게 하는 간접사실이나** 구성요건 사실을 입증하는 직접증거의 증명력을 보강하는 보조사실의 인정자료로도 **사용할 수 없다.**(대법원 2015. 1. 22. 2014도10978 全合 이석기 의원 사건)

① [○] **범죄구성요건에 해당하는** 사실을 증명하기 위한 근거가 되는 **과학적인 연구 결과는** 적법한 증거조사를 거친 증거능력 있는 증거에 의하여 엄격한 증명으로 증명되어야 한다.(대법원 2010. 2. 11. 2009도2338 결보리색소 사건)

③ [○] 형법 제6조 단서의 '행위지의 법률에 의하여 범죄를 구성하는지 여부'에 대해서는 엄격한 증명에 의하여 검사가 이를 입증하여야 할 것이다.(대법원 2017. 3. 22. 2016도17465 파이시티 사건)

④ [○] 공모관계를 인정하기 위해서는 엄격한 증명이 요구되지만, 피고인이 범죄의 주관적 요소인 공모관계를 부인하는 경우에는 사물의 성질상 이와 상당한 관련성이 있는 **간접사실 또는 정황사실을 증명하는 방법으로** 이를 증명할 수밖에 없다.(대법원 2018. 4. 19. 2017도14322 全合 국정원 대선개입 사건)

012 증명의 대상과 방법에 관한 설명 중 가장 적절하지 않은 것은? (다툼이 있으면 판례에 의함)

☐☐☐

23 경찰채용 [Core ★★]

① 형법 제6조 단서에 따라 '행위지의 법률에 의하여 범죄를 구성하는가 여부'는 법원의 직권조사 사항이므로 증명의 대상이 될 수 없다.

② 출입국사범 사건에서 지방출입국·외국인관서의 장의 적법한 고발이 있었는지 여부가 문제되는 경우에 법원은 증거조사의 방법이나 증거능력의 제한을 받지 아니하고 제반 사정을 종합하여 적당하다고 인정되는 방법에 의하여 자유로운 증명으로 그 고발 유무를 판단하면 된다.

③ 공동정범에 있어 공모관계를 인정하기 위해서는 엄격한 증명이 요구되지만, 피고인이 범죄의 주관적 요소인 공모관계를 부인하는 경우에는 사물의 성질상 이와 상당한 관련성이 있는 간접사실 또는 정황사실을 증명하는 방법으로 이를 증명할 수밖에 없다.

④ 형사소송법 제313조 제1항 단서의 특신상태는 증거능력의 요건에 해당하므로 검사가 그 존재에 대하여 구체적으로 주장·입증하여야 하는 것이지만 이는 소송상의 사실에 관한 것이므로 엄격한 증명을 요하지 아니하고 자유로운 증명으로 족하다.

해설

① [×] 형법 제6조 단서의 '행위지의 법률에 의하여 범죄를 구성하는지 여부'에 대해서는 **엄격한 증명에 의하여 검사가 이를 입증하여야 할 것이다.**(대법원 2017. 3. 22. 2016도17465 파이시티 사건)

② [○] 출입국사범 사건에서 지방출입국·외국인관서의 장의 적법한 고발이 있었는지 여부가 문제되는 경우에 법원은 증거조사의 방법이나 증거능력의 제한을 받지 아니하고 제반 사정을 종합하여 적당하다고 인정되는 방법에 의하여 **자유로운 증명으로 그 고발 유무를 판단하면 된다.**(대법원 2021. 10. 28. 2021도404 적법한 고발 간과사건)

③ [○] 공동정범에 있어 공모관계를 인정하기 위해서는 엄격한 증명이 요구되지만, 피고인이 범죄의 주관적요소인 공모관계를 부인하는 경우에는 사물의 성질상 이와 상당한 관련성이 있는 **간접사실 또는 정황사실을 증명하는 방법으로 이를 증명할 수밖에 없다.**(대법원 2018. 4. 19. 2017도14322 全合 국정원 대선개입 사건)

④ [○] 형사소송법 제313조 제1항 단서의 **특신상태는 증거능력의 요건에 해당하므로 검사가 그 존재에 대하여 구체적으로 주장·입증하여야 하는 것이지만 이는 소송상의 사실에 관한 것이므로 엄격한 증명을 요하지 아니하고 자유로운 증명으로 족하다.**(대법원 2001. 9. 4. 2000도1743 길메리유치원 여직원 횡령사건)

정답 | 011 ② 012 ①

013 다음 중 엄격한 증명의 대상이 아닌 것은 모두 몇 개인가? (다툼이 있으면 판례에 의함)

□□□
21 해경간부 [Superlative ★★★]

○ 「폭력행위 등 처벌에 관한 법률」 제4조 제1항 소정의 단체 등의 구성죄에 있어서 '범죄단체의 구성·가입행위'의 인정

○ 「특정범죄 가중처벌 등에 관한 법률」 제5조의9 제1항 위반죄의 행위자에게 '보복의 목적'이 있다는 점

○ '공무원의 직무에 속한 사항을 알선한다는 명목'으로 수수하였다는 범의

○ 몰수·추징의 대상이 되는지 여부나 추징액의 인정

○ 음주운전에 있어서 위드마크 공식의 적용을 위한 전제 사실인 섭취한 알코올의 양, 음주시각, 체중 등의 전제사실

○ 「형법」 제6조 단서의 '행위지 법률에 의하여 범죄를 구성하는지' 여부에 대한 입증

○ 공모공동정범에 있어서의 공모나 모의

---

① 1개   ② 2개   ③ 3개   ④ 4개

해설

① ② 1 항목만 자유로운 증명의 대상이며, ○○○○○○ 6 항목은 엄격한 증명의 대상이다.

○ '범죄단체의 구성·가입행위' 자체는 **엄격한 증명**을 요하는 범죄의 구성요건이다.(대법원 2005. 9. 9. 2005도 3857 **송악파 사건**)

○ 특가법 제5조의9 제1항 위반의 죄의 행위자에게 보복의 목적이 있었다는 점 또한 검사가 증명하여야 하고 그 러한 증명은 법관으로 하여금 합리적인 의심을 할 여지가 없을 정도의 확신을 생기게 하는 **엄격한 증명**에 의하 여야 한다.(대법원 2014. 9. 26. 2014도9030 **옆집여 보복살해사건**)

○ 특가법 제3조의 알선수재죄에 있어서 공무원의 직무에 속한 사항의 알선에 관하여 금품이나 이익을 수수·요 구 또는 약속하였다는 범의는 범죄사실을 구성하는 것으로서 이를 인정하기 위해서는 **엄격한 증명**이 요구된 다.(대법원 2013. 9. 12. 2013도6570 **민간인 불법사찰·인허가비리 사건**)

○ 몰수, 추징의 대상이 되는지 여부나 추징액의 인정은 **엄격한 증명을 필요로 하지 아니하다.**(대법원 2015. 4. 23. 2015도1233)

○ 범죄구성요건사실의 존부를 알아내기 위해 과학공식 등의 경험칙을 이용하는 경우에는 그 법칙 적용의 전제가 되는 개별적이고 구체적인 사실에 대하여는 엄격한 증명을 요하는바, 위드마크 공식의 경우 그 적용을 위한 자료로 섭취한 알코올의 양, 음주 시각, 체중 등이 필요하므로 그런 전제사실에 대한 **엄격한 증명**이 요구된다. (대법원 2008. 8. 21. 2008도5531)

○ 형법 제6조 단서의 '행위지의 법률에 의하여 범죄를 구성하는지 여부'에 대해서는 **엄격한 증명**에 의하여 검사가 이를 입증하여야 할 것이다.(대법원 2017. 3. 22. 2016도17465 **파이시티 사건**)

○ 공모공동정범에 있어서 '공모 또는 모의'는 범죄될 사실의 주요부분에 해당하는 이상 **엄격한 증명**의 대상에 해당한다.(대법원 2007. 4. 27. 2007도236 **포항건설노조 파업사건**)

014 증명에 대한 설명 중 옳은 것을 모두 고른 것은? (다툼이 있으면 판례에 의함)

20 경찰채용 [Essential ★]

> ㉠ 횡령한 재물의 가액이 특정경제범죄 가중처벌 등에 관한법률의 적용 기준이 되는 하한금액을 초과한다는 점은 엄격한 증명을 요한다.
> ㉡ 형사소송법 제312조 제4항에서 '특히 신빙할 수 있는 상태'는 증거능력의 요건에 해당하므로 검사가 그 존재에 대하여 구체적으로 주장·증명하여야 하며, 그러한 증명은 엄격한 증명을 요한다.
> ㉢ 공모관계를 인정하기 위해서는 엄격한 증명이 요구되지만, 피고인이 범죄의 주관적 요소인 공모관계를 부인하는 경우에는 사물의 성질상 이와 상당한 관련성이 있는 간접사실 또는 정황사실을 증명하는 방법으로 이를 증명할 수밖에 없다.
> ㉣ 주취정도의 계산을 위한 위드마크 공식의 경우 그 적용을 위한 자료로는 음주량, 음주시각, 체중, 평소의 음주정도 등이 필요하며, 위드마크 공식 적용의 전제가 되는 이러한 개별적이고 구체적인 사실에 대하여는 자유로운 증명으로 충분하다.
> ㉤ 형법 제6조 단서의 '행위지의 법률에 의하여 범죄를 구성하는지' 여부에 대해서는 엄격한 증명을 요한다.

① ㉠㉢㉣
② ㉡㉢㉣㉤
③ ㉠㉢㉤
④ ㉠㉢㉣㉤

해설

③ ㉠㉢㉤ 3 항목이 옳다.

㉠ [O] 횡령한 재물의 가액이 특경법의 적용 기준이 되는 하한 금액을 초과한다는 점도 다른 구성요건 요소와 마찬가지로 **엄격한 증거에 의하여 증명되어야 한다.**(대법원 2017. 5. 30. 2016도9027 이석채 KT회장 사건)

㉡ [×] 형사소송법 제312조 제4항에 규정된 '특히 신빙할 수 있는 상태'는 증거능력의 요건에 해당하므로 검사가 그 존재에 대하여 구체적으로 주장·증명하여야 하지만, 이는 소송상의 사실에 관한 것이므로 엄격한 증명을 요하지 아니하고 **자유로운 증명으로 족하다.**(대법원 2012. 7. 26. 2012도2937 지원장 출신 원로변호사 사기 사건)

㉢ [O] 공모관계를 인정하기 위해서는 엄격한 증명이 요구되지만, 피고인이 범죄의 주관적 요소인 공모관계를 부인하는 경우에는 사물의 성질상 이와 상당한 관련성이 있는 **간접사실 또는 정황사실을 증명하는 방법으로 이를 증명할 수밖에 없다.**(대법원 2018. 4. 19. 2017도14322 全合 국정원 대선개입 사건)

㉣ [×] 범죄구성요건사실의 존부를 알아내기 위해 과학공식 등의 경험칙을 이용하는 경우에는 그 법칙 적용의 전제가 되는 개별적이고 구체적인 사실에 대하여는 엄격한 증명을 요하는바, 위드마크 공식의 경우 그 적용을 위한 자료로 **섭취한 알코올의 양, 음주 시각, 체중 등이 필요하므로 그런 전제사실에 대한 엄격한 증명이 요구된다.**(대법원 2008. 8. 21. 2008도5531)

㉤ [O] 형법 제6조 단서의 '행위지의 법률에 의하여 범죄를 구성하는지 여부'에 대해서는 **엄격한 증명에 의하여** 검사가 이를 입증하여야 할 것이다.(대법원 2017. 3. 22. 2016도17465 파이시티 사건)

015 증명에 대한 설명으로 옳은 것만을 모두 고르면? (다툼이 있으면 판례에 의함)

☐☐☐

21 국가7급 [Superlative ★★★]

> ㉠ 검사는 체포영장의 유효기간을 연장할 필요가 있다고 인정하는 때에는 그 사유를 증명하여 다시 체포영장을 청구하여야 하지만, 그 증명은 자유로운 증명으로 족하다.
> ㉡ 탄핵증거는 범죄사실을 인정하는 증거가 아니므로 엄격한 증거조사를 거쳐야 할 필요가 없다.
> ㉢ 친고죄에서 적법한 고소가 있었는지 여부는 자유로운 증명의 대상이 된다.
> ㉣ 교통사고로 인하여 업무상과실치상죄 또는 중과실치상죄를 범한 운전자에 대하여 피해자의 명시한 의사에 반하여 공소를 제기할 수 있도록 하고 있는 교통사고처리 특례법 제3조 제2항 단서의 각 호에서 규정한 신호위반 등의 예외사유는 같은 법 제3조 제1항 위반죄의 구성요건 요소에 해당하므로 엄격한 증명을 필요로 한다.

① ㉠㉣

② ㉡㉢

③ ㉡㉢㉣

④ ㉠㉡㉢㉣

해설

② ㉡㉢ 2 항목이 옳다.

㉠ [×] 검사는 체포영장의 유효기간을 연장할 필요가 있다고 인정하는 때에는 **그 사유를 소명하여** 다시 체포영장을 청구하여야 한다.(제96조의4) 소명으로 족하고 증명까지는 할 필요가 없다.

㉡ [○] 탄핵증거는 범죄사실을 인정하는 증거가 아니므로 **엄격한 증거조사를 거쳐야 할 필요가 없음**은 형사소송법 제318조의2의 규정에 따라 명백하다고 할 것이나, 법정에서 이에 대한 탄핵증거로서의 증거조사는 필요하다.(대법원 2005. 8. 19. 2005도2617)

㉢ [○] 친고죄에서 적법한 고소가 있었는지는 **자유로운 증명의 대상이 된다.**(대법원 2011. 6. 24. 2011도4451 **인천 계산동 여아 약취사건**)

㉣ [×] 교통사고로 인하여 업무상과실치상죄 또는 중과실치상죄를 범한 운전자에 대하여 피해자의 명시한 의사에 반하여 공소를 제기할 수 있도록 하고 있는 교통사고처리특례법 제3조 제2항 단서의 각 호에서 규정한 신호위반 등의 예외사유는 **같은 법 제3조 제1항 위반죄의 구성요건 요소가 아니라 그 공소제기의 조건에 관한 사유일 뿐이다.**(대법원 2007. 4. 12. 2006도4322 **효성동 교통사고 사건**) 판례의 취지에 의할 때 신호위반 등의 예외사유는 자유로운 증명의 대상이다.

016 엄격한 증명의 대상이 되는 것(○)과 그렇지 않은 것(×)을 바르게 연결한 것은? (다툼이 있으면 판례에 의함)

19 국가7급 [Essential ★]

> ㉠ 범죄구성요건에 해당하는 사실을 증명하기 위한 근거가 되는 과학적인 연구결과
> ㉡ 외국인의 국외범(형법 제6조)에 해당되는 사실이 행위지 법률에 의하여 범죄를 구성하는지 여부
> ㉢ 참고인진술조서의 증거능력에 관하여 참고인의 진술이 '특히 신빙할 수 있는 상태'하에서 행하여졌다는 사실
> ㉣ 몰수의 대상이 되는지 여부나 추징액의 인정 등 몰수·추징의 사유

① ㉠ ○ ㉡ ○ ㉢ × ㉣ ○   ② ㉠ ○ ㉡ ○ ㉢ × ㉣ ×

③ ㉠ × ㉡ ○ ㉢ ○ ㉣ ×   ④ ㉠ ○ ㉡ × ㉢ ○ ㉣ ○

해설

② 이 지문이 옳은 연결이다.
㉠ [○] 범죄구성요건에 해당하는 사실을 증명하기 위한 근거가 되는 과학적인 연구 결과는 적법한 증거조사를 거친 증거능력 있는 증거에 의하여 **엄격한 증명으로 증명되어야 한다.**(대법원 2010. 2. 11. 2009도2338)
㉡ [○] 형법 제6조 단서의 '행위지의 법률에 의하여 범죄를 구성하는지 여부'에 대해서는 **엄격한 증명에 의하여** 검사가 이를 입증하여야 할 것이다.(대법원 2017. 3. 22. 2016도17465 **파이시티 사건**)
㉢ [×] 형사소송법 제312조 제4항에 규정된 '특히 신빙할 수 있는 상태'는 증거능력의 요건에 해당하므로 검사가 그 존재에 대하여 구체적으로 주장·증명하여야 하지만, 이는 소송상의 사실에 관한 것이므로 엄격한 증명을 요하지 아니하고 **자유로운 증명으로 족하다.**(대법원 2012. 7. 26. 2012도2937 **원로변호사 사기사건**)
㉣ [×] 몰수, 추징의 대상이 되는지 여부나 추징액의 인정은 **엄격한 증명을 필요로 하지 아니하다.**(대법원 2015. 4. 23. 2015도1233)

017

☐☐☐ 증명에 관한 설명으로 옳은 것만을 <보기>에서 모두 고른 것은? (다툼이 있으면 판례에 의함)

20 소방간부 [Essential ★]

〈보기〉

㉠ 「형사소송법」 제314조에서 참고인의 진술 또는 작성이 '특히 신빙할 수 있는 상태하에서 행하여졌음'에 대한 증명은 단지 그러할 개연성이 있다는 정도로 족하다.

㉡ 공동정범에 있어서 공모관계를 인정하기 위해서는 엄격한 증명이 요구된다.

㉢ 「특정범죄 가중처벌 등에 관한 법률」 위반죄(보복범죄의 가중처벌 등)에 있어서 행위자에게 보복의 목적이 있었다는 점에 대해서는 엄격한 증명이 요구된다.

㉣ 「형법」 제6조 단서에서 규정하고 있는 행위지 법률에 의하여 범죄를 구성하는지 여부는 자유로운 증명으로 족하다.

---

① ㉠㉡ ② ㉠㉢ ③ ㉡㉢

④ ㉠㉢㉣ ⑤ ㉡㉢㉣

해설

③ ㉡㉢ 2 항목이 옳다.

㉠ [×] 참고인의 소재불명 등의 경우 형사소송법 제314조의 의하여 그 참고인이 진술하거나 작성한 진술조서나 진술서에 대하여 증거능력을 인정하는 것은 (중략) 원진술자 등에 대한 반대신문의 기회조차 없이 증거능력을 부여할 수 있도록 한 것이므로, 그 경우 참고인의 진술 또는 작성이 '**특히 신빙할 수 있는 상태하에서 행하여졌음에 대한 증명**은 단지 그러할 개연성이 있다는 정도로는 부족하고 합리적인 의심의 여지를 배제할 정도에 이르러야 한다.**(대법원 2014. 2. 21. 2013도12652 돈주고 한거냐 그냥 한거냐 사건)

㉡ [○] 공동정범에서 있어서 공모관계를 인정하기 위해서는 **엄격한 증명**이 요구된다.(대법원 2018. 4. 19. 2017도14322 술숩 국정원 대선개입 사건)

㉢ [○] 특가법 제5조의9 제1항 위반의 죄의 행위자에게 보복의 목적이 있었다는 점 또한 검사가 증명하여야 하고 그러한 증명은 법관으로 하여금 합리적인 의심을 할 여지가 없을 정도의 확신을 생기게 하는 **엄격한 증명**에 의하여야 한다.(대법원 2014. 9. 26. 2014도9030 옆집여 보복살해사건)

㉣ [×] 형법 제6조 단서의 '행위지의 법률에 의하여 범죄를 구성하는지 여부'에 대해서는 **엄격한 증명에 의하여 검사가 이를 입증하여야 할 것이다.**(대법원 2017. 3. 22. 2016도17465 파이시티 사건)

018 증명에 관한 설명 중 가장 적절하지 않은 것은? (다툼이 있으면 판례에 의함)

① 사실의 인정은 증거에 의하여야 하고 범죄사실의 인정은 합리적인 의심이 없는 정도의 증명에 이르러야 한다.

② 횡령한 재물의 가액이 특정경제범죄 가중처벌 등에 관한 법률의 적용 기준이 되는 하한 금액을 초과한다는 점은 엄격한 증거에 의하여 증명되어야 한다.

③ 공모공동정범에 있어서 공모나 모의는 범죄될 사실이라 할 것이므로 이를 인정하기 위하여는 엄격한 증명에 의하여야 한다.

④ 범죄사실의 증명은 논리와 경험칙에 합치되는 한 간접증거로도 할 수 있으나, 살인죄와 같이 법정형이 무거운 범죄의 경우에는 직접증거가 있어야만 범죄사실을 증명할 수 있다.

해설

④ [×] 살인죄 등과 같이 법정형이 무거운 범죄의 경우에도 **직접증거 없이 간접증거만에 의하여 유죄를 인정할 수 있고**, 살해의 방법이나 피해자의 사망경위에 관한 중요한 단서인 피해자의 사체가 멸실된 경우라 하더라도 간접증거를 상호 관련하에서 종합적으로 고찰하여 살인죄의 공소사실을 인정할 수 있다.(대법원 2012. 9. 27. 2012도2658 **부산 시신없는 살인 사건 I**, 대법원 2013. 6. 27. 2013도4172 **부산 시신없는 살인사건 II**)

① [○] 사실의 인정은 증거에 의하여야 하고 범죄사실의 인정은 **합리적인 의심이 없는 정도의 증명에 이르러야 한다.**(제307조 제1항 · 제2항)

② [○] 횡령한 재물의 가액이 특경법의 적용 기준이 되는 하한 금액을 초과한다는 점도 다른 구성요건 요소와 마찬가지로 **엄격한 증거에 의하여 증명**되어야 한다.(대법원 2017. 5. 30. 2016도9027 **이석채 KT회장 사건**)

③ [○] 공모공동정범에 있어서 공모나 모의는 범죄될 사실이라 할 것이므로 이를 인정하기 위하여는 **엄격한 증명에 의하여야 한다.**(대법원 2017. 12. 22. 2017도12649 **대우조선 분식회계 · 사기대출 사건**)

019 증명책임에 대한 설명으로 가장 적절하지 않은 것은? (다툼이 있으면 판례에 의함)

23 경찰승진 [Core ★★]

① 「성폭력범죄의 처벌 등에 관한 특례법」 제7조 제1항에서 정하는 13세 미만의 미성년자에 대한 강간죄의 성립이 인정되려면 피고인이 피해자가 13세 미만의 미성년자임을 알면서 그를 강간했다는 사실이 검사에 의하여 입증되어야 한다.

② 영장발부의 사유로 된 범죄 혐의사실과 무관한 별개의 증거를 압수하였을 경우 수사기관이 그 별개의 증거를 피압수자 등에게 환부하고 후에 임의 제출받아 다시 압수하였다면 그 제출에 임의성이 있었다는 점에 관하여 검사가 합리적 의심을 배제할 수 있을 정도로 증명하지 못하는 경우 그 증거능력을 인정할 수 없다.

③ 민사재판에서의 입증책임분배의 원칙은 형사재판에도 동일하게 적용되므로 피고인은 자신에게 유리한 사항을 입증할 책임을 진다.

④ 명예를 훼손한 행위가 형법 제310조의 규정에 따라서 위법성이 조각되기 위해서는 그것이 진실한 사실로서 오로지 공공의 이익에 관한 때에 해당된다는 점을 검사가 아닌 행위자가 증명하여야 한다.

해설

③ [×] 형사재판에 있어서 공소가 제기된 범죄사실에 대한 입증책임은 검사에 있고, **민사재판이었더라면 입증책임을 지게 되었을 피고인**이 그 쟁점이 된 사항에 대하여 자신에게 유리한 입증을 하지 못하고 있다 하여 위와 같은 원칙이 달리 적용되는 것은 아니다.(대법원 2007. 10. 11. 2007도6406)

① [○] 「성폭력범죄의 처벌 등에 관한 특례법」 제7조 제1항에서 정하는 13세 미만의 미성년자에 대한 강간죄의 성립이 인정되려면 피고인이 피해자가 **13세 미만의 미성년자임을 알면서 그를 강간했다는 사실이 검사에 의하여 입증되어야 한다.**(대법원 2012. 8. 30. 2012도7377 **12세 가출녀 강간사건**)

② [○] 영장발부의 사유로 된 범죄 혐의사실과 무관한 별개의 증거를 압수하였을 경우 수사기관이 그 별개의 증거를 피압수자 등에게 환부하고 후에 임의 제출받아 다시 압수하였다면 그 제출에 임의성이 있었다는 점에 **관하여 검사가 합리적 의심을 배제할 수 있을 정도로 증명하지 못하는 경우 그 증거능력을 인정할 수 없다.**(대법원 2016. 3. 10. 2013도11233 **광우병의심 소고기 유통사건**)

④ [○] 공연히 사실을 적시하여 사람의 명예를 훼손한 행위가 형법 제310조의 규정에 따라서 위법성이 조각되어 처벌대상이 되지 않기 위하여는 그것이 진실한 사실로서 오로지 공공의 이익에 관한 때에 해당된다는 점을 **행위자가 증명하여야 하는 것이고,** 법원이 적법하게 증거를 채택하여 조사한 다음 형법 제310조 소정의 위법성조각사유의 요건이 입증되지 않는다면 그 불이익은 피고인이 부담하는 것이다.(대법원 2004. 5. 28. 2004도1497 **제약회사 비방사건**)

020 증거와 증명에 관한 설명 중 가장 적절하지 않은 것은? (다툼이 있으면 판례에 의함)

① 살인죄와 같이 법정형이 무거운 범죄의 경우에도 직접증거 없이 간접증거만으로도 유죄를 인정할 수 있다.

② 증명력이란 요증사실을 증명하는 증거의 힘, 증거의 실질적 가치를 말하여 이는 법관의 자유심증에 의해 결정된다.

③ 형사재판에서 이와 관련된 다른 형사사건의 확정판결에서 인정된 사실은 특별한 사정이 없는 한 유력한 증거자료가 되는 것이나, 당해 형사재판에서 제출된 다른 증거 내용에 비추어 관련 형사사건 확정판결의 사실판단을 그대로 채택하기 어렵다고 인정될 경우에는 이를 배척할 수 있다.

④ 사실을 적시하여 사람의 명예를 훼손한 행위가 「형법」 제310조의 규정에 따라서 위법성이 조각되어 처벌대상이 되지 않기 위하여는 그것이 진실한 사실로서 오로지 공공의 이익에 관한 때에 해당된다는 점을 행위자가 증명하여야 하는 것이나, 그 증명은 엄격한 증명을 요하는 것은 아니지만, 전문증거의 사용까지 허용되는 것은 아니다.

⑤ 법관의 자유심증에 요구되는 합리적 의심은 모든 의문, 불신을 포함하는 것이 아니라 논리와 경험칙에 기하여 요증사실과 양립할 수 없는 사실의 개연성에 대한 합리적 의문을 의미하는 것으로서, 피고인에게 유리한 정황을 사실인정과 관련하여 파악한 이성적 추론에 그 근거를 두어야 하는 것이므로 단순히 관념적인 의심이나 추상적인 가능성에 기초한 의심은 합리적 의심에 포함된다고 할 수 없다.

해설

④ [×] 공연히 사실을 적시하여 사람의 명예를 훼손한 행위가 형법 제310조의 규정에 따라서 위법성이 조각되어 처벌대상이 되지 않기 위하여는, 그것이 진실한 사실로서 오로지 공공의 이익에 관한 때에 해당된다는 점을 행위자가 증명하여야 하는 것이나, 그 증명은 유죄의 인정에 있어 요구되는 것과 같이 법관으로 하여금 의심할 여지가 없을 정도의 확신을 가지게 하는 증명력을 가진 엄격한 증거에 의하여야 하는 것은 아니므로, **이때에는 전문증거에 대한 증거능력의 제한을 규정한 형사소송법 제310조의2는 적용될 여지가 없다.**(대법원 1996. 10. 25. 95도1473 **재건축사업 방해사건**)

① [○] 살인죄와 같이 법정형이 무거운 범죄의 경우에도 직접증거 없이 간접증거만으로도 유죄를 인정할 수 있으나, 그 경우에도 주요사실의 전제가 되는 간접사실의 인정은 합리적 의심을 허용하지 않을 정도의 증명이 있어야 하고, 그 하나 하나의 간접사실이 상호 모순, 저촉이 없어야 함은 물론 논리와 경험칙, 과학법칙에 의하여 뒷받침되어야 한다.(대법원 2017. 5. 30. 2017도1549 **95억 보험살인 의심사건**)

② [○] 증거의 증명력은 법관의 자유판단에 의한다.(형사소송법 제308조)

③ [○] 형사재판에 있어서 이와 관련된 다른 형사사건의 확정판결에서 인정된 사실은 특별한 사정이 없는 한 유력한 증거자료가 되는 것이나, 당해 형사재판에서 제출된 다른 증거 내용에 비추어 관련 형사사건의 확정판결에서의 사실판단을 그대로 채택하기 어렵다고 인정될 경우에는 이를 배척할 수 있다.(대법원 2014. 3. 27. 2014도1200 **약사면허증 불법대여 사건**)

⑤ [○] (1) 형사재판에 있어 심증형성은 반드시 직접증거에 의하여 형성되어야만 하는 것은 아니고 간접증거에 의할 수도 있는 것이며, 간접증거는 이를 개별적·고립적으로 평가하여서는 아니 되고 모든 관점에서 빠짐없이

상호 관련시켜 종합적으로 평가하고, 치밀하고 모순 없는 논증을 거쳐야 한다. (2) 그리고 증거의 증명력은 법관의 자유판단에 맡겨져 있으나 그 판단은 논리와 경험칙에 합치하여야 하고, 형사재판에 있어서 유죄로 인정하기 위한 심증형성의 정도는 합리적인 의심을 할 여지가 없을 정도여야 하나, 이는 모든 가능한 의심을 배제할 정도에 이를 것까지 요구하는 것은 아니며, 증명력이 있는 것으로 인정되는 증거를 합리적인 근거가 없는 의심을 일으켜 이를 배척하는 것은 자유심증주의의 한계를 벗어나는 것으로 허용될 수 없다 할 것인바, (3) 여기에서 말하는 '합리적 의심'이라 함은 모든 의문, 불신을 포함하는 것이 아니라 논리와 경험칙에 기하여 요 증사실과 양립할 수 없는 사실의 개연성에 대한 합리성 있는 의문을 의미하는 것으로서, **피고인에게 유리한 정황을 사실인정과 관련하여 파악한 이성적 추론에 그 근거를 두어야 하는 것이므로 단순히 관념적인 의심이나 추상적인 가능성에 기초한 의심은 합리적 의심에 포함된다고 할 수 없다.**(대법원 2018. 1. 25. 2016도 6757 상속재산 400억 편취실패 사건)

021 자유심증주의에 관한 설명으로 옳지 않은 것은? (다툼이 있으면 판례에 의함)

□□□

09 국가9급 [Essential ★]

① 직접적인 물적 증거나 증인의 존재를 기대하기 어려운 범죄의 경우에 법원은 범행의 전후정황에 관한 제반 간접증거들을 종합하여 범죄사실이 증명된 것으로 인정할 수 있다.

② 법원은 피고인이 작성한 진술조서에 기재된 내용이 전부를 믿거나 믿지 않아야 하며, 그 중 일부만을 믿을 수는 없다.

③ 증거의 취사와 이를 근거로 한 사실의 인정은 그것이 경험칙에 위배된다는 등의 특단의 사정이 없는 한 사실심 법원의 전권에 속한다.

④ 유죄로 인정하기 위한 심증형성의 정도는 합리적인 의심을 할 여지가 없을 정도여야 하며, 단순히 관념적인 의심이나 추상적인 가능성에 기초한 의심은 합리적인 의심이라고 할 수 없다.

해설

② [×] **진술조서의 기재 중 일부분을 믿고 다른 부분을 믿지 아니하여도 그것이 곧 부당하다고 할 수 없다.**(대법 원 1980. 3. 11. 80도145)

① [○] 직접적인 물적 증거나 증인의 존재를 기대하기 어려운 범죄의 경우에 법원은 범행의 전후 정황에 관한 제반 간접증거들을 **종합하여 범죄사실이 증명**된 것으로 인정할 수 있다.(대법원 1997. 7. 25. 97도974)

③ [○] 증거의 취사와 이를 근거로 한 사실의 인정은 그것이 경험칙에 위배된다는 등의 특단의 사정이 없는 한 **사실심 법원의 전권에 속한다.**(대법원 2010. 2. 25. 2009도5824)

④ [○] '합리적 의심'이라 함은 모든 의문, 불신을 포함하는 것이 아니라 논리와 경험칙에 기하여 요증사실과 양립할 수 없는 사실의 개연성에 대한 합리성 있는 의문을 의미하는 것으로서, 피고인에게 유리한 정황을 사실인정과 관련하여 파악한 이성적 추론에 그 근거를 두어야 하는 것이므로 단순히 관념적인 의심이나 추상적인 **가능성에 기초한 의심은 합리적 의심에 포함된다고 할 수 없다.**(대법원 2013. 6. 27. 2013도4172 부산시신없는 살인 사건Ⅱ)

022 간접증거에 대한 설명으로 옳은 것(○)과 옳지 않은 것(×)을 올바르게 조합한 것은? (다툼이 있으면 판례에 의함)

25 경찰간부 [Superlative ★★★]

> ㉠ 제3자의 진술은 그것이 요증사실에 대한 경험자로서의 진술이라면 직접증거이고, 요증사실을 경험한 자로부터 전해들은 말을 옮기는 취지의 전문진술이라면 간접증거이다.
>
> ㉡ 살인죄와 같이 법정형이 무거운 범죄의 경우에는 직접증거 없이 간접증거만으로 유죄를 인정할 수 없다.
>
> ㉢ 자백에 대한 보강증거는 범죄사실의 전부 또는 중요 부분을 인정할 수 있는 정도가 되어야 하고 또한 직접증거가 아닌 간접증거나 정황증거는 보강증거가 될 수 없다.
>
> ㉣ 휴대전화를 이용한 불법촬영 범죄의 경우 휴대전화 안에 저장되어 있는 같은 유형의 전자정보에서 발견되는 간접증거나 정황증거는 범죄혐의사실과 구체적·개별적 연관관계가 인정될 수 있다.

① ㉠ × ㉡ × ㉢ × ㉣ ○   ② ㉠ ○ ㉡ × ㉢ × ㉣ ○

③ ㉠ ○ ㉡ × ㉢ ○ ㉣ ×   ④ ㉠ × ㉡ ○ ㉢ ○ ㉣ ○

해설

① 지문이 옳은 연결이다.

㉠ [×] 제3자의 진술이 요증사실에 대한 경험자의 진술이면 직접증거이다, 하지만 요증사실을 경험한 자로부터 전해들은 말도 제316조의 요건을 구비하면 직접증거에 해당하다. 따라서 **후문이 틀린 지문이다.**

㉡ [×] 살인죄 등과 같이 법정형이 무거운 범죄의 경우에도 **직접증거 없이 간접증거만에 의하여 유죄를 인정할 수 있다.**(대법원 2012. 9. 27. 2012도2658 부산 시신없는 살인 사건 I)

㉢ [×] 자백에 대한 보강증거는 **범죄사실의 전부 또는 중요 부분을 인정할 수 있는 정도가 되지 않더라도** 피고인의 자백이 가공적인 것이 아닌 진실한 것임을 인정할 수 있는 정도만 되면 충분하다. 또한 **직접증거가 아닌 간접증거나 정황증거도 보강증거가 될 수 있고**, 자백과 보강증거가 서로 어울려서 전체로서 범죄사실을 인정할 수 있으면 유죄의 증거로 충분하다.(대법원 2018. 3. 15. 2017도20247 러미라 사건)

㉣ [○] 범죄혐의사실과 관련된 전자정보인지를 판단할 때는 범죄혐의사실의 내용과 성격, 임의제출의 과정 등을 토대로 구체적·개별적 연관관계를 살펴볼 필요가 있다. 특히 카메라의 기능과 정보저장매체의 기능을 함께 갖춘 휴대전화인 스마트폰을 이용한 불법촬영 범죄와 같이 범죄의 속성상 **해당 범행의 상습성이 의심되거나** 성적 기호 내지 경향성의 발현에 따른 일련의 범행의 일환으로 이루어진 것으로 의심되고, 범행의 직접 증거가 스마트폰 안에 이미지 파일이나 동영상 파일의 형태로 남아 있을 개연성이 있는 경우에는 그 안에 저장되어 있는 같은 유형의 전자정보에서 그와 관련한 유력한 간접증거나 정황증거가 발견될 가능성이 높다는 점에서 이러한 간접증거나 정황증거는 범죄혐의사실과 **구체적·개별적 연관관계를 인정할 수 있다.**(대법원 2021. 11. 18. 2016도348 숲속 몰카피해자 휴대폰 2대 임의제출 사건)

정답 | 021 ② 022 ①

023 다음 중 자유심증주의에 관한 설명으로 옳은 것은 모두 몇 개인가? (다툼이 있으면 판례에 의함)
□□□

21 해경간부 [Superlative ★★★]

> ㉠ 일정 기간 동안에 발생한 피해자의 일련의 강간 피해 주장 중 그에 부합하는 진술의 신빙성을 대부분 부정할 경우, 일부 사실에 대하여만 피해자의 진술을 믿어 유죄를 인정하려면 그와 같이 피해자 진술의 신빙성을 달리 볼 수 있는 특별한 사정이 인정되어야 할 것이다.
>
> ㉡ 상해진단서는 특별한 사정이 없는 한 피해자의 진술과 더불어 피고인의 상해사실에 대한 유력한 증거가 되며, 합리적인 근거 없이 그 증명력을 함부로 배척할 수는 없다.
>
> ㉢ 심신장애의 유무는 법원이 형벌제도의 목적 등에 비추어 판단하여야 할 법률문제로서 그 판단에 전문감정인의 정신감정 결과가 중요한 참고자료가 되기는 하나, 법원이 반드시 그 의견에 구속되는 것은 아니다.
>
> ㉣ 사실의 인정이 사실심의 전권이더라도 범죄사실의 인정 여부는 논리와 경험법칙에 따라야 하고, 충분한 증명력이 있는 증거를 합리적 이유 없이 배척하거나 반대로 객관적인 사실에 명백히 반하는 증거를 근거 없이 채택·사용하는 것은 자유심증주의의 한계를 벗어난 것이다.
>
> ㉤ 범인식별절차에서의 피해자의 진술을 신빙성이 높다고 평가할 수 있으려면 범인의 인상착의 등에 관한 피해자의 진술 내지 묘사를 사전에 상세하게 기록한 다음, 용의자를 포함하여 그와 인상착의가 비슷한 여러 사람을 동시에 피해자와 대면시켜 범인을 지목하도록 하여야 하고, 용의자와 비교대상자 및 피해자들이 사전에 서로 접촉하지 못하도록 하여야 한다.

① 2개   ② 3개

③ 4개   ④ 5개

해설

④ 모든 항목이 옳다.

㉠ [○] (1) 일정 기간 동안에 발생한 피해자의 일련의 강간 피해 주장 중 그에 부합하는 진술의 신빙성을 대부분 부정할 경우 일부 사실에 대하여만 피해자의 진술을 믿어 유죄를 인정하려면 그와 같이 피해자 진술의 신빙성을 달리 볼 수 있는 특별한 사정이 인정되어야 한다. (2) 2009. 10. 20., 10. 22., 10. 28., 10. 29. 총 4회의 강간 공소사실에 대하여 2009. 10. 20.과 10. 22.자 강간의 점에 대하여 피해자의 진술을 믿기 어렵다는 이유로 무죄를 선고하고, 피해자 진술의 신빙성을 달리 볼 수 있는 특별한 사정이 없음에도 2009. 10. 28.과 10. 29.자 강간의 점에 대하여는 유죄판결을 선고한 것에는 필요한 심리를 다하지 아니한 위법이 있다.(대법원 2010. 11. 11. 2010도9633 **4회 중 2번만 강간사건**)

㉡ [○] (1) 상해죄의 피해자가 제출하는 상해진단서는 일반적으로 의사가 당해 피해자의 진술을 토대로 상해의 원인을 파악한 후 의학적 전문지식을 동원하여 관찰·판단한 상해의 부위와 정도 등을 기재한 것으로서 거기에 기재된 상해가 곧 피고인의 범죄행위로 인하여 발생한 것이라는 사실을 직접 증명하는 증거가 되기에 부족한 것이지만, (2) 그 상해에 대한 진단일자 및 상해진단서 작성일자가 상해 발생시점과 시간상으로 근접하고 상해진단서 발급 경위에 특별히 신빙성을 의심할 만한 사정이 없으며 거기에 기재된 상해부위와 정도가 피해자가 주장하는 상해의 원인 내지 경위와 일치하는 경우에는, 그 무렵 피해자가 제3자로부터 폭행을 당하는 등으로 달리 상해를 입을 만한 정황이 발견되거나 의사가 허위로 진단서를 작성한 사실이 밝혀지는 등의 특별한 사정이 없는 한, 그 상해진단서는 피해자의 진술과 더불어 피고인의 상해 사실에 대한 유력한 증거가 되고,

합리적인 근거 없이 그 증명력을 함부로 배척할 수 없다.(대법원 2011. 1. 27. 2010도12728 **유리컵 조각을 던진 사건**)

© [○] 심신장애의 유무는 법원이 형벌제도의 목적 등에 비추어 판단하여야 할 **법률문제로서** 그 판단에 전문감정인의 정신감정결과가 중요한 참고자료가 되기는 하나 **법원이 반드시 그 의견에 구속되는 것은 아니고**, 그러한 감정결과뿐만 아니라 범행의 경위, 수단, 범행 전후의 피고인의 행동 등 기록에 나타난 여러 자료 등을 종합하여 독자적으로 심신장애의 유무를 판단하여야 한다.(대법원 2018. 9. 13. 2018도7658 **인천 초등생 살인사건**)

@ [○] 사실의 인정이 사실심의 전권이더라도 범죄사실의 인정 여부는 논리와 경험법칙에 따라야 하고, 충분한 증명력이 있는 증거를 합리적 이유 없이 배척하거나 반대로 **객관적인 사실에 명백히 반하는 증거를 근거 없이 채택·사용하는 것은 자유심증주의의 한계를 벗어난 것이다.**(대법원 2010. 3. 25. 2009도14772 **효성금속 폐수무단방류사건**)

@ [○] 범인식별 절차에 있어 목격자의 진술의 신빙성을 높게 평가할 수 있게 하려면, 범인의 인상착의 등에 관한 목격자의 진술 내지 묘사를 사전에 상세히 기록화한 다음, 용의자를 포함하여 그와 인상착의가 비슷한 여러 사람을 동시에 목격자와 대면시켜 범인을 지목하도록 하여야 하고, 용의자와 목격자 및 비교대상자들이 상호 사전에 접촉하지 못하도록 하여야 하며, 사후에 증거가치를 평가할 수 있도록 대질 과정과 결과를 문자와 사진 등으로 서면화하는 등의 조치를 취하여야 하고, 사진제시에 의한 범인식별 절차에 있어서도 기본적으로 이러한 원칙에 따라야 한다.(대법원 2008. 1. 17. 2007도5201 **부산 좌천동 여아강간사건**)

정답 | 023 ④

024 증명에 관한 설명으로 가장 적절한 것은? (다툼이 있으면 판례에 의함)　22 경찰채용 [Core ★★]
□□□

① 증거능력이 없는 증거는 유죄의 직접적인 증거로 삼을 수 없으나, 구성요건 사실을 추인하게 하는 간접사실이나 구성요건 사실을 입증하는 직접증거의 증명력을 보강하는 보조사실의 인정자료로는 사용할 수 있다.

② 형법 제307조 제2항 허위사실 적시 명예훼손죄에서 허위사실의 인식과 달리 허위사실 자체는 엄격한 증명의 대상이 된다.

③ 예비군법 제15조 제9항 제1호에서 정한 정당한 사유가 없다는 사실은 범죄구성요건이므로 검사가 증명하여야 하지만, 양심적 예비군훈련거부를 주장하는 피고인은 자신의 예비군훈련 거부가 그에 따라 행동하지 않고서는 인격적 존재가치가 파멸되고 말 것이라는 절박하고 구체적인 양심에 따른 것이며 그 양심이 깊고 확고하며 진실한 것이라는 사실의 존재를 수긍할 만한 소명자료를 제시하고, 검사는 제시된 자료의 신빙성을 탄핵하는 방법으로 진정한 양심의 부존재를 증명할 수 있다.

④ 합리적 의심이란 요증사실과 양립할 수 없는 사실의 개연성에 대한 합리성 있는 의문을 의미하는 것으로서 관념적인 의심이나 추상적인 가능성에 기초한 의심도 포함된다.

해설

③ [○] 예비군법 제15조 제9항 제1호에서 정한 정당한 사유가 없다는 사실은 범죄구성요건이므로 검사가 증명하여야 하지만, 양심적 예비군훈련거부를 주장하는 피고인은 자신의 예비군훈련 거부가 그에 따라 행동하지 않고서는 인격적 존재가치가 파멸되고 말 것이라는 절박하고 구체적인 양심에 따른 것이며 그 양심이 깊고 확고하며 진실한 것이라는 사실의 존재를 수긍할 만한 소명자료를 제시하고, 검사는 **제시된 자료의 신빙성을 탄핵하는 방법으로 진정한 양심의 부존재를 증명할 수 있다.**(대법원 2021. 2. 25. 2019도18442 **양심적 예비군훈련거부 사건**)

① [×] 구성요건에 해당하는 사실은 엄격한 증명에 의하여 이를 인정하여야 하고, 증거능력이 없는 증거는 **구성요건 사실을 추인하게 하는 간접사실이나 구성요건 사실을 입증하는 직접증거의 증명력을 보강하는 보조사실의 인정자료로도 사용할 수 없다.**(대법원 2015. 1. 22. 2014도10978 **손승 이석기 의원 사건**)

② [×] 형사재판에서 공소가 제기된 범죄의 구성요건을 이루는 사실은 그것이 주관적 요건이든 객관적 요건이든 그 증명책임이 검사에게 있으므로, 허위사실 적시 명예훼손죄로 기소된 사건에서 사람의 사회적 평가를 떨어뜨리는 사실이 적시되었다는 점, **그 적시된 사실이 객관적으로 진실에 부합하지 아니하여 허위일 뿐만 아니라 그 적시된 사실이 허위라는 것을 피고인이 인식하고서 이를 적시하였다는 점은 모두 검사가 증명하여야 한다.**(대법원 2020. 2. 13. 2017도16939 **노조지회장 자살 사건**) 판례의 취지에 의할 때 '허위사실' 자체도 엄격한 증명의 대상이 된다.

④ [×] '합리적 의심'이라 함은 모든 의문, 불신을 포함하는 것이 아니라 논리와 경험칙에 기하여 요증사실과 양립할 수 없는 사실의 개연성에 대한 합리성 있는 의문을 의미하는 것으로서, 피고인에게 유리한 정황을 사실인정과 관련하여 파악한 이성적 추론에 그 근거를 두어야 하는 것이므로 단순히 관념적인 의심이나 추상적인 가능성에 기초한 의심은 합리적 의심에 포함된다고 할 수 없다.(대법원 2018. 1. 25. 2016도6757 **상속재산 400억 편취실패 사건**)

025 과학적 증거에 대한 판례의 태도로서 옳지 않은 것은? 21 국가9급 [Essential ★]

① 범죄구성요건에 해당하는 사실을 증명하기 위한 근거가 되는 과학적인 연구 결과는 적법한 증거조사를 거친 증거능력 있는 증거에 의하여 엄격한 증명으로 증명되어야 한다.

② 유전자검사나 혈액형검사 등 과학적 증거방법은 그 전제로 하는 사실이 모두 진실임이 입증되고 그 추론의 방법이 과학적으로 정당하여 오류의 가능성이 전무하거나 무시할 정도로 극소한 것으로 인정되는 경우에는 법관이 사실인정을 함에 있어 상당한 정도로 구속력을 가진다.

③ 전문 감정인이 공인된 표준 검사기법으로 분석한 후 법원에 제출한 과학적 증거는 모든 과정에서 시료의 동일성이 인정되고 인위적인 조작·훼손·첨가가 없었음이 담보되었다면, 각 단계에서 시료에 대한 정확한 인수·인계 절차를 확인할 수 있는 기록이 유지되지 않았다 하더라도 사실인정에 있어서 상당한 정도로 구속력을 가진다.

④ 컴퓨터 디스켓에 들어 있는 문건이 증거로 사용되는 경우 그 컴퓨터 디스켓은 그 기재의 매체가 다를 뿐 실질에 있어서는 피고인 또는 피고인 아닌 자의 진술을 기재한 서류와 크게 다를 바 없고, 압수 후의 보관 및 출력과정에 조작의 가능성이 있으며, 기본적으로 반대신문의 기회가 보장되지 않는 점 등에 비추어 그 기재내용의 진실성에 관하여는 전문법칙이 적용된다.

해설

③ [×] **과학적 증거방법이 사실인정에 있어서 상당한 정도로 구속력을 갖기 위해서는** 감정인이 전문적인 지식·기술·경험을 가지고 공인된 표준 검사기법으로 분석한 후 법원에 제출하였다는 것만으로는 부족하고, 시료의 채취·보관·분석 등 모든 과정에서 시료의 동일성이 인정되고 인위적인 조작·훼손·첨가가 없었음이 담보되어야 하며 **각 단계에서 시료에 대한 정확한 인수·인계 절차를 확인할 수 있는 기록이 유지되어야 한다.**(대법원 2018. 2. 8. 2017도14222)

① [O] 범죄구성요건에 해당하는 사실을 증명하기 위한 근거가 되는 과학적인 연구 결과는 적법한 증거조사를 거친 증거능력 있는 증거에 의하여 엄격한 증명으로 증명되어야 한다.(대법원 2010. 2. 11. 2009도2338)

② [O] 유전자검사나 혈액형검사 등 과학적 증거방법은 그 전제로 하는 사실이 모두 진실임이 입증되고 그 추론의 방법이 과학적으로 정당하여 오류의 가능성이 전무하거나 무시할 정도로 극소한 것으로 인정되는 경우에는 법관이 사실인정을 함에 있어 **상당한 정도로 구속력을 가지므로,** 비록 사실의 인정이 사실심의 전권이라 하더라도 아무런 합리적 근거 없이 함부로 이를 배척하는 것은 자유심증주의의 한계를 벗어나는 것으로서 허용될 수 없다.(대법원 2009. 3. 12. 2008도8486 **방배래미안타워 필로폰 투약사건**)

④ [O] (1) 컴퓨터 디스켓에 담긴 문건이 증거로 사용되는 경우 그 기재 내용의 진실성에 관하여는 **전문법칙이 적용된다** 할 것이고, 따라서 피고인 또는 피고인 아닌 자가 작성하거나 또는 그 진술을 기재한 문건의 경우 (2) 원칙적으로 형사소송법 제313조 제1항 본문에 의하여 그 작성자 또는 진술자의 진술에 의하여 그 성립의 진정함이 인정된 때에 이를 증거로 사용할 수 있다.(대법원 2001. 3. 23. 2000도486 **영남위원회 사건**)

026 자유심증주의에 관한 설명으로 가장 적절하지 않은 것은? (다툼이 있으면 판례에 의함)

□□□
12 경찰승진 [Core ★★]

① 동일인의 검찰에서의 진술과 법정에서의 증언이 다를 경우 법원은 검찰에서의 진술이 위법하게 이루어진 것이 아닌 한 이를 믿고 범죄사실을 인정할 수 있다.

② 일정 기간 동안에 발생한 피해자의 일련의 강간 피해 주장 중 그에 부합하는 진술의 신빙성을 대부분 부정할 경우, 일부 사실에 대하여만 피해자의 진술을 믿어 유죄를 인정하려면 그와 같이 피해자 진술의 신빙성을 달리 볼 수 있는 특별한 사정이 인정되어야 할 것이다.

③ 항소심 법원이 제1심에서 채용된 증거의 신빙성에 의문을 가지면 심리 없이 그 증거를 곧바로 배척할 수 있다.

④ 자백의 증명력 제한을 규정한 형사소송법 제310조는 자유심증주의의 예외가 된다.

해설

③ [×] 항소심은, 제1심이 채용한 증거에 대하여 그 신빙성에 의문은 가지만 그렇다고 직접 증거조사를 한 제1심의 자유심증이 명백히 잘못되었다고 볼 만한 합리적인 사유도 나타나 있지 아니한 경우에는, 비록 동일한 증거라고 하더라도 다시 한번 증거조사를 하여 항소심이 느끼고 있는 의문점이 과연 그 증거의 신빙성을 부정할 정도의 것인지 알아보거나, 그 증거의 신빙성에 대하여 입증의 필요성을 느끼지 못하고 있는 검사에 대하여 항소심이 가지고 있는 의문점에 관하여 입증을 촉구하는 등의 방법으로 그 증거의 신빙성에 대하여 더 심리하여 본 후 그 채부를 판단하여야 하고, 그 증거의 신빙성에 의문이 간다는 사유만으로 더이상 아무런 심리를 함이 없이 그 증거를 곧바로 배척하여서는 아니 된다.(대법원 1996. 12. 6. 96도2461)

① [○] 같은 사람의 검찰에서의 진술과 법정에서의 증언이 다를 경우 반드시 후자를 믿어야 된다는 법칙은 없다고 할 것이므로 같은 사람의 법정에서의 증언과 다른 검찰에서의 진술을 믿고서 범죄사실을 인정하더라도 그것이 위법하게 진술된 것이 아닌 이상 자유심증에 속한다.(대법원 1988. 6. 28. 88도740 연대보증서 위조사건)

② [○] (1) 일정 기간 동안에 발생한 피해자의 일련의 강간 피해 주장 중 그에 부합하는 진술의 신빙성을 대부분 부정할 경우, 일부 사실에 대하여만 피해자의 진술을 믿어 유죄를 인정하려면 그와 같이 피해자 진술의 신빙성을 달리 볼 수 있는 특별한 사정이 인정되어야 한다. (2) 2009. 10. 20., 10. 22., 10. 28., 10. 29. 총 4회의 강간 공소사실에 대하여 2009. 10. 20.과 10. 22.자 강간의 점에 대하여 피해자의 진술을 믿기 어렵다는 이유로 무죄를 선고하고, 피해자 진술의 신빙성을 달리 볼 수 있는 특별한 사정이 없음에도 2009. 10. 28.과 10. 29.자 강간의 점에 대하여는 유죄판결을 선고한 것에는 필요한 심리를 다하지 아니한 위법이 있다.(대법원 2010. 11. 11. 2010도9633 4회중 2번만 강간사건)

④ [○] 자유심증주의 예외에는 자백의 증명력 제한 외에 진술거부권 행사, 공판조서의 배타적 증명력 등이 있다.

027 자유심증주의 또는 그 제한에 관한 설명으로 가장 적절한 것은? (다툼이 있으면 판례에 의함)

□□□

24 경찰승진 [Core ★★]

① 공소사실을 인정할 증거로 사실상 피해자의 진술이 유일한 경우에 피고인의 진술이 경험칙상 합리성이 없고 그 자체로 모순되어 믿을 수 없다는 사정은 공소사실을 인정하는 직접증거가 될 수 없으며, 이러한 사정은 법관의 자유판단에 따라 피해자 진술의 신빙성을 뒷받침하거나 직접증거인 피해자 진술과 결합하여 공소사실을 뒷받침하는 간접정황도 될 수 없다.

② 범행에 관한 간접증거만이 존재하고 그 간접증거의 증명력에 한계가 있는 경우에 증거의 증명력은 법관의 자유판단에 의하는 것이므로 범인으로 지목되고 있는 자에게 범행을 저지를 만한 동기가 발견되지 않더라도 만연히 무엇인가 동기가 분명히 있는데 이를 범인이 숨기고 있는 것으로 단정한다고 하여도 형사증거법의 이념에 반하는 것은 아니다.

③ 유죄의 인정은 법관으로 하여금 합리적 의심의 여지가 없을 정도로 공소사실이 진실한 것이라는 확신을 가지게 하는 증명력을 가진 증거에 의하여야 하며, 이는 모든 가능한 의심을 배제할 정도에 이를 것을 요한다.

④ 살인죄 등과 같이 법정형이 무거운 범죄의 경우에도 직접증거 없이 간접증거만으로 유죄를 인정할 수 있으나, 그러한 유죄인정에는 공소사실에 대한 관련성이 깊은 간접증거들에 의하여 신중한 판단이 요구된다.

해설

④ [○] 살인죄 등과 같이 법정형이 무거운 범죄의 경우에도 직접증거 없이 간접증거만으로 유죄를 인정할 수 있으나, 그러한 유죄 인정에 있어서는 공소사실에 대한 관련성이 깊은 간접증거들에 의하여 신중한 판단이 요구되므로 간접증거에 의하여 주요사실의 전제가 되는 간접사실을 인정함에 있어서는 그 증명이 합리적인 의심을 허용하지 않을 정도에 이르러야 하고, 그 **하나 하나의 간접사실은 그 사이에 모순, 저촉이 없어야 함은 물론 논리와 경험칙, 과학법칙에 의하여 뒷받침되어야 한다.**(대법원 2013. 9. 12. 2013도4381 **인천 낙지 살인사건**)

① [×] 공소사실을 인정할 증거로 사실상 피해자의 진술이 유일한 경우에 피고인의 진술이 경험칙상 합리성이 없고 그 자체로 모순되어 믿을 수 없다고 하여 그것이 공소사실을 인정하는 직접증거가 되는 것은 아니지만 이러한 사정은 법관의 자유판단에 따라 **피해자 진술의 신빙성을 뒷받침하거나 직접증거인 피해자 진술과 결합하여 공소사실을 뒷받침하는 간접정황이 될 수 있다.**(대법원 2022. 12. 15. 2021도14234 **넣지 말라고 했잖아 사건**)

② [×] 범행에 관한 간접증거만이 존재하고 더구나 그 간접증거의 증명력에 한계가 있는 경우 범인으로 지목되고 있는 자에게 범행을 저지를 만한 동기가 발견되지 않는다면 **만연히 무엇인가 동기가 분명히 있는데도 이를 범인이 숨기고 있다고 단정할 것이 아니라** 반대로 간접증거의 증명력이 그만큼 떨어진다고 평가하는 것이 형사증거법의 이념에 부합한다.(대법원 2022. 6. 16. 2022도2236 **구미 아이 바꿔치기 사건**)

③ [×] 증거의 증명력은 법관의 자유판단에 맡겨져 있으나 그 판단은 논리와 경험의 법칙에 합치하여야 하고, 형사재판에 있어서 유죄로 인정하기 위한 심증형성의 정도는 합리적인 의심을 할 여지가 없을 정도여야 하나, **이는 모든 가능한 의심을 배제할 정도에 이를 것까지 요구하는 것은 아니며,** 증명력이 있는 것으로 인정되는 증거를 합리적인 근거가 없는 의심을 일으켜 이를 배척하는 것은 자유심증주의의 한계를 벗어나는 것으로 허용될 수 없다.(대법원 2022. 3. 31. 2018도19037 **해군함장 부하여장교 강간사건**)

028 증거에 관한 설명으로 가장 적절하지 않은 것은? (다툼이 있으면 판례에 의함)

① 공연히 사실을 적시하여 사람의 명예를 훼손한 행위가 형법 제310조의 규정에 따라서 위법성이 조각되기 위하여는 그것이 진실한 사실로서 오로지 공공의 이익에 관한 때에 해당된다는 점을 행위자가 증명하여야 하나, 그 증명은 엄격한 증거에 의할 것을 요하지 아니하므로 전문증거의 증거능력에 관한 형사소송법 제310조의2는 적용될 여지가 없다.

② 정보통신망을 통하여 공포심이나 불안감을 유발하는 글을 반복적으로 상대방에게 도달하게 하는 행위를 하였다는 공소사실에 대하여 휴대전화기에 저장된 문자정보가 그 증거가 되는 경우, 그 문자정보는 범행의 직접적인 수단이고 경험자의 진술에 갈음하는 대체물에 해당하지 않으므로 형사소송법 제310조의2에서 정한 전문법칙이 적용되지 않는다.

③ 영장 발부의 사유로 된 범죄 혐의사실과 무관한 별개의 증거를 압수하였을 경우 이는 원칙적으로 유죄의 증거로 사용할 수 없으나, 수사기관이 그 증거를 피압수자에게 환부한 후에 임의제출받아 다시 압수하였다면 최초의 절차 위반행위와 최종적인 증거수집 사이의 인과관계가 단절되었다고 평가할 수 있고, 제출에 임의성이 있다는 점을 검사가 합리적 의심을 배제할 수 있을 정도로 증명한 경우에는 증거능력을 인정할 수 있다.

④ 피고인의 수사기관에서나 제1심 법정에서의 자백이 항소심에서의 법정진술과 다른 경우 그 자백의 증명력 내지 신빙성이 의심스럽다고 할 것이고, 같은 사람의 검찰에서의 진술과 법정에서의 증언이 다를 경우 검찰에서의 진술을 믿고서 범죄사실을 인정하는 것은 자유심증주의의 한계를 벗어나는 것이다.

해설

④ [×] (1) 피고인의 제1심 법정에서의 자백이 원심에서의 법정진술과 다르다는 사유만으로는 **그 자백의 증명력 내지 신빙성이 의심스럽다고 할 수는 없다.**(대법원 2001. 9. 28. 2001도4091 민원사무처리부 변조사건) (2) 같은 사람의 검찰에서의 진술과 법정에서의 증언이 다를 경우 반드시 후자를 믿어야 된다는 법칙은 없다고 할 것이므로 **같은 사람의 법정에서의 증언과 다른 검찰에서의 진술을 믿고서 범죄사실을 인정하더라도 그것**이 위법하게 진술된 것이 아닌 이상 **자유심증에 속한다.**(대법원 1988. 6. 28. 88도740 연대보증서 위조사건)

① [○] 공연히 사실을 적시하여 사람의 명예를 훼손한 행위가 형법 제310조의 규정에 따라서 위법성이 조각되어 처벌대상이 되지 않기 위하여는, 그것이 진실한 사실로서 오로지 공공의 이익에 관한 때에 해당된다는 점을 **행위자가 증명하여야** 하는 것이나, 그 증명은 유죄의 인정에 있어 요구되는 것과 같이 법관으로 하여금 의심할 여지가 없을 정도의 확신을 가지게 하는 증명력을 가진 **엄격한 증거에 의하여야** 하는 것은 아니므로, 이때에는 전문증거에 대한 증거능력의 제한을 규정한 형사소송법 제310조의2는 적용될 여지가 없다.(대법원 1996. 10. 25. 95도1473 **재건축사업 방해사건**)

② [○] "정보통신망을 통하여 공포심이나 불안감을 유발하는 글을 반복적으로 상대방에게 도달하게 하는 행위를 하였다"는 공소사실에 대하여 휴대전화기에 저장된 문자정보가 그 증거가 되는 경우와 같이 그 문자정보가 범행의 직접적인 수단이 될 뿐 경험자의 진술에 갈음하는 대체물에 해당하지 않는 경우에는 형사소송법 제310조의2에서 정한 전문법칙이 적용될 여지가 없다.(대법원 2008. 11. 13. 2006도2556 횡설수설 문자협박 사건)

③ [○] (1) 압수·수색은 영장 발부의 사유로 된 범죄 혐의사실과 관련된 증거에 한하여 할 수 있는 것이므로 영장 발부의 사유로 된 범죄 혐의사실과 무관한 별개의 증거를 압수하였을 경우 이는 원칙적으로 유죄인정의

증거로 사용할 수 없다. (2) 다만 수사기관이 그 별개의 증거를 피압수자 등에게 환부하고 후에 이를 임의제출받아 다시 압수하였다면 그 증거를 압수한 최초의 절차 위반행위와 최종적인 증거수집 사이의 인과관계가 단절되었다고 평가할 수 있는 사정이 될 수 있으나, 환부 후 다시 제출하는 과정에서 수사기관의 우월적 지위에 의하여 임의제출의 명목으로 실질적으로 강제적인 압수가 행하여질 수 있으므로 그 제출에 임의성이 있다는 점에 관하여는 **검사가 합리적 의심을 배제할 수 있을 정도로 증명하여야** 하고, 임의로 제출된 것이라고 볼 수 없는 경우에는 그 증거능력을 인정할 수 없다.(대법원 2016. 3. 10. 2013도11233 **광우병의심 소고기 유통사건**)

---

029 자유심증주의에 대한 판례의 태도로 옳은 것을 모두 고른 것은?　12 국가9급 [Superlative ★★★]

☐☐☐

> ㉠ 형사재판에 있어 심증형성은 간접증거에 의할 수도 있으며, 간접증거는 이를 개별적·고립적으로 평가하고, 치밀하고 모순 없는 논증을 거쳐야 한다.
> ㉡ 형사재판에 있어 유죄로 인정하기 위한 심증형성의 정도는 합리적인 의심을 할 여지가 없을 정도여야 하나, 이는 모든 가능한 의심을 배제할 정도에 이를 것까지 요구하는 것은 아니다.
> ㉢ 증명력이 있는 것으로 인정되는 증거를 합리적인 근거가 없는 의심을 일으켜 이를 배척하는 것은 자유심증주의의 한계를 벗어나는 것으로 허용되지 않는다.
> ㉣ 합리적 의심이라 함은 피고인에게 불리한 정황을 사실 인정과 관련하여 파악한 이성적 추론에 그 근거를 두어야 하는 것이므로 단순히 관념적인 의심이나 추상적인 가능성에 기초한 의심은 합리적 의심에 포함된다고 할 수 없다.

① ㉠, ㉡　　② ㉠, ㉣　　③ ㉡, ㉢　　④ ㉢, ㉣

해설

③ ㉡㉢ 2 항목이 맞다.
㉠ 형사재판에 있어 심증형성은 반드시 직접증거에 의하여 형성되어야만 하는 것은 아니고 간접증거에 의할 수도 있는 것이며, **간접증거는 이를 개별적·고립적으로 평가하여서는 아니 되고 모든 관점에서 빠짐없이** 상호관련시켜 종합적으로 평가하고, 치밀하고 모순 없는 논증을 거쳐야 한다. ㉡ 그리고 증거의 증명력은 법관의 자유판단에 맡겨져 있으나 그 판단은 논리와 경험칙에 합치하여야 하고, 형사재판에 있어서 유죄로 인정하기 위한 심증형성의 정도는 합리적인 의심을 할 여지가 없을 정도여야 하나, 이는 **모든 가능한 의심을 배제할 정도에 이를 것까지 요구하는 것은 아니며**, ㉢ 증명력이 있는 것으로 인정되는 증거를 **합리적인 근거가 없는 의심을 일으켜 이를 배척하는** 것은 자유심증주의의 한계를 벗어나는 것으로 **허용될 수 없다** 할 것인바, ㉣ 여기에서 말하는 합리적 의심이라 함은 모든 의문, 불신을 포함하는 것이 아니라 논리와 경험칙에 기하여 요증사실과 양립할 수 없는 사실의 개연성에 대한 합리성 있는 의문을 의미하는 것으로서, **피고인에게 유리한 정황을 사실인정과 관련하여 파악한 이성적 추론에 그 근거를 두어야 하는 것이므로** 단순히 관념적인 의심이나 추상적인 가능성에 기초한 의심은 합리적 의심에 포함된다고 할 수 없다.(대법원 2009. 3. 12. 2008도8486)

030 범인식별에 관한 다음 설명 중 틀린 것은? (판례에 의함)

□□□

① 용의자의 인상착의 등에 의한 범인식별 절차에서 용의자 한 사람을 단독으로 목격자와 대질시키거나 용의자의 사진 한 장만을 목격자에게 제시하여 범인여부를 확인하게 하는 것은 부가적인 사정이 없는 한 그 신빙성이 낮다.

② 피해자가 경찰관과 함께 범행 현장에서 범인을 추적하다 골목길에서 범인을 놓친 직후 골목길에 면한 집을 탐문하여 용의자를 확정한 경우, 그 현장에서 용의자와 피해자의 일대일 대면이 허용된다고 보기 어렵다.

③ 야간에 짧은 시간 동안 강도의 범행을 당한 피해자가 어떤 용의자의 인상착의 등에 의하여 그를 범인으로 진술하는 경우, 피해자가 범행 전에 용의자를 한번도 본 일이 없고 피해자의 진술 외에는 그 용의자를 범인으로 의심할 만한 객관적인 사정이 존재하지 않는 상태에서, 수사기관이 잘못된 단서에 의하여 범인으로 지목하고 신병을 확보한 용의자를 일대일로 대면하고 그가 범인임을 확인한 것이라면, 위 피해자의 진술은 그 신빙성이 낮다.

④ 강간피해자가 수사기관이 제시한 47명의 사진 속에서 피고인을 범인으로 지목하자 이어진 범인식별 절차에서 수사기관이 피해자에게 피고인만을 촬영한 동영상을 보여주거나 피고인만을 직접 보여주어 피해자로부터 범인이 맞다는 진술을 받고, 다시 피고인을 포함한 3명을 동시에 피해자에게 대면시켜 피고인이 범인이라는 확인을 받은 경우, 위 피해자의 진술은 그 신빙성이 낮다.

해설

② [×] **범죄 발생 직후 목격자의 기억이 생생하게 살아있는 상황에서 현장이나 그 부근에서** 범인식별 절차를 실시하는 경우에는 목격자에 의한 생생하고 정확한 식별의 가능성이 열려 있고 범죄의 신속한 해결을 위한 즉각적인 대면의 필요성도 인정할 수 있으므로 **용의자와 목격자의 일대일 대면도 허용된다.**(대법원 2009. 6. 11. 2008도12111)

① [○] 용의자의 인상착의 등에 의한 **범인식별 절차에서 용의자 한 사람을 단독으로 목격자와 대질시키거나 용의자의 사진 한 장만을 목격자에게 제시하여 범인 여부를 확인하게 하는 것은** 사람의 기억력의 한계 및 부정확성과 구체적인 상황하에서 용의자나 그 사진상의 인물이 범인으로 의심받고 있다는 무의식적 암시를 목격자에게 줄 수 있는 가능성으로 인하여, 그러한 방식에 의한 범인식별 절차에서의 목격자의 진술은, 그 용의자가 종전에 피해자와 안면이 있는 사람이라든가 피해자의 진술 외에도 그 용의자를 범인으로 의심할 만한 다른 정황이 존재한다든가 하는 등의 부가적인 사정이 없는 한 그 신빙성이 낮다.(대법원 2008. 1. 17. 2007도 5201 **부산 좌천동 여아강간사건**)

③ [○] 수사기관이 잘못된 단서에 의하여 범인으로 지목하고 신병을 확보한 용의자를 **일대일로 대면하고 그가 범인임을 확인한 것이라면, 위 피해자의 진술은 그 신빙성이 낮다.**(대법원 2001. 2. 9. 2000도4946)

④ [○] 강간피해자가 수사기관이 제시한 **47명의 사진 속에서 피고인을 범인으로 지목하자 이어진 범인식별 절차에서 수사기관이 피해자에게 피고인만을 촬영한 동영상을 보여주거나 피고인만을 직접 보여주어 피해자로부터 범인이 맞다는 진술을 받고, 다시 피고인을 포함한 3명을 동시에 피해자에게 대면시켜 피고인이 범인이라는 확인을 받은 경우, 위 피해자의 진술은 그 신빙성이 낮다.**(대법원 2008. 1. 17. 2007도5201)

제3장 자백배제법칙과 위법수집증거배제법칙

031 자백배제법칙에 대한 설명으로 옳지 않은 것은? (다툼이 있으면 판례에 의함)

☐☐☐

11 국가9급 [Essential ★]

① 위법한 긴급체포에 의한 유치 중에 작성된 피의자신문조서는 증거능력이 인정되지 않는다.

② 피고인의 검찰에서의 자백이 검찰에서 약 30시간 동안 잠을 재우지 아니한 채 검사 2명이 교대로 신문을 하면서 회유한 끝에 받아낸 것이라면 임의로 진술한 것이 아니라고 의심할 만한 이유가 있다.

③ 자백의 임의성 유무는 엄격한 증명을 요하고, 임의성에 대한 입증책임은 검사에게 있다.

④ 별건으로 수감 중인 자를 약 1년 3개월의 기간 동안 무려 270회나 검찰청으로 소환하여 밤늦은 시각 또는 그 다음날 새벽까지 조사를 하고, 반드시 외국으로 출국하여야 하는 상황에 놓여 있는 자를 구속 또는 출국금지조치의 지속 등을 수단으로 삼아 회유하거나 압박하여 조사를 하였을 가능성이 충분하다면 그 자에 대한 진술조서는 임의성을 의심할 만한 사정이 있다.

해설

③ [×] 피고인의 검찰 진술의 임의성의 유무가 다투어지는 경우에는 법원은 구체적인 사건에 따라 증거조사의 방법이나 증거능력의 제한을 받지 아니하고 제반 사정을 종합 참작하여 적당하다고 인정되는 방법에 의하여 **자유로운 증명으로 그 임의성 유무를 판단하면 된다.**(대법원 2004. 3. 26. 2003도8077)

① [○] 긴급체포는 영장주의원칙에 대한 예외인 만큼 형사소송법 제200조의3 제1항의 요건을 모두 갖춘 경우에 한하여 예외적으로 허용되어야 하고, 요건을 갖추지 못한 긴급체포는 법적 근거에 의하지 아니한 영장 없는 체포로서 위법한 체포에 해당하는 것이고, 여기서 긴급체포의 요건을 갖추었는지 여부는 사후에 밝혀진 사정을 기초로 판단하는 것이 아니라 체포 당시의 상황을 기초로 판단하여야 하고, 이에 관한 검사나 사법경찰관 등 수사주체의 판단에는 상당한 재량의 여지가 있다고 할 것이나, 긴급체포 당시의 상황으로 보아서도 그 요건의 충족 여부에 관한 검사나 사법경찰관의 판단이 경험칙에 비추어 현저히 합리성을 잃은 경우에는 그 체포는 위법한 체포라 할 것이고 이러한 위법은 영장주의에 위배되는 중대한 것이니 그 체포에 의한 **유치 중에 작성된 피의자신문조서는 위법하게 수집된 증거로서 특별한 사정이 없는 한 이를 유죄의 증거로 할 수 없다.**(대법원 2008. 3. 27. 2007도11400)

② [○] 피고인의 검찰에서의 자백은 피고인이 검찰에 연행된 때로부터 약 **30시간 동안 잠을 재우지 아니한 채** 검사 2명이 교대로 신문을 하면서 회유한 끝에 받아낸 것으로 임의로 진술한 것이 아니라고 의심할 만한 이유가 있는 때에 해당한다고 보아 그 피의자신문조서는 증거능력이 없다.(대법원 1997. 6. 27. 95도1964 **조흥은행 연산동지점장 수뢰사건**)

④ [○] 별건으로 수감 중인 자를 약 **1년 3개월의 기간 동안 무려 270회나 검찰청으로 소환**하여 밤늦은 시각 또는 그 다음날 새벽까지 조사를 하였거나, 국외로 출국하여야 하는 상황에 놓여있는 자를 심리적으로 압박하여 조사를 하였을 가능성이 충분하다면 그들에 대한 진술조서는 임의성을 의심할 만한 사정이 있다.(대법원 2006. 1. 26. 2004도517 **경성비리 사건Ⅲ**)

032

□□□

자백배제법칙과 관련한 설명으로 가장 적절한 것은? (다툼이 있으면 판례에 의함)

12 경찰승진 [Core ★★]

① 임의성이 없는 자백이라고 하더라도 탄핵증거로는 사용할 수 있다.

② 임의성에 다툼이 있을 때에는 피고인이 그 임의성을 의심할 만한 합리적인 이유가 되는 구체적인 사실을 입증할 필요가 있다.

③ 검찰에서 방화사실을 자백하고 진술서를 작성 제출하고 그 다음날부터 연 3일간 자기의 잘못을 반성하고 자백하는 양심서·반성문·사실서를 작성 제출하고 경찰의 검증조서에도 자백하는 기재가 있다면, 강요에 의한 자백이라고 주장하면서 범행을 부인할 뿐더러 연 4일을 계속하여 매일 한 장씩 진술서 등을 작성한다는 것은 부자연하다는 느낌이 드는 등 사정이 있어도 위의 자백은 신빙성이 있다.

④ 형사소송법 제309조 '피고인의 자백이 고문, 폭행, 협박, 신체구속의 부당한 장기화 또는 기망 기타의 방법으로 임의로 진술한 것이 아니라고 의심할 만한 이유가 있는 때에는 이를 유죄의 증거로 하지 못한다'에서 규정된 피고인의 진술의 자유를 침해하는 위법사유는 원칙적으로 예시사유로 보아야 한다.

해설

④ [○] 형사소송법 제309조는 '피고인의 자백이 고문, 폭행, 협박, 신체구속의 부당한 장기화 또는 기망 기타의 방법으로 임의로 진술한 것이 아니라고 의심할 만한 이유가 있을 때에는 이를 유죄의 증거로 하지 못한다'고 규정하고 있는바, 위 법조에서 규정된 피고인의 진술의 자유를 침해하는 위법사유는 원칙적으로 **예시사유로** 보아야 하고 고문, 폭행, 협박, 신체구속의 부당한 장기화 또는 기망 방법 등은 일응 진술의 자유를 침해하는 위법사유의 예시에 불과함은 같은 법조의 문리적 해석의 당연한 귀결이라 할 것이며 문면상 '기타의 방법'은 또한 다종다양할 것임은 말할 나위도 없다.(대법원 1985. 2. 26. 82도2413 **윤경화 노파피살사건**)

① [×] 임의성이 없는 자백의 증거능력 부정은 절대적으로 **탄핵증거로도 사용할 수 없다**는 것이 통설의 입장이다.

② [×] 진술의 임의성에 다툼이 있을 때에는 그 임의성을 의심할 만한 합리적이고 구체적인 사실을 피고인이 증명할 것이 아니고 **검사가** 그 임의성의 의문점을 없애는 증명을 하여야 할 것이다.(대법원 2006. 11. 23. 2004도7900)

③ [×] 피고인은 검찰에서 자백하고 이어서 진술서를 작성·제출하고 그 다음날부터 연 3일간 자기의 잘못을 반성하고 자백하는 내용의 양심서 등을 작성 제출하고 경찰의 검증조서에도 피고인이 자백하는 기재가 있으나, 검찰에 송치되자마자 자백은 강요에 의한 것이라고 주장하면서 범행을 부인할 뿐더러 연 4일을 계속하여 매일 한 장씩 진술서 등을 작성한다는 것은 부자연하다는 느낌이 드는 등 사정에 비추어 보면 위의 자백은 신빙성이 희박하다.(대법원 1980. 12. 9. 80도2656)

033 자백배제법칙에 대한 설명으로 가장 적절하지 않은 것은? (다툼이 있으면 판례에 의함)

① 임의성이 인정되지 아니하여 증거능력이 없는 진술증거는 피고인이 증거로 함에 동의하더라도 증거로 삼을 수 없다.

② 일정한 증거가 발견되면 피의자가 자백하겠다고 한 약속이 검사의 강요나 위계에 의하여 이루어 졌다던가 또는 불기소나 경한 죄의 소추 등 이익과 교환조건으로 된 것으로 인정되지 않는다면 위와 같은 자백의 약속하에 된 자백이라 하여 곧 임의성 없는 자백이라고 단정할 수는 없다.

③ 「형사소송법」 제309조는 "피고인의 자백이 고문, 폭행, 협박, 신체구속의 부당한 장기화 또는 기망 기타의 방법으로 임의로 진술한 것이 아니라고 의심할 만한 이유가 있을 때에 는 이를 유죄의 증거로 하지 못한다"고 규정하고 있는데, 위 법조에서 규정된 피고인의 진술의 자유를 침해하는 위법사유는 원칙적으로 예시사유로 보아야 한다.

④ 피고인이 수사기관에서 가혹행위 등으로 인하여 임의성 없는 자백을 하고 그 후 법정에서도 임의성 없는 심리상태가 계속되어 동일한 내용의 자백을 하였더라도 법정에서의 자백은 임의성 없는 자백이라고 볼 수 없다.

해설

④ [×] 피고인이 수사기관에서 가혹행위 등으로 인하여 임의성 없는 자백을 하고 그 후 법정에서도 임의성 없는 심리상태가 계속되어 동일한 내용의 자백을 하였다면 **법정에서의 자백도 임의성 없는 자백이라고 보아야 한다.**(대법원 2012. 11. 29. 2010도3029 백남욱 간첩조작사건)

① [○] 임의성이 인정되지 아니하여 증거능력이 없는 진술증거는 **피고인이 증거로 함에 동의하더라도 증거로 삼을 수 없다.**(대법원 2006. 11. 23. 2004도7900)

② [○] 자백의 약속이 검사의 강요나 위계에 의하여 이루어졌다던가 또는 불기소나 경한 죄의 소추 등 이익과 교환조건으로 된 것이라고 인정되지 아니하므로 위와 같이 일정한 증거가 발견되면 자백하겠다는 약속하에 된 자백을 곧 **임의성이 없는 자백이라고 단정할 수는 없다.**(대법원 1983. 9. 13. 83도712 정재파 · 박상은 사건)

③ [○] 형사소송법 제309조는 '피고인의 자백이 고문, 폭행, 협박, 신체구속의 부당한 장기화 또는 기망 기타의 방법으로 임의로 진술한 것이 아니라고 의심할만한 이유가 있을 때에는 이를 유죄의 증거로 하지 못한다'고 규정하고 있는바, 위 법조에서 규정된 피고인의 진술의 자유를 침해하는 위법사유는 원칙적으로 **예시사유로** 보아야 하고 고문, 폭행, 협박, 신체구속의 부당한 장기화 또는 기망 방법 등은 일응 진술의 자유를 침해하는 위법사유의 예시에 불과함은 같은 법조의 문리적 해석의 당연한 귀결이라 할 것이며 문면상 '기타의 방법'은 또한 다종다양할 것임은 말할 나위도 없다.(대법원 1985. 2. 26. 82도2413 윤경화 노파 피살사건)

034

□□□ 자백배제법칙과 증거능력에 관한 설명으로 가장 적절하지 않은 것은? (다툼이 있으면 판례에 의함)

24 경대편입 [Core ★★]

① 수사기관은 수사 중인 사건의 범죄 혐의를 밝히기 위한 목적으로 합리적인 근거 없이 별개의 사건을 부당하게 수사하여서는 아니 되고, 다른 사건의 수사를 통하여 확보된 증거 또는 자료를 내세워 관련 없는 사건에 대한 자백이나 진술을 강요하여서도 아니 된다.

② 피고인의 자백이 임의성이 없다고 의심할 만한 사유가 있는 때에 해당한다 할지라도 그 임의성이 없다고 의심하게 된 사유들과 피고인의 자백과의 사이에 인과관계가 존재하지 않은 것이 명백한 때에는 그 자백은 임의성이 있는 것으로 인정된다.

③ 피고인의 자백의 신빙성 유무를 판단할 때에는 그 자백에 형사소송법 제309조에 정한 사유 또는 자백의 동기나 과정에 합리적인 의심을 갖게 할 상황이 있었는지를 판단하여야 한다.

④ 증거조사를 마친 증거가 증거능력이 없음을 이유로 한 이의신청을 이유있다고 인정할 경우에 법원은 그 증거의 일부가 아니라 전부를 배제하는 결정을 하여야 한다.

해설

④ [×] 증거조사를 마친 증거가 증거능력이 없음을 이유로 한 이의신청을 이유있다고 인정할 경우에는 **그 증거의 전부 또는 일부를** 배제한다는 취지의 결정을 하여야 한다.(형사소송규칙 제139조 제4항)

① [○] 수사기관은 수사 중인 사건의 범죄 혐의를 밝히기 위한 목적으로 합리적인 근거 없이 **별개의 사건을 부당** 하게 수사하여서는 아니 되고, 다른 사건의 수사를 통하여 확보된 증거 또는 자료를 내세워 **관련 없는 사건에 대한 자백이나 진술을 강요하여서도 아니 된다.**(형사소송법 제198조 제4항)

② [○] 피고인의 자백이 임의성이 없다고 의심할 만한 사유가 있는 때에 해당한다 할지라도 그 임의성이 없다고 의심하게 된 사유들과 피고인의 자백과의 사이에 **인과관계가 존재하지 않은 것이 명백한 때에는 그 자백은 임의성이 있는 것으로 인정된다.**(대법원 1984. 11. 27. 84도2252 송씨 일가 간첩조작사건)

③ [○] 자백의 신빙성 유무를 판단할 때에는 자백의 진술 내용 자체가 객관적으로 합리성을 띠고 있는지, 자백의 동기나 이유가 무엇이며, 자백에 이르게 된 경위는 어떠한지 그리고 자백 이외의 정황증거 중 자백과 저촉되거나 모순되는 것이 없는지 하는 점 등을 고려하여 피고인의 자백에 형사소송법 제309조에 정한 사유 또는 자백의 동기나 과정에 합리적인 의심을 갖게 할 상황이 있었는지를 판단하여야 한다.(대법원 2019. 10. 31. 2018도2642 광주 필로폰 매매사건)

035 자백배제법칙에 관한 설명으로 가장 적절하지 않은 것은? (다툼이 있으면 판례에 의함)

① 피고인의 자백이 임의로 진술한 것이 아니라고 의심할 만한 이유가 있는 때에는 유죄의 증거가 될 수 없으며, 자백의 임의성이 인정되는 경우라도 수사기관에서의 신문절차에서 미리 진술거부권을 고지받지 아니하고 행한 것이라면 이는 위법하게 수집된 증거로서 증거능력이 부인되어야 한다.

② 자백은 일단 자백하였다가 이를 번복 내지 취소하더라도 그 효력이 없어지는 것은 아니기에, 피고인이 항소이유서에 '돈이 급해 지어서는 안될 죄를 지었습니다.', '진심으로 뉘우치고 있습니다.'라고 기재하였고 항소심 공판기일에 그 항소이유서를 진술하였다면, 이어진 검사의 신문에 범죄사실을 부인하였고 수사단계에서도 일관되게 범죄사실을 부인하여 온 사정이 있다고 하더라도 피고인이 자백한 것으로 볼 수 있다.

③ 피고인의 자백이 신문에 참여한 검찰주사가 피의사실을 자백하면 피의사실 부분은 가볍게 처리하고 부가적인 보안처분의 청구를 하지 않겠다는 각서를 작성하여 주면서 자백을 유도한 것에 기인한 것이라면 그 자백은 증거로 할 수 없다.

④ 형사소송법 제309조 소정의 사유로 임의성이 없다고 의심할 만한 이유가 있는 자백은 그 인과관계의 존재가 추정되는 것이므로 이를 유죄의 증거로 하려면 적극적으로 그 인과관계가 존재하지 아니하는 것이 인정되어야 할 것이다.

해설

② [×] 피고인이 제출한 항소이유서에 '피고인은 돈이 급해 지어서는 안될 죄를 지었습니다', '진심으로 뉘우치고 있습니다.'라고 기재되어 있고 피고인은 항소심 제2회 공판기일에 위 항소이유서를 진술하였으나, 곧 이어서 있은 검사와 재판장 및 변호인의 각 심문에 대하여 피고인은 범죄사실을 부인하였고, 수사단계에서도 일관되게 그와 같이 범죄사실을 부인하여 온 점에 비추어 볼 때 **위와 같이 추상적인 항소이유서의 기재만을 가지고 범죄사실을 자백한 것으로 볼 수 없다.**(대법원 1999. 11. 12. 99도3341 **추상적인 항소이유서 사건**)

① [○] (1) 형사소송법 제309조 (후문) 수사기관이 피의자를 신문함에 있어서 피의자에게 미리 진술거부권을 고지하지 않은 때에는 그 피의자의 진술은 **위법하게 수집된 증거로서**, 진술의 임의성이 인정되는 경우라도 증 **거능력이 부인되어야 한다.**(대법원 2014. 4. 10. 2014도1779 **대구 필로폰 매매사건**)

③ [○] 피고인의 자백이 심문에 참여한 검찰주사가 '피의사실을 자백하면 피의사실부분은 가볍게 처리하고 보호 감호의 청구를 하지 않겠다.'는 각서를 작성하여 주면서 자백을 유도한 것에 기인한 것이라면 위 **자백은 기망에 의하여 임의로 진술한 것이 아니라고 의심할 만한 이유가 있는 때에 해당하여 증거로 할 수 없다.**(대법원 1985. 12. 10. 85도2182 **보호감호를 청구하지 않겠다 사건**)

④ [○] 형사소송법 제309조의 취지는 피고인의 자백이 고문, 폭행, 협박, 신체구속의 부당한 장기화 또는 기망, 기타의 방법으로 임의로 진술한 것이 아닌지의 여부를 밝히기가 매우 어려운 점을 고려하여 자백이 동조 소정의 사유로 임의성이 없다고 의심할 만한 이유가 있는 한 그 자백과 위 사유와 사이에 인과관계 가 있음이 밝혀지지 않더라도 그 자백은 증거능력을 가지지 못하는 것이나 반면 피고인의 자백이 동조 소정의 사유로 임의성이 없다고 의심할 만한 이유가 있는 경우라도 그 자백과 임의성이 없다고 의심하게 된 사유와 사이에 인과관계

제3편

증거

가 존재하지 않는 것이 명백하여 그 자백이 임의성있는 것임이 인정되는 때에는 그 자백은 증거능력을 가진다 할 것이지만 이와 같이 임의성이 없다고 의심할 만한 이유가 있는 자백은 그 인과관계의 존재가 추정되는 것 이므로 이를 유죄의 증거로 하려면 적극적으로 그 인과관계가 존재하지 아니하는 것이 인정되어야 한다.(대법 원 1984. 11. 27. 84도2252 송씨 일가 간첩조작사건)

036 위법수집증거배제법칙에 대한 설명으로 가장 적절한 것은? (다툼이 있으면 판례에 의함)

□□□
21 경찰승진 [Essential ★]

① 위법수집증거배제법칙은 영미법상 판례에 의해 확립된 증거법칙으로 우리나라 「형사소송법」 에는 명문의 규정이 없지만 일반적인 형사법의 대원칙으로 자리잡고 있다.

② 수사기관이 영장 또는 감정처분허가장을 발부받지 아니한 채 피의자의 동의 없이 피의자의 신체로부터 혈액을 채취하고 사후에도 지체 없이 영장을 발부받지 않았다면, 그 혈액 중 알코 올 농도에 관한 감정의뢰회보는 원칙적으로 유죄의 증거로 사용할 수 없다.

③ 사법경찰관이 피의자를 긴급체포하는 현장에서 영장 없이 압수한 물건을 계속 압수할 필요가 있어 압수·수색영장을 청구하였으나 이를 발부받지 못하고도 즉시 반환하지 아니한 압수물은 이를 유죄 인정의 증거로 사용할 수 없지만, 피고인이나 변호인이 이를 증거로 함에 동의하였 다면 유죄의 증거로 사용할 수 있다.

④ 비진술증거인 압수물은 압수절차가 위법하다 하더라도 그 물건자체의 성질, 형태에 변경을 가 져오는 것은 아니어서 그 형태 등에 관한 증거가치에는 변함이 없으므로 증거능력이 인정된다.

해설

② [O] 수사기관이 법원으로부터 영장 또는 감정처분허가장을 발부받지 아니한 채 피의자의 동의없이 피의자의 신체로부터 혈액을 채취하고 더구나 사후적으로도 지체없이 이에 대한 영장을 발부받지 아니하고서 위와 같이 강제채혈한 피의자의 혈액 중 알코올농도에 관한 감정이 이루어졌다면 이러한 감정결과보고서 등은 **피고인이 나 변호인의 증거동의 여부를 불문하고 유죄인정의 증거로 사용할 수 없다.**(대법원 2012. 11. 15. 2011도 15258 **구로 강제채혈사건**)

① [×] 형사소송법 제308조의2는 **명문으로 위법수집증거배제법칙을 규정하고 있다.**

③ [×] (사법경찰관이 피의자를 긴급체포하면서 그 체포현장에서 물건을 압수한 경우) 형사소송법 제217조 제2 항·제3항에 위반하여 압수·수색영장을 청구하여 이를 발부받지 아니하고도 즉시 반환하지 아니한 압수물은 이를 유죄 인정의 **증거로 사용할 수 없는 것이고,** 헌법과 형사소송법이 선언한 영장주의의 중요성에 비추어 볼 때 **피고인이나 변호인이 이를 증거로 함에 동의하였다고 하더라도 달리 볼 것은 아니다.**(대법원 2009. 12. 24. 2009도11401)

④ [×] 압수물과 같은 비진술증거에 대하여도 위법수집증거배제법칙이 적용되어 압수절차가 위법한 경우 **그 압 수물은 증거능력이 부정된다.**(대법원 2017. 7. 18. 2014도8719 **통제배달사건Ⅱ 사건** 등 다수)

037 위법수집증거와 관련하여 가장 옳지 않은 것은? (다툼이 있으면 판례에 의함)

① 헌법과 형사소송법이 정한 절차를 위반하여 수집한 증거를 예외적으로 유죄의 증거로 사용할 수 있는 경우 그러한 예외적인 경우에 해당한다고 볼 만한 구체적이고 특별한 사정이 존재한다는 것은 검사가 입증하여야 한다.

② 위법수집증거배제법칙은 비진술증거에는 적용되지 않는다.

③ 피고인이 범행 후 피해자에게 전화를 걸어오자 피해자가 증거를 수집하려고 그 전화내용을 녹음한 경우, 그 녹음테이프가 피고인 모르게 녹음된 것이라 하여 이를 위법하게 수집된 증거라고 할 수 없다.

④ 음란물 유포의 범죄혐의를 이유로 압수수색영장을 발부받은 사법경찰관이 피고인의 주거지를 수색하는 과정에서 대마를 발견하자, 피고인을 마약류관리에 관한 법률 위반죄의 현행범으로 체포하면서 대마를 압수하였으나 그 다음날 피고인을 석방하고도 사후 압수수색영장을 발부받지 않은 사안에서, 위 압수물과 압수조서는 형사소송법상 영장주의를 위반하여 수집한 증거로서 증거능력이 부정된다.

해설

② [×] 위법수집증거배제법칙은 진술증거는 물론 **비진술증거에도 적용된다**는 것이 통설과 판례의 입장이다.(대법원 2007. 11. 15. 2007도3061)

① [○] 법원이 수사기관의 절차 위반행위에도 불구하고 그 수집된 증거를 유죄 인정의 증거로 사용할 수 있는 예외적인 경우에 해당한다고 볼 수 있으려면, 그러한 예외적인 경우에 해당한다고 볼 만한 구체적이고 특별한 사정이 존재한다는 것을 **검사가 입증**하여야 한다.(대법원 2011. 4. 28. 2009도10412)

③ [○] 피고인이 범행 후 피해자에게 전화를 걸어오자 피해자가 증거를 수집하려고 그 전화내용을 녹음한 경우, 그 녹음테이프가 피고인 모르게 녹음된 것이라 하여 이를 **위법하게 수집된 증거라고 할 수 없다**.(대법원 1997. 3. 28. 97도240 **강간범 통화 녹음사건**)

④ [○] 정보통신망법상 음란물 유포의 범죄혐의를 이유로 압수·수색영장을 발부받은 사법경찰리가 피고인의 주거지를 수색하는 과정에서 대마를 발견하자, 피고인을 마약법위반죄의 현행범으로 체포하면서 대마를 압수하였으나, 그 다음날 피고인을 석방하였음에도 **사후 압수·수색영장을 발부받지 않은 경우**, 위 압수물과 압수조서는 형사소송법상 **영장주의를 위반하여 수집한 증거로서 증거능력이 부정**된다.(대법원 2009. 5. 14. 2008도10914 스와핑 카페 운영자 사건)

038

□□□

위법수집증거배제법칙에 대한 설명으로 가장 적절하지 않은 것은? (다툼이 있으면 판례에 의함)

23 경찰승진 [Core ★★]

① 수사기관이 피고인 아닌 자를 상대로 적법한 절차에 따르지 아니하고 수집한 증거는 원칙적으로 피고인에 대한 유죄 인정의 증거로 삼을 수 없다.

② 형식적으로 보아 헌법과 형사소송법이 정한 절차에 따르지 아니하고 수집한 증거라고 한다면 위반의 내용 및 정도 등을 고려하지 않고 일률적으로 그 증거의 증거능력을 부정하더라도 헌법과 형사소송법이 형사소송 절차를 통하여 달성하려는 실체적 진실 규명을 통한 정당한 형벌권의 실현이라는 중요한 목표에 어긋난다고 할 수 없다.

③ 수사기관이 법원으로부터 영장 또는 감정처분허가장을 발부받지 아니한 채 피의자의 동의 없이 피의자의 신체로부터 혈액을 채취하고 사후에도 지체 없이 영장을 발부받지 아니한 채 혈액중 알코올농도에 관한 감정을 의뢰하였다면 그 감정의뢰회보 등은 피고인이나 변호인의 동의가 있더라도 유죄의 증거로 사용할 수 없다.

④ 적법한 절차에 따르지 아니하고 수집한 증거를 기초로 하여 획득한 2차적 증거의 경우 절차에 따르지 아니한 증거수집과 2차적 증거 수집 사이 인과관계의 희석 또는 단절 여부를 중심으로 2차적 증거 수집과 관련된 모든 사정을 전체적·종합적으로 고려하여 예외적인 경우에는 유죄 인정의 증거로 사용할 수 있다.

해설

② [×] 법이 정한 절차에 따르지 아니하고 수집된 압수물의 증거능력 인정 여부를 최종적으로 판단함에 있어서는 실체적 진실 규명을 통한 정당한 형벌권의 실현도 헌법과 형사소송법이 형사소송 절차를 통하여 달성하려는 중요한 목표이자 이념이므로 **형식적으로 보아 정해진 절차에 따르지 아니하고 수집된 증거라는 이유만을 내세워 획일적으로 그 증거의 증거능력을 부정하는 것 역시 헌법과 형사소송법이 형사소송에 관한 절차 조항을 마련한 취지에 맞는다고 볼 수 없다는 것을 고려해야 한다.** 따라서 수사기관의 증거 수집 과정에서 이루어진 절차 위반행위와 관련된 모든 사정, 즉 절차 조항의 취지와 그 위반의 내용 및 정도, 구체적인 위반 경위와 회피가능성, 절차 조항이 보호하고자 하는 권리 또는 법익의 성질과 침해 정도 및 피고인과의 관련성, 절차 위반행위와 증거수집 사이의 인과관계 등 관련성의 정도, 수사기관의 인식과 의도 등을 전체적·종합적으로 살펴 볼 때, 수사기관의 절차 위반행위가 적법절차의 실질적인 내용을 침해하는 경우에 해당하지 아니하고, 오히려 그 증거의 증거능력을 배제하는 것이 헌법과 형사소송법이 형사소송에 관한 절차 조항을 마련하여 적법 절차의 원칙과 실체적 진실 규명의 조화를 도모하고 이를 통하여 형사사법 정의를 실현하려 한 취지에 반하는 결과를 초래하는 것으로 평가되는 예외적인 경우라면 법원은 그 증거를 유죄 인정의 증거로 사용할 수 있다. 이는 적법한 절차에 따르지 아니하고 수집된 증거를 기초로 하여 획득한 2차적 증거의 경우에도 마찬가지여서 절차에 따르지 아니한 증거 수집과 2차적 증거 수집사이의 인과관계 희석 또는 단절 여부를 중심으로 2차적 증거 수집과 관련된 모든 사정을 전체적·종합적으로 고려하여 예외적인 경우에는 유죄 인정의 증거로 사용할 수 있다.(대법원 2011. 4. 28. 2009도10412 **공정위 사무관 수뢰사건**)

① [O] 경찰이 피고인이 아닌 제3자들(유흥업소 손님과 그 여종업원)을 사실상 강제연행하여 불법체포한 상태에서 이들의 성매매행위나 피고인들의 유흥업소 영업행위를 처벌하기 위하여 진술서를 받고 진술조서를 작성한 경우 각 진술서 및 진술조서는 위법수사로 얻은 진술증거에 해당하여 증거능력이 없으므로 피고인들의 식

품위생법위반 혐의에 대한 유죄 인정의 증거로 삼을 수 없다.(대법원 2011. 6. 30. 2009도6717 **충북장 강제연행 사건**) ➡ <이른바 재3자효 판례>

③ [○] 수사기관이 법원으로부터 영장 또는 감정처분허가장을 발부받지 아니한 채 피의자의 동의 없이 피의자의 신체로부터 혈액을 채취하고 더구나 사후적으로도 지체없이 이에 대한 영장을 발부받지 아니하고서 위와 같이 강제채혈한 피의자의 혈액 중 알코올농도에 관한 감정이 이루어졌다면 **이러한 감정결과보고서 등은 피고인이나 변호인의 증거동의 여부를 불문하고 유죄인정의 증거로 사용할 수 없다.**(대법원 2012. 11. 15. 2011도15258 **구로 강제채혈사건**)

④ [○] 적법한 절차에 따르지 아니하고 수집한 증거를 기초로 하여 획득한 2차적 증거의 경우 절차에 따르지 아니한 증거수집과 2차적 증거 수집 사이 인과관계의 희석 또는 단절 여부를 중심으로 2차적 증거 수집과 관련된 모든 사정을 전체적·종합적으로 고려하여 예외적인 경우에는 유죄 인정의 증거로 사용할 수 있다.(대법원 2013. 3. 14. 2012도13611 **부산 마약피의자 강제연행 사건**)

---

039 위법수집증거배제법칙에 관한 설명 중 옳은 것은 모두 몇 개인가? (다툼이 있으면 판례에 의함)

23 경찰채용 [Superlative ★★★]

⊙ 사기죄의 증거인 업무일지가 피고인의 사생활 영역과 관계된 자유로운 인격권의 발현물이라고 볼 수 없고 피고인을 형사소추하기 위해서는 이 사건 업무일지가 반드시 필요한 증거라 하더라도, 그것이 제3자에 의하여 절취된 것으로서 피해자측이 이를 수사기관에 증거자료로 제출하기 위하여 대가를 지급하였다면 위 업무일지는 위법수집증거로서 증거로 사용할 수 없다.

⊙ 사법경찰관이 체포 당시 외국인인 피고인에게 영사통보권을 지체 없이 고지하지 않았다면 피고인에게 영사조력이 가능한지 여부나 실질적인 불이익이 있었는지 여부와 상관없이 국제협약에 따른 피고인의 권리나 법익을 본질적으로 침해하였다고 볼 수 있으므로 체포나 구속 이후 수집된 증거와 이에 기초한 증거들은 유죄인정의 증거로 사용할 수 없다.

⊙ 특별한 사정이 존재하지 아니하는 이상 피고인에게 실질적 반대신문권의 기회가 부여되지 아니한 채 이루어진 증인의 법정진술은 위법한 증거로서 증거능력을 인정하기 어렵지만, 피고인의 책문권 포기로 그 하자가 치유될 수 있고, 이 경우 피고인의 책문권 포기의 의사는 명시적인 것이어야 한다.

⊙ 검사가 공소제기 후 형사소송법 제215조에 따라 수소법원 이외의 지방법원판사에게 청구하여 발부받은 영장에 의하여 압수·수색을 하였다면 그와 같이 수집된 증거는 적법한 절차에 따른 것으로서 원칙적으로 유죄의 증거로 삼을 수 있다.

① 1개   ② 2개   ③ 3개   ④ 4개

정답 | 038 ②　039 ①

해설

① ⓒ 1 항목만 옳다.

ⓐ [×] 사문서위조·위조사문서행사 및 소송사기로 이어지는 일련의 범행에 대하여 피고인을 형사소추하기 위해서는 업무일지가 반드시 필요한 증거로 보이므로 설령 그것이 제3자에 의하여 절취된 것으로서 소송사기 등의 피해자측이 이를 수사기관에 증거자료로 제출하기 위하여 대가를 지급하였다 하더라도 **공익의 실현을 위하여는 업무일지를 범죄의 증거로 제출하는 것이 허용되어야 하고**, 이로 말미암아 피고인의 사생활 영역을 침해하는 결과가 초래된다 하더라도 이는 피고인이 수인하여야 할 기본권의 제한에 해당된다.(대법원 2008. 6. 26. 2008도1584 위조연습 업무일지 사건)

ⓑ [×] 영사관계에 관한 비엔나협약(Vienna Convention on Consular Relations, 이하 '협약'이라 한다) 제36조 제1항 (b)호, 경찰수사규칙 제91조 제2항·제3항이 외국인을 체포·구속하는 경우 지체 없이 외국인에게 영사통보권 등이 있음을 고지하고, 외국인의 요청이 있는 경우 영사기관에 체포·구금 사실을 통보하도록 정한 것은 외국인의 본국이 자국민의 보호를 위한 조치를 취할 수 있도록 협조하기 위한 것이다. 따라서 수사기관이 외국인을 체포하거나 구속하면서 지체 없이 영사통보권 등이 있음을 고지하지 않았다면 체포나 구속 절차는 국내법과 같은 효력을 가지는 협약 제36조 제1항 (b)호를 위반한 것으로 위법하다. 그러나 **체포나 구속 절차에 협약 제36조 제1항 (b)호를 위반한 위법이 있더라도 절차 위반의 내용과 정도가 중대하거나 절차 조항이 보호하고자 하는 외국인 피고인의 권리나 법익을 본질적으로 침해하였다고 볼 수 없다면 체포나 구속 이후 수집된 증거와 이에 기초한 증거들은 유죄 인정의 증거로 사용할 수 있다.**(대법원 2022. 4. 28. 2021도17103 불법체류 인도네시아인 체포사건)

ⓒ [○] 피고인에게 불리한 증거인 증인이 주신문의 경우와 달리 반대신문에 대하여는 답변을 하지 아니하는 등 진술내용의 모순이나 불합리를 그 증인신문 과정에서 드러내어 이를 탄핵하는 것이 사실상 곤란하였고, 그것이 피고인 또는 변호인에게 책임있는 사유에 기인한 것이 아닌 경우라면 관계 법령의 규정 혹은 증인의 특성 기타 공판절차의 특수성에 비추어 이를 정당화할 수 있는 특별한 사정이 존재하지 아니하는 이상, 이와 같이 **실질적 반대신문권의 기회가 부여되지 아니한 채 이루어진 증인의 법정진술은 위법한 증거로서 증거능력을 인정하기 어렵다.** 이 경우 피고인의 책문권 포기로 그 하자가 치유될 수 있으나 책문권 포기의 의사는 **명시적인 것이어야 한다.**(대법원 2022. 3. 17. 2016도17054 상해 피해자 불출석 사건)

ⓓ [×] 검사가 공소제기 후 수소법원 이외의 지방법원판사에게 청구하여 발부받은 영장에 의하여 압수·수색을 하였다면, 그와 같이 수집된 증거는 적법한 절차에 따르지 않은 것으로서 원칙적으로 **유죄의 증거로 삼을 수 없다.**(대법원 2011. 4. 28. 2009도10412 공정위 사무관 수뢰사건)

040 위법수집증거배제법칙에 대한 다음 설명 중 가장 적절하지 않은 것은? (다툼이 있으면 판례에 의함)

18 경찰승진 [Essential ★]

① 수사기관이 법원으로부터 영장 또는 감정처분허가장을 발부받지 아니한 채 피의자의 동의 없이 피의자의 신체로부터 혈액을 채취하고 사후적으로도 지체 없이 이에 대한 영장을 발부받지도 아니한 채 강제채혈한 피의자의 혈액 중 알콜농도에 관한 감정이 이루어졌다면, 이러한 감정결과보고서 등은 위법수집증거로서 증거능력이 없다.

② 현장에서 압수·수색을 당하는 사람이 여러 명일 경우에는 그 사람들 모두에게 개별적으로 영장을 제시해야 하는 것이 원칙이고, 수사기관이 압수·수색에 착수하면서 물건을 소지하고 있는 다른 사람으로부터 이를 압수하고자 하는 때에는 그 사람에게 따로 영장을 제시하여야 한다.

③ 음란물 유포의 범죄혐의를 이유로 압수수색영장을 발부받은 사법경찰관이 피고인의 주거지를 수색하는 과정에서 대마를 발견하자, 피고인을 마약류관리에 관한 법률 위반죄의 현행범으로 체포하면서 대마를 압수하였으나 그 다음 날 피고인을 석방하고도 사후 압수·수색영장을 발부받지 않은 사안에서, 위 압수물과 압수조서는 형사소송법상 영장주의를 위반하여 수집한 증거로서 증거능력이 부정된다.

④ 「형사소송법」 제219조가 준용하는 제118조는 '압수·수색영장은 처분을 받는 자에게 반드시 제시하여야 한다'고 규정하고 있으므로, 피처분자가 현장에 없거나 현장에서 그를 발견할 수 없는 경우 등 영장제시가 현실적으로 불가능한 경우에도 영장을 제시하지 아니한 채 압수·수색을 하였다면 이는 위법하다고 보아야 한다.

해설

④ [×] 형사소송법 제219조가 준용하는 제118조는 '압수·수색영장은 처분을 받는 자에게 반드시 제시하여야 한다'고 규정하고 있으나, 이는 영장제시가 현실적으로 가능한 상황을 전제로 한 규정으로 보아야 하고, 피처분자가 현장에 없거나 현장에서 그를 발견할 수 없는 경우 등 **영장제시가 현실적으로 불가능한 경우에는 영장을 제시하지 아니한 채 압수·수색을 하더라도 위법하다고 볼 수 없다.**(대법원 2015. 1. 22. 2014도10978 全合 이석기 의원 사건) 다만, 제118조는 "압수·수색영장은 처분을 받는 자에게 반드시 제시하여야 하고, 처분을 받는 자가 피고인인 경우에는 그 사본을 교부하여야 한다. 다만, 처분을 받는 자가 현장에 없는 등 영장의 제시나 그 사본의 교부가 현실적으로 불가능한 경우 또는 처분을 받는 자가 영장의 제시나 사본의 교부를 거부한 때에는 예외로 한다."로 2022.2.3. 개정되었다.

① [○] 수사기관이 압수영장 또는 감정처분허가장을 발부받지 아니한 채 피의자의 동의 없이 피의자의 신체로부터 혈액을 채취하고 **사후에 지체 없이 영장을 발부받지 않았다면,** 그 혈액의 알코올농도에 관한 감정회보는 **유죄의 증거로 사용할 수 없다.**(대법원 2012. 11. 15. 2011도15258 구로 강제채혈 사건)

② [○] 압수·수색영장은 처분을 받는 자에게 반드시 제시하여야 하는바, 현장에서 압수·수색을 당하는 사람이 여러 명일 경우에는 그 사람들 모두에게 **개별적으로 영장을 제시해야 하는 것이 원칙이고,** 수사기관이 압수·수색에 착수하면서 그 장소의 관리책임자에게 영장을 제시하였다고 하더라도 물건을 소지하고 있는 다른 사람으로부터 이를 압수하고자 하는 때에는 그 사람에게 따로 영장을 제시하여야 한다.(대법원 2009. 3. 12. 2008도763 김태환 제주지사 사건)

정답 | 040 ④

③ [○] 정보통신망법상 음란물 유포의 범죄혐의를 이유로 압수·수색영장을 발부받은 사법경찰리가 피고인의 주거지를 수색하는 과정에서 대마를 발견하자, 피고인을 마약법위반죄의 현행범으로 체포하면서 대마를 압수하였으나, 그 다음날 피고인을 석방하였음에도 사후 압수·수색영장을 발부받지 않은 경우, 압수물과 압수조서는 **형사소송법상 영장주의를 위반하여 수집한 증거로서 증거능력이 부정된다.**(대법원 2009. 5. 14. 2008도10914 스와핑카페 운영자 사건)

041 위법수집증거에 관한 다음 설명 중 가장 옳지 않은 것은? (다툼이 있으면 판례에 의함)

□□□
21 법원9급 [Essential ★]

① 영장 발부의 사유로 된 범죄 혐의사실과 무관한 별개의 증거를 압수하였을 경우 이는 원칙적으로 유죄 인정의 증거로 사용할 수 없다. 그러나 압수·수색의 목적이 된 범죄나 이와 관련된 범죄의 경우에는 그 압수·수색의 결과를 유죄의 증거로 사용할 수 있다.

② 수사기관에 의한 진술거부권 고지 대상이 되는 피의자 지위는 수사기관이 조사대상자에 대한 범죄혐의를 인정하여 수사를 개시하는 행위를 한 때 인정되는 것으로 보아야 한다. 따라서 이러한 피의자 지위에 있지 아니한 자에 대하여는 진술거부권이 고지되지 아니하였더라도 진술의 증거능력을 부정할 것은 아니다.

③ 제1심에서 피고인에 대하여 무죄판결이 선고되어 검사가 항소한 후, 수사기관이 항소심 공판기일에 증인으로 신청하여 신문할 수 있는 사람을 특별한 사정 없이 미리 수사 기관에 소환하여 작성한 진술조서는 피고인이 증거로 할 수 있음에 동의하지 않는 한 증거능력이 없으나, 위 참고인이 나중에 법정에 증인으로 출석하여 위 진술조서의 성립의 진정을 인정하고 피고인 측에 반대신문의 기회가 부여된다면 위 진술조서의 증거능력을 인정할 수 있다.

④ 범행 현장에서 지문채취 대상물에 대한 지문채취가 먼저 이루어진 이상, 수사기관이 그 이후에 지문채취 대상물을 적법한 절차에 의하지 아니한 채 압수하였다고 하더라도, 위와 같이 채취된 지문을 위법수집증거라고 할 수 없다.

해설

③ [×] 제1심에서 피고인에 대하여 무죄판결이 선고되어 검사가 항소한 후, 수사기관이 항소심 공판기일에 증인으로 신청하여 신문할 수 있는 사람을 특별한 사정 없이 미리 수사기관에 소환하여 작성한 **진술조서는 피고인이 증거로 할 수 있음에 동의하지 않는 한 증거능력이 없다.** 검사가 공소를 제기한 후 참고인을 소환하여 피고인에게 불리한 진술을 기재한 진술조서를 작성하여 이를 공판절차에 증거로 제출할 수 있게 한다면, 피고인과 대등한 당사자의 지위에 있는 검사가 수사기관으로서의 권한을 이용하여 일방적으로 법정 밖에서 유리한 증거를 만들 수 있게 하는 것이므로 당사자주의·공판중심주의·직접심리주의에 반하고 피고인의 공정한 재판을 받을 권리를 침해하기 때문이다. **참고인이 나중에 법정에 증인으로 출석하여 진술조서의 성립의 진정을**

인정하고 피고인 측에 반대신문의 기회가 부여된다 하더라도 진술조서의 증거능력을 인정할 수 없음은 마찬가지이다.(대법원 2019. 11. 28. 2013도6825 양재동 화물터미널 복합개발사업 사건)

① [○] 영장 발부의 사유로 된 범죄 혐의사실과 무관한 별개의 증거를 압수하였을 경우 이는 원칙적으로 유죄인 정의 증거로 사용할 수 없다. 그러나 압수·수색의 목적이 된 범죄나 이와 관련된 범죄의 경우에는 그 압수·수색의 결과를 유죄의 증거로 사용할 수 있다.(대법원 2021. 7. 29. 2020도14654 음란물 저장 휴대폰 압수사건)

② [○] 수사기관에 의한 진술거부권 고지 대상이 되는 피의자 지위는 수사기관이 조사대상자에 대한 범죄혐의를 인정하여 수사를 개시하는 행위를 한 때 인정되는 것으로 보아야 한다. 따라서 이러한 피의자 지위에 있지 아니한 자에 대하여는 진술거부권이 고지되지 아니하였더라도 진술의 증거능력을 부정할 것은 아니다.(대법원 2014. 4. 30. 2012도725 부산저축은행 전직원 공갈사건)

④ [○] 범행 현장에서 지문채취 대상물(맥주병, 맥주컵, 물컵)에 대한 지문채취가 먼저 이루어진 이상, 수사기관이 그 이후에 지문채취 대상물을 적법한 절차에 의하지 아니한 채 압수하였다고 하더라도 위와 같이 채취된 지문은 위법하게 압수한 지문채취 대상물로부터 획득한 2차적 증거에 해당하지 아니함이 분명하여 이를 가리켜 위법수집증거라고 할 수 없다.(대법원 2008. 10. 23. 2008도7471 인천 주정 강도강간 사건)

042 증거에 관한 설명 중 옳은 것(○)과 옳지 않은 것(×)을 올바르게 조합한 것은? (다툼이 있으면 판례에 의함)

24 변호사 [Core ★★]

㉠ '증거물인 서면'을 조사하기 위해서는 증거서류의 조사방식인 낭독·내용고지 또는 열람의 절차와 증거물의 조사방식인 제시의 절차가 함께 이루어져야 한다.

㉡ 상해의 증거로 제시된 상해부위를 촬영한 사진은 비진술증거로서 전문법칙이 적용되지 않는다.

㉢ 형사소송법 제312조 제5항의 적용 대상인 '수사과정에서 작성한 진술서'란 수사가 시작된 이후에 수사기관의 관여 아래 수사관서 내에서 작성된 것을 말하므로 수사관서 이외의 장소에서 수사기관의 요청에 따라 피의자가 작성한 진술서는 수사과정에서 작성한 진술서에 해당하지 않는다.

㉣ 검사가 공판기일에 증인으로 신청하여 신문할 사람을 특별한 사정 없이 미리 수사기관에 소환하여 면담하는 절차를 거친 후 그 증인이 법정에서 피고인에게 불리한 내용을 진술한 경우 검사가 증인신문 전 면담 과정에서 증인에 대한 회유나 압박, 답변 유도나 암시 등으로 증인의 법정진술에 영향을 미치지 않았다는 점이 담보되어야 증인의 법정진술을 신빙할 수 있다.

① ㉠ ○ ㉡ ○ ㉢ × ㉣ ×
② ㉠ × ㉡ × ㉢ ○ ㉣ ○
③ ㉠ ○ ㉡ ○ ㉢ × ㉣ ○
④ ㉠ × ㉡ ○ ㉢ ○ ㉣ ×
⑤ ㉠ ○ ㉡ × ㉢ × ㉣ ○

해설

③ 이 지문이 옳은 연결이다.

㉠ [O] 본래 증거물이지만 증거서류의 성질도 가지고 있는 이른바 '증거물인 서면'을 조사하기 위해서는 증거서류의 조사방식인 낭독·내용고지 또는 열람의 절차와 증거물의 조사방식인 제시의 절차가 함께 이루어져야 하므로 원칙적으로 증거신청인으로 하여금 그 서면을 제시하면서 낭독하게 하거나 이에 갈음하여 그 내용을 고지 또는 열람하도록 하여야 한다.(대법원 2013. 7. 26. 2013도2511 왕재산 간첩단 사건)

㉡ [O] '상해부위를 촬영한 사진'은 비진술증거로서 전문법칙이 적용되지 않으므로 사진이 진술증거임을 전제로 전문법칙이 적용되어야 한다는 취지의 상고이유의 주장 또한 받아들일 수 없다.(대법원 2007. 7. 26. 2007도3906 야간·공동상해 피고인 사건)

㉢ [×] (1) 형사소송법 제312조 제5항의 적용대상인 '수사과정에서 작성한 진술서'란 수사가 시작된 이후에 수사기관의 관여 아래 작성된 것이거나 개시된 수사와 관련하여 수사과정에 제출할 목적으로 작성한 것으로 작성시기와 경위 등 여러 사정에 비추어 그 실질이 이에 해당하는 이상 명칭이나 작성된 장소 여부를 불문한다. (2) 원심은, 경찰관이 입당원서 작성자의 주거지·근무지를 방문하여 입당원서 작성 경위 등을 질문한 후 진술서 작성을 요구하여 이를 제출받은 이상 형사소송법 제312조 제5항이 적용되어야 한다는 이유로 형사소송법 제244조의4에서 정한 절차를 준수하지 않은 각 증거의 증거능력이 인정되지 않는다고 판단하고 이와 달리 위 진술서는 경찰서에서 작성한 것이 아니라 작성자가 원하는 장소를 방문하여 받은 것이므로 각 절차에 관한 규정이 적용되지 아니한다는 검사의 주장을 배척하였는 바, 이러한 원심의 판단에는 판결에 영향을 미친 잘못이 없다.(대법원 2022. 10. 27. 2022도9510 입당원서 사건)

㉣ [O] 검사가 공판기일에 증인으로 신청하여 신문할 사람을 특별한 사정 없이 미리 수사기관에 소환하여 면담하는 절차를 거친 후 증인이 법정에서 피고인에게 불리한 내용의 진술을 한 경우 검사가 증인신문 전 면담과정에서 증인에 대한 회유나 압박, 답변 유도나 암시 등으로 증인의 법정진술에 영향을 미치지 않았다는 점이 담보되어야 증인의 법정진술을 신빙할 수 있다. 검사가 증인신문 준비 등 필요에 따라 증인을 사전 면담할 수 있다고 하더라도 법원이나 피고인의 관여 없이 일방적으로 사전 면담하는 과정에서 증인이 훈련되거나 유도되어 법정에서 왜곡된 진술을 할 가능성도 배제할 수 없기 때문이다. 증인에 대한 회유나 압박 등이 없었다는 사정은 검사가 증인의 법정진술이나 면담과정을 기록한 자료 등으로 사전면담 시점, 이유와 방법, 구체적 내용 등을 밝힘으로써 증명하여야 한다.(대법원 2021. 6. 10. 2020도15891 김학의 차관 사건)

---

043 증거 등에 관한 다음 설명 중 가장 옳지 않은 것은? (다툼이 있으면 판례에 의함)

□□□

20 법원9급 [Core ★★]

① 피고인이 수표를 발행하였으나 예금부족 또는 거래정지처분으로 지급되지 아니하게 하였다는 부정수표단속법위반의 공소사실을 증명하기 위하여 제출되는 수표는 그 서류의 존재 또는 상태 자체가 증거가 되는 것이어서 증거물인 서면에 해당하므로 그 증거능력은 증거물의 예에 의하여 판단하여야 하고, 이에 대하여는 형사소송법 제310조의2에서 정한 전문법칙이 적용될 여지가 없다.

② 검사 작성의 피의자신문조서에 대한 실질적 진정성립을 증명할 수 있는 수단으로서 형사소송법 제312조 제2항에 규정된 '영상녹화물이나 그 밖의 객관적인 방법'이란 피고인의 진술을 과학적·기계적·객관적으로 재현해 낼 수 있는 방법만을 의미하고, 그 외에 조사관 또는 조사과정에 참여한 통역인 등의 증언은 이에 해당한다고 볼 수는 없다.

③ 경찰이 피고인의 집에서 20m 떨어진 곳에서 피고인을 체포한 후 피고인의 집안을 수색하여 칼과 합의서를 압수하고도 적법한 시간 내에 압수·수색영장을 청구하여 발부받지 않은 경우에, 위 칼과 합의서는 위법하게 압수된 것으로서 증거능력이 없고 이를 기초로 한 2차 증거인 '임의제출동의서', '압수조서 및 목록', '압수품 사진' 역시 증거능력이 없다.

④ 피고인 甲, 乙의 간통 범행을 고소한 甲의 남편 丙이 甲의 주거에 침입하여 수집한 후 수사기관에 제출한 혈흔이 묻은 휴지들 및 침대시트를 목적물로 하여 이루어진 감정의뢰회보는 甲의 주거의 자유나 사생활의 비밀을 침해하여 얻은 것이므로 증거능력이 없다.

해설

④ [×] 피고인들 사이의 간통 범행을 고소한 **피고인 甲의 남편 丙이 甲의 주거에 침입하여 수집한 후 수사기관에 제출한 혈흔이 묻은 휴지들 및 침대시트를 목적물로 하여 이루어진 감정의뢰회보에 대하여**, 丙이 甲의 주거에 침입한 시점은 甲이 그 주거에서의 실제상 거주를 종료한 이후이고, 감정의뢰회보는 피고인들에 대한 형사소추를 위하여 반드시 필요한 증거라 할 것이므로 **공익의 실현을 위해서 감정의뢰회보를 증거로 제출하는 것이 허용되어야 하고**, 이로 말미암아 甲의 주거의 자유나 사생활의 비밀이 일정 정도 침해되는 결과를 초래한다 하더라도 이는 甲이 수인하여야 할 기본권의 제한에 해당된다.(대법원 2010. 9. 9. 2008도3990 **별거 배우자 원룸침입사건**) 휴지들 및 침대시트를 목적물로 하여 이루어진 감정의뢰회보는 증거능력이 부정되지 아니한다.

① [○] (1) 피고인이 수표를 발행하였으나 예금부족 또는 거래정지처분으로 지급되지 아니하게 하였다는 부정수표단속법위반의 공소사실을 증명하기 위하여 제출되는 수표는 그 서류의 존재 또는 상태 자체가 증거가 되는 것이어서 증거물인 서면에 해당하고 어떠한 사실을 직접 경험한 사람의 진술에 갈음하는 대체물이 아니므로, 그 증거능력은 증거물의 예에 의하여 판단하여야 하고, 이에 대하여는 **형사소송법 제310조의2에서 정한 전문법칙이 적용될 여지가 없다.** (2) 이때 수표 원본이 아니라 전자복사기를 사용하여 복사한 사본이 증거로 제출되었고 피고인이 이를 증거로 하는 데 부동의한 경우 수표 사본을 증거로 사용하기 위해서는 수표 원본을 법정에 제출할 수 없거나 그 제출이 곤란한 사정이 있고 수표 원본이 존재하거나 존재하였으며 증거로 제출된 수표 사본이 이를 정확하게 전사한 것이라는 사실이 증명되어야 한다.(대법원 2015. 4. 23. 2015도2275 **당좌수표 사본 사건**)

② [○] 검사 작성의 피의자신문조서에 대한 실질적 진정성립을 증명할 수 있는 수단으로서 형사소송법 제312조 제2항에 규정된 '영상녹화물이나 그 밖의 객관적인 방법'이라 함은 형사소송법 및 형사소송규칙에 규정된 방식과 절차에 따라 제작된 영상녹화물 또는 그러한 영상녹화물에 준할 정도로 피고인의 진술을 과학적·기계적·객관적으로 재현해 낼 수 있는 방법만을 의미한다고 봄이 타당하고, 그 외에 조사관 또는 조사 과정에 참여한 **통역인 등의 증언은 이에 해당한다고 볼 수 없다.**(대법원 2016. 2. 18. 2015도16586 **통역인진정성립 증언 사건**)

③ [○] 경찰이 (형사소송법 제215조 제2항에 위반하여) 피고인의 집에서 20m 떨어진 곳에서 피고인을 체포하여 수갑을 채운 후 피고인의 집으로 가서 집안을 수색하여 칼과 합의서를 압수하였을 뿐만 아니라 **적법한 시간 내에 압수·수색영장을 청구하여 발부받지도 않았음을 알 수 있는바**, 위 칼과 합의서는 임의제출물이 아니라 영장없이 위법하게 압수된 것으로서 증거능력이 없고, 따라서 이를 기초로 한 2차 증거인 임의제출동의서, 압수조서 및 목록, 압수품 사진 역시 **증거능력이 없다.**(대법원 2010. 7. 22. 2009도14376 **칼과합의서 압수사건**)

044 위법수집증거배제법칙에 대한 설명으로 가장 적절하지 않은 것은? (다툼이 있으면 판례에 의함)

18 경찰채용 [Core ★★]

① 범행 현장에서 지문채취 대상물에 대한 지문채취가 먼저 이루어진 이상, 수사기관이 그 이후에 지문채취 대상물을 적법한 절차에 의하지 아니한 채 압수하였다고 하더라도, 이와 같이 채취된 지문은 위법하게 압수한 지문채취 대상물로부터 획득한 2차적 증거에 해당하지 아니한다.

② 수사기관이 피의자를 신문함에 있어서 피의자에게 미리 진술거부권을 고지하지 않은 때에는 그 피의자의 진술은 위법하게 수집된 증거로서 진술의 임의성이 인정되는 경우라도 증거능력이 부인되어야 한다.

③ 비진술증거인 압수물은 압수절차가 위법하다 하더라도 그 물건자체의 성질, 형태에 변경을 가져오는 것은 아니어서 그 형태 등에 관한 증거가치에는 변함이 없다 할 것이므로 증거능력이 있다.

④ 피의자가 변호인의 참여를 원한다는 의사를 명백하게 표시하였음에도 수사기관이 정당한 사유 없이 변호인을 참여하게 하지 아니한 채 피의자를 신문하여 작성한 피의자신문조서는 증거능력이 인정되지 않는다.

해설

③ [×] 압수물과 같은 비진술증거에 대하여도 위법수집증거배제법칙이 적용되어 압수절차가 위법한 경우 그 **압수물은 증거능력이 부정된다.**(대법원 2017. 7. 18. 2014도8719 **통제배달사건Ⅱ 다수)**

① [○] **범행 현장에서 지문채취 대상물(**맥주병, 맥주컵, 물컵)**에 대한 지문채취가 먼저 이루어진 이상,** 수사기관이 그 이후에 지문채취 대상물을 적법한 절차에 의하지 아니한 채 압수하였다고 하더라도 위와 같이 채취된 지문은 위법하게 압수한 지문채취 대상물로부터 획득한 **2차적 증거에 해당하지 아니함이 분명하여** 이를 가리켜 위법수집증거라고 할 수 없다.(대법원 2008. 10. 23. 2008도7471 **인천 주점 강도강간 사건)**

② [○] 수사기관이 피의자를 신문함에 있어서 피의자에게 미리 **진술거부권을 고지하지 않은 때에는** 그 피의자의 진술은 위법하게 수집된 증거로서 진술의 임의성이 인정되는 경우라도 **증거능력이 부인되어야 한다.**(대법원 2014. 4. 10. 2014도1779 **대구 필로폰 매매사건)**

④ [○] 피의자가 변호인의 참여를 원한다는 의사를 명백하게 표시하였음에도 수사기관이 정당한 사유 없이 **변호인을 참여하게 하지 아니한 채 피의자를 신문하여 작성한 피의자신문조서는** 형사소송법 제312조에 정한 '적법한 절차와 방식'에 위반된 증거일 뿐만 아니라 제308조의2에서 정한 '적법한 절차에 따르지 아니하고 수집한 증거'에 해당하므로 이를 증거로 할 수 없다.(대법원 2013. 3. 28. 2010도3359 **공항버스 운전기사 횡령사건)**

045 위법수집증거에 관한 설명 중 옳은 것은? (다툼이 있으면 판례에 의함)

① 임의제출된 정보저장매체에서 압수의 대상이 되는 전자정보의 범위를 넘어서는 전자정보에 대해 수사기관이 영장 없이 압수·수색하여 취득한 증거는 위법수집증거로서 증거능력이 없고, 설령 사후에 압수·수색영장이 발부되었거나 피고인이나 변호인이 이를 증거로 함에 동의하였더라도 그 위법성이 치유되지 않는다.

② 수사기관이 피의자를 신문함에 있어서 피의자에게 미리 진술거부권을 고지하지 않은 때에는 그 피의자의 진술은 설령 그 진술의 임의성이 인정되는 경우라도 증거능력이 부정되지만 이는 진술거부권을 고지받지 못한 당해 피의자에 대하여 유죄의 증거로 사용할 수 없다는 의미이므로 당해 피의자의 공범에 대하여는 유죄의 증거로 사용할 수 있다.

③ 범죄 증거를 수집할 목적으로 피의자의 동의 없이 이루어지는 강제채뇨는 피의자에게 신체적 고통이나 장애를 초래하고 수치심이나 굴욕감을 주며 인간으로서의 존엄과 가치를 침해하는 수사방법이므로 형사소송법 제215조에 따라 판사로부터 압수·수색영장을 적법하게 발부받았더라도 허용되지 않는다.

④ 수출입물품 통관검사절차에서 이루어지는 물품의 개봉, 시료채취, 성분분석 등의 검사는 수출입물품에 대한 적정한 통관 등을 목적으로 하는 것으로서 세관공무원은 압수·수색영장 없이 이러한 검사를 진행할 수 있지만, 세관공무원이 통관검사를 위하여 직무상 소지하거나 보관하는 물품에 대하여 수사기관이 점유를 취득하기 위해서는 사전 또는 사후에 영장을 받아야만 한다.

⑤ 피고인이 문서위조를 위해 연습한 흔적이 남아 있는 업무일지는 공익과 사익을 비교형량할 때 피고인의 소송사기를 증명하기 위한 유죄의 증거로 사용할 수 있지만, 만약 그 업무일지가 제3자에 의하여 절취된 것이고 소송사기의 피해자가 대가를 지급하고 이를 취득한 것이라면 유죄의 증거로 사용할 수 없다.

해설

① [O] 임의제출된 정보저장매체에서 압수의 대상이 되는 전자정보의 범위를 넘어서는 전자정보에 대해 수사기관이 영장 없이 압수·수색하여 취득한 증거는 위법수집증거에 해당하고 **사후에 법원으로부터 영장이 발부되었다거나 피고인이나 변호인이 이를 증거로 함에 동의하였다고 하여 그 위법성이 치유되는 것도 아니다.**(대법원 2021. 11. 25. 2016도82 지하철 몰카 여친 몰카 사건)

② [×] 수사기관이 피의자를 신문함에 있어서 피의자에게 미리 진술거부권을 고지하지 않은 때에는 그 피의자의 진술은 위법하게 수집된 증거로서 **진술의 임의성이 인정되는 경우라도 증거능력이 부인되어야 한다.**(대법원 2014. 4. 10. 2014도1779 대구 필로폰 매매사건) 이와 같은 피의자의 진술은 당해 피의자의 공범에 대하여도 유죄의 증거로 사용할 수 없다.(대법원 1992. 6. 26. 92도682 신이십세기파 사건 참고)

③ [×] 수사기관이 범죄 증거를 수집할 목적으로 **피의자의 동의 없이 피의자의 소변을 채취하는 것은** 법원으로부터 감정허가장을 받아 형사소송법 제221조의4 제1항, 제173조 제1항에서 정한 '감정에 필요한 처분'으로 할 수 있지만(피의자를 병원 등에 유치할 필요가 있는 경우에는 형사소송법 제221조의3에 따라 법원으로부터 감정유치장을 받아야 한다), **형사소송법 제219조, 제106조 제1항, 제109조에 따른 압수ㆍ수색의 방법으로도 할 수 있고**, 이러한 압수ㆍ수색의 경우에도 수사기관은 원칙적으로 형사소송법 제215조에 따라 판사로부터 압수ㆍ수색영장을 적법하게 발부받아 집행해야 한다.(대법원 2018. 7. 12. 2018도6219 **부산 강제채뇨 사건**)

④ [×] (1) 우편물 통관검사절차에서 이루어지는 우편물의 개봉, 시료채취, 성분분석 등의 검사는 수출입물품에 대한 적정한 통관 등을 목적으로 한 행정조사의 성격을 가지는 것으로서 수사기관의 강제처분이라고 할 수 없으므로 압수ㆍ수색영장 없이 우편물의 개봉, 시료채취, 성분분석 등의 검사가 진행되었다 하더라도 특별한 사정이 없는 한 위법하다고 볼 수 없다. (2) **세관공무원이 통관검사를 위하여 직무상 소지 또는 보관하는 우편물을 수사기관에 임의로 제출한 경우에는** 비록 소유자의 동의를 받지 않았다 하더라도 **수사기관이 강제로 점유를 취득하지 않은 이상 해당 우편물을 압수하였다고 할 수 없다.**(대법원 2013. 9. 26. 2013도7718 **통제배달사건ㅣ**) 세관공무원이 통관검사를 위하여 직무상 소지하거나 보관하는 물품에 대하여 수사기관은 영장을 받지 않더라도 임의제출 방식으로 압수할 수 있다.

⑤ [×] 사문서위조ㆍ위조사문서행사 및 소송사기로 이어지는 일련의 범행에 대하여 피고인을 형사소추하기 위해서는 업무일지가 반드시 필요한 증거로 보이므로 설령 그것이 제3자에 의하여 절취된 것으로서 소송사기 등의 피해자측이 이를 수사기관에 증거자료로 제출하기 위하여 대가를 지급하였다 하더라도 **공익의 실현을 위하여는 업무일지를 범죄의 증거로 제출하는 것이 허용되어야 하고**, 이로 말미암아 피고인의 사생활 영역을 침해하는 결과가 초래된다 하더라도 이는 피고인이 수인하여야 할 기본권의 제한에 해당된다.(대법원 2008. 6. 26. 2008도1584 **위조연습 업무일지 사건**)

046 위법수집증거배제법칙에 대한 설명으로 가장 적절하지 않은 것은? (다툼이 있으면 판례에 의함)

□□□   21 경찰채용 [Core ★★]

① 수사기관이 헌법과 「형사소송법」이 정한 절차에 따르지 아니하고 수집한 증거는 유죄 인정의 증거로 삼을 수 없는 것이 원칙이므로, 수사기관이 피고인 아닌 자를 상대로 적법한 절차에 따르지 아니하고 수집한 증거는 원칙적으로 피고인에 대한 유죄 인정의 증거로 삼을 수 없다.

② 법원의 증인신문절차 공개금지결정이 피고인의 공개재판을 받을 권리를 침해하는 경우, 그 절차에 의하여 이루어진 증인의 증언은 변호인의 반대신문권이 보장되지 않는 한 증거능력이 없다.

③ 제3자가 전화통화 당사자 중 일방만의 동의를 받고 통화 내용을 녹음하였더라도 그 상대방의 동의가 없었다면 「통신비밀보호법」을 위반한 불법감청으로 그 녹음된 통화 내용의 증거능력을 인정할 수 없다.

④ "범행 중 또는 범행 직후의 범죄 장소에서 긴급을 요하여 법원 판사의 영장을 받을 수 없는 때에는 영장없이 압수ㆍ수색 또는 검증을 할 수 있다. 이 경우에는 사후에 지체 없이 영장을 받아야 한다."고 규정하고 있는 「형사소송법」 제216조 제3항의 요건 중 어느 하나라도 갖추지 못한 경우에 그러한 압수ㆍ수색 또는 검증은 위법하며, 이에 대하여 사후에 법원으로부터 영장을 발부받았다고 하여 그 위법성이 치유되지 아니한다.

해설

② [×] 헌법 제109조, 법원조직법 제57조 제1항이 정한 공개금지사유가 없음에도 불구하고 재판의 심리에 관한 공개를 금지하기로 결정하였다면 그러한 공개금지결정은 피고인의 공개재판을 받을 권리를 침해한 것으로서 그 절차에 의하여 이루어진 증인의 **증언은 증거능력이 없다고 할 것이고, 변호인의 반대신문권이 보장되었더라도 달리 볼 수 없으며**, 이러한 법리는 공개금지결정의 선고가 없는 등으로 공개금지결정의 사유를 알 수 없는 경우에도 마찬가지이다.(대법원 2015. 10. 29. 2014도5939 **서울시 공무원 간첩사건**)

① [○] 경찰이 피고인이 아닌 제3자들(유흥업소 손님과 그 여종업원)을 사실상 강제연행하여 불법체포한 상태에서 이들의 성매매행위나 피고인들의 유흥업소 영업행위를 처벌하기 위하여 진술서를 받고 진술조서를 작성한 경우 각 진술서 및 진술조서는 **위법수사로 얻은 진술증거에 해당하여 증거능력이 없으므로** 피고인들의 식품위생법위반 혐의에 대한 **유죄 인정의 증거로 삼을 수 없다.**(대법원 2011. 6. 30. 2009도6717 **충북장 강제연행 사건**)

③ [○] **제3자의 경우는** 설령 전화통화 당사자 **일방의 동의**를 받고 그 통화 내용을 녹음하였다 하더라도 그 상대방의 동의가 없었던 이상 통비법 제3조 제1항 위반이 되고, 이와 같이 불법감청에 의하여 녹음된 전화통화의 내용은 **증거능력이 없다.** 이는 피고인이나 변호인이 이를 증거로 함에 동의하였다고 하더라도 달리 볼 것은 아니다.(대법원 2010. 10. 14. 2010도9016 **공범자 통화 녹음사건**)

④ [○] 범행 중 또는 범행직후의 범죄 장소에서 긴급을 요하여 법원 판사의 영장을 받을 수 없는 때에는 영장 없이 압수 · 수색 또는 검증을 할 수 있으나, 사후에 지체 없이 영장을 받아야 한다(형사소송법 제216조 제3항). 형사소송법 제216조 제3항의 요건 중 어느 하나라도 갖추지 못한 경우에 그러한 압수 · 수색 또는 검증은 위법하며, 이에 대하여 사후에 법원으로부터 **영장을 발부받았다고 하여 그 위법성이 치유되지 아니한다.**(대법원 2017. 11. 29. 2014도16080 **노래방 압수 · 수색 사건**)

정답 | 046 ②

047 위법수집증거의 배제에 관한 설명으로 옳은 것은 모두 몇 개인가? (다툼이 있으면 판례에 의함)

□□□
24 경찰승진 [Superlative ★★★]

○ 수사기관이 범행현장에서 지문채취 대상물인 유리컵에서 지문을 채취하고, 그 후 그 유리컵을 적법한 절차에 의하지 않고 압수했다고 하더라도 채취된 지문은 위법하게 압수한 지문채취 대상물로부터 획득한 2차적 증거에 해당하지 않으므로 위법수집증거에 해당하지 않는다.

○ 경찰관들이 피고인 甲, 乙, 丙의 나이트클럽 내에서의 음란행위 영업에 관한 범죄 혐의가 포착된 상태에서 그 증거를 보전하기 위하여 불특정 다수에게 공개된 장소인 클럽에 통상적인 방법으로 출입하여 손님들에게 공개된 丙의 성행위를 묘사하는 장면이 포함된 공연에 대한 촬영이 영장 없이 이루어졌다면 이 촬영물과 이를 캡처한 영상사진은 증거능력이 없다.

○ 호텔 투숙객 甲이 마약을 투약하였다는 신고를 받고 출동한 경찰관이 임의동행을 거부하는 甲을 강제로 경찰서로 데리고 가서 채뇨요구를 하자 이에 甲이 응하여 소변검사가 이루어진 경우 그 결과물인 '소변검사시인서'는 증거능력이 없다.

○ 甲이 휴대전화기로 乙과 약 8분간의 통화를 마친 후 乙에 대한 예우 차원에서 바로 전화를 끊지 않고 乙이 먼저 전화를 끊기를 기다리던 중 그 휴대전화기로부터 乙과 丙이 대화하는 내용이 들리자 이를 그 휴대전화기의 수신 및 녹음기능을 이용하여 대화를 몰래 청취하면서 녹음한 경우에 이 녹음은 위법하다고 할 수 있다.

---

① 1개   ② 2개   ③ 3개   ④ 4개

해설

③ ○○② 3 항목이 옳다.

○ [○] 범행 현장에서 지문채취 대상물(맥주병, 맥주컵, 물컵)에 대한 **지문채취가 먼저 이루어진 이상** 수사기관이 그 이후에 지문채취 대상물을 적법한 절차에 의하지 아니한 채 압수하였다고 하더라도 위와 같이 채취된 지문은 위법하게 압수한 지문채취 대상물로부터 획득한 **2차적 증거에 해당하지 아니함이 분명**하여 이를 가리켜 **위법수집증거라고 할 수 없다.**(대법원 2008. 10. 23. 2008도7471 인천 주점 강도강간 사건)

○ [×] 촬영물은 경찰관들이 "풍속영업을 영위하는 피고인들이 음란행위 영업을 하였다"라는 범죄의 혐의가 포착된 상태에서 나이트클럽 내에서의 음란행위 영업에 관한 증거를 보전하기 위한 필요에 의하여, 불특정 다수에게 공개된 장소인 나이트클럽에 통상적인 방법으로 출입하여 손님들에게 공개된 모습을 촬영한 것이다. 따라서 영장 없이 촬영이 이루어졌다 하여 이를 위법하다고 할 수 없어 **촬영물과 그 촬영물을 캡처한 영상사진은 증거능력이 인정된다.**(대법원 2023. 4. 27. 2018도8161 나이트클럽 음란쇼 촬영사건)

○ [○] 피의자가 동행을 거부하는 의사를 표시하였음에도 불구하고 경찰관들이 피의자를 강제로 연행한 행위는 수사상의 강제처분에 관한 형사소송법상의 절차를 무시한 채 이루어진 것으로 위법한 체포에 해당하고, 이와 같이 위법한 체포상태에서 마약 투약 혐의를 확인하기 위한 채뇨 요구가 이루어진 경우 그와 같은 **위법한 채뇨 요구에 의하여 수집된 '소변검사시인서'는 유죄 인정의 증거로 삼을 수 없다.**(대법원 2013. 3. 14. 2012도13611 부산 마약피의자 강제연행 사건)

○ [○] 한겨레신문 기자인 피고인 甲이 휴대폰의 녹음기능을 작동시킨 상태로 정수장학회 이사장 A에게 전화를 걸어 약 8분간의 전화통화를 마친 후 예우차원에서 A가 전화를 먼저 끊기를 기다리던 중 문화방송 기획홍보본부장 B가 A와 인사를 나누면서 전략기획부장 C를 소개하는 목소리가 휴대폰을 통해 들려오고, 때마침 A가 실수로 휴대폰의 통화종료 버튼을 누르지 아니한 채 이를 탁자 위에 놓아두자 통화연결 상태에 있는 자신의

휴대폰을 이용하여 대화를 몰래 청취하고 녹음한 경우 甲은 대화에 원래부터 참여하지 아니한 제3자이므로 휴대폰을 이용하여 대화를 청취·녹음하는 행위는 작위에 의한 통신비밀보호법 제3조 위반행위에 해당한다. (대법원 2016. 5. 12. 2013도15616 정수장학회 비밀회동 사건)

048 위법수집증거배제법칙에 관한 설명 중 옳지 않은 것은? (다툼이 있으면 판례에 의함)

22 변호사 [Core ★★]

① 사법경찰관이 피고인이 아닌 A를 사실상 강제연행하여 불법체포한 상태에서 피고인의 행위를 처벌하기 위해 A에게 자술서를 받은 경우 이를 피고인에 대한 유죄 인정의 증거로 사용할 수 없다.

② 수사기관이 피의자 甲의 범행을 영장 범죄사실로 하여 발부받은 압수·수색영장의 집행과정에서 A와 B 사이의 대화가 녹음된 녹음파일을 압수하였는데, 그 녹음파일에서 발견된 A와 B의 범죄 혐의사실이 위 압수·수색영장에 기재된 피의자 甲과 무관한 경우 그 녹음파일을 A와 B에 대한 유죄 인정의 증거로 사용할 수 없다.

③ 적법한 공개금지사유가 없음에도 불구하고 공개금지결정에 따라 비공개로 진행된 증인신문절차에 의하여 이루어진 증인의 증언은 변호인의 반대신문권이 보장되었다고 하더라도 증거능력이 없다.

④ 형사소송법의 규정을 위반하여 소유자, 소지자 또는 보관자가 아닌 피해자로부터 제출받은 물건을 영장 없이 압수한 경우 그 압수물을 유죄 인정의 증거로 사용할 수 없다.

⑤ 수사기관이 피의자의 범의를 명백하게 하기 위하여 A를 참고인으로 조사하는 과정에서 진술거부권을 고지하지 않고 진술조서를 작성하였는데, 추후 계속된 수사를 통하여 A가 피의자와 공범관계에 있을 가능성이 인정되었다면 A에 대한 위 조사 당시 A는 이미 피의자의 지위에 있었다고 볼 수 있으므로 A에 대한 위 진술조서는 증거능력이 없다.

해설

⑤ [×] 수사기관에 의한 진술거부권 고지 대상이 되는 피의자 지위는 수사기관이 조사대상자에 대한 범죄혐의를 인정하여 수사를 개시하는 행위를 한 때 인정되는 것으로 보아야 한다. 따라서 이러한 **피의자 지위에 있지 아니한 자에 대하여는 진술거부권이 고지되지 아니하였더라도 진술의 증거능력을 부정할 것은 아니다.**(대법원 2011. 11. 10. 2011도8125 곡물포대 전달자 사건) A가 피고인들과 공범관계에 있을 가능성만으로 A가 참고인으로서 검찰 조사를 받을 당시 또는 그 후라도 검사가 A에 대한 범죄혐의를 인정하고 수사를 개시하여 A가 피의자의 지위에 있게 되었다고 단정할 수 없다.

① [○] 경찰이 피고인이 아닌 제3자들(유흥업소 손님과 그 여종업원)을 **사실상 강제연행**하여 불법체포한 상태에서 이들의 성매매행위나 피고인들의 유흥업소 영업행위를 처벌하기 위하여 진술서를 받고 진술조서를 작성한 경우 각 진술서 및 진술조서는 **위법수사**로 얻은 진술증거에 해당하여 증거능력이 없으므로 피고인들의 **식품위생법위반 혐의에 대한 유죄 인정의 증거로 삼을 수 없다.**(대법원 2011. 6. 30. 2009도6717 충북장 강제연행사건)

② [○] '피의자: 甲, 압수할 물건: A가 소지하고 있는 휴대전화 등, 범죄사실: 甲은 공천과 관련하여 새누리당 공천심사위원에게 돈 봉투를 제공하였다 등'이라고 기재된 압수·수색영장에 의하여 검찰청 수사관이 A의 주거지에서 그의 휴대전화를 압수하고 그 휴대전화에서 추출한 전자정보를 분석하던 중 피고인 A, B 사이의 대화가 녹음된 녹음파일을 통하여 피고인들에 대한 공직선거법위반의 혐의점을 발견하고 수사를 개시하였으나, 피고인들로부터 녹음파일을 임의로 제출받거나 새로운 압수·수색영장을 발부받지 아니한 경우, 그 녹음파일은 압수·수색영장에 의하여 압수할 수 있는 물건 내지 전자정보로 볼 수 없으므로(형사소송법 제215조 제1항에 규정된 '해당사건'과 관계가 있다고 인정할 수 있는 것에 해당한다고 할 수 없으므로) 피고인들의 공소사실(피고인 A, B 사이의 정당 후보자 추천 및 선거운동 관련 대가제공 요구 및 약속 범행)에 대해서는 **증거능력이 부정된다.**(대법원 2014. 1. 16. 2013도7101)

③ [○] 적법한 공개금지사유가 없음에도 불구하고 공개금지결정에 따라 비공개로 진행된 증인신문절차에 의하여 이루어진 증인의 증언은 변호인의 반대신문권이 보장되었다고 하더라도 증거능력이 없다.(대법원 2015. 10. 29. 2014도5939 서울시 공무원 간첩사건)

④ [○] 형사소송법 제218조에 위반하여 소유자, 소지자 또는 보관자가 **아닌 자로부터 제출받은 물건을 영장없이 압수한 경우 그 압수물 및 압수물을 찍은 사진은 이를 유죄 인정의 증거로 사용할 수 없는 것**이고, 헌법과 형사소송법이 선언한 영장주의의 중요성에 비추어 볼 때 **피고인이나 변호인이 이를 증거로 함에 동의하였다고 하더라도 달리 볼 것은 아니다.**(대법원 2010. 1. 28. 2009도10092 쇠파이프 압수사건)

049 다음 중 위법수집증거배제법칙에 대한 설명으로 가장 옳은 것은? (다툼이 있으면 판례에 의함)

□□□   24 해경승진 [Essential ★]

① 위법수집증거배제법칙은 영미법상 판례에 의해 확립된 증거법칙으로 우리나라 형사소송법에는 명문의 규정이 없지만 일반적인 형사법의 대원칙으로 자리잡고 있다.

② 비진술증거인 압수물은 압수절차가 위법하다 하더라도 그 물건 자체의 성질, 형태에 변경을 가져오는 것이 아니어서 그 형태 등에 관한 증거 가치에는 변함이 없으므로 증거능력이 인정된다.

③ 대법원은 위법수집증거에 의하여 획득한 2차적 증거도 원칙적으로 유죄인정의 증거로 삼을 수 있다고 판시한 바 있다.

④ 적법절차를 따르지 않고 수집한 증거를 기초로 획득한 2차적 증거라도 1차 증거수집과의 사이에 인과관계의 희석 또는 단절 여부를 중심으로 2차적 증거수집과 관련된 모든 사정을 전체적·종합적으로 고려하여 예외적인 경우에는 유죄인정의 증거로 사용할 수 있다.

해설

④ [○] 다만 수사기관의 절차 위반 행위가 적법절차의 실질적인 내용을 침해하는 경우에 해당하지 아니하고, 오히려 그 증거의 증거능력을 배제하는 것이 헌법과 형사소송법이 형사소송에 관한 절차조항을 마련하여 적법절차의 원칙과 실체적 진실 규명의 조화를 도모하고, 이를 통하여 **형사사법 정의를 실현하려고 한 취지에 반하는 결과를 초래하는 것으로 평가되는 예외적인 경우라면** 법원은 그 증거를 유죄 인정의 증거로 사용할 수 있다. 법원이 2차적 증거의 증거능력 인정 여부를 최종적으로 판단할 때에는 먼저 절차에 따르지 아니한 1차적 증거 수집과 관련된 모든 사정들, 즉 절차 조항의 취지와 그 위반의 내용 및 정도, 구체적인 위반 경위와 회피가능성, 절차 조항이 보호하고자 하는 권리 또는 법익의 성질과 침해 정도 및 피고인과의 관련성, 절차 위반 행위와 증거수집 사이의 인과관계 등 관련성의 정도, 수사기관의 인식과 의도 등을 살피는 것은 물론, 나아가 1차적 증거를 기초로 하여 다시 2차적 증거를 수집하는 과정에서 추가로 발생한 모든 사정들까지 구체적인 사안에 따라 주로 인과관계 희석 또는 단절 여부를 중심으로 전체적·종합적으로 고려하여야 한다.(대법원 2023. 6. 1. 2018도18866 **불법압수 메모지 2장 사건**)

① [×] 형사소송법 제308조의2는 명문으로 **위법수집증거배제법칙을** 규정하고 있다.

② [×] 압수물과 같은 비진술증거에 대하여도 위법수집증거배제법칙이 적용되어 압수절차가 위법한 경우 그 압수물은 증거능력이 부정된다.(대법원 2007. 11. 15. 2007도3061 **순승 김태환 제주지사 사건** 등 다수)

③ [×] 수사기관이 헌법과 형사소송법이 정한 절차에 따르지 아니하고 수집한 증거는 물론, 이를 기초로 하여 획득한 **2차적 증거 역시 유죄 인정의 증거로 삼을 수 없는 것이 원칙이다.**(대법원 2023. 6. 1. 2018도18866 **불법압수 메모지 2장 사건**)

050

□□□

다음 중 위법수집증거배제법칙에 대한 설명으로 가장 적절한 것은? (다툼이 있으면 판례에 의함)

20 해경채용 [Essential ★]

① 범행 현장에서 지문채취 대상물에 대한 지문채취가 먼저 이루어지고 수사기관이 그 이후에 지문채취 대상물을 적법한 절차에 의하지 아니한 채 압수한 경우, 압수 이전에 채취된 지문은 위법하게 압수한 지문채취 대상물로부터 획득한 2차적 증거에 해당하므로 위법수집증거이다.

② 수사기관이 사전에 영장을 제시하지 않은 채 구속영장을 집행한 다음 공소제기 후에 이루어진 피고인의 법정진술은 이른바 2차적 증거로서 위법수집증거의 배제원칙에 따라 증거능력이 없다는 것이 판례이다.

③ 「형사소송법」 제217조 제2항·제3항에 위반하여 압수·수색영장을 청구하여 이를 발부받지 아니하고도 즉시 반환하지 아니한 압수물은 이를 유죄의 증거로 사용할 수 없는 것이나, 피고인이나 변호인이 이를 증거로 함에 동의하면 유죄의 증거로 사용할 수 있다.

④ 마약 투약 혐의를 받고 있던 피고인을 경찰관들이 영장 없이 강제로 연행한 상태에서 마약투약 여부의 확인을 위한 1차 채뇨절차가 이루어졌다고 하더라도, 그 후 피고인이 법관이 발부한 영장에 의하여 적법하게 구금되고, 압수·수색영장에 의하여 2차 채뇨 및 채모절차가 적법하게 이루어진 이상, 이와 같은 사정은 체포과정에서의 절차적 위법과 2차적 증거수집 사이의 인과관계를 희석하게 할 만한 정황에 속한다.

해설

④ [○] 수사기관의 연행이 위법한 체포에 해당하고 그에 이은 제1차 채뇨에 의한 증거 수집이 위법하다고 하더라도, 피고인은 이후 법관이 발부한 구속영장에 의하여 적법하게 구금되었고 **법관이 발부한 압수영장에 의하여 2차 채뇨 및 채모 절차가 적법하게 이루어진 이상,** 그와 같은 2차적 증거 수집이 위법한 체포·구금절차에 의하여 형성된 상태를 직접 이용하여 행하여진 것으로는 쉽사리 평가할 수 없다. 메스암페타민 투약 범행과 같은 중대한 범행의 수사를 위하여 피고인을 경찰서로 동행하는 과정에서 위법이 있었다는 사유만으로 법원의 영장 발부에 기하여 수집된 2차적 증거의 증거능력마저 부인한다면, 이는 오히려 헌법과 형사소송법이 형사소송에 관한 절차조항을 마련하여 적법절차의 원칙과 실체적 진실 규명의 조화를 도모하고 이를 통하여 형사사법 정의를 실현하려 한 취지에 반하는 결과를 초래하게 될 것이라는 점도 아울러 참작하면 법관이 발부한 압수영장에 의하여 이루어진 2차 채뇨 및 채모 절차를 통해 획득된 감정서는 **모두 증거능력이 인정된다.**(대법원 2013. 3. 14. 2012도13611 부산 마약피의자 강제연행 사건)

① [×] 범행 현장에서 지문채취 대상물(맥주병, 맥주컵, 물컵)에 대한 지문채취가 먼저 이루어진 이상, 수사기관이 그 이후에 지문채취 대상물을 적법한 절차에 의하지 아니한 채 압수하였다고 하더라도 위와 같이 채취된 **지문은 위법하게 압수한 지문채취 대상물로부터 획득한 2차적 증거에 해당하지 아니함이 분명하여** 이를 가리켜 위법수집증거라고 할 수 없다.(대법원 2008. 10. 23. 2008도7471 인천 주정 강도강간 사건)

② [×] 사전에 구속영장을 제시하지 아니한 채 구속영장을 집행하고, 그 구속 중 수집한 피고인의 진술증거 중 **피고인의 제1심 법정진술은,** 피고인이 구속집행절차의 위법성을 주장하면서 청구한 구속적부심사의 심문 당시 구속영장을 제시받은 바 있어 그 이후에는 구속영장에 기재된 범죄사실에 대하여 숙지하고 있었던 것으로 보이고, 구속 이후 원심에 이르기까지 구속적부심사와 보석의 청구를 통하여 구속집행절차의 위법성만을 다투었을 뿐, 그 구속중 이루어진 진술증거의 임의성이나 신빙성에 대하여는 전혀 다투지 않았을 뿐만 아니라, 변호인과의 충분한 상의를 거친 후 공소사실 전부에 대하여 자백한 것이라면 유죄 인정의 증거로 삼을 수 있는 예외적인 경우에 해당한다.(대법원 2009. 4. 23. 2009도526 강남경찰서 경위 수뢰사건)

③ [×] (사법경찰관이 피의자를 긴급체포하면서 그 체포현장에서 물건을 압수한 경우) 형사소송법 제217조 제2항 · 제3항에 위반하여 압수 · 수색영장을 청구하여 이를 발부받지 아니하고도 즉시 반환하지 아니한 압수물은 이를 유죄 인정의 **증거로 사용할 수 없는 것**이고, 피고인이나 변호인이 이를 증거로 함에 동의하였다고 하더라도 달리 볼 것은 아니다.(대법원 2009. 12. 24. 2009도11401)

051 위법수집증거에 대한 설명으로 옳은 것은? (다툼이 있으면 판례에 의함) 19 국가9급 [Core ★★]
□□□
① 지문채취 대상물을 적법한 절차에 의하지 아니하고 압수한 경우에는 그 압수 이전에 범행현장에서 지문채취 대상물로부터 채취한 지문일지라도 그 지문의 증거능력은 없다.
② 위법하게 수집된 증거도 당사자의 동의가 있으면 증거능력이 인정된다.
③ 증인이 친분이 있던 피해자와 통화를 마친 후 전화가 끊기지 않은 상태에서 휴대전화를 통하여 몸싸움을 연상시키는 '악' 하는 소리와 '우당탕' 소리를 1~2분 들었다고 증언한 경우, 그 소리는 「통신비밀보호법」에서 말하는 타인 간의 대화에 해당하지 않는다.
④ 피고인이 범행 후 피해자에게 전화를 걸어오자 피해자가 증거를 수집하려고 그 전화내용을 녹음한 경우, 그 녹음테이프가 피고인 모르게 녹음된 것이면 그 녹음테이프는 위법하게 수집된 증거이다.

해설

③ [○] 통신비밀보호법에서 보호하는 타인 간의 '대화'는 원칙적으로 현장에 있는 당사자들이 육성으로 말을 주고받는 의사소통행위를 가리키므로 사람의 육성이 아닌 **사물에서 발생하는 음향**은 타인간의 '대화'에 해당하지 않고 또한 사람의 목소리라고 하더라도 상대방에게 의사를 전달하는 말이 아닌 단순한 비명소리나 탄식 등은 타인과 의사소통을 하기 위한 것이 아니라면 특별한 사정이 없는 한 타인간의 '대화'에 해당한다고 볼 수 없다.(대법원 2017. 3. 15. 2016도19843 **우당탕 악 사건**)
① [×] 범행 현장에서 지문채취 대상물(맥주병, 맥주컵, 물컵)에 대한 지문채취가 먼저 이루어진 이상, 수사기관이 그 이후에 지문채취 대상물을 적법한 절차에 의하지 아니한 채 압수하였다고 하더라도 위와 같이 채취된 **지문**은 위법하게 압수한 지문채취 대상물로부터 획득한 2차적 증거에 해당하지 아니함이 분명하여 이를 가리켜 **위법수집증거라고 할 수 없다.**(대법원 2008. 10. 23. 2008도7471 **인천 주점 강도강간 사건**)
② [×] 영장주의 원칙을 위반하여 수집되거나 그에 기초한 증거로서 그 절차위반행위가 적법절차의 실질적인 내용을 침해하는 경우라면 **피고인이나 변호인의 증거동의가 있었다고 하더라도 증거로 사용할 수 없다.**(대법원 2012. 11. 15. 2011도15258 **구로 강제채혈 사건** 등 다수)
④ [×] 피고인이 범행 후 피해자에게 전화를 걸어오자 피해자가 증거를 수집하려고 그 전화내용을 녹음한 경우, 그 녹음테이프가 피고인 모르게 녹음된 것이라 하여 이를 **위법하게 수집된 증거라고 할 수 없다.**(대법원 1997. 3. 28. 97도240 **강간범 통화 녹음사건**)

052 위법수집증거배제법칙에 대한 설명 중 가장 적절하지 않은 것은? (다툼이 있으면 판례에 의함)

18 경찰승진 [Essential ★]

① 범행 현장에서 지문채취대상물에 대한 지문채취가 먼저 이루어지고 수사기관이 그 이후에 지문채취 대상물을 적법한 절차에 의하지 아니한 채 압수한 경우, 압수 이전에 채취된 지문은 위법하게 압수한 지문채취 대상물로부터 획득한 2차적 증거에 해당하지 아니함이 분명하여 이를 가리켜 위법수집증거라고 할 수 없다.

② 우편물 통관검사절차에서 이루어지는 우편물의 개봉, 시료채취, 성분분석 등의 검사는 수출입물품에 대한 적정한 통관 등을 목적으로 한 행정조사의 성격을 가지는 것으로서 수사기관의 강제처분이라고 할 수 없으므로, 압수·수색영장 없이 우편물의 개봉, 시료채취, 성분분석 등의 검사가 진행되었다고 하더라도 특별한 사정이 없는 한 위법하다고 볼 수 없다.

③ 수사기관이 법관의 영장에 의하지 아니하고 신용카드 매출전표의 거래명의자에 관한 정보를 획득한 경우, 이에 터잡아 수집한 2차적 증거들의 증거능력을 판단할 때, 수사기관이 의도적으로 영장주의의 정신을 회피하는 방법으로 증거를 확보한 것이 아니라고 볼 만한 사정, 체포되었던 피의자가 석방된 후 상당한 시간이 경과하였음에도 다시 동일한 내용의 자백을 하였다거나 그 범행의 피해품을 수사기관에 임의로 제출하였다는 사정 등은 통상 2차적 증거의 증거능력을 인정할 만한 정황에 속한다.

④ 선거관리위원회 위원·직원이 관계인에게 진술이 녹음된다는 사실을 미리 알려주지 아니한 채 진술을 녹음하였다 하더라도, 그와 같은 조사절차에 의하여 수집한 녹음파일 내지 그에 터잡아 작성된 녹취록은 위법수집증거에 해당하지 아니하여 유죄의 증거로 쓸 수 있다.

해설

④ [×] (1) 공직선거법 제272조의2 제6항은 선거관리위원회 위원·직원이 선거범죄와 관련하여 질문·조사하거나 자료의 제출을 요구하는 경우에는 관계인에게 그 신분을 표시하는 증표를 제시하고 소속과 성명을 밝히고 그 목적과 이유를 설명하여야 한다고 규정하고 있는데, 선거관리위원회 직원이 관계인에게 사전에 설명할 '조사의 목적과 이유'에는 조사할 선거범죄 혐의의 요지, 관계인에 대한 조사가 필요한 이유뿐만 아니라 관계인의 진술을 기록 또는 녹음·녹화한다는 점도 포함된다. (2) 따라서 선거관리위원회 위원·직원이 **관계인에게 진술이 녹음된다는 사실을 미리 알려주지 아니한 채 진술을 녹음하였다면**, 그와 같은 조사절차에 의하여 수집한 녹음 파일 내지 그에 터잡아 작성된 녹취록은 적법한 절차에 따르지 아니하고 수집한 증거에 해당하여 **원칙적으로 유죄의 증거로 쓸 수 없다.**(대법원 2014. 10. 15. 2011도3509 돈받은 할머니 사건)

① [O] 범행 현장에서 지문채취 대상물에 대한 지문채취가 먼저 이루어진 이상, 수사기관이 그 이후에 지문채취 대상물을 적법한 절차에 의하지 아니한 채 압수하였다고 하더라도 위와 같이 **채취된 지문은 위법하게 압수한 지문채취 대상물로부터 획득한 2차적 증거에 해당하지 아니함이 분명하여 이를 가리켜 위법수집 증거라고 할 수 없다.**(대법원 2008. 10. 23. 2008도7471 인천 주점 강도강간 사건)

② [O] 우편물 통관검사절차에서 이루어지는 우편물의 개봉, 시료채취, 성분분석 등의 검사는 수출입물품에 대한 적정한 통관 등을 목적으로 한 **행정조사의 성격을 가지는 것으로서 수사기관의 강제처분이라고 할 수 없으므**

로 압수·수색영장 없이 우편물의 개봉, 시료채취, 성분분석 등 검사가 진행되었다 하더라도 **특별한 사정이 없는 한 위법하다고 볼 수 없다.**(대법원 2013. 9. 26. 2013도7718)
③ [O] 수사기관의 절차 위반행위가 적법절차의 실질적인 내용을 침해하는 경우에 해당하지 아니하고, 오히려 그 증거의 증거능력을 배제하는 것이 헌법과 형사소송법이 형사소송에 관한 절차 조항을 마련하여 적법절차의 원칙과 실체적 진실 규명의 조화를 도모하고 이를 통하여 형사사법 정의를 실현하려 한 취지에 반하는 결과를 초래하는 것으로 평가되는 예외적인 경우라면, 법원은 그 증거를 유죄 인정의 증거로 사용할 수 있다.(대법원 2013. 3. 28. 2012도13607)

053 위법수집증거배제법칙에 관한 설명으로 옳지 않은 것은? (다툼이 있으면 판례에 의함)

□□□   24 소방간부 [Core ★★]

① 특별사법경찰관이 영장 없이 범행에 관한 증거를 보전하기 위한 필요에 의하여, 공개된 장소인 음식점에 통상적인 방법으로 출입하여 음식점 내에 있는 사람이라면 누구나 볼 수 있었던 손님들의 춤추는 모습을 촬영하였다면 위법하다.
② 사인이 위법하게 수집한 증거에 대해서는 효과적인 형사소추 및 형사소송에서의 진실발견이라는 공익과 개인의 인격적 이익 등의 보호이익을 비교형량하여 그 허용 여부를 결정하여야 한다.
③ 전자정보에 대한 압수·수색이 종료되기 전에 혐의사실과 관련된 전자정보를 적법하게 탐색하는 과정에서 별도의 범죄혐의와 관련된 전자정보를 우연히 발견한 경우라면 수사기관은 더 이상의 추가 탐색을 중단하고 법원에서 별도의 범죄혐의에 대한 압수·수색영장을 발부받은 경우에 한하여 적법하게 압수·수색을 할 수 있다.
④ 비진술증거인 압수물은 압수절차가 위법한 경우 위법수집증거배제법칙이 적용되어 그 압수물은 증거능력이 부정된다.
⑤ 피의자가 변호인의 참여를 원한다는 의사를 명백하게 표시하였음에도 수사기관이 정당한 사유 없이 변호인을 참여하게 하지 아니한 채 피의자를 신문하여 작성한 피의자신문조서는 적법한 절차에 따르지 아니하고 수집한 증거에 해당하므로 이를 증거로 할 수 없다.

해설

① [×] 특별사법경찰관은 "일반음식점 영업자인 피고인이 음식점 내에서 음악을 크게 틀고 손님들의 흥을 돋워 손님들이 춤을 추도록 허용하여 영업자가 지켜야 할 사항을 지키지 아니하였다"라는 범죄혐의가 포착된 상태에서 범행에 관한 증거를 보전하기 위한 필요에 의하여, **공개된 장소인 음식점에 통상적인 방법으로 출입하여 음식점 내에 있는 사람이라면 누구나 볼 수 있었던 손님들의 춤추는 모습을 촬영한 것이다.** 따라서 특별사법경찰관이 영장 없이 범행현장을 촬영하였다고 하여 **이를 위법하다고 할 수 없다.**(대법원 2023. 7. 13. 2021도10763 **춤추는 손님들 촬영사건Ⅱ**)

② [○] 국민의 인간으로서의 존엄과 가치를 보장하는 것은 국가기관의 기본적인 의무에 속하고 이는 형사절차에서도 당연히 구현되어야 하지만, 국민의 사생활 영역에 관계된 모든 증거의 제출이 곧바로 금지되는 것으로 볼 수는 없으므로 법원으로서는 효과적인 형사소추 및 형사소송에서 진실발견이라는 **공익과 개인의 인격적 이익 등 보호이익을 비교형량하여 그 허용 여부를 결정하여야 한다.**(대법원 2020. 10. 29. 2020도3972)

③ [○] 전자정보에 대한 압수·수색에 있어 그 저장매체 자체를 외부로 반출하거나 하드카피·이미징 등의 형태로 복제본(이하 '복제본'이라 한다)을 만들어 외부에서 그 저장매체나 복제본에 대하여 압수·수색이 허용되는 예외적인 경우에도 혐의사실과 관련된 전자정보(이하 '유관정보'라 한다) 이외에 이와 무관한 전자정보(이하 '무관정보'라 한다)를 탐색·복제·출력하는 것은 원칙적으로 위법한 압수·수색에 해당하므로 허용될 수 없다. 그러나 전자정보에 대한 압수·수색이 종료되기 전에 유관정보를 적법하게 탐색하는 과정에서 무관정보를 우연히 발견한 경우라면 수사기관으로서는 더 이상의 추가 탐색을 중단하고 법원으로부터 별도의 범죄혐의에 대한 압수·수색영장을 발부받은 경우에 한하여 그러한 정보에 대하여도 적법하게 압수·수색을 할 수 있다. (대법원 2024. 4. 16. 2020도3050 **검찰수사관 부당한 수사지연 사건**)

④ [○] 압수물은 그 압수절차가 위법이라 하더라도 물건 자체의 성질, 형상에 변경을 가져오는 것은 아니므로 그 형상 등에 관한 증거가치에는 변함이 없다 할 것이므로 증거능력이 있다는 취지로 판시한 대법원 1968. 9. 17. 선고 68도932 판결, 대법원 1987. 6. 23. 선고 87도705 판결, 대법원 1994. 2. 8. 선고 93도3318 판결, 대법원 1996. 5. 14.자 96초88 결정, 대법원 2002. 11. 26. 선고 2000도1513 판결, 대법원 2006. 7. 27. 선고 2006도3194 판결 등은 **이 판결의 견해에 배치되는 범위 안에서 이를 변경하기로 한다.**(대법원 2007. 11. 15. 2007도3061 전합) 비진술증거의 위법수집증거배제법칙 적용을 배제한 기존 판례를 변경하였다.

⑤ [○] 피의자가 변호인의 참여를 원한다는 의사를 명백하게 표시하였음에도 수사기관이 정당한 사유 없이 변호인을 참여하게 하지 아니한 채 피의자를 신문하여 작성한 피의자신문조서는 증거로 할 수 없다.(대법원 2013. 3. 28. 2010도3359 **공항버스 운전기사 횡령사건**)

054 위법수집증거배제법칙에 대한 설명으로 가장 적절하지 않은 것은? (다툼이 있으면 판례에 의함)

19 경찰승진 [Essential ★]

① 「형사소송법」 제219조가 준용하는 제118조는 '압수·수색영장은 처분을 받는 자에게 반드시 제시하여야 한다.'고 규정하고 있으므로, 피처분자가 현장에 없거나 현장에서 그를 발견할 수 없는 경우 등 영장제시가 현실적으로 불가능한 경우에도 영장을 제시하지 아니한 채 압수·수색을 하였다면 위법하다고 보아야 한다.

② 압수·수색영장의 집행과정에서 폭행 등의 피해를 당한 검사 등이 수사에 관여하였다는 이유만으로 그 검사 등이 작성한 참고인진술조서 등의 증거능력이 부정될 수 없다.

③ 수사기관으로부터 집행을 위탁받은 통신기관 등이 통신제한조치의 집행에 필요한 설비가 없을 때에는 수사기관에 설비의 제공을 요청하여야 하고, 그러한 요청 없이 통신제한조치허가서에 기재된 사항을 준수하지 아니하고 통신제한조치를 집행하여 취득한 전기통신의 내용 등은 유죄의 증거로 사용할 수 없다.

④ 검찰관이 피고인을 뇌물수수 혐의로 기소한 후, 형사사법공조절차를 거치지 아니한 채 외국에 현지출장하여 그곳에서 뇌물공여자를 상대로 참고인진술조서를 작성한 경우 그 진술조서는 위법수집증거에 해당하지 않는다.

해설

① [×] 형사소송법 제219조가 준용하는 제118조는 '압수·수색영장은 처분을 받는 자에게 반드시 제시하여야 한다'고 규정하고 있으나, 이는 영장제시가 현실적으로 가능한 상황을 전제로 한 규정으로 보아야 하고, 피처분자가 현장에 없거나 현장에서 그를 발견할 수 없는 경우 등 **영장제시가 현실적으로 불가능한 경우에는 영장을 제시하지 아니한 채 압수·수색을 하더라도 위법하다고 볼 수 없다.**(대법원 2015. 1. 22. 2014도10978 全合 이석기 의원 사건) 다만, 제118조는 "압수·수색영장은 처분을 받는 자에게 반드시 제시하여야 하고, 처분을 받는 자가 피고인인 경우에는 그 사본을 교부하여야 한다. 다만, 처분을 받는 자가 현장에 없는 등 영장의 제시나 그 사본의 교부가 현실적으로 불가능한 경우 또는 처분을 받는 자가 영장의 제시나 사본의 교부를 거부한 때에는 예외로 한다."로 2022.2.3. 개정되었다.

② [O] (1) 범죄의 피해자인 검사가 그 사건의 수사에 관여하거나 압수·수색영장의 집행에 참여한 검사가 다시 수사에 관여하였다는 이유만으로 바로 그 수사가 위법하다거나 그에 따른 참고인이나 피의자의 진술에 임의성이 없다고 볼 수는 없다. (2) 압수·수색영장의 집행과정에서 폭행 등의 피해를 당한 검사 등이 수사에 관여하였다는 이유만으로 그 검사 등이 작성한 참고인진술조서 등의 증거능력이 부정될 수 없다.(대법원 2013. 9. 12. 2011도12918 한화그룹 압수·수색 방해사건)

③ [O] 허가된 통신제한조치의 종류가 전기통신의 '감청'인 경우, 수사기관 또는 수사기관으로부터 통신제한조치의 집행을 위탁받은 통신기관 등은 통신비밀보호법이 정한 감청의 방식으로 집행하여야 하고 그와 다른 방식으로 집행하여서는 아니 된다. 한편 수사기관이 통신기관 등에 통신제한조치의 집행을 위탁하는 경우에는 그 집행에 필요한 설비를 제공하여야 한다(통신비밀보호법 시행령 제21조 제3항). 그러므로 수사기관으로부터 통신제한조치의 집행을 위탁받은 통신기관 등이 그 집행에 필요한 설비가 없을 때에는 수사기관에 그 설비의 제공을 요청하여야 하고, 그러한 요청 없이 **통신제한조치허가서에 기재된 사항을 준수하지 아니한 채 통신제한조치를**

집행하였다면, 그러한 집행으로 인하여 취득한 전기통신의 내용 등은 적법한 절차를 따르지 아니하고 수집한 증거에 해당하므로 이는 유죄 인정의 증거로 할 수 없다.(대법원 2016. 10. 13. 2016도8137 **코리아연대 사건**)

④ [○] 검찰관이 피고인 甲을 뇌물수수 혐의로 기소한 후 형사사법공조절차를 거치지 아니한 채 과테말라공화국에 현지출장하여 그 곳 호텔에서 뇌물공여자 乙을 상대로 참고인진술조서를 작성한 경우 피고인에 대한 국내 형사소송절차에서 위와 같은 사유로 인하여 **위법수집증거배제법칙이 적용된다고 할 수 없다.**(대법원 2011. 7. 14. 2011도3809 **해병대 소령 수뢰사건**)

055 위법수집증거배제법칙에 대한 설명으로 가장 적절한 것은? (다툼이 있으면 판례에 의함)

18 경찰채용 [Essential ★]

① 피고사건에 관하여 검사가 공소제기 후 형사소송법 제215조에 따라 관할 지방법원판사에게 청구하여 발부받은 영장에 의하여 압수·수색을 하였다면, 이를 통해 수집된 증거는 적법한 절차에 따른 것으로서 원칙적으로 유죄의 증거로 삼을 수 있다.

② 수사기관이 필로폰 매매범에 대한 증거를 확보할 목적으로 구속수감되어 있던 필로폰 투약범에게 그의 압수된 휴대전화를 제공하여 필로폰 매매범과 통화하면서 그 내용을 녹음하게 한 다음 그 휴대전화를 제출받은 경우, 그 녹음된 진술은 증거능력이 있다.

③ 압수·수색영장은 처분을 받는 자에게 반드시 제시하여야 하므로, 피처분자가 현장에 없거나 현장에서 그를 발견할 수 없는 경우 등 영장제시가 현실적으로 불가능한 경우라도 영장을 제시하지 아니한 채 압수·수색을 하였다면 이는 위법하다고 보아야 한다.

④ 교도관이 재소자가 맡긴 비망록을 수사기관에 임의로 제출하였다면 그 비망록의 증거사용에 대하여도 재소자의 사생활의 비밀 기타 인격적 법익이 침해되는 등의 특별한 사정이 없는 한 반드시 그 재소자의 동의를 받아야 하는 것은 아니며, 검사가 교도관으로부터 그가 보관하고 있던 피고인의 비망록을 임의로 제출받아 이를 압수한 경우, 피고인의 승낙 및 영장이 없더라도 적법절차를 위반한 위법이 있다고 할 수 없다.

해설

④ [○] 교도관이 재소자가 맡긴 비망록을 수사기관에 임의로 제출하였다면 그 비망록의 증거사용에 대하여도 재소자의 사생활의 비밀 기타 인격적 법익이 침해되는 등의 특별한 사정이 없는 한 반드시 그 **재소자의 동의를 받아야 하는 것은 아니고** 따라서 검사가 교도관으로부터 보관하고 있던 피고인의 비망록을 뇌물수수 등의 증거자료로 임의로 제출받아 이를 압수한 경우 그 압수절차가 피고인의 승낙 및 영장 없이 행하여졌다고 하더라도 이에 **적법절차를 위반한 위법이 있다고 할 수 없다.**(대법원 2008. 5. 15. 2008도1097 **김태촌비망록 사건**)

① [×] 검사가 공소제기 후 수소법원 이외의 지방법원판사에게 청구하여 발부받은 영장에 의하여 압수·수색을 하였다면, 그와 같이 수집된 증거는 적법한 절차에 따르지 않은 것으로서 **원칙적으로 유죄의 증거로 삼을 수 없다.**(대법원 2011. 4. 28. 2009도10412 **공정위 사무관 수뢰사건**)

② [×] 수사기관이 구속수감된 자로 하여금 피고인의 범행에 관한 통화 내용을 녹음하게 한 행위는 수사기관 스스로가 주체가 되어 구속수감된 자의 동의만을 받고 **상대방인 피고인의 동의가 없는 상태에서 그들의 통화 내용을 녹음한 것으로서 불법감청에 해당한다고 보아야 할 것이므로,** 그 녹음 자체는 물론이고 이를 근거로 작성된 수사보고의 기재 내용과 첨부 녹취록 및 첨부 mp3파일도 모두 피고인과 변호인의 증거동의에 상관없이 증거능력이 없다.(대법원 2010. 10. 14. 2010도9016 공범자 통화 녹음사건)

③ [×] 형사소송법 제219조가 준용하는 제118조는 '압수·수색영장은 처분을 받는 자에게 반드시 제시하여야 한다'고 규정하고 있으나, 이는 영장제시가 현실적으로 가능한 상황을 전제로 한 규정으로 보아야 하고, 피처분 자가 현장에 없거나 현장에서 그를 발견할 수 없는 경우 등 **영장제시가 현실적으로 불가능한 경우에는 영장을 제시하지 아니한 채 압수·수색을 하더라도 위법하다고 볼 수 없다.**(대법원 2015. 1. 22. 2014도10978 순습 이석기 의원 사건) 다만, 제118조는 "압수·수색영장은 처분을 받는 자에게 반드시 제시하여야 하고, 처분을 받는 자가 피고인인 경우에는 그 사본을 교부하여야 한다. 다만, 처분을 받는 자가 현장에 없는 등 영장의 제시나 그 사본의 교부가 현실적으로 불가능한 경우 또는 처분을 받는 자가 영장의 제시나 사본의 교부를 거부한 때에는 예외로 한다."로 2022.2.3. 개정되었다.

056 위법수집증거배제법칙에 관한 다음 설명 중 가장 적절하지 않은 것은? (다툼이 있으면 판례에 □□□ 의함)

16 경찰채용 [Essential ★]

① 형사소송법 제217조 제2항, 제3항에 위반하여 압수·수색영장을 청구하여 이를 발부받지 아니하고도 즉시 반환하지 아니한 압수물은 이를 유죄의 증거로 사용할 수 없는 것이나, 피고인이나 변호인이 이를 증거로 함에 동의하면 유죄의 증거로 사용할 수 있다.

② 수사기관이 영장 또는 감정처분허가장을 발부받지 아니한 채 피의자의 동의 없이 피의자의 신체로부터 혈액을 채취하고 사후에도 지체 없이 영장을 발부받지 않았다면, 그 혈액 중 알코올농도에 관한 감정의뢰회보는 원칙적으로 유죄의 증거로 사용할 수 없다.

③ 피고인이 범행 후 피해자에게 전화를 걸어오자 피해자가 증거를 수집하려고 그 전화내용을 녹음한 경우, 그 녹음테이프가 피고인 모르게 녹음된 것이라 하여 이를 위법하게 수집된 증거라고 할 수 없다.

④ 수사기관이 피의자 甲의 「공직선거법」 위반 범행을 영장 범죄사실로 하여 발부받은 압수·수색영장의 집행과정에서 乙, 丙 사이의 대화가 녹음된 녹음파일(이하 '녹음파일'이라 한다)을 압수하여 乙, 丙의 「공직선거법」 위반 혐의사실을 발견한 사안에서, 압수·수색영장에 기재된 '피의자' 甲이 녹음파일에 의하여 의심되는 혐의사실과 무관한 이상, 수사기관이 별도의 압수·수색영장을 발부받지 않고 압수한 위 녹음파일은 위법수집증거로서 증거능력이 없다.

해설

① [×] (사법경찰관이 피의자를 긴급체포하면서 그 체포현장에서 물건을 압수한 경우) 형사소송법 제217조 제2항·제3항에 위반하여 압수·수색영장을 청구하여 이를 발부받지 아니하고도 즉시 반환하지 아니한 압수물은 이를 **유죄 인정의 증거로 사용할 수 없는** 것이고, 헌법과 형사소송법이 선언한 영장주의의 중요성에 비추어 볼 때 피고인이나 변호인이 이를 증거로 함에 동의하였다고 하더라도 달리 볼 것은 아니다.(대법원 2009. 12. 24. 2009도11401)

② [O] 수사기관이 영장 또는 감정처분허가장을 발부받지 아니한 채 피의자의 동의 없이 피의자의 신체로부터 혈액을 채취하고 사후에도 지체 없이 영장을 발부받지 않았다면, 그 혈액 중 알코올농도에 관한 감정의뢰회보는 원칙적으로 유죄의 증거로 사용할 수 없다.(대법원 2012. 11. 15. 2011도15258 **구로 강제채혈사건**)

③ [O] 피고인이 범행 후 피해자에게 전화를 걸어오자 피해자가 증거를 수집하려고 그 전화내용을 녹음한 경우, 그 녹음테이프가 피고인 모르게 녹음된 것이라 하여 이를 **위법하게 수집된 증거라고 할 수 없다.**(대법원 1997. 3. 28. 97도240 **강간범 통화 녹음사건**)

④ [O] '피의자: 甲, 압수할 물건: 乙이 소지하고 있는 휴대전화 등, 범죄사실: 甲은 공천과 관련하여 새누리당 공천심사위원에게 돈 봉투를 제공하였다 등'이라고 기재된 압수·수색영장에 의하여 검찰청 수사관이 乙의 주거지에서 그의 휴대전화를 압수하고 그 휴대전화에서 추출한 전자정보를 분석하던 중 피고인 乙, 丙 사이의 **대화가 녹음된 녹음파일을 통하여 피고인들에 대한 공직선거법위반의 혐의점을 발견하고 수사를 개시하였으나, 피고인들로부터 녹음파일을 임의로 제출받거나 새로운 압수·수색영장을 발부받지 아니한 경우**, 그 녹음파일은 압수·수색영장에 의하여 압수할 수 있는 물건 내지 전자정보로 볼 수 없으므로(형사소송법 제215조 제1항에 규정된 '해당사건'과 관계가 있다고 인정할 수 있는 것에 해당한다고 할 수 없으므로) 피고인들의 공소사실(피고인 乙, 丙 사이의 정당 후보자 추천 및 선거운동 관련 대가제공 요구 및 약속 범행)에 대해서는 **증거능력이 부정된다.**(대법원 2014. 1. 16. 2013도7101 **현영희 의원 사건**)

057 위법수집증거에 관한 설명으로 옳지 않은 것은? (다툼이 있으면 판례에 의함)

□□□
25 경찰간부 [Core ★★]

① 사법경찰관이 피고인이 아닌 A를 사실상 강제연행하여 불법체포한 상태에서 피고인의 행위를 처벌하기 위해 A에게 자술서를 받은 경우 이를 피고인에 대한 유죄 인정의 증거로 사용할 수 없다.

② 정서적 학대를 당했다는 피해아동의 부모가 피해아동의 가방에 녹음기를 넣어 30명의 아동을 상대로 한 수업시간 중 교실에서 피의자인 담임교사가 한 발언을 몰래 녹음한 녹음파일은 통신비밀보호법을 위반하여 '공개되지 아니한 타인 간의 대화'를 녹음한 것이 아니므로 증거능력이 인정된다.

③ 형사소송법의 규정을 위반하여 소유자, 소지자 또는 보관자가 아닌 피해자로부터 제출받은 물건을 영장 없이 압수한 경우 그 압수물을 유죄 인정의 증거로 사용할 수 없다.

④ 판사의 서명만 있고 날인이 없는 압수·수색영장을 수사기관이 신뢰하여 그 영장에 따라 수집한 압수물은 다른 위법한 사정이 없는 한 증거로 할 수 있다.

해설

② [×] 피해아동의 부모가 피해아동의 가방에 녹음기를 넣어 수업시간 중 교실에서 피해아동의 담임교사인 피고인이 한 발언을 녹음한 녹음파일, 녹취록 등은 통신비밀보호법 제14조 제1항을 위반하여 **공개되지 아니한 타인 간의 대화를 녹음한 것이므로** 통신비밀보호법 제14조 제2항 및 제4조에 따라 **증거능력이 부정된다.**(대법원 2024. 1. 11. 2020도1538 자녀 가방 녹음기 사건) 피해아동의 담임교사인 피고인이 피해아동에게 수업시간 중 교실에서 "학교 안 다니다 온 애 같다."라고 말하는 등 정서적 학대행위를 하였다는 이유로 기소되었는데, 피해아동의 부모가 피해아동의 가방에 녹음기를 넣어 수업시간 중 교실에서 피고인이 한 발언을 몰래 녹음한 녹음파일, 녹취록 등의 증거능력이 문제된 사안이었다.

① [○] 경찰이 피고인이 아닌 제3자들(유흥업소 손님과 그 여종업원)을 사실상 강제연행하여 불법체포한 상태에서 이들의 성매매행위나 피고인들의 유흥업소 영업행위를 처벌하기 위하여 진술서를 받고 진술조서를 작성한 경우 각 진술서 및 진술조서는 위법수사로 얻은 진술증거에 해당하여 증거능력이 없으므로 **피고인들의 식품위생법위반 혐의에 대한 유죄 인정의 증거로 삼을 수 없다.**(대법원 2011. 6. 30. 2009도6717 충북장 강제연행 사건)

③ [○] 형사소송법 제218조는 '사법경찰관은 소유자, 소지자 또는 보관자가 임의로 제출한 물건을 영장없이 압수할 수 있다'고 규정하고 있는바, 위 규정에 위반하여 소유자, 소지자 또는 보관자가 **아닌 자로부터 제출받은 물건을 영장없이 압수한 경우 그 압수물 및 압수물을 찍은 사진은 이를 유죄 인정의 증거로 사용할 수 없는 것**이고, 헌법과 형사소송법이 선언한 영장주의의 중요성에 비추어 볼 때 피고인이나 변호인이 이를 증거로 함에 동의하였다고 하더라도 달리 볼 것은 아니다.(대법원 2010. 1. 28. 2009도10092 쇠파이프 압수사건)

④ [○] 압수·수색·검증영장 법관의 서명·날인란에 **서명만 있고 날인이 없는 경우** 형사소송법이 정한 요건을 갖추지 못하여 적법하게 발부되었다고 볼 수 없으나, 위와 같은 결함은 피고인의 기본적 인권보장 등 법익침해 방지와 관련성이 적으므로 절차 조항 위반의 내용과 정도가 중대하지 않고 절차 조항이 보호하고자 하는 권리나 법익을 **본질적으로 침해하였다고 볼 수 없다.** 오히려 이러한 경우에까지 공소사실과 관련성이 높은 파일 출력물의 증거능력을 배제하는 것은 적법절차의 원칙과 실체적 진실규명의 조화를 도모하고 이를 통하여 형사사법 정의를 실현하려는 취지에 반하는 결과를 초래할 수 있다.(대법원 2019. 7. 11. 2018도20504 판사 날인 누락사건)

정답 | 057 ②

058

□□□

위법수집증거배제법칙에 관한 설명으로 가장 적절한 것은? (다툼이 있으면 판례에 의함)

22 경찰채용 [Core ★★]

① 검사가 공소외 甲을 구속기소한 후 다시 소환하여 피고인 등 공범과의 활동에 관한 신문을 하면서 피의자신문조서가 아닌 일반적인 진술조서의 형식으로 조서를 작성한 경우 이 진술조서의 내용이 피의자신문조서와 실질적으로 같고 진술의 임의성이 인정되는 경우라도 甲에게 미리 진술거부권을 고지하지 않은 때에는 그 진술은 위법수집증거에 해당하므로 피고인에 대한 유죄의 증거로 사용할 수 없다.

② 법관의 서명날인란에 서명만 있고 날인이 없는 영장은 형사소송법이 정한 요건을 갖추지 못하여 적법하게 발부되었다고 볼 수 없으므로 비록 판사의 의사에 기초하여 진정하게 영장이 발부되었다는 점이 외관상 분명하고 의도적으로 적법절차의 실질적인 내용을 침해한다거나 영장주의를 회피할 의도를 가지고 이 영장에 따른 압수·수색을 하였다고 보기 어렵다 하더라도 이 영장에 따라 압수한 파일 출력물과 이에 기초하여 획득한 2차적 증거인 피의자신문조서도 유죄 인정의 증거로 사용할 수 없다.

③ 유흥주점 업주인 피고인이 성매매업을 하면서 금품을 수수하였다고 하여 기소된 사안에서, 경찰이 피고인 아닌 甲, 乙을 사실상 강제연행하여 불법체포한 상태에서 받은 자술서 및 진술조서가 위법수사로 얻은 진술증거에 해당하더라도 이를 피고인에 대한 유죄 인정의 증거로 삼을 수 있다.

④ 피고인이 발송한 이메일에 대한 압수·수색영장을 집행하면서 수사기관이 甲 회사에 팩스로 영장 사본을 송신하였다면, 비록 영장 원본을 제시하거나 압수조서와 압수물 목록을 작성하여 피압수·수색 당사자에게 교부하지 않았더라도 이 같은 방법으로 압수된 피고인의 이메일은 위법수집증거의 증거능력을 인정할 수 있는 예외적인 경우에 해당하므로 증거능력이 부정되지 않는다.

해설

① [○] 검사가 공소외 甲을 구속기소한 후 다시 소환하여 피고인 등 공범과의 활동에 관한 신문을 하면서 피의자신문조서가 아닌 일반적인 진술조서의 형식으로 조서를 작성한 경우 이 진술조서의 내용이 피의자 신문조서와 실질적으로 같고 진술의 임의성이 인정되는 경우라도 甲에게 **미리 진술거부권을 고지하지 않은 때에는 그 진술은 위법수집증거에 해당하므로 피고인에 대한 유죄의 증거로 사용할 수 없다.**(대법원 2009. 8. 20. 2008도8213 **박준의 민노당 정책국장 사건**)

② [×] 압수·수색·검증영장 법관의 서명·날인란에 서명만 있고 날인이 없는 경우 형사소송법이 정한 요건을 갖추지 못하여 적법하게 발부되었다고 볼 수 없으나, **위와 같은 결함은** 피고인의 기본적 인권보장 등 법익 침해 방지와 관련성이 적으므로 **절차 조항 위반의 내용과 정도가 중대하지 않고 절차 조항이 보호하고자 하는 권리나 법익을 본질적으로 침해하였다고 볼 수 없다.** 오히려 이러한 경우에까지 공소사실과 관련성이 높은 파일 출력물의 증거능력을 배제하는 것은 적법절차의 원칙과 실체적 진실규명의 조화를 도모하고 이를 통하여 형사사법 정의를 실현하려는 취지에 반하는 결과를 초래할 수 있다.(대법원 2019. 7. 11. 2018도20504 **판사 날인 누락사건**) 이와 같은 영장에 의하여 압수한 파일 출력물과 이에 기초하여 획득한 2차적 증거인 피의자신문조서는 유죄 인정의 증거로 사용할 수 있다.

③ [×] 경찰이 피고인이 아닌 제3자들(유흥업소 손님과 그 여종업원)을 사실상 강제연행하여 불법체포한 상태에서 이들의 성매매행위나 피고인들의 유흥업소 영업행위를 처벌하기 위하여 **진술서를 받고 진술조서를 작성한 경우**, 각 진술서 및 진술조서는 위법수사로 얻은 진술증거에 해당하여 증거능력이 없으므로 **피고인들의 식품위생법위반 혐의에 대한 유죄 인정의 증거로 삼을 수 없다.**(대법원 2011. 6. 30. 2009도6717 충북장강 제연행 사건)

④ [×] 수사기관이 이메일에 대한 압수·수색영장을 집행할 당시 **피압수자인 네이버 주식회사에 팩스로 영장 사본을 송신했을 뿐 그 원본을 제시하지 않았고**, 압수조서와 압수물 목록을 작성하여 피압수·수색 당사자에게 교부하였다고 볼 수 없는 경우, 이러한 방법으로 압수된 이메일은 위법수집증거로 원칙적으로 유죄의 증거로 삼을 수 없다.**(대법원 2017. 9. 7. 2015도10648 안재구 경북대 교수 사건)

---

059 다음 설명 중 옳지 않은 것은? (다툼이 있으면 판례에 의함) 16 국가9급 [Essential ★]

☐☐☐

① 선거관리위원회 위원·직원이 관계인에게 진술이 녹음된다는 사실을 미리 알려 주지 아니한 채 진술을 녹음하였다면, 그와 같은 조사절차에 의하여 수집한 녹음파일 내지 그에 터 잡아 작성된 녹취록은 형사소송법 제308조의2에서 정하는 '적법한 절차에 따르지 아니하고 수집한 증거'에 해당하여 원칙적으로 유죄의 증거로 쓸 수 없다.

② 위법한 강제연행 상태에서 호흡측정방법에 의한 음주측정을 한 다음, 강제연행 상태로부터 시간적·장소적으로 단절되었다고 볼 수 없는 상황에서 피의자가 호흡측정결과를 탄핵하기 위하여 스스로 혈액채취방법에 의한 측정을 할 것을 요구하여 혈액채취가 이루어진 경우 그러한 혈액채취에 의한 측정결과는 유죄 인정의 증거로 쓸 수 있다.

③ 현장에서 압수·수색을 당하는 사람이 여러 명일 경우에는 그 사람들 모두에게 개별적으로 영장을 제시해야 하는 것이 원칙이다.

④ 수사기관이 甲으로부터 乙의 마약류 관리에 관한 법률 위반 범행에 대한 진술을 듣고 추가적인 증거를 확보할 목적으로, 구속수감중인 甲에게 그의 압수된 휴대전화를 제공하여 乙과 통화하고 범행에 관한 통화 내용을 녹음하게 한 행위는 불법감청에 해당하고, 그 녹음자체는 물론 이를 근거로 작성된 녹취록 첨부 수사보고서도 증거로 사용할 수 없다.

해설

② [×] 체포의 이유와 변호인 선임권의 고지 등 적법한 절차를 무시한 채 이루어진 강제연행은 전형적인 위법한 체포에 해당하고, 위법한 체포 상태에서 이루어진 호흡조사에 의한 음주측정 요구는 주취운전의 범죄행위에 대한 증거수집을 목적으로 한 일련의 과정에서 이루어진 것이므로 그 측정결과는 물론 (호흡조사에 불복하

여 피고인의 자발적인 요구에 의하여 이루어진) **혈액채취에 의한 혈중알콜농도 감정서 등도 증거능력을 인정할 수 없다.**(대법원 2013. 3. 14. 2010도2094 군산 강제연행 사건)

① [○] 선거관리위원회 위원·직원이 관계인에게 진술이 녹음된다는 사실을 미리 알려주지 아니한 채 진술을 **녹음하였다면**, 그와 같은 조사절차에 의하여 수집한 녹음 파일 내지 그에 터 잡아 작성된 녹취록은 형사소송법 제308조의2에서 정하는 '**적법한 절차에 따르지 아니하고 수집한 증거**'에 해당하여 원칙적으로 유죄의 증거로 쓸 수 없다.(대법원 2014. 10. 15. 2011도3509 돈받은 할머니 사건)

③ [○] 압수·수색영장은 처분을 받는 자에게 반드시 제시하여야 하는바, 현장에서 압수·수색을 당하는 사람이 여러 명일 경우에는 그 사람들 모두에게 **개별적으로 영장을 제시해야 하는** 것이 원칙이고, 수사기관이 압수·수색에 착수하면서 그 장소의 관리책임자에게 영장을 제시하였다고 하더라도 물건을 소지하고 있는 다른 사람으로부터 이를 압수하고자 하는 때에는 그 사람에게 따로 영장을 제시하여야 한다.(대법원 2009. 3. 12. 2008도763 김태환 제주지사 사건)

④ [○] 제3자의 경우는 설령 전화통화 당사자 일방의 동의를 받고 그 통화 내용을 녹음하였다 하더라도 그 상대방의 동의가 없었던 이상 통비법 제3조 제1항 위반이 되고, 이와 같이 불법감청에 의하여 녹음된 전화통화의 내용은 증거능력이 없다. 이는 피고인이나 변호인이 이를 증거로 함에 동의하였다고 하더라도 달리 볼 것은 **아니다.**(대법원 2010. 10. 14. 2010도9016 공범자 통화 녹음사건)

---

060 위법수집증거배제법칙에 관한 설명으로 가장 적절하지 않은 것은? (다툼이 있으면 판례에 의함)

□□□
24 경찰채용 [Core ★★]

① 피고인이 자신의 휴대전화 카메라를 이용하여 총 9회에 걸쳐 성적 욕망 또는 수치심을 유발할 수 있는 피해자 4명의 신체를 그들의 의사에 반하여 촬영하였다는 성폭력범죄의 처벌 등에 관한 특례법 위반(카메라등이용촬영)죄의 공소사실과 관련하여, 수사기관이 피고인을 현행범으로 체포할 당시 임의제출 형식으로 압수한 휴대전화의 증거능력이 문제된 경우 휴대전화제출에 관하여 검사가 임의성의 의문점을 없애는 증명을 다하지 못하였다면 휴대전화 및 그에 저장된 전자정보는 위법수집증거에 해당하여 증거능력이 없다.

② 수사기관은 복제본에 담긴 전자정보를 탐색하여 혐의사실과 관련된 정보를 선별하여 출력하거나 다른 저장매체에 저장하는 등으로 압수를 완료하면 혐의사실과 관련 없는 전자정보(이하 '무관정보'라 한다)를 삭제·폐기하여야 하므로 무관정보가 남아 있는 복제본은 더 이상 수사기관의 탐색, 복제 또는 출력 대상이 될 수 없다.

③ 수사기관이 이른바 전화사기죄 범행의 혐의자를 긴급체포하면서 그가 보관하고 있던 다른 사람의 주민등록증, 운전면허증 등을 압수한 경우 이는 형사소송법 제217조 제1항에서 규정한 위 범죄사실의 수사에 필요한 범위 내의 적법한 압수로서 이를 위 혐의자의 점유이탈물횡령죄 범행에 대한 증거로 사용할 수 있다.

④ 사법경찰관이 피고인 아닌 자의 주거지·근무지를 방문한 곳에서 진술서 작성을 요구하여 제출받은 경우 등 그 진술서가 경찰서에서 작성한 것이 아니라 작성자가 원하는 장소를 방문하여 받은 것이라면, 위 진술서는 형사소송법 제312조 제5항이 적용되지 않아 형사소송법 제244조의4(수사과정의 기록)에서 정한 절차를 준수하지 않더라도 증거능력이 인정된다.

해설

④ [×] (1) 형사소송법 제312조 제5항의 적용대상인 '수사과정에서 작성한 진술서'란 수사가 시작된 이후에 수사기관의 관여 아래 작성된 것이거나 개시된 수사와 관련하여 수사과정에 제출할 목적으로 작성한 것으로 작성시기와 경위 등 여러 사정에 비추어 그 실질이 이에 해당하는 이상 명칭이나 작성된 장소 여부를 불문한다. (2) 원심은, **경찰관이 입당원서 작성자의 주거지·근무지를 방문하여 입당원서 작성 경위 등을 질문한 후 진술서 작성을 요구하여 이를 제출받은 이상 형사소송법 제312조 제5항이 적용되어야 한다는 이유로 형사소송법 제244조의4에서 정한 절차를 준수하지 않은 각 증거의 증거능력이 인정되지 않는다고 판단**하고 이와 달리 위 진술서는 경찰서에서 작성한 것이 아니라 작성자가 원하는 장소를 방문하여 받은 것이므로 각 절차에 관한 규정이 적용되지 아니한다는 검사의 주장을 배척하였는 바, 이러한 원심의 판단에는 판결에 영향을 미친 잘못이 없다.(대법원 2022. 10. 27. 2022도9510 **입당원서 사건**)

① [○] 임의제출물을 압수한 경우 압수물이 형사소송법 제218조에 따라 실제로 임의제출된 것인지에 관하여 다툼이 있을 때에는 임의제출의 임의성을 의심할 만한 합리적이고 구체적인 사실을 피고인이 증명할 것이 아니라 **검사가 그 임의성의 의문점을 없애는 증명을 해야 한다.**(대법원 2024. 3. 12. 2020도9431 **휴대전화를 반환할 수 있다 사건**) 검사가 임의성의 의문점을 없애는 증명을 다하지 못했으므로 휴대전화 등은 증거능력이 없다.

② [○] 수사기관은 하드카피나 이미징 등(이하 '복제본'이라 한다)에 담긴 전자정보를 탐색하여 혐의사실과 관련된 정보(이하 '유관정보'라 한다)를 선별하여 출력하거나 다른 저장매체에 저장하는 등으로 압수를 완료하면 **혐의사실과 관련 없는 전자정보(이하 '무관정보'라 한다)를 삭제·폐기하여야 한다.** 수사기관이 새로운 범죄 혐의의 수사를 위하여 무관정보가 남아 있는 복제본을 열람하는 것은 압수·수색영장으로 압수되지 않은 전자정보를 영장 없이 수색하는 것과 다르지 않다. 따라서 복제본은 더 이상 수사기관의 탐색, 복제 또는 출력 대상이 될 수 없으며, 수사기관은 새로운 범죄 혐의의 수사를 위하여 필요한 경우에도 기존 압수·수색 과정에서 출력하거나 복제한 유관정보의 결과물을 열람할 수 있을 뿐이다.(대법원 2023. 10. 18. 2023도8752 **카사노바 성매매·몰카범 사건**)

③ [○] 경찰관이 이른바 전화사기죄 범행의 혐의자를 긴급체포하면서 그가 보관하고 있던 다른 사람의 주민등록증, 운전면허증 등을 압수한 경우 이는 구 형사소송법 제217조 제1항에서 규정한 해당 범죄사실의 수사에 필요한 범위 내의 압수로서 적법하므로 이를 위 혐의자의 **점유이탈물횡령죄 범행에 대한 증거로 사용할 수 있다.**(대법원 2008. 7. 10. 2008도2245 **전화사기범 압수·수색사건**)

정답 | 060 ④

061

□□□

독수의 과실이론에 관한 설명으로 가장 적절하지 않은 것은? (다툼이 있으면 판례에 의함)

15 경찰채용 [Core ★★]

① 독수의 과실이론이란 위법하게 수집된 증거에 의하여 발견된 제2차 증거의 증거능력을 배제하는 이론이다.

② 대법원은 위법수집 증거에 의하여 획득한 2차적 증거도 원칙적으로 유죄 인정의 증거로 삼을 수 있다고 판시한 바 있다.

③ 적법절차를 따르지 않고 수집한 증거를 기초로 획득한 2차적 증거라도 1차 증거수집과의 사이에 인과관계의 희석 또는 단절여부를 중심으로 2차적 증거수집과 관련된 모든 사정을 전체적·종합적으로 고려하여 예외적인 경우에는 유죄 인정의 증거로 사용할 수 있다.

④ 강도 현행범으로 체포된 피고인이 진술거부권을 고지받지 아니한 채 자백을 하고, 이후 40여 일이 지난 후에 변호인의 충분한 조력을 받으면서 공개된 법정에서 임의로 자백한 경우에 법정에서의 피고인의 자백은 증거로 사용할 수 있다.

해설

② [×] (1) 헌법과 형사소송법이 정한 절차에 따르지 아니하고 수집된 증거는 기본적 인권 보장을 위해 마련된 적법한 절차에 따르지 않은 것으로 **원칙적으로 유죄 인정의 증거로 삼을 수 없다.** (2) 다만 수사기관의 절차 위반행위가 적법절차의 실질적인 내용을 침해하는 경우에 해당하지 아니하고, 오히려 그 증거의 증거능력을 배제하는 것이 헌법과 형사소송법이 형사소송에 관한 절차조항을 마련하여 적법절차의 원칙과 실체적 진실 규명의 조화를 도모하고 이를 통하여 형사 사법의 정의를 실현하려 한 취지에 반하는 결과를 초래하는 것으로 평가되는 예외적인 경우라면, 법원은 그 증거를 유죄 인정의 증거로 사용할 수 있다.(대법원 2015. 1. 22. 2014도10978 송슨 이석기 의원 사건) 지문은 해설 (2)와 같은 예외를 원칙인 것으로 설명하고 있기 때문에 틀리다.

① [○] **독수독과**(毒樹毒果) 이론에 대한 설명으로 옳다.

③ [○] 법원이 2차적 증거의 증거능력 인정 여부를 최종적으로 판단할 때에는 먼저 절차에 따르지 아니한 1차적 증거 수집과 관련된 모든 사정들, 즉 절차조항의 취지와 그 위반의 내용 및 정도, 구체적인 위반 경위와 회피가능성, 절차조항이 보호하고자 하는 권리 또는 법익의 성질과 침해 정도 및 피고인과의 관련성, 절차 위반행위와 증거수집 사이의 인과관계 등 관련성의 정도, 수사기관의 인식과 의도 등을 살피는 것은 물론, 나아가 1차적 증거를 기초로 하여 다시 2차적 증거를 수집하는 과정에서 추가로 발생한 모든 사정들까지 구체적인 사안에 따라 주로 **인과관계 희석 또는 단절 여부를 중심으로 전체적·종합적으로 고려하여야 한다.**(대법원 2014. 2. 27. 2013도12155 최태원 SK그룹회장 사건)

④ [○] (강도 현행범으로 체포된 피고인에게 진술거부권을 고지하지 아니한 채 강도범행에 대한 자백을 받고, 이를 기초로 여죄에 대한 진술과 증거물을 확보한 후 진술거부권을 고지하여 피고인의 임의자백 및 피해자의 피해사실에 대한 진술을 수집한 사안에서) 제1심 법정에서의 피고인의 자백은 진술거부권을 고지받지 않은 상태에서 이루어진 **최초 자백 이후 40여 일이 지난 후에 변호인의 충분한 조력을 받으면서 공개된 법정에서** 임의로 이루어진 것이고, 피해자의 진술은 법원의 적법한 소환에 따라 자발적으로 출석하여 위증의 벌을 경고받고 선서한 후 공개된 법정에서 임의로 이루어진 것이어서 **예외적으로 유죄 인정의 증거로 사용할 수 있는 2차적 증거에 해당한다.**(대법원 2009. 3. 12. 2008도11437 40여일 뒤 자백 사건)

062 다음 중 가장 옳은 것은? (다툼이 있으면 판례에 의함) 15 경찰간부 [Superlative ★★★]

① 사문서위조 및 소송사기가 문제된 피고사건에서 제3자가 절취하고 소송사기의 피해자측이 수사기관에 증거자료로 제출하기 위하여 대가를 지급하고 입수한 피고인의 업무일지가 증거로 제출된 사안에 대하여 피고인의 형사소추를 위하여 당해 업무일지가 반드시 필요한 증거로 보인다고 판단한 다음, 공익의 실현을 위하여는 당해 업무일지를 범죄의 증거로 제출하는 것이 허용되어야 하고, 이로 말미암아 피고인의 사생활 영역을 침해하는 결과가 초래된다 하더라도 이는 피고인이 수인하여야 할 기본권의 제한에 해당된다고 판단하여 증거능력을 인정하였다.

② 대화당사자의 일방이 상대방 몰래 대화내용을 녹음하는 경우와 같이 사인간의 비밀녹음에 대해 전문법칙에 근거하여 그 증거능력을 제한하였을 뿐 아니라 위법수집증거배제법칙에 기하여 증거능력을 제한하였다.

③ 체포의 이유와 변호인 선임권의 고지 등 적법한 절차를 무시한 채 이루어진 강제연행은 전형적인 위법한 체포에 해당하고, 위법한 체포상태에서 이루어진 음주측정요구는 주취운전의 범죄행위에 대한 증거수집을 목적으로 한 일련의 과정에서 이루어진 것이나, 그 측정 결과는 형사소송법 제308조의2에 규정된 적법한 절차에 따르지 아니하고 수집한 증거에 해당한다고 볼 수 없다면서 증거능력을 인정하였다.

④ 마약류관리에 관한 법률 위반죄 피고사건에서 수사기관의 임의동행이 위법한 체포에 해당하면 이후의 제1차 채뇨에 의한 증거 수집은 위법하게 된다. 피고인이 이후 법관이 발부한 구속영장에 의하여 적법하게 구금되었고 법관이 발부한 압수영장에 의하여 2차 채뇨 및 채모 절차가 적법하게 이루어진 경우에도 2차적 증거수집이 위법한 체포·구금절차에 의하여 형성된 상태를 직접 이용하여 행하여진 것으로 평가되어야 한다.

해설

① [O] 사문서위조·위조사문서행사 및 소송사기로 이어지는 일련의 범행에 대하여 피고인을 형사소추하기 위해서는 업무일지가 반드시 필요한 증거로 보이므로 설령 그것이 **제3자에 의하여 절취된 것**으로서 소송사기 등의 피해자측이 이를 수사기관에 증거자료로 제출하기 위하여 대가를 지급하였다 하더라도 공익의 실현을 위하여는 업무일지를 범죄의 증거로 제출하는 것이 허용되어야 하고, 이로 말미암아 피고인의 사생활 영역을 침해하는 결과가 초래된다 하더라도 이는 피고인이 수인하여야 할 기본권의 제한에 해당된다.(대법원 2008. 6. 26. 2008도1584 **위조연습 업무일지 사건**)

② [×] 전화통화 당사자의 일방이 상대방 몰래 통화내용을 녹음하더라도 대화 당사자 일방이 상대방 모르게 그 대화내용을 녹음한 경우와 마찬가지로 **통비법 제3조 제1항 위반이 되지 아니한다.**(대법원 2002. 10. 8. 2002도123) 지문과 같은 경우 전문법칙에 의하여 증거능력의 제한은 받지만, 위법수집증거배제법칙은 적용되지 않는다.

③ [×] 체포의 이유와 변호인 선임권의 고지 등 적법한 절차를 무시한 채 이루어진 강제연행은 전형적인 위법한 체포에 해당하고, 위법한 체포 상태에서 이루어진 호흡조사에 의한 음주측정 요구는 주취운전의 범죄행위에

대한 증거수집을 목적으로 한 일련의 과정에서 이루어진 것이므로 그 측정결과는 물론 (호흡조사에 불복하여 피고인의 자발적인 요구에 의하여 이루어진) 혈액채취에 의한 혈중알콜농도 감정서 등도 증거능력을 인정할 수 없다.(대법원 2013. 3. 14. 2010도2094 군산 강제연행 사건)

④ [×] 수사기관의 연행이 위법한 체포에 해당하고 그에 이은 제1차 채뇨에 의한 증거 수집이 위법하다고 하더라도, 피고인은 이후 법관이 발부한 구속영장에 의하여 적법하게 구금되었고 법관이 발부한 압수영장에 의하여 2차 채뇨 및 채모 절차가 적법하게 이루어진 이상 **그와 같은 2차적 증거 수집이 위법한 체포·구금절차에 의하여 형성된 상태를 직접 이용하여 행하여진 것으로는 쉽사리 평가할 수 없다.** (중략) 법관이 발부한 압수영장에 의하여 이루어진 2차 채뇨 및 채모 절차를 통해 획득된 감정서는 모두 증거능력이 인정된다.(대법원 2013. 3. 14. 2012도13611 부산 마약피의자 강제연행 사건)

063 사인(私人)에 의한 위법수집증거에 대한 설명으로 가장 적절한 것은? (다툼이 있으면 판례에 의함)

□□□

21 경찰승진 [Core ★★]

① 위법수집증거배제법칙은 국가기관의 기본권 침해와 위법한 수사활동을 규제하기 위한 원칙이므로 사인이 타인의 기본권을 침해하는 방법으로 수집한 증거에 대해서는 항상 적용되지 않는다.

② 피고인이 범행 후 피해자에게 전화를 걸어오자 피해자가 증거를 수집하려고 그 전화내용을 녹음한 경우 그 녹음테이프가 피고인 모르게 녹음된 것이라 하여 이를 위법하게 수집된 증거라고 할 수 없다.

③ 소송사기의 피해자가 제3자로부터 대가를 지급하고 취득한 업무일지는 그것이 제3자에 의해 절취된 것이라면 위법수집증거에 해당하며, 그로 인하여 피고인의 사생활 영역을 침해하는 결과가 초래된다면 공익의 실현을 위한 것이라도 사기죄에 대한 증거로 사용할 수 없다.

④ 제3자가 대화당사자 일방만의 동의를 받고 통화내용을 녹음한 경우 그 통화내용은 다른 상대방의 동의가 없었다고 하더라도 증거능력이 인정된다.

해설

② [○] 피고인이 범행 후 피해자에게 전화를 걸어오자 피해자가 증거를 수집하려고 그 전화내용을 녹음한 경우 그 녹음테이프가 피고인 모르게 녹음된 것이라 하여 이를 **위법하게 수집된 증거라고 할 수 없다.**(대법원 1997. 3. 28. 97도240 강간범 통화 녹음사건)

① [×] 국민의 인간으로서의 존엄과 가치를 보장하는 것은 국가기관의 기본적인 의무에 속하고 이는 형사절차에서도 당연히 구현되어야 하지만, 국민의 사생활 영역에 관계된 모든 증거의 제출이 곧바로 금지되는 것으로 볼 수는 없으므로 법원으로서는 효과적인 형사소추 및 형사소송에서 진실발견이라는 공익과 개인의 인격적 이익 등 보호이익을 비교형량하여 그 허용 여부를 결정하여야 한다.(대법원 2020. 10. 29. 2020도3972 이명박 전대통령 사건) 이 판례의 취지에 의할 때 **사인이 타인의 기본권을 침해하는 방법으로 수집한 증거에 대하여는 위법수집증거배제법칙이 적용될 여지가 있다.**

③ [×] 사문서위조·위조사문서행사 및 소송사기로 이어지는 일련의 범행에 대하여 피고인을 형사소추하기 위해서는 업무일지가 반드시 필요한 증거로 보이므로 설령 그것이 제3자에 의하여 절취된 것으로서 소송사기 등의 피해자측이 이를 수사기관에 증거자료로 제출하기 위하여 대가를 지급하였다 하더라도 **공익의 실현을 위하여는 업무일지를 범죄의 증거로 제출하는 것이 허용되어야 하고**, 이로 말미암아 피고인의 사생활 영역을 침해하는 결과가 초래된다 하더라도 이는 피고인이 수인하여야 할 기본권의 제한에 해당된다.(대법원 2008. 6. 26. 2008도1584 **위조연습 업무일지 사건**)

④ [×] 제3자의 경우는 설령 전화통화 당사자 일방의 동의를 받고 그 통화 내용을 녹음하였다 하더라도 그 상대방의 동의가 없었던 이상 통비법 제3조 제1항 위반이 되고, 이와 같이 불법감청에 의하여 녹음된 전화통화의 내용은 **증거능력이 없다.** 이는 피고인이나 변호인이 이를 증거로 함에 동의하였다고 하더라도 달리 볼 것은 아니다.(대법원 2010. 10. 14. 2010도9016 **공범자 통화 녹음사건**)

---

064 증거능력에 관한 다음 설명 중 옳지 않은 것은 모두 몇 개인가? (다툼이 있으면 판례에 의함)

19 경찰간부 [Superlative ★★★]

㉠ 긴급체포 당시의 상황으로 보아서도 그 요건의 충족 여부에 관한 검사나 사법경찰관의 판단이 경험칙에 비추어 현저히 합리성을 잃은 경우에는 그 체포는 위법한 체포라 할 것이고, 이러한 위법은 영장주의에 위배되는 중대한 것이니 그 체포에 의한 유치 중에 작성된 피의자신문조서는 위법하게 수집된 증거로서 특별한 사정이 없는 한 이를 유죄의 증거로 할 수 없다.

㉡ 경찰이 피고인 아닌 甲, 乙을 사실상 강제연행한 상태에서 받은 각 자술서 및 이들에 대하여 작성한 각 진술조서는 위법수사로 얻은 진술증거에 해당하여 증거능력이 없다.

㉢ 사문서위조·위조사문서행사 및 소송사기로 이어지는 일련의 범행에 대하여 피고인을 형사소추하기 위해서는 이 사건 업무일지가 반드시 필요한 증거로 보이므로, 설령 그것이 제3자에 의하여 절취된 것으로서 위 소송사기 등의 피해자 측이 이를 수사기관에 증거자료로 제출하기 위하여 대가를 지급하였다 하더라도, 공익의 실현을 위하여는 이 사건 업무일지를 범죄의 증거로 제출하는 것이 허용되어야 한다.

㉣ 당초의 적법절차 위반행위와 증거수집 행위의 중간에 그 행위의 위법 요소가 제거 내지 배제되었다고 볼 만한 다른 사정이 개입됨으로써 인과관계가 단절된 것으로 평가할 수 있는 예외적인 경우에는 이를 유죄 인정의 증거로 사용할 수 있다.

---

① 없음　　　　② 1개　　　　③ 2개　　　　④ 3개

해설

① 모든 항목이 옳은 연결이다.

㉠ [○] 긴급체포 당시의 상황으로 보아서도 그 요건의 충족 여부에 관한 검사나 사법경찰관의 판단이 경험칙에 비추어 현저히 합리성을 잃은 경우에는 그 체포는 **위법한 체포라 할 것이고** 이러한 위법은 영장주의에 위배되는 중대한 것이니 그 체포에 의한 유치 중에 작성된 피의자신문조서는 위법하게 수집된 증거로서 특별한 사정이 없는 한 이를 유죄의 증거로 할 수 없다.(대법원 2008. 3. 27. 2007도11400)

㉡ [○] 경찰이 피고인이 아닌 제3자들(유흥업소 손님과 그 여종업원)을 사실상 강제연행하여 불법체포한 상태에서 이들의 성매매행위나 피고인들의 유흥업소 영업행위를 처벌하기 위하여 진술서를 받고 진술조서를 작성한 경우, 각 진술서 및 진술조서는 위법수사로 얻은 진술증거에 해당하여 증거능력이 없으므로 피고인들의 식품위생법위반 혐의에 대한 **유죄 인정의 증거로 삼을 수 없다.**(대법원 2011. 6. 30. 2009도6717 **충북장 강제연행 사건**)

㉢ [○] **사문서위조 · 위조사문서행사 및 소송사기로 이어지는** 일련의 범행에 대하여 피고인을 형사소추하기 위해서는 업무일지가 반드시 필요한 증거로 보이므로 설령 그것이 제3자에 의하여 절취된 것으로서 소송사기 등의 피해자측이 이를 수사기관에 증거자료로 제출하기 위하여 대가를 지급하였다 하더라도 공익의 실현을 위하여는 업무일지를 범죄의 증거로 제출하는 것이 허용되어야 하고, 이로 말미암아 피고인의 사생활 영역을 침해하는 결과가 초래된다 하더라도 이는 **피고인이 수인하여야 할 기본권의 제한에 해당된다.**(대법원 2008. 6. 26. 2008도1584 **위조연습 업무일지 사건**)

㉣ [○] 당초의 적법절차 위반행위와 증거수집 행위의 중간에 그 행위의 위법 요소가 제거 내지 배제되었다고 볼 만한 다른 사정이 개입됨으로써 인과관계가 단절된 것으로 평가할 수 있는 **예외적인 경우에는 이를 유죄 인정의 증거로 사용할 수 있다.**(대법원 2013. 3. 14. 2010도2094 **군산 강제연행 사건**)

---

065 다음 중 원칙적으로 피고인에 대한 유죄 인정의 증거로 삼을 수 없는 증거를 모두 고른 것은? (다툼이 있는 경우 판례에 의함)

☐☐☐   18 법원9급 [Superlative ★★★]

㉠ 경찰이 피고인의 집에서 20m 떨어진 곳에서 피고인을 체포한 후 피고인의 집안을 수색하여 칼과 합의서를 압수하였고, 적법한 시간 내에 압수수색영장을 청구하여 발부받지 않은 경우, 위 칼과 합의서를 기초로 한 2차 증거인 '임의제출동의서', '압수조서 및 목록', '압수품 사진'

㉡ 미성년자인 피고인의 음주운전과 관련된 도로교통법 위반죄의 수사를 위하여 의식을 잃은 피고인을 대신하여 법정대리인인 아버지의 동의를 받아 혈액을 채취하였으나 사후영장은 발부받지 않은 경우, 피고인의 혈중알코올농도에 대한 국립과학수사연구소의 감정의뢰 회보

㉢ 피고인에 대하여「성매매알선 등 행위의 처벌에 관한 법률 위반」으로 공소가 제기된 사건에서 피고인 아닌 갑(甲)을 사실상 강제연행한 상태에서 받은 자술서 및 진술조서

㉣ 피고인에 대하여 뇌물수수죄로 공소가 제기된 사건에서 공판절차 진행 중 수소법원 이 외의 지방법원판사로부터 발부받은 뇌물공여자 을(乙)에 대한 압수 · 수색 영장에 의해 수집한 '자립예탁금 거래내역표' 및 '수표 사본'

① ㉠㉢   ② ㉠㉡㉣   ③ ㉡㉢㉣   ④ ㉠㉡㉢㉣

해설

④ ㉠㉡㉢㉣ 모든 항목의 경우 유죄 인정의 증거로 삼을 수 없다.

㉠ 경찰이 (형사소송법 제215조 제2항에 위반하여) 피고인의 집에서 20m 떨어진 곳에서 피고인을 체포하여 수갑을 채운 후 피고인의 집으로 가서 집안을 수색하여 칼과 합의서를 압수하였을 뿐만 아니라 적법한 시간 내에 압수·수색영장을 청구하여 발부받지 않은 경우, 위 칼과 합의서는 임의제출물이 아니라 영장 없이 위법하게 압수된 것으로서 **증거능력이 없고**, 이를 기초로 한 2차 증거인 임의제출동의서, 압수조서 및 목록, 압수품 사진 역시 **증거능력이 없다.**(대법원 2010. 7. 22. 2009도14376 **칼과 합의서 압수사건**)

㉡ 수사기관이 법원으로부터 영장 또는 감정처분허가장을 발부받지 아니한 채 피의자의 동의 없이 피의자의 신체로부터 혈액을 채취하고 사후에도 지체 없이 영장을 발부받지 아니한 채 그 혈액 중 알코올농도에 관한 감정을 의뢰하였다면, 이러한 과정을 거쳐 얻은 감정의뢰회보 등은 형사소송법상 영장주의 원칙을 위반하여 수집하거나 그에 기초하여 획득한 증거로서 그 절차위반행위가 적법절차의 실질적인 내용을 침해하여 피고인이나 변호인의 동의가 있더라도 **유죄의 증거로 사용할 수 없다.**(대법원 2014. 11. 13. 2013도1228 **의정부 강제채혈사건**)

㉢ 경찰이 피고인이 아닌 제3자들(유흥업소 손님과 그 여종업원)을 사실상 강제연행하여 불법체포한 상태에서 이들의 성매매행위나 피고인들의 유흥업소 영업행위를 처벌하기 위하여 진술서를 받고 진술조서를 작성한 경우, 각 진술서 및 진술조서는 위법수사로 얻은 진술증거에 해당하여 **증거능력이 없으므로** 피고인들의 식품위생법 위반 혐의에 대한 **유죄 인정의 증거로 삼을 수 없다.**(대법원 2011. 6. 30. 2009도6717 **충북장여관 강제연행사건**)

㉣ 검사가 공소제기 후 수소법원 이외의 지방법원판사에게 청구하여 발부받은 영장에 의하여 압수·수색을 하였다면, 그와 같이 수집된 증거는 적법한 절차에 따르지 않은 것으로서 원칙적으로 **유죄의 증거로 삼을 수 없다.**(대법원 2011. 4. 28. 2009도10412 **공정위 사무관 수뢰사건**)

066

□□□

위법수집증거배제법칙에 대한 설명으로 옳지 않은 것은? (다툼이 있으면 판례에 의함)

14 국가9급 [Core ★★]

① 甲의 공직선거법 위반 범행을 영장사실로 하여 발부받은 압수·수색영장을 집행하는 과정에서 발견된 甲과 무관한 乙과 丙 사이의 공직선거법 위반 혐의사실이 담겨 있는 녹음파일은 임의로 제출받거나 별도의 압수·수색영장을 발부받지 않았다면 乙과 丙에 대한 유죄의 증거로 사용할 수 없다.

② 참고인에 대한 검찰 진술조서가 강압상태 또는 강압수사로 인한 정신적 강압상태가 계속된 상태에서 작성된 것으로 의심되어 그 임의성을 의심할 만한 사정이 있는데도 검사가 그 임의성의 의문점을 없애는 증명을 하지 못하였다면 유죄의 증거로 사용할 수 없다.

③ 수사기관이 압수영장 또는 감정처분허가장을 발부받지 아니한 채 피의자의 동의 없이 피의자의 신체로부터 혈액을 채취하고 사후에도 지체 없이 영장을 발부받지 않았다면, 그 혈액의 알코올농도에 관한 감정회보는 유죄의 증거로 사용할 수 없다.

④ 제3자가 공갈목적을 숨기고 피고인의 동의하에 찍은 나체사진은 피고인의 사생활의 비밀을 침해하므로 형사소추상 반드시 필요한 증거라고 하더라도 피고인에 대한 간통죄(간통죄가 위헌결정되기 전)의 유죄의 증거로 사용할 수는 없다.

해설

④ [×] 피고인의 동의하에 촬영된 나체사진의 존재만으로 피고인의 인격권과 초상권을 침해하는 것으로 볼 수 없고 가사 사진을 촬영한 제3자가 그 사진을 이용하여 피고인을 공갈할 의도였다고 하더라도 사진의 촬영이 임의성이 배제된 상태에서 이루어진 것이라고 할 수는 없으며 그 사진은 범죄현장의 사진으로서 피고인에 대한 형사소추를 위하여 반드시 필요한 증거로 보이므로 공익의 실현을 위하여는 그 사진을 범죄의 증거로 제출하는 것이 허용되어야 하고, 이로 말미암아 피고인의 사생활의 비밀을 침해하는 결과를 초래한다 하더라도 이는 피고인이 수인하여야 할 기본권의 제한에 해당된다.(대법원 1997. 9. 30. 97도1230 나체사진 사건)

① [○] '피의자: 甲, 압수할 물건: 乙이 소지하고 있는 휴대전화 등, 범죄사실: 甲은 공천과 관련하여 새누리당 공천심사위원에게 돈 봉투를 제공하였다 등'이라고 기재된 압수·수색영장에 의하여 검찰청 수사관이 乙의 주거지에서 그의 휴대전화를 압수하고 그 휴대전화에서 추출한 전자정보를 분석하던 중 피고인 乙, 丙 사이의 대화가 녹음된 녹음파일을 통하여 피고인들에 대한 공직선거법위반의 혐의점을 발견하고 수사를 개시하였으나, 피고인들로부터 녹음파일을 임의로 제출받거나 새로운 압수·수색영장을 발부받지 아니한 경우, 그 녹음파일은 압수·수색영장에 의하여 압수할 수 있는 물건 내지 전자정보로 볼 수 없으므로(형사소송법 제215조 제1항에 규정된 '해당사건'과 관계가 있다고 인정할 수 있는 것에 해당한다고 할 수 없으므로) 피고인들의 공소사실(피고인 乙, 丙 사이의 정당 후보자 추천 및 선거운동 관련 대가제공 요구 및 약속 범행)에 대해서는 증거능력이 부정된다.(대법원 2014. 1. 16. 2013도7101 현영희 의원 사건)

② [○] 참고인에 대한 검찰 진술조서가 강압상태 또는 강압수사로 인한 정신적 강압상태가 계속된 상태에서 작성된 것으로 의심되어 그 임의성을 의심할 만한 사정이 있는데도 검사가 그 임의성의 의문점을 없애는 증명을 하지 못하였다면 유죄의 증거로 사용할 수 없다.(대법원 2006. 11. 23. 2004도7900 서세원 프로덕션 사건)

③ [○] 수사기관이 법원으로부터 영장 또는 감정처분허가장을 발부받지 아니한 채 피의자의 동의없이 피의자의 신체로부터 혈액을 채취하고 더구나 사후적으로도 지체 없이 이에 대한 영장을 발부받지 아니하고서 위와 같이 강제채혈한 피의자의 혈액 중 알코올농도에 관한 감정이 이루어졌다면 이러한 감정결과보고서 등은 피고인이나 변호인의 증거동의 여부를 불문하고 유죄인정의 증거로 사용할 수 없다.(대법원 2012. 11. 15. 2011도15258 구로 강제채혈 사건)

067 사인(私人)에 의한 위법수집증거에 대한 설명으로 옳지 않은 것은? (다툼이 있으면 판례에 의함)

24 국가9급 [Superlative ★★★]

① 국민의 사생활 영역에 관계된 모든 증거의 제출이 곧바로 금지되는 것으로 볼 수는 없으므로 법원으로서는 효과적인 형사소추 및 형사소송에서 진실발견이라는 공익과 개인의 인격적 이익 등 보호이익을 비교형량하여 그 허용 여부를 결정하여야 한다.

② 택시 운전기사인 피고인이 자신의 택시에 승차한 피해자들에게 질문하여 지속적인 답변을 유도하는 등의 방법으로 피해자들과의 대화를 이어나가면서 그 대화 내용을 공개한 경우 피해자들의 발언은 피고인에 대한 관계에서 통신비밀보호법 제3조 제1항에서 정한 '타인간의 대화'에 해당한다고 할 수 없다.

③ 사문서위조·위조사문서행사 및 소송사기의 형사소추를 위해 반드시 필요한 증거인 업무일지를 제3자가 절취하였고, 이를 피해자측이 수사기관에 증거자료로 제출하기 위해 대가를 지급하고 취득한 경우라고 할지라도 그 업무일지를 증거로 제출하는 것은 허용될 수 있다.

④ 제3자가 권한 없이 비밀보호조치를 해제하는 방법으로 피고인이 공공업무용 전자문서관리시스템을 이용하여 발송한 전자우편을 수집한 후 이를 공무원의 지위를 이용한 공직선거법 위반 행위인 공소사실의 증거로 제출하는 것은 관련 법률에 따라 형사처벌되는 범죄행위일 뿐만 아니라 피고인의 기본권을 침해하는 행위이므로 허용될 수 없다.

해설

④ [×] 시청 소속 공무원인 제3자가 **권한 없이 전자우편에 대한 비밀 보호조치를 해제하는 방법을 통하여 전자우편을 수집**(정보통신망법 위반 행위)했다고 하더라도 공직선거법 위반죄(공무원의 지위를 이용한 선거운동행위)는 중대한 범죄에 해당할 뿐만 아니라 피고인이 전자우편을 증거로 함에 동의한 점 등을 종합하면, **전자우편을 증거로 제출하는 것은 허용되어야 할 것이고** 이로 말미암아 피고인의 사생활의 비밀이나 통신의 자유가 일정 정도 침해되는 결과를 초래한다 하더라도 이는 피고인이 수인하여야 할 기본권의 제한에 해당한다.(대법원 2013. 11. 28. 2010도12244 밀양시장 이메일 해킹사건)

① [○] 국민의 인간으로서의 존엄과 가치를 보장하는 것은 국가기관의 기본적인 의무에 속하고 이는 형사절차에서도 당연히 구현되어야 하지만, 국민의 사생활 영역에 관계된 모든 증거의 제출이 곧바로 금지되는 것으로 볼 수는 없으므로 법원으로서는 효과적인 형사소추 및 형사소송에서 진실발견이라는 공익과 개인의 인격적 이익 등 보호이익을 비교형량하여 그 허용 여부를 결정하여야 한다.(대법원 2020. 10. 29. 2020도3972 이명박 전대통령 사건)

② [○] 3인간의 대화에서 그 중 한 사람이 그 대화를 녹음 또는 청취하는 경우에 다른 두 사람의 발언은 그 녹음자 또는 청취자에 대한 관계에서 통신비밀보호법 제3조 제1항에서 정한 '타인간의 대화'라고 할 수 없으므로 이러한 녹음 또는 청취하는 행위 및 그 내용을 공개하거나 누설하는 행위가 통신비밀보호법 제16조 제1항에 해당한다고 볼 수 없다.(대법원 2014. 5. 16. 2013도16404 아이유 택시 사건)

③ [O] 사문서위조·위조사문서행사 및 소송사기로 이어지는 일련의 범행에 대하여 피고인을 형사소추하기 위해서는 업무일지가 반드시 필요한 증거로 보이므로 설령 그것이 제3자에 의하여 절취된 것으로서 소송사기 등의 피해자측이 이를 수사기관에 증거자료로 제출하기 위하여 대가를 지급하였다 하더라도 공익의 실현을 위하여는 업무일지를 범죄의 증거로 제출하는 것이 허용되어야 하고, 이로 말미암아 피고인의 사생활 영역을 침해하는 결과가 초래된다 하더라도 이는 **피고인이 수인하여야 할 기본권의 제한에 해당된다.**(대법원 2008. 6. 26. 2008도1584 **위조연습 업무일지 사건**) 장물로 취득한 것이라도 증거사용이 가능하다는 취지의 판례이다.

068 다음은 판례의 태도를 설명한 것이다. 가장 적절한 것은? (다툼이 있으면 판례에 의함)

□□□
13 경찰채용 [Core ★★]

① 수사기관의 압수절차 위반행위가 적법절차의 실질적인 내용을 침해하는 경우에 해당하지 아니하고, 오히려 그 증거의 증거능력을 배제하는 것이 헌법과 형사소송법이 형사소송에 관한 절차 조항을 마련하여 적법절차의 원칙과 실체적 진실 규명의 조화를 도모하고 이를 통하여 형사사법 정의를 실현하려 한 취지에 반하는 결과를 초래하는 것으로 평가되는 예외적인 경우라도, 법원은 그 증거를 유죄 인정의 증거로 사용할 수 없다고 보아야 한다.

② 압수의 필요성이 인정되는 경우에도 무제한적으로 허용되는 것은 아니며, 압수물이 증거물 내지 몰수하여야 할 물건으로 보이는 것이라 하더라도, 범죄의 형태나 경중, 압수물의 증거가치 및 중요성, 증거인멸의 우려 유무, 압수로 인하여 피압수자가 받을 불이익의 정도 등 제반 사정을 종합적으로 고려하여 판단해야 한다.

③ 형사소송법 제217조 제2항·제3항에 위반하여 압수·수색 영장을 청구하여 이를 발부받지 아니하고도 즉시 반환하지 아니한 압수물은 이를 유죄인정의 증거로 사용할 수 없는 것이나, 피고인이나 변호인이 이를 증거로 함에 동의한 경우에는 이와 달리 볼 것이다.

④ 피해자의 신고를 받고 현장에 출동한 경찰서 과학수사팀 소속 경찰관이 피해자가 범인과 함께 술을 마신 테이블 위에 놓여 있던 맥주컵에서 지문 6점을, 맥주병에서 지문 2점을 각각 현장에서 직접 채취하고 난 후 지문채취 대상물을 적법한 절차에 의하지 아니한 채 압수한 경우에 채취된 지문은 위법하게 압수한 지문채취 대상물로부터 획득한 2차적 증거에 해당하므로 위법수집증거에 해당한다.

해설

② [○] 압수의 필요성이 인정되는 경우에도 무제한적으로 허용되는 것은 아니며, 압수물이 증거물 내지 몰수하여야 할 물건으로 보이는 것이라 하더라도, 범죄의 형태나 경중, 압수물의 증거가치 및 중요성, 증거인멸의 우려 유무, 압수로 인하여 피압수자가 받을 불이익의 정도 등 제반 사정을 종합적으로 고려하여 판단해야 한다.(대법원 2004. 3. 23. 2003모126)

① [×] 수사기관의 절차 위반행위가 적법절차의 실질적인 내용을 침해하는 경우에 해당하지 아니하고, 오히려 그 증거의 증거능력을 배제하는 것이 헌법과 형사소송법이 형사소송에 관한 절차 조항을 마련하여 적법절차의 원칙과 실체적 진실 규명의 조화를 도모하고 이를 통하여 형사사법 정의를 실현하려 한 취지에 반하는 결과를 초래하는 것으로 평가되는 예외적인 경우라면, 법원은 **그 증거를 유죄 인정의 증거로 사용할 수 있다.**(대법원 2013. 3. 28. 2012도13607)

③ [×] (사법경찰관이 피의자를 긴급체포하면서 그 체포현장에서 물건을 압수한 경우) 형사소송법 제217조 제2항·제3항에 위반하여 압수·수색영장을 청구하여 이를 발부받지 아니하고도 즉시 반환하지 아니한 압수물은 이를 유죄 인정의 **증거로 사용할 수 없는 것이고,** 헌법과 형사소송법이 선언한 영장주의의 중요성에 비추어 볼 때 피고인이나 변호인이 **이를 증거로 함에 동의하였다고 하더라도 달리 볼 것은 아니다.**(대법원 2009. 12. 24. 2009도11401)

④ [×] 범행 현장에서 지문채취 대상물(맥주병, 맥주컵, 물컵)에 대한 지문채취가 먼저 이루어진 이상, 수사기관이 그 이후에 지문채취 대상물을 적법한 절차에 의하지 아니한 채 압수하였다고 하더라도 위와 같이 채취된 지문은 위법하게 압수한 지문채취 대상물로부터 획득한 2차적 증거에 해당하지 아니함이 분명하여 이를 가리켜 **위법수집증거라고 할 수 없다.**(대법원 2008. 10. 23. 2008도7471)

제3편

증거

069 위법수집증거배제법칙에 대한 설명으로 옳은 것만을 모두 고른 것은? (다툼이 있으면 판례에 의함)
□□□
17 국가7급 [Superlative ★★★]

㉠ 수사기관이 압수·수색영장에 기하여 피의자의 주거지에서 증거물 A를 압수하고, 며칠 후 영장 유효기간이 도과하기 전에 위 영장으로 다시 같은 장소에서 증거물 B를 압수한 경우, 증거물 B는 위법수집증거이다.

㉡ 수사기관이 영장을 발부받지 아니한 채 교통사고로 의식불명인 피의자의 동의 없이 그의 아버지의 동의를 받아 피의자의 혈액을 채취하고 사후에도 지체 없이 영장을 발부받지 않았다면 그 혈액에 대한 혈중알코올농도에 관한 감정의뢰회보는 위법수집증거이다.

㉢ 甲이 휴대전화기로 乙과 통화한 후 예우차원에서 바로 전화를 끊지 않고 기다리던 중 그 휴대전화기로부터 乙과 丙이 대화하는 내용이 들리자 이를 그 휴대전화기로 녹음한 경우, 이 녹음은 위법하다고 할 수 없다.

㉣ 수사기관이 범행현장에서 지문채취 대상물인 유리컵에서 지문을 채취한 후, 그 유리컵을 적법한 절차에 의하지 아니한 채 압수하였다면 채취된 지문도 위법수집증거이다.

---

① ㉠㉡   ② ㉠㉣   ③ ㉡㉢   ④ ㉢㉣

해설

① ㉠㉡ 2 항목이 옳다.

㉠ [O] 수사기관이 압수·수색영장을 제시하고 집행에 착수하여 압수·수색을 실시하고 그 집행을 종료하였다면 이미 그 영장은 목적을 달성하여 효력이 상실되는 것이고 동일한 장소 또는 목적물에 대하여 다시 압수·수색할 필요가 있는 경우라면 그 필요성을 소명하여 법원으로부터 새로운 압수·수색영장을 발부 받아야 하는 것이지 앞서 발부받은 압수·수색영장의 유효기간이 남아있다고 하여 이를 제시하고 다시 압수·수색을 할 수는 없다.(대법원 1999. 12. 1. 99모161 **민혁당 연락책 사건**)

㉡ [O] 음주운전과 관련한 도로교통법 위반죄의 범죄수사를 위하여 미성년자인 피의자의 혈액채취가 필요한 경우에도 피의자에게 의사능력이 있다면 피의자 본인만이 혈액채취에 관한 유효한 동의를 할 수 있고, 피의자에게 의사능력이 없는 경우에도 명문의 규정이 없는 이상 법정대리인이 피의자를 대리하여 동의할 수는 없다.(대법원 2014. 11. 13. 2013도1228 **의정부 강제채혈사건**)

㉢ [×] 한겨레신문 기자인 피고인 甲이 **휴대폰의 녹음기능을 작동시킨 상태로 정수장학회 이사장 乙에게 전화를 걸어 약 8분간의 전화통화를 마친 후 예우차원에서 乙이 전화를 먼저 끊기를 기다리던 중**, 문화방송 기획홍보본부장 丙이 乙과 인사를 나누면서 전략기획부장 丁을 소개하는 목소리가 휴대폰을 통해 들려오고, 때마침 乙이 실수로 휴대폰의 통화종료 버튼을 누르지 아니한 채 이를 탁자 위에 놓아두자, **통화연결 상태에 있는 자신의 휴대폰을 이용하여 대화를 몰래 청취하고 녹음한 경우**, 甲은 대화에 원래부터 참여하지 아니한 제3자이므로 휴대폰을 이용하여 대화를 청취·녹음하는 행위는 **작위에 의한 통신비밀보호법 제3조 위반행위에 해당한다.**(대법원 2016. 5. 12. 2013도15616 **정수장학회 비밀회동 청취·녹음·보도사건**)

㉣ [×] 범행 현장에서 지문채취 대상물(맥주병, 맥주컵, 물컵)에 대한 지문채취가 먼저 이루어진 이상, 수사기관이 그 이후에 지문채취 대상물을 적법한 절차에 의하지 아니한 채 압수하였다고 하더라도 위와 같이 채취된 지문은 위법하게 압수한 지문채취 대상물로부터 획득한 2차적 증거에 해당하지 아니함이 분명하여 이를 가리켜 위법수집증거라고 할 수 없다.(대법원 2008. 10. 23. 2008도7471 **인천 주점 강도강간 사건**)

070 다음 중 ㉠~㉣에 대해 증거능력이 있는 것(○)과 없는 것(×)을 순서대로 바르게 나열한 것은?
□□□ (다툼이 있으면 판례에 의함)

(1) 甲의 행동으로 보아 마약을 투약한 것일지도 모른다는 취지의 제보를 받고 출동한 경찰관이 甲에게 임의동행을 요구하였으나 거절하자 甲을 영장 없이 경찰서로 강제연행하였다. 연행된 甲은 경찰서에서 채뇨를 위한 '소변채취동의서'에 서명하고 그 소변을 제출하였는데, 소변에 대한 간이시약검사결과 메스암페타민에 대한 양성반응이 검출되자 이를 시인하는 취지의 ㉠ 소변검사시인서에 서명하였고, 경찰관은 이를 근거로 체포의 이유 등을 고지하고 甲을 긴급체포하였다. 이후 경찰관은 甲에 대한 압수·수색영장과 검증영장을 발부받아 소변과 모발을 채취하여 국립과학수사연구원에 의뢰한 결과 메스암페타민 양성반응이 나왔다는 ㉡ 감정서를 회보받았다.

(2) 경찰관이 절도현장에 떨어진 매출전표를 근거로 금융회사로부터 거래명의자에 대한 정보를 취득하기 위해서는 법원의 영장을 발부받아야 함에도 불구하고 영장 없이 수사기관 명의의 공문서에 의하여 금융회사로부터 ㉢ 乙의 인적사항 등 정보를 제공받아 확인한 후, 乙을 주거지에서 긴급체포하였다. 乙은 경찰서로 연행된 뒤 조사과정에서 절도범행에 대하여 임의로 자백하였으나 구속영장이 기각되어 석방되었다. 乙은 석방된 지 5일 후에 다시 경찰서에 출석하여 임의로 제2의 절도범행을 자백하였다. 이에 경찰관은 제2의 절도범행의 피해자로부터 피해사실에 관한 ㉣ 진술서를 제출받았다.

㉠ ㉡ ㉢ ㉣		㉠ ㉡ ㉢ ㉣
① × ○ × ○		② × ○ ○ ×
③ ○ × ○ ○		④ ○ ○ × ○

해설

① ㉠㉢ 2개는 위법수집증거에 해당하여 증거능력이 부정된다. 그에 비하여 ㉡㉣ 2개는 **위법하게 수집된 증거를 기초로 하여 획득한 2차적 증거**지만 양자 사이에 인과관계가 단절된 것으로 평가할 수 있어 증거능력이 **인정된다.** (1) 법관이 발부한 압수영장에 의하여 이루어진 2차 채뇨 및 채모 절차를 통해 획득된 **감정서는 모두 증거능력이 인정된다.**(대법원 2013. 3. 14. 2012도13611 **부산 마약피의자 강제연행 사건**) (2) 피해자들 작성의 진술서는 제3자인 피해자들이 범행일로부터 약 3개월, 11개월 이상 지난 시점에서 기존의 수사절차로부터 독립하여 자발적으로 자신들의 피해 사실을 임의로 진술한 것이므로 역시 **유죄 인정의 증거로 사용할 수 있는 경우에 해당한다.**(대법원 2013. 3. 28. 2012도13607 **대구할머니 절도사건**)

제4장 전문법칙

071
다음 <보기> 중 전문증거에 해당하지 않는 것은 모두 몇 개인가? 21 해경채용 [Superlative ★★★]

<보기>
- ㉠ 범행목격자의 공판정에서의 증언
- ㉡ 검사가 피해자의 진술을 기재한 진술조서
- ㉢ 해양경찰관이 범인에게 들은 내용에 대해 법정에서 한 진술
- ㉣ 목격자로부터 들은 사실을 법원에 출두하여 전달하는 진술
- ㉤ 피고인이 스스로 작성한 자술서
- ㉥ 사법경찰관 작성의 피의자신문조서
- ㉦ 피고인이 공판정에서 스스로 하는 자백

① 1개　　　　　② 2개　　　　　③ 3개　　　　　④ 4개

해설

② ㉠㉦ 2 항목이 전문증거에 해당하지 않는다.
㉠㉦ 이들은 요증사실을 경험한 자가 공판정에서 직접 진술하는 것으로 **원본증거에 해당**한다.
㉡㉢㉣㉤㉥ 이들은 모두 요증사실을 경험한 자가 직접 공판정에서 진술하지 않고 다른 매체를 통하여 간접적으로 법원에 보고하는 것으로 **전문증거에 해당**한다.(㉡ 제312조 제4항, ㉢ 제316조 제1항, ㉣ 제316조 제2항, ㉤ 제313조 제1항, ㉥ 제312조 제3항)

072
형사소송법 제311조에 따라서 증거능력이 인정되는 전문증거는 모두 몇 개인가? (다툼이 있으면 판례에 의함) 23 경찰간부 [Superlative ★★★]

- ㉠ 당해 사건에서 상소심에 의한 파기환송 전의 공판조서
- ㉡ 당해 사건에서 공판절차 갱신 전의 공판조서
- ㉢ 당해 사건의 공판준비절차에서 작성된 감정인신문조서
- ㉣ 당해 사건의 공판기일에서 피고인이 행한 진술
- ㉤ 증거보전절차에서 작성된 증인신문조서 중 증인에 대한 반대신문과정에서 피의자가 진술한 내용을 기재한 부분

① 2개　　　　　② 3개　　　　　③ 4개　　　　　④ 5개

해설

② ㉠㉡㉢ 3 항목의 서류가 제311조에 의하여 당연히 증거능력이 인정된다.

㉠㉡㉢ 공판준비 또는 공판기일에 피고인이나 피고인 아닌 자의 진술을 기재한 조서와 법원 또는 법관의 검증의 결과를 기재한 조서는 **증거로 할 수 있다.**(제311조) ㉢은 감정서(제313조 제3항)가 아님을 주의해야 한다.

㉣ 당해 사건의 공판기일에서 피고인이 행한 '진술'은 특별한 사정이 없는 한 **원본증거**이고 제311조에 규정된 '**피고인의 진술을 기재한 조서**'가 아니다. 전문증거에 대한 규정인 제311조가 적용될 필요가 없다. 그냥 원본증거이다.

㉤ 증인신문조서가 증거보전절차에서 증인 甲의 증언내용을 기재한 것이고 다만 피의자였던 피고인 乙이 당사자로 참여하여 자신의 범행사실을 시인하는 전제하에 위 증인에게 반대신문한 내용이 기재되어 있을 뿐이라면 위 조서는 공판준비 또는 공판기일에 피고인 등의 진술을 기재한 조서도 아니고 **반대신문 과정에서 피의자가 한 진술에 관한 한 형사소송법 제184조에 의한 증인신문조서도 아니므로 형사소송법 제311조에 의한 증거능력을 인정할 수 없다.**(대법원 1984. 5. 15. 84도508 국일당구장 여주인 살해 사건)

073 전문증거에 관한 설명으로 옳은 것은 모두 몇 개인가? (다툼이 있으면 판례에 의함)

24 경대편입 [Superlative ★★★]

㉠ 어떤 진술이 기재된 서류가 그 내용의 진실성이 범죄사실에 대한 직접증거로 사용될 때는 전문증거가 되지만, 그와 같은 진술을 하였다는 것 자체 또는 진술의 진실성과 관계없는 간접사실에 대한 정황증거로 사용될 때는 반드시 전문증거가 되는 것이 아니다.

㉡ 형사소송법 제312조 제1항은 검사가 작성한 피의자신문조서는 공판준비, 공판기일에 그 피의자였던 피고인 또는 변호인이 그 내용을 인정할 때에 한정하여 증거로 할 수 있다고 규정하고 있다. 여기서 '그 내용을 인정할 때'라 함은 피의자신문조서의 기재 내용이 진술 내용대로 기재되어 있다는 의미가 아니고 그와 같이 진술한 내용이 실제 사실과 부합한다는 것을 의미한다.

㉢ 피고인이 자신과 공범관계에 있는 다른 피고인이나 피의자에 대하여 검사가 작성한 피의자신문조서의 내용을 부인하는 경우에는 형사소송법 제312조 제1항이 적용되지 아니하므로 이를 유죄의 증거로 쓸 수 있다.

㉣ 재전문진술이 기재된 조서는 형사소송법 제312조 또는 제314조에 따라 증거능력이 인정될 수 있는 경우에 해당하여야 함은 물론 형사소송법 제316조 제2항에 따른 요건을 갖추어야 예외적으로 증거능력이 있다.

㉤ 형사소송법은 전문진술에 대하여 제316조에서 실질상 단순한 전문의 형태를 취하는 경우에 한하여 예외적으로 그 증거능력을 인정하는 규정을 두고 있을 뿐 재전문진술이나 재전문진술을 기재한 조서에 대하여는 달리 그 증거능력을 인정하는 규정을 두고 있지 아니하므로 피고인이 증거로 하는 데 동의하더라도 형사소송법 제310조의2의 규정에 의하여 이를 증거로 할 수 없다.

① 2개   ② 3개   ③ 4개   ④ 5개

해설

① ㉠㉡ 2 항목이 옳다.

㉠ [O] 어떤 진술이 기재된 서류가 그 내용의 진실성이 범죄사실에 대한 직접증거로 사용될 때는 전문증거가 되지만, 그와 같은 진술을 하였다는 것 자체 또는 진술의 진실성과 관계없는 간접사실에 대한 정황증거로 사용될 때는 반드시 전문증거가 되는 것이 아니다.(대법원 2019. 8. 29. 2018도14303 **손승 국정농단 박근혜 전대통령 사건**)

㉡ [O] 2022. 1. 1.부터 시행된 형사소송법 제312조 제1항에서 '그 내용을 인정할 때'라 함은 피의자신문조서의 기재 내용이 진술 내용대로 기재되어 있다는 의미가 아니고 그와 같이 **진술한 내용이 실제 사실과 부합한다는 것을 의미한다.**(대법원 2023. 6. 1. 2023도3741 **필로폰 매수인에 대한 검찰 피신조서사본 사건**)

㉢ [×] 형사소송법 제312조 제1항에서 정한 '검사가 작성한 피의자신문조서'란 당해 피고인에 대한 피의자신문조서만이 아니라 당해 피고인과 공범관계에 있는 다른 피고인이나 피의자에 대하여 검사가 작성한 피의자신문조서도 포함되고, 여기서 말하는 '공범'에는 형법 총칙의 공범 이외에도 서로 대향된 행위의 존재를 필요로 할 뿐 각자의 구성요건을 실현하고 별도의 형벌 규정에 따라 처벌되는 강학상 필요적 공범 또는 대향범까지 포함한다. 따라서 **피고인이 자신과 공범관계에 있는 다른 피고인이나 피의자에 대하여 검사가 작성한 피의자신문조서의 내용을 부인하는 경우에는 형사소송법 제312조 제1항에 따라 유죄의 증거로 쓸 수 없다.**(대법원 2023. 6. 1. 2023도3741 **필로폰 매수인에 대한 검찰 피신조서사본 사건**)

㉣㉤ [×] 형사소송법은 전문진술에 대하여 제316조에서 실질상 단순한 전문의 형태를 취하는 경우에 한하여 예외적으로 그 증거능력을 인정하는 규정을 두고 있을 뿐 재전문진술이나 **재전문진술을 기재한 조서에 대하여는** 달리 그 증거능력을 인정하는 규정을 두고 있지 아니하고 있으므로 **피고인이 증거로 하는 데 동의하지 아니하는 한 형사소송법 제310조의2의 규정에 의하여 이를 증거로 할 수 없다.**(대법원 2012. 5. 24. 2010도5948 **대전 동거남 폭행치사사건**)

---

074 전문증거에 관한 다음 설명 중 가장 옳지 않은 것은? (다툼이 있으면 판례에 의함)

□□□   17 법원9급 [Superlative ★★★]

① 피고인이 수표를 발행하였으나 예금부족 또는 거래정지처분으로 지급되지 아니하게 하였다는 부정수표단속법위반의 공소사실을 증명하기 위하여 제출되는 수표는 그 서류의 존재 또는 상태 자체가 증거가 되는 것이어서 증거물인 서면에 해당하고 어떠한 사실을 직접 경험한 사람의 진술에 갈음하는 대체물이 아니다.

② 형사소송법 제314조에 따라 참고인의 소재불명 등의 경우에 그 참고인이 진술하거나 작성한 진술조서나 진술서에 대하여 증거능력을 인정하는 경우 참고인의 진술 또는 작성이 '특히 신빙할 수 있는 상태 하에서 행하여졌음에 대한 증명'은 그러할 개연성이 있다는 정도에 이르러야 한다.

③ 압수된 디지털 저장매체로부터 출력한 문건을 진술증거로 사용하는 경우 그 기재 내용의 진실성에 관하여는 전문법칙이 적용되므로 형사소송법 제313조 제1항에 따라 공판준비나 공판기일에서의 그 작성자 또는 진술자의 진술에 의하여 그 성립의 진정함이 증명된 때에 한하여 이를 증거로 사용할 수 있다.

④ 법정에 출석한 증인이 형사소송법 제148조, 제149조 등에서 정한 바에 따라 정당하게 증언거부권을 행사하여 증언을 거부한 경우는 형사소송법 제314조의 '그 밖에 이에 준하는 사유로 인하여 진술할 수 없는 때'에 해당하지 아니한다.

해설

② [×] 참고인의 소재불명 등의 경우 형사소송법 제314조의 의하여 그 참고인이 진술하거나 작성한 진술조서나 진술서에 대하여 증거능력을 인정하는 것은 (중략) 원진술자 등에 대한 반대신문의 기회조차 없이 증거능력을 부여할 수 있도록 한 것이므로, 그 경우 참고인의 진술 또는 작성이 '**특히 신빙할 수 있는 상태하에서 행하여 졌음에 대한 증명**'은 단지 그러할 개연성이 있다는 정도로는 부족하고 합리적인 의심의 여지를 배제할 정도에 이르러야 한다.(대법원 2014. 2. 21. 2013도12652 돈주고 한거냐 그냥 한거냐 사건)

① [○] (1) 피고인이 수표를 발행하였으나 예금부족 또는 거래정지처분으로 지급되지 아니하게 하였다는 **부정수표 단속법위반의 공소사실을 증명하기 위하여 제출되는 수표**는 그 서류의 존재 또는 상태 자체가 증거가 되는 것이어서 증거물인 서면에 해당하고 어떠한 사실을 직접 경험한 사람의 진술에 갈음하는 대체물이 아니므로, 그 증거능력은 증거물의 예에 의하여 판단하여야 하고, 이에 대하여는 형사소송법 제310조의2에서 정한 **전문법칙이 적용될 여지가 없다**. (2) 이때 수표 원본이 아니라 전자복사기를 사용하여 복사한 사본이 증거로 제출되었고 피고인이 이를 증거로 하는 데 부동의한 경우 수표 사본을 증거로 사용하기 위해서는 수표 원본을 법정에 제출할 수 없거나 그 제출이 곤란한 사정이 있고 수표 원본이 존재하거나 존재하였으며 증거로 제출된 수표 사본이 이를 정확하게 전사한 것이라는 사실이 증명되어야 한다.(대법원 2015. 4. 23. 2015도2275 당좌수표사본 사건)

③ [○] 압수물인 디지털 저장매체로부터 출력한 문건을 증거로 사용하기 위해서는 디지털 저장매체 원본에 저장된 내용과 출력한 문건의 동일성이 인정되어야 하고, 이를 위해서는 디지털 저장매체 원본이 압수시부터 문건 출력 시까지 변경되지 않았음이 담보되어야 한다. 그리고 압수된 디지털 저장매체로부터 출력한 문건을 진술증거로 사용하는 경우, 그 기재 내용의 진실성에 관하여는 **전문법칙이 적용되므로** 형사소송법 제313조 제1항에 따라 공판준비나 공판기일에서의 그 작성자 또는 진술자의 진술에 의하여 그 성립의 진정함이 증명된 때에 한하여 이를 증거로 사용할 수 있다.(대법원 2013. 6. 13. 2012도16001 이언주의원 선거사무장 사건)

④ [○] 형사소송법 제314조의 문언과 개정 취지, 증언거부권 관련 규정의 내용 등에 비추어 보면 법정에 출석한 증인이 **증언거부권을 행사하여 증언을 거부한 경우**는 형사소송법 제314조의 '그 밖에 이에 준하는 사유로 인하여 진술할 수 없는 때'에 해당하지 아니한다.(대법원 2012. 5. 17. 2009도6788 숲승 법무법인 의견서 사건)

075 전문증거에 관한 설명으로 가장 적절하지 않은 것은? (다툼이 있으면 판례에 의함)

□□□

23 경찰채용 [Core ★★]

① A가 B에게 행한 진술이 기재된 서류가 A가 그러한 내용의 진술을 하였다는 사실 자체에 대한 정황증거로 사용될 것이라는 이유로 서류의 증거능력을 인정한 다음 그 사실을 다시 A의 B에 대한 진술 내용이나 그 진실성을 증명하는 간접사실로 사용하는 경우 그 서류는 전문증거에 해당한다.

② 알선자인 피고인으로부터 전화를 통해 "건축허가 담당 공무원이 외국연수를 가므로 사례비를 주어야 한다."는 말을 들은 증인이 피고인의 알선수재 피고사건에 대해 그러한 말을 들었다고 법정에서 진술한 것은 전문증거에 해당한다.

③ 피고인이 피해자에게 보낸 협박문자를 피해자가 화면캡쳐의 방식으로 촬영한 사진은 피고인의 협박죄 피고사건에 대해서는 전문증거에 해당하지 않는다.

④ A가 피해자들을 흉기로 살해하면서 "이것은 신의 명령을 집행하는 것이다."라고 말하였는데 이 말을 들은 B가 법정에서 A의 정신상태를 증명하기 위해 그 내용을 증언하는 경우 이 진술은 전문증거에 해당하지 않는다.

해설

② [×] 증인이 "피고인으로부터 '건축허가 담당 공무원이 외국연수를 가므로 사례비를 주어야 한다.'는 말과 '건축허가 담당 공무원이 4,000만원을 요구하는데 사례로 2,000만원을 주어야 한다.'는 말을 들었다."는 취지로 진술한 경우 **증인의 위와 같은 원진술의 존재 자체가** 알선수재죄에 있어서의 요증사실이므로 이를 직접 경험한 증인이 피고인으로부터 위와 같은 말들을 들었다고 하는 진술들은 **전문증거가 아니라 본래증거에 해당된다.**(대법원 2008. 11. 13. 2008도8007 사례비를 주어야 한다 사건)

① [○] 어떤 진술이 기재된 서류가 그 내용의 진실성이 범죄사실에 대한 직접증거로 사용될 때는 전문증거가 되지만, 그와 같은 진술을 하였다는 것 자체 또는 진술의 진실성과 관계없는 간접사실에 대한 정황증거로 사용될 때는 반드시 전문증거가 되는 것이 아니다. 그러나 어떠한 내용의 진술을 하였다는 사실 자체에 대한 정황증거로 사용될 것이라는 이유로 서류의 증거능력을 인정한 다음 그 사실을 다시 진술 내용이나 그 **진실성을 증명하는 간접사실로 사용하는 경우에 그 서류는 전문증거에 해당한다.** 서류가 그곳에 기재된 원진술의 내용인 사실을 증명하는 데 사용되어 원진술의 내용인 사실이 요증사실이 되기 때문이다.(대법원 2019. 8.29. 2018도14303 전합 국정농단 박근혜 전대통령 사건)

③ [○] "정보통신망을 통하여 공포심이나 불안감을 유발하는 글을 반복적으로 상대방에게 도달하게 하는 행위를 하였다."는 공소사실에 대하여 휴대전화기에 저장된 문자정보가 그 증거가 되는 경우와 같이 그 문자정보가 범행의 직접적인 수단이 될 뿐 경험자의 진술에 갈음하는 대체물에 해당하지 않는 경우에는 형사소송법 제310조의2에서 정한 전문법칙이 적용될 여지가 없다.(대법원 2008. 11. 13. 2006도2556 횡설수설 문자협박 사건)

④ [○] 진술의 진실성과 관계없는 간접사실에 대한 정황증거로 사용되는 경우이므로 전문증거에 해당하지 않는다.

076 甲은 미국 샌프란시스코에서 강간사건 피의자로 체포되어 미국 연방수사국(FBI) 수사관의 조사
□□□ 를 받던 중 진술서를 작성하였다. 이러한 甲의 진술서를 우리나라 법정에서 증거로 사용할 수 있
는지에 대한 서술로 적절한 것은? (다툼이 있으면 판례에 의함)   10 경찰채용 [Superlative ★★★]

① 형사소송법 제313조 제1항에 따라 작성자인 甲의 진술에 의하여 그 성립의 진정이 증명되는
  등의 요건이 갖추어져야 증거로 할 수 있다.

② 형사소송법 제312조 제5항에 따라 검사 이외의 수사기관 작성의 피의자신문조서에 관한 규정
  을 준용하여 내용 인정 등의 요건이 갖추어져야 증거로 사용할 수 있다.

③ 형사소송법 제315조 제1호의 '외국공무원의 직무상 증명할 수 있는 사항에 관하여 작성한 문
  서'로서 당연히 증거능력이 있다.

④ 형사소송법 제315조 제3호의 '기타 특히 신용할 만한 정황에 의하여 작성한 문서'로서 당연히
  증거능력이 있다.

해설

② (1) 형사소송법 제312조 제2항[개정법 제312조 제3항]의 '검사 이외의 수사기관'에는 달리 특별한 사정이
없는 한 외국의 권한 있는 수사기관도 포함된다고 봄이 상당하다. (2) 미국 범죄수사대(CID), 연방수사국(FBI)
의 수사관들이 작성한 수사보고서 및 피고인이 위 수사관들에 의한 조사를 받는 과정에서 작성하여 제출한
진술서는 **피고인이 각 그 내용을 부인하는 이상 증거로 쓸 수 없다.**(대법원 2006. 1. 13. 2003도6548 이태
원 미국여대생 피살사건) 설문과 같은 진술서는 판례가 나올 당시의 형사소송법을 기준으로 하면 제312조 제2항
이 적용되었지만, **2016년 현재 법을 기준으로 하면 제312조 제5항·제3항** 적용된다.

077

□□□

다음 사례에 대한 설명으로 옳지 않은 것은? (다툼이 있으면 판례에 의함)

23 경찰간부 [Superlative ★★★]

> 甲은 관급공사를 수주받기 위하여 공무원 乙에게 뇌물을 제공하고, 乙은 그 뇌물을 받은 혐의로 함께 기소되어 공동피고인으로 재판을 받고 있다. 검사는 사법경찰관 작성의 공범 甲에 대한 피의자신문조서와 乙에 대한 진술조서 및 乙의 진술을 적법하게 녹화한 영상녹화물을 증거로 제출하였다. 甲에 대한 피의자신문조서에는 甲이 乙에게 뇌물을 제공했다고 자백한 사실이 기재되어 있다.

① 乙의 진술이 담긴 영상녹화물은 乙의 공소사실을 직접 증명하는 독립적인 증거로 사용할 수 없다.

② 甲이 자신에 대한 피의자신문조서의 내용을 인정했더라도 乙이 공판기일에 甲에 대한 피의자신문조서의 내용을 부인하면 甲에 대한 피의자신문조서는 乙에게 증거능력이 없다.

③ 乙에 대한 진술조서는 乙에 대한 피의자신문조서로 보아야 한다.

④ 만약 공판이 진행되던 중 甲이 사망한 경우에는 甲에 대한 피의자신문조서는 특신상태만 증명되면 乙의 공소사실을 증명하는 증거로 사용할 수 있다.

해설

④ [×] 당해 피고인과 공범관계가 있는 다른 피의자에 대한 검사 이외의 수사기관 작성의 피의자신문조서는 그 피의자의 법정진술에 의하여 그 성립의 진정이 인정되더라도 당해 피고인이 공판기일에서 그 조서의 내용을 부인하면 증거능력이 부정되므로 그 당연한 결과로 그 피의자신문조서에 대하여는 사망 등 사유로 인하여 법정에서 진술할 수 없는 때에 예외적으로 증거능력을 인정하는 규정인 **형사소송법 제314조가 적용되지 아니한다.**(대법원 2009. 11. 26. 2009도6602 **필로폰 매수인 사망사건**) 甲에 대한 피의자신문조서는 특신상태가 증명되더라도 乙의 공소사실을 증명하는 증거로 사용할 수 없다.

① [O] 수사기관이 참고인을 조사하는 과정에서 형사소송법 제221조 제1항에 따라 작성한 영상녹화물은 다른 법률에서 달리 규정하고 있는 등의 특별한 사정이 없는 한 공소사실을 직접 증명할 수 있는 **독립적인 증거로 사용될 수는 없다.**(대법원 2014. 7. 10. 2012도5041 **역술인진술 영상녹화 사건**) 판례는 참고인에 대한 영상녹화물에 관한 것이지만, 이는 피의자에 대한 영상녹화물의 경우에도 그대로 적용될 수 있다. 乙(피의자이지 참고인이 아니다)의 진술이 담긴 영상녹화물은 乙의 공소사실을 직접 증명하는 독립적인 증거로 사용할 수 없다.

② [O] 피고인과 공범관계가 있는 다른 피의자에 대한 검사 이외의 수사기관 작성의 피의자신문조서는 그 피의자의 법정진술에 의하여 성립의 진정이 인정되더라도 당해 피고인이 공판기일에서 그 조서의 내용을 부인하면 **증거능력이 부정된다.**(대법원 2015. 10. 29. 2014도5939 **서울시 공무원 간첩사건**) 판례의 취지에 의할 때 乙이 甲에 대한 피의자신문조서의 내용을 부인하면 그 조서는 乙에게 증거능력이 없다.

③ [O] 피의자의 진술을 기재한 서류 또는 문서가 수사기관에서의 조사과정에서 작성된 것이라면 그것이 '진술조서, 진술서, 자술서'라는 형식을 취하였다고 하더라도 피의자신문조서와 달리 볼 수 없다.(대법원 2015. 10. 29. 2014도5939 **서울시 공무원 간첩사건**) 乙에 대한 진술조서는 乙에 대한 피의자신문조서로 보아야 한다.

078 사법경찰관이 작성한 피의자신문조서에 대한 설명 중 가장 적절하지 않은 것은? (다툼이 있으면
□□□ 판례에 의함)

20 경찰채용 [Essential ★]

① 당해 피고인 甲과 공범관계에 있는 공동피고인 乙에 대한 사법경찰관 작성 피의자신문조서는
乙의 법정진술에 의하여 성립의 진정이 인정되더라도 甲이 공판기일에서 그 조서의 내용을
부인하면 증거능력이 부정된다.

② 미국 연방수사국(FBI)의 수사관들에 의한 조사를 받는 과정에서 피고인이 작성하여 위 수사
관들에게 제출한 진술서는 피고인이 그 내용을 부인하는 이상 증거로 쓸 수 없다.

③ 공범으로서 별도로 공소제기된 다른 사건의 피고인 甲에 대한 수사과정에서 담당 검사가 피의
자인 甲과 그 사건에 관하여 대화하는 내용과 장면을 녹화한 비디오테이프에 대한 법원의 검
증조서는, 이러한 비디오테이프의 녹화내용이 피의자의 진술을 기재한 피의자신문조서와 실
질적으로 같다고 볼 것이므로, 피의자신문조서에 준하여 그 증거능력을 가려야 한다.

④ 사법경찰관이 작성한 피의자신문조서는 그 피의자였던 피고인은 물론 그의 변호인까지 그 내
용을 인정할 때에 한하여 증거로 할 수 있다.

해설

④ [×] 검사 이외의 수사기관이 작성한 피의자신문조서는 적법한 절차와 방식에 따라 작성된 것으로서 공판준비
또는 공판기일에 **그 피의자였던 피고인 또는 변호인이** 그 내용을 인정할 때에 한하여 증거로 할 수 있다.(제
312조 제3항)

① [O] 피고인과 공범관계가 있는 다른 피의자에 대한 검사 이외의 수사기관 작성의 피의자신문조서는 그 피의
자의 법정진술에 의하여 성립의 진정이 인정되더라도 **당해 피고인이 공판기일에서 그 조서의 내용을 부인하면
증거능력이 부정된다.**(대법원 2015. 10. 29. 2014도5939 **서울시 공무원 간첩사건**)

② [O] (1) 형사소송법 제312조 제3항의 '검사 이외의 수사기관'에는 달리 특별한 사정이 없는 한 **외국의 권한
있는 수사기관도 포함된다.** (2) 미국 범죄수사대(CID), 연방수사국(FBI)의 수사관들이 작성한 수사보고서 및
피고인이 위 수사관들에 의한 조사를 받는 과정에서 작성하여 제출한 진술서는 피고인이 그 내용을 부인하는
이상 증거로 쓸 수 없다.(대법원 2006. 1. 13. 2003도6548 **이태원 미국여대생 피살사건**)

③ [O] 공범으로서 별도로 공소제기된 다른 사건의 피고인에 대한 수사과정에서 담당 검사가 피의자와 그 사건
에 관하여 대화하는 내용과 장면을 녹화한 비디오테이프에 대한 법원의 검증조서는 이러한 비디오테이프의 녹
화내용이 피의자의 진술을 기재한 피의자신문조서와 실질적으로 같다고 볼 것이므로 **피의자신문조서에 준하여
그 증거능력을 가려야 한다.**(대법원 1992. 6. 23. 92도682 **신이십세기파 사건**)

079
☐☐☐ 사법경찰관이 작성한 조서의 증거능력에 관한 설명으로 가장 적절한 것은? (다툼이 있으면 판례에 의함)

21 경찰채용 [Essential ★]

① 검사 이외의 수사기관이 작성한 피의자신문조서의 증거능력에 관한 형사소송법 제312조 제3항은 당해 사건에서 작성한 피의자신문조서뿐만 아니라 별개 사건에서 작성한 피의자신문조서에 대해서도 적용되므로 피의자였던 피고인이 별개 사건에서 작성된 피의자신문조서의 내용을 부인하는 이상 그 조서는 당해 사건에 대한 유죄의 증거로 할 수 없다.

② 형사소송법 제312조 제3항은 검사 이외의 수사기관이 작성한 당해 피고인 甲에 대한 피의자신문조서를 유죄의 증거로 하는 경우에만 적용되고 甲과 공범관계에 있는 다른 피의자 乙에 대한 피의자신문조서에는 적용되지 않으므로 乙에 대한 사법경찰관 작성의 피의자신문조서는 甲이 공판기일에서 그 조서의 내용을 부인하더라도 乙의 법정진술에 의하여 그 성립의 진정이 인정되면 증거로 할 수 있다.

③ 사법경찰관이 피의자 아닌 자의 진술을 기재한 조서를 작성함에 있어서 진술자의 성명을 가명으로 기재하였다면 그 이유만으로도 그 조서는 적법한 절차와 방식에 따라 작성되었다고 할 수 없고, 공판기일에 원진술자가 출석하여 자신의 진술을 기재한 조서임을 확인함과 아울러 그 조서의 실질적 진정성립을 인정하고 나아가 그에 대한 반대신문이 이루어졌다고 하더라도 그 증거능력이 인정되지 않는다.

④ 사법경찰관이 피의자를 조사하는 경우와는 달리 피의자가 아닌 자를 조사하는 경우에는 조사과정의 진행경과를 확인하기 위하여 필요한 사항을 조서에 기록하거나 별도의 서면에 기록한 후 수사기록에 편철할 것을 요하지 않으므로 사법경찰관이 그 조사과정을 기록하지 아니하였더라도 다른 특별한 사정이 없는 한 피의자 아닌 자가 조사과정에서 작성한 진술서는 증거로 할 수 있다.

해설

① [○] 형사소송법 제312조 제2항[개정법 제3항]은 그 입법취지와 법조의 문언에 비추어 볼 때 당해 사건에서 피의자였던 피고인에 대한 검사 이외의 수사기관 작성의 피의자신문조서에만 적용되는 것은 아니고, 전혀 별개의 사건에서 피의자였던 피고인에 대한 검사 이외의 수사기관 작성의 피의자신문조서도 그 적용대상으로 하고 있는 것이라고 보아야 한다.(대법원 1995. 3. 24. 94도2287)

② [×] (1) 형사소송법 제312조 제3항은 검사 이외의 수사기관이 작성한 당해 피고인에 대한 피의자신문조서를 유죄의 증거로 하는 경우뿐만 아니라 검사 이외의 수사기관이 작성한 당해 피고인과 공범관계에 있는 다른 피고인이나 피의자에 대한 피의자신문조서를 당해 피고인에 대한 유죄의 증거로 채택할 경우에도 적용된다. (2) 따라서 당해 피고인과 공범관계가 있는 다른 피의자에 대하여 검사 이외의 수사기관이 작성한 피의자신문조서는 그 피의자의 법정진술에 의하여 그 성립의 진정이 인정되는 등 형사소송법 제312조 제4항의 요건을 갖춘 경우라고 하더라도 당해 피고인이 공판기일에서 그 조서의 내용을 부인한 이상 이를 유죄 인정의 증거로 사용할 수 없다.(대법원 2019. 11. 14. 2019도11552 새마을금고 이사장 선거 사건)

③ [×] 진술자와 피고인의 관계, 범죄의 종류, 진술자 보호의 필요성 등 여러 사정으로 볼 때 상당한 이유가 있는 경우에는 수사기관이 진술자의 성명을 가명으로 기재하여 조서를 작성하였다고 해서 그 이유만으로 그 조서가 '적법한 절차와 방식'에 따라 작성되지 않았다고 할 것은 아니다. 그러한 조서라도 공판기일 등에 원진술자가 출석하여 자신의 진술을 기재한 조서임을 확인함과 아울러 그 조서의 실질적 진정성립을 인정하고 나아가 그에 대한 반대신문이 이루어지는 등 형사소송법 제312조 제4항에서 규정한 요건이 모두 갖추어진 이상

그 증거능력을 부정할 것은 아니다.(대법원 2012. 5. 24. 2011도7757 조폭이 무서워 가명으로 사건)

④ [×] 피고인이 아닌 자가 수사과정에서 진술서를 작성하였지만 수사기관이 그에 대한 조사과정을 기록하지 아니하여 형사소송법 제244조의4 제3항·제1항에서 정한 절차를 위반한 경우에는, 특별한 사정이 없는 한 '적법한 절차와 방식'에 따라 수사과정에서 진술서가 작성되었다 할 수 없으므로 그 증거능력을 인정할 수 없다.(대법원 2015. 4. 23. 2013도3790 조사과정 기록 누락사건)

---

080 다음 중 수사기관 작성의 피의자신문조서에 대한 설명으로 가장 옳은 것은? (다툼이 있으면 판례에 의함)

① 당해 피고인과 공범관계가 있는 다른 피의자에 대한 검사 이외의 수사기관 작성의 피의자신문조서는 사망 등 사유로 인하여 법정에서 진술할 수 없는 때에 예외적으로 증거능력을 인정하는 규정인 「형사소송법」 제314조가 적용될 수 있다.

② 사법경찰관이 작성한 피의자신문조서는 적법한 절차와 방식에 따라 작성된 것으로서 피고인이 진술한 내용과 동일하게 기재되어 있음이 공판준비 또는 공판기일에서의 피고인 진술에 의하여 인정되고, 그 조서에 기재된 진술이 특히 신빙할 수 있는 상태에서 행하여졌음이 증명된 때에 한하여 증거로 할 수 있다.

③ 「형사소송법」 제312조 제4항의 '특히 신빙할 수 있는 상태'란 그 진술내용이나 조서의 작성에 허위개입의 여지가 거의 없고, 그 진술내용의 신용성이나 임의성을 담보할 구체적이고 외부적인 정황이 있는 경우를 말하며, 이는 검사가 엄격한 증명을 통해 증명하여야 한다.

④ 「형사소송법」 제312조 제3항은 검사 이외의 수사기관이 작성한 당해 피고인과 공범관계에 있는 다른 피고인이나 피의자에 대한 피의자신문조서를 당해 피고인에 대한 유죄의 증거로 채택할 경우에도 적용된다.

해설

④ [○] (1) 형사소송법 제312조 제3항은 검사 이외의 수사기관이 작성한 당해 피고인에 대한 피의자신문조서를 유죄의 증거로 하는 경우뿐만 아니라 검사 이외의 수사기관이 작성한 당해 피고인과 **공범관계에 있는 다른 피고인이나 피의자에 대한 피의자신문조서를 당해 피고인에 대한 유죄의 증거로 채택할 경우에도 적용된다.** (2) 따라서 당해 피고인과 공범관계가 있는 다른 피의자에 대하여 검사 이외의 수사기관이 작성한 피의자신문조서는 그 피의자의 법정진술에 의하여 그 성립의 진정이 인정되는 등 형사소송법 제312조 제4항의 요건을 갖춘 경우라고 하더라도 당해 피고인이 공판기일에서 그 조서의 내용을 부인한 이상 이를 유죄인정의 증거로 사용할 수 없다.(대법원 2019. 11. 14. 2019도11552 새마을금고 이사장 선거 사건)

① [×] 당해 피고인과 공범관계가 있는 다른 피의자에 대한 **사법경찰관 작성의 피의자신문조서는** 그 피의자의 법정진술에 의하여 그 성립의 진정이 인정되더라도 당해 피고인이 공판기일에서 그 조서의 내용을 부인하면 증거능력이 부정되므로 그에 대하여는 **형사소송법 제314조가 적용되지 아니한다.**(대법원 2009. 11. 26. 2009도6602 필로폰 매수인 사망사건)

CRIMINAL PROCEDURE **LAW**

② [×] 검사 이외의 수사기관이 작성한 피의자신문조서는 적법한 절차와 방식에 따라 작성된 것으로서 공판준비 또는 공판기일에 그 피의자였던 **피고인 또는 변호인이 그 내용을 인정할 때에 한하여** 증거로 할 수 있다.(제312조 제3항)

③ [×] **형사소송법 제312조 제4항에서 '특히 신빙할 수 있는 상태'는 증거능력의 요건에 해당하므로 검사가** 그 존재에 대하여 구체적으로 주장·증명하여야 하지만, 이는 소송상의 사실에 관한 것이므로 엄격한 증명을 요하지 아니하고 **자유로운 증명으로 족하다.**(대법원 2012. 7. 26. 2012도2937 **원로변호사 사기사건**)

081
□□□

사법경찰관 작성 피의자신문조서의 증거능력에 대한 설명으로 가장 적절하지 않은 것은? (다툼이 있으면 판례에 의함)

18 경찰채용 [Core ★★]

① 사법경찰관이 작성한 피의자신문조서는 적법한 절차와 방식에 따라 작성된 것으로서 공판준비 또는 공판기일에 그 피의자였던 피고인 또는 변호인이 그 내용을 인정할 때에 한하여 증거로 할 수 있다.

② 피의자의 진술을 녹취 내지 기재한 서류 또는 문서가 수사기관에서의 조사 과정에서 작성된 것이지만 그것이 진술서라는 형식을 취하였다면 피의자신문조서와 달리 보아야 한다.

③ 당해 피고인과 공범관계가 있는 다른 피의자에 대한 사법경찰관 작성 피의자신문조서에 대하여는 사망 등 사유로 인하여 법정에서 진술할 수 없는 때에 예외적으로 증거능력을 인정하는 규정인 「형사소송법」 제314조가 적용되지 아니한다.

④ 「형사소송법」 제312조 제3항은 사법경찰관이 작성한 당해 피고인에 대한 피의자신문조서를 유죄의 증거로 하는 경우뿐만 아니라 사법경찰관이 작성한 당해 피고인과 공범관계에 있는 다른 피고인이나 피의자에 대한 피의자신문조서를 당해 피고인에 대한 유죄의 증거로 채택할 경우에도 적용된다.

해설

② [×] 피의자의 진술을 녹취 내지 기재한 서류 또는 문서가 수사기관에서의 조사과정에서 작성된 것이라면 그것이 '진술조서, 진술서, 자술서'라는 형식을 취하였다고 하더라도 **피의자신문조서와 달리 볼 수 없다.**(대법원 2014. 4. 10. 2014도1779 **대구 필로폰 매매사건**)

① [○] 사법경찰관이 작성한 피의자신문조서는 적법한 절차와 방식에 따라 작성된 것으로서 공판준비 또는 공판기일에 그 피의자였던 **피고인 또는 변호인이 그 내용을 인정할 때에 한하여** 증거로 할 수 있다.(제312조 제3항)

③ [○] 당해 피고인과 공범관계가 있는 다른 피의자에 대한 검사 이외의 수사기관 작성의 피의자신문조서는 그 피의자의 법정진술에 의하여 그 성립의 진정이 인정되더라도 당해 피고인이 공판기일에서 그 조서의 내용을 부인하면 증거능력이 부정되므로 그 당연한 결과로 그 피의자신문조서에 대하여는 사망 등 사유로 인하여 법정에서 진술할 수 없는 때에 예외적으로 증거능력을 인정하는 규정인 **형사소송법 제314조가 적용되지 아니한다.**(대법원 2009. 11. 26. 2009도6602 **필로폰 매수인 사망사건**)

④ [○] 형사소송법 제312조 제3항은 검사 이외의 수사기관이 작성한 당해 피고인에 대한 피의자신문조서를 유죄의 증거로 하는 경우뿐만 아니라 검사 이외의 수사기관이 작성한 당해 피고인과 공범관계에 있는 다른 피고인이나 피의자에 대한 피의자신문조서를 당해 피고인에 대한 유죄의 증거로 채택할 경우에도 적용된다.(대법원 2014. 4. 10. 2014도1779 대구 필로폰 매매사건)

---

082 검사 외의 수사기관이 작성한 피의자신문조서의 증거능력 관한 설명 중 가장 적절하지 않은 것
□□□ 은? (다툼이 있으면 판례에 의함)   15 경찰승진 [Core ★★]

① 피의자의 진술을 녹취한 서류가 수사기관에서의 조사과정에서 작성된 것이고 그것이 진술서라는 형식을 취하였더라도 수사기관이 작성한 피의자신문조서로 볼 수 없다.

② 외국의 권한 있는 수사기관이 작성한 수사보고서 및 피고인이 그 과정에서 작성하여 제출한 진술서는 피고인이 그 내용을 부인하면 증거로 사용할 수 없다.

③ 피의자가 변호인 참여를 원하는 의사를 표시하였는데도 수사기관이 정당한 사유 없이 변호인을 참여하게 하지 아니한 채 피의자를 신문하여 작성한 피의자신문조서는 증거능력이 없다.

④ 형사소송법 제312조 제3항은 검사 이외의 수사기관이 작성한 당해 피고인에 대한 피의자신문조서를 유죄의 증거로 하는 경우 뿐만 아니라 검사 이외의 수사기관이 작성한 당해 피고인과 공범관계에 있는 다른 피고인이나 피의자에 대한 피의자신문조서를 당해 피고인에 대한 유죄의 증거로 채택할 경우에도 적용된다.

해설

① [×] 피의자의 진술을 녹취 내지 기재한 서류 또는 문서가 수사기관에서의 조사과정에서 작성된 것이라면 그것이 '진술조서, 진술서, 자술서'라는 형식을 취하였다고 하더라도 **피의자신문조서와 달리 볼 수 없다.**(대법원 2014. 4. 10. 2014도1779)

② [○] (1) 형사소송법 제312조 제3항의 '검사 이외의 수사기관'에는 달리 특별한 사정이 없는 한 외국의 권한 있는 수사기관도 포함된다. (2) **미국 범죄수사대(CID), 연방수사국(FBI)**의 수사관들이 작성한 수사보고서 및 피고인이 위 수사관들에 의한 조사를 받는 과정에서 작성하여 제출한 진술서는 피고인이 그 내용을 부인하는 이상 증거로 쓸 수 없다.(대법원 2006. 1. 13. 2003도6548 **이태원 미국여대생 피살사건**)

③ [○] 피의자가 변호인의 참여를 원한다는 의사를 명백하게 표시하였음에도 수사기관이 정당한 사유 없이 변호인을 참여하게 하지 아니한 채 피의자를 신문하여 작성한 피의자신문조서는 형사소송법 제312조에 정한 '적법한 절차와 방식'에 위반된 증거일 뿐만 아니라 제308조의2에서 정한 '**적법한 절차에 따르지 아니하고 수집한 증거**'에 해당하므로 이를 증거로 할 수 없다.(대법원 2013. 3. 28. 2010도3359 **공항버스 운전기사 횡령사건**)

④ [○] **형사소송법 제312조 제3항**은 검사 이외의 수사기관이 작성한 당해 피고인에 대한 피의자신문조서를 유죄의 증거로 하는 경우뿐만 아니라 검사 이외의 수사기관이 작성한 당해 피고인과 **공범관계에 있는 다른 피고인이나 피의자에 대한 피의자신문조서를 당해 피고인에 대한 유죄의 증거로 채택할 경우**에도 적용된다.(대법원 2014. 4. 10. 2014도1779 대구 필로폰 매매사건)

---

083 사법경찰관 작성 피의자신문조서의 증거능력에 대한 설명으로 가장 적절하지 않은 것은? (다툼
□□□ 이 있으면 판례에 의함)
19 경찰승진 [Essential ★]

① 검사 이외의 수사기관이 작성한 피의자신문조서는 적법한 절차와 방식에 따라 작성된 것으로서 공판준비 또는 공판기일에 그 피의자였던 피고인 또는 변호인이 그 내용을 인정할 때에 한하여 증거로 할 수 있다.

② 피고인이 제1심 제4회 공판기일부터 공소사실을 일관되게 부인하여 경찰 작성 피의자신문조서의 진술 내용을 인정하지 않는 경우, 제1심 제4회 공판기일에 피고인이 그 서증의 내용을 인정한 것으로 공판조서에 기재된 것은 착오 기재 등으로 보아 피의자신문조서의 증거능력을 부정하여야 한다.

③ 미국 연방수사국(FBI) 수사관들에 의한 조사를 받는 과정에서 피고인이 작성하여 수사관들에게 제출한 진술서는 그 성립의 진정이 인정되는 이상 피고인이 그 내용을 부인하더라도 증거능력이 있다.

④ 피의자가 변호인 참여를 원하는 의사를 표시하였는데도 수사기관이 정당한 사유 없이 변호인을 참여하게 하지 아니한 채 피의자를 신문하여 작성한 피의자신문조서는 증거능력이 없다.

해설

③ [×] (1) 형사소송법 제312조 제3항의 **'검사 이외의 수사기관'**에는 달리 특별한 사정이 없는 한 **외국의 권한 있는 수사기관도 포함된다.** (2) 미국 범죄수사대(CID), 연방수사국(FBI)의 수사관들이 작성한 수사보고서 및 피고인이 위 수사관들에 의한 조사를 받는 과정에서 작성하여 제출한 진술서는 **피고인이 그 내용을 부인하는 이상 증거로 쓸 수 없다.**(대법원 2006. 1. 13. 2003도6548 이태원 미국여대생 피살사건)

① [○] 검사 이외의 수사기관이 작성한 피의자신문조서는 적법한 절차와 방식에 따라 작성된 것으로서 공판준비 또는 공판기일에 그 피의자였던 피고인 또는 변호인이 그 내용을 인정할 때에 한하여 증거로 할 수 있다.(제312조 제3항)

② [○] 공소사실이 최초로 심리된 공판기일부터 피고인이 **공소사실을 일관되게 부인**하여 경찰 작성 피의자신문조서의 진술 내용을 인정하지 않는 경우, 공판기일에 피고인이 서증의 내용을 인정한 것으로 공판조서에 기재된 것은 **착오 기재** 등으로 보아 피의자신문조서의 증거능력을 부정하여야 한다.(대법원 2013. 3. 28. 2010도3359 공항버스 운전기사 횡령사건)

④ [O] 피의자가 변호인의 참여를 원한다는 의사를 명백하게 표시하였음에도 수사기관이 정당한 사유 없이 변호인을 참여하게 하지 아니한 채 피의자를 신문하여 작성한 피의자신문조서는 형사소송법 제312조에 정한 '적법한 절차와 방식'에 위반된 증거일 뿐만 아니라 제308조의2에서 정한 '적법한 절차에 따르지 아니하고 수집한 증거'에 해당하므로 이를 증거로 할 수 없다.(대법원 2013. 3. 28. 2010도3359 공항버스 운전기사 횡령사건)

084 경찰, 검찰에서 공범 乙과 함께 특수절도의 범행을 일체 자백한 피의자 甲이 제1심 법정에서 이를 □□□ 번복하면서 범행일체를 부인하고 있다. 다음 중 옳은 것은 모두 몇 개인가? (다툼이 있으면 판례에 의함)

13 경찰채용 [Superlative ★★★]

㉠ 사법경찰관 작성의 甲에 대한 피의자신문조서는 甲이 내용을 부인하므로 증거능력이 없다.
㉡ 사법경찰관 작성의 甲에 대한 피의자신문조서를 탄핵증거로 사용할 수 있다.
㉢ 甲을 조사한 경찰관은 법정에 증인으로 나가 甲의 자백 내용을 증언할 수 있다.
㉣ 乙에 대한 사법경찰관 작성의 피의자신문조서는 甲이 내용을 부인하더라도 乙이 성립의 진정을 인정하면 甲에 대해 증거능력이 있다.
㉤ 甲에 대한 사법경찰관 작성의 피의자신문조서는 영상녹화물에 의하여 성립의 진정이 증명되면 증거능력이 있다.

① 2개   ② 3개   ③ 4개   ④ 5개

해설

② ㉠㉡㉢ 3 항목이 맞다.
㉠㉡ [O] 사법경찰리 작성의 피고인에 대한 피의자신문조서는 피고인이 그 내용을 부인하는 이상 증거능력이 없으나, 그것이 임의로 작성된 것이 아니라고 의심할 만한 사정이 없는 한 피고인의 법정에서의 진술을 탄핵하기 위한 반대증거로 사용할 수 있다.(대법원 2014. 3. 13. 2013도12507 김태환 의원 비방사건)
㉢ [O] 피고인이 아닌 자(공소제기 전에 피고인을 피의자로 조사하였거나 그 조사에 참여하였던 자를 포함한다)의 공판준비 또는 공판기일에서의 진술이 피고인의 진술을 그 내용으로 하는 것인 때에는 그 진술이 특히 신빙할 수 있는 상태하에서 행하여졌음이 증명된 때에 한하여 이를 증거로 할 수 있다.(제316조 제1항)
㉣ [×] 당해 피고인(甲)과 공범관계가 있는 다른 피의자(乙)에 대하여 검사 이외의 수사기관이 작성한 피의자신문조서는 그 피의자(乙)의 법정진술에 의하여 그 성립의 진정이 인정되는 등 형사소송법 제312조 제4항의 요건을 갖춘 경우라고 하더라도 당해 피고인(甲)이 공판기일에서 그 조서의 내용을 부인한 이상 이를 유죄 인정의 증거로 사용할 수 없다.(대법원 2012. 7. 26. 2012도2937 지원장 출신 원로변호사 사기사건)
㉤ [×] 사법경찰관 작성 피의자신문조서는 피고인 또는 변호인이 그 내용을 인정할 때에 한하여 증거능력이 인정된다.(제312조 제3항)

085 다음 중 형사소송법 제314조에 규정된 '진술을 요할 자가 사망·질병·외국거주·소재불명 그
□□□ 밖에 이에 준하는 사유로 진술할 수 없는 때'에 해당되는 경우는 모두 몇 개인가? (다툼이 있으면
판례에 의함)

16 법원9급 [Core ★★]

> ⊙ 법정에 출석한 증인이 정당하게 증언거부권을 행사하여 증언을 거부한 경우
> ⓒ 피고인이 증거서류의 진정성립을 묻는 검사의 질문에 대하여 진술거부권을 행사하여 진술을
> 거부한 경우
> ⓒ 진술을 요할 자가 법원의 소환에 계속 불응하고, 구인하여도 구인장이 집행되지 아니하는
> 등 법정에서의 신문이 불가능한 상태의 경우
> ⓔ 진술을 요할 자가 외국에 있고 그를 공판정에 출석시켜 진술하게 할 가능하고 상당한 모든
> 수단을 다하더라도 출석하게 할 수 없는 경우
> ⓜ 공판기일에 진술을 요하는 자가 노인성 치매로 인한 기억력 장애 등으로 진술할 수 없는 상태
> 인 때

① 1개 ② 2개
③ 3개 ④ 4개

해설

> ③ ⓒⓔⓜ 3 항목이 형사소송법 **제314조**에 규정된 '진술을 요할 자가 사망·질병·외국거주·소재불명 그 밖에
> 이에 준하는 사유로 진술할 수 없는 때'**에 해당한다.**
> ⊙ 대법원 2012. 5. 17. 2009도6788 숲숭 **법무법인 의견서 사건**
> ⓒ 대법원 2013. 6. 13. 2012도16001 **이언주 의원 선거사무장 사건**
> ⓒ 대법원 1995. 6. 13. 95도523
> ⓔ 대법원 2013. 7. 26. 2013도2511 **왕재산 간첩단 사건**
> ⓜ 대법원 1992. 3. 13. 91도2281

086 형사소송법 제314조에서 규정된 '진술을 요하는 자가 사망·질병·외국거주·소재불명 그 밖에 이에 준하는 사유로 인하여 진술할 수 없는 때'에 해당하지 않는 것을 모두 고른 것은? (다툼이 있으면 판례에 의함)

> ㉠ 증인에 대한 소재탐지촉탁을 하여 소재수사를 하였으나 그 소재를 확인할 수 없었는 데, 진술조서에 기재된 증인의 전화번호로 연락하여 보지 아니하는 등 증인의 법정출석을 위한 가능하고도 충분한 노력을 다하지 않은 경우
> ㉡ 증인이 형사소송법에서 정한 바에 따라 정당하게 증언거부권을 행사하여 증언을 거부한 경우
> ㉢ 피고인이 증거서류의 진정성립을 묻는 검사의 질문에 대하여 진술거부권을 행사하여 진술을 거부한 경우
> ㉣ 수사기관에서 진술한 피해자인 유아가 공판정에서 진술을 하였으나 증인신문 당시 대부분의 사항에 관하여 기억이 나지 않는다는 취지로 진술하여 수사기관에서 행한 진술이 재현 불가능하게 된 경우

① ㉠, ㉡   ② ㉡, ㉢   ③ ㉢, ㉣
④ ㉠, ㉡, ㉢   ⑤ ㉠, ㉡, ㉣

해설

④ ㉠㉡㉢ 3 항목은 '진술을 요하는 자가 ~ 진술할 수 없는 때'에 해당하지 않는다.
㉠ 대법원 2013. 4. 11. 2013도1435
㉡ 대법원 2012. 5. 17. 2009도6788 全合
㉢ 대법원 2013. 6. 13. 2012도16001
㉣ 대법원 1999. 11. 26. 99도3786

087

□□□ 형사소송법 제314조에 의한 증거능력의 인정요건에 대한 설명으로 가장 적절하지 않은 것은? (다툼이 있으면 판례에 의함)

22 경찰승진 [Essential ★]

① 형사소송법 제314조에서 말하는 '외국거주'라고 함은 진술을 요할 자가 외국에 있다는 것만으로는 부족하고, 가능하고 상당한 수단을 다하더라도 그 진술을 요할 자를 법정에 출석하게 할 수 없는 사정이 있어야 예외적으로 그 적용이 있다.

② 진술을 요할 자가 일정한 주거를 가지고 있더라도 법원의 소환에 계속 불응하고 구인하여도 구인장이 집행되지 아니하는 등 법정에서의 신문이 불가능한 상태의 경우에는 형사소송법 제314조 소정의 '진술할 수 없는 때'에 해당한다.

③ 증인의 주소지가 아닌 곳으로 소환장을 보내 송달불능이 되자 그 곳을 중심으로 한 소재탐지 끝에 소재불능회보를 받은 경우 에는 형사소송법 제314조에서 말하는 원진술자가 공판정에서 진술할 수 없는 때라고 할 수 없다.

④ 수사기관에서 진술한 참고인이 법정에서 증언을 거부하여 피고인이 반대신문을 하지 못한 경우 정당하게 증언거부권을 행사한 것이 아니라면 피고인이 증인의 증언거부 상황을 초래하였다는 등의 특별한 사정이 있더라도 형사소송법 제314조의 '그 밖에 이에 준하는 사유로 인하여 진술할 수 없는 때'에 해당하지 않는다.

해설

④ [×] 수사기관에서 진술한 참고인이 법정에서 증언을 거부하여 피고인이 반대신문을 하지 못한 경우에는 정당하게 증언거부권을 행사한 것이 아니라도 **피고인이 증인의 증언거부 상황을 초래하였다는 등의 특별한 사정이 없는 한** 형사소송법 제314조의 '그 밖에 이에 준하는 사유로 인하여 진술할 수 없는 때'에 해당하지 않는다. 따라서 증인이 정당하게 증언거부권을 행사하여 증언을 거부한 경우와 마찬가지로 수사기관에서 그 증인의 진술을 기재한 서류는 증거능력이 없다.(대법원 2019. 11. 21. 2018도13945 全合 **필로폰 매수인 증언거부사건**) 피고인이 증인의 증언거부 상황을 초래하였다는 등의 특별한 사정이 있다면 형사소송법 제314조의 '그 밖에 이에 준하는 사유로 인하여 진술할 수 없는 때'에 해당할 수 있다.

① [○] 형사소송법 제314조에서 말하는 '외국거주'라고 함은 진술을 요할 자가 외국에 있다는 것만으로는 부족하고, 가능하고 **상당한 수단을 다하더라도 그 진술을 요할 자를 법정에 출석하게 할 수 없는 사정이 있어야 예외적으로 그 적용이 있다.**(대법원 2016. 10. 13. 2016도8137 **코리아연대 사건**)

② [○] 진술을 요할 자가 일정한 주거를 가지고 있더라도 법원의 소환에 계속 불응하고 구인하여도 **구인장이 집행되지 아니하는 등 법정에서의 신문이 불가능한 상태의 경우에는 형사소송법 제314조 소정의 '진술할 수 없는 때'에 해당한다.**(대법원 1995. 6. 13. 95도523)

③ [○] 증인의 **주소지가 아닌** 곳으로 소환장을 보내 송달불능이 되자 그 곳을 중심으로 한 소재탐지 끝에 소재불능회보를 받은 경우에는 형사소송법 제314조에서 말하는 원진술자가 공판정에서 진술할 수 없는 때라고 할 수 없다.(대법원 2006. 12. 22. 2006도7479)

088 형사소송법 제315조에 의해서 당연히 증거능력이 인정되는 것이 아닌 것은 모두 몇 개인가? (다툼이 있으면 판례에 의함)

11 경찰채용 변형 [Superlative ★★★]

ⓐ 주민들의 진정서 사본
ⓑ 국립과학수사연구소장 작성의 감정의뢰 회보서
ⓒ (구) 군법회의 판결사본
ⓓ 육군과학수사연구소 실험분석관이 작성한 감정서
ⓔ 검사의 공소장
ⓕ 구속적부심문조서
ⓖ 일본 하관세관서 통괄심리관 작성의 범칙물건감정서등본과 분석의뢰서

---

① 2개   ② 3개   ③ 4개   ④ 5개

해설

② ⓐⓓⓔ 3 항목은 형사소송법 제315조에 의하여 당연히 증거능력이 인정되는 서류로 볼 수 없다.
ⓐ 대법원 1983. 12. 13. 83도2613   ⓑ 대법원 1982. 9. 14. 82도1504
ⓒ 대법원 1981. 11. 24. 81도2591   ⓓ 대법원 1976. 10. 12. 76도2960
ⓔ 대법원 1978. 5. 23. 78도575   ⓕ 대법원 2004. 1. 16. 2003도5693
ⓖ 대법원 1984. 2. 28. 83도3145

089 다음 중 「형사소송법」 제315조에 의해서 당연히 증거능력이 인정되는 것은 모두 몇 개인가? (다툼이 있으면 판례에 의함)

21 해경간부 [Superlative ★★★]

ⓐ 항해일지
ⓑ 군의관이 작성한 진단서
ⓒ 외국수사기관이 작성한 수사보고서
ⓓ 국립과학수사연구소장 작성의 감정의뢰 회보서
ⓔ 법원의 명령에 의하여 감정인이 작성한 감정서
ⓕ 가족관계기록사항에 관한 증명서
ⓖ 다른 피고인에 대한 형사사건의 공판조서

---

① 4개   ② 5개   ③ 6개   ④ 7개

정답 | 087 ④   088 ②   089 ②

해설

② ㉠㉡㉢㉣㉥ 5 항목의 서류가 당연히 증거능력이 인정된다.

㉠ 상업장부, 항해일지 기타 업무상 필요로 작성한 통상문서(제315조 제2호)

㉡ 군의관 작성 진단서는 **당연히 증거능력이 인정된다.**(대법원 1972. 6. 13. 72도922)

㉢ (1) 형사소송법 제312조 제3항의 '검사 이외의 수사기관'에는 달리 특별한 사정이 없는 한 외국의 권한있는 수사기관도 포함된다. (2) 미국 범죄수사대(CID), 연방수사국(FBI)의 수사관들이 작성한 수사보고서 및 피고인이 위 수사관들에 의한 조사를 받는 과정에서 작성하여 제출한 진술서는 **피고인이 그 내용을 부인하는 이상 증거로 쓸 수 없다.**(대법원 2006. 1. 13. 2003도6548 **이태원 미국여대생 피살사건**)

㉣ 국립과학수사연구소장 작성의 감정의뢰회보서는 공무원인 연구소장이 직무상 증명할 수 있는 사항에 관하여 작성한 문서라고 할 것이므로 **당연히 증거능력 있는 서류이다.**(대법원 1982. 9. 14. 82도1504 **기소후 아버지 고소 사건**)

㉤ 감정서는 공판준비나 공판기일에서의 감정인의 진술에 의하여 그 성립의 진정함이 증명된 때에는 증거로 할 수 있다.(제313조 제3항)

㉥ **가족관계기록사항에 관한 증명서**, 공정증서등본 기타 공무원 또는 외국공무원의 직무상 증명할 수 있는 사항에 관하여 작성한 문서(제315조 제1호)

㉦ 다른 피고사건의 공판조서는 형사소송법 제315조 제3호의 문서로서 **당연히 증거능력이 있다.**(대법원 2005. 1. 14. 2004도6646 **태권도연맹회장 횡령사건**)

---

090 형사소송법 제315조에 규정된 당연히 증거능력 있는 서류에 해당하는 것(○)과 해당하지 않는 것(×)을 바르게 연결한 것은? (다툼이 있으면 판례에 의함) 20 국가9급 [Core ★★]

□□□

> ㉠ 보험사기 사건에서 건강보험심사평가원이 수사기관의 의뢰에 따라 그 수사기관이 보내온 자료를 토대로 작성한 입원진료의 적정성에 대한 의견을 제시하는 내용의 '입원진료 적정성 여부 등 검토의뢰에 대한 회신'
>
> ㉡ 대한민국 주중국 대사관 영사가 공무수행과정에서 작성하였지만 공적인 증명보다는 상급자에 대한 보고를 목적으로 작성한 사실확인서(공인(公印) 부분은 제외)
>
> ㉢ 검찰에서 피고인이 소지·탐독을 인정한 유인물에 대하여, 사법경찰관이 그 내용을 분석하고 이를 기계적으로 복사하여 그 말미에 그대로 첨부하여 작성한 수사보고서
>
> ㉣ 성매매업소에서 성매매 여성들이 영업에 참고하기 위하여 성매매 상대방의 아이디, 전화번호 등에 관한 정보를 입력하여 작성한 메모리카드의 내용

① ㉠ ○ ㉡ × ㉢ ○ ㉣ ×

② ㉠ × ㉡ × ㉢ ○ ㉣ ×

③ ㉠ ○ ㉡ ○ ㉢ × ㉣ ○

④ ㉠ × ㉡ × ㉢ ○ ㉣ ○

해설

④ 이 지문이 옳은 연결이다.

㉠ [×] 사무처리 내역을 계속적, 기계적으로 기재한 문서가 아니라 범죄사실의 인정 여부와 관련 있는 어떠한 의견을 제시하는 내용을 담고 있는 문서는 형사소송법 제315조 제3호에서 규정하는 당연히 증거능력이 있는 서류에 해당한다고 볼 수 없으므로, **이른바 보험사기 사건에서 건강보험심사평가원이 수사기관의 의뢰에 따라 그 보내온 자료를 토대로 입원진료의 적정성에 대한 의견을 제시하는 내용의 '건강보험심사평가원의 입원진료 적정성 여부 등 검토의뢰에 대한 회신'**은 형사소송법 제315조 제3호의 **'기타 특히 신용할 만한 정황에 의하여 작성된 문서'에 해당하지 않는다.**(대법원 2017. 12. 5. 2017도12671 건보심사평가원 회신자료 사건)

㉡ [×] 영사증명서(대한민국 주중국 대사관 영사 작성의 사실확인서 중 공인 부분을 제외한 나머지 부분)는 비록 영사가 공무를 수행하는 과정에서 작성된 것이지만 그 목적이 공적인 증명에 있다기보다는 상급자 등에 대한 보고에 있는 것으로서 엄격한 증빙서류를 바탕으로 하여 작성된 것이라고 할 수 없으므로 **당연히 증거능력이 있는 서류라고 할 수 없다.**(대법원 2007. 12. 13. 2007도7257 일심회 사건)

㉢ [○] 사법경찰관 작성의 새세대 16호에 대한 수사보고서는 피고인이 검찰에서 소지 탐독사실을 인정하고 있는 새세대 16호라는 유인물의 내용을 분석하고, 이를 기계적으로 복사하여 그 말미에 그대로 첨부한 문서로써 그 신용성이 담보되어 있어 형사소송법 제315조 제3호 소정의 문서로써 **당연히 증거능력이 인정된다.**(대법원 1992. 8. 14. 92도1211 전대협 대변인 사건)

㉣ [○] 성매매업소에 고용된 여성들이 영업에 참고하기 위하여 성매매 상대방의 아이디와 전화번호 및 성매매방법 등을 메모지에 적어두었다가 직접 메모리카드에 입력하거나 다른 여직원이 그 내용을 입력한 경우, 메모리카드의 내용은 형사소송법 제315조 제2호의 **'영업상 필요로 작성한 통상문서'로서 당연히 증거능력 있는 문서에 해당한다.**(대법원 2007. 7. 26. 2007도3219 성매매일지 사건)

091 다음 중 형사소송법 제315조의 각 호에 해당하여 증거능력이 인정될 수 있는 증거가 아닌 것은? (다툼이 있는 경우 판례에 의함)

18 법원9급 [Essential ★]

① 특별한 자격을 갖추지 아니한 채 범칙물자에 대한 시가감정 업무에 4~5년 종사해 온 것에 불과한 세관공무원이 세관에 비치된 기준과 수입신고서에 기재된 가격을 참작하여 작성한 감정서

② 성매매업소에 고용된 여성들이 성매매를 업으로 하면서 영업에 참고하기 위하여 성매매 상대방의 아이디와 전화 번호 및 성매매 방법 등을 메모지에 적어두었다가 그 내용을 직접 입력하여 작성한 메모리카드의 기재 내용

③ 법원 또는 합의부원, 검사, 변호인, 청구인이 구속된 피의자를 심문하고 그에 대한 피의자의 진술 등을 기재한 구속적부심문조서

④ 보험사기 사건에서 건강보험심사평가원이 수사기관의 의뢰에 따라 수사기관이 보내온 자료를 토대로 입원진료의 적정성에 대한 의견을 제시하는 내용의 '건강보험심사평가원의 입원진료 적정성 여부 등 검토의뢰에 대한 회신'

정답 | 090 ④   091 ④

해설

④ 사무처리 내역을 계속적, 기계적으로 기재한 문서가 아니라 범죄사실의 인정 여부와 관련 있는 어떠한 의견을 제시하는 내용을 담고 있는 문서는 형사소송법 제315조 제3호에서 규정하는 당연히 증거능력이 있는 서류에 해당한다고 볼 수 없으므로, 이른바 보험사기 사건에서 건강보험심사평가원이 수사기관의 의뢰에 따라 그 보내온 자료를 토대로 입원진료의 적정성에 대한 의견을 제시하는 내용의 '건강보험심사평가원의 입원진료 적정성 여부 등 검토의뢰에 대한 회신'은 형사소송법 제315조 제3호의 '기타 특히 신용할 만한 정황에 의하여 작성된 문서'에 해당하지 않는다.(대법원 2017. 12. 5. 2017도12671 건보심사평가원 회신자료 사건)

①②③ 모두 당연히 증거능력이 인정된다. ① 대법원 1985. 4. 9. 85도225 벤츠승용차 밀수사건 ② 성매매업소에 고용된 여성들이 영업에 참고하기 위하여 성매매 상대방의 아이디와 전화번호 및 성매매방법 등을 메모지에 적어두었다가 직접 메모리카드에 입력하거나 다른 여직원이 그 내용을 입력한 경우, 메모리카드의 내용은 형사소송법 제315조 제2호의 '영업상 필요로 작성한 통상문서'로서 당연히 증거능력 있는 문서에 해당한다.(대법원 2007. 7. 26. 2007도3219 23-1 보통 사건) ③ 법원 또는 합의부원, 검사, 변호인, 청구인이 구속된 피의자를 심문하고 그에 대한 피의자의 진술 등을 기재한 구속적부심문조서는 형사소송법 제311조가 규정한 문서에는 해당하지 않는다 할 것이나, 특히 신용할 만한 정황에 의하여 작성된 문서라고 할 것이므로 특별한 사정이 없는 한, 피고인이 증거로 함에 부동의하더라도 형사소송법 제315조 제3호에 의하여 당연히 그 증거능력이 인정된다.(대법원 2004. 1. 16. 2003도5693)

092 증거에 대한 설명으로 옳지 않은 것은? (다툼이 있으면 판례에 의함)

22 국가7급 [Essential ★]

① 수표를 발행한 후 예금부족 등으로 지급되지 아니하게 하였다는 부정수표단속법위반 공소사실을 증명하기 위하여 제출되는 수표는 그 서류의 존재 또는 상태 자체가 증거가 되는 것이어서 증거물인 서면에 해당한다.

② 수사기관이 피의자 甲의 공직선거법위반 범행을 혐의사실로 하여 발부받은 압수·수색영장의 집행 과정에서 甲에 대한 혐의사실과 무관한 제3자들 사이의 대화가 녹음된 녹음파일을 압수하였다면 별도의 압수·수색영장을 발부받지 않고 압수한 위 녹음파일은 증거능력이 없다.

③ 이른바 보험사기 사건에서 건강보험심사평가원이 수사기관의 의뢰에 따라 그 보내온 자료를 토대로 입원진료의 적정성에 대한 의견을 제시하는 내용의 '건강보험심사평가원의 입원진료 적정성 여부 등 검토의뢰에 대한 회신'은 형사소송법 제315조 제3호에서 규정한 '기타 특히 신용할 만한 정황에 의하여 작성된 문서'에 해당하지 않는다.

④ 증인이 법정에서 "피해자로부터 '피고인이 추행했다'는 취지의 말을 들었다."라고 진술하였고 증인의 진술을 피해자의 진술에 부합한다고 보아 피해자의 진술 내용의 진실성을 증명하는 간접사실로 사용하였다면 위 증인의 진술은 전문증거에 해당하지 않는다.

해설

④ [×] 어떠한 내용의 진술을 하였다는 사실 자체에 대한 정황증거로 사용될 것이라는 이유로 서류의 증거능력을 인정한 다음 **그 사실을 다시 진술 내용이나 그 진실성을 증명하는 간접사실로 사용하는 경우에 그 서류는 전문증거에 해당한다.** 서류가 그곳에 기재된 원진술의 내용인 사실을 증명하는 데 사용되어 원진술의 내용인 사실이 요증사실이 되기 때문이다.(대법원 2019. 8. 29. 2018도14303 全合 **국정농단 박근혜 전대통령 사건**)

① [○] (1) 피고인이 수표를 발행하였으나 예금부족 또는 거래정지처분으로 지급되지 아니하게 하였다는 부정수표단속법위반의 공소사실을 증명하기 위하여 제출되는 수표는 그 서류의 존재 또는 상태 자체가 증거가 되는 것이어서 **증거물인 서면에 해당하고** 어떠한 사실을 직접 경험한 사람의 진술에 갈음하는 대체물이 아니므로, 그 증거능력은 증거물의 예에 의하여 판단하여야 하고, 이에 대하여는 형사소송법 제310조의2에서 정한 **전문법칙이 적용될 여지가 없다.** (2) 이때 수표 원본이 아니라 전자복사기를 사용하여 복사한 사본이 증거로 제출되었고 피고인이 이를 증거로 하는 데 부동의한 경우 수표 사본을 증거로 사용하기 위해서는 수표 원본을 법정에 제출할 수 없거나 그 제출이 곤란한 사정이 있고 수표 원본이 존재하거나 존재하였으며 증거로 제출된 수표 사본이 이를 정확하게 전사한 것이라는 사실이 증명되어야 한다.(대법원 2015. 4. 23. 2015도2275 **당좌수표 사본 사건**)

② [○] '피의자: 甲, 압수할 물건: 乙이 소지하고 있는 휴대전화 등, 범죄사실: 甲은 공천과 관련하여 새누리당 공천심사위원에게 돈 봉투를 제공하였다 등'이라고 기재된 압수·수색영장에 의하여 검찰청 수사관이 乙의 주거지에서 그의 휴대전화를 압수하고 그 휴대전화에서 추출한 전자정보를 분석하던 중 피고인 乙, 丙 사이의 대화가 녹음된 녹음파일을 통하여 피고인들에 대한 공직선거법위반의 혐의점을 발견하고 수사를 개시하였으나, 피고인들로부터 녹음파일을 임의로 제출받거나 새로운 압수·수색영장을 발부받지 아니한 경우 그 녹음파일은 압수·수색영장에 의하여 압수할 수 있는 물건 내지 전자정보로 볼 수 없으므로(형사소송법 제215조 제1항에 규정된 '해당사건'과 관계가 있다고 인정할 수 있는 것에 해당한다고 할 수 없으므로) **피고인들의 공소사실**(피고인 乙, 丙 사이의 정당 후보자 추천 및 선거운동 관련 대가제공 요구 및 약속 범행)**에 대해서는 증거능력이 부정된다.**(대법원 2014. 1. 16. 2013도7101)

③ [○] 사무처리 내역을 계속적, 기계적으로 기재한 문서가 아니라 범죄사실의 인정 여부와 관련 있는 어떠한 의견을 제시하는 내용을 담고 있는 문서는 형사소송법 제315조 제3호에서 규정하는 당연히 증거능력이 있는 서류에 해당한다고 볼 수 없으므로, 이른바 보험사기 사건에서 건강보험심사평가원이 수사기관의 의뢰에 따라 그 보내온 자료를 토대로 입원진료의 적정성에 대한 의견을 제시하는 내용의 '건강보험심사평가원의 입원진료 적정성 여부 등 검토의뢰에 대한 회신'은 형사소송법 제315조 제3호의 '기타 특히 신용할 만한 정황에 의하여 작성된 문서'에 해당하지 않는다.(대법원 2017. 12. 5. 2017도12671 **건보심사평가원 회신자료 사건**)

정답 | 092 ④

093

□□□

전문증거에 관한 설명 중 가장 적절하지 않은 것은? (다툼이 있으면 판례에 의함)

14 경찰승진 [Core ★★]

① 성매매업소에 고용된 여성들이 성매매를 업으로 하면서 영업에 참고하기 위하여 성매매 상대방의 아이디와 전화번호 및 성매매방법 등을 메모지에 적어두었다가 직접 메모리카드에 입력하거나 업주가 고용한 다른 여직원이 그 내용을 입력한 사안에서 위 메모리카드의 내용은 형사소송법 제315조 제2호의 '영업상 필요로 작성한 통상문서'로서 당연히 증거능력 있는 문서에 해당한다.

② 휴대전화로 협박내용을 반복적으로 보냈다는 공소사실에 대한 증거로 제출된 '전송된 문자정보를 휴대전화 화면에 띄워 촬영한 사진'에 대해 피고인이 성립 및 내용의 진정을 부인하는 경우 이는 유죄 인정의 증거가 될 수 없다.

③ 공범으로서 별도로 공소제기된 다른 사건의 피고인 甲에 대한 수사과정에서 담당 검사가 피의자인 甲과 그 사건에 관하여 대화하는 내용과 장면을 녹화한 비디오테이프에 대한 법원의 검증조서는 피의자신문조서에 준하여 그 증거능력을 가려야 한다.

④ 재전문진술이나 재전문진술을 기재한 조서는 피고인이 증거로 하는데 동의하지 아니하는 한 전문법칙에 관한 형사소송법 제310조의2의 규정에 의하여 이를 증거로 할 수 없다.

해설

② [×] 휴대전화기에 저장된 문자정보가 증거가 되는 경우와 같이 그 **문자정보가 범행의 직접적인 수단이 될 뿐 경험자의 진술에 갈음하는 대체물에 해당하지 않는 경우에는** 형사소송법 제310조의2에서 정한 전문법칙이 적용될 여지가 없다.(대법원 2008. 11. 13. 2006도2556)

① [○] 메모리카드의 내용은 형사소송법 제315조 제2호의 '영업상 필요로 작성한 통상문서'로서 당연히 증거능력 있는 문서에 해당한다.(대법원 2007. 7. 26. 2007도3219)

③ [○] 공범으로서 별도로 공소제기된 다른 사건의 피고인에 대한 수사과정에서 담당 검사가 피의자와 그 사건에 관하여 대화하는 내용과 장면을 녹화한 비디오테이프에 대한 법원의 검증조서는 이러한 비디오테이프의 녹화내용이 피의자의 진술을 기재한 **피의자신문조서와 실질적으로 같다**고 볼 것이므로 피의자신문조서에 준하여 그 증거능력을 가려야 한다.(대법원 1992. 6. 23. 92도682 신이십세기파 사건)

④ [○] 형사소송법은 전문진술에 대하여 제316조에서 실질상 단순한 전문의 형태를 취하는 경우에 한하여 예외적으로 그 증거능력을 인정하는 규정을 두고 있을 뿐 재전문진술이나 재전문진술을 기재한 조서에 대하여는 달리 그 증거능력을 인정하는 규정을 두고 있지 아니하고 있으므로 피고인이 증거로 하는 데 동의하지 아니하는 한 형사소송법 제310조의2의 규정에 의하여 이를 증거로 할 수 없다.(대법원 2012. 5. 24. 2010도5948 대전 동거남 폭행치사사건)

094 진술 또는 서류의 증거능력에 대한 설명으로 옳지 않은 것은? (다툼이 있으면 판례에 의함)

□□□
24 경대편입 [Core ★★]

① 피고인이 아닌 원진술자가 법정에 출석하여 수사기관에서 한 진술을 부인하는 취지로 증언하였다면 그 원진술자의 진술을 내용으로 하는 조사자의 증언은 증거능력이 없다.

② 어떤 진술을 하였다는 사실 자체에 대한 정황증거로 사용될 것이라는 이유로 서류의 증거능력을 인정한 때에는 그 사실을 다시 진술 내용이나 그 진실성을 증명하는 간접사실로 사용하는 경우라도 그 서류의 증거능력이 인정되기 위하여 형사소송법에서 규정한 전문법칙의 예외 요건이 충족될 필요는 없다.

③ 조세범칙조사를 담당하는 세무공무원이 피고인이 된 혐의자 또는 참고인에 대하여 심문한 내용을 기재한 조서는 그 증거능력을 논함에 있어서 형사소송법 제313조에서의 '피고인 또는 피고인이 아닌 자가 작성한 진술서나 그 진술을 기재한 서류'에 해당한다.

④ 특별한 자격이 있지는 않더라도 범칙물자에 대한 시가감정업무에 4~5년 종사해 온 세관공무원이 세관에 비치된 기준과 수입신고서에 기재된 가격을 참작하여 작성한 감정서에 대해서는 피고인의 동의 여부와 상관없이 형사소송법에 따라 당연히 증거능력이 인정된다.

⑤ 형사소송법 제314조는 진술조서 등의 증거능력에 관해 '공판준비 또는 공판기일에 진술을 요하는 자가 사망·질병·외국거주·소재불명 그 밖에 이에 준하는 사유로 인하여 진술할 수 없는 때'를 규정하고 있는데, 수사기관에서 진술한 참고인이 법정에서 증언을 거부하여 피고인이 반대신문을 하지 못하였으나 정당하게 증언거부권을 행사한 것이 아닌 경우도 피고인이 증인의 증언거부 상황을 초래한 경우라면 '그 밖에 이에 준하는 사유로 인하여 진술할 수 없는 때'에 해당한다.

해설

② [×] 어떤 진술이 기재된 서류가 그 내용의 진실성이 범죄사실에 대한 직접증거로 사용될 때는 전문증거가 되지만, 그와 같은 진술을 하였다는 것 자체 또는 진술의 진실성과 관계없는 간접사실에 대한 정황증거로 사용될 때는 반드시 전문증거가 되는 것이 아니다. 그러나 어떠한 내용의 진술을 하였다는 사실 자체에 대한 정황증거로 사용될 것이라는 이유로 서류의 증거능력을 인정한 다음 **그 사실을 다시 진술 내용이나 그 진실성을 증명하는 간접사실로 사용하는 경우에 그 서류는 전문증거에 해당한다**. 서류가 그곳에 기재된 원진술의 내용인 사실을 증명하는 데 사용되어 원진술의 내용인 사실이 요증사실이 되기 때문이다.(대법원 2019. 8. 29. 2018도14303 全合 **국정농단 박근혜 전대통령 사건**)

① [○] 형사소송법 제316조 제2항에 따라 조사자의 증언에 증거능력이 인정되기 위해서는 원진술자가 사망, 질병, 외국거주, 소재불명, 그 밖에 이에 준하는 사유로 인하여 진술할 수 없어야만 하는 것이라서 원진술자가 **법정에 출석하여 수사기관에서의 진술을 부인하는 취지로 증언을 한 이상 원진술자의 진술을 내용으로 하는 조사자의 증언은 증거능력이 없다**.(대법원 2008. 9. 25. 2008도6985 **서울 합정동 강간사건**)

③ [○] 조세범칙조사를 담당하는 세무공무원이 피고인이 된 혐의자 또는 참고인에 대하여 심문한 내용을 기재한 조서는 검사·사법경찰관 등 수사기관이 작성한 조서와 동일하게 볼 수 없으므로 형사소송법 제312조에 따라 증거능력의 존부를 판단할 수는 없고, 피고인 또는 피고인이 아닌 자가 작성한 진술서나 그 진술을 기재한 서류에 해당하므로 **형사소송법 제313조에 따라** 공판준비 또는 공판기일에서 작성자·진술자의 진술에 따라 성립의 진정함이 증명되고 나아가 그 진술이 특히 신빙할 수 있는 상태 아래에서 행하여 진 때에 한하여 **증거능력이 인정된다.**(대법원 2022. 12. 15. 2022도8824 **범칙혐의자심문조서 사건**)

④ [○] 특별한 자격이 있지는 않더라도 범칙물자에 대한 시가감정업무에 4~5년 종사해 온 세관공무원이 세관에 비치된 기준과 수입신고서에 기재된 가격을 참작하여 작성한 감정서에 대해서는 피고인의 동의 여부와 상관없이 형사소송법에 따라 **당연히 증거능력이 인정된다.**(대법원 1985. 4. 9. 85도225 **벤츠 밀수사건**)

⑤ [○] 수사기관에서 진술한 참고인이 법정에서 증언을 거부하여 피고인이 반대신문을 하지 못한 경우에는 정당하게 증언거부권을 행사한 것이 아니라도 피고인이 증인의 증언거부 상황을 초래하였다는 등의 특별한 사정이 없는 한 형사소송법 제314조의 '그 밖에 이에 준하는 사유로 인하여 진술할 수 없는 때'에 해당하지 않는다. 따라서 증인이 정당하게 증언거부권을 행사하여 증언을 거부한 경우와 마찬가지로 수사기관에서 그 증인의 진술을 기재한 서류는 증거능력이 없다. 다만, 피고인이 증인의 증언거부 상황을 초래하였다는 등의 특별한 사정이 있는 경우에는 형사소송법 제314조의 적용을 배제할 이유가 없다. 이러한 경우까지 형사소송법 제314조의 '그 밖에 이에 준하는 사유로 인하여 진술할 수 없는 때'에 해당하지 않는다고 보면 사건의 실체에 대한 심증 형성은 법관의 면전에서 본래증거에 대한 반대신문이 보장된 증거조사를 통하여 이루어져야 한다는 실질적 직접심리주의와 전문법칙에 대하여 예외를 정한 형사소송법 제314조의 취지에 반하고 정의의 관념에도 맞지 않기 때문이다.(대법원 2019. 11. 21. 2018도13945 소슴 **필로폰 매수인 증언거부사건**)

095 전문진술(형사소송법 제316조)의 증거능력에 대한 설명으로 옳지 않은 것은? (다툼이 있으면 판례에 의함)

12 경찰간부, 11 국가9급 [Core ★★]

① 전문진술의 증거능력 인정기준 중의 하나인 '그 진술이 특히 신빙할 수 있는 상태하에서 행하여진 때'라 함은 그 진술을 하였다는 것에 허위 개입의 여지가 거의 없고, 그 진술내용의 신빙성이나 임의성을 담보할 구체적이고 외부적인 정황이 있는 경우를 말한다.

② 전문진술을 증거로 함에 있어서는 전문진술자가 원진술자로부터 진술을 들을 당시 원진술자가 증언능력에 준하는 능력을 갖춘 상태에 있어야 한다.

③ 형사소송법은 전문진술에 대하여 제316조에서 실질상 단순한 전문의 형태를 취하는 경우에 한하여 예외적으로 그 증거능력을 인정하는 규정을 두고 있을 뿐 재전문진술이나 재전문진술을 기재한 조서에 대하여는 달리 그 증거능력을 인정하는 규정을 두고 있지 아니하고 있으므로, 피고인이 증거로 하는 데 동의하지 아니하는 한 이를 증거로 할 수 없다.

④ 형사소송법 제316조의 증거능력과 관련하여 원진술자가 법정에 출석하여 수사기관에서 한 진술을 부인하는 취지로 증언하더라도 원진술자의 진술을 내용으로 하는 조사자의 증언은 증거능력이 있다.

해설

④ [×] 형사소송법 제316조 제2항에 따라 조사자의 증언에 증거능력이 인정되기 위해서는 원진술자가 사망, 질병, 외국거주, 소재불명, 그 밖에 이에 준하는 사유로 인하여 진술할 수 없어야만 하는 것이라서 **원진술자가 법정에 출석하여 수사기관에서의 진술을 부인하는 취지로 증언을 한 이상 원진술자의 진술을 내용으로 하는 조사자의 증언은 증거능력이 없다.**(대법원 2008. 9. 25. 2008도6985)

① [○] 형사소송법 제316조 제1항의 규정된 '그 진술이 특히 신빙할 수 있는 상태하에서 행하여진 때'라 함은 그 진술을 하였다는 것에 허위 개입의 여지가 거의 없고, 그 진술 내용의 신빙성이나 임의성을 담보할 구체적이고 외부적인 정황이 있는 경우를 가리킨다.(대법원 2012. 5. 24. 2010도5948 대전 동거남 폭행치사사건)

② [○] 전문진술을 증거로 함에 있어서는 전문진술자가 원진술자로부터 진술을 들을 당시 원진술자가 증언능력에 준하는 능력을 갖춘 상태에 있어야 한다.(대법원 2006. 4. 14. 2005도9561)

③ [○] 형사소송법은 전문진술에 대하여 제316조에서 실질상 단순한 전문의 형태를 취하는 경우에 한하여 예외적으로 그 증거능력을 인정하는 규정을 두고 있을 뿐 재전문진술이나 재전문진술을 기재한 조서에 대하여는 달리 그 증거능력을 인정하는 규정을 두고 있지 아니하고 있으므로 피고인이 증거로 하는 데 동의하지 아니하는 한 형사소송법 제310조의2의 규정에 의하여 이를 증거로 할 수 없다.(대법원 2012. 5. 24. 2010도5948 대전 동거남 폭행치사사건)

---

096 전문법칙의 예외에 관한 설명으로 가장 적절하지 않은 것은? (다툼이 있으면 판례에 의함)

23 경찰채용 [Superlative ★★★]

① A가 B와의 개별면담에서 대화한 내용을 피고인 甲에게 불러 주었고, 그 내용이 기재된 甲의 업무수첩이 그 대화내용을 증명하기 위한 진술증거인 경우에는 피고인이 작성한 진술서에 대한 형사소송법 제313조 제1항에 따라 증거능력을 판단해야 한다.

② 공소제기 전에 피고인을 피의자로 조사했던 사법경찰관이 공판기일에 피고인의 진술을 그 내용으로 하여 한 진술을 증거로 하기 위해서는 사법경찰관이 피의자였던 피고인으로부터 진술을 들을 당시 피고인이 증언능력에 준하는 능력을 갖춘 상태에 있었어야 한다.

③ 피해자가 제1심 법정에서 수사기관에서의 진술조서에 대해 실질적 진정성립을 부인하는 취지로 진술하였다면, 이후 피해자가 사망하였더라도 피해자를 조사하였던 조사자에 의한 수사기관에서 이루어진 피해자의 진술을 내용으로 하는 제2심 법정에서의 증언은 증거능력이 없다.

④ 법원이 구속된 피의자를 심문하고 그에 대한 피의자의 진술 등을 기재한 구속적부심문조서는 형사소송법 제315조 제3호의 '특히 신용할 만한 정황에 의하여 작성된 문서'에 해당하여 피고인이 증거로 함에 부동의하더라도 당연히 그 증거능력이 인정된다.

정답 | 095 ④   096 ①

해설

① [×] 피고인 2의 업무수첩 등의 대화 내용 부분이 전 대통령과 개별 면담자 사이에서 **대화한 내용을 증명하기 위한 진술증거인 경우에는 전문진술로서 형사소송법 제316조 제2항에 따라** 원진술자가 사망, 질병, 외국 거주, 소재불명 그 밖에 이에 준하는 사유로 진술할 수 없고 그 진술이 특히 신빙할 수 있는 상태에서 한 것임이 증명된 때에 한하여 **증거로 사용할 수 있다.**(대법원 2019. 8. 29. 2018도13792 全合 **국정농단 대통령 사건**)

② [○] 전문의 진술을 증거로 함에 있어서는 전문진술자가 원진술자로부터 진술을 들을 당시 **원진술자가 증언능력에 준하는 능력을 갖춘 상태에 있어야 할 것이다.**(대법원 2006. 4.14. 2005도9561 **대전 관처동 여아 강간 사건**)

③ [○] 원진술자가 제1심법원에 출석하여 진술을 하였다가 항소심에 이르러 진술할 수 없게 된 경우를 형사소송법 제316조 제2항에서 정한 '원진술자가 진술할 수 없는 경우'에 해당한다고는 할 수 없다.(대법원 2001. 9. 28. 2001도3997 **강간당했다고 들었다 사건**) 피해자의 진술을 내용으로 하는 제2심 법정에서의 증언은 증거능력이 없다.

④ [○] **구속적부심문조서는** 형사소송법 제311조가 규정한 문서에는 해당하지 않는다 할 것이나, 특히 신용할 만한 정황에 의하여 작성된 문서라고 할 것이므로 특별한 사정이 없는 한 **형사소송법 제315조 제3호에 의하여 당연히 그 증거능력이 인정된다.**(대법원 2004. 1. 16. 2003도5693 **구속적부심문조서 사건**)

097

☐☐☐ 전문진술의 증거능력에 관한 다음 설명 중 가장 적절하지 않은 것은? (다툼이 있으면 판례에 의함)

15 경찰채용 [Core ★★]

① 형사소송법은 전문진술에 대하여 제316조에서 실질상 단순한 전문의 형태를 취하는 경우에 한하여 예외적으로 그 증거능력을 인정하는 규정을 두고 있을 뿐, 재전문진술이나 재전문진술을 기재한 조서에 대하여는 달리 그 증거능력을 인정하는 규정을 두고 있지 아니하고 있으므로, 피고인이 증거로 하는 데 동의하지 아니하는 한 이를 증거로 할 수 없다.

② 피고인 아닌 자의 공판준비 또는 공판기일에서의 진술이 피고인 아닌 타인의 진술을 그 내용으로 하는 것인 때에는 원진술자가 사망, 질병 기타 사유로 인하여 진술할 수 없고 그 진술이 특히 신빙할 수 있는 상태하에서 행하여진 때에 한하여 이를 증거로 할 수 있는 데, 여기서 말하는 피고인 아닌 자에는 공동피고인이나 공범자는 포함되지 아니한다.

③ 형사소송법 제316조에 규정된 '그 진술이 특히 신빙할 수 있는 상태하에서 행하여진 때'라 함은 그 진술을 하였다는 것에 허위개입의 여지가 거의 없고, 그 진술 내용의 신빙성이나 임의성을 담보할 구체적이고 외부적인 정황이 있는 경우이어야만 한다.

④ 전문의 진술을 증거로 함에 있어서는 전문진술자가 원진술자로부터 진술을 들을 당시 원진술자가 증언능력에 준하는 능력을 갖춘 상태에 있어야 할 것이다.

해설

② [×] 형사소송법 제316조 제2항에 의하면, 피고인 아닌 자(甲)의 공판준비 또는 공판기일에서의 진술이 피고인 아닌 타인(乙)의 진술을 그 내용으로 하는 것인 때에는 원진술자가 사망, 질병, 외국거주, 소재불명 그 밖에 이에 준하는 사유로 인하여 진술할 수 없고 그 진술이 특히 신빙할 수 있는 상태하에서 행하여 졌음이 증명된 때에 한하여 이를 증거로 할 수 있다고 규정하고 있고, 여기서 말하는 **'피고인 아닌 자(乙)'라고 함은 제3자는 말할 것도 없고 공동피고인이나 공범자를 모두 포함한다.**(대법원 2011. 11. 24. 2011도7173) ★ 하단 부분의 '피고인 아닌 자'는 그 해석상 위 부분의 '피고인 아닌 타인'을 말한다.

① [○] 형사소송법은 전문진술에 대하여 제316조에서 실질상 단순한 전문의 형태를 취하는 경우에 한하여 예외적으로 그 증거능력을 인정하는 규정을 두고 있을 뿐 재전문진술이나 재전문진술을 기재한 조서에 대하여는 달리 그 증거능력을 인정하는 규정을 두고 있지 아니하고 있으므로 피고인이 증거로 하는 데 동의하지 아니하는 한 형사소송법 제310조의2의 규정에 의하여 이를 증거로 할 수 없다.(대법원 2012. 5. 24. 2010도5948 대전 동거남 폭행치사사건)

③ [○] 형사소송법 제316조 제1항의 규정된 '그 진술이 특히 신빙할 수 있는 상태하에서 행하여진 때'라 함은 그 진술을 하였다는 것에 허위 개입의 여지가 거의 없고, 그 진술 내용의 신빙성이나 임의성을 담보할 구체적이고 외부적인 정황이 있는 경우를 가리킨다.(대법원 2012. 5. 24. 2010도5948 대전 동거남 폭행치사사건)

④ [○] 전문진술을 증거로 함에 있어서는 전문진술자가 원진술자로부터 진술을 들을 당시 원진술자가 증언능력에 준하는 능력을 갖춘 상태에 있어야 한다.(대법원 2006. 4. 14. 2005도9561)

098 전문서류의 증거능력에 관한 설명 중 옳지 않은 것은? (다툼이 있으면 판례에 의함)

24 변호사 [Core ★★]

① 증인이 자신에 대한 관련 형사판결이 확정되었음에도 정당한 이유 없이 법정증언을 거부하여 피고인이 반대신문을 하지 못하였다면, 설령 피고인이 증인의 증언거부 상황을 초래하였다고 하더라도 형사소송법 제314조의 '그 밖에 이에 준하는 사유로 인하여 진술할 수 없는 때'에 해당하지 않아 수사기관에서 그 증인의 진술을 기재한 서류는 증거능력이 없다.

② 형사소송법 제312조 제1항의 '검사가 작성한 피의자신문조서'란 당해 피고인에 대한 피의자신문조서만이 아니라 당해 피고인과 공범관계에 있는 다른 피고인이나 피의자에 대하여 검사가 작성한 피의자신문조서도 포함하는 개념으로서, 이때의 '공범'에는 대향범도 포함된다.

③ 조세범칙조사를 담당하는 세무공무원이 피고인이 된 혐의자 또는 참고인에 대하여 심문한 내용을 기재한 조서는 피고인 또는 피고인이 아닌 자가 작성한 진술서나 그 진술을 기재한 서류에 해당하므로 형사소송법 제313조에 따라 증거능력의 존부를 판단하여야 한다.

④ 보험사기 사건에서 건강보험심사평가원이 수사기관의 의뢰에 따라 그 보내온 자료를 토대로 입원진료의 적정성에 대한 의견을 제시하는 내용의 '건강보험심사평가원의 입원진료 적정성 여부 등 검토의뢰에 대한 회신'은 사무 처리 내역을 계속적, 기계적으로 기재한 문서가 아니므로 형사소송법 제315조 제3호의 '기타 특히 신용할 만한 정황에 의하여 작성된 문서'에 해당하지 않는다.

⑤ 전문진술이 기재된 조서는 형사소송법 제312조 또는 제314조의 규정의 요건과 형사소송법 제316조의 규정의 요건을 갖추는 경우 증거능력이 인정된다.

해설

① [×] 수사기관에서 진술한 참고인이 법정에서 증언을 거부하여 피고인이 반대신문을 하지 못한 경우에는 정당하게 증언거부권을 행사한 것이 아니라도 **피고인이 증인의 증언거부 상황을 초래하였다는 등의 특별한 사정이 없는 한** 형사소송법 제314조의 '그 밖에 이에 준하는 사유로 인하여 진술할 수 없는 때'에 해당하지 않는다. 따라서 증인이 정당하게 증언거부권을 행사하여 증언을 거부한 경우와 마찬가지로 수사기관에서 그 증인의 진술을 기재한 서류는 증거능력이 없다.(대법원 2019. 11. 21. 2018도13945 全合 **필로폰 매수인 증언거부사건**) 피고인이 증인의 증언거부 상황을 초래하였다는 등의 특별한 사정이 있다면 형사소송법 제314조의 '그 밖에 이에 준하는 사유로 인하여 진술할 수 없는 때'에 해당할 수 있다.

② [○] 형사소송법 제312조 제1항에서 정한 '검사가 작성한 피의자신문조서'란 당해 피고인에 대한 피의자신문조서만이 아니라 당해 피고인과 공범관계에 있는 **다른 피고인이나 피의자에 대하여 검사가 작성한 피의자신문조서도 포함되고, 여기서 말하는 '공범'에는** 형법 총칙의 공범 이외에도 서로 대향된 행위의 존재를 필요로 할 뿐 각자의 구성요건을 실현하고 별도의 형벌 규정에 따라 처벌되는 강학상 필요적 공범 또는 대향범까지 **포함한다.** 따라서 피고인이 자신과 공범관계에 있는 다른 피고인이나 피의자에 대하여 검사가 작성한 피의자신문조서의 내용을 부인하는 경우에는 형사소송법 제312조 제1항에 따라 유죄의 증거로 쓸 수 없다.(대법원 2023. 6. 1. 2023도3741 **필로폰 매수인에 대한 검찰 피신조서사본 사건**)

③ [○] 조세범칙조사를 담당하는 세무공무원이 피고인이 된 혐의자 또는 참고인에 대하여 심문한 내용을 기재한 조서는 검사·사법경찰관 등 수사기관이 작성한 조서와 동일하게 볼 수 없으므로 형사소송법 제312조에 따라 증거능력의 존부를 판단할 수는 없고, 피고인 또는 피고인이 아닌 자가 작성한 진술서나 그 진술을 기재한 서류에 해당하므로 형사소송법 제313조에 따라 공판준비 또는 공판기일에서 작성자·진술자의 진술에 따라 성립의 진정함이 증명되고 나아가 그 진술이 특히 신빙할 수 있는 상태 아래에서 행하여 진 때에 한하여 증거능력이 인정된다.(대법원 2022.12.15. 2022도8824 **범칙혐의자심문조서 사건**)

④ [○] 사무처리 내역을 계속적, 기계적으로 기재한 문서가 아니라 범죄사실의 인정 여부와 관련 있는 어떠한 의견을 제시하는 내용을 담고 있는 문서는 형사소송법 제315조 제3호에서 규정하는 당연히 증거능력이 있는 서류에 해당한다고 볼 수 없으므로 이른바 보험사기 사건에서 건강보험심사평가원이 수사기관의 의뢰에 따라 그 보내온 자료를 토대로 입원진료의 적정성에 대한 의견을 제시하는 내용의 '건강보험심사평가원의 입원진료 적정성 여부 등 검토의뢰에 대한 회신'은 형사소송법 제315조 제3호의 '기타 특히 신용할 만한 정황에 의하여 작성된 문서'에 해당하지 않는다.(대법원 2017.12. 5. 2017도12671 **건보심사평가원 회신자료 사건**)

⑤ [○] 피고인의 진술을 그 내용으로 하는 전문진술이 기재된 조서는 형사소송법 제312조 내지 314조의 규정에 의하여 그 증거능력이 인정될 수 있는 경우에 해당하여야 함은 물론, 나아가 형사소송법 제316조 제1항의 규정에 따른 조건을 갖춘 때에 예외적으로 증거능력을 인정하여야 할 것이다.(대법원 2012. 5.24. 2010도5948 **대전 동거남 폭행치사사건**) 피고인 아닌 자의 진술을 그 내용으로 하는 전문진술이 기재된 조서는 형사소송법 제312조 또는 제314조에 따라 증거능력이 인정될 수 있는 경우에 해당하여야 함은 물론 형사소송법 제316조 제2항에 따른 요건을 갖추어야 예외적으로 증거능력이 있다.(대법원 2017. 7.18. 2015도12981 **대구 여대생 성폭행 스리랑카인 사건**)

099 전문증거에 관한 설명으로 가장 적절하지 않은 것은? (다툼이 있으면 판례에 의함)
□□□

① 피고인의 범행을 직접 목격하고 현행범으로 체포한 경찰관의 법정진술은 전문증거에 해당하지 않는다.

② 어떠한 내용의 진술을 하였다는 사실 자체에 대한 정황증거로 사용될 것이라는 이유로 진술의 증거능력을 인정한 다음 그 사실을 다시 진술 내용이나 그 진실성을 증명하는 간접사실로 사용하는 경우에 그 진술은 전문증거에 해당한다.

③ 다른 피고인에 대한 형사사건의 공판조서는 형사소송법 제311조에 따라 당해 사건에서의 증거능력이 인정된다.

④ 형사소송법 제312조 제1항에서 정한 '검사가 작성한 피의자신문조서'란 당해 피고인에 대한 피의자신문조서만이 아니라 당해 피고인과 공범관계에 있는 다른 피고인이나 피의자에 대하여 검사가 작성한 피의자신문조서도 포함된다.

해설

③ [×] 다른 피고사건의 공판조서는 **형사소송법 제315조 제3호의 문서로서** 당연히 증거능력이 있다.(대법원 2005. 1. 14. 2004도6646 **김운용 태권도연맹회장 사건**)

① [○] 피고인의 범행을 직접 목격하고 현행범으로 체포한 경찰관의 법정진술은 원본증거이다.(대법원 1995. 5. 9. 95도535 **소매치기 검거 경찰관 사건** 참고)

② [○] 어떤 진술이 기재된 서류가 그 내용의 진실성이 범죄사실에 대한 직접증거로 사용될 때는 전문증거가 되지만, 그와 같은 진술을 하였다는 것 자체 또는 진술의 진실성과 관계없는 간접사실에 대한 정황증거로 사용될 때는 반드시 전문증거가 되는 것이 아니다. 그러나 어떠한 내용의 진술을 하였다는 사실 자체에 대한 정황증거로 사용될 것이라는 이유로 서류의 증거능력을 인정한 다음 그 사실을 다시 진술 내용이나 그 **진실성을 증명하는 간접사실로 사용하는 경우**에 그 서류는 전문증거에 해당한다. 서류가 그곳에 기재된 원진술의 내용인 사실을 증명하는 데 사용되어 원진술의 내용인 사실이 요증사실이 되기 때문이다.(대법원 2019. 8. 29. 2018도14303 全合 **국정농단 사건**)

④ [○] 형사소송법 제312조 제1항에서 정한 '검사가 작성한 피의자신문조서'란 당해 피고인에 대한 피의자신문조서만이 아니라 당해 피고인과 **공범관계**에 있는 다른 피고인이나 피의자에 대하여 검사가 작성한 피의자신문조서도 포함되고, 여기서 말하는 '**공범**'에는 형법 총칙의 공범 이외에도 서로 대향된 행위의 존재를 필요로 할 뿐 각자의 구성요건을 실현하고 별도의 형벌 규정에 따라 처벌되는 강학상 필요적 공범 또는 대향범까지 포함한다. 따라서 피고인이 자신과 공범관계에 있는 다른 피고인이나 피의자에 대하여 검사가 작성한 피의자신문조서의 내용을 부인하는 경우에는 형사소송법 제312조 제1항에 따라 유죄의 증거로 쓸 수 없다.(대법원 2023. 6. 1. 2023도3741 **필로폰 매수인에 대한 검찰 피신조서사본 사건**)

100 전문증거의 증거능력에 대한 설명으로 가장 적절하지 않은 것은? (다툼이 있으면 판례에 의함)

□□□ 　　　　　　　　　　　　　　　　　　　　　　　　　　22 경찰승진 [Core ★★]

① 甲이 진술 당시 술에 취하여 횡설수설하였다는 것을 확인하기 위하여 제출된 甲의 진술이 녹음된 녹음테이프는 전문증거에 해당한다.

② 보험사기 사건에서 건강보험심사평가원이 수사기관의 의뢰에 따라 그 보내온 자료를 토대로 입원진료의 적정성에 대한 의견을 제시하는 내용의 '건강보험심사평가원의 입원진료적정성 여부 등 검토의뢰에 대한 회신'은 형사소송법 제315조 제3호의 '기타 특히 신용할만한 정황에 의하여 작성된 문서'에 해당하지 않는다.

③ 정보통신망을 통하여 공포심이나 불안감을 유발하는 글을 반복적으로 상대방에게 도달하게 하는 행위를 하였다는 공소사실에 대하여 휴대전화기에 저장된 문자정보가 그 증거가 되는 경우와 같이, 그 문자정보가 범행의 직접적인 수단이 될 뿐 경험자의 진술에 갈음하는 대체물에 해당하지 않는 경우에는 전문법칙이 적용될 여지가 없다.

④ 성폭력 피해아동이 어머니에게 진술한 내용을 어머니가 상담원에게 전한 후 상담원이 그 내용을 검사 면전에서 진술하여 작성된 진술조서는 이른바 '재전문진술을 기재한 조서'로서 피고인이 동의하지 않는 한 증거능력이 인정되지 않는다.

해설

① [×] 녹음테이프에 대한 검증의 내용이 **그 진술 당시 진술자의 상태 등을 확인하기 위한 것인 경우에는** 녹음테이프에 대한 검증조서의 기재 중 진술내용을 증거로 사용하는 경우에 관한 **전문법칙에 관한 법리는 적용되지 아니한다.**(대법원 2008. 7. 10. 2007도10755) 甲이 진술 당시 술에 취하여 횡설수설하였다는 것을 확인하기 위하여 제출된 녹음테이프는 진술증거로 사용되는 경우가 아니므로 전문증거가 아니다.

② [○] 보험사기 사건에서 건강보험심사평가원이 수사기관의 의뢰에 따라 그 보내온 자료를 토대로 입원진료의 적정성에 대한 의견을 제시하는 내용의 '건강보험심사평가원의 입원진료 적정성 여부 등 검토의뢰에 대한 회신'은 형사소송법 제315조 제3호의 '기타 특히 신용할 만한 정황에 의하여 작성된 문서'에 해당하지 않는다. (대법원 2017. 12. 5. 2017도12671 건보심사평가원 회신자료 사건)

③ [○] 정보통신망을 통하여 공포심이나 불안감을 유발하는 글을 반복적으로 상대방에게 도달하게 하는 행위를 하였다는 공소사실에 대하여 휴대전화기에 저장된 문자정보가 그 증거가 되는 경우와 같이, 그 문자정보가 범행의 직접적인 수단이 될 뿐 **경험자의 진술에 갈음하는 대체물에 해당하지 않는 경우에는 전문법칙이 적용될 여지가 없다.**(대법원 2008. 11. 13. 2006도2556 횡설수설 문자협박 사건)

④ [○] 형사소송법은 전문진술에 대하여 제316조에서 실질상 단순한 전문의 형태를 취하는 경우에 한하여 예외적으로 그 증거능력을 인정하는 규정을 두고 있을 뿐 재전문진술이나 재전문진술을 기재한 조서에 대하여는 달리 그 증거능력을 인정하는 규정을 두고 있지 아니하고 있으므로 피고인이 증거로 하는 데 동의하지 아니하는 한 형사소송법 제310조의2의 규정에 의하여 이를 증거로 할 수 없다.(대법원 2000. 3. 10. 2000도159 성룡이 아저씨 사건)

---

101 전문법칙에 관한 설명으로 가장 적절하지 않은 것은? (다툼이 있으면 판례에 의함)

24 경찰채용 [Core ★★]

① 피고인이 아닌 자의 진술을 기재한 서류가 비록 수사기관이 아닌 자에 의하여 작성되었다고 하더라도 수사가 시작된 이후 수사기관의 관여나 영향 아래 작성된 경우로서 서류를 작성한 자의 신분이나 지위, 서류를 작성한 경위와 목적, 작성 시기와 장소 및 진술을 받는 방식 등에 비추어 실질적으로 고찰할 때 그 서류가 수사과정 외에서 작성된 것이라고 보기 어렵다면, 이를 형사소송법 제313조 제1항의 '전 2조의 규정 이외에 피고인이 아닌 자의 진술을 기재한 서류'에 해당한다고 할 수 없다.

② 형사소송법 제314조에서 '특히 신빙할 수 있는 상태하에서 행하여졌음에 대한 증명'은 단지 그러할 개연성이 있다는 정도로는 부족하고, 법정에서의 반대신문 등을 통한 검증을 굳이 거치지 않더라도 진술의 신빙성을 충분히 담보할 수 있어 실질적 직접심리주의와 전문법칙에 대한 예외로 평가할 수 있는 정도에 이르러야 한다.

③ 乙로부터 "甲이 도둑질하는 것을 보았다."라는 발언을 들은 A가 법정에서 증언하는 경우 그 증언 내용은 乙의 甲에 대한 명예훼손 사건에 관한 전문증거로서 전문법칙이 적용된다.

④ 체포·구속인접견부는 유치된 피의자가 죄증을 인멸하거나 도주를 기도하는 등 유치장의 안전과 질서를 위태롭게 하는 것을 방지하기 위한 목적으로 작성되는 서류로 보일 뿐이어서 형사소송법 제315조 제2호, 제3호에 규정된 당연히 증거능력이 있는 서류로 볼 수 없다.

해설

③ [×] 다른 사람의 진술을 내용으로 하는 진술이 전문증거인지는 요증사실이 무엇인지에 따라 정해진다. 다른 사람의 진술, 즉 원진술의 내용인 사실이 요증사실인 경우에는 전문증거이지만, **원진술의 존재 자체가 요증사실인 경우에는 본래증거이지 전문증거가 아니다.**(대법원 2021. 2. 25. 2020도17109 **추행했다는 말을 들었다 사건**) A의 증언은 乙이 그런 발언을 했는지 여부를, 즉 그런 발언 존재 자체를 증명하기 위한 것이므로 원본증거이다.

① [○] 피고인이 아닌 자의 진술을 기재한 서류가 비록 수사기관이 아닌 자에 의하여 작성되었다고 하더라도 수사가 시작된 이후 수사기관의 관여나 영향 아래 작성된 경우로서 서류를 작성한 자의 신분이나 지위, 서류를 작성한 경위와 목적, 작성 시기와 장소 및 진술을 받는 방식 등에 비추어 실질적으로 고찰할 때 그 서류가 **수사과정 외에서 작성된 것이라고 보기 어렵다면 이를 형사소송법 제313조 제1항의 '전2조의 규정 이외에 피고인이 아닌 자의 진술을 기재한 서류'에 해당한다고 할 수 없다.**(대법원 2024. 3. 28. 2023도15133 **피해자 면담 진술분석관 작성 CD사건**) "성폭력처벌법 제33조 제4항·제1항에 따라 검사로부터 피해자 진술의 신빙성 여부에 대한 분석을 의뢰받은 대검찰청 과학수사부 법과학분석과 소속 진술분석관이 창원지방검찰청 여성·아동조사실에서 피해자를 면담하면서 그 과정을 영상녹화하여 제작한 CD 등은 수사과정 외에서 작성된 것이라고 볼 수 없으므로 형사소송법 제313조 제1항에 따라 증거능력을 인정할 수 없고 또한 이는 수사기관이 작성한 피의자신문조서나 피고인이 아닌 자의 진술을 기재한 조서가 아니고 피고인 또는 피고인이 아닌 자가 작성한 진술서도 아니므로 형사소송법 제312조에 의하여 증거능력을 인정할 수도 없다."라는 취지의 판례이다.

② [○] 형사소송법 제314조에서 '특히 신빙할 수 있는 상태하에서 행하여졌음에 대한 증명'은 단지 그러할 개연성이 있다는 정도로는 부족하고 합리적 의심의 여지를 배제할 정도, 즉 법정에서의 반대신문 등을 통한 검증을

굳이 거치지 않더라도 진술의 신빙성을 충분히 담보할 수 있어 실질적 직접심리주의와 전문법칙에 대한 예외로 평가할 수 있는 정도에 이르러야 한다.(대법원 2024. 4. 12. 2023도13406 강간범 유서 사건)

④ [O] 체포·구속인접견부는 유치된 피의자가 죄증을 인멸하거나 도주를 기도하는 등 유치장의 안전과 질서를 위태롭게 하는 것을 방지하기 위한 목적으로 작성되는 서류로 보일 뿐이어서 **형사소송법 제315조 제2, 3호에 규정된 당연히 증거능력이 있는 서류로 볼 수는 없다.**(대법원 2012. 10. 25. 2011도5459 체포·구속인접견부 사건)

102 피고인 甲은 A에게 휴대전화기로 "돈 100만원을 주지 않으면 너의 동생 B를 불구로 만들어 학교에 다니지 못하게 하겠다."는 내용의 문자메시지를 수차에 걸쳐서 보내는 방법으로 돈을 갈취하였다. 이에 A는 자신의 아버지 C에게 피고인 甲으로부터 피해를 입은 내용을 문자메시지로 보내면서 도움을 요청하였고, 동생 B에게도 자신이 입은 피해내용을 상세히 진술하였다. 이에 관한 다음 설명 중 가장 옳지 않은 것은? (다툼이 있으면 판례에 의함) 19 경찰간부 [Superlative ★★★]

① B가 A로부터 들은 진술내용을 수사기관에게 진술하였고 그러한 진술이 기재된 진술조서가 증거로 제출되었는데 피고인 甲이 증거부동의 하는 경우, A가 법정에 출석하여 그와 같은 대화내용에 관하여 증언을 하였더라도 위 진술조서는 증거로 할 수 없다.

② 검사가 공갈죄에 대한 유죄의 증거로 피고인 甲으로부터 피해를 입은 내용의 문자메시지가 저장된 C의 휴대전화기를 법정에 제출하였는데 휴대전화기에 저장된 A가 보낸 피해내용의 문자정보를 피고인이 증거부동의 하는 경우, A가 법정에 출석하여 자신이 그 문자메시지를 작성하여 아버지에게 보낸 것과 같다고 확인하였다면 성립의 진정함이 증명되었다고 볼 수 있어 증거로 할 수 있다.

③ 검사가 공갈죄에 대한 유죄의 증거로 피고인 甲의 협박 문자메시지가 저장된 피해자 A의 휴대전화기를 법정에 제출하였는데 휴대전화기에 저장된 피고인의 협박 문자정보를 피고인이 증거부동의 하는 경우, 위 문자정보는 피해자 A의 진술에 의하여 그 성립의 진정이 인정되어야 증거로 할 수 있다.

④ 만일 A가 피고인 甲과 사이에 피고인이 자신의 범행을 인정하는 내용의 대화를 녹음하여 그 녹음테이프 원본이 증거로 제출되었다면, 공판기일에서 甲이 녹음내용을 부인하여도 A의 진술에 의하여 녹음테이프에 녹음된 피고인의 진술내용이 피고인이 진술한 대로 녹음된 것이 증명되고 그 진술이 특히 신빙할 수 있는 상태하에서 행하여진 것이 인정되는 때에는 증거로 할 수 있다.

해설

(1) B가 A로부터 들은 진술내용은 피고인 아닌 자의 진술을 그 내용으로 하는 전문진술이고, 그 진술이 기재된 진술조서는 **전문진술이 기재된 전문서류이다**(재전문진술이나 재전문진술이 기재된 전문서류가 아님을 주의하여야 한다). (2) C의 휴대전화기에 저장된 A가 보낸 피해 내용의 문자정보는 일종의 **진술서이다.** (3) A의 휴대전화기에 저장된 피고인의 협박 문자정보는 **비진술증거이다.** (4) A가 피고인 甲과 사이에 피고인이 자신의 범행을 인정하는 내용의 대화를 녹음한 녹음테이프는 일종의 **진술녹취서이다.**

③ [×] "정보통신망을 통하여 공포심이나 불안감을 유발하는 글을 반복적으로 상대방에게 도달하게 하는 행위를 하였다"는 공소사실에 대하여 휴대전화기에 저장된 문자정보가 그 증거가 되는 경우와 같이 그 문자정보가 범행의 직접적인 수단이 될 뿐 경험자의 진술에 갈음하는 대체물에 해당하지 않는 경우에는 형사소송법 제310조의2에서 정한 전문법칙이 적용될 여지가 없다.(대법원 2008. 11. 13. 2006도2556 **횡설수설 문자협박 사건**) 판례의 취지에 의할 때 검사가 공갈죄에 대한 유죄의 증거로 피고인 甲의 협박 문자메시지가 저장된 피해자 A의 휴대전화기를 법정에 제출한 경우, **휴대전화기에 저장된 피고인의 협박 문자정보는 범행의 직접적인 수단이 될 뿐 경험자의 진술에 갈음하는 대체물에 해당하지 않기 때문에 전문법칙이 적용되지 않아 (피해자 A의 진술에 의하여 성립의 진정이 인정되는지 여부를 불문하고) 그대로 증거로 할 수 있다.**

① [○] 피고인 아닌 자의 진술을 그 내용으로 하는 **전문진술이 기재된 조서는** 형사소송법 제312조 또는 제314조에 따라 증거능력이 인정될 수 있는 경우에 해당하여야 함은 물론 형사소송법 제316조 제2항에 따른 요건을 갖추어야 예외적으로 증거능력이 있다.(대법원 2017. 7. 18. 2015도12981 **대구 여대생 성폭행 스리랑카인 사건**) B가 A로부터 들은 진술내용을 수사기관에게 진술하였고 그러한 진술이 기재된 진술조서는 형사소송법 제312조 제4항과 제316조 제2항이 적용된다. 형사소송법 제312조 제4항에 따라 성립의 진정, 특신상태 및 원진술자 신문가능성이 인정되어야 할 뿐더러, 형사소송법 제316조 제2항에 따라 필요성(사망, 질병 등으로 원진술자인 A가 출석할 수 없음) 및 특신상태가 인정되어야 한다. 따라서 A가 법정에 출석하여 그와 같은 대화내용에 관하여 증언하였더라도 그것만으로는 진술조서가 증거능력이 인정되는 것은 아니다.

② [○] (피해자 A가 C에게 도움을 요청하면서 피고인이 협박한 말을 포함하여 공갈 등 피해를 입은 내용이 들어 있는) 문자메시지의 내용을 촬영한 사진은 피해자의 진술서에 준하는 것으로 취급함이 상당할 것인 바, 진술서에 관한 형사소송법 제313조에 따라 문자메시지의 작성자인 A가 법정에 출석하여 자신이 문자메시지를 작성하여 C에게 보낸 것과 같음을 확인하고, C도 법정에 출석하여 A가 보낸 문자메시지를 촬영한 사진이 맞다고 확인한 이상, 문자메시지를 촬영한 사진은 그 성립의 진정함이 증명되었다고 볼 수 있으므로 이를 증거로 할 수 있다.(대법원 2010. 11. 25. 2010도8735 **공갈당했다 문자 사건**) 판례의 취지에 의할 때 A가 법정에 출석하여 자신이 그 문자메시지를 작성하여 아버지에게 보낸 것과 같다고 확인하였다면 **성립의 진정함이 증명되었다고 볼 수 있어 증거로 할 수 있다.**

④ [○] 피고인의 진술내용은 실질적으로 형사소송법 제311조, 제312조의 규정 이외에 피고인의 진술을 기재한 서류와 다름없어 피고인이 그 녹음테이프를 증거로 할 수 있음에 동의하지 않은 이상 그 녹음테이프 검증조서의 기재 중 피고인의 진술내용을 증거로 사용하기 위해서는 **형사소송법 제313조 제1항 단서에 따라 공판준비** 또는 공판기일에서 그 작성자인 상대방의 진술에 의하여 녹음테이프에 녹음된 피고인의 진술내용이 피고인이 진술한 대로 녹음된 것임이 증명되고 나아가 그 진술이 특히 신빙할 수 있는 상태하에서 행하여진 것임이 인정되어야 한다.(대법원 2012. 9. 13. 2012도7461 **김홍복 인천중구청장 사건**)

103 전문법칙 또는 그 예외에 관한 설명으로 옳고 그름의 표시(○, ×)가 바르게 된 것은? (다툼이 있□□□ 으면 판례에 의함)

24 경찰승진 [Core ★★]

> ㉠ 대한민국 영사가 작성한 사실확인서 중 공인 부분을 제외한 나머지 부분이 공적인 증명보다는 상급자 등에 대한 보고를 목적으로 하는 경우에는 형사소송법 제315조 제1호에 정한 '공무원의 직무상 증명할 수 있는 사항에 관하여 작성한 문서'라고 할 수 없다.
>
> ㉡ 법원·법관의 공판기일에서의 검증의 결과를 기재한 조서와 수사기관이 작성한 검증조서는 당연히 증거능력이 인정된다.
>
> ㉢ 법관의 면전에서 조사·진술되지 않고 그에 대하여 피고인이 공격·방어할 수 있는 반대신문의 기회가 실질적으로 부여되지 않은 진술은 원칙적으로 증거로 할 수 없다.
>
> ㉣ 사인(私人)이 피고인 아닌 자의 전화 대화를 녹음한 녹음테이프에 대하여 법원이 실시한 검증의 내용이 그 진술 당시 진술자의 상태 등을 확인하기 위한 것인 경우에는 그 내용을 기재한 검증조서는 형사소송법 제313조 제1항에 따른 요건을 갖추어야 증거능력이 인정될 수 있다.
>
> ㉤ 감정의 경과와 결과를 기재한 서류는 공판준비 또는 공판기일에서 그 작성자가 성립의 진정을 부인하면 과학적 분석결과에 기초한 디지털포렌식 자료, 감정 등 객관적 방법으로 성립의 진정함이 증명되더라도 증거로 할 수 없다.

① ㉠ × ㉡ × ㉢ ○ ㉣ × ㉤ ×   ② ㉠ ○ ㉡ × ㉢ ○ ㉣ × ㉤ ×

③ ㉠ ○ ㉡ × ㉢ ○ ㉣ ○ ㉤ ×   ④ ㉠ × ㉡ ○ ㉢ × ㉣ × ㉤ ○

해설

② 이 지문이 옳은 연결이다.

㉠ [○] 대한민국 주중국 대사관 영사 공소외 1 작성의 사실확인서 중 **공인 부분을 제외한 나머지 부분**은 북한 X무역공사 북경대표처 지사장 공소외 2가 사용 중인 승용차의 소유주가 공소외 3이라는 것과 공소외 3의 신원 및 공소외 3이 대표로 있는 Y무역공사의 실체에 관한 내용, 공소외 2가 거주 중인 북경시 조양구 소재 주택이 북한 대남공작조직의 공작아지트로 활용되고 있다는 내용, 피고인 3이 2006. 6. 24.경 북경에서 만난 공소외 4가 북한공작원이라는 취지의 내용으로 비록 영사 공소외 1이 공무를 수행하는 과정에서 작성된 것이지만 그 목적이 공적인 증명에 있다기보다는 상급자 등에 대한 보고에 있는 것으로서 엄격한 증빙서류를 바탕으로 하여 작성된 것이라고 할 수 없으므로 위와 같은 내용의 각 사실 확인 부분은 형사소송법 제315조 제1호에서 규정한 호적의 등본 또는 초본, 공정증서등본 기타 공무원 또는 외국공무원의 직무상 증명할 수 있는 사항에 관하여 작성한 문서라고 볼 수 없고 또한 같은 조 제3호에서 규정한 기타 특히 신용할 만한 정황에 의하여 작성된 문서에 해당하여 **당연히 증거능력이 있는 서류라고 할 수 없다.**(대법원 2007. 12. 13. 2007도7257 일심회 사건)

㉡ [×] 공판준비 또는 공판기일에 피고인이나 피고인 아닌 자의 진술을 기재한 조서와 법원 또는 법관의 검증의 결과를 기재한 조서는 증거로 할 수 있다.(제311조) **검사 또는 사법경찰관이 검증의 결과를 기재한 조서는** 적법한 절차와 방식에 따라 작성된 것으로서 공판준비 또는 공판기일에서의 작성자의 진술에 따라 **그 성립의 진정함이 증명된 때에는 증거로 할 수 있다.**(제312조 제6항)

ⓒ [○] 형사소송법은 헌법 제12조 제1항이 규정한 적법절차의 원칙 그리고 헌법 제27조가 보장하는 공정한 재판을 받을 권리를 구현하기 위하여 공판중심주의·구두변론주의·직접심리주의를 기본원칙으로 하고 있다. 따라서 법관의 면전에서 조사·진술되지 아니하고 그에 대하여 피고인이 공격·방어할 수 있는 반대신문의 기회가 실질적으로 부여되지 아니한 진술은 원칙적으로 증거로 할 수 없다.(형사소송법 제310조의2) (대법원 2014. 2. 21. 2013도12652 돈주고 한거냐 그냥 한거냐 사건)

ⓓ [×] 녹음테이프에 대한 검증의 내용이 그 진술 당시 진술자의 상태 등을 확인하기 위한 것인 경우에는 녹음테이프에 대한 검증조서의 기재 중 진술내용을 증거로 사용하는 경우에 관한 **전문법칙에 관한 법리는 적용되지 아니한다.**(대법원 2008. 7. 10. 2007도10755 음주 횡설수설 여부 확인사건)

ⓔ [×] 감정의 경과와 결과를 기재한 서류의 작성자가 공판준비나 공판기일에서 그 성립의 진정을 부인하는 경우에는 과학적 분석결과에 기초한 디지털포렌식 자료, 감정 등 객관적 방법으로 **성립의 진정함이 증명되는 때에는 증거로 할 수 있다.** 다만, 피고인 또는 변호인이 공판준비 또는 공판기일에 그 기재 내용에 관하여 작성자를 신문할 수 있었을 것을 요한다.(제313조 제2항·제3항)

104 다음 사례에 대한 설명 중 옳은 것은 모두 몇 개인가? (다툼이 있으면 판례에 의함)

22 경찰채용 [Superlative ★★★]

> 甲은 A를 인적이 드문 곳으로 유인한 후 권총으로 살해하였다. 범행장면은 현장 인근의 건물에 적법하게 설치된 CCTV에 녹화되었다. 사법경찰관 P는 CCTV 관리자가 녹화저장장치에서 甲의 범행장면이 복사된 이동식 저장장치(이하 'USB')를 건네주자 이를 압수하였다. 이후 P는 권총의 구매 경위를 수사하기 위하여 甲의 이메일 계정을 압수하였다. 압수된 이메일에는 B가 甲에게 "권총을 구매하여 택배로 보냈다."는 내용이 있었다. 검사는 甲을 살인죄로 기소하면서 USB와 이메일 파일을 증거로 제출하였다.

> ㉠ USB에 저장된 파일이 복사 과정에서 편집되는 등 인위적 개작 없이 원본 내용을 그대로 복사한 사본이라는 점이 증명되어야 한다.
> ㉡ CCTV에 녹화된 甲의 얼굴 등은 개인정보에 해당하지만 CCTV 관리자가 정보주체의 동의 없이 임의제출하였더라도 위법수집증거에 해당하지 않는다.
> ㉢ USB에 저장된 CCTV 영상이 범죄 당시 현장의 영상이라는 사실이 요증사실인 경우에는 전문법칙이 적용되지 않는다.
> ㉣ 이메일 작성자인 B가 증인으로 출석하여 "甲에게 이메일을 보낸 기억이 없다."고 진술한 경우에는 과학적 분석결과에 기초한 디지털포렌식 자료, 감정 등 객관적 방법으로 성립의 진정함이 증명되는 때에도 증거로 할 수 없다.

① 1개   ② 2개   ③ 3개   ④ 4개

해설

③ ㉠㉡㉢ 3 항목이 옳다.

㉠ [○] 전자문서를 수록한 파일 등의 경우에는 그 성질상 작성자의 서명 혹은 날인이 없을 뿐만 아니라 작성자·관리자의 의도나 특정한 기술에 의하여 그 내용이 편집·조작될 위험성이 있음을 고려하여, 원본임이 증명되거나 혹은 원본으로부터 복사한 사본일 경우에는 **복사 과정에서 편집되는 등 인위적 개작 없이 원본의 내용 그대로 복사된 사본임이 증명되어야만 하고, 그러한 증명이 없는 경우에는 쉽게 그 증거능력을 인정할 수 없다.**(대법원 2018. 2. 8. 2017도13263 **유흥주점 탈세 사건**) 판례의 취지에 의할 때 USB에 저장된 파일이 복사 과정에서 편집되는 등 인위적 개작 없이 원본 내용을 그대로 복사한 사본이라는 점이 증명되어야 증거능력을 인정할 수 있다.

㉡ [○] 국가정보원 수사관이 피씨(PC)방과 △△대학교 측으로부터 해당 폐쇄회로 텔레비전(CCTV) 영상녹화물과 개인용 컴퓨터(PC) 사용정보를 임의제출받았고, 그중 폐쇄회로 텔레비전(CCTV) 영상녹화물은 개인정보 보호법상 개인정보에 해당하나 그 임의제출로 인한 피고인의 사생활이나 개인의 권익에 대한 침해정도와 피고인이 행한 범죄의 중대성 등을 비롯한 공익을 비교형량하면 위와 같은 임의제출로 취득한 폐쇄회로 **텔레비전(CCTV) 영상녹화물 등이 위법수집증거여서 증거능력이 부정된다고 할 수 없다**는 취지로 판단하였다.(대법원 2017. 11. 29. 2017도974) 개인정보처리자는 범죄의 수사와 공소의 제기 및 유지를 위하여 필요한 경우에는 정보주체 또는 제3자의 이익을 부당하게 침해할 우려가 있을 때를 제외하고는 개인정보를 목적 외의 용도로 이용하거나 이를 제3자에게 제공할 수 있다.(개인정보 보호법 제18조 제2항 제7호) CCTV 관리자가 정보주체의 동의 없이 수사기관에 임의제출하였더라도 이를 위법수집증거라고 할 수 없다.

㉢ [○] 범행상황 및 그 전후 상황을 촬영한 CCTV가 독립된 증거로 사용되는 경우 전문법칙이 적용되는지 여부에 관하여 학설의 견해는 대립하지만, 판례는 **비진술증거설**을 취하고 있는 것으로 해석된다.(대법원 2013. 7. 26. 2013도2511 **왕재산 간첩단 사건**) (同旨 대법원 1999. 9. 3. 99도2317 **영남위원회 사건**, 대법원 1999. 12. 7. 98도3329 **과속카메라 사건** 등) CCTV 영상을 전문증거로 취급한 판례가 없다고 보이므로 옳은 지문으로 보아야 한다.

㉣ [×] 진술서의 작성자가 공판준비나 공판기일에서 그 성립의 진정을 부인하는 경우에는 **과학적 분석결과에 기초한 디지털포렌식 자료, 감정 등 객관적 방법으로 성립의 진정함이 증명되는 때에는 증거로 할 수 있다.** 다만, 피고인 아닌 자가 작성한 진술서는 피고인 또는 변호인이 공판준비 또는 공판기일에 그 기재 내용에 관하여 작성자를 신문할 수 있었을 것을 요한다.(형사소송법 제313조 제2항) B가 "甲에게 이메일을 보낸 기억이 없다"고 진술한 경우라도 과학적 분석결과에 기초한 디지털포렌식 자료, 감정 등 객관적 방법으로 성립의 진정함이 증명되면 그 이메일 내용은 증거로 할 수 있다.

정답 | 104 ③

105

□□□ 다음 설명 중 가장 옳은 것은? (다툼이 있으면 판례에 의함)

15 경찰간부 [Core ★★]

① 피조사자에 대한 진술거부권 고지 규정이 신설되기 전의 구 공직선거법 시행 당시 선거관리위원회 위원·직원이 선거범죄 조사와 관련하여 관계자에게 질문을 하면서 미리 진술거부권을 고지하지 않았다면 그 과정에서 작성·수집된 선거관리위원회 문답서의 증거능력은 부정된다.

② 경찰에서의 자술서, 검사 작성의 각 피의자신문조서, 다른 형사사건의 공판조서의 기재와 당해 사건의 공판정에서의 같은 사람의 증인으로서의 진술이 상반되는 경우 반드시 공판정에서의 증언을 믿어야 된다는 법칙은 없고, 상반된 증언, 감정 중에 그 어느 것을 사실 인정의 자료로 인용할 것인가는 오로지 사실심 법원의 자유심증에 속한다.

③ 검사 작성의 피의자신문조서는 공판준비 또는 공판기일에 원진술자의 진술에 의하여 형식적 진정성립이 인정되면 특별한 사정이 없는 한 실질적 진정성립이 추정되어 증거로 사용할 수 있다.

④ 형사소송법 제316조 제2항이 예정하고 있는 원진술은 피고인 아닌 타인의 진술이다. 이 때 피고인 아닌 타인의 범주에 공범자는 포함되나 공동피고인은 포함되지 않는다.

해설

② [○] 경찰에서의 자술서, 검사 작성의 각 피의자신문조서, 다른 형사사건의 공판조서의 기재와 당해 사건의 공판정에서의 같은 사람의 증인으로서의 진술이 상반되는 경우 반드시 공판정에서의 증언은 믿어야 된다는 법칙은 없고, 상반된 증언, 감정 중에 그 **어느 것을 사실인정의 자료로 인용할 것인가는 오로지 사실심법원의 자유심증에 속한다.**(대법원 1986. 9. 23. 86도1547 **김근태 의원 사건 민청련 사건**)

① [×] 구 공직선거법은 선거범죄 조사와 관련하여 선거관리위원회 위원·직원이 관계자에게 질문·조사를 할 수 있다고 규정하면서도 진술거부권의 고지에 관하여는 별도의 규정을 두지 않았으므로 (중략) 선거관리위원회 위원·직원이 선거범죄 조사와 관련하여 관계자에게 질문을 하면서 미리 진술거부권을 고지하지 않았다고 하여 그 과정에서 작성·수집된 선거관리위원회 **문답서의 증거능력이 당연히 부정된다고 할 수는 없다.**(대법원 2014. 1. 16. 2013도5441 **신장용 의원 사건**)

③ [×] 피고인 본인의 진술에 의한 **실질적 진정성립의 인정은 공판준비 또는 공판기일에서 한 명시적인 진술에 의하여야 하고**, 단지 피고인이 실질적 진정성립에 대하여 이의하지 않았다거나 조서 작성절차와 방식의 적법성을 인정하였다는 것만으로 실질적 진정성립까지 인정한 것으로 보아서는 아니될 것이다.(대법원 2013. 3. 14. 2011도8325)

④ [×] 형사소송법 제316조 제2항에서 '피고인 아닌 타인'이라고 함은 제3자는 말할 것도 없고 **공동피고인이나 공범자를 모두 포함한다.**(대법원 2011. 11. 24. 2011도7173)

106 전문증거에 대한 설명으로 가장 적절하지 않은 것은? (다툼이 있으면 판례에 의함)

□□□

① 전문진술이 기재된 조서로서 재전문서류는 「형사소송법」 제312조 또는 제314조의 전문서류의 증거능력 인정요건을 갖추어야 함은 물론 나아가 「형사소송법」 제316조 제2항의 전문진술의 증거능력 인정요건을 모두 갖추어야 증거능력이 인정된다.

② 디지털 저장매체에 저장된 로그파일의 원본이 아니라 그 복사본의 일부내용을 요약·정리하는 방식으로 새로운 문서파일이 작성된 경우에 피고인이 증거사용에 동의하지 않은 상황에서 새로운 문서파일에 대해 진술증거로서 증거능력을 인정하기 위해서는 로그파일 원본과의 동일성이 인정되는 외에 전문법칙에 따라 작성자 또는 진술자의 진술에 의해 성립의 진정이 증명되어야 한다.

③ 구속적부심문조서는 법원 또는 법관의 면전에서 작성된 조서로서 법원 또는 법관의 검증의 결과를 기재한 조서이므로 「형사소송법」 제311조에 따라 당연히 증거능력이 인정된다.

④ 대한민국 법원의 형사사법공조요청에 따라 미합중국 법원의 지명을 받은 수명자(미합중국 검사)가 작성한 피해자 및 공범에 대한 증언녹취서(deposition)는 이를 「형사소송법」 제315조 소정의 당연히 증거능력이 인정되는 서류로 볼 수 없다.

해설

③ [×] 구속적부심문조서는 형사소송법 제311조가 규정한 문서에는 해당하지 않는다 할 것이나, 특히 신용할 만한 정황에 의하여 작성된 문서라고 할 것이므로 특별한 사정이 없는 한 **형사소송법 제315조 제3호에 의하여** 당연히 그 증거능력이 인정된다.(대법원 2004. 1. 16. 2003도5693)

① [○] 피고인 아닌 자의 진술을 그 내용으로 하는 전문진술이 기재된 조서는 형사소송법 제312조 또는 제314조에 따라 증거능력이 인정될 수 있는 경우에 해당하여야 함은 물론 형사소송법 제316조 제2항에 따른 요건을 갖추어야 예외적으로 증거능력이 있다.(대법원 2017. 7. 18. 2015도12981 **대구 여대생 성폭행 스리랑카인 사건**)

② [○] (3) 디지털 저장매체에 저장된 로그파일의 원본이 아니라 그 복사본의 일부 내용을 요약·정리하는 방식으로 새로운 문서파일이 작성된 경우 그 문서파일 또는 거기에서 출력한 문서를 로그파일 원본의 내용을 증명하는 증거로 사용하기 위하여는 피고인이 이를 증거로 하는 데 동의하지 아니하는 이상 그 문서파일의 기초가 된 **로그파일 복사본과 로그파일 원본의 동일성도 인정되어야 하고** (1) 나아가 새로운 문서파일 또는 거기에서 출력한 문서를 진술증거로 사용하는 경우 그 기재 내용의 진실성에 관하여는 전문법칙이 적용되므로 (2) 형사소송법 제313조 제1항에 따라 공판준비기일이나 공판기일에서 그 작성자 또는 진술자의 진술에 의하여 성립의 진정함이 증명된 때에 한하여 이를 증거로 사용할 수 있다.(대법원 2015. 8. 27. 2015도3467 **구미 KEC사건**)

④ [○] 대한민국 법원의 형사사법공조요청에 따라 미합중국 법원의 지명을 받은 수명자(미합중국 검사)가 작성한 피해자 및 공범에 대한 증언녹취서(deposition)는 이를 「형사소송법」 제315조 소정의 당연히 증거능력이 인정되는 서류로 볼 수 없다.(대법원 1997. 7. 25. 97도1351 **일본계 미국인여성 강간사건**)

107

□□□

다음 중 판례의 태도로 틀린 것은? (판례에 의함)

10 경찰승진 [Essential ★]

① 피해자가 피고인과의 대화내용을 녹음한 디지털 녹음기에 대한 증거조사절차를 거치지 아니한 채 그 녹음내용을 재녹음한 카세트테이프에 대한 제1심 검증조서 중 피고인의 진술부분을 유죄의 증거로 채택한 것은 위법하다.

② 전화통화 당사자의 일방이 상대방 몰래 통화내용을 녹음하더라도 대화 당사자 일방이 상대방 모르게 그 대화내용을 녹음한 경우와 마찬가지로 통신비밀보호법 제3조 제1항 위반이 되지 아니한다.

③ 사인이 녹음한 녹음테이프의 검증조서 기재 중 피고인의 진술내용을 증거로 하기 위해서는 피고인이 내용을 인정하여야 한다.

④ 제3자의 경우는 설령 전화통화 당사자 일방의 동의를 받고 그 통화내용을 녹음하였다하더라도 그 상대방의 동의가 없었던 이상 통신비밀보호법 제3조 제1항 위반이 된다.

해설

③ [×] (1) 피고인의 진술내용은 실질적으로 형사소송법 제311조, 제312조의 규정 이외에 피고인의 진술을 기재한 서류와 다름없어 피고인이 그 녹음테이프를 증거로 할 수 있음에 동의하지 않은 이상 그 녹음테이프 검증조서의 기재 중 **피고인의 진술내용**을 증거로 사용하기 위해서는 (2) 형사소송법 제313조 제1항 단서에 따라 공판준비 또는 공판기일에서 그 **작성자인 상대방의 진술에 의하여 녹음테이프에 녹음된 피고인의 진술내용이 피고인이 진술한 대로 녹음된 것임이 증명**되고 나아가 그 진술이 특히 신빙할 수 있는 상태하에서 행하여진 것임이 인정되어야 한다.(대법원 2008. 12. 24. 2008도9414)

① [○] 피해자가 피고인과의 대화내용을 녹음한 디지털녹음기에 대한 증거조사절차를 거치지 아니한 채 그 녹음내용을 재녹음한 카세트테이프에 대한 제1심 검증조서 중 피고인의 진술부분을 유죄의 증거로 채택한 원심의 조치는 잘못된 것이다.(대법원 2005. 12. 23. 2005도2945 **재개발조합장 공갈사건**)

② [○] 전기통신에 해당하는 전화통화 당사자의 일방이 상대방 모르게 통화내용을 녹음(채록)하는 것은 감청에 해당하지 아니한다. 따라서 **전화통화 당사자의 일방이 상대방 몰래 통화내용을 녹음하더라도** 대화 당사자일방이 상대방 모르게 그 대화내용을 녹음한 경우와 마찬가지로 **통비법 제3조 제1항 위반이 되지 아니한다.**(대법원 2002. 10. 8. 2002도123 **귓불 뚫어 주느냐 사건**)

④ [○] **제3자의 경우**는 설령 전화통화 당사자 일방의 동의를 받고 그 통화 내용을 녹음하였다 하더라도 그 상대방의 동의가 없었던 이상 통비법 제3조 제1항 위반이 되고, 이와 같이 **불법감청**에 의하여 녹음된 전화통화의 내용은 증거능력이 없다. 이는 피고인이나 변호인이 이를 증거로 함에 동의하였다고 하더라도 달리 볼 것은 아니다.(대법원 2010. 10. 14. 2010도9016 **공범자 통화 녹음사건**)

108 전문증거에 관한 설명으로 가장 적절하지 않은 것은? (다툼이 있으면 판례에 의함)

24 경찰간부 [Superlative ★★★]

① 현장사진 중 '사진 가운데에 위치한 촬영일자' 부분이 조작된 것이라고 다투는 경우 위 '현장사진의 촬영일자'는 전문법칙이 적용된다.

② 어떤 진술이 기재된 서류가 그 내용의 진술을 하였다는 사실 자체에 대한 정황증거로 사용되었다 하더라도 그 서류가 다시 진술내용이나 그 진실성을 증명하는 간접사실로 사용되는 경우에는 전문증거에 해당하므로 전문법칙이 적용된다.

③ 피고인 아닌 자의 공판기일에서의 진술이 피고인 아닌 타인의 진술을 그 내용으로 하는 경우 형사소송법 제316조 제2항이 요구하는 특히 신빙할 수 있는 상태하에서 행하여졌음에 대한 증명은 단지 그러한 개연성이 있다는 정도로 족하며 합리적인 의심의 여지를 배제하는 정도에 이를 필요는 없다.

④ 피고인 아닌 자의 진술이 기재된 조서에 원진술자가 실질적 진정 성립을 부인하더라도 영상녹화물 또는 그 밖의 객관적인 방법에 의하여 증명하는 방법이 있는데, 여기서 '그 밖의 객관적인 방법'이라 함은 영상녹화물에 준할 정도로 피고인 아닌 자의 진술을 과학적·기계적·객관적으로 재현해 낼 수 있는 방법만을 의미하며 조사관 또는 조사과정에 참여한 통역인 등의 증언은 이에 해당한다고 볼 수 없다.

해설

③ [×] 형사소송법 제314조의 '특히 신빙할 수 있는 상태하에서 행하여졌음에 대한 증명'은 **단지 그러할 개연성이 있다는 정도로는 부족하고 합리적인 의심의 여지를 배제할 정도에 이르러야 하고,** 이러한 법리는 원진술자의 소재불명 등을 전제로 하고 있는 형사소송법 제316조 제2항의 '특신상태'에 관한 해석에도 그대로 적용된다.(대법원 2014. 4. 30. 2012도725 **부산저축은행 전직원 공갈사건**)

① [○] 현장사진 중 '사진 가운데에 위치한 **촬영일자**' 부분이 조작된 것이라고 다투는 경우 위 '현장사진의 촬영일자'는 전문법칙이 적용된다.(대법원 1997. 9. 30. 97도1230 **나체사진 사건**)

② [○] 어떤 진술이 기재된 서류가 그 내용의 진술을 하였다는 사실 자체에 대한 정황증거로 사용되었다 하더라도 그 서류가 다시 진술내용이나 그 진실성을 증명하는 간접사실로 사용되는 경우에는 전문증거에 해당하므로 **전문법칙이 적용된다.**(대법원 2019. 8. 29. 2018도14303 손승 **국정농단 박근혜 전대통령 사건**)

④ [○] (1) 검사 작성의 피의자신문조서에 대한 실질적 진정성립을 증명할 수 있는 수단으로서 형사소송법 제312조 제2항에 규정된 '영상녹화물이나 그 밖의 객관적인 방법'이라 함은 형사소송법 및 형사소송규칙에 규정된 방식과 절차에 따라 제작된 영상녹화물 또는 그러한 영상녹화물에 준할 정도로 피고인의 진술을 과학적·기계적·객관적으로 재현해 낼 수 있는 방법만을 의미한다고 봄이 타당하고, 그 외에 조사관 또는 조사과정에 참여한 통역인 등의 증언은 이에 해당한다고 볼 수 없다. (2) 원심이 형사소송법 제312조 제2항의 '객관적 방법'은 영상녹화물에 필적할 만큼 강력한 증명력을 갖춘 것이어야 하므로 검사의 피고인에 대한 피의자신문 당시 피고인의 진술을 통역한 통역인의 증언은 객관적인 방법에 해당한다고 볼 수 없다고 판단한 것은 정당하다.(대법원 2016. 2. 18. 2015도16586 **통역인 진정성립 증언사건**) 이는 검사 작성 피의자신문조서의 진정성립 증명에 관한 형사소송법 제312조 제2항에 대한 판례인데, 그 취지는 형사소송법 제312조 제4항에도 그대로 적용될 수 있다.

109 증거능력에 관한 다음 설명 중 가장 옳지 않은 것은? (다툼이 있으면 판례에 의함)
□□□

23 법원9급 [Essential ★]

① 임의제출된 정보저장매체에서 압수의 대상이 되는 전자정보의 범위를 넘어서는 전자정보에 대해 수사기관이 영장 없이 압수·수색하여 취득한 증거는 위법수집증거에 해당하고, 사후에 법원으로부터 영장이 발부되었다거나 피고인이나 변호인이 이를 증거로 함에 동의하였다고 하여 그 위법성이 치유되는 것도 아니므로 증거능력이 없다.

② 법원조직법 제57조 제1항에서 정한 공개금지사유가 없음에도 불구하고 재판의 심리에 관한 공개를 금지하기로 결정하였다면, 그 절차에 의하여 이루어진 증인의 증언은 증거능력이 없고, 변호인의 반대신문권이 보장되었더라도 달리 볼 수 없으며, 이러한 법리는 공개금지결정의 선고가 없는 등으로 공개금지결정의 사유를 알 수 없는 경우에도 마찬가지이다.

③ 형사소송법 제244조의4(수사과정의 기록) 제1항은 피고인이 아닌 자가 수사과정에서 진술서를 작성하는 경우에도 준용되므로 수사기관이 그에 대한 조사과정을 기록하지 아니한 경우에는 특별한 사정이 없는 한 '적법한 절차와 방식'에 따라 수사과정에서 진술서가 작성되었다 할 수 없으므로 그 증거능력을 인정할 수 없다.

④ 경찰관이 피고인이 아닌 자의 주거지·근무지를 방문한 곳에서 진술서 작성을 요구하여 제출받은 경우 등 그 진술서가 경찰서에서 작성한 것이 아니라 작성자가 원하는 장소를 방문하여 받은 것이라면 형사소송법 제244조의4(수사과정의 기록) 제1항 규정이 적용되지 않는다.

해설

④ [×] (1) 형사소송법 제312조 제5항의 적용대상인 '수사과정에서 작성한 진술서'란 수사가 시작된 이후에 수사기관의 관여 아래 작성된 것이거나 개시된 수사와 관련하여 수사과정에 제출할 목적으로 작성한 것으로 작성시기와 경위 등 여러 사정에 비추어 그 실질이 이에 해당하는 이상 명칭이나 작성된 장소 여부를 불문한다. (2) 원심은, **경찰관이 입당원서 작성자의 주거지·근무지를 방문하여 입당원서 작성 경위 등을 질문한 후 진술서 작성을 요구하여 이를 제출받은 이상** 형사소송법 제312조 제5항이 적용되어야 한다는 이유로 **형사소송법 제244조의4에서 정한 절차를 준수하지 않은 각 증거의 증거능력이 인정되지 않는다고 판단하고** 이와 달리 위 진술서는 경찰서에서 작성한 것이 아니라 작성자가 원하는 장소를 방문하여 받은 것이므로 각 절차에 관한 규정이 적용되지 아니한다는 검사의 주장을 배척하였는 바, 이러한 원심의 판단에는 판결에 영향을 미친 **잘못이 없다.**(대법원 2022. 10. 27. 2022도9510 입당원서 사건)

① [○] 임의제출된 정보저장매체에서 압수의 대상이 되는 전자정보의 범위를 넘어서는 전자정보에 대해 수사기관이 영장 없이 압수·수색하여 취득한 증거는 위법수집증거에 해당하고, **사후에 법원으로부터 영장이 발부되었다거나 피고인이나 변호인이 이를 증거로 함에 동의하였다고 하여 그 위법성이 치유되는 것도 아니므로 증거능력이 없다.**(대법원 2021. 11. 25. 2016도82 지하철 몰카 여친 몰카 사건)

② [○] 법원조직법 제57조 제1항에서 정한 공개금지사유가 없음에도 불구하고 재판의 심리에 관한 공개를 금지하기로 결정하였다면, 그 절차에 의하여 이루어진 **증인의 증언은 증거능력이 없고,** 변호인의 반대신문권이 보장되었더라도 달리 볼 수 없으며, 이러한 법리는 공개금지결정의 선고가 없는 등으로 **공개금지결정의 사유를 알 수 없는 경우에도 마찬가지이다.**(대법원 2015. 10. 29. 2014도5939 서울시 공무원 간첩사건)

③ [○] 형사소송법 제244조의4(수사과정의 기록) 제1항은 피고인이 아닌 자가 수사과정에서 진술서를 작성하는 경우에도 준용되므로 수사기관이 그에 대한 조사과정을 기록하지 아니한 경우에는 특별한 사정이 없는 한 '**적법한 절차와 방식**'에 따라 수사과정에서 진술서가 작성되었다 할 수 없으므로 그 증거능력을 인정할 수 없다. (대법원 2015. 4. 23. 2013도3790 조사과정 기록 누락사건)

110 피고인이 증거로 함에 동의하지 아니한 수사보고서(사법경찰관리 또는 검찰수사관이 수사의 경위 및 결과를 내부적으로 보고하기 위하여 작성한 후 사법경찰관 또는 검사에게 보고하는 문서)의 증거능력에 대한 설명으로 옳지 않은 것은? (다툼이 있으면 판례에 의함) 23 경찰간부 [Core ★★]

① 외국에 거주하는 참고인과의 전화 대화내용을 문답형식으로 기재한 검찰수사관 작성의 수사보고서는 증거능력이 없다.

② 甲이 乙과 합동하여 A의 재물을 절취하려다가 미수에 그쳤다는 내용의 공소사실을 자백한 사안에서, 甲이 범행에 사용한 도구와 손괴된 A의 집 문 쇠창살의 모습이 촬영된 현장사진이 첨부된 수사보고서는 甲의 자백의 진실성을 담보하기에 충분한 보강증거가 된다.

③ 증거능력이 없는 수사보고서를 피해자들의 처벌희망 의사표시 철회의 효력 여부를 판단하는 증거로 사용할 수 있다.

④ 상해사건 피해자의 피해 부위에 대해 사법경찰리가 작성한 수사보고서는 진술서로 볼수는 없고 검증조서로 보아야 한다.

해설

④ [×] 수사보고서에 검증의 결과에 해당하는 기재가 있는 경우 그 기재 부분은 실황조서 또는 실황조사서에 해당하지 아니하며, 단지 수사의 경위 및 결과를 내부적으로 보고하기 위하여 작성된 서류에 불과하므로 그 안에 검증의 결과에 해당하는 기재가 있다고 하여 이를 형사소송법 제312조 제1항[현재 제312조 제6항]의 **'검사 또는 사법경찰관이 검증의 결과를 기재한 조서'라고 할 수 없을 뿐만 아니라** 이를 같은 법 제313조 제1항의 '피고인 또는 피고인이 아닌 자가 작성한 진술서나 그 진술을 기재한 서류'라고 할 수도 없고, 같은 법 제311조, 제315조, 제316조의 적용대상이 되지 아니함이 분명하므로 그 기재 부분은 증거로 할 수 없다. (대법원 2001. 5. 29. 2000도2933 **안양 백운나이트 폭행사건**)

① [○] 외국에 거주하는 참고인과의 전화 대화내용을 문답형식으로 기재한 검찰주사보 작성의 수사보고서에는 검찰주사보의 기명날인만 되어 있을 뿐 원진술자인 A나 B의 서명 또는 기명날인이 없으므로 각 수사보고서는 제313조에 정한 진술을 기재한 서류가 아니어서 **제314조에 의한 증거능력의 유무를 따질 필요가 없다.**(대법원 1999. 2. 26. 98도2742 **중국교포 사기사건**)

② [○] 피고인을 현행범으로 체포한 피해자의 수사기관에서의 진술과 현장사진이 첨부된 **수사보고서는 피고인의 자백의 진실성을 담보하기에 충분한 보강증거가 된다.**(대법원 2011. 9. 29. 2011도8015 **노루발 못뽑이 사건**)

③ [○] 반의사불벌죄에서 피고인 또는 피의자의 처벌을 희망하지 않는다는 의사표시 또는 처벌희망 의사표시 철회의 유무나 그 효력 여부에 관한 사실은 엄격한 증명의 대상이 아니라 증거능력이 없는 증거나 법률이 규정한 증거조사방법을 거치지 아니한 증거에 의한 증명, 이른바 자유로운 증명의 대상이다. 원심이 증거능력이 없는 수사보고서를 피해자들의 처벌희망 의사표시 철회의 효력 여부를 판단하는 증거로 사용한 것 자체는 위와 같은 법리에 따른 것으로서 정당하다.(대법원 2010. 10. 14. 2010도5610 **창 길갈이의 집 성폭행사건**)

111

☐☐☐ 특수한 증거방법의 증거능력에 대한 설명으로 옳지 않은 것은? (다툼이 있으면 판례에 의함)

16 국가9급 [Essential ★]

① 사인(私人)이 녹음한 녹음테이프의 검증조서 기재 중 피고인의 진술내용을 증거로 하기 위해 서는 피고인이 내용을 인정하여야 한다.

② 디지털 녹음기에 녹음된 내용을 전자적 방법으로 테이프에 전사한 사본인 녹음테이프를 대상 으로 법원이 검증절차를 진행하여, 녹음된 내용이 녹취록의 기재와 일치하고 그 음성이 진술 자의 음성임을 확인하였더라도, 그것만으로 녹음테이프의 증거능력을 인정할 수 없다.

③ 무인장비에 의한 속도위반차량 단속은 제한속도를 위반하여 차량을 주행하는 범죄가 현재 행 하여지고 있고, 긴급하게 증거보전을 할 필요가 있는 상태에서 일반적으로 허용되는 한도를 넘지 않는 상당한 방법에 의한 것이므로 차량번호 등을 촬영한 사진은 증거능력이 인정된다.

④ 피고인이 범행 후 피해자에게 전화를 걸어오자 피해자가 증거를 수집하려고 그 전화내용을 녹음한 경우 그것이 피고인 모르게 녹음된 것이라 하여 이를 위법하게 수집된 증거라고 할 수 없다.

해설

① [×] (1) 녹음테이프에 대하여 실시한 검증의 내용은 녹음테이프에 녹음된 대화의 내용이 검증조서에 첨부된 녹취서에 기재된 내용과 같다는 것에 불과하여 증거자료가 되는 것은 여전히 녹음테이프에 녹음된 대화의 내용 이라 할 것인바, 그 중 **피고인의 진술내용은** 실질적으로 형사소송법 제311조, 제312조 규정 이외에 피고인의 진술을 기재한 서류와 다를 바 없으므로, 피고인이 그 녹음테이프를 증거로 할 수 있음에 동의하지 않은 이상 그 녹음테이프 검증조서의 기재 중 피고인의 진술내용을 증거로 사용하기 위해서는 (2) **형사소송법 제313조 제1항 단서에 따라** 공판준비 또는 공판기일에서 **그 작성자인 고소인의 진술에 의하여 녹음테이프에 녹음된 피고인의 진술내용이 피고인이 진술한 대로 녹음된 것이라는 점이 증명되고 그 진술이 특히 신빙할 수 있는 상태하에서 행하여진 것으로 인정되어야 한다.**(대법원 2001. 10. 9. 2001도3106 **강간당했다 변명 사건**)

② [○] (1) 제1심이 검증을 실시한 녹음테이프는 원본이 아니라 당초 디지털 녹음기에 녹음된 내용을 전자적 방법으로 테이프에 전사한 사본임이 명백한 바, (중략) 그럼에도 불구하고 검증기일에는 녹음테이프에 수록된 대화내용이 녹취록의 기재와 일치하고 그 음성이 피고인의 음성임을 확인하는데 그치고, 녹음테이프가 인위적 개작 없이 원본의 내용 그대로 복사된 것인지 여부에 대하여 별도로 확인하거나 달리 증거조사를 실시하지 아니한 사실을 알 수 있다. (2) 그렇다면 녹음테이프에 녹음된 피고인의 진술 내용과 이를 풀어쓴 녹취록은 증거능력을 인정할 수 없다고 할 것임에도 불구하고, 녹음테이프에 수록되어 있는 피고인의 대화 내용과 그 녹음 내용을 풀어쓴 녹취서를 증거로 하여 공소사실을 유죄로 인정한 원심 판단에는 녹음테이프 등의 증거능력 에 대한 법리를 오해한 위법이 있다.(대법원 2008. 12. 24. 2008도9414)

③ [○] **무인장비에 의한** 제한속도 위반차량 단속을 통하여 운전차량의 차량번호 등을 촬영한 사진을 두고 위법 하게 수집된 증거로서 증거능력이 없다고 말할 수 없다.(대법원 1999. 12. 7. 98도3329 **과속카메라 사건**)

④ [○] 피고인이 범행 후 피해자에게 전화를 걸어오자 피해자가 증거를 수집하려고 그 전화내용을 녹음한 경우 그것이 피고인 모르게 녹음된 것이라 하여 이를 위법하게 수집된 증거라고 할 수 없다.(대법원 1997. 3. 28. 97도240 **강간범 통화 녹음사건**)

112 디지털 저장매체에 저장되어 있는 피고인 아닌 자가 작성한 문서를 출력하여 제출한 경우, 그 증
□□□ 거능력 인정요건에 대한 설명으로 옳지 않은 것은? (증거동의가 없음을 전제하고, 다툼이 있으면
판례에 의함)

19 국가9급 [Superlative ★★★]

① 디지털 저장매체의 사용자 및 소유자, 로그기록 등 저장매체에 남은 흔적, 초안 문서의 존재,
작성자만의 암호 사용 여부, 전자서명의 유무 등 객관적 사정에 의하여 동일인이 작성하였다
고 볼 수 있다면 그 작성자의 부인에도 불구하고 진정성립을 인정할 수 있다.

② 디지털 저장매체 원본에 저장된 내용과 출력 문건의 동일성이 인정되어야 하고, 이를 위해서
는 정보저장매체 원본이 압수 시부터 문건 출력 시까지 변경되지 않았다는 무결성이 담보되어
야 한다.

③ 작성자가 자기에게 맡겨진 사무를 처리한 내역을 그때그때 계속적·기계적으로 기재하여 저장
해 놓은 문서로서 업무상 필요로 작성한 통상문서에 해당하면 증거능력이 인정된다.

④ 디지털 저장매체에 저장된 로그파일의 원본이 아니라 그 복사본의 일부 내용을 요약·정리하는
방식으로 새로운 문서 파일이 작성된 경우, 새로 작성한 파일을 출력한 문서는 로그파일의 복사
본과 원본의 동일성이 인정되더라도 로그파일 원본의 내용을 증명하는 증거로 사용할 수 없다.

해설

④ [×] (1) 디지털 저장매체에 저장된 로그파일의 원본이 아니라 그 복사본의 일부 내용을 요약·정리하는 방식
으로 새로운 문서파일이 작성된 경우 그 문서파일 또는 거기에서 출력한 문서를 **로그파일 원본의 내용을 증명
하는 증거로 사용하기 위하여는** 피고인이 이를 증거로 하는 데 동의하지 아니하는 이상 **그 문서파일의 기초
가 된 로그파일 복사본과 로그파일 원본의 동일성도 인정되어야 하고** (2) 나아가 새로운 문서파일 또는 거기
에서 출력한 문서를 진술증거로 사용하는 경우 그 기재 내용의 진실성에 관하여는 전문법칙이 적용되므로 형사
소송법 제313조 제1항에 따라 공판준비기일이나 공판기일에서 그 작성자 또는 진술자의진술에 의하여 성립의
진정함이 증명된 때에 한하여 이를 증거로 사용할 수 있다.(대법원 2015. 8. 27. 2015도3467 **구미 KEC사건**)

① [○] 디지털 저장매체로부터 출력된 문서에 관하여는 저장매체의 사용자 및 소유자, 로그기록 등 저장매체에
남은 흔적, 초안 문서의 존재, 작성자만의 암호 사용 여부, 전자서명의 유무 등 여러 사정에 의하여 동일인이
작성하였다고 볼 수 있고 그 진정성을 탄핵할 다른 증거가 없는 한 그 작성자의 진술과 상관없이 성립의 진정
을 인정하여야 한다는 견해가 유력하게 주장되고 있는바, 그 나름 경청할 만한 가치가 있는 것은 사실이나 입
법을 통하여 해결하는 것은 몰라도 해석을 통하여 실정법의 명문조항(형사소송법 제313조 제1항)을 달리 확
장 적용할 수는 없다.(대법원 2015. 7. 16. 2015도2625 **전합 국정원 대선개입 사건**)

② [○] 압수물인 컴퓨터용 디스크 그 밖에 이와 비슷한 정보저장매체(이하 '정보저장매체')에 입력하여 기억된 문
자정보 또는 그 출력물(이하 '출력 문건')을 증거로 사용하기 위해서는 정보저장매체 원본에 저장된 내용과 출력
문건의 동일성이 인정되어야 하고, 이를 위해서는 정보저장매체 원본이 압수시부터 문건출력시까지 변경되지
않았다는 사정, 즉 **무결성(無缺性)**이 담보되어야 한다.(대법원 2013. 7. 26. 2013도2511 **왕재산 간첩단 사건**)

③ [○] 상업장부나 항해일지, 진료일지 또는 이와 유사한 금전출납부 등과 같이 범죄사실의 인정 여부와는 관계
없이 자기에게 맡겨진 사무를 처리한 내역을 그때그때 **계속적, 기계적으로 기재한** 문서는 사무처리 내역을 증
명하기 위하여 존재하는 문서로서 **형사소송법 제315조 제2호에 의하여 당연히 증거능력이 인정된다.**(대법원
2017. 12. 5. 2017도12671 **건보심사평가원 회신자료 사건**)

113

다음 사례에 대한 <보기>의 설명으로 옳은 것만을 모두 고르면? (다툼이 있으면 판례에 의함)

> 2018. 5. 7. 21:00경 乙은 자신의 집에서 甲에게 금품을 강취당하면서 甲이 "돈을 안 주면 죽이 겠다."라고 말하는 것을 자신의 휴대폰으로 녹음하였다. 한편, 사정을 모르는 乙의 친구 A가 전화를 걸자, 乙은 甲의 지시에 따라 평상시와 같이 A의 전화를 받고 통화를 마쳤으나 전화가 미처 끊기기 전에 A는 '악' 하는 乙의 비명소리와 '우당탕' 하는 소리를 듣게 되었다. 검사는 甲을 강도죄로 기소하고, 乙의 휴대폰에 저장된 甲의 협박이 담긴 녹음파일의 사본을 증거로 제출하였 다. 또한 A는 수사기관의 참고인조사에서 乙과의 통화 도중 들은 것에 대하여 진술하였다. 한편, 甲은 녹음 파일의 사본과 A의 진술을 증거로 하는 것에 동의하지 않았다.

〈보기〉

㉠ 乙의 녹음파일 사본에 대한 증거능력이 인정되기 위해서는, 해당 사본이 복사과정에서 편집 되는 등 인위적 개작 없이 원본 내용 그대로 복사된 것임이 증명되어야 한다.

㉡ 녹음파일에 있는 甲의 진술을 증거로 함에 있어서는 공판준비 또는 공판기일에서 乙의 진술에 의하여 녹음 파일에 있는 진술 내용이 甲이 진술한 대로 녹음된 것임이 증명되고, 그 진술이 특히 신빙할 수 있는 상태하에서 행하여진 것임이 인정되어야 한다.

㉢ 乙의 '악' 하는 비명소리는 통신비밀보호법에서 보호하는 타인 간의 '대화'에 해당하여 증거로 할 수 없지만, '우당탕' 하는 소리는 음향으로서 통신비밀보호법에서 보호하는 타인 간의 '대 화'에 해당하지 않아 甲의 폭행사실에 대한 증거로 사용할 수 있다.

① ㉠㉡ ② ㉠㉢

③ ㉡㉢ ④ ㉠㉡㉢

해설

① ㉠㉡ 항목이 옳다.

㉠ [○] 녹음테이프 또는 녹음파일 등의 전자매체는 그 성질상 작성자나 진술자의 서명 혹은 날인이 없을 뿐만 아니라 녹음자의 의도나 특정한 기술에 의하여 그 내용이 편집, 조작될 위험성이 있음을 고려하여 그 대화내용 을 녹음한 원본이거나 혹은 원본으로부터 복사한 사본일 경우에는 복사과정에서 편집되는 등의 인위적 개작 **없이 원본의 내용 그대로 복사된 사본임이 증명되어야만 한다.**(대법원 2012. 9. 13. 2012도7461 **김홍복 인천 중구청장 사건**)

㉡ [○] 단, 피고인의 진술을 기재한 서류는 공판준비 또는 공판기일에서의 그 **작성자의 진술에 의하여** 그 **성립의 진정함이 증명**되고 그 진술이 **특히 신빙할 수 있는 상태**하에서 행하여 진 때에 한하여 피고인의 공판준비 또는 공판기일에서의 진술에 불구하고 증거로 할 수 있다.(제313조 제1항 단서)

㉢ [×] (1) 통신비밀보호법에서 보호하는 타인간의 '대화'는 원칙적으로 현장에 있는 당사자들이 육성으로 말을 주고받는 의사소통행위를 가리킨다. 따라서 사람의 육성이 아닌 사물에서 발생하는 음향은 타인간의 '대화'에 해당하지 않고 또한 사람의 목소리라고 하더라도 상대방에게 의사를 전달하는 말이 아닌 단순한 비명소리나 탄식 등은 타인과 의사소통을 하기 위한 것이 아니라면 특별한 사정이 없는 한 타인간의 '대화'에 해당한다고

볼 수 없다. (2) A가 乙과 통화를 마친 후 전화가 끊기지 않은 상태에서 휴대전화를 통하여 '우당탕', '악' 소리를 들었는데, '우당탕' 소리는 사물에서 발생하는 음향일 뿐 사람의 목소리가 아니므로 타인간의 '대화'에 해당하지 않고, **'악' 소리도** 사람의 목소리이기는 하나 단순한 비명소리에 지나지 않아 그것만으로 **상대방에게 의사를 전달하는 말이라고 보기는 어려워 특별한 사정이 없는 한 타인간의 '대화'에 해당한다고 볼 수 없다.**(대법원 2017. 3. 15. 2016도19843 우당탕 악 사건)

114 다음 중 전문법칙에 관한 설명으로 옳은 것을 모두 고른 것은? (다툼이 있으면 판례에 의함)

20 해경간부 [Core ★★]

⊙ 사인(私人)이 피고인 아닌 사람과의 대화내용을 녹음한 녹음테이프에 대해 법원이 그 진술당시 진술자의 상태 등을 확인하기 위해 작성한 검증조서는 법원의 검증결과를 기재한 조서로서 「형사소송법」 제311조에 의하여 증거로 할 수 있다.

ⓛ 사인(私人)이 피고인 아닌 사람과의 대화내용을 녹음한 녹음테이프는 원본으로서 공판준비나 공판기일에서 원진술자의 진술에 의하여 녹음된 각자의 진술내용이 자신이 진술한대로 녹음된 것이라는 점이 인정되더라도 피고인이 동의하지 않는다면 증거로 사용할 수 없다.

ⓒ 甲이 법정에서 '피고인이 체육관 부지를 공시지가로 매입하게 해주고 방송국과의 시설이주 협의도 2개월 내로 완료하겠다고 말하였다'고 진술한 경우, 피고인의 이러한 원진술의 존재 자체가 피고인에 대한 사기죄 또는 변호사법위반죄 사건에 있어서의 요증사실이므로 이러한 사건에서 甲의 위와 같은 진술은 전문증거라고 볼 수 없다.

ⓔ 압수된 디지털 저장매체로부터 출력한 문건을 진술증거로 사용하는 경우 그것에 기재된 내용의 진실성에 관해서는 전문법칙이 적용된다.

① ⊙ⓒ   ② ⓛⓔ   ③ ⊙ⓒⓔ   ④ ⓒⓔ

해설

③ ⊙ⓒⓔ 3 항목이 옳다.

⊙ [○] 녹음된 진술자의 **상태** 등을 확인하기 위하여 법원이 녹음테이프에 대한 검증을 실시한 경우, 그 **검증조서**는 당연히 **증거능력이 인정된다.**(대법원 2008. 7. 10. 2007도10755)

ⓛ [×] (1) 수사기관이 아닌 사인이 피고인 아닌 사람과의 대화내용을 녹음한 녹음테이프는 형사소송법 제311조, 제312조 규정 이외의 피고인 아닌 자의 진술을 기재한 서류와 다를 바 없으므로, 피고인이 그 녹음테이프를 증거로 할 수 있음에 동의하지 아니하는 이상 그 증거능력을 부여하기 위해서는 (3) 첫째, 녹음테이프가 원본이거나 원본으로부터 복사한 사본일 경우에는 복사과정에서 편집되는 등의 인위적 개작 없이 원본의 내용

그대로 복사된 사본일 것, (2) 둘째 형사소송법 제313조 제1항에 따라 공판준비나 공판기일에서 **원진술자의 진술에 의하여 그 녹음테이프에 녹음된 각자의 진술내용이 자신이 진술한 대로 녹음된 것이라는 점이 인정되어야 한다.**(대법원 2011. 9. 8. 2010도7497 정신병이 있었다고 하더라 사건) 원진술자의 진술에 의하여 녹음된 각자의 진술내용이 자신이 진술한 대로 녹음된 것이라는 점이 인정되면 피고인이 동의하지 않더라도 증거로 사용할 수 있다.

ⓒ [○] 피해자 A 등이 "피고인이 88체육관 부지를 공시지가로 매입하게 해 주고 KBS와의 시설이주 협의도 2개월 내로 완료하겠다고 말하였다"고 진술한 경우, 피고인의 위와 같은 **원진술의 존재 자체가** 사기죄 또는 변호사법 위반죄에 있어서의 **요증사실이므로 이를 직접 경험한 A** 등이 피고인으로부터 위와 같은 말을 들었다고 하는 **진술은 전문증거가 아니라 본래증거에 해당한다.**(대법원 2012. 7. 26. 2012도2937 원로변호사 사기사건)

ⓔ [○] (1) 압수물인 디지털 저장매체로부터 출력한 문건을 증거로 사용하기 위해서는 디지털 저장매체 원본에 저장된 내용과 출력한 문건의 동일성이 인정되어야 하고, 이를 위해서는 디지털 저장매체 원본이 압수시부터 문건 출력시까지 변경되지 않았음이 담보되어야 한다. (2) 그리고 압수된 디지털 저장매체로부터 출력한 문건을 진술증거로 사용하는 경우 그 기재 내용의 진실성에 관하여는 전문법칙이 적용되므로 형사소송법 제313조 제1항에 따라 그 작성자 또는 진술자의 진술에 의하여 그 성립의 진정함이 증명된 때에 한하여 이를 증거로 사용할 수 있다.(대법원 2013. 6. 13. 2012도16001 선거사무장 사건)

115 다음은 녹음과 관련된 설명이다. 가장 적절하지 않은 것은? (다툼이 있으면 판례에 의함)
☐☐☐

14 경찰채용 [Superlative ★★★]

① 수사기관 아닌 사인(私人)이 피고인 아닌 사람과의 대화내용을 녹음한 녹음테이프는 피고인의 증거동의가 없는 이상 그 증거능력을 부여하기 위해서는, 첫째 녹음테이프가 원본이거나 인위적 개작 없이 원본 내용 그대로 복사된 사본일 것, 둘째 형사소송법 제313조 제1항에 따라 공판준비나 공판기일에서 원진술자의 진술에 의하여 녹음테이프에 녹음된 각자의 진술내용이 자신이 진술한대로 녹음된 것이라는 점이 인정되어야 한다.

② 디지털 녹음기로 녹음한 내용이 콤팩트디스크에 다시 복사되어 그 콤팩트디스크에 녹음된 내용을 담은 녹취록이 증거로 제출된 사안에서, 위 콤팩트디스크가 현장에서 녹음하는 데 사용된 디지털 녹음기의 녹음내용 원본을 그대로 복사한 것이라는 입증이 없는 이상, 그 콤팩트디스크의 내용이나 이를 녹취한 녹취록의 기재는 증거능력이 없다.

③ 피고인과의 대화내용을 녹음한 보이스펜 자체에 대하여는 증거동의가 있었지만 그 녹음내용을 재녹음한 녹음테이프, 녹음테이프의 음질을 개선한 후 재녹음한 시디 및 녹음테이프의 녹음내용을 풀어 쓴 녹취록 등에 대하여는 증거로 함에 부동의 하였다면, 극히 일부의 청취가 불가능한 부분을 제외하고는 보이스펜, 녹음테이프 등에 녹음된 대화내용과 녹취록의 기재가 일치하는 것으로 확인되고 그 진술이 특히 신빙할 수 있는 상태 하에서 행하여진 것으로 인정되더라도 이를 증거로 사용할 수 없다.

④ 디지털녹음기로 피고인과의 대화를 녹음한 후 저장된 녹음파일 원본을 컴퓨터에 복사하고 디지털녹음기의 파일 원본을 삭제한 뒤 다음 대화를 다시 녹음하는 과정을 반복하여 작성한 녹음파일 사본과 해당 녹취록의 경우 복사 과정에서 편집되는 등의 인위적 개작 없이 원본 내용 그대로 복사된 것으로 대화자들이 진술한 대로 녹음된 것이 인정되고, 제반 상황에 비추어 그 진술이 특히 신빙할 수 있는 상태 하에서 행하여진 것으로 인정된다면 그 녹음파일 사본과 녹취록의 증거능력은 인정된다.

해설

③ [×] 피고인과의 대화내용을 녹음한 보이스펜 자체에 대하여는 증거동의가 있었지만 그 녹음내용을 재녹음한 녹음테이프, 녹음테이프의 음질을 개선한 후 재녹음한 CD 및 녹음테이프의 녹음내용을 풀어 쓴 녹취록 등에 대하여는 증거로 함에 부동의한 경우, 극히 일부의 청취가 불가능한 부분을 제외하고는 **보이스펜, 녹음테이프 등에 녹음된 대화내용과 녹취록의 기재가 일치하는 것으로 확인되고 그 진술이 특히 신빙할 수 있는 상태하에서 행하여진 것으로 인정되므로 이를 증거로 사용할 수 있다.**(대법원 2008. 3. 13. 2007도10804 강종만 영광군수 사건)

① [○] (1) 수사기관이 아닌 사인이 피고인 아닌 사람과의 대화내용을 녹음한 녹음테이프는 형사소송법 제311조, 제312조 규정 이외의 피고인 아닌 자의 진술을 기재한 서류와 다를 바 없으므로, 피고인이 그 녹음테이프를 증거로 할 수 있음에 동의하지 아니하는 이상 그 증거능력을 부여하기 위해서는 (2) 첫째, 녹음테이프가 원본이거나 **원본으로부터 복사한 사본일 경우에는** 복사과정에서 편집되는 등의 **인위적 개작없이 원본의 내용 그대로 복사된 사본일 것,** (3) 둘째 형사소송법 제313조 제1항에 따라 공판준비나 공판기일에서 원진술자의 진술에 의하여 그 녹음테이프에 녹음된 각자의 진술내용이 자신이 진술한 대로 녹음된 것이라는 점이 인정되어야 한다.(대법원 2011. 9. 8. 2010도7497 정신병이 있었다고 하더라 사건)

② [○] 甲은 디지털 녹음기로 피고인의 발언 내용을 녹음하였고, 그 내용이 콤팩트디스크에 다시 복사되어 콤팩트디스크가 검찰에 압수되었으며, 콤팩트디스크에 녹음된 내용을 담은 녹취록이 증거로 제출되었고, 콤팩트디스크가 현장에서 피고인의 발언내용을 녹음하는 데 사용된 **디지털 녹음기의 녹음내용 원본을 그대로 복사한 것이라는 입증이 없는 이상 콤팩트디스크의 내용이나 이를 녹취한 녹취록의 기재는 증거능력이 없다.**(대법원 2007. 3. 15. 2006도8869 이완구 충남지사 사건)

④ [○] 피고인 甲의 대화를 녹음한 乙이 "녹음파일 사본은 파일 원본을 컴퓨터에 그대로 복사한 것으로서 녹음파일 사본과 해당 녹취록 사이에 동일성이 있다"고 진술하였고, 피고인 甲도 "일부 파일에 인사말 등이 녹음되지 않은 것 같다"는 등의 지적을 한 외에는 녹음된 음성이 자신의 것이 맞을 뿐만 아니라 그 내용도 자신이 진술한 대로 녹음되어 있으며 녹음파일 사본의 내용대로 해당 녹취록에 기재되어 있다는 취지로 진술한 경우, 녹음파일 사본과 해당 녹취록을 증거로 사용할 수 있다.(대법원 2012. 9. 13. 2012도7461 **김홍복 인천중구청장 사건**)

116 사인이 동의를 받고 피해자와 피고인이 아닌 자 간의 대화내용을 촬영한 비디오테이프의 증거 능
□□□ 력에 대한 설명으로 가장 적절한 것은? (다툼이 있으면 판례에 의함)   18 경찰채용 [Core ★★]

① 수사기관이 아닌 사인이 피고인 아닌 사람들 간의 대화 내용을 촬영한 비디오테이프는 수사과
정에서 피고인이 아닌 자가 작성한 진술서에 관한 규정이 준용된다.

② 피고인이 비디오테이프를 증거로 함에 동의하지 아니하는 이상, 그 진술부분에 대하여 증거능
력을 부여하기 위해서는 비디오테이프가 원본이어야만 한다.

③ 비디오테이프는 공판준비나 공판기일에서 작성자인 촬영자의 진술에 의하여 그 비디오테이프에
녹음된 진술내용이 진술한 대로 녹음된 것이라는 점이 인정되어야 성립의 진정을 인정할 수 있다.

④ 비디오테이프의 내용에 인위적인 조작이 가해지지 않은 것을 전제로, 원진술자가 비디오테이
프의 시청을 마친 후 피촬영자인 자신의 모습과 음성을 확인하고 자신과 동일인이라고 진술한
것은 비디오테이프에 녹음된 진술내용이 자신이 진술한 대로 녹음된 것이라는 취지의 진술을
한 것으로 보아야 한다.

해설

④ [O] 비디오테이프의 내용에 인위적인 조작이 가해지지 않은 것을 전제로, 원진술자가 비디오테이프의 시청을
마친 후 피촬영자인 자신의 모습과 음성을 확인하고 자신과 동일인이라고 진술한 것은 **비디오테이프에 녹음된
진술내용이 자신이 진술한 대로 녹음된 것이라는 취지의 진술을 한 것으로 보아야 한다.**(대법원 2004. 9.
13. 2004도3161 **원장 할아버지가 때렸어 사건**)

①②③ [×] (1) 수사기관이 아닌 사인이 피고인 아닌 사람과의 대화 내용을 촬영한 비디오테이프는 형사소송법
제311조, 제312조의 규정 이외에 **피고인 아닌 자의 진술을 기재한 서류와 다를 바 없으므로,** 피고인이 그
비디오테이프를 증거로 함에 동의하지 아니하는 이상 그 진술 부분에 대하여 증거능력을 부여하기 위하여는
(2) 첫째 **비디오테이프가 원본이거나** 원본으로부터 복사한 사본일 경우에는 복사과정에서 편집되는 등 인위
적 개작 없이 **원본의 내용 그대로 복사된 사본일 것,** (3) 둘째 형사소송법 제313조 제1항에 따라 공판준비나
공판기일에서 **원진술자의 진술에 의하여** 그 비디오테이프에 녹음된 각자의 진술내용이 자신이 진술한 대로
녹음된 것이라는 점이 인정되어야 한다.(대법원 2004. 9. 13. 2004도3161 **원장 할아버지가 때렸어 사건**)

117

다음 사례에 대한 설명으로 옳지 않은 것은? (다툼이 있으면 판례에 의함)

> 평상시 남편의 가정폭력으로 이혼을 결심한 A는 남편 甲과의 이혼소송에 대비하여, 甲과의 대화 도중 甲 모르게 대화 내용을 스마트폰으로 녹음하였다. 이에는 甲이 격분하여 "3년 전에 내가 X도 죽였는데 너는 못 죽이겠냐. 내 말 안 듣고 이혼을 요구하면 죽여버린다."라며 협박한 내용과 X를 살해한 사실을 자백하는 내용이 포함되어 있었다.

① 대화 일방 당사자인 A의 녹음은 위법수집증거에 해당되지 않는다.

② 甲의 협박죄 사건의 공판정에서 "내 말 안 듣고 이혼을 요구하면 죽여버린다."라고 甲이 말하였다고 A가 증언하였다면 이는 전문증거이다.

③ X의 사망사건 수사에 관하여 검사가 작성한 A의 진술조서에 甲이 "내가 X도 죽였다."고 말했다는 취지의 부분이 기재되어 있다면 전문진술이 기재된 조서로 재전문서류에 해당한다.

④ 대화 내용을 녹음한 파일 등 전자매체는 대화 내용을 녹음한 원본이거나 원본으로부터 복사한 사본일 경우 복사과정에서 편집되는 등의 인위적 개작 없이 원본의 내용 그대로 복사된 사본임이 증명되어야 한다.

해설

② [×] " '내 말 안 듣고 이혼을 요구하면 죽여버린다'라고 甲이 말했다"라는 A의 증언은 **요증사실(협박사실)을 직접 경험한 자의 진술이므로 전문증거가 아니라 원본증거에 해당한다.**(대법원 2012. 7. 26. 2012도2937 참고)

① [○] 전기통신에 해당하는 전화통화 당사자의 일방이 상대방 모르게 통화내용을 녹음(채록)하는 것은 감청에 해당하지 아니한다. 따라서 전화통화 당사자의 일방이 상대방 몰래 통화내용을 녹음하더라도 대화 당사자 일방이 상대방 모르게 그 대화내용을 녹음한 경우와 마찬가지로 통비법 제3조 제1항 위반이 되지 아니한다.(대법원 2002. 10. 8. 2002도123 귓볼 뚫어 주느냐 사건)

③ [○] " '내가 X도 죽였다'라고 甲이 말했다"라는 A의 진술은 피고인 甲의 진술을 그 내용으로 하는 전문진술이고, 그 진술을 기재한 검사 작성 참고인진술조서는 재전문서류(전문진술이 기재된 전문서류)에 해당한다. 이 참고인진술조서는 형사소송법 제316조 제1항과 제312조 제4항의 요건이 구비되면 증거능력이 인정될 수 있다.(대법원 2012. 5. 24. 2010도5948 대전 동거남 폭행치사사건)

④ [○] 수사기관이 아닌 사인이 피고인 아닌 사람과의 대화내용을 녹음한 녹음테이프는 형사소송법 제311조, 제312조 규정 이외의 피고인 아닌 자의 진술을 기재한 서류와 다를 바 없으므로, 피고인이 그 녹음테이프를 증거로 할 수 있음에 동의하지 아니하는 이상 그 증거능력을 부여하기 위해서는 첫째, 녹음테이프가 원본이거나 원본으로부터 복사한 사본일 경우에는 복사과정에서 편집되는 등의 인위적 개작 없이 원본의 내용 그대로 복사된 사본일 것, 둘째 형사소송법 제313조 제1항에 따라 공판준비나 공판기일에서 원진술자의 진술에 의하여 그 녹음테이프에 녹음된 각자의 진술내용이 자신이 진술한 대로 녹음된 것이라는 점이 인정되어야 한다.(대법원 2011. 9. 8. 2010도7497 정신병이 있었다고 하더라 사건)

118 전문증거에 관한 설명으로 가장 적절하지 않은 것은? (다툼이 있으면 판례에 의함)

□□□
24 경찰채용 [Core ★★]

① 수사기관이 참고인을 조사하는 과정에서 형사소송법 제221조 제1항에 따라 작성한 영상녹화물은 다른 법률에서 달리 규정하고 있는 등의 특별한 사정이 없는 한 공소사실을 직접 증명할 수 있는 독립적인 증거로 사용될 수 없다.

② 甲은 악덕 사채업자 A와 채무변제 문제로 시비가 붙자 홧김에 A를 살해한 혐의로 기소되었는데, 甲의 친구 B는 공판에서 "甲이 나에게 '악덕 사채업자는 죽어도 싸다. 내가 A를 없애 버렸다'고 말한 적이 있습니다."라고 증언하였다면, 甲의 진술이 '특히 신빙할 수 있는 상태에서 행하여졌음'이 증명된 때에 한하여 B의 진술을 증거로 할 수 있다.

③ 사법경찰관이 작성한 실황조서가 사고발생 직후 사고장소에서 긴급을 요하여 판사의 영장없이 시행된 것으로서 형사소송법 제216조 제3항에 의한 검증에 따라 작성된 것이라면 사후에 지체없이 영장을 받지 않는 한 유죄의 증거로 삼을 수 없다.

④ 참고인의 진술을 내용으로 하는 조사자 증언은 그 참고인이 법정에 출석하여 조사 당시의 진술을 부인하는 취지로 증언하였더라도 그 진술이 '특히 신빙할 수 있는 상태에서 행하여 졌음'이 증명되면 증거능력이 인정된다.

해설

④ [×] 형사소송법 제316조 제2항에 따라 조사자의 증언에 증거능력이 인정되기 위해서는 원진술자가 사망, 질병, 외국거주, 소재불명, 그 밖에 이에 준하는 사유로 인하여 진술할 수 없어야만 하는 것이라서 **원진술자가 법정에 출석하여 수사기관에서의 진술을 부인하는 취지로 증언을 한 이상 원진술자의 진술을 내용으로 하는 조사자의 증언은 증거능력이 없다.**(대법원 2008. 9. 25. 2008도6985 서울 합정동 강간사건)

① [○] 수사기관이 참고인을 조사하는 과정에서 형사소송법 제221조 제1항에 따라 작성한 **영상녹화물은 다른 법률에서 달리 규정하고 있는 등의 특별한 사정이 없는 한 공소사실을 직접 증명할 수 있는 독립적인 증거로 사용될 수는 없다.**(대법원 2014. 7. 10. 2012도5041 **역술인진술 영상녹화 사건**)

② [○] 피고인이 아닌 자(공소제기 전에 피고인을 피의자로 조사하였거나 그 조사에 참여하였던 자를 포함한다. 이하 이 조에서 같다)의 공판준비 또는 공판기일에서의 진술이 피고인의 진술을 그 내용으로 하는 것인 때에는 그 진술이 특히 신빙할 수 있는 상태하에서 행하여졌음이 증명된 때에 한하여 이를 증거로 할 수 있다.(형사소송법 제316조 제1항) 피고인 전문진술이므로 제316조 제1항에 따라 특신상태만 있으면 증거로 사용할 수 있다.

③ [○] 사법경찰관사무취급이 작성한 실황조서가 사고발생 직후 사고장소에서 긴급을 요하여 판사의 영장없이 시행된 것으로서 형사소송법 제216조 제3항에 의한 검증에 따라 작성된 것이라면 **사후영장을 받지 않는 한 유죄의 증거로 삼을 수 없다.**(대법원 1989. 3. 14. 88도1399 **긴급실황조사 사건**)

119 甲은 편의점에서 점원 A를 협박한 후 현금을 강취하여 강도죄로 기소되었는데, 甲은 공판과정에
□□□ 서 일체의 증거에 동의하지 않고 있다. 다음 설명 중 옳은 것은? (다툼이 있으면 판례에 의함)

16 변호사 [Superlative ★★★]

> ㉠ A는 "甲이 '돈을 내놓지 않으면 죽인다'고 말하며 현금을 빼앗아갔다."라고 공판정에서 증언
> 하였다.
> ㉡ 甲은 그날 저녁 친구 乙을 만나 저녁을 먹으면서 "오늘 어떤 놈을 협박해서 돈을 쉽게 벌었다."
> 라고 하며 자랑하였는데, 乙은 甲 몰래 그 내용을 휴대폰으로 녹음한 후, 그 녹음파일을 수사
> 기관에 임의제출하였다.
> ㉢ 상점 안에서 이 광경을 목격한 B로부터 "甲이 편의점에서 돈을 빼앗는 것을 보았다."라는
> 말을 들은 C에 대하여 검사가 참고인조사를 한 후, 그 진술조서를 증거로 제출하였다.
> ㉣ C가 B로부터 들은 위 내용을 친구 D에게 다시 말하였고 D가 공판정에서 그 내용을 증언하였다.

① A의 증언은 전문진술에 관한 형사소송법 제316조 제1항의 요건을 충족할 경우에만 증거로
   사용할 수 있다.
② 乙이 제출한 녹음파일은 위법하게 수집된 증거이므로 증거능력이 없다.
③ C에 대한 검사 작성의 참고인진술조서 중 B의 진술 기재 부분은 형사소송법 제312조 제4항
   의 규정에 의하여 증거능력이 인정될 수 있는 경우에 해당하여야 함은 물론, 형사소송법 제
   316조 제2항의 규정에 따른 요건을 갖춘 때에 한하여 예외적으로 증거능력이 인정된다.
④ D의 증언은 피고인 아닌 자의 진술을 그 내용으로 하는 전문진술에 관한 형사소송법 제316조
   제2항의 요건이 갖추어진 때에는 이를 증거로 할 수 있다.
⑤ 만약 C가 공판정에 나와 참고인진술조서에 기재된 내용과 모순되는 진술을 하면서 그 조서의
   진정성립을 부인하는 경우 그 참고인진술조서는 C의 위 법정진술에 대한 탄핵증거로 사용될
   수 없다.

해설

> ③ [O] 피고인 아닌 자의 진술을 그 내용으로 하는 전문진술이 기재된 조서는 형사소송법 제312조 또는 제314
> 조의 규정에 따라 증거능력이 인정될 수 있는 경우에 해당하여야 함은 물론 형사소송법 제316조 제2항의 규정에
> 따른 요건을 갖추어야 예외적으로 증거능력이 있다.(대법원 2010. 7. 8. 2008도7546 **정윤재 청와대비서관 사건**)
> C에 대한 검사 작성의 참고인진술조서 중 B의 진술 기재 부분은 형사소송법 제312조 제4항과 제316조 제2항의
> 요건을 구비하면 증거능력이 인정된다. ③ 지문과 같은 **전문진술이 기재된 조서**와 ④ 지문과 같은 **재전문진술**
> **(또는 재전문진술이 기재된 조서)**은 다른 것임을 주의하여야 한다.

① [×] A의 증언은 요증사실(강도)을 경험한 자의 진술이므로 이는 **원본증거로써 증거능력이 인정된다.** "甲이 '돈을 내놓지 않으면 죽인다'고 말하며 현금을 빼앗아갔다"라는 A의 증언은 '甲으로부터 강도를 당했다'는 취지의 증언으로 원본증거에 해당하는 것이지 전문증거(전문진술)가 아님을 주의하여야 한다.

② [×] 사인이 피고인 아닌 사람과의 대화내용을 대화 상대방 몰래 녹음하였다고 하더라도 **그 녹음테이프가 위법하게 수집된 증거로서 증거능력이 없다고 할 수 없다.**(대법원 1999. 3. 9. 98도3169 홍준표 의원 사건) 乙이 제출한 녹음파일은 이른바 '당사자녹음'으로 위법하게 수집된 증거가 아니므로 전문법칙의 예외에 해당하면 증거능력을 인정할 수 있다.

④ [×] 재전문진술이나 재전문진술을 기재한 조서는 피고인이 증거로 하는 데 동의하지 아니하는 한 **형사소송법 제310조의2의 규정에 의하여 이를 증거로 할 수 없다.**(대법원 2012. 5. 24. 2010도5948 대전 동거남 폭행치사사건) D의 증언은 재전문진술이므로 피고인 甲이 일체의 증거에 동의하지 않고 있는 이상 이는 증거능력이 없다.

⑤ [×] 비록 증거능력이 없는 참고인진술조서라도 C의 법정진술의 증명력을 다투기 위하여 **탄핵증거로 사용할 수 있다.**(형사소송법 제318조의2 제1항)

120 다음 중 전문증거에 해당하는 것은? (다툼이 있으면 판례에 의함) 19 국가9급 [Superlative ★★★]

□□□

① 甲이 정보통신망을 통하여 공포심이나 불안감을 유발하는 글을 반복적으로 상대방에게 도달하게 하는 행위를 하였음을 공소사실로 하여 기소되었는데, 검사가 위 죄에 대한 유죄의 증거로 휴대전화기에 저장된 문자정보를 제출한 경우

② 증인이 법정에서 "甲이 ○○체육관 부지를 공시지가로 매입하게 해 주겠다고 말하였다."라고 증언하였는데, 그 증언이 甲이 그와 같이 말한 사실의 존재를 증명하기 위한 증거로 제출된 경우

③ 甲이 반국가단체 구성원 A와 회합한 후 A로부터 지령을 받고 국가기밀을 탐지·수집하였다는 공소사실로 기소되었고, 甲의 컴퓨터에서 "A 선생 앞 : 2011년 면담은 1월 30일 북경에서 하였으면 하는 의견입니다."라는 등의 내용이 담겨져 있는 파일이 발견되었는데, 이 파일이 甲과 A의 회합을 입증하기 위한 증거로 제출된 경우

④ 甲이 반국가단체로부터 지령을 받고 국가기밀을 탐지·수집하였다는 공소사실로 기소되었는데 甲의 컴퓨터에 저장되어 있던 국가기밀을 담은 서류가 증거로 제출된 경우

해설

③ [○] "A 선생 앞 : 2011년 면담은 1월 30일 ~ 2월 1일까지 A와 B 선생과 함께 북경에서 하였으면 하는 의견입니다"라는 등의 내용이 담겨져 있는 파일들의 내용이 피고인 甲, 피고인 乙이 북한 공작원들과 그 일시경 실제로 회합하였음을 증명하려고 하는 경우에는 문건 내용이 진실한지가 문제되므로 **전문법칙이 적용된다.** (대법원 2013. 7. 26. 2013도2511 **왕재산 간첩단 사건**)

① [×] "정보통신망을 통하여 공포심이나 불안감을 유발하는 글을 반복적으로 상대방에게 도달하게 하는 행위를 하였다"는 공소사실에 대하여 휴대전화기에 저장된 문자정보가 그 증거가 되는 경우와 같이 그 문자정보가 범

행의 직접적인 수단이 될 뿐 경험자의 진술에 갈음하는 대체물에 해당하지 않는 경우에는 형사소송법 제310조의2에서 정한 **전문법칙이 적용될 여지가 없다.**(대법원 2008. 11. 13. 2006도2556 횡설수설 문자협박 사건)

② [×] 피고인의 위와 같은 원진술의 존재 자체가 사기죄 또는 변호사법 위반죄에 있어서의 요증사실이므로 이를 직접 경험한 증인 등이 피고인으로부터 위와 같은 말을 들었다고 하는 진술은 **전문증거가 아니라 본래증거에 해당한다.**(대법원 2012. 7. 26. 2012도2937 원로변호사 사기사건)

④ [×] "반국가단체로부터 지령을 받고 국가기밀을 탐지·수집하였다"는 공소사실과 관련하여 수령한 지령 및 탐지·수집하여 취득한 국가기밀이 문건의 형태로 존재하는 경우나 편의제공의 목적물이 문건인 경우 등에는, 문건 내용의 진실성이 문제되는 것이 아니라 그러한 내용의 문건이 존재하는 것 자체가 증거가 되는 것으로서, 위와 같은 공소사실에 대하여는 **전문법칙이 적용되지 않는다.**(대법원 2013. 7. 26. 2013도2511 왕재산 간첩단 사건)

121

전문법칙에 관한 다음 설명 중 가장 옳지 않은 것은? (다툼이 있으면 판례에 의함)

16 법원9급 [Core ★★]

① 어떤 진술이 범죄사실에 대한 직접증거로 사용함에 있어서는 전문증거가 된다고 하더라도 그와 같은 진술을 하였다는 것 자체 또는 그 진술의 진실성과 관계없는 간접사실에 대한 정황증거로 사용함에 있어서는 반드시 전문증거가 되는 것은 아니다.

② 정보통신망을 통하여 공포심이나 불안감을 유발하는 글을 반복적으로 상대방에게 도달하게 하는 행위를 하였다는 공소사실에 대하여 휴대전화기에 저장된 문자정보가 그 증거가 되는 경우, 그 문자정보는 범행의 직접적인 수단이고 경험자의 진술에 갈음하는 대체물에 해당하지 않으므로 전문법칙이 적용되지 아니한다.

③ 디지털녹음기에 녹음된 내용을 전자적 방법으로 테이프에 전사한 사본인 녹음테이프를 대상으로 법원이 검증절차를 진행하여 녹음된 내용이 녹취록의 기재와 일치하고 그 음성이 진술자의 음성임을 확인하였다면, 녹음테이프의 증거능력을 인정할 수 있다.

④ 참고인의 진술에 임의성이 인정되지 아니하여 그 진술조서가 증거능력이 없는 경우에는 피고인이 증거로 함에 동의하더라도 이를 증거로 삼을 수 없다.

해설

③ [×] (1) 제1심이 검증을 실시한 녹음테이프는 원본이 아니라 당초 디지털 녹음기에 녹음된 내용을 전자적 방법으로 테이프에 전사한 사본임이 명백한 바, (중략) 그럼에도 불구하고 검증기일에는 **녹음테이프에 수록된 대화내용이 녹취록의 기재와 일치하고 그 음성이 피고인의 음성임을 확인하는 데 그치고, 녹음테이프가 인위적 개작 없이 원본의 내용 그대로 복사된 것인지 여부에 대하여 별도로 확인하거나 달리 증거조사를 실시하지 아니한 사실**을 알 수 있다. (2) 그렇다면 녹음테이프에 녹음된 피고인의 진술 내용과 이를 풀어쓴 녹취

록은 증거능력을 인정할 수 없다고 할 것임에도 불구하고, 녹음테이프에 수록되어 있는 피고인의 대화 내용과 그 녹음 내용을 풀어쓴 녹취서를 증거로 하여 공소사실을 유죄로 인정한 원심 판단에는 녹음테이프 등의 증거능력에 대한 법리를 오해한 위법이 있다.(대법원 2008. 12. 24. 2008도9414) ㉠ 피고인의 진술을 녹음한 디지털녹음기 ㉡ 디지털녹음기를 전사(傳寫)한 녹음테이프 ㉢ 녹음테이프의 녹음내용을 풀어 쓴 녹취록이 있었는데, 법원이 원본인 ㉠을 조사하지 않고, ㉡과 ㉢만을 조사하고 그것이 원본인 ㉠ 내용 그대로 복사한 것인지 확인하거나 증거조사를 실시하지 않은 경우로서, 그것만으로는 증거능력을 인정할 수 없다는 취지의 판례이다.

① [○] 어떤 진술을 범죄사실에 대한 직접증거로 사용할 때에는 그 진술이 전문증거가 된다고 하더라도 그와 같은 진술을 하였다는 것 자체 또는 그 진술의 진실성과 관계없는 간접사실에 대한 정황증거로 사용할 때에는 반드시 전문증거가 되는 것은 아니다.(대법원 2015. 1. 22. 2014도10978 全合 이석기 의원 사건)

② [○] "정보통신망을 통하여 공포심이나 불안감을 유발하는 글을 반복적으로 상대방에게 도달하게 하는 행위를 하였다"는 공소사실에 대하여 휴대전화기에 저장된 문자정보가 그 증거가 되는 경우와 같이 그 문자정보가 범행의 직접적인 수단이 될 뿐 경험자의 진술에 갈음하는 대체물에 해당하지 않는 경우에는 형사소송법 제310조의2에서 정한 전문법칙이 적용될 여지가 없다.(대법원 2008. 11. 13. 2006도2556 횡설수설 문자협박사건)

④ [○] 임의성이 인정되지 아니하여 증거능력이 없는 진술증거는 피고인이 증거로 함에 동의하더라도 증거로 삼을 수 없다.(대법원 2013. 7. 11. 2011도14044 긴급조치 제1호·제4호 위반사건)

122 다음 사례에 대한 설명으로 옳은 것은? (다툼이 있으면 판례에 의함)

□□□

19 국가9급 [Superlative ★★★]

> 甲은 출근길 지하철에서 휴대전화로 여성의 은밀한 신체 부위를 몰래 촬영하는 乙을 발견하고 소리를 지른 후 주위 사람들과 합세하여 乙을 현행범인으로 체포하였고, 이후 출동한 사법경찰관 丙에게 인계하였다. 丙은 인계받은 乙로부터 휴대전화를 임의제출 받아 영치하였지만 사후에 압수영장을 발부받지는 않았다. 한편 甲은 丙의 요청으로 인근 지하철수사대 사무실로 가서 자신이 목격한 사실을 자필 진술서로 작성하여 丙에게 제출하였다.
> 이후 乙에 대한 공소가 제기되어 형사재판이 진행되었으나 甲의 소재불명으로 법정 출석이 불가능하게 되자 검사는 甲의 진술서와 乙의 휴대전화를 증거로 제출하였다.

① 검사가 증거로 제출한 휴대전화는 위법수집증거로서 증거능력이 인정되지 않는다.

② 甲이 소재불명이라 하더라도 공판기일에 丙이 출석하여 甲의 진술서 작성사실에 대한 진정성립을 인정하면 甲의 진술서의 증거능력이 인정된다.

③ 甲이 소재불명이므로 甲의 진술서는 특히 신빙할 수 있는 상태에서 작성되었음이 증명된 경우에 한해 증거능력이 인정된다.

④ 위 ③의 특신상태의 증명은 단지 그러할 개연성이 있다는 정도로 충분하다.

해설

③ [○] 甲이 사법경찰관 丙에게 작성·제출한 진술서에 대하여도 형사소송법 제314조가 적용되므로 甲이 소재불명으로 인하여 진술할 수 없고 그 작성이 특히 신빙할 수 있는 상태하에서 행하여졌음이 증명되면 진술서는

증거능력이 인정된다.(제314조)
① [×] 현행범 체포현장이나 범죄장소에서도 **소지자 등이 임의로 제출하는 물건**은 형사소송법 제218조에 의하여 **영장 없이 압수할 수 있고, 이 경우에는 검사나 사법경찰관이 사후에 영장을 받을 필요가 없다.**(대법원 2016. 2. 18. 2015도13726 **바지선 필로폰 밀수사건**) 사법경찰관 丙이 휴대전화를 임의제출 받은 후 사후 압수영장을 발부받지 않았다고 하더라도 휴대전화는 위법수집증거가 아니므로 증거능력이 부정되지 아니한다.
② [×] 甲이 사법경찰관 丙에게 작성·제출한 진술서는 사법경찰관 작성 참고인진술조서에 준하여 증거능력유무를 검토하여야 한다.(제312조 제5항) 甲이 작성·제출한 진술서는 성립의 진정, 특신상태 그리고 원진술자 신문가능성이 인정되어야 증거능력이 인정되므로(제312조 제4항), **작성자가 아닌 사법경찰관 丙이 甲의 진술서 작성사실에 대한 진정성립을 인정하더라도 진술서의 증거능력은 인정되지 아니한다.**
④ [×] 참고인의 소재불명 등의 경우 형사소송법 제314조의 의하여 그 참고인이 진술하거나 작성한 진술조서나 진술서에 대하여 증거능력을 인정하는 것은 (중략) 원진술자 등에 대한 반대신문의 기회조차 없이 증거능력을 부여할 수 있도록 한 것이므로, 그 경우 참고인의 진술 또는 작성이 **특히 신빙할 수 있는 상태하에서 행하여졌음에 대한 증명**'은 단지 그러할 개연성이 있다는 정도로는 부족하고 합리적인 의심의 여지를 배제할 정도에 이르러야 한다.(대법원 2014. 2. 21. 2013도12652 **돈주고 한거냐 그냥 한거냐 사건**)

123 증거능력에 대한 설명으로 가장 적절하지 않은 것은? (다툼이 있으면 판례에 의함)

20 경찰채용 [Core ★★]

① 수사기관이 영장 없이 범죄 수사를 목적으로 금융회사로부터 획득한 금융실명거래 및 비밀보장에 관한 법률 제4조 제1항의 '거래정보등'은 원칙적으로 형사소송법 제308조의2에서 정하는 '적법한 절차에 따르지 아니하고 수집한 증거'에 해당하여 유죄의 증거로 삼을 수 없다.

② 영장 발부의 사유로 된 범죄사실과 별개의 증거를 압수하였을 경우 이는 원칙적으로 유죄인정의 증거로 사용할 수 없으나, 예외적으로 그 범죄사실과 객관적·인적 관련성이 있는 때에는 사용할 수 있다. 이 때 객관적 관련성은 압수·수색영장에 기재된 혐의사실의 내용과 수사의 대상, 수사 경위 등을 종합하여 혐의사실과 구체적·개별적 연관관계가 있는 경우뿐만 아니라 단순히 동종 또는 유사 범행인 경우도 인정된다.

③ 형사소송법은 전문진술에 대하여 제316조에서 실질상 단순한 전문의 형태를 취하는 경우에 한하여 예외적으로 그 증거능력을 인정하는 규정을 두고 있을 뿐, 재전문진술이나 재전문진술을 기재한 조서에 대하여는 달리 그 증거능력을 인정하는 규정을 두고 있지 아니하고 있으므로 피고인이 증거로 하는 데 동의하지 아니하는 한 형사소송법 제310조의2의 규정에 의하여 이를 증거로 할 수 없다.

④ 형사소송법 제218조를 위반하여 소유자, 소지자 또는 보관자가 아닌 자로부터 제출받은 물건을 영장 없이 압수한 경우 그 '압수물' 및 '압수물을 찍은 사진'은 피고인이나 변호인이 이를 증거로 함에 동의하였다고 하더라도 유죄 인정의 증거로 사용할 수 없다.

정답 | 122 ③   123 ②

<u>**해설**</u>

② [×] (1) 압수·수색영장의 범죄 혐의사실과 관계있는 범죄라는 것은 압수·수색영장에 기재한 혐의사실과 객관적 관련성이 있고 압수·수색영장 대상자와 피의자 사이에 인적 관련성이 있는 범죄를 의미한다. (2) 그 중 **혐의사실과의 객관적 관련성은** 압수·수색영장에 기재된 혐의사실 자체 또는 그와 기본적 사실관계가 동 일한 범행과 직접 관련되어 있는 경우는 물론 범행 동기와 경위, 범행 수단과 방법, 범행 시간과 장소 등을 증명하기 위한 간접증거나 정황증거 등으로 사용될 수 있는 경우에도 인정될 수 있다. 이러한 객관적 관련성은 압수·수색영장에 기재된 혐의사실의 내용과 수사의 대상, 수사 경위 등을 종합하여 구체적·개별적 연관관계 가 있는 경우에만 인정된다고 보아야 하고, **혐의사실과 단순히 동종 또는 유사 범행이라는 사유만으로 객관 적 관련성이 있다고 할 것은 아니다.**(대법원 2020. 2. 13. 2019도14341)

① [○] (1) 수사기관이 범죄의 수사를 목적으로 '거래정보 등'을 획득하기 위해서는 법관의 영장이 필요하다고 할 것이고, 신용카드에 의하여 물품을 거래할 때 '금융회사 등'이 발행하는 매출전표의 거래명의자에 관한 정보 또한 금융실명법에서 정하는 '거래정보 등'에 해당한다고 할 것이므로, 수사기관이 금융회사 등에 그와 같은 정보를 요구하는 경우에도 법관이 발부한 영장에 의하여야 한다. (2) 피고인의 제1심 법정자백은 (수사기관이 법관의 영장 없이 그 거래명의자에 관한 정보를 알아낸 후 그 정보에 기초하여 긴급체포함으로써 구금 상태에 있던 피고인으로부터 받아낸) 최초 자백 이후 약 3개월이 지난 시점에 공개된 법정에서 적법한 절차를 통하여 임의로 이루어진 것이라는 점 등을 고려하여 볼 때 유죄 인정의 증거로 사용할 수 있는 경우에 해당한다. 나아 가 피해자들 작성의 진술서는 제3자인 피해자들이 범행일로부터 약 3개월, 11개월 이상 지난 시점에서 기존의 수사절차로부터 독립하여 자발적으로 자신들의 피해 사실을 임의로 진술한 것이므로 역시 유죄 인정의 증거로 사용할 수 있는 경우에 해당한다.(대법원 2013. 3. 28. 2012도13607 **대구 할머니 절도사건**)

③ [○] 형사소송법은 전문진술에 대하여 제316조에서 실질상 단순한 전문의 형태를 취하는 경우에 한하여 예외 적으로 그 증거능력을 인정하는 규정을 두고 있을 뿐 재전문진술이나 재전문진술을 기재한 조서에 대하여는 달리 그 증거능력을 인정하는 규정을 두고 있지 아니하고 있으므로 피고인이 증거로 하는 데 동의하지 아니하 는 한 형사소송법 제310조의2의 규정에 의하여 이를 증거로 할 수 없다.(대법원 2012. 5. 24. 2010도5948 **대전 동거남 폭행치사사건**)

④ [○] 형사소송법 제218조에 위반하여 소유자, 소지자 또는 보관자가 **아닌 자로부터 제출받은 물건을** 영장없이 압수한 경우 그 압수물 및 압수물을 찍은 사진은 이를 유죄 인정의 증거로 사용할 수 없는 것이고, 헌법과 형사소송법이 선언한 영장주의의 중요성에 비추어 볼 때 피고인이나 변호인이 이를 증거로 함에 동의하였다고 하더라도 달리 볼 것은 아니다.(대법원 2010. 1. 28. 2009도10092 **쇠파이프 압수사건**)

제5장　당사자의 증거동의 및 탄핵증거

124 증거동의에 대한 설명 중 옳지 않은 것은? (다툼이 있으면 판례에 의함)　11 국가9급 [Essential ★]

□□□

① 조서의 일부에 대한 증거동의는 허용되지 않는다.

② 피고인의 명시적 의사에 반하지 않는 한 변호인은 피고인을 대리하여 증거동의를 할 수 있다.

③ 검사와 피고인이 증거로 할 수 있음을 동의한 서류 또는 물건은 진정한 것으로 인정한 때에는 증거로 할 수 있다.

④ 증거동의는 전문증거금지의 원칙에 대한 예외로서 반대신문권을 포기하겠다는 피고인의 의사표시에 의하여 서류 또는 물건의 증거능력을 인정하는 제도이다.

해설

① [×] 조서의 내용이 가분적(可分的)인 경우에는 조서의 **일부에 대한 동의도 허용된다.**(대법원 1990. 7. 24. 90도1303 참고)

② [○] 증거동의의 주체는 소송주체인 검사와 피고인이고, 변호인은 피고인을 대리하여 증거동의에 관한 의견을 낼 수 있을 뿐이므로 피고인의 명시한 **의사에 반하여 증거로 함에 동의할 수는 없다.**(대법원 2013. 3. 28. 2013도3)

③ [○] 검사와 피고인이 **증거로 할 수 있음을 동의한** 서류 또는 물건은 진정한 것으로 인정한 때에는 증거로 할 수 있다.(제318조 제1항)

④ [○] 형사소송법 제318조 제1항은 전문증거금지의 원칙에 대한 예외로서 **반대신문권을 포기하겠다는** 피고인의 **의사표시에 의하여** 서류 또는 물건의 증거능력을 부여하려는 규정이다.(대법원 1983. 3. 8. 82도2873 이철희 · 장영자 사건)

정답 | 124 ①

125 증거동의에 대한 설명으로 가장 적절하지 않은 것은? (다툼이 있으면 판례에 의함)

21 경찰승진 [Essential ★]

① 검사와 피고인이 증거로 할 수 있음을 동의한 서류 또는 물건은 법원이 진정한 것으로 인정한 때에는 증거로 할 수 있다.

② 공판준비 또는 공판기일에서 피고인에게 유리한 증언을 한 증인을 수사기관이 법정 외에서 다시 참고인으로 조사하면서 그 증언을 번복하게 하여 작성한 참고인진술조서는 피고인이 동의하더라도 증거로 사용할 수 없다.

③ 피고인의 출정 없이 증거조사를 할 수 있는 경우에 피고인이 출정하지 아니한 때에는 피고인의 대리인 또는 변호인이 출정한 때를 제외하고 피고인이 증거로 함에 동의한 것으로 간주한다.

④ 경찰의 검증조서 중 일부에 대한 증거동의는 가능하다.

해설

② [×] 공판준비 또는 공판기일에서 이미 증언을 마친 증인을 검사가 소환한 후 피고인에게 유리한 그 증언내용을 추궁하여 이를 일방적으로 번복시키는 방식으로 작성한 진술조서는 **피고인이 증거로 할 수 있음에 동의하지 아니하는 한 그 증거능력이 없다.**(대법원 2008. 9. 25. 2008도6985 서울 합정동 강간사건) 이와 같이 작성된 참고인진술조서는 피고인이 동의하면 증거로 사용할 수 있다.

① [○] 검사와 피고인이 증거로 할 수 있음을 동의한 서류 또는 물건은 **법원이 진정한 것으로 인정한 때에는 증거로 할 수 있다.**(제318조 제1항)

③ [○] 피고인의 출정없이 증거조사를 할 수 있는 경우에 피고인이 출정하지 아니한 때에는 **증거동의가 있는 것으로 간주한다.** 단, 대리인 또는 변호인이 출정한 때에는 예외로 한다.(제318조 제2항)

④ [○] 피고인들이 법정에서 경찰의 검증조서 가운데 '범행 부분'만 부동의하고 '현장상황 부분'에 대해서는 모두 증거로 함에 동의하였다면 위 검증조서 중 '범행상황 부분'만을 증거로 채용한 제1심 판결에는 잘못이 없다.(대법원 1990. 7. 24. 90도1303) 검증조서 중 일부에 대한 증거동의는 가능하다.

126 증거동의에 관한 설명으로 가장 적절하지 않은 것은? (다툼이 있으면 판례에 의함)

22 경찰채용 [Core ★★]

① 피고인이 공소사실을 부인하고 있는 상황에서 검사가 신청한 증인의 법정진술이 전문증거로서 증거능력이 없는 경우 피고인 또는 변호인에게 의견을 묻는 등의 적절한 방법으로 그러한 사정에 대하여 고지가 이루어지지 않은 채 증인신문이 진행되었다면, 피고인이 그 증거조사 결과에 대하여 별 의견이 없다고 진술하였더라도 증인의 법정증언을 증거로 삼는 데에 동의한 것으로 볼 수 없다.

② 피고인이 출석한 공판기일에서 증거로 함에 부동의한다는 의견이 진술된 경우에는 그 후 피고인이 출석하지 아니한 공판기일에 변호인만이 출석하여 증거로 함에 동의하였더라도 이는 특별한 사정이 없는 한 효력이 없다.

③ 증거동의의 의사표시는 증거조사가 완료되기 전까지 취소 또는 철회할 수 있으나, 일단 증거조사가 완료된 뒤에는 취소 또는 철회가 인정되지 아니하므로 이를 취소 또는 철회하더라도 이미 취득한 증거능력은 상실되지 않는다.

④ 피고인의 변호인이 증거 부동의 의견을 밝힌 고발장을 첨부문서로 포함하고 있는 검찰주사보 작성의 수사보고가 수사기관이 첨부한 자료를 통하여 얻은 인식·판단·추론이거나 자료의 단순한 요약에 불과하더라도 피고인이 증거에 동의하여 증거조사가 행하여졌다면 그 수사보고에 대한 증거동의의 효력은 첨부된 고발장에도 당연히 미친다고 볼 것이므로 이를 유죄의 증거로 삼을 수 있다.

해설

④ [×] 뇌물공여자가 작성한 고발장에 대하여 피고인의 변호인이 증거 부동의 의견을 밝히고, 고발장을 첨부문서로 포함하고 있는 검찰주사보 작성의 수사보고에 대하여는 증거에 동의하여 증거조사가 행하여졌는데, 수사보고에 대한 증거동의가 있다는 이유로 아무런 지적 없이 그에 첨부된 고발장까지 증거로 채택해 두었다가 판결을 선고하는 단계에 이르러 이를 유죄 인정의 증거로 삼은 것은 실질적 적법절차의 원칙에 비추어 수긍할 수 없다. 결국 수사보고에 첨부된 **고발장은 적법한 증거신청·증거결정·증거조사의 절차를 거쳤다고 볼 수 없거나 공소사실을 뒷받침하는 증명력을 가진 증거가 아니므로 이를 유죄의 증거로 삼을 수 없다.**(대법원 2011. 7. 14. 2011도3809 해병대 소령 수뢰사건)

① [○] 피고인이 공소사실을 부인하고 있는 상황에서 검사가 신청한 증인의 법정진술이 전문증거로서 증거능력이 없는 경우 피고인 또는 변호인에게 의견을 묻는 등의 적절한 방법으로 그러한 사정에 대하여 고지가 이루어지지 않은 채 증인신문이 진행되었다면, 피고인이 그 증거조사 결과에 대하여 **별 의견이 없다고 진술하였더라도 증인의 법정증언을 증거로 삼는 데에 동의한 것으로 볼 수 없다.**(대법원 2019. 11. 14. 2019도11552 새마을금고 이사장 선거 사건)

② [○] **피고인이 출석한 공판기일에서 증거로 함에 부동의한다는 의견이 진술된 경우에는 그 후 피고인이 출석하지 아니한 공판기일에 변호인만이 출석하여 증거로 함에 동의하였더라도 이는 특별한 사정이 없는 한 효력이 없다.**(대법원 2013. 3. 28. 2013도3)

③ [○] 증거동의의 의사표시는 증거조사가 완료되기 전까지 취소 또는 철회할 수 있으나, 일단 증거조사가 완료된 뒤에는 취소 또는 철회가 인정되지 아니하므로 이를 취소 또는 철회하더라도 **이미 취득한 증거능력은 상실되지 않는다.**(대법원 2015. 8. 27. 2015도3467 **구미 KEC사건**)

정답 | 125 ② 126 ④

127 증거동의에 관한 설명으로 옳은 것을 모두 고른 것은? (다툼이 있으면 판례에 의함)

> ○ 피고인이 증거로 함에 동의하지 않는 명시적인 의사표시를 한 경우 이외에는 변호인은 서류나 물건에 대하여 증거로 함에 동의할 수 있고, 이 경우 변호인의 동의에 대하여 피고인이 즉시 이의하지 않는 경우에는 변호인의 동의로 증거능력이 인정된다.
> ○ 증거동의의 대상이 될 서류는 원본에 한하며 그 사본은 포함되지 않는다.
> ○ 당사자가 제출한 서류에 대하여 법원이 직권으로 증거조사를 하는 경우에 당해 서류를 제출한 당사자는 그것을 증거로 함에 동의하고 있음이 명백한 것이므로 상대방의 동의만 얻으면 충분하다.

① ㉠㉡   ② ㉠㉢

③ ㉡㉢   ④ ㉠㉡㉢

해설

> ② ㉠㉢ 2 항목이 옳다.
> ㉠ [○] 증거로 함에 대한 동의의 주체는 소송주체인 당사자라 할 것이지만 변호인은 피고인의 명시한 의사에 반하지 아니하는 한 피고인을 대리하여 증거로 함에 동의할 수 있으므로 피고인이 증거로 함에 동의하지 아니 한다고 명시적인 의사표시를 한 경우 이외에는 변호인은 서류나 물건에 대하여 증거로 함에 동의할 수 있고, 이 경우 변호인의 동의에 대하여 피고인이 즉시 이의하지 아니하는 경우에는 변호인의 동의로 증거능력이 인정 되어 **증거조사 완료 전까지 그 동의가 취소 또는 철회하지 아니한 이상 일단 부여된 증거능력은 그대로 존속 한다.**(대법원 2005. 4. 28. 2004도4428 인신매매 윤락강요 사건)
> ㉡ [×] **문서의 사본이라도 피고인이 증거로 함에 동의하였고** 진정으로 작성되었음이 인정되는 경우에는 증거 능력이 있다.(대법원 1996. 1. 26. 95도2526 부천시 세금횡령 사건)
> ㉢ [○] 법원이 직권으로 증거조사를 할 때에는 양 당사자의 동의가 필요함은 물론이라 하겠으나 당해 서류를 제출한 당사자는 그것을 증거로 함에 동의하고 있음은 명백한 것이므로 **상대방의 동의만 얻으면 충분하다.**(대 법원 1989. 10. 10. 87도966 마산청과시장 조세포탈사건)

128 증거동의에 관한 설명 중 옳지 않은 것은? (다툼이 있으면 판례에 의함)   23 변호사 [Core ★★]

① 피고인이 출석한 공판기일에서 증거로 함에 부동의한 경우에는 그 후 피고인이 출석하지 아니한 공판기일에 변호인만 출석하여 종전 의견을 번복하여 증거로 함에 동의하였더라도 효력이 없다.

② 개개의 증거에 대하여 개별적으로 증거동의를 받지 아니하고 검사가 제시한 모든 증거에 대하여 피고인이 증거로 함에 동의한다는 방식으로 증거동의가 이루어진 것일지라도 증거동의로서의 효력을 부정할 이유가 되지 못한다.

③ 형사소송법 제184조에 의한 증거보전절차에서 증인신문을 하는 경우 피의자에게 증인신문에 참여할 수 있는 기회를 주지 아니하고 작성된 증인신문조서는 피의자였던 피고인이 법정에서 그 증인신문조서를 증거로 할 수 있음에 동의하여 별다른 이의 없이 적법하게 증거조사를 거친 경우라 하더라도 증거능력이 부여되지 않는다.

④ 증거동의의 의사표시는 증거조사가 완료되기 전까지 철회할 수 있으나, 일단 증거조사가 완료된 뒤에는 철회가 인정되지 아니하므로 제1심에서 한 증거동의를 제2심에서 철회할 수 없다.

⑤ 피고인의 출정없이 증거조사를 할 수 있는 경우에 피고인이 출정하지 아니한 때에는 형사소송법 제318조 제1항의 증거동의가 있는 것으로 간주되지만, 대리인 또는 변호인이 출정한 때에는 그러하지 아니하다.

해설

③ [×] 판사가 형사소송법 제184조에 의한 증거보전절차로 증인신문을 하는 경우에는 동법 제163조에 따라 검사, 피의자 또는 변호인에게 증인신문의 시일과 장소를 미리 통지하여 증인신문에 참여할 수 있는 기회를 주어야 하나, 참여의 기회를 주지 아니한 경우라도 피고인과 변호인이 **증인신문조서를 증거로 할 수 있음에 동의하여 별다른 이의없이 적법하게 증거조사를 거친 경우에는** 증인신문조서는 증인신문절차가 위법하였는지의 여부에 관계없이 **증거능력이 부여된다.**(대법원 1988. 11. 8. 86도1646 치안본부 경위 수뢰사건)

① [○] 피고인이 출석한 공판기일에서 증거로 함에 부동의한 경우에는 그 후 **피고인이 출석하지 아니한 공판기일에 변호인만 출석하여 종전 의견을 번복하여 증거로 함에 동의하였더라도 효력이 없다.**(대법원 2013. 3. 28. 2013도3)

② [○] 개개의 증거에 대하여 개별적으로 증거동의를 받지 아니하고 검사가 제시한 모든 증거에 대하여 피고인이 증거로 함에 동의한다는 방식으로 증거동의가 이루어진 것일지라도 증거동의로서의 효력을 부정할 이유가 되지 못한다.(대법원 1983. 3. 8. 82도2873 이철희·장영자 사건)

④ [○] 증거동의의 의사표시는 증거조사가 완료되기 전까지 철회할 수 있으나, 일단 증거조사가 완료된 뒤에는 철회가 인정되지 아니하므로 제1심에서 한 증거동의를 제2심에서 철회할 수 없다.(대법원 2005. 4. 28. 2004도4428)

⑤ [○] 피고인의 출정없이 증거조사를 할 수 있는 경우에 피고인이 출정하지 아니한 때에는 형사소송법 제318조 제1항의 증거동의가 있는 것으로 간주된다. 단, 대리인 또는 변호인이 출정한 때에는 예외로 한다.(제318조 제2항)

정답 | 127 ②   128 ③

129

□□□

당사자의 동의와 증거능력에 관한 다음 설명 중 가장 옳지 않은 것은? (다툼이 있으면 판례에 의함)

19 법원9급 [Core ★★]

① 약식명령에 불복하여 정식재판을 청구한 피고인이 정식재판절차의 제1심에서 2회 불출정하여 증거동의로 간주되어 증거조사를 완료한 경우에 피고인이 항소심에 출석하여 공소사실을 부인하면서 간주된 증거동의를 철회 또는 취소하면 제1심에서 부여된 증거능력은 상실된다.

② 임의성이 인정되지 아니하여 증거능력이 없는 진술증거는 피고인이 증거로 함에 동의하더라도 증거로 삼을 수 없다.

③ 피고인의 출정 없이 증거조사를 할 수 있는 경우에 피고인이 출정하지 아니한 때에는 피고인의 증거동의가 있는 것으로 간주한다. 단, 대리인 또는 변호인이 출정한 때에는 예외로 한다.

④ 피고인이 출석한 공판기일에서 증거로 함에 부동의한다는 의견이 진술된 경우에는 그 후 피고인이 출석하지 아니한 공판기일에 변호인만이 출석하여 종전 의견을 번복하여 증거로 함에 동의하였다 하더라도 이는 특별한 사정이 없는 한 효력이 없다.

해설

① [×] 약식명령에 불복하여 정식재판을 청구한 피고인이 정식재판절차의 1심에서 2회 불출정하여 증거동의가 간주된 후 증거조사를 완료한 이상, 간주의 대상인 증거동의는 증거조사가 완료되기 전까지 철회 또는 취소할 수 있으나 일단 증거조사를 완료한 뒤에는 취소 또는 철회가 인정되지 아니하는 점 등에 비추어, 비록 피고인이 항소심에 출석하여 **공소사실을 부인하면서 간주된 증거동의를 철회 또는 취소한다는 의사표시를 하더라도 그로 인하여 적법하게 부여된 증거능력이 상실되는 것이 아니다.**(대법원 2010. 7. 15. 2007도5776)

② [○] 임의성이 인정되지 아니하여 증거능력이 없는 진술증거는 피고인이 증거로 함에 동의하더라도 증거로 삼을 수 없다.(대법원 2013. 7. 11. 2011도14044 긴급조치 제1호·제4호 위반사건)

③ [○] 피고인의 출정 없이 증거조사를 할 수 있는 경우에 피고인이 출정하지 아니한 때에는 피고인의 증거동의가 있는 것으로 간주한다. 단, 대리인 또는 변호인이 출정한 때에는 예외로 한다.(제318조 제2항)

④ [○] 형사소송법 제318조에 규정된 증거동의의 주체는 소송주체인 검사와 피고인이고, **변호인은 피고인을 대리하여 증거동의에 관한 의견을 낼 수 있을 뿐이므로 피고인의 명시한 의사에 반하여 증거로 함에 동의할 수는 없다.** 따라서 피고인이 출석한 공판기일에서 증거로 함에 부동의한다는 의견이 진술된 경우에는 그 후 피고인이 출석하지 아니한 공판기일에 **변호인만이 출석하여 종전 의견을 번복하여 증거로 함에 동의하였다 하더라도 이는 특별한 사정이 없는 한 효력이 없다고 보아야 한다.**(대법원 2013. 3. 28. 2013도3)

130 증거동의에 대한 설명으로 옳지 않은 것은? (다툼이 있으면 판례에 의함) 16 국가7급 [Essential ★]

□□□

① 증거동의의 의사표시는 증거조사가 완료되기 전까지 취소 또는 철회할 수 있으나, 일단 증거조사가 완료된 뒤에는 취소 또는 철회가 인정되지 아니한다.

② 증거동의는 명시적으로 하여야 하므로 피고인이 신청한 증인의 전문진술에 대하여 피고인이 별 의견이 없다고 진술한 것만으로는 그 증언을 증거로 함에 동의한 것으로 볼 수 없다.

③ 피고인의 증거동의 의사표시가 하나 하나의 증거에 대하여 형사소송법상의 증거조사 방식을 거쳐 이루어진 것이 아니라 검사가 제시한 모든 증거에 대하여 증거로 함에 동의한다는 방식으로 이루어졌더라도 증거동의의 효력이 있다.

④ 필요적 변호사건이라 하여도 피고인이 재판거부의 의사를 표시하고 재판장의 허가 없이 퇴정하고 변호인마저 이에 동조하여 퇴정해 버렸다면, 법원은 피고인이나 변호인의 재정없이도 심리판결할 수 있고 이 경우 피고인의 진의와는 관계없이 증거동의가 있는 것으로 간주된다.

해설

② [×] 피고인이 신청한 증인의 증언이 피고인 아닌 타인의 진술을 그 내용으로 하는 전문진술이라고 하더라도 피고인이 그 증언에 대하여 **"별 의견이 없다"**고 진술하였다면 그 증언을 증거로 함에 동의한 것으로 볼 수 있으므로 이는 **증거능력 있다.**(대법원 1983. 9. 27. 83도516)

① [○] 증거동의의 의사표시는 증거조사가 완료되기 전까지 취소 또는 철회할 수 있으나, 일단 증거조사가 완료된 뒤에는 취소 또는 철회가 인정되지 아니하므로 취소 또는 철회 전에 이미 취득한 **증거능력은 상실되지 아니한다.**(대법원 2015. 8. 27. 2015도3467)

③ [○] 피고인들의 의사표시가 하나 하나의 증거에 대하여 형사소송법상의 증거조사방식을 거쳐 이루어진 것이 아니라 **"검사가 제시한 모든 증거에 대하여 증거로 함에 동의한다"**는 방식으로 이루어진 것이라 하여 그 효력을 부정할 이유가 되지 못한다.(대법원 1983. 3. 8. 82도2873 **이철희 · 장영자 사건**)

④ [○] (1) **필요적 변호사건**이라 하여도 피고인이 재판거부의 의사를 표시하고 재판장의 허가 없이 퇴정하고 변호인마저 이에 동조하여 퇴정해 버린 것은 모두 피고인측의 방어권의 남용 내지 변호권의 포기로 볼 수밖에 없는 것이므로 수소법원으로서는 형사소송법 제330조에 의하여 **피고인이나 변호인의 재정 없이도 심리판결**할 수 있다. (2) 피고인과 변호인들이 출석하지 않은 상태에서 증거조사를 할 수밖에 없는 경우에는 형사소송법 제318조 제2항의 규정상 피고인의 진의와는 관계없이 **형사소송법 제318조 제1항의 동의가 있는 것으로 간주하게 되어 있다.**(대법원 1991. 6. 28. 91도865)

131

다음 중 증거동의에 관한 설명으로 가장 옳은 것은? (다툼이 있으면 판례에 의함)

22 해경채용 [Core ★★]

① 피고인이 제1심에서 2회 불출정하여 증거동의가 간주된 후 증거조사를 완료한 경우라도 항소심에 출석하여 증거동의를 철회 또는 취소하는 의사표시를 한다면 그 증거능력이 상실된다.

② 피고인은 증거로 할 수 있음에 동의하는 의사표시를 하였더라도 증거조사가 완료되기 전까지 그 의사를 철회할 수 있다.

③ 검사 작성의 피고인 아닌 자에 대한 진술조서에 관하여 피고인이 공판정 진술과 배치되는 부분은 부동의한다고 진술한 것은 조서내용의 특정부분에 대하여 증거로 함에 동의한다는 특별한 사정이 있는 때와 같이 그 조서를 증거로 함에 동의한다는 취지로 해석해야 한다.

④ 피고인이 무죄에 관한 자료로 제출한 서증 가운데 도리어 유죄임을 뒷받침하는 내용이 있는 경우 법원은 증거공통의 원칙상 피고인의 증거동의 등 별도의 조치가 없더라도 이를 유죄의 증거로 사용할 수 있다.

해설

> ② [○] 약식명령에 불복하여 정식재판을 청구한 피고인이 정식재판절차의 1심에서 2회 불출하여 법 제318조 제2항에 따른 증거동의가 간주된 후 증거조사를 완료한 이상, 간주의 대상인 **증거동의는 증거조사가 완료되기 전까지 철회 또는 취소할 수 있다.**(대법원 2010. 7. 15. 2007도5776)
>
> ① [×] 비록 피고인이 항소심에 출석하여 공소사실을 부인하면서 간주된 증거동의를 철회 또는 취소한다는 의사표시를 하더라도 그로 인하여 **적법하게 부여된 증거능력이 상실되는 것이 아니다.**(대법원 2010. 7. 15. 2007도5776)
>
> ③ [×] 검사 작성의 피고인 아닌 자에 대한 진술조서에 관하여 피고인이 **"공판정 진술과 배치되는 부분은 부동의한다"고 진술한 것은** 조서내용의 특정부분에 대하여 증거로 함에 동의한다는 특별한 사정이 있는 때와는 달리 **그 조서를 증거로 함에 동의하지 아니한다는 취지로 해석하여야 한다.**(대법원 1984. 10. 10. 84도1552)
>
> ④ [×] 피고인이나 변호인이 무죄에 관한 자료로 제출한 서증 가운데 도리어 유죄임을 뒷받침하는 내용이 있다 하여도 법원은 상대방의 원용(동의)이 없는 한 그 서류의 **진정성립 여부 등을 조사하고 아울러 그 서류에 대한 피고인이나 변호인의 의견과 변명의 기회를 준 다음이 아니면 그 서증을 유죄인정의 증거로 쓸 수 없다.** 그러나 당해 서류를 제출한 당사자는 그것을 증거로 함에 동의하고 있음이 명백한 것이므로 상대방인 검사의 원용이 있으면 그 서증을 유죄의 증거로 사용할 수 있다.(대법원 2017. 9. 21. 2015도12400 **정상혁 보은군수 사건)**

132 증거동의에 관한 설명 중 옳지 않은 것은? (다툼이 있으면 판례에 의함)

13 경찰승진 유사, 12 변호사 [Superlative ★★★]

① 약식명령에 불복하여 정식재판을 청구한 피고인이 정식재판절차에서 2회 불출정하여 법원이 피고인의 출정 없이 증거조사를 하는 경우에 증거동의가 간주된다.

② 제1심에서 증거동의 간주 후 증거조사를 완료한 이상, 항소심에 출석하여 그 증거동의를 철회 또는 취소한다는 의사표시를 하더라도 그 증거능력이 상실되지 않는다.

③ 긴급체포를 할 당시 물건을 압수하였는데 그 후 압수·수색영장을 발부받지 않았음에도 즉시 반환하지 않은 경우 피고인이나 변호인이 이를 증거로 함에 동의하더라도 증거능력은 인정되지 않는다.

④ 증거동의의 주체는 검사와 피고인이므로 변호인의 경우 피고인의 명시적인 위임이 없는 한 피고인을 대리하여 증거로 함에 동의할 수 없다.

⑤ 검사와 피고인이 증거로 할 수 있음에 동의한 서류라고 하더라도 법원이 진정한 것으로 인정한 때에 증거로 할 수 있다.

해설

④ [×] 증거로 함에 대한 동의의 주체는 소송주체인 당사자라 할 것이지만 **변호인은 피고인의 명시한 의사에 반하지 아니하는 한 피고인을 대리하여 증거로 함에 동의할 수 있으므로** 피고인이 증거로 함에 동의하지 아니한다고 명시적인 의사표시를 한 경우 이외에는 변호인은 서류나 물건에 대하여 증거로 함에 동의할 수 있다.(대법원 2005. 4. 28. 2004도4428)

① [○] **약식명령에 불복하여 정식재판을** 청구한 피고인이 **정식재판절차에서 2회 불출정하여** 법원이 피고인의 출정 없이 증거조사를 하는 경우에 형사소송법 제318조 제2항에 따른 피고인의 **증거동의가 간주된다.**(대법원 2010. 7. 15. 2007도5776)

② [○] 형사소송법 제318조에 규정된 증거동의의 의사표시는 증거조사가 완료되기 전까지 취소 또는 철회할 수 있으나, 일단 **증거조사가 완료된 뒤에는 취소 또는 철회가 인정되지 아니하므로** 제1심에서 한 증거동의를 제2심에서 취소할 수 없다.(대법원 2005. 4. 28. 2004도4428)

③ [○] (사법경찰관이 피의자를 긴급체포하면서 그 체포현장에서 물건을 압수한 경우) 형사소송법 제217조 제2항, 제3항에 위반하여 압수·수색영장을 청구하여 이를 발부받지 아니하고도 즉시 반환하지 아니한 압수물은 이를 유죄 인정의 증거로 사용할 수 없는 것이고, 헌법과 형사소송법이 선언한 영장주의의 중요성에 비추어 볼 때 피고인이나 변호인이 이를 증거로 함에 동의하였다고 하더라도 달리 볼 것은 아니다.(대법원 2009. 12. 24. 2009도11401)

⑤ [○] 검사와 피고인이 증거로 할 수 있음에 동의한 서류라고 하더라도 법원이 진정한 것으로 인정한 때에 증거로 할 수 있다.(제318조 제1항)

133 증거동의에 대한 설명으로 가장 적절하지 않은 것은? (다툼이 있으면 판례에 의함)

18 경찰채용 [Essential ★]

① 검사와 피고인이 증거로 할 수 있음을 동의한 서류 또는 물건은 진정한 것으로 인정한 때에는 증거로 할 수 있다.

② 일단 증거조사가 종료된 후에 증거동의의 의사표시를 취소 또는 철회하더라도 취소 또는 철회 이전에 이미 취득한 증거능력은 상실되지 않는다.

③ 피고인이 증거로 함에 동의하지 아니한다고 명시적인 의사표시를 한 경우가 아니라면 변호인도 증거동의할 수 있다.

④ 개개의 증거에 대하여 개별적인 증거조사방식을 거치지 아니하고 검사가 제시한 모든 증거에 대하여 피고인이 증거로 함에 동의한다는 방식은 증거동의로서의 효력이 없다.

해설

④ [×] 피고인들의 의사표시가 하나 하나의 증거에 대하여 형사소송법상의 증거조사방식을 거쳐 이루어진 것이 아니라 "검사가 제시한 모든 증거에 대하여 증거로 함에 동의한다"는 방식으로 이루어진 것이라 하여 그 효력을 부정할 이유가 되지 못한다.(대법원 1983. 3. 8. 82도2873 이철희·장영자 사건)

① [○] 검사와 피고인이 증거로 할 수 있음을 동의한 서류 또는 물건은 진정한 것으로 인정한 때에는 증거로 할 수 있다.(제318조 제1항)

② [○] 형사소송법 제318조에 규정된 증거동의의 의사표시는 증거조사가 완료되기 전까지 취소 또는 철회할 수 있으나, 일단 증거조사가 완료된 뒤에는 취소 또는 철회가 인정되지 아니하므로 취소 또는 철회 이전에 이미 취득한 증거능력은 상실되지 않는다.(대법원 2015. 8. 27. 2015도3467 구미 KEC사건)

③ [○] 증거로 함에 대한 동의의 주체는 소송주체인 당사자라 할 것이지만 변호인은 피고인의 명시한 의사에 반하지 아니하는 한 피고인을 대리하여 증거로 함에 동의할 수 있으므로 피고인이 증거로 함에 동의하지 아니한다고 명시적인 의사표시를 한 경우 이외에는 변호인은 서류나 물건에 대하여 증거로 함에 동의할 수 있고, 이 경우 변호인의 동의에 대하여 피고인이 즉시 이의하지 아니하는 경우에는 변호인의 동의로 증거능력이 인정되어 증거조사 완료 전까지 그 동의가 취소 또는 철회하지 아니한 이상 일단 부여된 증거능력은 그대로 존속한다.(대법원 2005. 4. 28. 2004도4428)

134 증거동의에 대한 설명으로 옳지 않은 것은? (다툼이 있으면 판례에 의함) 22 국가9급 [Essential ★]

① 변호인은 피고인의 명시한 의사에 반하지 않는 한 피고인을 대리하여 증거로 함에 동의할 수 있다.

② 증거동의의 효력은 당해 심급에만 미치므로 공판절차의 갱신이 있거나 심급을 달리하면 그 효력이 상실된다.

③ 서류의 기재내용이 가분적인 경우에는 서류의 일부에 대한 증거동의도 가능하다.

④ 필요적 변호사건에서 피고인과 변호인이 무단퇴정하여 수소법원이 피고인이나 변호인이 출석하지 않은 상태에서 증거조사를 하는 경우 피고인의 진의와 관계없이 증거로 함에 동의가 있는 것으로 간주한다.

해설

② [×] 증거동의의 효력은 **공판절차의 갱신이 있거나 심급을 달리하는 경우에도 소멸되지 아니한다.**

① [○] 증거로 함에 대한 동의의 주체는 소송주체인 당사자라 할 것이지만 변호인은 피고인의 명시한 의사에 반하지 아니하는 한 피고인을 대리하여 증거로 함에 동의할 수 있으므로 피고인이 증거로 함에 동의하지 아니한다고 명시적인 의사표시를 한 경우 이외에는 변호인은 서류나 물건에 대하여 증거로 함에 동의할 수 있다. (대법원 2005. 4. 28. 2004도4428)

③ [○] 증거동의는 **증거가 가분적인 경우에는 일부동의도** 가능하다.

④ [○] 필요적 변호사건이라 하여도 피고인이 재판거부의 의사를 표시하고 재판장의 허가 없이 퇴정하고 변호인마저 이에 동조하여 퇴정해 버린 것은 모두 피고인측의 **방어권의 남용 내지 변호권의 포기로 볼 수밖에 없는 것**이므로 수소법원으로서는 형사소송법 제330조에 의하여 피고인이나 변호인의 재정 없이도 심리판결 할 수 있다. 피고인과 변호인들이 출석하지 않은 상태에서 증거조사를 할 수밖에 없는 경우에는 형사소송법 제318조 제2항의 규정상 피고인의 진의와는 관계없이 **형사소송법 제318조 제1항의 동의가 있는 것으로 간주하게 되어 있다.**(대법원 1991. 6. 28. 91도865 **무단퇴정 사건**)

135 증거동의에 관한 설명으로 옳은 것은 모두 몇 개인가? (다툼이 있으면 판례에 의함)

□□□

21 경찰채용 [Superlative ★★★]

> ㉠ 소유자, 소지자 또는 보관자가 아닌 자로부터 제출받은 물건을 영장 없이 압수한 경우 그 압수물 및 압수물을 찍은 사진은 유죄의 증거로 사용할 수 없고, 피고인이나 변호인이 이를 증거로 함에 동의하였다고 하더라도 달리 볼 것은 아니다.
>
> ㉡ 긴급체포현장에서 영장 없이 압수한 물건에 대하여 압수·수색영장을 청구하여 이를 발부받지 아니하고도 즉시 반환하지 아니한 경우 그 압수물은 유죄의 증거로 사용할 수 없고, 피고인이나 변호인이 이를 증거로 함에 동의하였다고 하더라도 달리 볼 것은 아니다.
>
> ㉢ 수사기관이 법원으로부터 영장 또는 감정처분허가장을 발부받지 아니한 채 피의자의 동의 없이 피의자의 신체로부터 혈액을 채취하고 사후적으로도 지체없이 그에 대한 영장을 발부받지도 아니한 채 피의자의 혈액 중 알코올농도에 관한 감정이 이루어졌다면, 그 감정결과보고서는 영장주의 원칙을 위반하여 수집한 증거로서 피고인이나 변호인의 증거동의가 있다고 하더라도 유죄의 증거로 사용할 수 없다.
>
> ㉣ 수사기관이 마약사범 수사에 협조해 온 공소외인으로부터 피고인의 필로폰 판매 범행에 대한 진술을 들은 다음, 추가증거를 확보할 목적으로 필로폰투약 혐의로 구속수감되어 있는 공소외인에게 압수된 그의 휴대전화기를 제공하여 그로 하여금 피고인과 통화하고 범행에 관한 통화 내용을 몰래 녹음하게 한 행위는 불법감청에 해당하고, 그 녹취내용은 피고인의 증거동의에 상관없이 증거능력이 없다.

① 1개   ② 2개   ③ 3개   ④ 4개

해설

④ 모든 항목이 옳다.

㉠ [O] 형사소송법 제218조는 '사법경찰관은 소유자, 소지자 또는 보관자가 임의로 제출한 물건을 영장 없이 압수할 수 있다'고 규정하고 있는바, 위 규정에 위반하여 소유자, 소지자 또는 보관자가 아닌 자로부터 제출받은 물건을 영장 없이 압수한 경우 그 압수물 및 압수물을 찍은 사진은 이를 유죄 인정의 증거로 사용할 수 없는 것이고, 헌법과 형사소송법이 선언한 영장주의의 중요성에 비추어 볼 때 **피고인이나 변호인이 이를 증거로 함에 동의하였다고 하더라도 달리 볼 것은 아니다.**(대법원 2010. 1. 28. 2009도10092 쇠파이프 압수사건)

㉡ [O] (사법경찰관이 피의자를 긴급체포하면서 그 체포현장에서 물건을 압수한 경우) 형사소송법 제217조 제2항, 제3항에 위반하여 압수·수색영장을 청구하여 이를 발부받지 아니하고도 즉시 반환하지 아니한 압수물은 이를 유죄 인정의 증거로 사용할 수 없는 것이고, 헌법과 형사소송법이 선언한 영장주의의 중요성에 비추어 볼 때 피고인이나 변호인이 이를 증거로 함에 동의하였다고 하더라도 달리 볼 것은 아니다.(대법원 2009. 12. 24. 2009도11401)

㉢ [O] 수사기관이 법원으로부터 영장 또는 감정처분허가장을 발부받지 아니한 채 피의자의 동의 없이 피의자의 신체로부터 혈액을 채취하고 더구나 사후적으로도 지체없이 이에 대한 영장을 발부받지 아니하고서 위와 같이 강제채혈한 피의자의 혈액 중 알코올농도에 관한 감정이 이루어졌다면 이러한 감정결과보고서 등은 피고인이나 변호인의 증거동의 여부를 불문하고 유죄인정의 증거로 사용할 수 없다.(대법원 2012. 11. 15. 2011도15258 구로 강제채혈사건)

ⓔ [O] 수사기관이 구속수감된 자로 하여금 피고인의 범행에 관한 통화 내용을 녹음하게 한 행위는 수사기관 스스로가 주체가 되어 구속수감된 자의 동의만을 받고 상대방인 피고인의 동의가 없는 상태에서 그들의 통화 내용을 녹음한 것으로서 불법감청에 해당한다고 보아야 할 것이므로, 그 녹음 자체는 물론이고 이를 근거로 작성된 수사보고의 기재 내용과 첨부 녹취록 및 첨부 mp3파일도 모두 피고인과 변호인의 증거동의에 상관없 이 증거능력이 없다.(대법원 2010. 10. 14. 2010도9016 **공범자 통화 녹음사건**)

136 당사자의 동의와 증거능력에 관한 설명 중 옳지 않은 것은? (다툼이 있으면 판례에 의함)

□□□

11 법원9급 [Core ★★]

① 피고인의 출정 없이 증거조사를 할 수 있는 경우에 피고인이 출정하지 아니한 때에는 당사 자의 동의가 있는 것으로 간주하고, 대리인 또는 변호인이 출정한 때에는 당사자의 동의가 있는 것으로 간주하지 아니한다.

② 형사소송법 제318조에 규정된 증거동의의 의사표시는 증거조사가 완료되기 전까지 취소 또는 철회할 수 있으나, 일단 증거조사가 완료된 뒤에는 취소 또는 철회가 인정되지 아니하므로 취 소 또는 철회 이전에 이미 취득한 증거능력은 상실되지 않는다.

③ 피고인이 증거로 함에 동의하지 아니한다고 명시적인 의사표시를 한 경우 이외에는 변호인은 서류나 물건에 대하여 증거로 함에 동의할 수 있고, 이 경우 변호인의 동의에 대하여 피고인이 즉시 이의하지 아니하는 경우에는 변호인의 동의로 증거능력이 인정된다.

④ 긴급체포시 압수한 물건에 관하여 형사소송법 제217조 제2항, 제3항의 규정에 의한 압수·수 색영장을 발부받지 않고도 즉시 반환하지 않은 경우, 그 압수물은 유죄 인정의 증거로 사용할 수 없으나, 피고인이나 변호인이 이를 증거로 함에 동의하였다면 유죄인정의 증거로 사용할 수 있다.

해설

④ [×] (사법경찰관이 피의자를 긴급체포하면서 그 체포현장에서 물건을 압수한 경우) 형사소송법 제217조 제2 항·제3항에 위반하여 압수·수색영장을 청구하여 이를 발부받지 아니하고도 즉시 반환하지 아니한 압수물은 **이를 유죄인정의 증거로 사용할 수 없는 것**이고, 헌법과 형사소송법이 선언한 영장주의의 중요성에 비추어 볼 때 **피고인이나 변호인이 이를 증거로 함에 동의하였다고 하더라도 달리 볼 것은 아니다.**(대법원 2009. 12. 24. 2009도11401)

① [O] 피고인의 출정 없이 증거조사를 할 수 있는 경우에 피고인이 출정하지 아니한 때에는 전항의 동의가 있는 것으로 간주한다. 단, 대리인 또는 변호인이 출정한 때에는 예외로 한다.(제318조 제2항)

정답 | 135 ④   136 ④

② [O] 증거동의의 의사표시는 증거조사가 완료되기 전까지 취소 또는 철회할 수 있으나, 일단 **증거조사가 완료된 뒤에는 취소 또는 철회가 인정되지 아니하므로** 취소 또는 철회 이전에 이미 취득한 증거능력은 **상실되지 않는다.**(대법원 2015. 8. 27. 2015도3467)

③ [O] 증거로 함에 대한 동의의 주체는 소송주체인 당사자라 할 것이지만 변호인은 피고인의 명시한 의사에 반하지 아니하는 한 피고인을 대리하여 증거로 함에 동의할 수 있으므로 피고인이 증거로 함에 동의하지 아니한다고 명시적인 의사표시를 한 경우 이외에는 변호인은 서류나 물건에 대하여 증거로 함에 동의할 수 있고, 이 경우 변호인의 동의에 대하여 피고인이 즉시 이의하지 아니하는 경우에는 변호인의 동의로 증거능력이 인정되어 증거조사 완료 전까지 그 동의가 취소 또는 철회하지 아니한 이상 일단 부여된 증거능력은 그대로 존속한다.(대법원 2005. 4. 28. 2004도4428)

137

당사자의 동의와 증거능력에 관한 설명 중 가장 적절하지 않은 것은? (다툼이 있으면 판례에 의함)

□□□
12 경찰승진 [Core ★★]

① 수사기관이 원진술자의 진술을 기재한 조서는 그 내용을 피고인이 부인하고 원진술자의 법정 출석 및 반대신문이 이루어지지 못하였다면 이를 주된 증거로 하여 공소사실을 인정할 수 없는 것이 원칙이지만 피고인이 이에 대해 증거동의한 경우에는 그렇지 아니하다.

② 유죄의 자료가 되는 것으로 제출된 증거의 반대증거 서류에 대하여는 그것이 유죄사실을 인정하는 증거가 되는 것이 아닌 이상 상대방의 동의가 없다고 하더라도 증거판단의 자료로 할 수 있다.

③ 긴급체포시 압수한 물건에 관하여 형사소송법 제217조 제2항, 제3항의 규정에 의한 압수·수색영장을 발부받지 않고도 즉시 반환하지 않은 경우, 그 압수물은 유죄 인정의 증거로 사용할 수 없으나, 피고인이나 변호인이 이를 증거로 함에 동의하였다고 하더라도 달리 볼 것은 아니다.

④ 피고인이 증거로 함에 동의하지 아니한다고 명시적인 의사표시를 한 경우 이외에는 변호인은 서류나 물건에 대하여 증거로 함에 동의할 수 있고, 이 경우 변호인의 동의에 대하여 피고인이 즉시 이의하지 아니하는 경우에는 변호인의 동의로 증거능력이 인정된다.

해설

① [×] 피고인이 공소사실 및 이를 뒷받침하는 수사기관이 원진술자의 진술을 기재한 조서 내용을 부인하였음에도 불구하고, 원진술자의 법정 출석과 피고인에 의한 반대신문이 이루어지지 못하였다면 그 **조서는 진정한 증거가치를 가진 것으로 인정받을 수 없는 것**이어서 이를 주된 증거로 하여 공소사실을 인정하는 것은 원칙적으로 허용될 수 없다. 이는 원진술자의 사망이나 질병 등으로 인하여 원진술자의 법정 출석 및 반대신문이 이루어지지 못한 경우는 물론 수사기관의 조서를 증거로 함에 **피고인이 동의한 경우에도 마찬가지이다.**(대법원 2006. 12. 8. 2005도9730)

② [O] 유죄의 자료가 되는 것으로 제출된 증거의 **반대증거** 서류에 대하여는 그것이 유죄사실을 인정하는 증거가 되는 것이 아닌 이상 반드시 그 진정성립이 증명되지 아니하거나 이를 증거로 함에 있어서의 상대방의 동의가 없다고 하더라도 증거판단의 자료로 할 수 있다.(대법원 1981. 12. 22. 80도1547)

③ [○] (사법경찰관이 피의자를 긴급체포하면서 그 체포현장에서 물건을 압수한 경우) 형사소송법 제217조 제2항, 제3항에 위반하여 압수·수색영장을 청구하여 이를 발부받지 아니하고도 즉시 반환하지 아니한 압수물은 이를 유죄 인정의 증거로 사용할 수 없는 것이고, 헌법과 형사소송법이 선언한 영장주의의 중요성에 비추어 볼 때 피고인이나 변호인이 이를 증거로 함에 동의하였다고 하더라도 달리 볼 것은 아니다.(대법원 2009. 12. 24. 2009도11401)

④ [○] 증거로 함에 대한 동의의 주체는 소송주체인 당사자라 할 것이지만 변호인은 피고인의 명시한 의사에 반하지 아니하는 한 피고인을 대리하여 증거로 함에 동의할 수 있으므로 피고인이 증거로 함에 동의하지 아니한다고 명시적인 의사표시를 한 경우 이외에는 변호인은 서류나 물건에 대하여 증거로 함에 동의할 수 있고, 이 경우 변호인의 동의에 대하여 피고인이 즉시 이의하지 아니하는 경우에는 변호인의 동의로 증거능력이 인정되어 증거조사 완료 전까지 그 동의가 취소 또는 철회하지 아니한 이상 일단 부여된 증거능력은 그대로 존속한다.(대법원 2005. 4. 28. 2004도4428)

138 증거동의에 관한 다음 설명 중 가장 옳지 않은 것은? (다툼이 있으면 판례에 의함)

□□□
16 법원9급 [Essential ★]

① 수사기관이 영장주의에 위반하여 수집하였거나 불법감청으로 수집한 증거물은 비록 피고인이나 변호인이 이를 증거로 함에 동의하였다 하더라도 이를 유죄 인정의 증거로 쓸 수 없다는 것이 판례이다.

② 피고인이 출정 없이 증거조사를 할 수 있는 경우에 피고인 및 그 대리인이나 변호인이 모두 출정하지 아니한 때에는 동의가 있는 것으로 간주한다.

③ 피고인과 변호인이 재판장의 허가 없이 퇴정한 경우 피고인의 진의와 관계없이 동의가 있는 것으로 간주한다.

④ 피고인이 공시송달의 방법에 의한 공판기일의 소환을 2회 이상 받고도 출석하지 않아 소송촉진 등에 관한 특례법에 따라 피고인의 출정 없이 증거조사를 하는 경우에는, 증거동의를 간주할 수 없다.

해설

④ [×] 소촉법 제23조에 의하여 피고인이 공시송달의 방법에 의한 공판기일의 소환을 2회 이상 받고도 출석하지 아니하여 법원이 **피고인의 출정 없이 증거조사를 하는 경우에는** 형사소송법 제318조 제2항에 따른 **피고인의 증거동의가 있는 것으로 간주된다.**(대법원 2011. 3. 10. 2010도15977)

① [○] 수사기관이 법원으로부터 영장 또는 감정처분허가장을 발부받지 아니한 채 피의자의 동의 없이 피의자의 신체로부터 혈액을 채취하고 사후에도 지체 없이 영장을 발부받지 아니한 채 그 혈액 중 알코올농도에 관한 감정을 의뢰하였다면, 이러한 과정을 거쳐 얻은 감정의뢰회보 등은 형사소송법상 영장주의 원칙을 위반하여

정답 | 137 ① 　 138 ④

수집하거나 그에 기초하여 획득한 증거로서 그 절차위반행위가 적법절차의 실질적인 내용을 침해하여 피고인이나 변호인의 동의가 있더라도 유죄의 증거로 사용할 수 없다.(대법원 2014. 11. 13. 2013도1228 **의정부 강제채혈사건**) 제3자의 경우는 설령 전화통화 당사자 일방의 동의를 받고 그 통화 내용을 녹음하였다 하더라도 그 상대방의 동의가 없었던 이상 통비법 제3조 제1항 위반이 되고, 이와 같이 **불법감청에 의하여 녹음된 전화통화의 내용은 증거능력이 없다.** 이는 피고인이나 변호인이 이를 증거로 함에 동의하였다고 하더라도 달리 볼 것은 아니다.(대법원 2010. 10. 14. 2010도9016 **공범자 통화 녹음사건**)

② [○] 피고인의 출정없이 증거조사를 할 수 있는 경우에 피고인이 출정하지 아니한 때에는 전항의 동의가 있는 것으로 간주한다. 단, **대리인 또는 변호인이 출정한 때에는 예외로 한다.**(제318조 제2항)

③ [○] (1) **필요적 변호사건**이라 하여도 피고인이 재판거부의 의사를 표시하고 재판장의 허가 없이 퇴정하고 변호인마저 이에 동조하여 퇴정해 버린 것은 모두 피고인측의 방어권의 남용 내지 변호권의 포기로 볼 수밖에 없는 것이므로 수소법원으로서는 형사소송법 제330조에 의하여 피고인이나 변호인의 재정 없이도 심리판결할 수 있다. (2) 피고인과 변호인들이 출석하지 않은 상태에서 증거조사를 할 수밖에 없는 경우에는 형사소송법 제318조 제2항의 규정상 피고인의 진의와는 관계없이 **형사소송법 제318조 제1항의 동의가 있는 것으로 간주**하게 되어 있다.(대법원 1991. 6. 28. 91도865)

139

다음 증거 중 피고인이 증거로 함에 동의한 경우 증거능력이 인정될 수 있는 것은? (다툼이 있으면 판례에 의함)

19 경찰승진 [Core ★★]

① 수사기관이 법원으로부터 영장 또는 감정처분허가장을 발부받지 아니한 채 피의자의 동의 없이 피의자의 신체로부터 혈액을 채취하고 사후적으로도 지체 없이 이에 대한 영장을 발부받지 아니하고서 강제 채혈한 피의자의 혈액 중 알코올농도에 관한 감정이 이루어진 경우 '감정결과보고서'

② 사법경찰관이 피의자 소유의 쇠파이프를 피의자 주거지 앞 마당에서 발견하였으면서도 그 소유자, 소지자, 또는 보관자가 아닌 피해자로부터 임의로 제출받는 형식으로 압수한 '쇠파이프'

③ 강압수사로 인한 정신적 강압상태가 계속된 상태에서 작성된 것으로 의심되어 그 임의성을 의심할 만한 사정이 있는데도 검사가 그 임의성의 의문점을 없애는 증명을 하지 못하고, 법원의 직권조사 결과 임의성이 인정되지 아니하여 증거능력이 없는 참고인에 대한 '검찰진술조서'

④ 공판기일에서 피고인에게 유리한 증언을 한 증인을 검사가 소환한 후 피고인에게 유리한 그 증언내용을 추궁하여 이를 일방적으로 번복시키는 방식으로 작성한 '참고인진술조서'

해설

④ [○] 공판준비 또는 공판기일에서 이미 증언을 마친 증인을 검사가 소환한 후 피고인에게 유리한 그 증언내용을 추궁하여 이를 일방적으로 번복시키는 방식으로 작성한 진술조서는 피고인이 증거로 할 수 있음에 동의하지 아니하는 한 그 증거능력이 없다.(대법원 2008. 9. 25. 2008도6985 **서울 합정동 강간사건**) 지문과 같은 참고인진술조서는 피고인이 증거로 함에 동의하면 증거능력이 인정된다.

① [×] 수사기관이 법원으로부터 영장 또는 감정처분허가장을 발부받지 아니한 채 피의자의 동의없이 피의자의 신체로부터 혈액을 채취하고 더구나 사후적으로도 지체없이 이에 대한 영장을 발부받지 아니하고서 위와 같이 강제채혈한 피의자의 혈액 중 알코올농도에 관한 감정이 이루어졌다면 이러한 감정결과보고서 등은 **피고인이나 변호인의 증거동의 여부를 불문하고 유죄인정의 증거로 사용할 수 없다.**(대법원 2012. 11. 15. 2011도15258 구로 강제채혈 사건)

② [×] 형사소송법 제218조에 위반하여 소유자, 소지자 또는 보관자가 아닌 자로부터 제출받은 물건을 영장없이 압수한 경우 그 압수물 및 압수물을 찍은 사진은 이를 유죄 인정의 증거로 사용할 수 없는 것이고, **피고인이나 변호인이 이를 증거로 함에 동의하였다고 하더라도 달리 볼 것은 아니다.**(대법원 2010. 1. 28. 2009도10092 쇠파이프 압수사건)

③ [×] 임의성이 인정되지 아니하여 증거능력이 없는 진술증거는 **피고인이 증거로 함에 동의하더라도 증거로 삼을 수 없다.**(대법원 2006. 11. 23. 2004도7900 서세원 프로덕션 사건)

140 당사자의 동의와 증거능력에 대한 설명으로 가장 적절한 것은? (다툼이 있으면 판례에 의함)

16 경찰채용 [Core ★★]

① 피고인의 변호인은 피고인의 명시한 의사에 반하지 아니하는 한 피고인을 대리하여 증거동의를 할 수 있으나 피고인이 증거조사 완료 후에 변호인의 증거동의에 관해 이의를 제기하였다면 법원은 해당증거의 증거능력을 인정하여서는 아니 된다.

② 검사 작성의 피고인 아닌 자에 대한 진술조서에 관하여 피고인이 공판정진술과 배치되는 부분은 부동의 한다고 진술한 것은 조사 내용의 특정부분에 관하여 증거로 함에 동의한다는 특별한 사정이 있는 때와는 달리 그 조서를 증거로 함에 동의하지 아니한다는 취지로 해석하여야 한다.

③ 피고인이 사법경찰관 작성의 피해자진술조서를 증거로 동의함에 있어서 그 동의가 법률적으로 어떠한 효과가 있는지를 모르고 한 것이었다고 주장한다면 설령 변호인이 그 동의시 공판정에 재정하고 있었고 피고인이 하는 동의에 대하여 아무런 이의나 취소를 제기한 사실이 없다 하더라도 그 동의에는 법률상 하자가 존재한다고 볼 수밖에 없다.

④ 긴급체포를 하며 압수한 물건에 관하여 형사소송법 제217조 제2항, 제3항에 위반하여 압수·수색영장을 청구하여 이를 발부받지 아니하고도 즉시 반환하지 아니한 압수물은 이를 유죄인정의 증거로 사용할 수 없으나 피고인이 이를 증거로 함에 동의하였다면 유죄인정의 증거로 사용할 수 있다.

해설

② [○] 검사작성의 피고인 아닌 자에 대한 진술조서에 관하여 피고인이 공판정 진술과 배치되는 부분은 부동의 한다고 진술한 것은 조서내용의 특정부분에 대하여 증거로 함에 동의한다는 특별한 사정이 있는 때와는 달리 그 조서를 증거로 함에 동의하지 아니한다는 취지로 해석하여야 한다.(대법원 1984. 10. 10. 84도1552)

① [×] 증거동의의 의사표시는 증거조사가 완료되기 전까지 취소 또는 철회할 수 있으나, **일단 증거조사가 완료된 뒤에는 취소 또는 철회가 인정되지 아니하므로 취소 또는 철회 이전에 이미 취득한 증거능력은 상실되지 않는다.**(대법원 2015. 8. 27. 2015도3467 구미 KEC사건)

③ [×] 피고인이 사법경찰관 작성의 피해자진술조서를 증거로 동의함에 있어서 그 동의가 법률적으로 어떠한 효과가 있는지를 모르고 한 것이었다고 주장하더라도 변호인이 그 동의시 공판정에 재정하고 있으면서 **피고인이 하는 동의에 대하여 아무런 이의나 취소를 한 사실이 없다면 그 동의에 무슨 하자가 있다고 할 수 없다.**(대법원 1983. 6. 28. 83도1019)

④ [×] (사법경찰관이 피의자를 긴급체포하면서 그 체포현장에서 물건을 압수한 경우) 형사소송법 제217조 제2항, 제3항에 위반하여 압수·수색영장을 청구하여 이를 발부받지 아니하고도 즉시 반환하지 아니한 압수물은 **이를 유죄 인정의 증거로 사용할 수 없는 것이고,** 헌법과 형사소송법이 선언한 영장주의의 중요성에 비추어 볼 때 **피고인이나 변호인이 이를 증거로 함에 동의하였다고 하더라도 달리 볼 것은 아니다.**(대법원 2009. 12. 24. 2009도11401)

141 증거동의에 관한 설명 중 옳지 않은 것은 모두 몇 개인가? (다툼이 있으면 판례에 의함)

20 경찰간부 [Superlative ★★★]

㉠ 피고인이 변호인과 함께 출석한 공판기일의 공판조서에 검사가 제출한 증거에 대하여 동의한다는 기재가 되어 있더라도 이를 피고인이 증거동의한 것으로 보아서는 안된다.

㉡ 피고인과의 대화내용을 피해자가 녹음한 보이스펜 자체에 대해서는 피고인이 증거동의 하였으나, 그 녹음내용을 재녹음한 녹음테이프의 녹취록의 기재가 위 각 녹음된 내용과 모두 일치하는 것으로 확인하였을 뿐 녹음테이프를 증거로 함에 동의하지 않았더라도, 그 진술이 특히 신빙할 수 있는 상태하에서 행하여진 것으로 인정된다면 녹취록은 증거능력이 있다.

㉢ 증거동의는 구두변론 종결시까지 철회할 수 있다.

㉣ 변호인이 검사가 공판기일에 제출한 증거 중 뇌물공여자가 작성한 고발장에 대하여는 증거 부동의 의견을 밝히고, 같은 고발장을 첨부문서로 포함하고 있는 검찰주사보 작성의 수사보고에 대하여는 증거에 동의하여 증거조사가 행하여진 경우, 수사보고에 대한 증거동의의 효력은 첨부된 고발장에도 당연히 미친다.

㉤ 증거동의는 명시적으로 하여야 하므로 피고인이 신청한 증인의 전문진술에 대하여 피고인이 별 의견이 없다고 진술한 것만으로는 그 증언을 증거로 함에 동의한 것으로 볼수 없다.

㉥ '재전문진술'이나 '전문진술이 기재된 조서' 그리고 '재전문진술을 기재한 조서'는 피고인이 증거로 하는 데 동의하더라도 증거능력이 없다.

① 2개   ② 3개   ③ 4개   ④ 5개

해설

④ ㉠㉢㉣㉤㉥ 5 항목이 옳지 않다.

㉠ [×] 증거동의는 소송주체인 검사와 피고인이 하는 것이고, 변호인은 피고인을 대리하여 증거동의에 관한 의견을 낼 수 있을 뿐이므로 **피고인이 변호인과 함께 출석한 공판기일의 공판조서에 검사가 제출한 증거에 대하여 동의한다는 기재가 되어 있다면 이는 피고인이 증거동의를 한 것으로 보아야 하고, 그 기재는 절대적인 증명력을 가진다.**(대법원 2016. 3. 10. 2015도19139)

㉡ [○] 피고인과의 대화내용을 녹음한 보이스펜 자체에 대하여는 증거동의가 있었지만 그 녹음내용을 재녹음한 녹음테이프, 녹음테이프의 음질을 개선한 후 재녹음한 CD 및 녹음테이프의 녹음내용을 풀어 쓴 녹취록 등에 대하여는 증거로 함에 부동의한 경우, 극히 일부의 청취가 불가능한 부분을 제외하고는 보이스펜, 녹음테이프 등에 녹음된 대화내용과 녹취록의 기재가 일치하는 것으로 확인되고 그 진술이 특히 신빙할 수 있는 상태하에서 행하여진 것으로 인정되므로 이를 증거로 사용할 수 있다.(대법원 2008. 3. 13. 2007도10804 강종만 영광군수 사건)

㉢ [×] 증거동의의 의사표시는 **증거조사가 완료되기 전까지 취소 또는 철회할 수 있으나,** 일단 증거조사가 완료된 뒤에는 취소 또는 철회가 인정되지 아니하므로 취소 또는 철회 이전에 이미 취득한 증거능력은 상실되지 않는다.(대법원 2015. 8. 27. 2015도3467 구미 KEC사건)

㉣ [×] 뇌물공여자가 작성한 고발장에 대하여 피고인의 변호인이 증거 부동의 의견을 밝히고, 고발장을 첨부문서로 포함하고 있는 검찰주사보 작성의 수사보고에 대하여는 증거에 동의하여 증거조사가 행하여졌는데, **수사보고에 대한 증거동의가 있다는 이유로 아무런 지적 없이 그에 첨부된 고발장까지 증거로 채택해 두었다가 판결을 선고하는 단계에 이르러 이를 유죄 인정의 증거로 삼은 것은 실질적 적법절차의 원칙에 비추어 수긍할 수 없다.** 결국 수사보고에 첨부된 고발장은 적법한 증거신청·증거결정·증거조사의 절차를 거쳤다고 볼 수 없거나 공소사실을 뒷받침하는 증명력을 가진 증거가 아니므로 이를 유죄의 증거로 삼을 수 없다.(대법원 2011. 7. 14. 2011도3809 해병대 소령 수뢰사건)

㉤ [×] 피고인이 신청한 증인의 증언이 피고인 아닌 타인의 진술을 그 내용으로 하는 전문진술이라고 하더라도 피고인이 그 증언에 대하여 **"별 의견이 없다"고 진술하였다면 그 증언을 증거로 함에 동의한 것으로 볼 수 있으므로 이는 증거능력 있다.**(대법원 1983. 9. 27. 83도516)

㉥ [×] 재전문진술이나 재전문진술을 기재한 조서에 대하여는 달리 그 증거능력을 인정하는 규정을 두고 있지 아니하고 있으므로, **피고인이 증거로 하는 데 동의하지 아니하는 한 이를 증거로 할 수 없다.**(대법원 2012. 5. 24. 2010도5948 대전 동거남 폭행치사사건) 전문진술을 기재한 조서, 재전문진술 또는 재전문진술을 기재한 조서라도 피고인이 증거로 함에 동의하면 증거능력이 인정된다.(제318조 제1항)

정답 | 141 ④

142 甲과 乙은 丙과 공모하여 피해자 A로부터 금품을 갈취한 공소사실로 기소되었는데, 丙은 경찰
□□□ 수사 단계에서 범행을 자백하는 취지의 진술서를 작성한 이후 갑자기 사망하였다. 검사는 丙의
동생인 B가 丙으로부터 "나는 甲, 乙과 함께 A의 금품을 갈취하였다."라는 말을 들었다는 것을
알고, B를 조사하여 그와 같은 내용의 B에 대한 진술조서를 작성하였다. 甲과 乙은 공판과정에서
위 공소사실을 다투고 있다. 이에 관한 설명 중 옳은 것은? (다툼이 있으면 판례에 의함)

22 변호사 [Superlative ★★★]

① 甲이 사법경찰관이 작성한 乙에 대한 피의자신문조서에 대하여 증거로 함에 동의하지 않은
경우라도 乙이 법정에서 경찰 수사 도중 위 피의자신문조서에 기재된 것과 같은 내용으로 진술
하였다는 취지로 증언하였다면 이러한 증언은 甲에 대한 유죄 인정의 증거로 사용할 수 있다.

② 乙이 출석한 공판기일에서 乙을 조사한 사법경찰관이 법정에 증인으로 출석하여 乙에 대한
피의자신문을 하면서 乙이 자백하는 것을 들었던 내용을 증언한 경우 그 증언은 乙의 진술이
특히 신빙할 수 있는 상태하에서 행하여졌음이 증명된 경우라도 甲의 증거동의가 없는 한 甲
에 대한 유죄 인정의 증거로 사용할 수 없다.

③ 丙이 경찰에서 작성한 진술서는 그 작성이 특히 신빙할 수 있는 상태에서 행하여졌음이 증명된
다면 甲이 증거로 사용함에 동의하지 않더라도 甲에 대한 유죄 인정의 증거로 사용할 수 있다.

④ B에 대한 진술조서는 B가 증언을 거부하여 진정성립이 인정되지 않더라도 丙이 사망하여 진
술할 수 없는 경우에 해당하므로 甲에 대한 유죄 인정의 증거로 사용할 수 있다.

⑤ B에 대한 진술조서는 전문진술을 기재한 서류이므로 乙이 증거동의하더라도 乙에 대한 유죄
인정의 증거로 사용할 수 없다.

해설

> ② [○] 형사소송법 제316조 제2항은 피고인 아닌 자가 공판준비 또는 공판기일에서 한 진술이 피고인 아닌 타
> 인의 진술을 그 내용으로 하는 것인 때에는 원진술자가 사망, 질병 기타 사유로 인하여 진술할 수 없고 그
> 진술이 특히 신빙할 수 있는 상태하에서 행하여진 때에 한하여 이를 증거로 할 수 있다고 규정하고 있는데,
> 여기서 말하는 '피고인 아닌 자'에는 공동피고인이나 공범자도 포함된다.(대법원 2018. 5. 15. 2017도
> 19499 정유라 이대 입시비리 사건) 피고인 甲의 입장에서 보았을 때 공동피고인 乙도 형사소송법 제316조 제2
> 항에 규정된 '피고인 아닌 타인'에 해당한다. 따라서 피고인 아닌 타인인 乙의 진술을 그 내용으로 하는 사법경
> 찰관의 증언이 증거능력이 인정되기 위해서는 원진술자인 乙이 사망, 질병 등으로 법정에 출석할 수 없어야
> 하는데, 설문의 경우 乙이 법정에 출석했으므로(乙은 공판기일에 출석하였다) 사법경찰관의 증언은 甲의 증거
> 동의가 없는 한 甲에 대한 유죄 인정의 증거로 사용할 수 없다.
> ① [×] (1) 당해 피고인과 공범관계에 있는 공동피고인에 대해 **검사 이외의 수사기관**이 작성한 피의자신문조서
> 는 그 공동피고인의 법정진술에 의하여 성립의 진정이 인정되더라도 당해 피고인이 공판기일에서 그 조서의
> 내용을 부인하면 증거능력이 부정된다. (2) 그리고 이러한 경우 **공동피고인이 법정에서 경찰 수사 도중
> 피의자신문조서에 기재된 것과 같은 내용으로 진술하였다는 취지로 증언하였다고 하더라도 이러한 증언은
> 원진술자인 공동피고인이 그 자신에 대한 경찰 작성의 피의자신문조서의 진정성립을 인정하는 취지에 불과
> 하여** 위 조서와 분리하여 독자적인 증거가치를 인정할 것은 아니므로, 앞서 본 바와 같은 이유로 위 조서의

증거능력이 부정되는 이상 위와 같은 증언 역시 이를 **유죄 인정의 증거로 쓸 수 없다.**(대법원 2009. 10. 15. 2009도1889 **포승창고 유사휘발류 사건**) 乙의 증언은 甲에 대한 유죄 인정의 증거로 사용할 수 없다.

형사소송법(2020. 2. 4. 법률 제16924호로 일부개정된 것)

제312조【**검사 또는 사법경찰관의 조서 등**】① 검사가 작성한 피의자신문조서는 적법한 절차와 방식에 따라 작성된 것으로서 공판준비, 공판기일에 그 피의자였던 피고인 또는 변호인이 그 내용을 인정할 때에 한정하여 증거로 할 수 있다.

② 삭제 <2020. 2. 4.>

③ 검사 이외의 수사기관이 작성한 피의자신문조서는 적법한 절차와 방식에 따라 작성된 것으로서 공판준비 또는 공판기일에 그 피의자였던 피고인 또는 변호인이 그 내용을 인정할 때에 한하여 증거로 할 수 있다.

---

③ [×] 당해 피고인과 공범관계가 있는 다른 피의자에 대한 **사법경찰관 작성의 피의자신문조서는** 그 피의자의 법정진술에 의하여 그 성립의 진정이 인정되더라도 당해 피고인이 공판기일에서 그 조서의 내용을 부인하면 증거능력이 부정되므로 그에 대하여는 **형사소송법 제314조가 적용되지 아니한다.**(대법원 2009. 11. 26. 2009도6602 **필로폰 매수인 사망사건**) 丙이 경찰에서 작성한 진술서는 사법경찰관 작성 피의자신문조서와 동일하게 증거능력 유무를 판단한다.(형사소송법 제312조 제3항·제5항) 또한 피고인과 공범관계에 있는 자들에 대한 사법경찰관리 작성의 피의자신문조서와 자술서(경찰 수사단계에서 작성된 것이다)는 피고인이나 그 변호인이 **증거로 함에 동의하지 아니하였는바 이는 그 내용을 인정하지 않는다는 취지로 보아야 한다.**(대법원 2004. 7. 15. 2003도7185 **솔솜**) 丙이 경찰에서 작성한 진술서는 그 작성이 특히 신빙할 수 있는 상태에서 행하여졌음이 증명되더라도 甲이 증거로 사용함에 동의하지 않으면(내용을 인정하지 않으면) 甲에 대한 유죄 인정의 증거로 사용할 수 없다.

④ [×] 피고인 아닌 자의 진술을 그 내용으로 하는 **전문진술이 기재된 조서는 형사소송법 제312조 또는 제314조에 따라 증거능력이 인정될 수 있는 경우에 해당하여야 함은 물론 형사소송법 제316조 제2항에 따른 요건을 갖추어야 예외적으로 증거능력이 있다.**(대법원 2017. 7. 18. 2015도12981 **대구 여대생 성폭행 스리랑카인 사건**) B가 증언을 거부하여 진정성립이 인정되지 않는 경우(증언을 거부하는 것은 형사소송법 제314조에 규정된 필요성의 요건을 충족하지 못한다) B에 대한 진술조서는 비록 丙이 사망하여 진술할 수 없는 경우에 해당하더라도 해설 판례에서 규정한 요건을 구비하지 못한 것이므로 甲에 대한 유죄 인정의 증거로 사용할 수 없다.

⑤ [×] 검사와 피고인이 증거로 할 수 있음을 동의한 서류 또는 물건은 진정한 것으로 인정한 때에는 증거로 할 수 있다.(형사소송법 제318조 제1항) B에 대한 진술조서가 전문진술을 기재한 서류라고 하더라도 乙이 증거동의를 한다면 乙에 대한 유죄 인정의 증거로 사용할 수 있다.

143

□□□

탄핵증거에 관한 다음 설명 중 가장 옳지 않은 것은? (다툼이 있으면 판례에 의함)

24 법원9급 [Essential ★]

① 검사가 유죄의 자료로 제출한 사법경찰관 작성의 피고인에 대한 피의자신문조서는 피고인이 그 내용을 부인하는 이상 증거능력이 없으나, 그것이 임의로 작성된 것이 아니라고 의심할 만한 사정이 없는 한 피고인의 법정에서의 진술을 탄핵하기 위한 반대증거로 사용할 수 있고 또한 탄핵증거는 범죄사실을 인정하는 증거가 아니므로 엄격한 증거조사를 거칠 필요는 없다.

② 탄핵증거의 제출에 있어서도 그 증거와 증명하고자 하는 사실과의 관계 및 증명취지 등을 미리 구체적으로 명시하여야 할 것이므로 증명력을 다투고자 하는 증거의 어느 부분에 의하여 진술의 어느 부분을 다투려고 한다는 것을 사전에 상대방에게 알려야 한다.

③ 설령 공판과정에서 그 증명취지가 구체적으로 명시되고 제시가 되었다고 하더라도 증거목록에 기재되지 않았고 증거결정이 있지 아니하였다면 탄핵증거로 제출된 서증에 대하여 탄핵증거로서의 증거조사가 이루어지지 않은 것으로 볼 수밖에 없다.

④ 탄핵증거는 진술의 증명력을 감쇄하기 위하여 인정되는 것이므로 간접사실을 인정하는 증거로서는 허용되지 않는다고 할 것이다.

해설

③ [×] 비록 증거목록에 기재되지 않았고 증거결정이 있지 아니하였다 하더라도 공판과정에서 그 입증취지가 구체적으로 명시되고 제시까지 된 이상 각 서증들(신용카드 사용내역승인서 사본 및 현금서비스 취급내역서 사본)에 대하여 **탄핵증거로서의 증거조사는 이루어졌다고 보아야 할 것이다.**(대법원 2006. 5. 26. 2005도6271 **검사 탄핵증거 사용불가 주장사건**)

① [○] (전문) 사법경찰리 작성의 피고인에 대한 피의자신문조서는 피고인이 그 내용을 부인하는 이상 증거능력이 없으나, 그것이 임의로 작성된 것이 아니라고 의심할 만한 사정이 없는 한 피고인의 법정에서의 진술을 탄핵하기 위한 반대증거로 사용할 수 있다.(대법원 2014. 3. 13. 2013도12507) (후문) **탄핵증거는 범죄사실을 인정하는 증거가 아니므로 엄격한 증거조사를 거쳐야 할 필요가 없음**은 형사소송법 제318조의2의 규정에 따라 명백하다고 할 것이나 법정에서 이에 대한 탄핵증거로서의 증거조사는 필요하다.(대법원 2005. 8. 19. 2005도2617 **탄핵증거라는 입증취지× 사건**)

② [○] 탄핵증거의 제출에 있어서도 상대방에게 이에 대한 공격방어의 수단을 강구할 기회를 사전에 부여하여야 한다는 점에서 그 증거와 증명하고자 하는 사실과의 관계 및 입증취지 등을 미리 구체적으로 명시하여야 할 것이므로 증명력을 다투고자 하는 증거의 **어느 부분에 의하여 진술의 어느 부분을 다투려고 한다는 것을 사전에 상대방에게 알려야 한다.**(대법원 2005. 8. 19. 2005도2617 **탄핵증거라는 입증취지× 사건**)

④ [○] 탄핵증거는 진술의 증명력을 감쇄하기 위하여 인정되는 것이고 범죄사실 또는 그 간접사실의 인정의 증거로서는 허용되지 않는다.(대법원 2012. 10. 25. 2011도5459 **체포·구속인접견부 사건**)

144 다음 <보기> 중 탄핵증거와 관련된 설명으로 옳은 것은 모두 몇 개인가? (다툼이 있으면 판례에 의함)

21 해경채용 [Superlative ★★★]

〈보기〉

㉠ 전문법칙을 통과하지 못한 증거는 탄핵증거로는 사용할 수 없다.

㉡ 탄핵증거는 굳이 증거조사를 거치지 않아도 탄핵의 목적으로 쓸 수 있다.

㉢ 증인의 법정진술은 탄핵의 대상이 되나 피고인의 법정진술은 탄핵의 대상이 되지 아니한다.

㉣ 탄핵증거의 제출에 있어서는 상대방에게 이에 대한 공격방어의 수단을 강구할 기회를 사전에 부여하여야 하는 것은 아니다.

㉤ 탄핵증거는 진술의 증명력을 감쇄하기 위한 증거로서뿐만 아니라 범죄사실 또는 그 간접사실을 인정하기 위한 증거로도 사용될 수 있다.

㉥ 검사가 유죄의 자료로 제출한 사법경찰리 작성의 피고인에 대한 피의자신문조서는 피고인이 그 내용을 부인하는 이상 증거능력이 없고, 피고인의 법정에서의 진술을 탄핵하기 위한 반대증거로도 사용할 수 없다.

---

① 없음

② 1개

③ 2개

④ 3개

해설

① 모든 항목이 옳지 않다.

㉠㉢ [×] 형사소송법 제312조부터 제316조까지의 규정에 따라 증거로 할 수 없는 서류나 진술이라도 공판준비 또는 공판기일에서의 **피고인 또는 피고인이 아닌 자의 진술의 증명력을 다투기 위하여 증거로 할 수 있다.**(제318조의2 제1항) ㉠ 전문법칙에 의하여 증거능력이 없는 서류나 진술이라도 탄핵증거로 사용할 수 있다. ㉢ 피고인의 법정진술도 탄핵의 대상이 된다.

㉡ [×] 탄핵증거는 범죄사실을 인정하는 증거가 아니므로 엄격한 증거조사를 거쳐야 할 필요가 없음은 형사소송법 제318조의2의 규정에 따라 명백하다고 할 것이나, **법정에서 이에 대한 탄핵증거로서의 증거조사는 필요하다.**(대법원 2005. 8. 19. 2005도2617)

㉣ [×] 탄핵증거의 제출에 있어서도 **상대방에게 이에 대한 공격방어의 수단을 강구할 기회를 사전에 부여하여야 한다는 점에서** 그 증거와 증명하고자 하는 사실과의 관계 및 입증취지 등을 미리 구체적으로 명시하여야 할 것이므로, 증명력을 다투고자 하는 증거의 어느 부분에 의하여 진술의 어느 부분을 다투려고 한다는 것을 사전에 상대방에게 알려야 한다.(대법원 2005. 8. 19. 2005도2617)

㉤ [×] 탄핵증거는 진술의 증명력을 감쇄하기 위하여 인정되는 것이고 **범죄사실 또는 그 간접사실의 인정의 증거로서는 허용되지 않는다.**(대법원 2012. 10. 25. 2011도5459 **체포·구속인접견부 사건**)

㉥ [×] 사법경찰리 작성의 피고인에 대한 피의자신문조서는 피고인이 그 내용을 부인하는 이상 증거능력이 없으나, 그것이 임의로 작성된 것이 아니라고 의심할 만한 사정이 없는 한 **피고인의 법정에서의 진술을 탄핵하기 위한 반대증거로 사용할 수 있다.**(대법원 2014. 3. 13. 2013도12507 **김태환 의원 비방사건**)

145 탄핵증거에 대한 설명으로 옳지 않은 것은? (다툼이 있으면 판례에 의함)

20 국가9급 [Essential ★]

① 탄핵증거는 엄격한 증거조사 없이 증거로 사용할 수 있으므로 탄핵증거를 제출하는 자는 어느 부분에 의하여 진술의 어느 부분을 다투려고 한다는 점을 사전에 상대방에게 알릴 필요가 없다.

② 탄핵증거는 진술의 증명력을 감쇄하기 위하여 인정되는 것이고 범죄사실 또는 그 간접사실을 인정하는 증거로는 허용되지 않는다.

③ 피고인의 공판정 외의 자백에 관하여 피고인이 그 내용을 부인하더라도 그것이 임의로 작성된 것이 아니라고 의심할 만한 사정이 없는 한, 그 자백은 피고인의 공판정에서의 진술의 증명력을 다투기 위한 탄핵증거로 사용할 수 있다.

④ 진술자의 서명·날인이 없어 성립의 진정이 인정되지 아니한 증거도 탄핵증거가 될 수 있다.

해설

① [×] 증명력을 다투고자 하는 증거의 어느 부분에 의하여 진술의 어느 부분을 다투려고 한다는 것을 사전에 **상대방에게 알려야 한다.**(대법원 2005. 8. 19. 2005도2617)

② [○] 탄핵증거는 진술의 증명력을 감쇄하기 위하여 인정되는 것이고 **범죄사실 또는 그 간접사실의 인정의 증거로서는 허용되지 않는다.**(대법원 2012. 10. 25. 2011도5459 **체포·구속인접견부 사건**)

③ [○] 사법경찰리 작성의 피고인에 대한 피의자신문조서는 피고인이 그 내용을 부인하는 이상 증거능력이 없으나, 그것이 임의로 작성된 것이 아니라고 의심할 만한 사정이 없는 한 피고인의 법정에서의 진술을 **탄핵하기 위한 반대증거로 사용할 수 있다.**(대법원 2014. 3. 13. 2013도12507 **김태환 의원 비방사건**)

④ [○] 탄핵증거는 범죄사실을 인정하는 증거가 아니므로 그것이 증거서류이던 진술이던간에 유죄증거에 관한 소송법상의 **엄격한 증거능력을 요하지 아니한다.**(대법원 1985. 5. 14. 85도441)

146 탄핵증거에 대한 설명으로 가장 적절하지 않은 것은? (다툼이 있으면 판례에 의함)

① 공소사실에 부합하는 증거인 피해자의 진술을 탄핵하는 증거로 삼은 변호인 제출의 신용카드 사용내역승인서 사본이 비록 공판과정에서 그 입증취지가 구체적으로 명시되고 제시까지 되었더라도 증거목록에 기재되지 않았고 증거결정이 있지 아니하였다면 탄핵증거로서의 증거조사가 이루어졌다고 볼 수 없다.

② 원심이 법정에서 증거로 제출된 바가 없어 전혀 증거조사가 이루어지지 아니한 채 수사기록에만 편철되어 있는 서류를 탄핵증거로 사용하였다면, 이러한 원심의 조치에는 탄핵증거의 조사방법에 관한 법리오해의 위법이 있다.

③ 검사가 증거로 신청한 체포·구속인접견부 사본이 피고인의 부인진술을 탄핵한다는 것이라면 결국 검사에게 입증책임이 있는 공소사실 자체를 입증하기 위한 것에 불과하므로 그 사본을 탄핵증거로 볼 수 없다.

④ 검사가 유죄의 자료로 제출한 사법경찰리 작성의 피고인에 대한 피의자신문조서를 피고인이 그 내용을 부인하는 이상 증거능력은 없지만, 그것이 임의로 작성된 것이 아니라고 의심할 만한 사정이 없는 한 피고인의 법정에서의 진술을 탄핵하기 위한 반대증거로 사용할 수 있다.

해설

① [×] 비록 증거목록에 기재되지 않았고 증거결정이 있지 아니하였다 하더라도 **공판과정에서 그 입증취지가 구체적으로 명시되고 제시까지 된 이상** 각 서증들(신용카드 사용내역승인서 사본 및 현금서비스 취급내역서 사본)에 대하여 **탄핵증거로서의 증거조사는 이루어졌다고 보아야 할 것이다.**(대법원 2006. 5. 26. 2005도6271)

② [○] 원심은 법정에서 증거로 제출된 바가 없어 **전혀 증거조사가 이루어지지 아니한 채** 수사기록에만 편철되어 있는 1995. 9월분 소득세징수액집계표를 피고인 및 그 사무실 직원 등의 진술을 탄핵하는 증거로 사용하였는바, 이러한 원심의 조치에는 **탄핵증거의 조사방법에 관한 법리오해의 위법이 있다.**(대법원 1998. 2. 27. 97도1770)

③ [○] 원심이 검사가 탄핵증거로 신청한 체포·구속인접견부 사본은 피고인의 **부인진술을 탄핵한다는 것이므로** 결국 검사에게 입증책임이 있는 공소사실 자체를 입증하기 위한 것에 불과하므로 **피고인의 진술의 증명력을 다투기 위한 탄핵증거로 볼 수 없다**는 이유로 그 증거신청을 기각한 것은 정당하다.(대법원 2012. 10. 25. 2011도5459 **체포·구속인접견부 사건**)

④ [○] 사법경찰리 작성의 피고인에 대한 피의자신문조서는 피고인이 그 내용을 부인하는 이상 증거능력이 없으나, 그것이 임의로 작성된 것이 아니라고 의심할 만한 사정이 없는 한 피고인의 법정에서의 진술을 탄핵하기 위한 반대증거로 사용할 수 있다.(대법원 2014. 3. 13. 2013도12507 **김태환 의원 비방사건**)

147

□□□ 탄핵증거에 대한 설명 중 가장 적절한 것은? (다툼이 있으면 판례에 의함) 21 경찰채용 [Essential ★]

① 탄핵증거라도 탄핵증거로서의 증거조사는 필요하므로, 공판과정에서 그 입증취지가 구체적으로 명시되고 제시되었다 하더라도 증거목록에 기재되지 않았고 증거결정이 있지 아니하였다면 탄핵증거로 사용할 수 없다.

② 형사소송법에 따르면 공소제기 전 피고인을 피의자로 조사하였거나 그 조사에 참여한 자가 공판정에서 행한 진술도 탄핵의 대상이 된다.

③ 탄핵증거에 있어서 '증명력을 다툰다'는 의미는 증명력을 감쇄하는 경우뿐만 아니라 증명력을 지지하거나 보강하는 경우도 포함한다.

④ 형사소송법 제318조의2 제1항은 피고인 아닌 자의 진술뿐만 아니라 피고인의 진술도 탄핵대상으로 규정하고 있지만, 대법원은 공판정에서 행한 피고인의 부인 진술을 공판정 외의 자백진술로 탄핵하게 되면 이는 탄핵증거를 범죄사실을 인정하는데 사용하는 결과가 되기 때문에 피고인의 진술은 탄핵의 대상이 아니라고 본다.

해설

② [○] 형사소송법 제312조부터 제316조까지의 규정에 따라 증거로 할 수 없는 서류나 진술이라도 공판준비 또는 공판기일에서의 피고인 또는 피고인이 아닌 자(공소제기 전에 피고인을 피의자로 조사하였거나 그 조사에 참여하였던 자를 포함한다)의 **진술의 증명력을 다투기 위하여 증거로 할 수 있다.**(제318조의2 제1항)

① [×] 비록 증거목록에 기재되지 않았고 증거결정이 있지 아니하였다 하더라도 공판과정에서 그 입증취지가 구체적으로 명시되고 제시까지 된 이상 각 서증들(신용카드 사용내역승인서 사본 및 현금서비스 취급내역서 사본)에 대하여 **탄핵증거로서의 증거조사는 이루어졌다고 보아야 할 것이다.**(대법원 2006. 5. 26. 2005도6271) 탄핵증거로 사용할 수 있다.

③ [×] 형사소송법 제318조의2에 의하여 탄핵증거는 진술의 증명력을 다투기 위한 경우에만 허용된다. 따라서 **처음부터 증명력을 지지하거나 보강하는 것은 허용되지 아니한다.**

④ [×] 사법경찰리 작성의 피고인에 대한 피의자신문조서는 피고인이 그 내용을 부인하는 이상 증거능력이 없으나, 그것이 임의로 작성된 것이 아니라고 의심할 만한 사정이 없는 한 **피고인의 법정에서의 진술을 탄핵하기 위한 반대증거로 사용할 수 있다.**(대법원 2014. 3. 13. 2013도12507 김태환 의원 비방사건) 피고인의 진술도 탄핵의 대상이 된다.

148 탄핵증거에 대한 설명으로 가장 적절하지 않은 것은? (다툼이 있으면 판례에 의함)

21 경찰채용 [Core ★★]

① 탄핵증거는 범죄사실을 인정하는 증거가 아니어서 엄격한 증거능력을 요하지 아니한다.

② 법정에서 증거로 제출된 바가 없어 전혀 증거조사가 이루어지지 아니한 채 수사기록에만 편철되어 있는 증거를 피고인의 진술을 탄핵하는 증거로 사용할 수는 없다.

③ 검사가 유죄의 자료로 제출한 사법경찰리 작성의 피고인에 대한 피의자신문조서는 피고인이 그 내용을 부인하는 이상 증거능력이 없지만, 그것이 임의로 작성된 것이 아니라고 하더라도 피고인의 법정에서의 진술을 탄핵하기 위한 반대증거로는 사용할 수 있다.

④ 비록 증거목록에 기재되지 않았고 증거결정이 있지 아니하였다 하더라도 공판과정에서 그 입증취지가 구체적으로 명시되고 제시까지 된 이상, 그 제시된 증거에 대하여 탄핵증거로서의 증거조사는 이루어졌다고 보아야 할 것이다.

해설

③ [×] 사법경찰리 작성의 피고인에 대한 피의자신문조서는 피고인이 그 내용을 부인하는 이상 증거능력이 없으나, 그것이 **임의로 작성된 것이 아니라고 의심할 만한 사정이 없는 한** 피고인의 법정에서의 진술을 탄핵하기 위한 반대증거로 사용할 수 있다.(대법원 2014. 3. 13. 2013도12507 김태환 의원 비방사건) 피의자신문조서가 임의로 작성된 것이 아니라면 탄핵증거로 사용할 수 없다.

① [O] 탄핵증거는 범죄사실을 인정하는 증거가 아니어서 **엄격한 증거능력을 요하지 아니한다.**(대법원 2012. 9. 27. 2012도7467)

② [O] 원심은 법정에서 증거로 제출된 바가 없어 **전혀 증거조사가 이루어지지 아니한 채** 수사기록에만 편철되어 있는 1995. 9월분 소득세징수액집계표를 피고인 및 그 사무실 직원 등의 진술을 탄핵하는 증거로 사용하였는바, 이러한 원심의 조치에는 **탄핵증거의 조사방법에 관한 법리오해의 위법이 있다.**(대법원 1998. 2. 27. 97도1770)

④ [O] 비록 증거목록에 기재되지 않았고 증거결정이 있지 아니하였다 하더라도 공판과정에서 그 입증취지가 구체적으로 명시되고 제시까지 된 이상 각 서증들(신용카드 사용내역승인서 사본 및 현금서비스 취급내역서 사본)에 대하여 **탄핵증거로서의 증거조사는 이루어졌다고 보아야 할 것이다.**(대법원 2006. 5. 26. 2005도6271)

149 탄핵증거에 대한 설명으로 가장 적절하지 않은 것은? (다툼이 있으면 판례에 의함)

□□□

21 경찰승진 [Essential ★]

① 탄핵증거의 제출에 있어서도 상대방에게 이에 대한 공격방어의 수단을 강구할 기회를 사전에 부여하여야 한다.

② 탄핵증거에 대해서는 유죄증거에 관한 소송법상의 엄격한 증거능력을 요하지 아니한다.

③ 검사가 유죄의 자료로 제출한 사법경찰관 작성의 피고인에 대한 피의자신문조서는 피고인이 그 내용을 부인하는 이상 증거능력이 없고, 그것이 임의로 작성된 것이라도 피고인의 법정에서의 진술을 탄핵하기 위한 반대증거로도 사용할 수 없다.

④ 탄핵증거는 진술의 증명력을 감쇄하기 위하여 인정되는 것이고 범죄사실 또는 그 간접사실의 인정의 증거로서는 허용되지 않는다.

해설

③ [×] 사법경찰리 작성의 피고인에 대한 피의자신문조서는 피고인이 그 내용을 부인하는 이상 증거능력이 없으나, 그것이 임의로 작성된 것이 아니라고 의심할 만한 사정이 없는 한 피고인의 법정에서의 진술을 탄핵하기 위한 반대증거로 사용할 수 있다.(대법원 2014. 3. 13. 2013도12507 김태환 의원 비방사건)

① [○] 탄핵증거의 제출에 있어서도 상대방에게 이에 대한 공격방어의 수단을 강구할 기회를 사전에 부여하여야 한다는 점에서 그 증거와 증명하고자 하는 사실과의 관계 및 입증취지 등을 미리 구체적으로 명시하여야 할 것이므로, 증명력을 다투고자 하는 증거의 어느 부분에 의하여 진술의 어느 부분을 다투려고 한다는 것을 사전에 상대방에게 알려야 한다.(대법원 2005. 8. 19. 2005도2617)

② [○] 탄핵증거는 범죄사실을 인정하는 증거가 아니어서 엄격한 증거능력을 요하지 아니한다.(대법원 2012. 9. 27. 2012도7467)

④ [○] 탄핵증거는 진술의 증명력을 감쇄하기 위하여 인정되는 것이고 범죄사실 또는 그 간접사실의 인정의 증거로서는 허용되지 않는다.(대법원 2012. 10. 25. 2011도5459 체포·구속인접견부 사건)

150 탄핵증거에 관한 다음 설명 중 옳은 것(○)과 옳지 않은 것(×)을 올바르게 조합한 것은? (다툼이 □□□ 있으면 판례에 의함)

16 법원9급 [Superlative ★★★]

> ㉠ 탄핵증거는 유죄증거에 관한 소송법상의 엄격한 증거능력을 요하지 아니한다.
> ㉡ 사법경찰리 작성의 피고인에 대한 피의자신문조서와 피고인이 작성한 자술서들은 모두 검사가 유죄의 자료로 제출한 증거들로서 피고인이 각 그 내용을 부인하는 이상 증거능력이 없으나, 그러한 증거라 하더라도 그것이 임의로 작성된 것이 아니라고 의심할만한 사정이 없는한 피고인의 법정에서의 진술을 탄핵하기 위한 반대증거로 사용할 수 있다.
> ㉢ 검사가 피고인의 부인진술을 탄핵하기 위해 신청한 체포·구속인접견부 사본은 피고인의 진술의 증명력을 다투기 위한 탄핵증거가 될 수 있다.

① ㉠ ○ ㉡ × ㉢ ○　　　　　② ㉠ × ㉡ ○ ㉢ ×

③ ㉠ ○ ㉡ ○ ㉢ ×　　　　　④ ㉠ ○ ㉡ ○ ㉢ ○

해설

③ 이 지문이 옳은 연결이다.

㉠ [○] 탄핵증거는 범죄사실을 인정하는 증거가 아니어서 **엄격한 증거능력을 요하지 아니한다.**(대법원 2012. 9. 27. 2012도7467)

㉡ [○] 사법경찰리 작성의 피고인에 대한 피의자신문조서와 피고인이 작성한 자술서들은 모두 검사가 유죄의 자료로 제출한 증거들로서 피고인이 각 그 내용을 부인하는 이상 증거능력이 없으나, 그러한 증거라 하더라도 피고인의 **법정에서의 진술을 탄핵하기 위한 반대증거로 사용할 수 있다.**(대법원 1998. 2. 27. 97도1770 허인회 불고지죄 사건)

㉢ [×] (1) 탄핵증거는 진술의 증명력을 감쇄하기 위하여 인정되는 것이고 범죄사실 또는 그 간접사실의 인정의 증거로서는 허용되지 않는다. (2) 원심이, 검사가 탄핵증거로 신청한 **체포·구속인접견부 사본**은 피고인의 **부인진술을 탄핵한다는 것이므로 결국 검사에게 입증책임이 있는 공소사실 자체를 입증하기 위한 것에 불과**하므로 형사소송법 제318조의2 제1항 소정의 피고인의 진술의 증명력을 다투기 위한 **탄핵증거로 볼 수 없다**는 이유로 그 증거신청을 기각한 것은 정당하다.(대법원 2012. 10. 25. 2011도5459)

제6장 자백의 보강법칙

151
피고인의 자백과 보강증거에 관한 설명으로 옳지 않은 것은? (다툼이 있으면 판례에 의함)

08 국가7급 [Essential ★]

① 피의자로서 수사기관에서 한 자백도 후에 피고인이 된 경우에는 피고인의 자백에 해당한다.
② 구두에 의한 자백뿐만 아니라 수첩이나 일기에 기재된 진술도 피고인의 자백에 포함된다.
③ 피고인의 자백이라 하더라도 공판정에서의 자백에는 보강증거를 요하지 않는다.
④ 피고인의 자백에는 공범인 공동피고인의 진술은 포함되지 않으므로 공범자의 자백에는 보강 증거를 요하지 않는다.

해설

③ [×] 허위자백으로 인한 오판의 위험은 공판정의 자백의 경우에도 동일하므로 **공판정 자백의 경우에도 자백의 보강법칙이 적용된다**는 것이 통설과 판례의 입장이다.
①② [○] 통설의 입장이다.
④ [○] 형사소송법 제310조의 '피고인의 자백'에는 공범인 공동피고인의 진술이 포함되지 아니하므로 공범인 공동피고인의 진술은 다른 공동피고인에 대한 범죄사실을 인정하는 데 있어서 증거로 쓸 수 있고 그에 대한 보강증거의 여부는 법관의 자유심증에 맡긴다.(대법원 1985. 3. 9. 85도951 대리점사기 공범가담사건)

152
甲과 乙은 살인죄의 공동정범으로 기소되었는데, 재판에서 甲은 공소사실을 인정하였고 乙은 이를 부인하였다. 甲의 자백에는 증명력이 부여되지만 그 외에 공소사실을 입증할 증거가 하나도 없다면 법원이 선고할 재판의 내용으로 옳은 것은? (다툼이 있으면 판례에 의함)

07 국가9급 [Core ★★]

① 甲에게는 살인죄, 乙에게는 무죄를 선고한다.
② 甲에게는 무죄, 乙에게는 살인죄를 선고한다.
③ 甲과 乙에게 모두 살인죄를 선고한다.
④ 甲과 乙에게 모두 무죄를 선고한다.

해설

② 甲의 경우에는 보강증거가 없기 때문에 **무죄판결을 선고하여야 한다.**(제310조) 판례는 보강증거 불요설의 입장을 취하므로 乙의 경우 보강증거가 없더라도 甲의 자백에 의하여 유죄의 심증을 얻었다면 **유죄판결을 선고할 수 있다.** ※ 형사소송법 제310조의 피고인의 자백에는 공범인 공동피고인의 진술이 포함되지 아니하므로 공범인 공동피고인의 진술은 다른 공동피고인에 대한 범죄사실을 인정하는 데 있어서 증거로 쓸 수 있고 그에 대한 보강증거의 여부는 법관의 자유심증에 맡긴다.(대법원 1985. 3. 9. 85도951)

---

153 자백에 대한 보강증거에 관한 설명 중 옳지 않은 것은? (판례에 의함)   11 법원9급 [Essential ★]

① 범죄사실의 전부 또는 중요부분을 인정할 수 있는 정도가 되지 아니하더라도 무방하고, 피고인의 자백이 가공적인 것이 아닌 진실한 것임을 인정할 수 있는 정도만 되면 족하다.
② 직접증거가 아닌 간접증거나 정황증거도 보강증거가 될 수 있다.
③ 자백과 보강증거가 서로 어울러서 전체로서 범죄사실을 인정할 수 있으면 유죄의 증거로 충분하다.
④ 피고인의 습벽을 범죄구성요건으로 하며 포괄일죄인 상습범에 있어서 이를 구성하는 각 행위에 관하여 개별적으로 보강증거가 필요한 것은 아니다.

해설

④ [×] 피고인의 습벽을 범죄구성요건으로 하는 포괄일죄인 상습범에 있어서도 이를 구성하는 **각 행위에 관하여 개별적으로 보강증거가 필요하다.**(대법원 1996. 2. 13. 95도1794)
①②③ [○] 자백에 대한 보강증거는 범죄사실의 전부 또는 중요 부분을 인정할 수 있는 정도가 되지 아니하더라도 피고인의 자백이 가공적인 것이 아닌 **진실한 것임을 인정할 수 있는 정도만 되면 족할** 뿐만 아니라, 직접증거가 아닌 간접증거나 정황증거도 보강증거가 될 수 있고, 또한 **자백과 보강증거가 서로 어울러서 전체로서 범죄사실을 인정할 수 있으면 유죄의 증거로 충분하다.**(대법원 2011. 9. 29. 2011도8015 노루발 못뽑이 사건)

154 자백과 보강증거에 대한 설명으로 옳은 것(○)과 옳지 않은 것(×)을 바르게 표시한 것은? (다툼
□□□ 이 있으면 판례에 의함)

16 국가7급 [Superlative ★★★]

> ㉠ 피고인이 범행을 자인하는 것을 들었다는 피고인 외의 제3자의 진술이 기재된 검찰 진술조서
> 는 피고인의 자백에 대한 보강증거로 사용할 수 없다.
> ㉡ 자백에 대한 보강증거는 범죄사실의 전부 또는 중요 부분을 인정할 수 있는 정도이어야 하고,
> 자백과 보강증거가 서로 어울려서 전체로서 범죄사실을 인정할 수 있어야 한다.
> ㉢ 일정한 증거가 발견되면 자백하겠다고 한 피의자의 약속이 검사의 강요나 위계에 의하여 이루
> 어진 것이 아니라 경한 죄의 소추 등 이익과 교환조건으로 이루어진 경우, 그 약속에 의한
> 자백은 임의성 없는 자백이라 할 수 없다.
> ㉣ 피고인이 피해자의 재물을 절취하려다가 미수에 그쳤다는 내용의 공소사실을 자백한 경우,
> 피고인을 현행범인으로 체포한 피해자가 수사기관에서 한 진술 또는 현장사진이 첨부된 수사
> 보고서는 피고인 자백의 진실성을 담보하기에 충분한 보강증거가 될 수 있다.

	㉠	㉡	㉢	㉣			㉠	㉡	㉢	㉣
①	○	×	×	○		②	○	○	×	×
③	×	○	○	×		④	○	×	○	○

해설

> ① 이 지문이 옳은 연결이다.
> ㉠ [○] "피고인이 범행을 자인하는 것을 들었다"는 피고인 아닌 자의 진술 내용은 형사소송법 제310조의 피고
> 인의 자백에는 포함되지 아니하나 이는 피고인의 자백의 보강증거로 될 수 없다.(대법원 2008. 2. 14. 2007
> 도10937 대구 신천동 필로폰 투약사건)
> ㉡ [×] 자백에 대한 보강증거는 범죄사실의 전부 또는 중요 부분을 인정할 수 있는 정도가 되지 아니하더라도
> 피고인의 자백이 가공적인 것이 아닌 진실한 것임을 인정할 수 있는 정도만 되면 족할 뿐만 아니라, 직접 증거
> 가 아닌 간접증거나 정황증거도 보강증거가 될 수 있고, 또한 자백과 보강증거가 서로 어울려서 전체로서 범죄
> 사실을 인정할 수 있으면 유죄의 증거로 충분하다.(대법원 2011. 9. 29. 2011도8015 노루발 못뽑이사건)
> ㉢ [×] 자백의 약속이 검사의 강요나 위계에 의하여 이루어졌다던가 또는 불기소나 경한 죄의 소추 등 이익과
> 교환조건으로 된 것이라고 인정되지 아니하므로 위와 같이 일정한 증거가 발견되면 자백하겠다는 약속 하에
> 된 자백을 곧 임의성이 없는 자백이라고 단정할 수는 없다.(대법원 1983. 9. 13. 83도712 정재파 · 박상은 사
> 건) 이 판례의 반대해석상 경한 죄의 소추 등 이익과 교환조건으로 이루어진 경우 그 약속에 의한 자백은 임의
> 성 없는 자백이라고 보아야 한다.
> ㉣ [○] 자백에 대한 보강증거는 범죄사실의 전부 또는 중요 부분을 인정할 수 있는 정도가 되지 아니하더라도
> 피고인의 자백이 가공적인 것이 아닌 진실한 것임을 인정할 수 있는 정도만 되면 족할 뿐만 아니라, 직접증거
> 가 아닌 간접증거나 정황증거도 보강증거가 될 수 있고, 또한 자백과 보강증거가 서로 어울려서 전체로서 범죄
> 사실을 인정 할 수 있으면 유죄의 증거로 충분하다.(대법원 2011. 9. 29. 2011도8015 노루발 못뽑이 사건)

155 다음은 자백에 대한 설명이다. 가장 적절하지 않은 것은? (다툼이 있으면 판례에 의함)

14 경찰채용 [Superlative ★★★]

① 형사소송법 제310조의 피고인의 자백에는 공범인 공동피고인의 진술은 포함되지 않는다.

② 피고인의 자백을 내용으로 하는 피고인 아닌 자의 진술은 자백보강의 증거가 될 수 없다.

③ 변호인 아닌 자와의 접견이 제한된 상태에서 피의자신문조서가 작성되었다는 것만으로는 자백에 임의성이 없는 것으로 볼 수 없다.

④ 피고인의 자백이 기망에 의하여 임의성이 없다고 의심할 만한 사유가 있다면 그 사유와 자백 사이에 인과관계가 없는 것이 명백한 경우라고 하더라도 그 자백의 임의성은 인정되지 아니한다.

해설

④ [×] 피고인의 자백이 임의성이 없다고 의심할 만한 사유가 있는 때에 해당한다 할지라도 그 임의성이 없다고 의심하게 된 사유들과 피고인의 자백과의 사이에 인과관계가 존재하지 않은 것이 명백한 때에는 **그 자백은 임의성이 있는 것으로 인정된다.**(대법원 1984. 11. 27. 84도2252)

① [○] 형사소송법 제310조의 '피고인의 자백'에는 공범인 공동피고인의 진술이 포함되지 아니하므로 공범인 공동피고인의 진술은 다른 공동피고인에 대한 범죄사실을 인정하는 데 있어서 증거로 쓸 수 있고 그에 대한 보강증거의 여부는 법관의 자유심증에 맡긴다.(대법원 1985. 3. 9. 85도951 대리점사기 공범가담사건)

② [○] "피고인이 범행을 자인하는 것을 들었다"는 피고인 아닌 자의 진술 내용은 형사소송법 제310조의 피고인의 자백에는 포함되지 아니하나 이는 피고인의 자백의 보강증거로 될 수 없다.(대법원 2008. 2. 14. 2007도10937 대구 신천동 필로폰 투약사건)

③ [○] 검사의 접견금지결정으로 피고인들의 (비변호인간의) 접견이 제한된 상황하에서 피의자신문조서가 작성되었다는 사실만으로 바로 그 조서가 임의성이 없는 것이라고는 볼 수 없다.(대법원 1984. 7. 10. 84도846 녹용밀수단 사건)

156 자백보강법칙에 관한 다음 설명 중 가장 적절하지 않은 것은? (다툼이 있으면 판례에 의함)

□□□
15 경찰채용 [Superlative ★★★]

① 피고인이 범행을 자인하는 것을 들었다는 피고인 아닌 자의 진술내용은 피고인의 자백에 대한 보강증거가 될 수 없다.

② 공범인 공동피고인의 진술은 다른 공동피고인의 자백에 대한 보강증거가 될 수 있다.

③ 자백에 대한 보강증거는 범죄사실의 전부 또는 중요부분을 인정할 수 있는 정도가 되지 아니하더라도 피고인의 자백이 가공적인 것이 아닌 진실한 것임을 인정할 수 있는 정도만 되면 족할 뿐만 아니라, 직접증거가 아닌 간접증거나 정황증거도 보강증거가 될 수 있다.

④ 제1심법원이 증거의 요지에서 피고인의 자백을 뒷받침할 만한 보강증거를 거시하지 않았음에도, 항소심이 적법하게 증거조사를 마쳐 채택한 증거들로 피고인의 자백을 뒷받침하기에 충분한 경우 제1심법원의 판단을 유지한 것은 정당하다.

해설

④ [×] (1) 보강증거가 없이 피고인의 자백만을 근거로 공소사실을 유죄로 판단한 경우에는 그 자체로 판결결과에 영향을 미친 위법이 있는 것으로 보아야 한다. (2) 제1심법원이 증거의 요지에서 피고인의 자백을 뒷받침할 만한 보강증거를 거시하지 않았음에도, **항소심이** 적법하게 증거조사를 마쳐 채택한 증거들로 피고인의 자백을 뒷받침하기에 충분하므로 제1심법원의 잘못이 판결 결과에 아무런 영향을 미치지 않았다고 하여 **이를 유지한 것은 위법하다.**(대법원 2007. 11. 29. 2007도7835)

① [O] "**피고인이 범행을 자인하는 것을 들었다**"는 피고인 아닌 자의 진술 내용은 형사소송법 제310조의 피고인의 자백에는 포함되지 아니하나 이는 **피고인의 자백의 보강증거로 될 수 없다.**(대법원 2008. 2. 14. 2007도10937 **대구 신천동 필로폰 투약사건**)

② [O] 공범인 공동피고인의 진술은 다른 공동피고인에 대한 범죄사실을 인정하는 증거로 할 수 있는 것일 뿐만 아니라 **공범인 공동피고인들의 각 진술은 상호간에 서로 보강증거가 될 수 있다.**(대법원 1990. 10. 30. 90도1939)

③ [O] 자백에 대한 보강증거는 범죄사실의 전부 또는 중요 부분을 인정할 수 있는 정도가 되지 아니하더라도 피고인의 자백이 가공적인 것이 아닌 진실한 것임을 인정할 수 있는 정도만 되면 족할 뿐만 아니라, 직접증거가 아닌 **간접증거나 정황증거도 보강증거가 될 수 있고,** 또한 자백과 보강증거가 서로 어울러서 **전체로서 범죄사실을 인정할 수 있으면 유죄의 증거로 충분하다.**(대법원 2011. 9. 29. 2011도8015 **노루발 못뽑이 사건**)

157 자백보강법칙에 관한 설명 중 가장 적절하지 않은 것은? (다툼이 있으면 판례에 의함)

□□□
23 경대편입 [Core ★★]

① 자백에 대한 보강증거는 범죄사실의 전부는 아니더라도 중요 부분을 인정할 수 있는 정도가 되고 피고인의 자백이 가공적인 것이 아닌 진실한 것임을 인정할 수 있는 정도가 되면 족한 것으로서 자백과 서로 어울려서 전체로서 범죄사실을 인정할 수 있으면 유죄의 증거로 충분하다.

② 피고인이 범행을 자인하는 것을 들었다는 피고인 아닌 자의 진술 내용은 「형사소송법」 제310 조의 피고인의 자백에는 포함되지 아니하나 이는 피고인의 자백의 보강증거로 될 수 없다.

③ 「형사소송법」 제310조의 피고인의 자백에는 공범인 공동피고인의 진술이 포함되지 아니하므 로 공범인 공동피고인의 진술은 다른 공동피고인에 대한 범죄사실을 인정하는데 있어서 증거 로 쓸 수 있고 그에 대해서는 보강증거를 요하지 않는다.

④ 즉결심판이나 소년보호사건에 있어서는 자백보강법칙이 적용되지 않는다.

⑤ 피고인이 증거로 함에 동의한 압수조서의 '압수경위'란에 피고인의 범행사실을 직접 목격한 사 람의 진술이 기재되어 있다면 이는 「형사소송법」 제312조 제5항에서 정한 '피고인이 아닌 자 가 수사과정에서 작성한 진술서'에 준하는 것으로 볼 수 있고, 범행사실에 대한 피고인의 자백 을 보강하는 증거가 될 수 있다.

해설

① [×] 자백에 대한 보강증거는 **범죄사실의 전부 또는 중요 부분을 인정할 수 있는 정도가 되지 않더라도** 피고 인의 자백이 가공적인 것이 아닌 진실한 것임을 인정할 수 있는 정도만 되면 충분하다. 또한 직접증거가 아닌 간접증거나 정황증거도 보강증거가 될 수 있고, 자백과 보강증거가 서로 어울러서 전체로서 범죄사실을 인정할 수 있으면 유죄의 증거로 충분하다.(대법원 2018. 3. 15. 2017도20247 **러미라 사건**)

② [O] "피고인이 범행을 자인하는 것을 들었다"는 피고인 아닌 자의 진술 내용은 형사소송법 제310조의 피고인 의 자백에는 포함되지 아니하나 이는 피고인의 자백의 보강증거로 될 수 없다.(대법원 2008. 2. 14. 2007도 10937 **대구 신천동 필로폰 투약사건**)

③ [O] 형사소송법 제310조의 '피고인의 자백'에는 공범인 공동피고인의 진술이 포함되지 아니하므로 **공범인 공동피고인의 진술은 다른 공동피고인에 대한 범죄사실을 인정하는 데 있어서 증거로 쓸 수 있고** 그에 대한 보강증거의 여부는 법관의 자유심증에 맡긴다.(대법원 1985. 3. 9. 85도951 **대리점사기범 사건**)

④ [O] 즉결심판절차에 있어서는 **형사소송법 제310조(자백보강법칙)**, 제312조 제3항 및 제313조의 규정은 적용 하지 아니한다.(즉심법 제10조) 소년보호사건에 있어서는 비행사실의 일부에 관하여 **자백 이외의 다른 증거가 없다 하더라도 법령적용의 착오나 소송절차의 법령위반이 있다고 할 수 없다.**(대법원 1982. 10. 15. 82모36)

⑤ [O] (1) 휴대전화기에 대한 압수조서 중 '압수경위'란에 기재된 내용은 피고인이 공소사실과 같은 범행을 저지 르는 현장을 직접 목격한 사람의 진술이 담긴 것으로서 형사소송법 제312조 제5항에서 정한 '피고인이 아닌 자가 수사과정에서 작성한 진술서'에 준하는 것으로 볼 수 있고, 이에 따라 휴대전화기에 대한 임의제출절차가 적법하였는지 여부에 영향을 받지 않는 **별개의 독립적인 증거에 해당**하므로 피고인이 증거로 함에 동의한 이 상 유죄를 인정하기 위한 증거로 사용할 수 있다. (2) 피고인이 증거로 함에 동의한 이상 유죄를 인정하기 위한 증거로 사용할 수 있을 뿐 아니라 피고인의 자백을 보강하는 증거가 된다고 볼 여지가 많다는 이유로, 이와 달리 피고인의 자백을 뒷받침할 보강증거가 없다고 보아 무죄를 선고한 원심판결에 자백의 보강증거 등에 관한 법리를 오해하거나 필요한 심리를 다하지 아니한 잘못이 있다.(대법원 2019. 11. 14. 2019도13290 **지하철 몰카 사건 l**)

158 자백에 대한 설명 중 가장 적절하지 않은 것은? (다툼이 있으면 판례에 의함)

□□□

20 경찰채용 [Essential ★]

① 형사소송법 제309조의 자백배제법칙을 인정하는 것은 자백취득 과정에서의 위법성 때문에 그 증거능력을 부정하는 것이므로 만약 자백에서 임의성을 의심할 만한 사유가 있으면 그 사유와 자백간의 인과관계가 명백히 없더라도 자백의 증거능력을 부정한다.

② 형사소송법 제309조에서 피고인의 진술이 임의로 한 것이 아니라고 특히 의심할 사유의 입증은 자유로운 증명으로 족하다.

③ 피고인이 위조신분증을 제시행사한 사실을 자백하고 있고 위 제시행사한 신분증이 현존한다면 그 자백이 임의성이 없는 것이 아닌 한 위 신분증은 피고인의 위 자백사실의 진실성을 인정할 간접증거가 된다.

④ 자백에 대한 보강증거는 범죄사실의 전부 또는 중요부분을 인정할 수 있는 정도가 되지 아니하더라도 피고인의 자백이 가공적인 것이 아닌 진실한 것임을 인정할 수 있는 정도만 되면 족할 뿐만아니라 직접증거가 아닌 간접증거나 정황증거도 보강증거가 될 수 있으며 또한 자백과 보강증거가 서로 어울려서 전체로서 범죄사실을 인정할 수 있으면 유죄의 증거로 충분하다.

해설

① [×] 피고인의 자백이 임의성이 없다고 의심할 만한 사유가 있는 때에 해당한다 할지라도 그 임의성이 없다고 의심하게 된 사유들과 피고인의 자백과의 사이에 **인과관계가 존재하지 않은 것이 명백한 때에는 그 자백은 임의성이 있는 것으로 인정된다.**(대법원 1984. 11. 27. 84도2252 송씨 일가 간첩조작사건)

② [○] 피고인이 피의자신문조서에 기재된 피고인 진술의 임의성을 다투면서 그것이 허위 자백이라고 주장하는 경우, 법원은 구체적인 사건에 따라 피고인의 학력, 경력, 직업, 사회적 지위, 지능 정도, 진술 내용, 피의자신문조서의 경우 조서 형식 등 제반 사정을 참작하여 **자유로운 심증으로 진술이 임의로 된 것인지를 판단하되,** 자백의 진술 내용 자체가 객관적인 합리성을 띠고 있는가, 자백의 동기나 이유 및 자백에 이르게 된 경위는 어떠한가, 자백 외 정황증거 중 자백과 저촉되거나 모순되는 것이 없는가 하는 점 등을 고려하여 신빙성 유무를 판단하여야 한다.(대법원 2013. 7. 25. 2011도6380)

③ [○] 피고인이 위조신분증을 제시행사한 사실을 자백하고 있고, 제시행사한 **신분증이 현존한다면** 그 자백이 임의성이 없는 것이 아닌한 신분증은 피고인의 **자백사실의 진실성을 인정할 간접증거가 된다.**(대법원 1983. 2. 22. 82도3107)

④ [○] 자백에 대한 보강증거는 범죄사실의 전부 또는 중요 부분을 인정할 수 있는 정도가 되지 아니하더라도 피고인의 자백이 가공적인 것이 아닌 **진실한 것임을** 인정할 수 있는 정도만 되면 족할 뿐만 아니라, 직접증거가 아닌 **간접증거나 정황증거도 보강증거가** 될 수 있고, 또한 자백과 보강증거가 서로 어울려서 전체로서 범죄사실을 인정할 수 있으면 유죄의 증거로 충분하다.(대법원 2011. 9. 29. 2011도8015 **노루발 못뽑이 사건**)

159 자백에 관한 설명으로 가장 적절하지 않은 것은? (다툼이 있으면 판례에 의함)

24 경찰채용 [Core ★★]

① 수사기관이 작성한 압수조서에 기재된 피의자였던 피고인의 자백 진술 부분은 피고인 또는 변호인이 내용을 부인하는 이상 증거능력이 없다.

② 상업장부나 항해일지, 진료일지 등의 문서가 우연히 피고인에 의해 작성되었고 그 문서의 내용 중 피고인의 범죄사실의 존재를 추론해 낼 수 있는 공소사실에 일부 부합되는 사실의 기재가 있다고 하더라도 피고인이 범죄사실을 자백하는 문서라고 볼 수 없다.

③ 자동차등록증에 차량의 소유자가 피고인으로 등록·기재된 것은 피고인이 그 차량을 운전하였다는 사실의 자백 부분에 대한 보강증거가 될 수 있지만, 피고인의 무면허운전이라는 전체 범죄 사실의 보강증거가 될 수는 없다.

④ 피고인이 증거로 동의한 압수조서 중 '압수경위'란에 피고인의 범행 장면(휴대전화기로 여성의 치마 속 몰래 촬영)을 현장에서 목격한 사법경찰관리가 이를 묘사한 진술내용이 포함된 경우 이러한 내용은 지하철역 에스컬레이터에서 휴대전화기의 카메라를 이용하여 여성 피해자의 치마 속을 몰래 촬영하였다는 피고인의 자백에 대한 보강증거가 될 수 있다.

해설

③ [×] 차량이 피고인의 소유로 등록되어 있으므로 이는 피고인이 그 소유 차량을 운전하였다는 사실의 자백 부분에 대한 보강증거가 될 수 있고, 결과적으로 **피고인이 운전면허 없이 운전하였다는 전체 범죄사실의 보강증거로 충분하다.**(대법원 2000. 9. 26. 2000도2365 무면허운전 자백 사건)

① [○] 형사소송법 제312조 제3항에 의하면 검사 이외의 수사기관[2022. 1. 1.부터는 검사 또는 사법경찰관]이 작성한 피의자신문조서는 그 피의자였던 피고인 또는 변호인이 그 내용을 인정할 때에 한하여 증거로 할 수 있다. 피의자의 진술을 기재한 서류 내지 문서가 수사기관의 수사과정에서 작성된 것이라면 그 서류나 문서의 형식과 관계없이 피의자신문조서와 달리 볼 이유가 없으므로 수사기관이 작성한 압수조서에 기재된 피의자였던 피고인의 자백 진술 부분은 피고인 또는 변호인이 내용을 부인하는 이상 증거능력이 없다.(대법원 2024. 5. 30. 2020도16796 압수조서·변호인의견서 증거능력 사건) 경찰관이 몰카 촬영범 甲으로부터 휴대전화를 임의제출받아 압수하면서 작성한 압수조서의 '압수경위 란' 및 甲의 변호인이 경찰에 제출한 '변호인의견서'에 甲의 자백한 사항이 기재되어 있었던 사건이다.

② [○] 상업장부나 항해일지, 진료일지 또는 이와 유사한 금전출납부 등과 같이 범죄사실의 인정 여부와는 관계 없이 자기에게 맡겨진 사무를 처리한 사무내역을 그때그때 계속적, 기계적으로 기재한 문서 등의 경우는 사무 처리 내역을 증명하기 위하여 존재하는 문서로서 그 존재 자체 및 기재가 그러한 내용의 사무가 처리되었음의 여부를 판단할 수 있는 별개의 독립된 증거자료라고 할 것이고, 설사 그 문서가 우연히 피고인이 작성하였고, 그 문서의 내용 중 피고인의 범죄사실의 존재를 추론해 낼 수 있는, 즉 공소사실에 일부 부합되는 사실의 기재가 있다고 하더라도 이를 일컬어 피고인이 범죄사실을 자백하는 문서라고 볼 수는 없다.(대법원 1996. 10. 17. 94도2865 숲습 뇌물수첩 사건)

④ [○] 휴대전화기에 대한 압수조서 중 '압수경위'란에 기재된 상기(上記)의 내용은 피고인이 공소사실과 같은 범행을 저지르는 현장을 직접 목격한 사람의 진술이 담긴 것으로서 형사소송법 제312조 제5항에서 정한 '피고인이 아닌 자가 수사과정에서 작성한 진술서'에 준하는 것으로 볼 수 있고, 이에 따라 휴대전화기에 대한 임의제출절차가 적법하였는지 여부에 영향을 받지 않는 별개의 독립적인 증거에 해당하므로 피고인이 증거로 함에 동의한 이상 유죄를 인정하기 위한 증거로 사용할 수 있을 뿐 아니라 공소사실에 대한 **피고인의 자백을 보강하는 증거가 된다고 볼 여지가 많다.**(대법원 2019. 11. 14. 2019도13290 **지하철 몰카 사건 I**)

160

□□□

자백보강법칙에 대한 설명 중 옳지 않은 것을 모두 고른 것은? (다툼이 있으면 판례에 의함)

20 경찰채용 [Core ★★]

○ 공범인 공동피고인들의 각 진술은 상호간에 서로 보강증거가 될 수 있다.

○ 자백에 대한 보강증거는 범죄사실의 전부 또는 중요 부분을 인정할 수 있는 정도가 되지 않더라도, 피고인의 자백이 가공적인 것이 아닌 진실한 것임을 인정할 수 있는 정도만 되면 충분하다.

○ 피고인이 업무추진 과정에서 지출한 자금 내역을 뇌물자금과 기타 자금을 구별하지 아니하고 그 지출 일시, 금액, 상대방 등 내역을 그때그때 계속적 기계적으로 기입한 수첩의 기재 내용은 이를 자백으로 봄이 합당하며, 이는 피고인의 검찰에서의 자백에 대한 보강증거가 될 수 없다.

② 필로폰 매수 대금을 송금한 사실에 대한 증거는, 필로폰 매수죄와 실체적 경합범 관계에 있는 필로폰 투약행위에 대한 보강증거가 될 수 있다.

○ 피고인이 증거로 함에 동의한 압수조서상에 피고인의 범행장면(휴대폰으로 여성 치마 속 촬영)을 현장에서 목격한 사법경찰관리가 이를 묘사한 진술내용이 포함된 경우, 이러한 내용은 2018. 3. 26. 08:14경 지하철역 에스컬레이터에서 휴대전화기의 카메라를 이용하여 여성 피해자의 치마 속을 몰래 촬영하였다는 자백에 대한 보강증거가 될 수 없다.

① ㉠㉢㉣

② ㉡㉢㉤

③ ㉢㉣㉤

④ ㉠㉢㉣㉤

해설

③ ㉢㉣㉤ 3 항목이 옳지 않다.

㉠ [○] 공범인 공동피고인의 진술은 다른 공동피고인에 대한 범죄사실을 인정하는 증거로 할 수 있는 것일 뿐만 아니라 공범인 공동피고인들의 각 진술은 **상호간에 서로 보강증거가 될 수 있다.**(대법원 1990. 10. 30. 90도1939)

㉡ [○] 자백에 대한 보강증거는 범죄사실의 전부 또는 중요 부분을 인정할 수 있는 정도가 되지 아니하더라도 피고인의 자백이 가공적인 것이 아닌 **진실한 것임을 인정할 수 있는 정도만 되면** 족할 뿐만 아니라, 직접 증거가 아닌 간접증거나 정황증거도 보강증거가 될 수 있고, 또한 자백과 보강증거가 서로 어울려서 전체로서 범죄사실을 인정할 수 있으면 유죄의 증거로 충분하다.(대법원 2011. 9. 29. 2011도8015 **노루발 못뽑이 사건**)

© [×] 피고인이 업무수행에 필요한 자금을 지출하면서 스스로 그 지출한 자금내역을 자료로 남겨두기 위하여 뇌물자금과 기타 자금을 구별하지 아니하고 그 지출 일시, 금액, 상대방 등 내역을 그때그때 계속적, 기계적으로 기입한 수첩의 기재 내용은 **자백에 대한 보강증거가 될 수 있다.**(대법원 1996. 10. 17. 94도2865 全合 **뇌물수첩 사건**)

② [×] 실체적 경합범은 실질적으로 수죄이므로 각 범죄사실에 관하여 자백에 대한 보강증거가 있어야 하는 바, '피고인 甲이 乙로부터 **필로폰을 매수하면서 그 대금을 乙이 지정하는 은행계좌로 송금한 사실**'에 대한 **압수·수색검증영장 집행보고**는 필로폰 매수행위에 대한 보강증거는 될 수 있어도 그와 실체적 경합범 관계에 있는 **필로폰 투약행위에 대한 보강증거는 될 수 없다.**(대법원 2008. 2. 14. 2007도10937 **대구 신천동필로폰 투약사건**)

⑩ [×] 휴대전화기에 대한 압수조서 중 '압수경위'란에 기재된 내용("경찰관이 검정 재킷, 검정 바지, 흰색운동화를 착용한 20대가량 남성이 짧은 치마를 입고 에스컬레이터를 올라가는 여성을 쫓아가 뒤에 밀착하여 치마 속으로 휴대폰을 집어넣는 등 해당 여성의 신체를 몰래 촬영하는 행동을 하였다"라는 내용)은, 피고인이 범행을 저지르는 현장을 직접 목격한 사람의 진술이 담긴 것으로서 형사소송법 제312조 제5항에서 정한 '피고인 아닌 자가 수사과정에서 작성한 진술서'에 준하는 것으로 볼 수 있고, 피고인이 증거로 함에 동의한 이상 유죄를 인정하기 위한 증거로 사용할 수 있을 뿐 아니라 **피고인의 자백을 보강하는 증거가 된다고 볼 여지가 많다.**(대법원 2019. 11. 14. 2019도13290 **지하철 몰카 사건 I**)

161 보강증거에 관한 설명 중 가장 옳지 않은 것은? (다툼이 있으면 판례에 의함) 14 법원9급 [Core ★★]

① 형사소송법 제310조 소정의 '피고인의 자백'에 공범인 공동피고인의 진술은 포함되지 아니하므로 공범인 공동피고인의 진술은 다른 공동피고인에 대한 범죄사실을 인정하는 증거로 할 수 있고, 공범인 공동피고인들의 각 진술은 상호간에 서로 보강증거가 될 수 있다.

② "피고인이 범행을 자인하는 것을 들었다"는 피고인 아닌 자의 진술 내용은 형사소송법 제310조의 피고인의 자백에는 포함되지 아니하나 이는 피고인의 자백에 대한 보강증거가 될 수 없다.

③ 자백에 대한 보강증거는 직접증거가 아닌 간접증거나 정황증거도 보강증거가 될 수 있고, 또한 자백과 보강증거가 서로 어울려서 전체로서 범죄사실을 인정할 수 있으면 유죄의 증거로 충분하다.

④ 전과에 관한 사실을 보강증거 없이 피고인의 자백만으로 이를 인정한 경우에는 법령위반에 해당하므로 상소이유가 된다.

해설

④ [×] (누범에 있어) 전과에 관한 사실은 엄격한 의미에서의 범죄사실과는 구별되는 것으로서 **피고인의 자백만으로서도 이를 인정할 수 있다.**(대법원 1979. 8. 21. 79도1528)

① [○] 공범인 공동피고인의 진술은 다른 공동피고인에 대한 범죄사실을 인정하는 증거로 할 수 있는 것일 뿐만 아니라 공범인 공동피고인들의 각 진술은 상호간에 서로 보강증거가 될 수 있다.(대법원 1990. 10. 30. 90도1939)

② [○] "피고인이 범행을 자인하는 것을 들었다"는 피고인 아닌 자의 진술 내용은 형사소송법 제310조의 피고인의 자백에는 포함되지 아니하나 이는 피고인의 자백의 보강증거로 될 수 없다.(대법원 2008. 2. 14. 2007도10937 대구 신천동 필로폰 투약사건)

③ [○] 자백에 대한 보강증거는 범죄사실의 전부 또는 중요 부분을 인정할 수 있는 정도가 되지 아니하더라도 피고인의 자백이 가공적인 것이 아닌 진실한 것임을 인정할 수 있는 정도만 되면 족할 뿐만 아니라, 직접증거가 아닌 간접증거나 정황증거도 보강증거가 될 수 있고, 또한 자백과 보강증거가 서로 어울려서 전체로서 범죄사실을 인정할 수 있으면 유죄의 증거로 충분하다.(대법원 2011. 9. 29. 2011도8015 노루발 못뽑이 사건)

162 자백보강법칙에 대한 설명으로 옳은 것(○)과 옳지 않은 것(×)을 바르게 연결한 것은? (다툼이 있으면 판례에 의함)

□□□ 18 국가9급 [Core ★★]

> ⊙ 피고인이 위조신분증을 제시·행사한 사실을 자백하고 있는 때에는 그 신분증의 현존은 자백을 보강하는 간접증거가 된다.
> ⓒ 피고인이 범행을 자인하는 것을 들었다는 피고인 아닌 자의 진술은 피고인의 자백의 보강증거가 될 수 있다.
> ⓒ 즉결심판이나 소년보호사건에서는 피고인의 자백만을 증거로 범죄사실을 인정할 수 있다.

① ⊙ ○ ⓒ × ⓒ ○   ② ⊙ × ⓒ ○ ⓒ ×

③ ⊙ × ⓒ ○ ⓒ ○   ④ ⊙ ○ ⓒ × ⓒ ×

해설

④ 이 지문이 옳은 연결이다.

⊙ [○] 피고인이 위조한 신분증을 제시하여 행사하였다고 자백하고 있는 때에 그 **신분증의 현존은 자백을 보강하는 간접증거가 된다.**(대법원 1983. 2. 22. 82도3107)

ⓒ [×] "피고인이 범행을 자인하는 것을 들었다"는 피고인 아닌 자의 진술 내용은 형사소송법 제310조의 피고인의 자백에는 포함되지 아니하나 이는 **피고인의 자백의 보강증거로 될 수 없다.**(대법원 2008. 2. 14. 2007도10937 대구 신천동 필로폰 투약사건)

ⓒ [○] **소년보호사건**에 있어서는 비행사실의 일부에 관하여 자백 이외의 다른 증거가 없다 하더라도 법령적용의 착오나 소송절차의 법령위반이 있다고 할 수 없다.(대법원 1982. 10. 15. 82모36)

163

자백에 대한 보강증거에 관한 설명으로 가장 적절하지 않은 것은? (다툼이 있으면 판례에 의함)

① 자백에 대한 보강증거는 피고인의 임의적인 자백사실이 가공적인 것이 아니고 진실하다고 인정될 정도의 증거이면 직접증거이거나 간접증거이거나 보강증거 능력이 있다 할 것이나 적어도 그 증거만으로 객관적 구성요건에 해당하는 사실을 인정할 수 있는 정도는 되어야 한다.

② 형사소송법 제310조 소정의 "피고인의 자백"에 공범인 공동피고인의 진술은 포함되지 아니하므로 공범인 공동피고인의 진술은 다른 공동피고인에 대한 범죄사실을 인정하는 증거로 할 수 있는 것일 뿐만 아니라 공범인 공동피고인들의 각 진술은 상호간에 서로 보강증거가 될 수 있다.

③ 자동차등록증에 차량의 소유자가 피고인으로 등록·기재된 것이 피고인이 그 차량을 운전하였다는 사실의 자백 부분에 대한 보강증거가 될 수 있고 결과적으로 피고인의 무면허운전이라는 전체 범죄사실의 보강증거로 충분하다.

④ 뇌물공여의 상대방인 공무원이 뇌물을 수수한 사실을 부인하면서도 그 일시 경에 뇌물공여자를 만났던 사실 및 공무에 관한 청탁을 받기도 한 사실 자체는 시인하였다면, 이는 뇌물을 공여하였다는 뇌물공여자의 자백에 대한 보강증거가 될 수 있다.

해설

① [×] **자백에 대한 보강증거는** 피고인의 임의적인 자백사실이 가공적인 것이 아니고 진실하다고 인정될 정도의 증거이면 직접증거이거나 간접증거이거나 보강증거능력이 있다 할 것이고, **반드시 그 증거만으로 객관적 구성요건에 해당하는 사실을 인정할 수 있는 정도의 것임을 요하는 것이 아니다.**(대법원 1983. 2. 22. 82도3107)

② [○] 형사소송법 제310조 소정의 "피고인의 자백"에 공범인 공동피고인의 진술은 포함되지 아니하므로 공범인 공동피고인의 진술은 다른 공동피고인에 대한 범죄사실을 인정하는 증거로 할 수 있는 것일 뿐만 아니라 **공범인 공동피고인들의 각 진술은 상호간에 서로 보강증거가 될 수 있다.**(대법원 1990. 10. 30. 90도1939)

③ [○] **자동차등록증에 차량의 소유자가 피고인으로 등록·기재된 것이 피고인이 그 차량을 운전하였다는 사실**의 자백 부분에 대한 보강증거가 될 수 있고 결과적으로 피고인의 무면허운전이라는 전체 범죄사실의 보강증거로 충분하다.(대법원 2000. 9. 26. 2000도2365)

④ [○] 뇌물공여의 상대방인 공무원이 뇌물을 수수한 사실을 부인하면서도 그 일시경에 **뇌물공여자를 만났던 사실 및 공무에 관한 청탁을 받기도 한 사실자체는 시인하였다면, 이는 뇌물을 공여하였다는 뇌물공여자의 자백에 대한 보강증거가 될 수 있다.**(대법원 1995. 6. 30. 94도993 천기호 치안감 수뢰사건)

164 자백과 보강증거에 관한 설명 중 옳지 않은 것을 모두 고른 것은? (다툼이 있으면 판례에 의함)

□□□

22 변호사 [Core ★★]

㉠ 피고인이 다세대주택의 여러 세대에서 7건의 절도행위를 한 것으로 기소되었는데 그 중 4건은 범행 장소인 구체적 호수가 특정되지 않은 사안에서, 위 4건에 관한 피고인 자백의 진실성이 인정되는 경우라면 피고인의 집에서 압수한 위 4건의 각 피해품에 대한 압수조서와 압수물 사진은 위 자백에 대한 보강증거가 된다.

㉡ 피고인이 범행을 자인하는 것을 들었다는 피고인 아닌 자의 진술은 피고인의 자백에 포함되지 아니하므로 피고인 자백의 보강증거가 될 수 있다.

㉢ 2021.10.19. 채취한 소변에 대한 검사결과 메스암페타민 성분이 검출된 경우 위 소변검사결과는 2021.10.17. 메스암페타민을 투약하였다는 자백에 대한 보강증거가 될 수는 있지만, 각 투약행위에 대한 자백의 보강증거는 별개의 것이어야 하므로 같은 달 13.메스암페타민을 투약하였다는 자백에 대한 보강증거는 될 수 없다.

㉣ 공소장에 기재된 대마 흡연일자로부터 한 달 후 피고인의 주거지에서 압수된 대마 잎은 비록 피고인의 자백이 구체적이고 그 진실성이 인정된다고 하더라도 피고인의 자백에 대한 보강증거가 될 수 없다.

① ㉠

② ㉠㉢

③ ㉡㉢

④ ㉡㉣

⑤ ㉡㉢㉣

해설

⑤ ㉡㉢㉣ 3 항목이 옳지 않다.

㉠ [○] (1) 사람의 기억에는 한계가 있는 만큼 자백과 보강증거 사이에 어느 정도의 차이가 있어도 중요부분이 일치하고 그로써 진실성이 담보되면 보강증거로서의 자격이 있다. (2) 피고인이 자신이 거주하던 다세대주택의 여러 세대에서 7건의 절도행위를 한 것으로 기소되었는데 그 중 4건은 범행장소인 구체적 호수가 특정되지 않은 경우라도, 위 4건에 관한 피고인의 범행 관련 진술이 **매우 사실적·구체적·합리적**이고 진술의 신빙성을 의심할 만한 사유도 없어 자백의 진실성이 인정되므로 피고인의 집에서 해당 피해품을 압수한 압수조서와 압수물 사진은 위 **자백에 대한 보강증거가 된다.**(대법원 2008. 5. 29. 2008도2343 이웃집 잡범 사건)

㉡ [×] "피고인이 범행을 자인하는 것을 들었다"는 피고인 아닌 자의 진술 내용은 형사소송법 제310조의 피고인의 자백에는 포함되지 아니하나 이는 **피고인의 자백의 보강증거로 될 수 없다.**(대법원 2008. 2. 14. 2007도10937 대구 신천동 필로폰 투약사건)

㉢ [×] 대구광역시 보건환경연구원장 작성의 시험성적서는 2000. 10. 19. 21:50경 피고인으로부터 채취한 소변을 검사한 결과 메스암페타민 성분이 검출되었다는 취지의 검사결과를 기재한 것이고, 그와 같은 검사결과에 의하여 검출된 메스암페타민 성분은 주로 피고인이 2000.10.17. 투약한 메스암페타민에 의한 것으로 보이기는 하지만, 피고인이 2000.10.13. 메스암페타민을 투약함으로 인하여 피고인의 체내에 남아 있던 메스암페타민 성분도 그에 포함되어 검출되었을 가능성을 배제할 만한 합리적 근거가 없으므로 **소변검사결과가 오로지 2000. 10. 17. 투약행위로 인한 것이라기보다는 2000. 10. 13. 투약행위와 2000. 10. 17. 투약행위가 결합되어 나온 것으로 보아야 할 것이어서 그 결과는 각 투약행위에 대한 보강증거로 될 수 있다.**(대법원 2002. 1. 8. 2001도1897) 판례의 취지에 의할 때 2021.10.19. 채취한 소변에 대한 검사결과 메스암페타민 성분이 검출된 경우 그 소변검사결과는 2021.10.13. 메스암페타민을 투약하였다는 자백에 대해서도 보강증거가 될 수 있다.

ㄹ [×] 2006. 4. 6.경 피고인의 주거지에서 대마 잎 약 14.32 g 및 놋쇠 담배파이프가 발견되어 압수된 점 등에 비추어 보면, 피고인의 "2006. 3. 초순 일자불상 16:30경 밭둑에서 대마 2주를 발견하여 대마 2주 중 1주에 는 잎이 없어 그대로 두고 나머지 1주를 가지고 와서 잎을 따고, 그 날 22:00경 주거지에서 그 대마 잎 약 0.5g을 놋쇠 담배파이프에 넣고 불을 붙인 다음 연기를 빨아들여 흡연하였다. 피워보니 질이 안 좋은 것 같았 고, 남은 대마는 보관하고 있었다."라는 자백은 그 진실성이 넉넉히 인정되므로 압수된 대마잎 약 14.32 g의 현존 등은 피고인의 자백에 대한 보강증거가 된다.(대법원 2007. 9. 20. 2007도5845)

165
자백의 보강법칙에 관한 다음 설명 중 옳지 않은 것은 모두 몇 개인가? (다툼이 있으면 판례에 의함)

17 법원9급 [Superlative ★★★]

ㄱ 소년보호사건에서는 피고인의 자백만을 증거로 범죄사실을 인정할 수 있다.
ㄴ 공판정의 자백에 대해서도 보강법칙은 적용된다.
ㄷ 공동피고인의 자백은 이에 대한 피고인의 반대신문권이 보장되어 있어 증인으로 신문한 경우 와 다를 바 없으므로 독립한 증거능력이 있고, 이는 피고인들 간에 이해관계가 상반된다고 하여도 마찬가지이다.
ㄹ 피고인이 범행을 자인하는 것을 들었다는 피고인 아닌 자의 진술내용은 피고인의 자백에 대한 보강증거가 될 수 있다.
ㅁ 고의는 자백만으로도 인정할 수 있다.

① 1개 　　　② 2개 　　　③ 3개 　　　④ 4개

해설

① ㄹ 항목만 옳지 않다.
ㄱ [O] **소년보호사건**에 있어서는 비행사실의 일부에 관하여 자백 이외의 다른 증거가 없다 하더라도 법령적용의 착오나 소송절차의 법령위반이 있다고 할 수 없다.(대법원 1982. 10. 15. 82모36)
ㄴ [O] 통설과 판례의 입장이다.(대법원 1981. 7. 7. 81도1314)
ㄷ [O] **공동피고인의 자백**은 이에 대한 피고인의 반대신문권이 보장되어 있어 증인으로 신문한 경우와 다를바 없으므로 **독립한 증거능력이 있고**, 이는 피고인들간에 이해관계가 상반된다고 하여도 마찬가지라 할 것이다. (대법원 2006. 5. 11. 2006도1944)
ㄹ [×] "피고인이 범행을 자인하는 것을 들었다"는 피고인 아닌 자의 진술 내용은 형사소송법 제310조의 피고인 의 자백에는 포함되지 아니하나 이는 피고인의 **자백의 보강증거로 될 수 없다.**(대법원 2008. 2. 14. 2007도 10937 **대구 신천동 필로폰 투약사건**)
ㅁ [O] 고의는 **자백만으로도 인정**할 수 있다.(대법원 1961. 8. 16. 61도171)

166 자백과 보강증거에 관한 설명 중 옳지 않은 것은? (다툼이 있으면 판례에 의함)

□□□

18 변호사 [Superlative ★★★]

① 「국가보안법」상 회합죄를 피고인이 자백하는 경우, 회합 당시 상대방으로부터 받았다는 명함의 현존은 보강증거로 될 수 있다.

② 전과에 관한 사실은 누범가중의 사유가 되는 경우에도 피고인의 자백만으로 인정할 수 있다.

③ 약 3개월에 걸쳐 8회의 도박을 하였다는 혐의로 검사가 피고인에 대해 상습도박죄로 기소한 경우, 총 8회의 도박 중 3회의 도박사실에 대해서는 피고인의 자백 외에 보강증거가 없는 경우에도 법원은 소위 진실성담보설에 입각하여 8회의 도박행위 전부에 대하여 유죄판결을 할 수 있다.

④ 2017. 2. 18. 01:35경 자동차를 타고 온 甲으로부터 필로폰을 건네받은 후 甲이 위 차량을 운전해 갔다고 한 A의 진술과 2017. 2. 20. 甲으로부터 채취한 소변에서 나온 필로폰 양성 반응 결과는, 甲이 2017. 2. 18. 02:00경의 필로폰 투약으로 정상적으로 운전하지 못할 우려가 있는 상태에서 운전하였다는 자백을 보강하는 증거가 되기에 충분하다.

⑤ 실체적 경합범의 경우 각 범죄사실에 관하여 자백에 대한 보강증거가 있어야 한다.

해설

③ [×] 피고인의 습벽을 범죄구성요건으로 하는 **포괄일죄인 상습범에 있어서도 이를 구성하는 각 행위에 관하여 개별적으로 보강증거가 필요하다.**(대법원 1996. 2. 13. 95도1794) 총 8회의 도박 중 3회의 도박사실에 대하여 피고인의 자백 외에 보강증거가 없는 경우, 법원은 그 3회의 도박행위를 제외한 나머지 **5회의 도박행위에 대하여만 유죄판결을 선고할 수 있다.**

① [○] 피고인의 자백내용 중에 피고인이 1988.6.29. 16:00경 일본 나리타공항에서 정춘식을 만났을 당시 그로부터 성명이 "청수장"으로 된 그의 **명함 1장을 받았다는 내용이 포함되어 있고, 기록에 의하면 제1심에서 적법하게 증거조사를 마친 압수된 명함 1장(증제17호)이 현존하고 있음이 명백하므로 이는 피고인의 자백에 대한 보강증거가 될 수 있는 것이다.**(대법원 1990. 6. 22. 90도741)

② [○] **상습범에 있어 확정판결이나 누범에 있어 전과에 관한 사실은 엄격한 의미의 범죄사실과는 구별되는 것**이어서 피고인의 자백만으로서도 그 존부를 인정할 수 있다.(대법원 1983. 8. 23. 83도820, 대법원 1979. 8. 21. 79도1528)

④ [○] 2월 18일 1시 35분경 자동차를 타고 온 피고인으로부터 필로폰을 건네받은 후 피고인이 위 차량을 운전해 갔다고 한 진술과 이틀 후인 같은 해 2월 20일 피고인의 소변에서 나온 **필로폰 양성 반응은 피고인이 2월 18일 2시경 필로폰 투약으로 정상적으로 운전하지 못할 우려가 있는 상태에 있었다는 공소사실 부분에 대한 자백을 보강하는 증거가 된다.**(대법원 2010. 12. 23. 2010도11272)

⑤ [○] **실체적 경합범은 실질적으로 수죄이므로 각 범죄사실에 관하여 자백에 대한 보강증거가 있어야 한다.**(대법원 2008. 2. 14. 2007도10937 대구 신천동 필로폰 투약사건)

167 자백에 대한 보강증거에 관한 설명 중 가장 적절하지 않은 것은? (다툼이 있으면 판례에 의함)

□□□

17 경찰승진 [Essential ★]

① 자백에 대한 보강증거는 범죄사실의 전부 또는 중요부분을 인정할 수 있는 정도가 되지 아니하더라도 피고인의 자백이 가공적인 것이 아닌 진실한 것임을 인정할 수 있는 정도만 되면 족할 뿐만 아니라 직접증거가 아닌 간접증거나 정황증거도 보강증거가 될 수 있다.

② 피고인이 업무추진 과정에서 지출한 자금 내역을 기록한 수첩의 기재 내용은 피고인의 검찰에서의 자백에 대한 독립적인 보강증거가 될 수 있다.

③ 공범인 공동피고인들의 각 진술은 상호간에 서로 보강증거가 될 수 있다.

④ 피고인은 다세대주택의 여러 세대에서 7건의 절도행위를 한 것으로 기소되었는데 그 중 4건은 범행장소인 구체적 호수가 특정되지 않은 사안에서, 위 4건에 관한 피고인의 진술이 매우 사실적·구체적·합리적이고 진술의 신빙성을 의심할 만한 사유도 없어 자백의 진실성이 인정된다 하더라도 피고인의 집에서 해당 피해품을 압수한 압수조서와 압수물 사진은 위 자백에 대한 보강증거가 될 수 없다.

해설

④ [×] 4건에 관한 피고인의 범행 관련 진술이 매우 사실적·구체적·합리적이고 진술의 신빙성을 의심할만한 사유도 없어 자백의 진실성이 인정되므로, 피고인의 집에서 해당 피해품을 압수한 압수조서와 압수물 사진은 **자백에 대한 보강증거가 된다.**(대법원 2008. 5. 29. 2008도2343 이웃집 잡범 사건)

① [○] **자백에 대한 보강증거는** 범죄사실의 전부 또는 중요 부분을 인정할 수 있는 정도가 되지 아니하더라도 피고인의 자백이 가공적인 것이 아닌 **진실한 것임을 인정할 수 있는 정도만** 되면 족할 뿐만 아니라, 직접증거가 아닌 **간접증거나 정황증거도 보강증거가 될 수 있고**, 또한 자백과 보강증거가 서로 어울려서 전체로서 범죄사실을 인정할 수 있으면 유죄의 증거로 충분하다.(대법원 2011. 9. 29. 2011도8015 **노루발 못뽑이 사건**)

② [○] 피고인이 뇌물공여 혐의를 받기 전에 이와는 관계없이 준설공사에 필요한 각종 인·허가 등의 업무를 위임받아 이를 추진하는 과정에서 그 업무수행에 필요한 자금을 지출하면서, 스스로 그 지출한 자금내역을 자료로 남겨두기 위하여 뇌물자금과 기타 자금을 구별하지 아니하고 그 지출 일시, 금액, 상대방 등 내역을 그때그때 **계속적, 기계적으로 기입한 수첩의 기재 내용은** 피고인이 자신의 범죄사실을 시인하는 자백이라고 볼 수 없으므로 증거능력이 있는 한 피고인의 금전출납을 증명할 수 있는 **별개의 증거라고 할 것인즉** 피고인의 검찰에서의 **자백에 대한 보강증거가 될 수 있다.**(대법원 1996. 10. 17. 94도2865 삽슴 **뇌물수첩 사건**)

③ [○] 공범인 공동피고인의 진술은 다른 공동피고인에 대한 범죄사실을 인정하는 증거로 할 수 있는 것일 뿐만 아니라 공범인 공동피고인들의 각 진술은 상호간에 서로 보강증거가 될 수 있다.(대법원 1990. 10. 30. 90도1939)

168 자백의 증거능력과 증명력에 관한 다음 설명 중 옳고 그름의 표시(○, ×)가 바르게 된 것은? (다
□□□ 툼이 있으면 판례에 의함)

> ㉠ 피고인이 범행을 자인하는 것을 들었다는 피고인 아닌 자의 진술내용은 형사소송법 제310조
> 의 피고인의 자백에 포함되며, 자백을 자백으로 보강할 수 없다는 법리에 따라 그 진술내용을
> 피고인의 자백의 보강증거로 할 수 없다.
> ㉡ 일정한 증거가 발견되면 피의자가 자백하겠다고 한 약속이 검사의 강요나 위계에 의하여 이루
> 어졌다든가 또는 불기소나 경한 죄의 소추 등 이익과 교환조건으로 된 것으로 인정되지 않는
> 다면 위와 같은 자백의 약속하에 된 자백이라 하여 곧 임의성 없는 자백으로 증거능력이 부정
> 된다고 단정할 수 없다.
> ㉢ 상습범은 피고인의 습벽을 구성요건으로 하는 범죄로서 상습범에 있어 피고인의 자백이 있는
> 경우 이를 구성하는 각 행위에 관하여 개별적으로 보강증거를 필요로 하는 것은 아니다.
> ㉣ 자백에 대한 보강증거는 범죄사실의 전부 또는 중요 부분을 인정할 수 있는 정도가 되지 아니
> 하더라도 피고인의 자백이 가공적인 것이 아닌 진실한 것임을 인정할 수 있는 정도만 되면
> 족할 뿐만 아니라 직접증거가 아닌 간접증거나 정황증거도 보강증거가 될 수 있다.

① ㉠ × ㉡ ○ ㉢ × ㉣ ○ 　　　② ㉠ × ㉡ × ㉢ ○ ㉣ ×

③ ㉠ ○ ㉡ ○ ㉢ × ㉣ ○ 　　　④ ㉠ ○ ㉡ × ㉢ ○ ㉣ ×

해설

① 이 지문이 옳은 연결이다.
㉠ [×] "피고인이 범행을 자인하는 것을 들었다"는 피고인 아닌 자의 진술 내용은 형사소송법 제310조의 피
고인의 자백에는 포함되지 아니하나 이는 피고인의 자백의 보강증거로 될 수 없다.(대법원 2008. 2. 14.
2007도10937 대구 신천동 필로폰 투약사건)
㉡ [○] 자백의 약속이 검사의 강요나 위계에 의하여 이루어졌다든가 또는 불기소나 경한 죄의 소추 등 이익과
교환조건으로 된 것이라고 인정되지 아니하므로 위와 같이 일정한 증거가 발견되면 자백하겠다는 약속하에
된 자백을 곧 임의성이 없는 자백이라고 단정할 수는 없다.(대법원 1983. 9. 13. 83도712 정재파·박상은 사건)
㉢ [×] 피고인의 습벽을 범죄구성요건으로 하는 포괄일죄인 상습범에 있어서도 이를 구성하는 각 행위에 관하여
개별적으로 보강증거가 필요하다.(대법원 1996. 2. 13. 95도1794 투약과 소변채취 날짜가 떨어진 사건)
㉣ [○] 자백에 대한 보강증거는 범죄사실의 전부 또는 중요 부분을 인정할 수 있는 정도가 되지 아니하더라도
피고인의 자백이 가공적인 것이 아닌 진실한 것임을 인정할 수 있는 정도만 되면 족할 뿐만 아니라 직접증거가
아닌 간접증거나 정황증거도 보강증거가 될 수 있고, 또한 자백과 보강증거가 서로 어울려서 전체로서 범죄사
실을 인정할 수 있으면 유죄의 증거로 충분하다.(대법원 2011. 9. 29. 2011도8015 노루발 못뽑이 사건)

169

다음 중 피고인의 자백에 대한 보강증거가 될 수 없는 것을 모두 고른 것은? (다툼이 있으면 판례에 의함)

□□□

18 해경채용 [Essential ★]

> ㉠ 피고인 甲이 주거침입의 범행을 자백하는 때에, 주거침입행위의 동기에 관한 참고인의 전문진술이 제출된 경우
>
> ㉡ 피고인 乙이 위조신분증을 제시·행사하였다고 자백하는 때에, 그 위조신분증이 제출된 경우
>
> ㉢ 피고인 丙이 반지를 편취하였다고 자백하는 때에, 피고인으로부터 반지를 매입하였다는 참고인의 진술이 제출된 경우

① ㉠

② ㉠㉡

③ ㉡㉢

④ ㉠㉡㉢

해설

① ㉠ 항목만 보강증거가 될 수 없다.

㉠ 검사가 보강증거로서 제출한 증거의 내용이 "피고인 甲과 乙이 현대자동차 춘천영업소를 점거했다가 乙이 처벌받았다"는 것이고, 피고인의 자백내용은 "현대자동차 점거로 乙이 처벌받은 것은 학교측의 제보때문이라 하여 피고인 甲이 그 보복으로 학교총장실을 침입점거하였다"는 것이라면, 위 증거는 공소사실의 객관적 부분인 주거침입, 점거사실과는 관련이 없는 범행의 **침입동기에 관한 정황증거에 지나지 않으므로** 검사 제출의 위 증거는 **자백에 대한 보강증거가 될 수 없다.**(대법원 1990. 12. 7. 90도2010 **현대자동차 사건**)

㉡㉢ 모두 자백에 대한 보강증거가 될 수 있다.(㉡ 피고인이 위조한 신분증을 제시하여 행사하였다고 자백하고 있는 때에 그 **신분증의 현존**은 자백을 보강하는 간접증거가 된다.(대법원 1983. 2. 22. 82도3107) ㉢ 검사의 피고인에 대한 피의자신문조서기재에 피고인이 성명불상자로부터 반지 1개를 편취한 후 이 반지를 1984. 4.20경 소송 외 甲에게 매도하였다는 취지로 진술하고 있고 한편 검사의 甲에 대한 진술조서기재에 위 일시경 **피고인으로부터 금반지 1개를 매입하였다고 진술**하고 있다면 위 甲의 진술은 피고인이 자백하고 있는 편취물품의 소재 내지 행방에 부합하는 진술로서 형식적으로 피고인의 자백의 진실성을 보강하는 증거가 될 수 있다.(대법원 1985. 11. 12. 85도1838)

170
□□□ 甲이 공무원 乙에게 1,000만원을 제공하였다는 뇌물 사건을 수사하던 검사는 甲의 직장동료인 丙으로부터 "甲이 '乙에게 뇌물을 주었다'고 내게 말했다."라는 참고인 진술을 확보하고 甲과 乙을 공동피고인으로 기소하였다. 그러나 공판정에 출석한 丙은 일체의 증언을 거부하였고, 일관되게 범행을 부인하던 甲이 심경의 변화를 일으켜 뇌물공여 혐의를 모두 자백하였으나, 乙은 뇌물을 받은 사실이 없다고 주장하며 혐의를 부인하고 있다. 이에 대한 설명으로 가장 적절하지 않은 것은? (다툼이 있으면 판례에 의함)

22 경찰승진 [Superlative ★★★]

① 甲은 소송절차가 분리되면 乙에 대한 공소사실에 관하여 증인이 될 수 있다.

② 甲이 공판정에서 한 자백은 丙에 대한 참고인진술조서 가운데 "甲이 '乙에게 뇌물을 주었다'고 내게 말했다."라는 진술내용으로 보강할 수 있다.

③ 甲이 공판정에서 한 자백은 乙의 혐의에 대해서 유죄 인정의 증거가 될 수 있다.

④ 변론분리 후 甲이 증언하는 과정에서 "뇌물을 제공받은 乙이 저에게 '귀하에게 받은 돈은 나라와 민족을 위해 필요한 곳에 쓰겠습니다'라고 말했습니다."라고 진술한 경우 乙의 위 진술 내용은 그 진술이 특히 신빙할 수 있는 상태하에서 행하여졌음이 증명된 때에 한하여 이를 증거로 할 수 있다.

해설

② [×] "피고인이 범행을 자인하는 것을 들었다"는 피고인 아닌 자의 진술 내용은 형사소송법 제310조의 피고인의 자백에는 포함되지 아니하나 **이는 피고인의 자백의 보강증거로 될 수 없다.**(대법원 2008. 2. 14. 2007도10937 대구 신천동 필로폰 투약사건) 甲이 공판정에서 한 자백은 丙에 대한 참고인진술조서 가운데 "甲이 '乙에게 뇌물을 주었다'고 내게 말했다."라는 진술내용으로 보강할 수 없다.

① [○] 피고인의 지위에 있는 공동피고인은 다른 공동피고인에 대한 공소사실에 관하여 증인이 될 수 없으나, **소송절차가 분리되어 피고인의 지위를 벗어나게 되면 다른 공동피고인에 대한 공소사실에 관하여 증인이될 수 있고 이는 대향범인 공동피고인의 경우에도 다르지 않다.**(대법원 2012. 3. 29. 2009도11249 증수뢰자 상호증언 사건) 소송절차가 분리되면 甲은 乙에 대한 공소사실에 관하여 증인이 될 수 있다.

③ [○] 형사소송법 제310조의 '피고인의 자백'에는 공범인 공동피고인의 진술이 포함되지 아니하므로 **공범인 공동피고인의 진술은 다른 공동피고인에 대한 범죄사실을 인정하는 데 있어서 증거로 쓸 수 있고 그에 대한 보강증거의 여부는 법관의 자유심증에 맡긴다.**(대법원 1985. 3. 9. 85도951) 甲이 공판정에서 한 자백은 乙의 혐의에 대해서 유죄 인정의 증거가 될 수 있다.

④ [○] 제316조 제1항 甲의 "뇌물을 제공받은 乙이 저에게 '국가와 민족을 위해 잘 쓰겠습니다'라고 말했습니다"라는 증언은 피고인 乙의 진술을 그 내용으로 하는 전문진술에 해당한다.

171

증거 또는 증명에 대한 설명으로 옳지 않은 것은? (다툼이 있으면 판례에 의함)

① 혈중알코올농도의 측정 없이 '위드마크 공식'을 사용하여 피고인의 운전 당시 혈중알코올농도를 추산하는 경우 알코올의 분해소멸에 따른 혈중알코올농도의 감소기(위드마크 제2공식, 하강기)에 운전이 이루어진 것으로 인정되면 피고인에게 가장 유리한 음주 시작 시점부터 곧바로 생리작용에 의하여 분해소멸이 시작되는 것으로 보아야 한다.

② 자백에 대한 보강증거는 범죄사실의 전부 또는 중요 부분을 인정할 수 있는 정도가 되지 않더라도 피고인의 자백이 가공적인 것이 아닌 진실한 것임을 인정할 수 있는 정도가 되면 충분하고, 직접증거가 아닌 간접증거나 정황증거도 보강증거가 될 수 있다.

③ 공모공동정범에 있어서 공모 또는 모의는 '범죄될 사실'에 해당하므로 이를 인정하기 위하여는 엄격한 증명에 의하여야 한다.

④ 형사소송법 제310조의 '피고인의 자백'에 공범인 공동피고인의 진술이 포함되고 공범인 공동피고인의 진술은 다른 공동피고인에 대한 범죄사실을 인정하는 증거로 사용할 수 없으며, 공범인 공동피고인들의 각각의 진술은 상호간에 보강증거가 될 수 없다.

⑤ 피고인에게 불리한 증거인 증인으로서 피해자가 검사의 주신문의 경우와 달리 반대신문에 대하여는 답변을 하지 않아서 진술 내용의 모순이나 불합리를 그 증인신문 과정에서 드러내어 이를 탄핵하는 것이 사실상 곤란하였고 그것이 피고인 또는 변호인에게 책임 있는 사유로 인한 것이 아닌 경우라면 이를 정당화할 수 있는 특별한 사정이 없는 이상 그와 같이 실질적 반대신문권의 기회가 부여되지 않고서 이루어진 증인의 법정진술은 위법한 증거이다.

해설

④ [×] (1) 형사소송법 제310조의 **'피고인의 자백'에는 공범인 공동피고인의 진술이 포함되지 아니하므로** 공범인 공동피고인의 진술은 다른 공동피고인에 대한 범죄사실을 인정하는 데 있어서 증거로 쓸 수 있고 그에 대한 보강증거의 여부는 법관의 자유심증에 맡긴다.(대법원 1985. 3. 9. 85도951 **대리점사기범 사건**) (2) 공범인 공동피고인의 진술은 다른 공동피고인에 대한 범죄사실을 인정하는 증거로 할 수 있는 것일 뿐만 아니라 **공범인 공동피고인들의 각 진술은 상호간에 서로 보강증거가 될 수 있다.**(대법원 1990. 10. 30. 90도1939 **강도피고인들 자백 사건**)

① [○] 혈중알코올농도 측정 없이 위드마크 공식을 사용해 피고인이 마신 술의 양을 기초로 피고인의 운전 당시 혈중알코올농도를 추산하는 경우로서 알코올의 분해소멸에 따른 혈중알코올농도의 감소기(위드마크 제2공식, 하강기)에 운전이 이루어진 것으로 인정되는 경우에는 피고인에게 가장 유리한 음주 시작 시점부터 곧바로 생리작용에 의하여 분해소멸이 시작되는 것으로 보아야 한다. 이와 다르게 음주 개시 후 특정 시점부터 알코올의 분해소멸이 시작된다고 인정하려면 알코올의 분해소멸이 시작되는 시점이 다르다는 점에 관한 과학적 증명

또는 객관적인 반대증거가 있거나 음주 시작 시점부터 알코올의 분해소멸이 시작된다고 보는 것이 그렇지 않은 경우보다 피고인에게 불이익하게 작용되는 특별한 사정이 있어야 한다.(대법원 2022. 5. 12. 2021도14074 **낮술 음주운전 사건**)

② [O] 자백에 대한 보강증거는 범죄사실의 전부 또는 중요 부분을 인정할 수 있는 정도가 되지 않더라도 피고인의 자백이 가공적인 것이 아닌 진실한 것임을 인정할 수 있는 정도만 되면 충분하다. 또한 직접증거가 아닌 **간접증거나 정황증거도 보강증거가 될 수 있고, 자백과 보강증거가 서로 어울려서 전체로서 범죄사실을 인정할 수 있으면 유죄의 증거로 충분하다.**(대법원 2018. 3. 15. 2017도20247 **러미라 사건**)

③ [O] 공모공동정범에 있어서 '공모 또는 모의'는 범죄될 사실의 주요부분에 해당하는 이상 **엄격한 증명의 대상에 해당한다.**(대법원 2007. 4. 27. 2007도236 **포항건설노조 파업사건**)

⑤ [O] 피고인에게 불리한 증거인 증인이 주신문의 경우와 달리 반대신문에 대하여는 답변을 하지 아니하는 등 진술내용의 모순이나 불합리를 그 증인신문 과정에서 드러내어 이를 탄핵하는 것이 사실상 곤란하였고, 그것이 피고인 또는 변호인에게 책임있는 사유에 기인한 것이 아닌 경우라면 관계 법령의 규정 혹은 증인의 특성 기타 공판절차의 특수성에 비추어 이를 정당화할 수 있는 특별한 사정이 존재하지 아니하는 이상, 이와 같이 실질적 **반대신문권의 기회가 부여되지 아니한 채 이루어진 증인의 법정진술은 위법한 증거로서 증거능력을 인정하기 어렵다. 이 경우 피고인의 책문권 포기로 그 하자가 치유될 수 있으나 책문권 포기의 의사는 명시적인 것이어야 한다.**(대법원 2022. 3. 17. 2016도17054 **상해 피해자 불출석 사건**)

172 공판조서의 배타적 증명력에 대한 설명 중 옳지 않은 것은? (다툼이 있으면 판례에 의함)

☐☐☐

11 국가9급 [Essential ★]

① 공판조서에 기재되지 않은 사항에 대하여 그 부존재가 증명되는 것은 아니다.

② 배타적 증명력이 인정되는 것은 공판기일의 소송절차로서 공판조서에 기재된 것에 한한다.

③ 공판조서의 기재사항이 불분명하거나 서로 다른 내용이 기재된 공판조서가 병존하는 경우에는 배타적 증명력이 배제된다.

④ 배타적 증명력이 인정되는 공판조서라 할지라도 공판조서 이외의 자료에 의한 반증이 허용되지 않는다는 것을 의미하는 것은 아니다.

해설

④ [×] 공판조서의 기재가 명백한 오기인 경우를 제외하고는 공판기일의 소송절차로서 공판조서에 기재된 것은 조서만으로써 증명하여야 하고, **그 증명력은 공판조서 이외의 자료에 의한 반증이 허용되지 않는 절대적인 것이다.**(대법원 2015. 8. 27. 2015도3467)

① [○] 통설의 입장이다.

② [○] 공판기일의 소송절차로서 공판조서에 기재된 것은 그 조서만으로써 증명한다.(제56조)

③ [○] 동일한 사항에 관하여 두개의 서로 다른 내용이 기재된 공판조서가 병존하는 경우 양자는 동일한 증명력을 가지는 것으로서 그 증명력에 우열이 있을 수 없다고 보아야 할 것이므로 그 중 어느 쪽이 진실한 것으로 볼 것인지는 공판조서의 증명력을 판단하는 문제로서 법관의 자유로운 심증에 따를 수밖에 없다.(대법원 1988. 11. 8. 86도1646 **치안본부 경위 수뢰사건**)

정답 | 172 ④

173 공판조서의 증명력에 대한 설명 중 옳은 것만을 모두 고르면? (다툼이 있으면 판례에 의함)

□□□

20 국가7급 [Superlative ★★★]

㉠ 공판기일에 검사가 제출한 증거에 관하여 동의 또는 진정성립 여부 등에 관한 피고인의 의견이 증거목록에 기재된 경우에 그 증거목록의 기재는 공판조서의 일부로서 명백한 오기가 아닌 이상 절대적인 증명력을 가진다.

㉡ 동일한 사항에 관하여 두 개의 서로 다른 내용이 기재된 공판조서가 병존하는 경우에 그 중 어느 쪽이 진실한 것으로 볼 것인지는 법관의 자유로운 심증에 따를 수밖에 없다.

㉢ 피고인이 변호인과 함께 출석한 공판기일의 공판조서에 검사가 제출한 증거에 대하여 동의한다는 기재가 되어 있다면 이는 피고인이 증거동의를 한 것으로 보아야 하고, 그 기재는 절대적인 증명력을 가진다.

㉣ 공판조서에 재판장이 판결서에 의하여 판결을 선고하였음이 기재되어 있다면 검찰서기의 판결서 없이 판결선고되었다는 내용의 보고서가 있더라도 공판조서의 기재내용이 허위라고 판정할 수 없다.

① ㉠㉣

② ㉡㉢

③ ㉡㉢㉣

④ ㉠㉡㉢㉣

해설

④ 모든 항목이 옳다.

㉠ [O] 검사 제출의 증거에 관하여 동의 또는 진정성립 여부 등에 관한 피고인의 의견이 증거목록에 기재된 경우에는 그 증거목록의 기재는 공판조서의 일부로서 명백한 오기가 아닌 이상 **절대적인 증명력을 가지게 된다.**(대법원 2015. 8. 27. 2015도3467 **구미 KEC사건**)

㉡ [O] 동일한 사항에 관하여 두개의 서로 다른 내용이 기재된 공판조서가 병존하는 경우 양자는 동일한 증명력을 가지는 것으로서 그 증명력에 우열이 있을 수 없다고 보아야 할 것이므로 그 중 어느 쪽이 진실한 것으로 볼 것인지는 공판조서의 증명력을 판단하는 문제로서 법관의 **자유로운 심증에 따를 수밖에 없다.**(대법원 1988. 11. 8. 86도1646 **치안본부 경위 수뢰사건**)

㉢ [O] 증거동의는 소송주체인 검사와 피고인이 하는 것이고, 변호인은 피고인을 대리하여 증거동의에 관한 의견을 낼 수 있을 뿐이므로 피고인이 변호인과 함께 출석한 공판기일의 공판조서에 검사가 제출한 증거에 대하여 동의한다는 기재가 되어 있다면 이는 피고인이 증거동의를 한 것으로 보아야 하고, 그 기재는 **절대적인 증명력을 가진다.**(대법원 2016. 3. 10. 2015도19139)

㉣ [O] 공판조서에 재판장이 판결서에 의하여 판결을 선고하였음이 기재되어 있다면 동 판결선고 절차는 **적법하게 이루어졌음이 증명되었다**고 할 것이며 여기에는 다른 자료에 의한 반증을 허용하지 못하는 바이니 검찰서기의 판결서 없이 판결선고되었다는 내용의 보고서로써 공판조서의 기재내용이 허위라고 판정할 수 없다.(대법원 1983. 10. 25. 82도571)

174 공판조서의 증명력에 관한 다음 설명 중 가장 옳지 않은 것은? (다툼이 있으면 판례에 의함)

□□□
23 법원9급 [Essential ★]

① 피고인에게 증거조사결과에 대한 의견을 묻고 증거조사를 신청할 수 있음을 고지하였을 뿐만 아니라 최종의견진술의 기회를 주었는지 여부와 같은 소송절차에 관한 사실은 공판조서에 기재된 대로 공판절차가 진행된 것으로 증명되고 다른 자료에 의한 반증은 허용되지 않는다.

② 동일한 사항에 관하여 두개의 서로 다른 내용이 기재된 공판조서가 병존하는 경우 양자는 동일한 증명력을 가지는 것으로서 그 증명력에 우열이 있을 수 없다고 보아야 할 것이므로 그 중 어느 쪽이 진실한 것으로 볼 것인지는 공판조서의 증명력을 판단하는 문제로서 법관의 자유로운 심증에 따를 수 밖에 없다.

③ 공판조서에 기재되지 않은 소송절차는 공판조서 이외의 자료에 의한 증명이 허용되므로 공판조서에 피고인에 대하여 인정신문을 한 기재가 없다면 같은 조서에 피고인이 공판기일에 출석하여 공소사실신문에 대하여 이를 시정하고 있는 기재가 있다 하더라도 인정신문이 있었던 사실이 추정된다고 할 수는 없다.

④ 공소사실이 최초로 심리된 제1심 제4회 공판기일부터 피고인이 공소사실을 일관되게 부인하여 경찰 작성 피의자신문조서의 진술 내용을 인정하지 않는 경우 제1심 제4회 공판기일에 피고인이 위 서증의 내용을 인정한 것으로 공판조서에 기재된 것은 착오 기재 등으로 보아 위 피의자신문조서의 증거능력을 부정하여야 한다.

해설

③ [×] 공판조서에 피고인에 대하여 인정신문을 한 기재가 없다 하여도 같은 조서에 피고인이 공판기일에 출석하여 공소사실 신문에 대하여 이를 시정하고 있는 기재가 있으니 **인정신문이 있었던 사실이 추정된다**할 것이고, 다만 조서의 기재에 이 점에 관한 누락이 있었을 따름인 것이 인정된다.(대법원 1972. 12. 26. 72도2421)

① [○] 피고인에게 증거조사결과에 대한 의견을 묻고 증거조사를 신청할 수 있음을 고지하였을 뿐만 아니라 최종의견진술의 기회를 주었는지 여부와 같은 소송절차에 관한 사실은 **공판조서에 기재된 대로 공판절차가 진행된 것으로 증명되고 다른 자료에 의한 반증은 허용되지 않는다.**(대법원 1990. 2. 27. 89도2304)

② [○] 동일한 사항에 관하여 두개의 서로 다른 내용이 기재된 공판조서가 병존하는 경우 양자는 동일한 증명력을 가지는 것으로서 그 증명력에 우열이 있을 수 없다고 보아야 할 것이므로 그 중 어느 쪽이 진실한 것으로 볼 것인지는 공판조서의 증명력을 판단하는 문제로서 **법관의 자유로운 심증에 따를 수 밖에 없다.**(대법원 1988. 11. 8. 86도1646 **치안본부 경위 수뢰사건**)

④ [○] 공소사실이 최초로 심리된 제1심 제4회 공판기일부터 피고인이 공소사실을 일관되게 부인하여 경찰작성 피의자신문조서의 진술 내용을 인정하지 않는 경우 제1심 제4회 공판기일에 피고인이 위 서증의 내용을 인정한 것으로 공판조서에 기재된 것은 착오 기재 등으로 보아 위 피의자신문조서의 증거능력을 부정하여야 한다. (대법원 2010. 6. 24. 2010도5040 **철근 절도사건**)

CRIMINAL PROCEDURE **LAW**

175 공판조서의 증명력과 관련한 다음의 설명 중 가장 옳지 않은 것은? (판례에 의함)

□□□

7 법원9급 [Essential ★]

① 공판조서의 기재가 명백한 오기인 경우를 제외하고는 공판기일의 소송절차로서 공판조서에 기재된 것은 조서만으로써 증명하여야 한다.

② 공판조서의 증명력은 공판조서 이외의 자료에 의한 반증이 허용되지 않는 절대적인 것이다.

③ 검사 제출의 증거에 관하여 동의 또는 진정성립 여부 등에 관한 피고인의 의견이 증거목록에 기재된 경우에 그 증거목록의 기재는 공판조서의 일부가 아니므로 절대적인 증명력을 가질 수는 없다.

④ 피고인에게 증거조사를 신청할 수 있음을 고지하였고 아울러 최종의견진술의 기회를 주었다고 공판조서에 기재되어 있다면 공판조서에 기재된 대로 공판절차가 진행된 것으로 증명된다.

해설

③ [×] 검사 제출의 증거에 관하여 동의 또는 진정성립 여부 등에 관한 피고인의 의견이 증거목록에 기재된 경우에는 그 **증거목록의 기재는 공판조서의 일부로서 명백한 오기가 아닌 이상 절대적인 증명력을 가지게 된다.** (대법원 1998. 12. 22. 98도2890)

①② [○] 공판조서의 기재가 명백한 오기인 경우를 제외하고는 공판기일의 소송절차로서 공판조서에 기재된 것은 조서만으로써 증명하여야 하고, 그 증명력은 **공판조서 이외의 자료에 의한 반증이 허용되지 않는 절대적인 것이다.**(대법원 2015. 8. 27. 2015도3467)

④ [○] 원심(제2심) 제2회 공판조서의 기재에 의하면 피고인에게 최종의견 진술의 기회를 주었음이 명백하다. 이와 같은 절차적 사항에 관하여서는 특단의 사정이 없는 한 **공판조서만으로 증명할 것이며** 그밖의 자료에 의하여 증명할 수 없는 것이다.(대법원 1988. 8. 9. 88도1018)

176 공판조서에 관한 다음 설명 중 가장 옳지 않은 것은? (다툼이 있으면 판례에 의함)

① 공판조서는 기본되는 공판조서 외에 증인 등의 신문조서와 증거목록 등으로 구성된다.

② 검사, 피고인 또는 변호인은 공판조서의 기재에 대하여 변경을 청구하거나 이의를 진술할 수 있고, 이 경우 법원사무관 등은 신청의 연월일 및 그 요지와 그에 대한 재판장의 의견을 기재하여 조서를 작성한 후 당해 공판조서에 이를 첨부한다.

③ 비록 피고인이 차회 공판기일 전 등 원하는 시기에 공판조서를 열람·등사하지 못하였다 하더라도 그 변론종결 이전에 이를 열람·등사한 경우에는 그 열람·등사가 늦어짐으로 인하여 피고인의 방어권 행사에 지장이 있었다는 등의 특별한 사정이 없는 한 형사소송법 제55조 제1항 소정의 피고인의 공판조서의 열람·등사청구권이 침해되었다고 볼 수 없어, 그 공판조서를 유죄의 증거로 할 수 있다는 것이 판례의 입장이다.

④ 공판조서의 절대적 증명력은 공판기일의 소송절차에 관한 것뿐만 아니라 피고인의 자백, 증인의 증언, 검증결과와 같은 실체적 사항에 대해서도 인정된다.

해설

④ [×] 공판기일의 **소송절차로서** 공판조서에 기재된 것은 그 조서만으로써 증명한다.(제56조) 피고인의 자백이나 증인의 증언 등과 같은 **실체관련 사항은** 공판기일의 '소송절차'가 아니므로 **절대적 증명력이 인정되지 아니한다.**

① [○] 형사공판조서 중 증거조사부분의 목록화에 관한 예규 등 참고

② [○] 검사, 피고인 또는 변호인은 공판조서의 기재에 대하여 변경을 청구하거나 **이의를 진술할 수 있고,** 이 경우 법원사무관 등은 신청의 연월일 및 그 요지와 그에 대한 재판장의 의견을 기재하여 조서를 작성한 후 **당해 공판조서에 이를 첨부한다.**(제54조 제3항·제4항, 규칙 제29조의2)

③ [○] 비록 피고인이 차회 공판기일 전 등 원하는 시기에 공판조서를 열람·등사하지 못하였다 하더라도 그 변론종결 이전에 이를 열람·등사한 경우에는 그 열람·등사가 늦어짐으로 인하여 피고인의 방어권 행사에 지장이 있었다는 등의 특별한 사정이 없는 한 피고인의 공판조서의 열람·등사청구권이 침해되었다고 볼 수 없어 그 공판조서를 유죄의 증거로 할 수 있다.(대법원 2007. 7. 26. 2007도3906)

제 4 편

종합&사례문제

제1장   종합문제

제2장   사례문제

제1장 종합문제

001 다음 각 (   )에 들어갈 숫자의 합은?

12 경찰채용 [Essential ★]

> ㉠ 체포영장의 청구서에는 (   )일을 넘는 유효기간을 필요로 하는 때에는 그 취지 및 사유를 기재하여야 한다.
> ㉡ 현행범인을 체포한 후 구속하고자 할 때에는 체포한 때부터 (   )시간 이내에 구속영장을 청구하여야 하고, 그 기간 내에 구속영장을 청구하지 아니한 때에는 피의자를 즉시 석방하여야 한다.
> ㉢ 사법경찰관이 피의자를 구속한 때에는 (   )일 이내에 피의자를 검사에게 인치하지 아니하면 석방하여야 한다.

① 58　　　　　② 65　　　　　③ 68　　　　　④ 72

해설

> ② 숫자의 합은 65이다.
> ㉠ 7일이다.(규칙 제95조)
> ㉡ 48시간이다.(제213조의2, 제200조의2 제5항)
> ㉢ 10일이다.(제202조)

002 다음 각 빈 칸에 들어갈 숫자의 합은?

17 경찰채용 [Essential ★]

> ㉠ 체포한 피의자를 구속하고자 할 때에는 체포한 때부터 (   )시간 이내에 형사소송법 제201조의 규정에 의하여 구속영장을 청구하여야 하고, 그 기간 내에 구속영장을 청구하지 아니하는 때에는 피의자를 즉시 석방하여야 한다.
> ㉡ 지방검찰청 검사장 또는 지청장은 불법체포·구속의 유무를 조사하기 위하여 검사로 하여금 매월 (   )회 이상 관하수사관서의 피의자의 체포·구속 장소를 감찰하게 하여야 한다.
> ㉢ 사법경찰관이 피의자를 구속한 때에는 (   )일 이내에 피의자를 검사에게 인치하지 아니하면 석방하여야 한다.

① 59　　　　　② 57　　　　　③ 37　　　　　④ 35

해설

① 숫자의 합은 **59**다.
㉠ 체포한 때부터 **48시간 이내**에 구속영장을 청구하여야 한다.(제200조의2 제5항)
㉡ 매월 **1회 이상** 관하 수사관서의 피의자의 체포·구속 장소를 감찰하게 하여야 한다.(제198조의2 제1항)
㉢ **10일 이내**에 피의자를 검사에게 인치하지 아니하면 석방하여야 한다.(제202조)

003 다음 중 ( ) 안의 숫자를 큰 순서대로 나열한 것은?

20 해경채용 [Superlative ★★★]

㉠ 긴급체포된 피의자를 구속하기 위해서는 피의자를 체포한 때로부터 ( )시간 내에 구속영장을 청구하여야 한다.
㉡ 검사가 긴급체포된 피의자에 대하여 구속영장을 청구하지 아니하고 피의자를 석방한 경우에는 석방한 날부터 ( )일 이내에 긴급체포 후 석방된 자의 인적사항, 긴급체포의 일시·장소와 긴급체포하게 된 구체적 이유 등을 법원에 통지하여야 한다.
㉢ 피의자를 구속하는 경우 다액 ( )만원 이하의 벌금, 구류 또는 과료에 해당하는 범죄에 관하여는 피의자가 일정한 주거가 없는 경우에 한한다.
㉣ 사법경찰관이 피의자를 구속한 때에는 ( )일 이내에 피의자를 검사에게 인치하지 아니하면 석방하여야 한다.

① ㉠ - ㉡ - ㉢ - ㉣
② ㉠ - ㉡ - ㉣ - ㉢
③ ㉢ - ㉠ - ㉡ - ㉣
④ ㉢ - ㉠ - ㉣ - ㉡

해설

③ ㉢ **50** ㉠ **48** ㉡ **30** ㉣ **10** 순서이다.
㉠ 제200조의4 제1항
㉡ 제200조의4 제4항
㉢ 제201조 제1항
㉣ 제202조

004 현행 형사소송법 명문 규정에 대한 설명으로 가장 옳지 않은 것은?   16 경찰간부 [Essential ★]

□□□

① 구속이 신병확보수단에 불과한 것임을 감안하여 불구속수사와 불구속재판의 원칙을 규정하고 있다.

② 수사기관의 신문에 대한 피의자의 진술거부권을 구체적으로 규정하고 피의자 등의 신청에 따라 당해 신문에 변호인이 참여할 수 있도록 규정하고 있다.

③ 고소권자로서 고소한 자가 재정신청을 하려면 원칙적으로 검찰청법 제10조에 따른 항고를 거치도록 규정하고 있다.

④ 수사기관이 피의자를 체포할 때 피의사실의 요지, 체포의 이유와 변호인을 선임할 수 있음을 말하고 변명할 기회를 주도록 규정하고 있다.

해설

① [×] 형사소송법은 제198조 제1항에서 '피의자에 대한 수사는 불구속 상태에서 함을 원칙으로 한다'라고 규정하고 있으니, **피고인에 대한 불구속재판의 원칙은 명문으로 규정되어 있지 않다.**

② [○] 검사 또는 사법경찰관은 피의자 또는 그 변호인·법정대리인·배우자·직계친족·형제자매의 신청에 따라 변호인을 피의자와 **접견**하게 하거나 정당한 사유가 없는 한 피의자에 대한 신문에 **참여**하게 하여야 한다. (제243조의2 제1항, 제244조의3 제1항)

③ [○] 재정신청을 하려면 「검찰청법」 제10조에 따른 항고를 거쳐야 한다.(제260조 제2항)

④ [○] 검사 또는 사법경찰관은 피의자를 체포하는 경우에는 피의사실의 요지, 체포의 이유와 변호인을 선임할 수 있음을 말하고 **변명할 기회를 주어야** 한다.(제200조의5, 제213조의2)

005 수사에 관한 설명으로 옳지 않은 것은? (다툼이 있으면 판례에 의함)   22 소방간부 [Core ★★]

□□□

① 수사기관이 증거물을 압수하기 위해서는 피의자가 죄를 범하였다고 의심할 만한 상당한 정황이 있거나 해당 사건과 관계가 있어야 한다.

② 아동·청소년대상 디지털 성범죄 사건의 경우에는 신분비공개수사가 현행법상 명문으로 허용된다.

③ 사법경찰관이 범죄혐의가 있다고 보아 수사에 착수하는 행위를 한 때에는 이미 범죄를 인지한 것으로 보아야 하고 그 뒤 범죄인지보고서를 작성한 때에 비로소 범죄를 인지하였다고 볼 것은 아니다.

④ 장애인 등 특별히 보호를 요하는 피의자를 신문하는 경우 피의자와 신뢰관계에 있는 자를 동석 하게 할 수 있는데, 수사기관이 재량에 따라 이를 허락하더라도 동석한 사람으로 하여금 피의자를 대신하여 진술하도록 하여서는 안 된다.

⑤ 피고인이 된 피의자가 사법경찰관의 여죄 추궁 끝에 다른 범죄사실을 자백한 경우에는 자수라고 할 수 없다.

해설

① [×] 검사는 범죄수사에 필요한 때에는 **피의자가 죄를 범하였다고 의심할 만한 정황이 있고 해당 사건과 관계가 있다고 인정할 수 있는 것에 한정하여** 지방법원판사에게 청구하여 발부받은 영장에 의하여 압수 · 수색 또는 검증을 할 수 있다.(제215조 제1항) 사법경찰관이 범죄수사에 필요한 때에는 **피의자가 죄를 범하였다고 의심할 만한 정황이 있고 해당 사건과 관계가 있다고 인정할 수 있는 것에 한정하여** 검사에게 신청하여 검사의 청구로 지방법원판사가 발부한 영장에 의하여 압수 · 수색 또는 검증을 할 수 있다.(제215조 제2항)

② [○] 아청법 제25조의2부터 제25조의4는 2021. 3.23. 아청법 개정으로 신설되었다.

> **아동 · 청소년의 성보호에 관한 법률(2021. 1. 12. 법률 제17893호로 일부개정된 것)**
>
> **제25조의2【아동 · 청소년대상 디지털 성범죄의 수사 특례】**① 사법경찰관리는 다음 각 호의 어느 하나에 해당하는 범죄(이하 "디지털 성범죄"라 한다)에 대하여 신분을 비공개하고 범죄현장(정보통신망을 포함한다) 또는 범인으로 추정되는 자들에게 접근하여 범죄행위의 증거 및 자료 등을 수집(이하 "신분비공개수사"라 한다)할 수 있다.
> 1. 제11조 및 제15조의2의 죄
> 2. 아동 · 청소년에 대한 「성폭력범죄의 처벌 등에 관한 특례법」 제14조 제2항 및 제3항의 죄
> ② 사법경찰관리는 디지털 성범죄를 계획 또는 실행하고 있거나 실행하였다고 의심할 만한 충분한 이유가 있고, 다른 방법으로는 그 범죄의 실행을 저지하거나 범인의 체포 또는 증거의 수집이 어려운 경우에 한정하여 수사 목적을 달성하기 위하여 부득이한 때에는 다음 각 호의 행위(이하 "신분위장수사"라 한다)를 할 수 있다.
> 1. 신분을 위장하기 위한 문서, 도화 및 전자기록 등의 작성, 변경 또는 행사
> 2. 위장 신분을 사용한 계약 · 거래
> 3. 아동 · 청소년성착취물 또는 「성폭력범죄의 처벌 등에 관한 특례법」 제14조 제2항의 촬영물 또는 복제물(복제물의 복제물을 포함한다)의 소지, 판매 또는 광고
>
> **제25조의3【아동 · 청소년대상 디지털 성범죄 수사 특례의 절차】**① 사법경찰관리가 신분비공개수사를 진행하고자 할 때에는 사전에 상급 경찰관서 수사부서의 장의 승인을 받아야 한다. 이 경우 그 수사기간은 3개월을 초과할 수 없다.
> ② 제1항에 따른 승인의 절차 및 방법 등에 필요한 사항은 대통령령으로 정한다.
> ③ 사법경찰관리는 신분위장수사를 하려는 경우에는 검사에게 신분위장수사에 대한 허가를 신청하고, 검사는 법원에 그 허가를 청구한다.
> ④ 제3항의 신청은 필요한 신분위장수사의 종류 · 목적 · 대상 · 범위 · 기간 · 장소 · 방법 및 해당 신분위장수사가 제25조의2 제2항의 요건을 충족하는 사유 등의 신청사유를 기재한 서면으로 하여야 하며, 신청사유에 대한 소명자료를 첨부하여야 한다.
> ⑤ 법원은 제3항의 신청이 이유 있다고 인정하는 경우에는 신분위장수사를 허가하고, 이를 증명하는 서류(이하 "허가서"라 한다)를 신청인에게 발부한다.
> ⑥ 허가서에는 신분위장수사의 종류 · 목적 · 대상 · 범위 · 기간 · 장소 · 방법 등을 특정하여 기재하여야 한다.
> ⑦ 신분위장수사의 기간은 3개월을 초과할 수 없으며, 그 수사기간 중 수사의 목적이 달성되었을 경우에는 즉시 종료하여야 한다.
> ⑧ 제7항에도 불구하고 제25조의2 제2항의 요건이 존속하여 그 수사기간을 연장할 필요가 있는 경우에는 사법경찰관리는 소명자료를 첨부하여 3개월의 범위에서 수사기간의 연장을 검사에게 신청하고, 검사는 법원에 그 연장을 청구한다. 이 경우 신분위장수사의 총 기간은 1년을 초과할 수 없다.
>
> **제25조의4【아동 · 청소년대상 디지털 성범죄에 대한 긴급 신분위장수사】**① 사법경찰관리는 제25조의2 제2항의 요건을 구비하고, 제25조의3 제3항부터 제8항까지에 따른 절차를 거칠 수 없는 긴급을 요하는 때에는 법원의 허가 없이 신분위장수사를 할 수 있다.

정답 | 004 ① 005 ①

> ② 사법경찰관리는 제1항에 따른 신분위장수사 개시 후 지체 없이 검사에게 허가를 신청하여야 하고, 사법경찰관리는 48시간 이내에 법원의 허가를 받지 못한 때에는 즉시 신분위장수사를 중지하여야 한다.
> ③ 제1항 및 제2항에 따른 신분위장수사 기간에 대해서는 제25조의3 제7항 및 제8항을 준용한다.

③ [○] 사법경찰관이 범죄혐의가 있다고 보아 수사에 착수하는 행위를 한 때에는 이미 범죄를 인지한 것으로 보아야 하고 그 뒤 범죄인지보고서를 작성한 때에 비로소 범죄를 인지하였다고 볼 것은 아니다.(대법원 2010. 6. 24. 2008도12127)

④ [○] 구체적인 사안에서 (신뢰관계자의) 동석을 허락할 것인지는 원칙적으로 검사 또는 사법경찰관이 피의자의 건강 상태 등 여러 사정을 고려하여 재량에 따라 판단하여야 할 것이나, 이를 허락하는 경우에도 동석한 사람으로 하여금 피의자를 대신하여 진술하도록 하여서는 아니되는 것이고 만약 동석한 사람이 피의자를 대신하여 진술한 부분이 조서에 기재되어 있다면 그 부분은 피의자의 진술을 기재한 것이 아니라 동석한 사람의 진술을 기재한 조서에 해당하므로 그 사람에 대한 **진술조서로서의 증거능력을 취득하기 위한 요건을 충족하지 못하는 한 이를 유죄 인정의 증거로 사용할 수 없다.**(대법원 2009. 6. 23. 2009도1322 **한나라당 자원봉사팀장 사건**)

⑤ [○] 수사기관의 직무상의 질문 또는 조사에 응하여 범죄사실을 진술하는 것은 **자백일 뿐 자수가 되는 것은 아니다.**(대법원 2011. 12. 22. 2011도12041 **코어비트 대표 사건**)

---

006 수사에 관한 다음 설명 중 가장 옳은 것은? (다툼이 있으면 판례에 의함)   19 경찰간부 [Essential ★]
□□□

① 사법경찰관이 범죄인지서를 작성하는 등 인지절차를 밟기 전에 수사를 하였더라면 그 수사는 위법하다.

② 변사자의 검시로 범죄의 혐의를 인정하고 긴급을 요할 때에는 영장 없이 검증할 수 있다.

③ 피고인이 수사기관의 직무상 질문 또는 조사에 응하여 범죄사실을 진술하는 것은 자백이자 자수에 해당한다.

④ 반의사불벌죄의 공범자 사이에도 친고죄의 공범자간 고소불가분의 원칙을 규정한 형사소송법 제233조의 규정이 준용되어, 1인에 대한 처벌을 희망하지 않는 의사표시는 다른 공범자에 대하여도 효력이 있다.

해설

② [○] 검시로 범죄의 혐의를 인정하고 긴급을 요할 때에는 **영장없이 검증할 수 있다.**(제222조 제2항)

① [×] **인지절차(범죄인지서 작성 등)를 밟기 전에 수사를 하였다고 하더라도** 그 수사가 장차 인지의 가능성이 전혀 없는 상태하에서 행해졌다는 등의 특별한 사정이 없는 한 인지절차가 이루어지기 전에 수사를 하였다는 이유만으로 **그 수사가 위법하다고 볼 수는 없다.**(대법원 2001. 10. 26. 2000도2968 인지서 작성전 신문사건)

③ [×] 수사기관의 직무상의 질문 또는 조사에 응하여 범죄사실을 진술하는 것은 **자백일 뿐 자수가 되는 것은 아니다.**(대법원 2011. 12. 22. 2011도12041 박상백 코어비트 대표 사건)

④ [×] 반의사불벌죄에 있어 처벌을 희망하지 아니하는 의사표시나 처벌을 희망하는 의사표시의 철회에 관하여는 친고죄와는 달리 **공범자간에 불가분의 원칙이 적용되지 아니한다.**(대법원 1994. 4. 26. 93도1689 웅진여성 폐간 사건) 따라서 공범 중 1인에 대한 처벌을 희망하지 않는 의사표시는 다른 공범자에 대하여 효력이 없다.

007 체포 · 구속 · 압수 · 수색에 대한 설명으로 가장 적절한 것은? (다툼이 있으면 판례에 의함)

☐☐☐
15 경찰채용 [Essential ★]

① 긴급체포 후 구속영장을 청구하지 않고 석방한 피의자는 영장 없이는 동일한 범죄사실에 관하여 다시 긴급체포를 할 수 없으나, 구속영장을 발부받지 못하여 석방한 경우라면 긴급체포의 요건을 갖출 경우 다시 동일한 범죄사실로 긴급체포하는 것도 가능하다.

② 수사기관이 압수·수색에 착수하면서 그 장소의 관리책임자에게 영장을 제시하였다면, 물건을 소지하고 있는 다른 사람으로부터 이를 압수하고자 할 때 그 사람에게 따로 영장을 제시할 필요가 없다.

③ 사법경찰관이 피의자 체포 통지를 할 때 급속을 요하는 경우에는 체포되었다는 취지 및 체포의 일시·장소를 전화 또는 모사전송기 기타 상당한 방법에 의하여 통지할 수 있다. 이 경우 체포통지를 다시 서면으로도 하여야 한다.

④ 검사 등이 아닌 이에 의하여 현행범인이 체포된 후 불필요한 지체 없이 검사 등에게 인도된 경우라면, 검사 등이 현행범인을 구속하기 위해서는 현행범인을 인도받은 때부터가 아니라 체포시부터 48시간 이내에 구속영장을 청구하여야 한다.

해설

③ [○] 사법경찰관이 피의자 체포 통지를 할 때 급속을 요하는 경우에는 체포되었다는 취지 및 체포의 일시·장소를 전화 또는 모사전송기 기타 상당한 방법에 의하여 통지할 수 있다. 이 경우 **체포통지를 다시 서면으로도 하여야 한다.**(규칙 제100조 제1항, 제51조 제3항)

① [×] 긴급체포된 피의자에 대하여 **구속영장을 청구하지 아니하거나 발부받지 못한 때에는** 피의자를 즉시 석방하여야 하고, 이 경우 **영장 없이는 동일한 범죄사실에 관하여 체포하지 못한다.**(제200조의3 제2항·제3항)

② [×] 수사기관이 압수·수색에 착수하면서 그 장소의 관리책임자에게 영장을 제시하였다고 하더라도 물건을 소지하고 있는 다른 사람으로부터 이를 압수하고자 하는 때에는 그 **사람에게 따로 영장을 제시하여야 한다.** (대법원 2009. 3. 12. 2008도763 김태환 제주지사 사건)

④ [×] 검사 등이 아닌 이에 의하여 현행범인이 체포된 후 불필요한 지체 없이 검사 등에게 인도된 경우 **구속영장 청구기간인 48시간의 기산점은 체포시가 아니라 검사 등이 현행범인을 인도받은 때이다.**(대법원 2011. 12. 22. 2011도12927 소말리아 해적 사건)

008 강제수사에 대한 설명으로 옳은 것만을 모두 고르면? (다툼이 있으면 판례에 의함)

□□□
23 국가9급 [Core ★★]

> ㉠ 현행범인 체포의 요건을 갖추었는지 여부는 체포 당시의 상황을 기초로 판단하여야 하고, 체포 당시의 상황으로 볼 때 그 요건의 충족 여부에 관한 검사나 사법경찰관 등의 판단이 경험칙에 비추어 현저히 합리성을 잃은 경우에는 그 체포는 위법하다.
>
> ㉡ 구속기간연장허가결정이 있는 경우에 그 연장기간은 구속기간이 만료된 날로부터 기산한다.
>
> ㉢ 피의자, 피의자의 변호인·법정대리인·배우자·직계친족·형제자매·가족·동거인 또는 고용주는 구속된 피의자의 보석을 법원에 청구할 수 있다.
>
> ㉣ 수사기관이 압수·수색영장에 적힌 '수색할 장소'에 있는 컴퓨터 등 정보처리장치에 저장된 전자정보 외에 원격지 서버에 저장된 전자정보를 압수·수색하기 위해서는 압수·수색영장에 적힌 '압수할 물건'에 별도로 원격지 서버 저장 전자정보가 특정되어 있어야 한다.

① ㉠㉡   ② ㉠㉣

③ ㉡㉢   ④ ㉢㉣

해설

② ㉠㉣ 2 항목이 옳다.

㉠ [○] 현행범인 체포의 요건을 갖추었는지 여부는 **체포 당시의 상황을 기초로 판단**하여야 하고, 체포 당시의 상황으로 볼 때 그 요건의 충족 여부에 관한 검사나 사법경찰관 등의 판단이 경험칙에 비추어 **현저히 합리성을 잃은 경우에는 그 체포는 위법하다.**(대법원 2017. 4. 7. 2016도19907 제주 음주측정 거부사건)

㉡ [×] 구속기간연장 허가결정이 있는 경우에 그 연장기간은 **종전 구속기간만료 다음날로부터** 기산한다.(규칙 제98조)

㉢ [×] **피고인, 피고인의** 변호인·법정대리인·배우자·직계친족·형제자매·가족·동거인 또는 고용주는 법원에 **구속된 피고인의 보석을 청구할 수 있다.**(제94조) 피의자 등은 법원에 보석을 청구할 수 없다.

㉣ [○] 압수할 전자정보가 저장된 저장매체로서 압수·수색영장에 기재된 수색장소에 있는 컴퓨터, 하드디스크, 휴대전화와 같은 컴퓨터 등 정보처리장치와 수색장소에 있지는 않으나 컴퓨터 등 정보처리장치와 정보통신망으로 연결된 원격지의 서버 등 저장매체(이하 '원격지 서버'라 한다)는 소재지, 관리자, 저장공간의 용량 측면에서 서로 구별된다. 원격지 서버에 저장된 전자정보를 압수·수색하기 위해서는 컴퓨터등 정보처리장치를 이용하여 정보통신망을 통해 원격지 서버에 접속하고 그곳에 저장되어 있는 전자정보를 컴퓨터 등 정보처리장치로 내려 받거나 화면에 현출시키는 절차가 필요하므로 컴퓨터 등 정보처리장치 자체에 저장된 전자정보와 비교하여 압수·수색의 방식에 차이가 있다. 원격지 서버에 저장되어 있는 전자정보와 컴퓨터 등 정보처리장치에 저장되어 있는 전자정보는 그 내용이나 질이 다르므로 압수·수색으로 얻을 수 있는 전자정보의 범위와 그로 인한 기본권 침해 정도도 다르다. 따라서 수사기관이 **압수·수색영장에 적힌 '수색할 장소'에 있는 컴퓨터 등 정보처리장치에 저장된 전자정보 외에 원격지 서버에 저장된 전자정보를 압수·수색하기 위해서는 압수·수색영장에 적힌 '압수할 물건'에 별도로 원격지 서버 저장 전자정보가 특정되어 있어야 한다.** 압수·수색영장에 적힌 '압수할 물건'에 컴퓨터 등 정보처리장치 저장 전자정보만 기재되어 있다면 컴퓨터 등 정보처리장치를 이용하여 원격지 서버 저장 전자정보를 압수할 수는 없다.(대법원 2022. 6. 30. 2020모735 Virtual Desktop Infrastructure 수색사건)

009 다음 중 A해양경찰서 소속 사법경찰관 甲이 수사를 행함에 있어, 판례의 태도와 부합하지 않는 것은 모두 몇 개인가? (다툼이 있으면 판례에 의함)

> ㉠ 수사의 필요상 피의자를 임의동행한 경우에도 조사 후 귀가시키지 아니하고 그의 의사에 반하여 경찰서 조사실 또는 보호실 등에 계속 유치함으로써 신체의 자유를 속박하였다면 이는 구금에 해당한다.
> ㉡ 수사기관이 피의자를 신문함에 있어서 피의자에게 미리 진술거부권을 고지하지 않은 때에는 진술의 임의성이 인정되는 경우라도 증거능력이 부인되어야 한다.
> ㉢ 수사기관은 「형사소송법」이 정한 압수의 방법으로 피의자의 동의 없이 그의 혈액을 범죄증거의 수집목적으로 취득·보관할 수 있으나, 감정에 필요한 처분으로는 이를 할 수 없다.

① 0개
② 1개
③ 2개
④ 3개

해설

㉡ ㉢ 항목만 옳지 않다.

㉠ [○] 수사기관이 피의자를 수사하는 과정에서 구속영장 없이 피의자를 함부로 구금하여 피의자의 신체의 자유를 박탈하였다면 직권을 남용한 불법감금의 죄책을 면할 수 없고, 수사의 필요상 피의자를 임의동행한 경우에도 조사 후 귀가시키지 아니하고 그의 의사에 반하여 경찰서 조사실 또는 보호실 등에 **계속 유치함으로써 신체의 자유를 속박하였다면 이는 구금에 해당한다.**(대법원 1985. 7. 29. 85모16 **진주경찰서 6일 구금사건**)

㉡ [○] 수사기관이 피의자를 신문함에 있어서 피의자에게 미리 진술거부권을 고지하지 않은 때에는 그 피의자의 진술은 위법하게 수집된 증거로서 진술의 임의성이 인정되는 경우라도 **증거능력이 부인되어야 한다.**(대법원 2014. 4. 10. 2014도1779 **대구 필로폰 매매사건**)

㉢ [×] 수사기관이 범죄 증거를 수집할 목적으로 **피의자의 동의 없이 피의자의 혈액을 취득·보관하는 행위는 법원으로부터 감정처분허가장을 받아** 형사소송법 제221조의4 제1항, 제173조 제1항에 의한 '**감정에 필요한 처분**'으로도 할 수 있지만, 형사소송법 제219조, 제106조 제1항에 정한 **압수의 방법으로도 할 수 있고**, 압수의 방법에 의하는 경우 혈액의 취득을 위하여 피의자의 신체로부터 혈액을 채취하는 행위는 그 혈액의 압수를 위한 것으로서 형사소송법 제219조, 제120조 제1항에 정한 '압수영장의 집행에 있어 필요한 처분'에 해당한다.(대법원 2012. 11. 15. 2011도15258 **구로 강제채혈사건**)

010 형사소송법상 피의자를 보호하기 위한 제도에 관한 다음 설명 중 가장 옳지 않은 것은? (다툼이 □□□ 있는 경우 판례에 의함)
18 법원9급 [Superlative ★★★]

① 체포·구속적부심사에 관한 법원의 결정에 대하여는 기각결정과 석방결정을 불문하고 항고가 허용되지 않는다.

② 미체포된 피의자에 대하여는 구속영장을 청구받은 판사는 피의자가 죄를 범하였다고 의심할 만한 이유가 있는 경우에 피의자가 도망하는 등의 사유로 심문할 수 없는 경우 이외에는 피의자를 구인한 후 심문하여야 한다.

③ 법원은 체포·구속적부심사에서 체포 또는 구속된 피의자에게 변호인이 없는 때에는 국선변호인을 선정하여야 하나, 심문 없이 기각 결정하는 경우에는 국선변호인을 선정할 필요는 없다.

④ 체포·구속적부심사의 심문기일에 출석한 검사·변호인·청구인은 피의자를 직접 심문할 수 없고 법원의 심문이 끝난 후 의견을 진술할 수 있다.

해설

③ [×] 체포 또는 구속된 피의자에게 변호인이 없는 때에는 국선변호인 선정에 관한 제33조의 규정을 준용한다.(제214조의2 제10항) **심문 없이 청구를 기각하는 경우에도 국선변호인을 선정하여야 한다.**

① [○] 제3항과 제4항의 결정에 대하여는 항고하지 못한다.(제214조의2 제8항)

② [○] 미체포된 피의자에 대하여 구속영장을 청구받은 판사는 피의자가 죄를 범하였다고 의심할 만한 이유가 있는 경우에 피의자가 도망하는 등의 사유로 심문할 수 없는 경우 외에는 피의자를 구인한 후 심문하여야 한다.(제214조의2 제2항)

④ [○] 체포·구속적부심사의 심문기일에 출석한 검사·변호인·청구인은 피의자를 직접 심문할 수 없고 법원의 심문이 끝난 후 의견을 진술할 수 있다.(규칙 제105조 제1항)

011

□□□

<보기>의 설명에 대하여 옳고(○) 그름(×)을 바르게 표시한 것은? (다툼이 있으면 판례에 의함)

23 소방간부 [Superlative ★★★]

<보기>

㉠ 「마약류 불법거래 방지에 관한 특례법」 제4조 제1항에 따른 조치의 일환으로 특정한 수출입 물품을 개봉하여 검사하고 그 내용물의 점유를 취득한 행위는 수출입물품에 대한 적정한 통관 등을 목적으로 하는 조사로서 사전 또는 사후에 영장을 받아야 한다.

㉡ 전기통신의 감청은 전기통신이 이루어지고 있는 상황에서 실시간으로 그 전기통신의 내용을 지득·채록하는 경우와 통신의 송·수신을 직접적으로 방해하는 경우를 의미하고, 이미 수신이 완료된 전기통신에 관하여 남아 있는 기록이나 내용을 열어보는 등의 행위는 포함하지 않는다.

㉢ 피고인이 아닌 자가 수사과정에서 진술서를 작성하였지만 수사기관이 그에 대한 조사과정을 기록하지 아니하였다면 특별한 사정이 없는 한 적법한 절차와 방식에 따라 수사과정에서 진술 서가 작성되었다 할 수 없다.

㉣ 수사기관이 네트워크 카메라 등을 설치·이용하여 피의자의 행동과 피의자가 본 태블릿 개인 용 컴퓨터(PC) 화면내용을 촬영한 것은 일반적으로 허용되는 상당한 방법에 의한 것이므로 영장 없이 이루어져도 정당한 것이다.

㉤ 수사기관이 압수·수색영장에 적힌 '수색할 장소'에 있는 컴퓨터 등 정보처리장치에 저장된 전자정보 외에 원격지 서버에 저장된 전자정보를 압수·수색하기 위해서는 압수·수색영장에 적힌 '압수할 물건'에 별도로 원격지 서버 저장 전자정보가 특정되어 있을 필요는 없다.

① ㉠ × ㉡ × ㉢ ○ ㉣ ○ ㉤ ×

② ㉠ ○ ㉡ ○ ㉢ ○ ㉣ × ㉤ ×

③ ㉠ × ㉡ ○ ㉢ ○ ㉣ ○ ㉤ ×

④ ㉠ × ㉡ × ㉢ ○ ㉣ × ㉤ ○

⑤ ㉠ × ㉡ ○ ㉢ ○ ㉣ × ㉤ ×

해설

⑤ 이 지문이 옳은 연결이다.

㉠ [×] 마약류 불법거래방지에 관한 특례법 제4조 제1항에 따른 조치의 일환으로 특정한 수출입물품을 개봉하여 검사하고 그 내용물의 점유를 취득한 행위는 **수출입물품에 대한 적정한 통관 등을 목적으로 조사를 하는 경우와는 달리** 범죄수사인 압수 또는 수색에 해당하여 사전 또는 사후에 영장을 받아야 한다.(대법원 2017. 7. 18. 2014도8719 **통제배달사건Ⅱ**)

㉡ [○] 전기통신의 감청은 전기통신이 이루어지고 있는 상황에서 실시간으로 그 전기통신의 내용을 지득·채록하는 경우와 통신의 송·수신을 직접적으로 방해하는 경우를 의미하고, **이미 수신이 완료된 전기통신에 관하여 남아 있는 기록이나 내용을 열어보는 등의 행위는 포함하지 않는다.**(대법원 2016. 10. 13. 2016도8137 **코리아연대 사건**)

㉢ [○] 피고인이 아닌 자가 수사과정에서 진술서를 작성하였지만 수사기관이 그에 대한 **조사과정을 기록하지 아니하였다면** 특별한 사정이 없는 한 적법한 절차와 방식에 따라 수사과정에서 진술서가 작성되었다 할 수 없다.(대법원 2015. 4. 23. 2013도3790 **조사과정 기록 누락사건**)

ⓔ [×] 제1심은, 수사기관이 2013.11. 2. 네트워크 카메라 등을 설치·이용하여 피고인의 행동과 피고인이 본 태블릿 개인용 컴퓨터(PC) 화면내용을 촬영한 것이 수사의 비례성·상당성 원칙과 영장주의 등을 위반한 것이 므로 그로 인해 취득한 영상물 등의 증거는 증거능력이 없다고 판단하였다. 그리고 원심은 **위 촬영이 일반적으로 허용되는 상당한 방법에 의한 것이 아니므로** 영장 없이 이루어져 위법하다는 등의 이유를 들어 제1심의 판단이 정당하다고 인정하였는바, **원심의 판단에 잘못이 없다.**(대법원 2017. 11. 29. 2017도9747 원격 이메일 압수·수색사건)

ⓜ [×] 수사기관이 압수·수색영장에 적힌 '수색할 장소'에 있는 컴퓨터 등 정보처리장치에 저장된 전자정보 외에 원격지 서버에 저장된 전자정보를 압수·수색하기 위해서는 **압수·수색영장에 적힌 '압수할 물건'에 별도로 원격지 서버 저장 전자정보가 특정되어 있어야 한다.** 압수·수색영장에 적힌 '압수할 물건'에 컴퓨터등 정보처리장치 저장 전자정보만 기재되어 있다면 컴퓨터 등 정보처리장치를 이용하여 원격지 서버 저장 전자정보를 압수할 수는 없다.(대법원 2022. 6. 30. 2020모735 Virtual Desktop Infrastructure 수색사건)

012

□□□

다음은 증거에 대한 설명이다. 가장 적절하지 않은 것은? (다툼이 있으면 판례에 의함)

14 경찰채용 [Essential ★]

① 증거동의의 철회는 증거조사 완료 전까지 허용될 수 있다.

② 정보통신망을 통하여 공포심이나 불안감을 유발하는 글을 반복적으로 상대방에게 도달하게 하는 행위를 하였다는 공소사실에 대하여 휴대전화기에 저장된 문자정보가 그 증거가 되는 경우, 그 문자정보는 형사소송법 제310조의2에서 정한 전문법칙이 적용되지 않는다.

③ 어떤 진술이 기재된 서류가 그 내용의 진실성이 범죄사실에 대한 직접증거로 사용될 때 전문 증거가 되는 경우, 그와 같은 진술을 하였다는 것 자체 또는 그 진술의 진실성과 관계없는 간 접사실에 대한 정황증거로 사용될 때는 반드시 전문증거가 되는 것은 아니다.

④ 재전문진술이나 재전문진술을 기재한 조서에 대하여 형사소송법이 그 증거능력을 인정하는 규정을 두고 있지 않기 때문에 피고인이 증거로 함에 동의하더라도 증거로 할 수 없다.

해설

④ [×] 재전문진술이나 재전문진술을 기재한 조서에 대하여는 달리 그 증거능력을 인정하는 규정을 두고 있지 아니하고 있으므로, **피고인이 증거로 하는 데 동의하지 아니하는 한 이를 증거로 할 수 없다.**(대법원 2012. 5. 24. 2010도5948 대전 동거남 폭행치사사건) 재전문진술이나 재전문진술을 기재한 조서라도 피고인이 증거로 함에 동의하면 증거능력이 인정된다.(제318조 제1항)

① [○] 형사소송법 제318조에 규정된 증거동의의 의사표시는 증거조사가 완료되기 전까지 취소 또는 철회할 수 있으나, 일단 증거조사가 완료된 뒤에는 취소 또는 철회가 인정되지 아니하므로 취소 또는 철회 이전에 이미 취득한 증거능력은 상실되지 않는다.(대법원 2015. 8. 27. 2015도3467)

② [○] 정보통신망을 통하여 공포심이나 불안감을 유발하는 글을 반복적으로 상대방에게 도달하게 하는 행위를 하였다는 공소사실에 대하여 **휴대전화기에 저장된 문자정보가 그 증거가 되는 경우, 그 문자정보는 형사소송법 제310조의2에서 정한 전문법칙이 적용되지 않는다.**(대법원 2008. 11. 13. 2006도2556)

③ [○] 어떤 진술이 기재된 서류가 그 내용의 진실성이 범죄사실에 대한 직접증거로 사용될 때 전문증거가 되는 경우, 그와 같은 **진술을 하였다는 것 자체 또는 그 진술의 진실성과 관계없는 간접사실에 대한 정황증거로 사용될 때는 반드시 전문증거가 되는 것은 아니다.** (대법원 2013. 6. 13. 2012도16001)

013 전문법칙에 대한 설명으로 적절한 것만을 고른 것은 모두 몇 개인가? (다툼이 있으면 판례에 의함)

> ㉠ 다른 사람의 진술을 내용으로 하는 진술이 전문증거인지는 요증사실이 무엇인지에 따라 정해
> 지는 바, 다른 사람의 진술, 즉 원진술의 내용인 사실이 요증사실인 경우에는 전문 증거이지만
> 원진술의 존재 자체가 요증사실인 경우에는 본래증거이지 전문증거가 아니다.
> ㉡ 어떤 진술이 기재된 서류가 어떠한 내용의 진술을 하였다는 사실 자체에 대한 정황증거로
> 사용될 것이라는 이유로 서류의 증거능력을 인정한 다음 그 사실을 다시 진술 내용이나 그
> 진실성을 증명하는 간접사실로 사용하는 경우에 그 서류는 전문증거에 해당한다.
> ㉢ 甲이 乙로부터 들은 피고인 A의 진술내용을 수사기관이 진술조서에 기재하여 증거로 제출하
> 였다면, 그 진술조서 중 피고인 A의 진술을 기재한 부분은 乙이 증거로 하는 데 동의하지
> 않는 한 「형사소송법」 제310조의2의 규정에 의하여 이를 증거로 할 수 없다.
> ㉣ 「형사소송법」 제312조부터 제316조까지의 규정에 따라 증거로 할 수 없는 서류나 진술이라
> 도 공판준비 또는 공판기일에서의 피고인 또는 피고인 아닌 자의 진술의 증명력을 다투기
> 위하여 증거로 할 수 있다.

① 1개 ② 2개 ③ 3개 ④ 4개

해설

③ ㉠㉡㉣ 3 항목이 옳다.

㉠ [O] 다른 사람의 진술을 내용으로 하는 진술이 전문증거인지는 요증사실이 무엇인지에 따라 정해진다.
다른 사람의 진술, 즉 원진술의 내용인 사실이 요증사실인 경우에는 전문증거이지만, 원진술의 존재 자체가
요증사실인 경우에는 본래증거이지 전문증거가 아니다.(대법원 2021. 2. 25. 2020도17109 추행했다는 말을
들었다 사건)

㉡ [O] 어떤 진술이 기재된 서류가 그 내용의 진실성이 범죄사실에 대한 직접증거로 사용될 때는 전문증거가
되지만, 그와 같은 진술을 하였다는 것 자체 또는 진술의 진실성과 관계없는 간접사실에 대한 정황증거로 사용
될 때는 반드시 전문증거가 되는 것이 아니다. 그러나 어떠한 내용의 진술을 하였다는 사실 자체에 대한 정황증
거로 사용될 것이라는 이유로 서류의 증거능력을 인정한 다음 그 사실을 다시 진술 내용이나 그 **진실성을 증명**
하는 간접사실로 사용하는 경우에 그 서류는 전문증거에 해당한다. 서류가 그곳에 기재된 원진술의 내용인
사실을 증명하는 데 사용되어 원진술의 내용인 사실이 요증사실이 되기 때문이다.(대법원 2019. 8. 29. 2018
도14303 全合 국정농단 박근혜 전대통령 사건)

㉢ [×] 재전문진술이나 재전문진술을 기재한 조서에 대하여는 달리 그 증거능력을 인정하는 규정을 두고 있지
아니하고 있으므로 **피고인이 증거로 하는 데 동의하지 아니하는 한 이를 증거로 할 수 없다.**(대법원 2012.
5. 24. 2010도5948 대전 동거남 폭행치사사건) 지문의 진술조서는 재전문진술을 기재한 조서이므로(A → 乙 →
甲 → 수사기관 조서 작성) **피고인 A가 증거로 하는 데 동의하지 아니하는 한 이를 증거로 할 수 없다.**

㉣ [O] 제312조부터 제316조까지의 규정에 따라 증거로 할 수 없는 서류나 진술이라도 공판준비 또는 공판기일
에서의 피고인 또는 피고인 아닌 자의 진술의 증명력을 다투기 위하여 증거로 할 수 있다.(제318조의2 제1항)

014
□□□ 자유로운 증명의 대상이면서도 거증책임이 검사에게 있는 것을 모두 고른 것은? (다툼이 있으면 판례에 의함)

14 국가7급 [Superlative ★★★]

> ㉠ 형법 제310조의 "형법 제307조 제1항의 행위가 진실한 사실로서 오로지 공공의 이익에 관한 때에는 벌하지 아니한다."는 규정과 관련하여 피고인이 주장하는 사실이 진실로서 오로지 공공의 이익에 해당하는지 여부의 입증
> ㉡ 주취정도를 계산하기 위해 위드마크 공식을 적용하는 경우 그 전제사실이 되는 섭취한 알코올의 양, 음주시각, 체중 등의 사실에 관한 입증
> ㉢ 검사가 피고인의 자필진술서를 유죄의 증거로 제출하는 경우 그 진술서의 진정성립에 대한 입증
> ㉣ 몰수의 대상이 되는지 여부 또는 추징액의 인정 등 몰수·추징 사유의 입증

① ㉠, ㉡   ② ㉠, ㉣

③ ㉡, ㉢   ④ ㉢, ㉣

해설

④ ㉢㉣ 2 항목이 자유로운 증명의 대상이면서도 거증책임이 검사에게 있다.

㉠ 사람의 명예를 훼손한 행위가 형법 제310조의 규정에 따라서 위법성이 조각되어 처벌대상이 되지 않기 위하여는, 그것이 진실한 사실로서 오로지 공공의 이익에 관한 때에 해당된다는 점을 **행위자가 증명하여야 하는 것이나**, 그 증명은 유죄의 인정에 있어 요구되는 것과 같이 법관으로 하여금 의심할 여지가 없을 정도의 확신을 가지게 하는 증명력을 가진 엄격한 증거에 의하여야 하는 것은 아니므로, 이때에는 전문증거에 대한 증거능력의 제한을 규정한 형사소송법 제310조의2는 적용될 여지가 없다.(대법원 1996. 10. 25. 95도1473)

㉡ 위드마크 공식의 경우 그 적용을 위한 자료로 섭취한 알코올의 양, 음주 시각, 체중 등이 필요하므로 그런 전제사실에 대한 **엄격한 증명이 요구된다.**(대법원 2008. 8. 21. 2008도5531)

㉢ 형사소송법 제313조 단서에서 '특히 신빙할 수 있는 상태'는 증거능력의 요건에 해당하므로 **검사가 그 존재에 대하여 구체적으로 주장·증명하여야 하지만** 이는 소송상의 사실에 관한 것이므로 엄격한 증명을 요하지 아니하고 **자유로운 증명으로 족하다.**(대법원 2001. 9. 4. 2000도1743)

㉣ 몰수, 추징의 대상이 되는지 여부나 추징액의 인정은 **엄격한 증명을 필요로 하지 아니하다.**(대법원 2008. 1. 17. 2006도455 **다이아몬드 가액 추징사건**)

015 증거능력에 대한 다음의 설명(㉠~㉣) 중 옳고 그름의 표시(○, ×)가 바르게 된 것은? (다툼이
□□□ 있으면 판례에 의함)

20 경찰채용 [Core ★★]

㉠ 대화 내용을 녹음한 파일 등의 전자매체는 성질상 작성자나 진술자의 서명 혹은 날인이 없을
뿐만 아니라, 녹음자의 의도나 특정한 기술에 의하여 내용이 편집·조작될 위험성이 있음을
고려하여 대화 내용을 녹음한 원본이거나 혹은 원본으로부터 복사한 사본일 경우에는 복사
과정에서 편집되는 등 인위적 개작 없이 원본의 내용 그대로 복사된 사본임이 입증되어야만
하고, 그러한 입증이 없는 경우에는 쉽게 그 증거능력을 인정할 수 없다.

㉡ 수사기관이 참고인을 조사하는 과정에서 형사소송법 제221조 제1항에 따라 작성한 영상녹화
물은 다른 법률에서 달리 규정하고 있는 등의 특별한 사정이 없는 한, 공소사실을 직접 증명할
수 있는 독립적인 증거로 사용될 수 있다고 해석함이 타당하다.

㉢ 정보통신망을 통하여 공포심이나 불안감을 유발하는 글을 반복적으로 상대방에게 도달하게
하는 행위를 하였다는 공소사실에 대하여 휴대전화기에 저장된 문자정보가 그 증거가 되는
경우 형사소송법 제310조의2에서 정한 전문법칙이 적용되지 않는다.

㉣ 수사기관이 甲으로부터 피고인의 마약류관리에 관한 법률 위반(향정) 범행에 대한 진술을 듣
고 추가적인 증거를 확보할 목적으로, 구속수감되어 있던 甲에게 그의 압수된 휴대전화를
제공하여 피고인과 통화하고 위 범행에 관한 통화 내용을 녹음하게 하여 작성된 녹취록 첨부
수사보고는 피고인이 동의하는 한 증거능력이 있다.

① ㉠ ○ ㉡ × ㉢ × ㉣ ○　　② ㉠ ○ ㉡ × ㉢ ○ ㉣ ×

③ ㉠ × ㉡ ○ ㉢ ○ ㉣ ○　　④ ㉠ ○ ㉡ × ㉢ × ㉣ ×

해설

② 이 지문이 옳은 연결이다.

㉠ [○] 녹음테이프 또는 녹음파일 등의 전자매체는 그 성질상 작성자나 진술자의 서명 혹은 날인이 없을 뿐만
아니라 녹음자의 의도나 특정한 기술에 의하여 그 내용이 편집, 조작될 위험성이 있음을 고려하여 그 대화내용
을 녹음한 원본이거나 혹은 원본으로부터 복사한 사본일 경우에는 복사과정에서 편집되는 등의 **인위적 개작
없이 원본의 내용 그대로 복사된 사본임이 증명되어야만 한다.**(대법원 2012. 9. 13. 2012도7461 **김홍복 인천
중구청장 사건**)

㉡ [×] 수사기관이 참고인을 조사하는 과정에서 형사소송법 제221조 제1항에 따라 작성한 영상녹화물은 다른
법률에서 달리 규정하고 있는 등의 특별한 사정이 없는 한 **공소사실을 직접 증명할 수 있는 독립적인 증거로
사용될 수는 없다.**(대법원 2014. 7. 10. 2012도5041 **역술인진술 영상녹화 사건**)

㉢ [○] "정보통신망을 통하여 공포심이나 불안감을 유발하는 글을 반복적으로 상대방에게 도달하게 하는 행위를
하였다"는 공소사실에 대하여 휴대전화기에 저장된 문자정보가 그 증거가 되는 경우와 같이 그 문자정보가 범
행의 직접적인 수단이 될 뿐 경험자의 진술에 갈음하는 대체물에 해당하지 않는 경우에는 **형사소송법 제310
조의2에서 정한 전문법칙이 적용될 여지가 없다.**(대법원 2008. 11. 13. 2006도2556 **횡설수설문자협박 사건**)

② [×] 수사기관이 구속수감된 자로 하여금 피고인의 범행에 관한 통화 내용을 녹음하게 한 행위는 수사기관 스스로가 주체가 되어 구속수감된 자의 동의만을 받고 **상대방인 피고인의 동의가 없는 상태에서 그들의 통화 내용을 녹음한 것으로서 불법감청에 해당한다고 보아야 할 것이므로**, 그 녹음 자체는 물론이고 이를 근거로 작성된 수사보고의 기재 내용과 첨부 녹취록 및 첨부 mp3파일도 모두 피고인과 변호인의 증거동의에 상관없이 **증거능력이 없다.**(대법원 2010. 10. 14. 2010도9016 공범자 통화 녹음사건)

016 증거에 관한 설명으로 옳지 않은 것만을 <보기>에서 있는 대로 고른 것은? (다툼이 있으면 판례 □□□ 에 의함)

23 소방간부 [Core ★★]

〈보기〉
㉠ 몰수·추징의 대상 여부, 추징액은 엄격한 증명의 대상이다.
㉡ 증거의 취사와 이를 근거로 한 사실인정은 그것이 경험칙에 위배된다는 등의 특단의 사정이 없는 한 사실심 법원의 전권에 속한다.
㉢ 사법경찰관(조사자)이 공소제기 전에 피고인 아닌 타인(원진술자)을 조사한 후 원진술자가 법정에 출석하여 수사기관에서 한 진술을 부인하는 취지로 증언하였더라도 그 진술이 특히 신빙할 수 있는 상태하에서 행하여진 때에는 원진술자의 진술을 내용으로 하는 조사자의 증언을 증거로 할 수 있다.
㉣ 형사재판에서 이와 관련된 다른 형사사건의 확정판결에서 인정된 사실은 특별한 사정이 없는 한 유력한 증거자료가 되나 당해 형사재판에서 제출된 다른 증거내용에 비추어 관련 형사사건의 확정판결에서의 사실판단을 그대로 채택하기 어렵다고 인정될 경우에는 이를 배척할 수 있다.

① ㉠㉡　　　　　　　② ㉠㉢　　　　　　　③ ㉡㉣
④ ㉠㉢㉣　　　　　　⑤ ㉡㉢㉣

해설

② ㉠㉢ 2 항목이 옳지 않다.
㉠ [×] 몰수, 추징의 대상이 되는지 여부나 추징액의 인정은 **엄격한 증명을 필요로 하지 아니하다.**(대법원 2015. 4. 23. 2015도1233 사설 선물거래사이트 사건)
㉡ [○] 증거의 취사와 이를 근거로 한 사실인정은 그것이 경험칙에 위배된다는 등의 특단의 사정이 없는 한 사실심 법원의 전권에 속한다.(대법원 2010. 2. 25. 2009도5824 제한높이 초과 차량 사건)
㉢ [×] 형사소송법 제316조 제2항에 따라 조사자의 증언에 증거능력이 인정되기 위해서는 원진술자가 사망, 질병, 외국거주, 소재불명, 그 밖에 이에 준하는 사유로 인하여 진술할 수 없어야만 하는 것이라서 **원진술자가 법정에 출석하여 수사기관에서의 진술을 부인하는 취지로 증언을 한 이상 원진술자의 진술을 내용으로 하는 조사자의 증언은 증거능력이 없다.**(대법원 2008. 9. 25. 2008도6985 서울 합정동 강간사건)
㉣ [○] 형사재판에서 이와 관련된 다른 형사사건의 확정판결에서 인정된 사실은 특별한 사정이 없는 한 유력한 증거자료가 되나 당해 형사재판에서 제출된 다른 증거내용에 비추어 관련 **형사사건의 확정판결에서의 사실판단을 그대로 채택하기 어렵다고 인정될 경우에는 이를 배척할 수 있다.**(대법원 2014. 3. 27. 2014도1200 약사면허증 불법대여 사건)

017 다음 사례에 대한 설명으로 옳은 것은? (다툼이 있으면 판례에 의함) 18 국가7급 [Superlative ★★★]

□□□

> 민원인 甲이 건축허가 담당공무원 乙에게 건축허가를 신청하자 乙이 건축허가와 관련하여 뇌물을 요구하였고, 이에 甲은 뇌물을 제공하였다. 이후 검사는 뇌물죄에 대한 혐의로 甲과 乙을 공동피고인으로 기소하였다.

① 甲과 乙이 서로 뇌물을 주고받은 사실이 없다고 주장하며 다투는 경우, 이들은 소송절차가 분리되어 피고인의 지위에서 벗어나더라도 다른 공동피고인에 대한 공소사실에 관하여 증인이 될 수 없다.

② 甲이 공판정에서 "乙로부터 '해외여행을 가려고 하는데 여행사에 대금을 대신 내주면 잘 봐주겠다'라는 말을 들었다."는 취지의 진술을 한 경우, 甲의 진술로 증명하고자 하는 사실이 '乙이 위와 같은 내용의 말을 하였다'는 것이라면 甲이 乙로부터 위와 같은 말을 들었다고 하는 진술은 전문증거가 아니라 본래증거에 해당한다.

③ 만약 甲만이 검거되어 검사가 甲을 증뢰죄로 기소하였다면, 그로 인한 공소시효 정지의 효력은 乙의 수뢰죄에 대하여도 미친다.

④ 공판정에서 甲은 범행을 자백하였으나 乙이 범행을 부인하고 있는 경우, 甲의 자백이 乙에게 불이익한 유일한 증거라면 법원은 甲의 자백을 乙의 범죄사실을 인정하는데 있어서 증거로 쓸 수 없다.

해설

② [○] 乙의 "해외여행을 가려고 하는데 여행사에 대금을 대신 내주면 잘 봐 주겠다"는 진술의 존재 자체가 뇌물죄에 있어서 요증사실이므로, 이를 직접 경험한 甲이 乙로부터 위와 같은 말들을 들었다고 하는 진술은 전문증거가 아니라 **본래증거에 해당된다.**(대법원 2008. 11. 13. 2008도8007 참고)

① [×] 피고인의 지위에 있는 공동피고인은 다른 공동피고인에 대한 공소사실에 관하여 증인이 될 수 없으나, **소송절차가 분리되어 피고인의 지위를 벗어나게 되면 다른 공동피고인에 대한 공소사실에 관하여 증인이 될 수 있고** 이는 대향범인 공동피고인의 경우에도 다르지 않다.(대법원 2012. 3. 29. 2009도11249 증수뢰자상호 증언 사건)

③ [×] **대향범 관계에 있는 자** 사이에서는 각자 상대방의 범행에 대하여 **형법 총칙의 공범규정이 적용되지 아니하므로** 형사소송법 제253조 제2항에서 말하는 '공범'에는 뇌물공여죄와 뇌물수수죄 사이와 같은 대향범 관계에 있는 자는 포함되지 않는다.(대법원 2015. 2. 12. 2012도4842 제3자뇌물교부 공범사건) 甲에 대하여 공소가 제기되더라도 乙의 뇌물수수죄에 관한 **공소시효는 정지되지 않는다.**

④ [×] 형사소송법 제310조의 '피고인의 자백'에는 공범인 공동피고인의 진술이 포함되지 아니하므로 공범인 공동피고인의 진술은 다른 공동피고인에 대한 범죄사실을 인정하는 데 있어서 증거로 쓸 수 있고 그에 대한 보강증거의 여부는 법관의 자유심증에 맡긴다.(대법원 1985. 3. 9. 85도951) 설문의 경우 甲의 자백은 乙에게는 (보강증거를 요하는 형사소송법 제310조의) 자백이 아니므로 **보강증거가 없더라도 乙의 범죄사실을 인정하는 데 있어서 증거로 쓸 수 있다.**

018 뇌물 수수자 甲과 뇌물 공여자 乙에 대한 뇌물 사건을 수사하던 검사는 乙의 동창생 A를 참고인
□□□ 으로 불러 "乙이 '甲에게 뇌물을 주었다'고 내게 말했다."라는 취지의 진술을 확보하고 甲과 乙을
공동피고인으로 기소하였다. 그러나 공판정에 증인으로 출석한 A는 일체의 증언을 거부하였고,
오히려 그동안 일관되게 범행을 부인하던 乙이 심경의 변화를 일으켜 뇌물공여혐의를 모두 시인
하였다. 이에 관한 설명 중 옳은 것은? (다툼이 있으면 판례에 의함)　21 경찰간부 [Superlative ★★★]

① A의 증언거부권 행사가 정당하다면 A에 대한 진술조서는 증거능력이 인정된다.

② A에 대한 진술조서 중 '甲에게 뇌물을 주었다'는 부분은 甲의 혐의에 대해서는 증거능력이 인
정된다.

③ 乙이 공판정에서 한 자백은 甲의 혐의에 대해서는 유죄 인정의 증거가 될 수 있다.

④ 소송절차가 분리되더라도 乙은 甲에 대한 공소사실에 관하여 증인이 될 수 없다.

해설

③ [O] 공동피고인의 자백은 이에 대한 피고인의 반대신문권이 보장되어 있어 증인으로 신문한 경우와 다를 바
없으므로 **독립한 증거능력이 있다.**(대법원 2007. 10. 11. 2007도5577) 乙의 자백은 甲의 혐의에 대하여
유죄 인정의 증거가 될 수 있다.

① [×] 현행 형사소송법 제314조의 문언과 개정 취지, 증언거부권 관련 규정의 내용 등에 비추어 보면 법정에
출석한 증인이 증언거부권을 행사하여 **증언을 거부한 경우는 형사소송법 제314조의 '그 밖에 이에 준하는
사유로 인하여 진술할 수 없는 때'에 해당하지 아니한다.**(대법원 2012. 5. 17. 2009도6788 全合 법률의견서
사건) A에 대한 진술조서는 형사소송법 제312조 제4항 또는 제314조의 요건을 구비하지 못했으므로 **증거능
력이 부정된다.**

② [×] 형사소송법 제316조 제2항은 피고인 아닌 자가 공판준비 또는 공판기일에서 한 진술이 피고인 아닌 타
인의 진술을 그 내용으로 하는 것인 때에는 원진술자가 사망, 질병 기타 사유로 인하여 진술할 수 없고 그
진술이 특히 신빙할 수 있는 상태하에서 행하여진 때에 한하여 이를 증거로 할 수 있다고 규정하고 있는데,
여기서 말하는 **'피고인 아닌 자'에는 공동피고인이나 공범자도 포함된다.**(대법원 2018. 5. 15. 2017도
19499 정유라 이대 입시비리 사건) 피고인 甲의 입장에서 보았을 때 공동피고인 乙도 형사소송법 제316조
제2항에 규정된 '피고인 아닌 타인'에 해당한다. 따라서 피고인 아닌 타인인 乙의 진술을 그 내용으로 하는
A의 증언이 증거능력이 인정되기 위해서는 원진술자인 乙이 사망, 질병 등으로 법정에 출석할 수 없어야 하는
데, 설문의 경우 乙이 법정에 출석했으므로(심경의 변화를 일으켜 뇌물공여 혐의를 모두 시인하였다) A의
증언은 甲의 혐의에 대하여 증거능력이 부정된다.

④ [×] 피고인의 지위에 있는 공동피고인은 다른 공동피고인에 대한 공소사실에 관하여 증인이 될 수 없으나,
**소송절차가 분리되어 피고인의 지위를 벗어나게 되면 다른 공동피고인에 대한 공소사실에 관하여 증인이
될 수 있고 이는 대향범인 공동피고인의 경우에도 다르지 않다.**(대법원 2012. 3. 29. 2009도11249 증수뢰자
상호 증언 사건) 소송절차가 분리되면 乙은 甲에 대한 공소사실에 관하여 **증인이 될 수 있다.**

019 다음 사례에 대한 설명으로 옳지 않은 것은? (다툼이 있으면 판례에 의함)

23 경찰간부 [Superlative ★★★]

> 피해자 A에 대한 강도 사건에서 甲은 정범으로, 乙은 교사범으로 기소되어 甲과 乙 모두 공동피
> 고인으로 재판을 받고 있다. 공판정에서 甲은 乙이 시켜서 A에 대한 범행을 했다고 자백한 반면,
> 乙은 甲에게 교사한 적이 없다고 부인하였다. 증인 丙은 공판정에서 사건 발생 직후 甲으로부터
> "乙이 시켜서 A에 대한 범행을 했다."는 말을 들었다고 증언하였다. 법원은 甲의 진술과 丙의
> 증언에 신빙성이 있다고 판단하고 있으나 甲의 자백 외에는 다른 증거가 없다.

① 법원은 甲의 자백만으로 乙에게 유죄를 선고할 수 있다.

② 甲이 丙에게 한 진술의 특신상태가 증명되면 丙의 증언은 甲의 범죄사실을 입증하는 증거로
　사용할 수 있다.

③ 甲의 범죄사실에 대한 丙의 증언에 증거능력이 인정되면 법원은 丙의 증언을 기초로 甲에게
　유죄를 선고할 수 있다.

④ 丙의 증언은 乙의 범죄사실을 입증하는 증거로 사용할 수 없다.

해설

③ [×] "피고인이 범행을 자인하는 것을 들었다"는 피고인 아닌 자의 진술 내용은 형사소송법 제310조의 피고
인의 자백에는 포함되지 아니하나 이는 **피고인의 자백의 보강증거로 될 수 없다.**(대법원 2008. 2. 14. 2007
도10937 **대구 신천동 필로폰 투약사건**) 丙의 증언은 甲의 자백에 대한 보강증거가 될 수 없으므로 법원은 丙의
증언을 기초로 甲에게 유죄를 선고할 수 없다.

① [○] 형사소송법 제310조의 '**피고인의 자백**'에는 공범인 공동피고인의 진술이 포함되지 아니하므로 공범인
공동피고인의 진술은 다른 공동피고인에 대한 범죄사실을 인정하는 데 있어서 **증거로 쓸 수 있고** 그에 대한
보강증거의 여부는 법관의 자유심증에 맡긴다.(대법원 1985. 3. 9. 85도951) 법원은 甲의 자백만으로 乙에게
유죄를 선고할 수 있다.

② [○] 피고인이 아닌 자(공소제기 전에 피고인을 피의자로 조사하였거나 그 조사에 참여하였던 자를 포함한다)의
공판준비 또는 공판기일에서의 진술이 피고인의 진술을 그 내용으로 하는 것인 때에는 그 진술이 특히 신빙할
수 있는 **상태하에서 행하여졌음이 증명된 때에 한하여 이를 증거로 할 수 있다.**(형사소송법 제316조 제1항)
甲이 丙에게 한 진술의 특신상태가 증명되면 丙의 증언은 甲의 범죄사실을 입증하는 증거로 사용할 수 있다.

④ [○] 형사소송법 제316조 제2항은 피고인 아닌 자가 공판준비 또는 공판기일에서 한 진술이 피고인 아닌 타인의
진술을 그 내용으로 하는 것인 때에는 원진술자가 사망, 질병 기타 사유로 인하여 진술할 수 없고 그 진술이 특히
신빙할 수 있는 상태하에서 행하여진 때에 한하여 이를 증거로 할 수 있다고 규정하고 있는데, 여기서 말하는
'**피고인 아닌 자**'에는 공동피고인이나 공범자도 포함된다.(대법원 2018. 5. 15. 2017도19499 **정유라 이대 입시비
리 사건**) 피고인 乙의 입장에서 보았을 때 공동피고인 甲도 형사소송법 제316조 제2항에 규정된 '피고인 아닌
타인'에 해당한다. 따라서 피고인 아닌 타인인 甲의 진술을 그 내용으로 하는 丙의 증언이 증거능력이 인정되기
위해서는 원진술자인 甲이 사망, 질병 등으로 법정에 출석할 수 없어야 하는데, 설문의 경우 **甲이 법정에 출석했
으므로**(공판정에서 범행을 자백하고 있다) 丙의 증언은 乙의 범죄사실을 입증하는 증거로 사용할 수 없다.

020 증거에 대한 설명으로 옳지 않은 것은? (다툼이 있으면 판례에 의함)   21 국가7급 [Superlative ★★★]

① 유류물의 경우 영장 없이 압수하였더라도 영장주의를 위반한 잘못이 있다 할 수 없고, 압수 후 압수조서의 작성 및 압수 목록의 작성·교부 절차가 제대로 이행되지 아니한 잘못이 있다 하더라도 그것이 적법절차의 실질적인 내용을 침해하는 경우에 해당하는 것은 아니다.

② 제1심에서 피고인에 대하여 무죄판결이 선고되어 검사가 항소한 후, 수사기관이 항소심공판기일에 증인으로 신청하여 신문할 수 있는 사람을 특별한 사정 없이 미리 수사기관에 소환하여 작성한 진술조서나 피의자신문조서는 피고인이 증거로 삼는 데 동의하지 않는 한 증거능력이 없지만, 참고인 등이 나중에 법정에 증인으로 출석하여 위 진술조서 등의 진정성립을 인정하고 피고인 측에 반대신문의 기회까지 충분히 부여되었다면 하자가 치유되었다고 할 것이므로 위 진술조서 등의 증거능력을 인정할 수 있다.

③ 피고인의 사용인이 위반행위를 하여 피고인이 양벌규정에 따라 기소된 경우 사용인에 대하여 사법경찰관이 작성한 피의자신문조서에 대하여는 그 사용인이 사망하여 진술할 수 없더라도 형사소송법 제314조가 적용되지 않는다.

④ 압수조서의 '압수경위'란에 피고인이 범행을 저지르는 현장을 목격한 사법경찰관 및 사법경찰리의 진술이 담겨 있고, 그 하단에 피고인의 범행을 직접 목격하면서 위 압수조서를 작성한 사법경찰관 및 사법경찰리의 각 기명날인이 들어가 있다면, 위 압수조서 중 '압수경위'란에 기재된 내용은 형사소송법 제312조 제5항에서 정한 '피고인이 아닌 자가 수사과정에서 작성한 진술서'에 준하는 것으로 볼 수 있다.

해설

② [×] 제1심에서 피고인에 대하여 무죄판결이 선고되어 검사가 항소한 후, 수사기관이 항소심 공판기일에 증인으로 신청하여 신문할 수 있는 사람을 특별한 사정 없이 미리 수사기관에 소환하여 작성한 진술조서나 피의자신문조서는 피고인이 증거로 삼는 데 동의하지 않는 한 증거능력이 없다. **참고인 등이 나중에 법정에 증인으로 출석하여 위 진술조서 등의 진정성립을 인정하고 피고인 측에 반대신문의 기회가 부여된다 하더라도 위 진술조서 등의 증거능력을 인정할 수 없음은 마찬가지이다.**(대법원 2020. 1. 30. 2018도2236 全合 문화계 블랙리스트 사건)

① [O] (1) 강판조각은 형사소송법 제218조에 규정된 유류물에, 차량에서 탈거 또는 채취된 보강용 강판과 페인트는 차량의 보관자가 감정을 위하여 임의로 제출한 물건에 각 해당하는 경우 강판조각과 보강용 강판 및 차량에서 채취된 페인트는 형사소송법 제218조에 의하여 영장 없이 압수할 수 있으므로 각 증거의 수집 과정에 **영장주의를 위반한 잘못이 있다 할 수 없다.** (2) 유류물인 강판조각 및 임의제출물인 보강용 강판과 페인트를 영장 없이 적법하게 압수한 경우 위 압수 후 압수조서의 작성 및 압수목록의 작성·교부절차가 제대로 이행되지 아니한 잘못이 있다 하더라도 그것이 적법절차의 실질적인 내용을 침해하는 경우에 해당한다거나 그 증거능력의 배제가 요구되는 경우에 해당한다고 볼 수는 없다.(대법원 2011. 5. 26. 2011도1902 장흥 방호벽충돌 아내살해사건)

③ [○] (1) 양벌규정에 따라 처벌되는 행위자와 행위자가 아닌 법인 또는 개인간의 관계는, 행위자가 저지른 법규위반행위가 사업주의 법규위반행위와 사실관계가 동일하거나 적어도 중요부분을 공유한다는 점에서 내용상 불가분적 관련성을 지니므로 형법총칙의 공범관계 등과 마찬가지로 인권보장적인 요청에 따라 **형사소송법 제312조 제3항이 이들 사이에서도 적용된다.** (2) 피고인 甲(병원 경영자)이 법정에서 사법경찰관 작성의 乙(병원 사무국장)에 대한 피의자신문조서를 증거로 함에 동의하지 않았고 오히려 그 내용을 부인하고 있는 이상, 검사 이외의 수사기관이 양벌규정의 행위자인 乙에 대하여 작성한 피의자신문조서에 관해서는 형사소송법 제312조 제3항이 적용되어 증거능력이 없고, 이 경우 **형사소송법 제314조를 적용하여 피의자신문조서의 증거능력을 인정할 수도 없다.**(대법원 2020. 6. 11. 2016도9367 병원 사무국장 사망 사건)

④ [○] 휴대전화기에 대한 압수조서 중 '압수경위'란에 기재된 내용은 피고인이 공소사실과 같은 범행을 저지르는 현장을 직접 목격한 사람의 진술이 담긴 것으로서 형사소송법 제312조 제5항에서 정한 '피고인이 아닌 자가 수사과정에서 작성한 진술서'에 준하는 것으로 볼 수 있고, 이에 따라 휴대전화기에 대한 임의제출절차가 적법하였는지 여부에 영향을 받지 않는 별개의 독립적인 증거에 해당한다.(대법원 2019. 11. 14. 2019도13290 지하철 몰카 사건 I)

021 다음 중 전문법칙에 대한 설명으로 옳지 않은 것은? (다툼이 있으면 판례에 의함)

□□□

20 해경채용 [Superlative ★★★]

㉠ 사인(私人)인 제3자가 절취한 업무일지를 소송사기의 피해자가 대가를 지급하고 취득한 경우, 그 업무일지는 사기죄에 대한 증거로 사용될 수 있다.

㉡ 「형사소송법」은 전문진술에 대하여 제316조에서 실질상 단순한 전문의 형태를 취하는 경우에 한하여 예외적으로 그 증거능력을 인정하는 규정을 두고 있을 뿐, 재전문진술이나 재전문진술을 기재한 조서에 대하여는 달리 그 증거능력을 인정하는 규정을 두고 있지 아니하고 있으므로, 피고인이 증거로 하는데 동의하지 아니하는 한 「형사소송법」 제310조의 2의 규정에 의하여 이를 증거로 할 수 없다.

㉢ 사인(私人)이 피고인 아닌 자의 진술을 녹음한 녹음테이프에 대하여 법원이 실시한 검증의 내용이 녹음테이프에 녹음된 대화내용이 검증조서에 첨부된 녹취서에 기재된 내용과 같다는 것에 불과한 경우, 그 검증조서는 「형사소송법」 제311조의 '법원의 검증의 결과를 기재한 조서'에 해당하여 그 조서 중 위 진술내용은 위 제311조에 의하여 증거능력이 인정된다.

㉣ "甲이 도둑질 하는 것을 보았다."라는 乙의 발언사실을 A가 법정에서 증언하는 경우, 乙의 명예훼손 사건에 대한 전문증거로서 전문법칙이 적용된다.

㉤ 조사과정에서 참여한 통역인의 증언은 검사 작성의 피의자신문조서에 대한 실질적 진정성립을 증명할 수 있는 수단으로서 「형사소송법」 제312조 제2항에 규정된 '영상녹화물이나 그 밖의 객관적인 방법'에 해당한다고 볼 수 없다.

㉥ 의사가 작성한 진단서는 업무상 필요에 의하여 순차적, 계속적으로 작성되는 것이고 그 작성이 특히 신빙할 만한 정황에 의하여 작성된 문서이므로 당연히 증거능력이 인정되는 서류라고 할 수 있다.

① ㉡㉣㉥

② ㉢㉣㉥

③ ㉠㉢㉤

④ ㉢㉤㉥

해설

② ㉢㉣㉥ 3 항목이 옳지 않다.

㉠ [O] 사문서위조 · 위조사문서행사 및 소송사기로 이어지는 일련의 범행에 대하여 피고인을 형사소추하기 위해서는 업무일지가 반드시 필요한 증거로 보이므로 설령 그것이 제3자에 의하여 절취된 것으로서 소송사기 등의 피해자측이 이를 수사기관에 증거자료로 제출하기 위하여 대가를 지급하였다 하더라도 공익의 실현을 위하여는 업무일지를 범죄의 증거로 제출하는 것이 허용되어야 하고, 이로 말미암아 피고인의 사생활 영역을 침해하는 결과가 초래된다 하더라도 이는 피고인이 수인하여야 할 기본권의 제한에 해당된다.(대법원 2008. 6. 26. 2008도1584 위조연습 업무일지 사건)

㉡ [O] 형사소송법은 전문진술에 대하여 제316조에서 실질상 단순한 전문의 형태를 취하여 경우에 한하여 예외적으로 그 증거능력을 인정하는 규정을 두고 있을 뿐 재전문진술이나 재전문진술을 기재한 조서에 대하여는 달리 그 증거능력을 인정하는 규정을 두고 있지 아니하고 있으므로 피고인이 증거로 하는 데 동의하지 아니하는 한 형사소송법 제310조의2의 규정에 의하여 이를 증거로 할 수 없다.(대법원 2012. 5. 24. 2010도5948 대전 동거남 폭행치사사건)

ⓒ [×] 증거자료가 되는 것은 여전히 녹음테이프에 녹음된 대화 내용이므로 그 녹음테이프 검증조서의 기재 중 피고인 아닌 자의 진술내용을 증거로 사용하기 위해서는 **형사소송법 제313조 제1항에 따라** 원진술자의 진술에 의하여 그 녹음테이프에 녹음된 진술내용이 자신이 진술한 대로 녹음된 것이라는 점이 인정되어야 한다.(대법원 2008. 7. 10. 2007도10755)

ⓔ [×] 타인의 진술을 내용으로 하는 진술이 전문증거인지 여부는 요증사실과의 관계에서 정하여지는바, 원진술의 '내용인 사실'이 요증사실인 경우에는 전문증거이나 원진술의 '존재 자체'가 요증사실인 경우에는 본래증거이지 전문증거가 아니다.(대법원 2012. 7. 26. 2012도2937 **원로변호사 사기사건**) A의 증언이 乙의 甲에 대한 명예훼손사실을 증명하는 것이므로 즉, 원진술자 乙 진술의 진실성이 문제되지 아니하고 그러한 발언을 한 것이 증거가 되는 경우이므로 A의 증언은 **원본증거에 해당한다.**

ⓜ [○] 검사 작성의 피의자신문조서에 대한 실질적 진정성립을 증명할 수 있는 수단으로서 형사소송법 제312조 제2항에 규정된 '영상녹화물이나 그 밖의 객관적인 방법'이라 함은 형사소송법 및 형사소송규칙에 규정된 방식과 절차에 따라 제작된 영상녹화물 또는 그러한 영상녹화물에 준할 정도로 피고인의 진술을 과학적·기계적·객관적으로 재현해 낼 수 있는 방법만을 의미한다고 봄이 타당하고, 그 외에 조사관 또는 **조사 과정에 참여한 통역인 등의 증언은 이에 해당한다고 볼 수 없다.**(대법원 2016. 2. 18. 2015도16586 **통역인 진정성립 증언 사건**)

ⓗ [×] 의사가 작성한 진단서는 형사소송법 제315조 아니라 형사소송법 제313조 제1항·제2항이 적용되어 **성립의 진정함이 증명되어야 증거능력이 인정된다.**(대법원 1976. 4. 13. 76도500 참고)

CRIMINAL PROCEDURE **LAW**

022 전문증거에 관한 다음 설명 중 가장 옳은 것은? (다툼이 있으면 판례에 의함) 21 법원9급 [Core ★★]
□□□
① 피고인과 공범관계가 있는 다른 피의자에 대하여 검사 이외의 수사기관이 작성한 피의자 신문
조서는 그 피의자의 법정진술에 의하여 성립의 진정이 인정되는 등 형사소송법 제312조 제4
항의 요건을 갖춘 경우라면 해당 피고인이 공판기일에서 그 조서의 내용을 부인하여도 이를
유죄인정의 증거로 사용할 수 있다.
② 수사기관에서 진술한 참고인이 법정에서 증언을 거부하여 피고인이 반대신문을 하지 못한 경
우에는 증인이 정당하게 증언거부권을 행사한 것이 아니라면 형사소송법 제314조의 '그 밖에
이에 준하는 사유로 인하여 진술할 수 없는 때'에 해당한다고 보아야 한다.
③ 수사기관이 참고인을 조사하는 과정에서 참고인의 동의를 받아 작성한 영상녹화물은 다른 법
률에서 달리 규정하고 있는 등의 특별한 사정이 없는 한 공소사실을 직접 증명할 수 있는 독립
적인 증거로 사용될 수 있다.
④ 형사소송법은 전문진술에 대하여 제316조에서 실질상 단순한 전문의 형태를 취하는 경우에 한하
여 예외적으로 그 증거능력을 인정하는 규정을 두고 있을 뿐, 재전문진술이나 재전문진술을 기재
한 조서에 대하여는 달리 그 증거능력을 인정하는 규정을 두고 있지 아니하므로 피고인이 증거로
하는 데 동의하지 아니하는 한 형사소송법 제310조의2의 규정에 의하여 이를 증거로 할 수 없다.

해설

④ [○] 형사소송법은 전문진술에 대하여 제316조에서 실질상 단순한 전문의 형태를 취하는 경우에 한하여 예외
적으로 그 증거능력을 인정하는 규정을 두고 있을 뿐 재전문진술이나 재전문진술을 기재한 조서에 대하여는
달리 그 증거능력을 인정하는 규정을 두고 있지 아니하고 있으므로 **피고인이 증거로 하는 데 동의하지 아니하
는 한 형사소송법 제310조의2의 규정에 의하여 이를 증거로 할 수 없다.**(대법원 2012. 5. 24. 2010도5948
대전 동거남 폭행치사사건)
① [×] 피고인과 공범관계가 있는 다른 피의자에 대한 검사 이외의 수사기관 작성의 피의자신문조서는 그 피의
자의 법정진술에 의하여 성립의 진정이 인정되더라도 **당해 피고인이 공판기일에서 그 조서의 내용을 부인하
면 증거능력이 부정된다.**(대법원 2015. 10. 29. 2014도5939 서울시 공무원 간첩사건)
② [×] 수사기관에서 진술한 참고인이 법정에서 증언을 거부하여 피고인이 반대신문을 하지 못한 경우에는 정당
하게 증언거부권을 행사한 것이 아니라도, 피고인이 증인의 증언거부 상황을 초래하였다는 등의 특별한 사정이
없는 한 형사소송법 제314조의 **'그 밖에 이에 준하는 사유로 인하여 진술할 수 없는 때'에 해당하지 않는다
고 보아야 한다.** 따라서 증인이 정당하게 증언거부권을 행사하여 증언을 거부한 경우와 마찬가지로 수사기관
에서 그 증인의 진술을 기재한 서류는 증거능력이 없다.(대법원 2019. 11. 21. 2018도13945 손습 필로폰
매수인 증언거부사건)
③ [×] 수사기관이 참고인을 조사하는 과정에서 형사소송법 제221조 제1항에 따라 작성한 영상녹화물은 다른
법률에서 달리 규정하고 있는 등의 특별한 사정이 없는 한 **공소사실을 직접 증명할 수 있는 독립적인 증거로
사용될 수는 없다.**(대법원 2014. 7. 10. 2012도5041 역술인진술 영상녹화 사건)

023

증거에 대한 설명 중 옳은 것만을 모두 고르면? (다툼이 있으면 판례에 의함) 20 국가7급 [Core ★★]

□□□

> ㉠ 탄핵증거의 제출에 있어서는 증명력을 다투고자 하는 증거의 어느 부분에 의하여 진술의 어느 부분을 다투려고 한다는 것을 사전에 상대방에게 알려야 한다.
>
> ㉡ 수사기관이 구속수감된 甲으로부터 피고인의 범행에 대한 진술을 들은 다음 추가적인 증거를 확보할 목적으로 甲에게 그의 압수된 휴대전화를 제공하여, 이와 같은 사정을 모르는 피고인과 통화하게 하고 그 범행에 관한 통화내용을 녹음하게 한 경우, 그 녹취록은 피고인이 증거로 함에 동의하면 증거능력이 있다.
>
> ㉢ 피고인이 도로교통법위반(음주운전)으로 기소된 사안에서, 피고인이 음주측정을 위해 경찰서에 동행할 것을 요구받고 자발적인 의사로 경찰차에 탑승하였고, 경찰서로 이동 중 하차를 요구하였으나 그 직후 수사과정에 관한 설명을 듣고 빨리 가자고 요구하였다면, 피고인에 대한 임의동행은 적법하고 그 후 이루어진 음주측정 결과는 증거능력이 있다.
>
> ㉣ 제1심법원에서 이미 증거능력이 있었던 증거는 항소심에서도 증거능력이 그대로 유지되어 심판의 기초가 될 수 있고, 다시 증거조사를 할 필요가 없다.

① ㉠㉡

② ㉠㉢

③ ㉠㉢㉣

④ ㉡㉢㉣

해설

③ ㉠㉢㉣ 3 항목이 옳다.

㉠ [○] 탄핵증거의 제출에 있어서도 상대방에게 이에 대한 공격방어의 수단을 강구할 기회를 사전에 부여하여야 한다는 점에서 그 증거와 증명하고자 하는 사실과의 관계 및 입증취지 등을 미리 구체적으로 명시하여야 할 것이므로, 증명력을 다투고자 하는 증거의 어느 부분에 의하여 진술의 어느 **부분을 다투려고 한다는 것을 사전에 상대방에게 알려야 한다.**(대법원 2005. 8. 19. 2005도2617)

㉡ [×] 수사기관이 구속수감된 자로 하여금 피고인의 범행에 관한 통화 내용을 녹음하게 한 행위는 수사기관 스스로가 주체가 되어 구속수감된 자의 동의만을 받고 **상대방인 피고인의 동의가 없는 상태에서 그들의 통화 내용을 녹음한 것으로서 불법감청에 해당한다고 보아야 할 것이므로** 그 녹음 자체는 물론이고 이를 근거로 작성된 수사보고의 기재 내용과 첨부 녹취록 및 첨부 mp3파일도 모두 피고인과 변호인의 **증거동의에 상관없이 증거능력이 없다.**(대법원 2010. 10. 14. 2010도9016 **공범자 통화 녹음사건**)

㉢ [○] 피고인이 경찰관으로부터 음주측정을 위해 경찰서에 동행할 것을 요구받고 자발적인 의사에 의해 순찰차에 탑승하였고, 경찰서로 이동하던 중 하차를 요구한 바 있으나 그 직후 경찰관으로부터 수사 과정에 관한 설명을 듣고 경찰서에 빨리 가자고 요구한 경우, 피고인에 대한 **임의동행은 피고인의 자발적인 의사에 의하여 이루어진 것으로 그 후에 이루어진 음주측정결과는 증거능력이 있다.**(대법원 2016. 9. 28. 2015도2798)

㉣ [○] 제1심법원에서 이미 증거능력이 있었던 증거는 항소심에서도 증거능력이 그대로 유지되어 심판의 기초가 될 수 있고, **다시 증거조사를 할 필요가 없다.**(대법원 2018. 8. 1. 2018도8651)

제2장   사례문제

001 다음 사례에 관한 설명으로 가장 적절하지 않은 것은? (다툼이 있으면 판례에 의함)

24 경찰채용 [Superlative ★★★]

> 甲은 2022. 1. 10.경 관할법원에 피해자 A를 상대로 허위의 지급명령을 신청하고 이에 속은 그 법원 판사로부터 위 신청서와 같은 취지의 지급명령을 송달받은 후 지급명령정본에 집행문을 부여받아 A로부터 1,000만원을 편취하였다. 신고를 받은 사법경찰관 P는 2023. 3. 10. 15 : 00경 甲이 운영하는 회사 사무실에서 甲을 사기죄로 적법하게 긴급체포하였고, 'A와 주고받은 대화내용'이 기재된 수첩(증 제1호)을 발견하자 임의제출을 거부하는 甲으로부터 영장 없이 이를 압수하였다. P는 체포 당일 경찰서에서 甲을 조사하였고, 甲은 "자신의 집에 A가 자신을 무고한 것임을 증명할 자료가 있다"라고 주장하며 범행을 부인하였다. P는 자료를 확보하기 위하여 2023. 3. 11. 16 : 00경 甲과 함께 甲의 집으로 갔으나 이를 발견하지 못하고 오히려 '甲이 A로부터 돈을 받은 내역'이 기재된 통장(증 제2호)을 발견하자 임의제출을 거부하는 甲으로부터 영장 없이 이를 압수하였다. 이후 P는 甲에 대하여 검사를 통해 적법하게 구속영장만을 청구하였으나, 지방법원 판사는 2023. 3. 12. 17 : 00경 甲의 방어권 보장이 필요하다며 구속영장을 기각하였다. 이에 甲은 즉시 석방되었고, P는 위 통장(증 제2호)만을 환부하였다. 이후 甲은 위 사기죄로 불구속기소되었다.

① 만약 위 사기 혐의가 인정되고 甲이 허위의 내용으로 신청한 지급명령이 그대로 확정되었다면 소송사기의 방법으로 승소판결을 받아 확정된 경우와 마찬가지로 사기죄는 이미 기수에 이른 것이다.

② P가 통장(증 제2호)을 환부한 후에도 수첩(증 제1호)을 계속 보관하는 것은 형사소송법 제216조 제1항 제2호의 '체포현장에서의 압수'에 의한 것이므로 적법하다.

③ P가 통장(증 제2호)을 압수한 것은 형사소송법 제217조의 요건을 갖추지 못하여 위법하다.

④ 만약 검찰송치 전 P가 甲의 사기 혐의에 대한 결정적인 객관적 증거를 추가로 확보하였다면 甲이 외국으로 출국하려 하는 등 긴급한 사정이 있더라도 P는 甲을 위 사기혐의를 이유로 재차 긴급체포할 수 없다.

해설

② [×] 검사 또는 사법경찰관은 형사소송법 제217조 제1항(긴급체포된 자의 소유물 등에 대한 압수) 또는 제216조 제1항 제2호(체포현장에서의 압수)에 따라 압수한 물건을 계속 압수할 필요가 있는 경우에는 지체 없이 압수·수색영장을 청구하여야 한다. 이 경우 압수·수색영장의 청구는 체포한 때부터 48시간 이내에 하여야 한다. 검사 또는 사법경찰관은 청구한 **압수·수색영장을 발부받지 못한 때에는 압수한 물건을 즉시 반환하여야 한다.**(형사소송법 제217조 제2항·제3항) 수첩(증 제1호)은 형사소송법 제216조 제1항 제2호에 의하여 압수한 것인데 사후에 압수·수색영장을 발부받지 못했음에도 P가 이를 계속 보관하는 것은 위법하다.

① [○] 지급명령을 송달받은 채무자가 2주일 이내에 이의를 하지 않는 경우에는 지급명령은 확정되고, 이와 같이 확정된 지급명령에 대해서는 항고를 제기하는 등 동일한 절차내에서는 불복절차가 따로 없어서 이를 취소하기 위해서는 재심의 소를 제기하거나 청구이의의 소로써 강제집행의 불허를 소구할 길이 열려 있을 뿐인데, 이는 피해자가 별도의 소로써 피해구제를 받을 수 있는 것에 불과하므로 허위의 내용으로 신청한 **지급명령이 그대로 확정된 경우에는 소송사기의 방법으로 승소 판결을 받아 확정된 경우와 마찬가지로 사기죄는 이미 기수에 이르렀다고 볼 것이다.**(대법원 2004. 6.24. 2002도4151 **보복 지급명령 신청사건**) 지급명령이 확정되는 순간 사기죄는 기수에 이른다.

③ [○] 검사 또는 사법경찰관은 긴급체포된 자가 소유·소지 또는 보관하는 물건에 대하여 긴급히 압수할 필요가 있는 경우에는 체포한 때부터 24시간 이내에 한하여 영장 없이 압수·수색 또는 검증을 할 수 있다.(형사소송법 제217조 제1항) 甲을 긴급체포한 2023. 3.10. 15:00경부터 24시간이 경과한 시점인 2023. 3.11. 16:00경 P가 통장(증 제2호)을 압수했으므로 이는 위법하다.

④ [○] 긴급체포 되었다가 구속영장을 청구하지 아니하거나 발부받지 못하여 석방된 자는 **영장 없이는 동일한 범죄사실에 대하여 다시 체포하지 못한다.**(형사소송법 제200조의4 제3항) P는 甲을 사기혐의를 이유로 재차 긴급체포할 수 없다.

002 다음 사례에 관한 설명으로 가장 적절한 것은? (다툼이 있으면 판례에 의함) 24 경찰채용 [Core ★★]

> 甲은 A(女, 23세)를 강간하기로 마음을 먹었다. 甲은 일반인의 출입이 허용되고, 문이 열려 있는 상가 건물의 1층 출입문을 통해 통상적인 출입방법으로 A를 뒤따라 들어갔다. 甲은 그곳에서 엘리베이터를 기다리는 A를 폭행·협박하여 A의 반항을 억압한 후 지하 1층 계단으로 끌고 가 강간행위를 실행하였다. 甲은 강간행위의 실행 도중 강도의 범의를 일으켜 범행현장에 있던 A 소유의 핸드백을 빼앗고 그 자리에서 강간행위를 계속한 후 핸드백을 가지고 도주하였다. 곧바로 A는 남동생 B에게 도움을 요청하면서 피해 내용을 문자메시지로 보냈다. 甲은 몇 달 후 수사기관에 의해 긴급체포되었는데 외국인으로 한국어가 몹시 서툴렀다. 사법경찰관은 피의자 甲을 신문하면서 피의자의 요청에 따라 신뢰관계 있는 사람을 동석하게 하여 피의자신문조서를 작성하였다. 甲은 위 범죄혐의로 기소되었고, 검사는 B로부터 피해 내용이 담긴 문자메시지를 촬영한 사진을 적법하게 임의제출받아 증거로 제출하였다.

① 甲이 A를 뒤따라 상가 건물 1층에 들어간 행위는 범죄를 목적으로 한 출입으로 건조물침입죄의 침입행위에 해당한다.

② 위 사례의 경우 甲에게는 강간죄와 강도죄의 경합범이 성립한다.

③ 사법경찰관은 甲에 대한 피의자신문조서를 작성하면서 동석한 신뢰관계 있는 사람이 甲을 대신하여 진술하도록 하여서는 아니 되지만, 만약 동석한 사람이 甲을 대신하여 진술한 부분을 사법경찰관이 조서에 기재하였다면 그 부분은 피의자의 진술을 기재한 것에 해당한다.

④ A와 B가 법정에 출석하여 A는 사진 속 문자메시지의 내용이 자신이 작성해 보낸 것과 동일함을 확인하고, B는 A가 보낸 문자메시지를 촬영한 사진이 맞다고 확인한 경우 문자메시지를 촬영한 사진은 증거로 사용할 수 있다.

해설

④ [○] (피해자 A가 남동생 B에게 도움을 요청하면서 피고인이 협박한 말을 포함하여 공갈 등 피해를 입은 내용이 들어 있는) 문자메시지의 내용을 촬영한 사진은 **피해자의 진술서에 준하는 것으로 취급함이 상당할 것인바**, 진술서에 관한 형사소송법 제313조에 따라 문자메시지의 작성자인 A가 법정에 출석하여 자신이 문자메시지를 작성하여 동생에게 보낸 것과 같음을 확인하고, 동생인 B도 법정에 출석하여 A가 보낸 문자메시지를 촬영한 사진이 맞다고 확인한 이상, 문자메시지를 촬영한 사진은 그 성립의 진정함이 증명되었다고 볼 수 있으므로 이를 증거로 할 수 있다.(대법원 2010. 11. 25. 2010도8735 공갈당했다 문자 사건) 문자메시지를 촬영한 사진은 증거로 사용할 수 있다.

① [×] **일반인의 출입이 허용된 상가 등 영업장소에 영업주의 승낙을 받아 통상적인 출입방법으로 들어갔다면** 특별한 사정이 없는 한 **건조물침입죄에서 규정하는 침입행위에 해당하지 않는다.** 설령 행위자가 범죄 등을 목적으로 영업장소에 출입하였거나 영업주가 행위자의 실제 출입 목적을 알았더라면 출입을 승낙하지 않았을 것이라는 사정이 인정되더라도 그러한 사정만으로는 출입 당시 객관적·외형적으로 드러난 행위태양에 비추어 사실상의 평온상태를 해치는 방법으로 영업장소에 들어갔다고 평가할 수 없으므로 침입행위에 해당하지 않는다.(대법원 2022. 8. 25. 2022도3801 **아파트와 상가에서 추행사건**) 비록 범죄를 목적으로 한 출입이라도 건조물침입죄의 '침입행위'에 해당한다고 볼 수 없다.

② [×] 강간범이 강간행위 후에 강도의 범의를 일으켜 그 부녀의 재물을 강취하는 경우에는 강도강간죄가 아니라 강간죄와 강도죄의 경합범이 성립될 수 있을 뿐이지만, **강간행위의 종료 전 즉 그 실행행위의 계속 중에 강도의 행위를 할 경우에는 이때에 바로 강도의 신분을 취득하는 것이므로 이후에 그 자리에서 강간행위를 계속하는 때에는 강도가 부녀를 강간한 때에 해당하여 강도강간죄를 구성한다.**(대법원 2010. 12. 9. 2010도 9630 강간 → 강도 → 강간 사건) 甲은 강도강간죄의 죄책을 진다.

③ [×] 구체적인 사안에서 (신뢰관계자의) 동석을 허락할 것인지는 원칙적으로 검사 또는 사법경찰관이 피의자의 건강 상태 등 여러 사정을 고려하여 재량에 따라 판단하여야 할 것이나, 이를 허락하는 경우에도 동석한 사람으로 하여금 피의자를 대신하여 진술하도록 하여서는 아니되는 것이고 **만약 동석한 사람이 피의자를 대신하여 진술한 부분이 조서에 기재되어 있다면 그 부분은 피의자의 진술을 기재한 것이 아니라 동석한 사람의 진술을 기재한 조서에 해당하므로** 그 사람에 대한 진술조서로서의 증거능력을 취득하기 위한 요건을 충족하지 못하는 한 이를 유죄 인정의 증거로 사용할 수 없다.(대법원 2009. 6. 23. 2009도1322 한나라당 자원봉사팀장 사건) 만약 동석한 사람 乙이 甲을 대신하여 진술한 부분을 사법경찰관이 조서에 기재하였다면 그 부분은 乙의 진술을 기재한 것에 해당한다.

003

다음 사례에서 **甲, 乙, 丙의 죄책에 대한 설명으로 옳은 것은? (다툼이 있으면 판례에 의함)**

25 경찰간부 [Superlative ★★★]

> ○ 甲은 이혼소송 중인 남편이 찾아와 가위로 폭행하고 변태적인 성행위를 강요하는데 격분하여 칼로 남편의 복부를 찔러 사망에 이르게 하였다.
> ○ 乙은 A에게 복수하기 위해 A의 방 유리창에 돌을 던져 유리창이 깨졌는데 마침 A가 방에서 연탄가스에 중독되어 사경을 헤매고 있었고, 깨진 유리창으로 산소가 유입되어 A는 생명을 구할 수 있었다.
> ○ 丙과 B는 서로 밧줄로 연결된 채 암벽 등반을 하던 중 추락하였으나 丙이 암벽에 설치된 고정핀을 손으로 붙잡아 계곡으로 떨어지지는 않았다. 그러나 점점 힘이 빠지고 있어 둘 다 추락사할 수 있는 상황이었다. 丙은 B와 연결된 밧줄을 끊어버리면 B는 추락사할 수 있으나 자신은 암벽을 올라가서 살 수 있으리라 생각하고 B와 연결된 밧줄을 끊어버렸다.

① 甲의 행위는 정당방위에는 해당하지 않으나 과잉방위에 해당한다.

② 乙의 손괴행위는 행위반가치가 존재하지 않지만 결과반가치는 여전히 존재하는 경우로서 위법성이 조각되지 않는다.

③ B가 추락하여 사망하였다 하더라도 丙의 행위는 현재의 위난을 피하기 위한 행위로서 긴급피난이 성립한다.

④ B는 밧줄을 끊으려는 丙의 행위에 대해 정당방위가 가능하다.

해설

④ [○] 밧줄을 끊으려는 丙의 행위는 (B의 입장에서 보았을 때) '현재의 부당한 침해'이므로 B는 정당방위를 할 수 있다.

① [×] 이혼소송중인 남편이 찾아와 가위로 폭행하고 변태적 성행위를 강요하는 데에 격분하여 처가 칼로 남편의 복부를 찔러 사망에 이르게 한 경우 **그 행위는 방위행위로서의 한도를 넘어선 것으로 정당방위나 과잉방위에 해당하지 않는다.**(대법원 2001. 5. 15. 2001도1089 **변태적 남편 살해사건**)

② [×] 지문은 객관적 정당화요소(긴급피난 상황)는 구비되었으나 주관적 정당화요소(피난의사)가 없는 사례, 즉 우연피난 사례이다. 乙의 손괴행위는 **행위반가치가 존재하지만 결과반가치는 존재하지 않는 경우**로서 무죄설, 기수범설, 불능미수범설이라는 학설의 견해대립이 있다.

③ [×] 긴급피난이란 자기 또는 타인의 법익에 대한 현재의 위난을 피하기 위한 상당한 이유 있는 행위를 말하고, 여기서 '상당한 이유 있는 행위'에 해당하려면, 첫째 피난행위는 위난에 처한 법익을 보호하기 위한 유일한 수단이어야 하고, 둘째 피해자에게 가장 경미한 손해를 주는 방법을 택하여야 하며, 셋째 **피난행위에 의하여 보전되는 이익은 이로 인하여 침해되는 이익보다 우월해야 하고,** 넷째 피난행위는 그 자체가 사회윤리나 법질서 전체의 정신에 비추어 적합한 수단일 것을 요하는 등의 요건을 갖추어야 한다.(대법원 2016. 1. 28. 2014도2477 **이웃집 맹견 기계톱 살해사건**) 보전되는 丙의 생명이 침해되는 B의 생명보다 우월하지 않기 때문에 긴급피난이 성립하지 않는다. 다만 적법행위의 기대가능성이 없어, 즉 책임이 조각되어 丙은 무죄가 될 수는 있다.

004

다음 사례에 대한 설명으로 옳지 않은 것은? (다툼이 있으면 판례에 의함)

25 경찰간부 [Superlative ★★★]

> 甲은 A를 살해하고자 용기를 얻기 위해 대마초를 피운 후 A를 야산으로 끌고 가 심신미약 상태에서 칼로 A의 복부를 찔렀다. A가 살려 달라고 애원하자 甲은 살해행위를 그만 두었으나 A의 가방이 탐이 나서 가지고 왔다. 그 후 A는 행인에게 발견되어 병원으로 옮겨져 생명을 구하였다.

① 甲의 행위가 실행미수에 해당하는 경우에는 甲에게 중지미수가 성립하지 않는다.

② 甲이 A의 가방을 가져간 행위는 원인에 있어서 자유로운 행위에 해당하지 않으므로 형을 감경해야 한다.

③ 甲이 A를 살해하려고 한 행위는 심신미약 상태에서의 행위라도 형이 감경되지 않는다.

④ 甲이 A의 복부를 칼로 찔러 많은 피가 흘러나오자 겁을 먹고 그만 둔 경우에는 자의성을 인정할 수 없다.

해설

② [×] 심신장애로 인하여 사물을 변별할 능력이나 의사를 결정할 능력이 미약한 자의 행위는 **형을 감경할 수 있다.**(형법 제10조 제2항) 甲이 A의 가방을 가져간 행위는 (甲은 A를 살해하기 위하여 스스로를 심신미약 상태로 만든 것이지 가방을 절취하기 위하여 스스로를 심신미약 상태로 만든 것이 아니므로) 원인에 있어서 자유로운 행위에 해당하지 않으므로 법원은 형을 감경할 수 있다.

① [○] 범인이 실행에 착수한 행위를 자의로 중지하거나 그 행위로 인한 결과의 발생을 자의로 방지한 경우에는 형을 감경하거나 면제한다.(형법 제26조) 甲이 칼로 A의 복부를 찔렀으므로 이는 실행미수에 해당하고, 이 경우 결과의 발생을 적극적이고 상당한 방법으로 방지하여야 중지미수가 성립한다. 따라서 **甲은 이와 같은 방지행위를 하지 않았으므로 중지미수가 성립할 수 없다.**

③ [○] 피고인들은 상습적으로 대마초를 흡연하는 자들로서 살인범행 당시에도 대마초를 흡연하여 그로 인하여 심신이 다소 미약한 상태에 있었음은 인정되나, 이는 피고인들이 **피해자들을 살해할 의사를 가지고 범행을 공모한 후에 대마초를 흡연하고 범행에 이른 것으로 형법 제10조 제3항에 의하여 심신장애로 인한 감경 등을 할 수 없다.**(대법원 1996. 6. 11. 96도857 **조직이탈자·애인 살해사건**) 판례의 취지에 의할 때 甲이 A를 살해하려고 한 행위는 원인에 있어서 자유로운 행위에 해당하므로 법원은 형을 감경할 수 없다.

④ [○] 피고인이 피해자를 살해하려고 그의 목 부위와 왼쪽 가슴 부위를 칼로 수 회 찔렀으나 피해자의 가슴 부위에서 많은 피가 흘러나오는 것을 발견하고 겁을 먹고 그만 두는 바람에 미수에 그친 것이라면, 위와 같은 경우 많은 피가 흘러나오는 것에 놀라거나 두려움을 느끼는 것은 일반 사회통념상 범죄를 완수함에 장애가 되는 사정에 해당한다고 보아야 할 것이므로 이를 **자의에 의한 중지미수라고 볼 수 없다.**(대법원 1999. 4. 13. 99도640 **마음약한 살인범 사건**) 자의성을 인정할 수 없다.

005 甲은 삼촌 A와 따로 살고 있다. 甲은 어느 날 비어 있는 A의 집에 몰래 들어가 A가 보관 중이던 A의 친구 B 소유의 노트북과 A의 통장 및 운전면허증을 절취하였다. 甲은 절취한 통장을 가지고 인근 현금자동지급기로 가서 우연히 알아낸 비밀번호를 이용하여 A의 계좌에서 자신의 계좌로 100만원을 이체하였다. 甲은 돈을 이체하고 돌아가던 중 불심검문 중인 경찰관의 신분증 제시 요구에 절취한 A의 운전면허증을 제시하였다. 이후 甲은 이체한 돈을 인출하여 그 정을 아는 친구 乙에게 교부하였다. 이에 관한 설명 중 옳은 것(○)과 옳지 않은 것(×)을 올바르게 조합한 것은? (다툼이 있으면 판례에 의함)

24 변호사 [Superlative ★★★]

㉠ 노트북 절취와 관련하여 甲과 점유자인 A 사이에 친족관계가 존재하므로 A의 고소가 없다면 甲은 절도죄로 기소될 수 없다.

㉡ 甲의 컴퓨터등사용사기죄와 관련하여 A 명의 계좌의 금융기관을 피해자에 해당한다고 볼 수 없으므로 甲이 A의 계좌에서 자신의 계좌로 100만원을 이체한 행위에 친족상도례가 적용된다.

㉢ 甲으로부터 돈을 받은 乙에게는 장물취득죄가 성립한다.

㉣ 甲이 경찰관의 신분증 제시 요구에 A의 운전면허증을 제시한 것은 운전면허증이 신분의 동일성을 증명하는 기능을 하는 것이 아니기 때문에 공문서부정행사죄에 해당하지 않는다.

㉤ 만약 甲이 이체한 돈을 인출하지 못했다면 컴퓨터등사용사기죄의 미수에 해당한다.

---

① ㉠ ○ ㉡ ○ ㉢ × ㉣ × ㉤ ○   　② ㉠ × ㉡ × ㉢ ○ ㉣ × ㉤ ×

③ ㉠ ○ ㉡ × ㉢ × ㉣ ○ ㉤ ×   　④ ㉠ × ㉡ ○ ㉢ × ㉣ × ㉤ ×

⑤ ㉠ × ㉡ × ㉢ × ㉣ × ㉤ ×

해설

⑤ 이 지문이 옳은 연결이다.

㉠ [×] 형법 제344조에 의하여 준용되는 형법 제328조 제1항에 정한 친족간의 범행에 관한 규정은 범인과 피해물건의 소유자 및 점유자 쌍방간에 같은 규정에 정한 친족관계가 있는 경우에만 적용되는 것이며, 단지 **절도범인과 피해물건의 소유자간에만 친족관계가 있거나 절도범인과 피해물건의 점유자간에만 친족관계가 있는 경우에는 그 적용이 없다.**(대법원 2014. 9.25. 2014도8984 와이프 명의 봉고차 사건) 甲과 노트북의 점유자인 A와는 친족관계(원친)가 있지만, 노트북의 소유자인 B와는 친족관계가 없으므로 친족상도례는 적용되지 아니한다. 따라서 A의 고소가 없더라도 甲은 절도죄로 기소될 수 있다.

㉡ [×] 손자가 할아버지 소유 농업협동조합 예금통장을 절취하여 이를 현금자동지급기에 넣고 조작하는 방법으로 예금 잔고를 자신의 거래 은행 계좌로 이체한 경우 (농협은 할아버지에 대한 예금반환 채무를 여전히 부담하면서도 다른 금융기관에 대하여 자금이체로 인한 이체자금 상당액 결제채무를 추가 부담하게 됨으로써 이체된 예금 상당액의 채무를 이중으로 지급해야 할 위험에 처하게 되므로) **농업협동조합이 컴퓨터등사용사기 범행 부분의 피해자이므로 친족상도례를 적용할 수 없다.**(대법원 2007. 3.15. 2006도2704 꼴통 손자 사건) 甲의 컴퓨터등사용사기죄와 관련하여 A 명의 계좌의 금융기관이 피해자에 해당하므로 甲이 A의 계좌에서 자신의 계좌로 100만원을 이체한 행위에 친족상도례가 적용되지 않는다.

ⓒ [×] 피고인이 권한 없이 주식회사 신진기획의 아이디와 패스워드를 입력하여 인터넷뱅킹에 접속한 다음 위 회사의 예금계좌로부터 자신의 예금계좌로 합계 180,500,000원을 이체하는 내용의 정보를 입력하여 자신의 **예금액을 증액시킴으로서 컴퓨터등사용사기죄의 범행을 저지른 다음 자신의 현금카드를 사용하여 현금자동지급기에서 현금을 인출한 경우** 이와 같이 자기의 현금카드를 사용하여 현금을 인출한 경우에는 그것이 비록 컴퓨터등사용사기죄의 범행으로 취득한 예금채권을 인출한 것이라 할지라도 현금카드 사용권한 있는 자의 정당한 사용에 의한 것으로서 **현금자동지급기 관리자의 의사에 반하거나 기망행위 및 그에 따른 처분행위도 없었으므로 별도로 절도죄나 사기죄의 구성요건에 해당하지 않는다 할 것이고,** 그 결과 인출된 현금은 재산범죄에 의하여 취득한 재물이 아니므로 **장물이 될 수 없다.**(대법원 2004. 4.16. 2004도353 컴사기 현금인출 사건) 乙은 장물취득죄의 죄책을 지지 않는다.

ⓓ [×] 피고인이 제3자로부터 신분확인을 위하여 **신분증명서의 제시를 요구받고 다른 사람의 운전면허증을 제시한 행위는** 그 사용목적에 따른 행사로서 **공문서부정행사죄에 해당한다.**(대법원 2001. 4.19. 2000도1985 솔승 타인 운전면허증 제시사건) 공문서부정행사죄가 성립한다.

ⓔ [×] 금융기관 직원이 전산단말기를 이용하여 다른 공범들이 지정한 특정계좌에 돈이 입금된 것처럼 허위의 정보를 입력하는 방법으로 위 계좌로 입금되도록 한 경우 **이러한 입금절차를 완료함으로써** 장차 그 계좌에서 이를 인출하여 갈 수 있는 재산상 이익의 취득이 있게 되었다고 할 것이므로 **컴퓨터등사용사기죄는 기수에 이르렀다고 할 것이고,** 그 후 그러한 입금이 취소되어 현실적으로 인출되지 못하였다고 하더라도 이미 성립한 컴퓨터등사용사기죄에 어떤 영향이 있다고 할 수는 없다.(대법원 2006. 9.14. 2006도4127 봉평농협 사건) 甲은 컴퓨터등사용사기죄의 죄책을 진다.

006 甲은 자신을 계속 뒤따라오다 손을 갑자기 내뻗는 A를 강제추행범으로 오인하고 이를 막고자 공격을 통해 A를 상해하였는데 실제로 A는 甲의 친구로서 장난을 치기 위해 위와 같은 행동을 한 것이었다. 이 사례의 해결방식과 설명에 대한 <보기 1>과 <보기 2>가 바르게 연결된 것은?

24 변호사 [Superlative ★★★]

〈보기 1〉
㉠ 甲이 정당방위상황으로 잘못 판단한 데에 정당한 이유가 있으면 책임을 조각하려는 견해
㉡ 甲 행위의 구성요건적 고의를 인정하면서 고의범으로서의 법효과만을 제한하려는 견해
㉢ 사실의 착오 근거규정을 유추적용하려는 견해
㉣ 구성요건적 고의의 인식 대상이 되는 사실과 위법성조각사유의 전제되는 사실을 구별하지 아니하는 견해

〈보기 2〉
ⓐ '불법'과 '책임'의 두 단계로 범죄체계를 구성한다면 형법상 위법성조각사유는 소극적 구성요건표지이다.
ⓑ 甲은 행위상황에서 필요한 주의의무를 다하지 않았을 뿐이고 그에게 책임고의가 존재하는 것은 아니다.
ⓒ 甲에게는 위법성의 인식이 없었으므로 '자기의 행위가 법령에 의하여 죄가 되지 아니하는 것으로 오인한' 때에 해당한다.
ⓓ A를 강제추행범으로 오인하여 반격하였다면 이는 고의의 인식대상을 착오한 것과 유사하다.

① ㉠ - ⓐ, ㉡ - ⓑ, ㉢ - ⓒ, ㉣ - ⓓ
② ㉠ - ⓑ, ㉡ - ⓒ, ㉢ - ⓓ, ㉣ - ⓐ
③ ㉠ - ⓒ, ㉡ - ⓓ, ㉢ - ⓐ, ㉣ - ⓑ
④ ㉠ - ⓒ, ㉡ - ⓑ, ㉢ - ⓓ, ㉣ - ⓐ
⑤ ㉠ - ⓓ, ㉡ - ⓒ, ㉢ - ⓐ, ㉣ - ⓑ

해설

④ 이 지문이 옳은 연결이다.
설문은 위법성조각사유 전제사실의 착오의 사례이다.
㉠ 이는 엄격책임설의 입장으로 ⓒ 견해와 맥락을 같이 한다.
㉡ 이는 법효과 제한적책임설의 입장으로 ⓑ 견해와 맥락을 같이 한다.
㉢ 이는 구성요건적 착오 유추적용설의 입장으로 ⓓ 견해와 맥락을 같이 한다.
㉣ 이는 소극적 구성요건표지이론으로 ⓐ 견해와 맥락을 같이 한다.

핵심정리	위법성조각사유 전제사실의 착오 학설

학 설		내 용
소극적 구성요건표지이론		위법성조각사유는 소극적 구성요건이므로 구성요건적 착오에 관한 규정을 직접 적용하여 (불법) 고의 조각 → 행위자에게 과실이 있으면 과실범으로 처벌, 과실이 없으면 무죄
고의설	엄격 고의설	행위자에게 현실적인 위법성의 인식이 없으므로 (책임요소로서의) 고의 조각 → 행위자에게 과실이 있으면 과실범으로 처벌, 과실이 없으면 무죄
	제한적 고의설	① 위법성의 인식이 가능하거나 착오에 대한 과실이 있으면 고의범으로 처벌 ② 위법성의 인식 가능성조차 없거나 착오에 대한 과실이 없으면 무죄
책임설	엄격 책임설	금지의 착오에 해당하므로 (구성요건적) 고의는 인정 → 착오가 회피 가능했다면 고의범으로 처벌, 회피 불가능했다면 책임 조각
	구성요건적 착오유추적용설	사실의 착오와 유사하므로 구성요건적 착오에 관한 규정을 유추적용하여 (구성요건적) 고의 조각 → 행위자에게 과실이 있으면 과실범으로 처벌, 과실이 없으면 무죄
	법효과 제한적책임설 (多數說)	(구성요건적) 고의는 인정되지만, 법질서 수호의사로 한 행위이므로 책임 고의 조각 → (고의행위지만 고의책임을 지지 않으므로) 행위자에게 과실이 있으면 과실범으로 처벌, 과실이 없으면 무죄

CRIMINAL PROCEDURE LAW

007 甲은 평소 주벽과 의처증이 심한 남편 A와의 불화로 인해 이혼소송을 준비하던 중 A의 운전기사 乙에게 A를 살해하도록 부탁하였다. 乙은 甲의 부탁대로 술에 취하여 자고 있던 A의 목을 졸라 살해하였다. 검사는 乙을 살인죄로, 甲을 살인교사죄로 기소하였고 법원은 甲과 乙을 병합심리하고 있다. 이에 관한 설명 중 옳지 않은 것을 모두 고른 것은? (다툼이 있으면 판례에 의함)

24 변호사 [Superlative ★★★]

㉠ 甲이 사법경찰관의 피의자신문에서는 교사사실을 인정하였으나 법정에서는 이를 부인하는 경우 甲이 내용을 부인한 甲에 대한 사법경찰관 작성 피의자신문조서는 임의성이 인정되는 한 甲의 법정진술을 탄핵하기 위한 반대증거로 사용될 수 있다.
㉡ 乙의 친구 W가 법정에 출석하여 乙로부터 '자신이 A를 살해하였다'는 이야기를 들은 적이 있다고 진술한 경우 원진술자인 乙이 법정에 출석하여 있는 한 W의 진술은 乙에 대한 유죄의 증거로 사용될 수 없다.
㉢ 甲과 乙이 모두 공소사실을 자백하고 있으나 달리 자백을 뒷받침할 다른 증거가 없는 경우 甲과 乙에게 무죄를 선고하여야 한다.
㉣ 甲이 법정에서 A에 대한 살인교사 혐의를 자백한 경우 甲의 진술은 乙에 대한 유죄의 증거로 사용될 수 있다.
㉤ 제1심법원이 甲에게 형의 선고를 하면서 乙이 A의 목을 졸라 살해한 사실을 적시하지 않았더라도 甲의 방어권이나 甲의 변호인의 변호권이 본질적으로 침해되지 않았다고 볼 만한 특별한 사정이 있다면 판결에 영향을 미친 법령의 위반은 아니다.

① ㉠㉡㉣　　② ㉡㉢㉣　　③ ㉡㉢㉤
④ ㉢㉣㉤　　⑤ ㉡㉢㉣㉤

해설

③ ㉡㉢㉤ 3 항목이 옳지 않다.

㉠ [O] 사법경찰리 작성의 피고인에 대한 피의자신문조서는 피고인이 그 내용을 부인하는 이상 증거능력이 없으나, 그것이 임의로 작성된 것이 아니라고 의심할 만한 사정이 없는 한 피고인의 법정에서의 진술을 탄핵하기 위한 반대증거로 사용할 수 있다.(대법원 2014. 3. 13. 2013도12507) 피의자신문조서는 甲의 법정진술을 탄핵하기 위한 반대증거로 사용될 수 있다.

㉡ [×] 피고인이 아닌 자(공소제기 전에 피고인을 피의자로 조사하였거나 그 조사에 참여하였던 자를 포함한다)의 공판준비 또는 공판기일에서의 진술이 피고인의 진술을 그 내용으로 하는 것인 때에는 그 진술이 특히 신빙할 수 있는 상태하에서 행하여졌음이 증명된 때에 한하여 이를 증거로 할 수 있다.(형사소송법 제316조 제1항) 특신상태가 증명되면 W의 진술은 乙에 대한 유죄의 증거로 사용될 수 있다.

㉢ [×] 공범인 공동피고인의 진술은 다른 공동피고인에 대한 범죄사실을 인정하는 증거로 할 수 있는 것일 뿐만 아니라 공범인 공동피고인들의 각 진술은 상호간에 서로 보강증거가 될 수 있다.(대법원 1990. 10. 30. 90도1939 강도피고인들 자백 사건) 법원은 甲과 乙에게 유죄판결을 선고할 수 있다.

㉣ [O] 공동피고인의 자백은 이에 대한 피고인의 반대신문권이 보장되어 있어 증인으로 신문한 경우와 다를 바 없으므로 독립한 증거능력이 있다.(대법원 2007. 10. 11. 2007도5577 금지금 폭탄업체 사건) 甲의 진술은 乙에 대한 유죄의 증거로 사용될 수 있다.

ⓒ [×] 형사소송법 제323조 제1항에 따르면 유죄판결의 판결이유에는 범죄사실, 증거의 요지와 법령의 적용을 명시하여야 하는바, 유죄판결을 선고하면서 판결이유에 **이 중 어느 하나를 전부 누락한 경우에는** 형사소송법 제383조 제1호에 정한 **판결에 영향을 미친 법률 위반으로서 파기사유가 된다.**(대법원 2022. 4. 14. 2021도 10761 폐기물로 인한 환경오염 사건) 범죄사실인 '乙이 A의 목을 졸라 살해한 사실'을 적시하지 않았으므로 이는 판결에 영향을 미친 법령위반에 해당한다.

---

008   연예인 甲은 2023. 3. 9. 08:00경 고속도로에서 자동차종합보험에 가입되어 있는 자신의 승용차를 운전하여 가던 중 도로 좌측 노면 턱을 들이받는 바람에 그 충격으로 자신에게 전치 6주의 상해를, 조수석에 타고 있던 사실혼 관계인 乙에게 전치 8주의 상해를 각 입게 하였다. 甲, 乙은 사고 직후 승용차에서 내렸으나 바로 의식을 잃었고, 그 상태로 병원에 이송되었다. 乙은 의식이 깨자 甲의 연예인 활동에 지장이 생길 것을 우려하여 경찰관 P에게 자신이 위 승용차를 운전하다가 교통사고를 발생하게 하였다는 허위 사실을 진술하였다. 이에 관한 설명으로 옳은 것은? (다툼이 있으면 판례에 의한다) 24 변호사 [Superlative ★★★]

① P가 운전석 근처에서 발견되어 병원으로 이송된 乙의 음주운전 여부를 수사하려 하였으나 乙의 의식이 깨지 않자 간호사 A로부터 A가 치료 목적으로 乙로부터 채취한 혈액 중 일부를 임의제출 받아 영장 없이 압수한 경우 그 압수절차는 적법절차에 위반된다.

② 乙이 도로교통법위반(음주운전)죄 및 교통사고처리특례법위반(치상)죄로 기소되었고, 제1회 공판기일에 乙 및 乙의 변호인은 혈액감정의뢰회보에 대하여 증거부동의를 하였는데, 제3회 공판기일에 乙이 출석하지 아니한 상태에서 乙의 변호인이 이를 증거로 하는 데 동의하였다면 위 증거동의는 효력이 있다.

③ 乙이 교통사고처리 특례법 위반(치상)죄로 유죄확정판결을 받은 이후 甲과 헤어지게 되자, 자신이 숨겨두고 있던 위 교통사고 당시 甲이 운전하는 모습을 찍은 휴대전화 사진을 증거로 제출하면서 재심을 청구한 경우 형사소송법 제420조 제5호의 '무죄를 인정할 명백한 증거가 새로 발견된 때'에 해당한다.

④ 위 승용차가 자동차종합보험에 가입되어 있어 甲을 교통사고처리 특례법 위반(치상)죄로 공소 제기할 수 없다고 하더라도 乙이 甲을 도피시킨 행위는 범인도피죄에 해당할 수 있다.

⑤ 乙이 P에게 허위 사실을 진술한 행위가 범인도피죄에 해당하더라도 그 범행 당시 乙은 甲과 사실혼 관계에 있었으므로 처벌되지 아니한다.

해설

④ [○] 자동차종합보험 가입사실만으로 甲의 행위가 형사소추 또는 처벌을 받을 가능성이 없는 경우에 해당한다고 단정할 수 없는 것임은 물론이고, 乙이 수사기관에 적극적으로 자신이 운전자라는 허위사실을 진술함으로써 실제 운전자인 甲을 도피하게 하였다면 그로써 수사권의 행사를 비롯한 국가의 형사사법 작용은 곤란 또는 불가능하게 되는 것이라고 아니할 수 없으므로 이는 **범인도피죄에 해당한다.**(대법원 2000. 11. 24. 2000도4078 **허위 교통사고 자백사건**) 甲을 교통사고처리 특례법 위반(치상)죄로 공소제기할 수 없다고 하더라도 乙은 범인도피죄의 죄책을 진다.

① [×] 의료인이 진료 목적으로 채혈한 환자의 혈액을 수사기관에 임의로 제출하였다면 그 혈액의 증거사용에 대하여도 환자의 사생활의 비밀 기타 인격적 법익이 침해되는 등의 특별한 사정이 없는 한 반드시 그 환자의 동의를 받아야 하는 것이 아니고 따라서 경찰관이 간호사로부터 진료 목적으로 이미 채혈되어 있던 **피고인의 혈액 중 일부를** 주취운전 여부에 대한 감정을 목적으로 **임의로 제출 받아 이를 압수한 경우** 그 압수절차가 피고인 또는 피고인의 가족의 동의 및 영장 없이 행하여졌다고 하더라도 이에 **적법절차를 위반한 위법이 있다고 할 수 없다.**(대법원 1999. 9. 3. 98도968 **공주의료원 사건**) 혈액 중 일부를 임의제출 받아 압수한 경우 그 압수절차는 적법절차에 위반되지 않는다.

② [×] 형사소송법 제318조에 규정된 증거동의의 주체는 소송주체인 검사와 피고인이고, 변호인은 피고인을 대리하여 증거동의에 관한 의견을 낼 수 있을 뿐이므로 피고인의 명시한 의사에 반하여 증거로 함에 동의할 수는 없다. 따라서 피고인이 출석한 공판기일에서 증거로 함에 부동의한다는 의견이 진술된 경우에는 그 후 피고인이 출석하지 아니한 공판기일에 **변호인만이 출석하여 종전 의견을 번복하여 증거로 함에 동의하였다 하더라도 이는 특별한 사정이 없는 한 효력이 없다고 보아야 한다.**(대법원 2013. 3.28. 2013도3 **피고인 부동의 변호인 동의 사건**) 乙의 변호인의 증거동의는 효력이 없다.

③ [×] 형사소송법 제420조 제5호에서 정한 재심사유에서 무죄 등을 인정할 '증거가 새로 발견된 때'라 함은 재심대상이 되는 확정판결의 소송절차에서 발견되지 못하였거나 또는 발견되었다 하더라도 제출할 수 없었던 증거로서 이를 새로 발견하였거나 비로소 제출할 수 있게 된 때를 말한다. 피고인이 재심을 청구한 경우 **재심대상이 되는 확정판결의 소송절차 중에 그러한 증거를 제출하지 못한 데에 과실이 있는 경우에는 그 증거는 '증거가 새로 발견된 때'에서 제외된다고 해석함이 상당하다.**(대법원 2009. 7. 16. 2005모472 **승습 무정자 증 사건**) 乙이 교통사고처리 특례법 위반(치상)죄의 공판과정에서 사진을 증거로 제출할 수 있었음에도 이를 제출하지 않은 잘못이 있으므로 형사소송법 제420조 제5호의 '무죄를 인정할 명백한 증거가 새로 발견된 때'에 해당하지 않는다.

⑤ [×] 형법 제151조 제2항 및 제155조 제4항은 친족 또는 동거의 가족이 본인을 위하여 범인도피죄, 증거인멸죄 등을 범한 때에는 처벌하지 아니한다고 규정하고 있는바, **사실혼관계에 있는 자는 민법 소정의 친족이라 할 수 없어 위 조항에서 말하는 친족에 해당하지 않는다.**(대법원 2003. 12. 12. 2003도4533 **내연남 외국도피사건**) 乙은 범인도피죄의 죄책을 진다.

009

甲과 A는 동거하지 않는 형제 사이인데 A가 실종되었다. 甲은 2023. 1.경 법원이 선임한 A의 부재자 재산관리인으로서 A 앞으로 공탁된 수용보상금 7억원을 수령하였다. 그 후 법원은 2023. 3.경 A의 부재자 재산관리인을 甲에서 B로 개임하였다. 그럼에도 甲은 B에게 공탁금의 존재를 알려 주지도 않고 인계하지도 않았다. 2023. 5.경 위 사실을 알게 된 B가 2023. 6.경 법원으로부터 고소권 행사에 관하여 허가를 받고 나서 바로 甲을 위 사실에 관하여 특정경제범죄 가중처벌 등에 관한 법률 위반(배임)죄로 수사기관에 고소하였다. 이에 관한 설명 중 옳지 않은 것을 모두 고른 것은? (다툼이 있으면 판례에 의한) 24 변호사 [Superlative ★★★]

㉠ 甲, B, 甲의 누나 C가 모여서 같이 대화를 나누던 중, B는 증거수집 목적으로 자신의 휴대전화 녹음 기능을 사용하여 위 3명의 대화를 녹음하였는데, 이러한 녹음 행위는 통신비밀보호법 제16조 제1항에 해당하며 위법하다.

㉡ B는 A의 부재자 재산관리인으로서 그 관리대상인 A의 재산에 대한 범죄행위에 관하여 법원으로부터 고소권 행사에 관한 허가를 얻었으므로 A의 법정대리인으로서 적법한 고소권자에 해당한다.

㉢ 사법경찰관 P가 특정경제범죄 가중처벌 등에 관한 법률 위반(배임)죄로 甲에 대한 체포영장을 발부받은 후 집 앞 주차장에 차량을 주차하고 있는 甲을 발견하고 위 체포영장에 기하여 체포하면서 甲의 차량을 수색한 것은 형사소송법 제216조 제1항 제2호에 따라 적법하다.

㉣ 甲이 위 ㉢항과 같은 체포 과정에서 자신의 차량으로 사법경찰관 P를 충격하여 상해를 가했다면 甲에게 특수공무집행방해치상죄 및 특수상해죄가 성립하고, 양 죄는 상상적 경합 관계이다.

㉤ 만약 甲이 A의 동거하지 않는 아들인데 B의 고소가 2023.12.20.에 이루어졌다면 법원은 甲의 특정경제범죄 가중처벌 등에 관한 법률 위반(배임)죄에 대하여 형사소송법 제327조 제2호에 따라 판결로써 공소기각의 선고를 하여야 한다.

① ㉠㉡㉣　　　　② ㉠㉢㉣　　　　③ ㉠㉣㉤
④ ㉡㉢㉤　　　　⑤ ㉢㉣㉤

해설

③ ㉠㉣㉤ 3 항목이 옳지 않다.

㉠ [×] 3인간의 대화에서 그 중 한 사람이 그 대화를 녹음 또는 청취하는 경우에 다른 두 사람의 발언은 그 녹음자 또는 청취자에 대한 관계에서 통신비밀보호법 제3조 제1항에서 정한 '타인간의 대화'라고 할 수 없으므로 이러한 녹음 또는 청취하는 행위 및 그 내용을 공개하거나 누설하는 행위가 **통신비밀보호법 제16조 제1항에 해당한다고 볼 수 없다.**(대법원 2014. 5.16. 2013도16404 아이유 택시 사건) B의 녹음 행위는 통신비밀보호법 제16조 제1항에 해당하지 않는다.

㉡ [○] 법원이 선임한 부재자 재산관리인이 그 관리대상인 부재자의 재산에 대한 범죄행위에 관하여 법원으로부터 고소권 행사에 관한 허가를 얻은 경우 부재자 재산관리인은 **형사소송법 제225조 제1항에서 정한 법정대리**

인으로서 적법한 고소권자에 해당한다.(대법원 2022. 5.26. 2021도2488 부재자 재산관리인 형사고소 사건) B
는 A의 법정대리인으로서 적법한 고소권자에 해당한다.

ⓒ [O] 사법경찰관은 피의자를 영장에 의하여 체포하는 경우에 필요한 때에는 **영장없이 체포현장에서 압수 · 수
색 · 검증을 할 수 있다.**(형사소송법 제216조 제1항 제2호) 사법경찰관 P가 甲의 차량을 수색한 것은 적법하다.

ⓔ [×] 피고인이 승용차를 운전하던 중 음주단속을 피하기 위하여 위험한 물건인 승용차로 단속 경찰관을 들이
받아 경찰관의 공무집행을 방해하고 경찰관에게 상해를 입게 한 경우 **특수공무집행방해치상죄만 성립할 뿐
이와는 별도로 폭처법위반(집단 · 흉기등상해)죄[24년 현재 특수상해죄]를 구성하지 않는다.**(대법원 2008.
11. 27. 2008도7311 음주단속경찰관 치상사건) 甲에게는 특수공무집행방해치상죄만 성립한다.

ⓜ [×] 甲과 A는 형법 제328조 제1항의 친계혈족 관계에 있으므로, 즉 근친관계에 있으므로 법원은 **형면제판결
을 선고하여야 한다.**(형법 제328조 제1항, 제361조) 다만, 현재는 헌법불합치 결정이 있었으므로 실체판결의
대상이다.

010

甲은 乙 소유 토지 위에 있는 X건물을 소유하고 있었는데 乙이 제기한 건물철거소송에서 패소하
여 X건물이 철거되자 위 토지 위에 Y건물을 신축하였다. 乙은 Y건물 벽면에 계란 30여 개를 던져
甲이 Y건물에 남은 계란의 흔적을 지우는 데 약 50만 원의 청소비가 들게 하였다. 甲은 乙의 위와
같은 행위에 대항하여 Y건물 인근에 주차된 乙의 차량 앞에 철근콘크리트 구조물을, 뒤에 굴삭기
크러셔를 바짝 붙여 놓아 乙이 약 17시간 동안 위 차량을 운행할 수 없게 하였다. 한편, 乙은 화가
나 甲 소유의 굴삭기 크러셔에 빨간색 페인트를 이용하여 "불법 건축물 소유자는 물러가라."라는
낙서를 하였고, 이 범죄사실에 대하여 벌금 100만원의 약식명령이 발령되었다. 이에 관한 설명
중 옳지 않은 것을 모두 고른 것은? (다툼이 있으면 판례에 의함)   24 변호사 [Core ★★]

ⓝ 甲이 Y건물을 무단으로 신축한 행위는 乙 소유 토지의 효용 자체를 침해한 것으로 재물손괴죄
에 해당한다.

ⓛ 乙이 Y건물 벽면에 계란 30여 개를 던진 행위는 그 건물의 효용을 해한 것으로 재물손괴죄에
해당한다.

ⓒ 甲이 17시간 동안 乙의 차량을 운행할 수 없게 한 행위는 차량 본래의 효용을 해한 것으로
재물손괴죄에 해당한다.

ⓔ 乙이 위 약식명령에 불복하여 변호인 선임 없이 정식재판을 청구한 후 연속으로 2회 불출정한
경우 법원은 乙의 출정 없이 증거조사를 할 수 있고, 이 경우에는 형사소송법 제318조 제2항
에 따라 乙의 증거동의가 간주된다.

ⓜ 乙이 위 ⓔ항과 같이 정식재판에서 증거동의가 간주되고 증거조사가 완료된 후 벌금 100만
원이 선고되자 항소하였고, 乙이 항소심에 출석하여 증거동의를 철회 또는 취소한다는 의사
표시를 한 경우 제1심에서의 증거동의 간주는 乙의 진의와 관계없이 이루어진 것이므로 증거
동의의 효력은 상실된다.

① ㉠㉡   ② ㉠㉤   ③ ㉠㉡㉤

④ ㉡㉢㉤   ⑤ ㉠㉡㉢㉣

해설

③ ㉠㉡㉤ 3 항목이 옳지 않다.

㉠ [×] 피고인은 **타인 소유 토지에 권원 없이 건물을 신축하였는바**, 이러한 행위는 이미 대지화된 토지에 건물을 새로 지어 부지로서 사용·수익함으로써 그 소유자로 하여금 효용을 누리지 못하게 한 것일 뿐 **토지의 효용을 해하지 않았으므로 재물손괴죄가 성립하지 않는다.**(대법원 2022.11.30. 2022도1410 타인 토지상 무단 건물신축 사건)

㉡ [×] 해고노동자 등이 복직을 요구하는 집회를 개최하던 중 계란 30여 개를 건물에 투척한 행위는 **건물의 효용을 해하는 정도의 것에 해당하지 않는다.**(대법원 2007. 6.28. 2007도2590 스프레이 유죄 계란 무죄 사건)

㉢ [○] 피고인이 평소 자신이 굴삭기를 주차하던 장소에 피해자의 차량이 주차되어 있는 것을 발견하고 피해자의 차량 앞에 철근콘크리트 구조물을, 뒤에 굴삭기 크러셔를 바짝 붙여 놓아 피해자가 17~18시간 동안 차량을 운행할 수 없게 된 경우 차량 앞뒤에 쉽게 제거하기 어려운 구조물 등을 붙여 놓은 행위는 차량에 대한 유형력 행사로 보기에 충분하고, 차량 자체에 물리적 훼손이나 기능적 효용의 멸실 내지 감소가 발생하지 않았더라도 피해자가 위 구조물로 인해 차량을 운행할 수 없게 됨으로써 일시적으로 본래의 사용목적에 이용할 수 없게 된 이상 차량 본래의 효용을 해한 경우에 해당한다.(대법원 2021. 5. 7. 2019도13764 굴삭기 동원 차량이용 방해사건)

㉣ [○] 약식명령에 불복하여 정식재판을 청구한 피고인이 정식재판절차에서 2회 불출정하여 법원이 피고인의 출정 없이 증거조사를 하는 경우에 형사소송법 제318조 제2항에 따른 피고인의 증거동의가 간주된다.(대법원 2010. 7.15. 2007도5776 정식재판청구 피고인 2회 불출석 사건)

㉤ [×] 약식명령에 불복하여 정식재판을 청구한 피고인이 정식재판절차의 1심에서 2회 불출정하여 형사소송법 제318조 제2항에 따른 증거동의가 간주된 후 증거조사를 완료한 이상, 간주의 대상인 증거동의는 증거조사가 완료되기 전까지 철회 또는 취소할 수 있으나 일단 증거조사를 완료한 뒤에는 취소 또는 철회가 인정되지 아니하는 점, 증거동의 간주가 피고인의 진의와는 관계없이 이루어지는 점 등에 비추어, 비록 피고인이 항소심에 출석하여 공소사실을 부인하면서 **간주된 증거동의를 철회 또는 취소한다는 의사표시를 하더라도 그로 인하여 적법하게 부여된 증거능력이 상실되는 것이 아니다.**(대법원 2010. 7.15. 2007도5776 정식재판청구 피고인 2회 불출석 사건)

정답 | 010 ③

011 건축허가권자 공무원 甲은 실무담당자 乙의 방조 아래, 빌딩건축허가와 관련하여 건축업자 丙으로부터 2,000만원의 뇌물을 받았다. 이후 甲은 乙에게 2,000만원 중 200만원을 사례금으로 주었고, 400만원은 건축허가에 필요한 비용으로 지출하였으며, 나머지 1,400만원은 은행에 예금하였다. 丙은 이후 빌딩건축허가가 반려되자 甲에게 공여한 뇌물 전액의 반환을 요구하였다. 甲은 200만 원을 乙에게 사례금으로 주었고, 400만원을 비용으로 지출하였음을 이유로 예금하여 두었던 1,400만원을 인출하여 위 돈만을 丙에게 반환하였다. 이에 관한 설명 중 옳은 것은? (다툼이 있으면 판례에 의함)

24 변호사 [Superlative ★★★]

① 甲이 乙에게 교부한 사례금 200만원을 甲으로부터 추징할 수는 없다.

② 甲이 건축허가와 관련하여 지출한 필요비 400만원은 甲이 실질적으로 취득하였다고 보기 어려우므로 甲으로부터 추징할 수 없다.

③ 甲이 丙에게 반환한 1,400만원을 丙으로부터 추징할 수는 없다.

④ 丙이 뇌물공여죄로 기소되어 유죄판결이 확정된 경우 甲의 뇌물수수죄에 대한 공소시효는 丙에 대한 위 형사사건이 기소된 때로부터 확정된 때까지 정지된다.

⑤ 乙이 뇌물수수방조죄의 처벌을 회피할 목적으로 미국으로 출국한 경우 그 도피 기간 동안 공범인 甲의 뇌물수수죄에 대한 공소시효도 정지된다.

해설

③ [○] 뇌물로 받은 돈을 은행에 **예금한 경우** 그 예금행위는 뇌물의 처분행위에 해당하므로 그 후 수뢰자가 같은 액수의 돈을 증뢰자에게 반환하였다 하더라도 **수뢰자로부터 그 가액을 추징하여야 한다.**(대법원 1996.10.25. 96도2022 뇌물 1억원 예금사건) 丙으로부터 추징할 수는 없다.

① [×] 뇌물을 수수한 자가 공동수수자가 아닌 **교사범 또는 종범에게 뇌물 중의 일부를 사례금 등의 명목으로 교부하였다면** 이는 뇌물을 수수하는 데에 따르는 부수적 비용의 지출 또는 뇌물의 소비행위에 지나지 아니하므로 **뇌물수수자로부터 그 수뢰액 전부를 추징하여야 한다.**(대법원 2011.11.24. 2011도9585 정비사업전문관리업체 비리사건) 甲이 乙에게 교부한 사례금 200만원을 포함하여 甲으로부터 2,000만원 전액을 추징하여야 한다.

② [×] 공무원이 **뇌물을 받는 데에 필요한 경비를 지출한 경우** 그 경비는 뇌물수수의 부수적 비용에 불과하여 **뇌물의 가액 및 추징액에서 공제할 항목에 해당하지 아니하고,** 뇌물로 금품을 수수한 자가 독자적인 판단에 따라 금품의 전부 또는 일부를 위와 같은 경비로 사용하였다면 이는 범인이 취득한 재물을 소비한 것에 불과하므로 그 경비 상당액도 뇌물수수자로부터 추징하여야 한다.(대법원 2011.11.24. 2011도9585 정비사업전문관리업체 비리사건) 甲이 건축허가와 관련하여 지출한 필요비 400만원을 포함하여 甲으로부터 2,000만원 전액을 추징하여야 한다.

④ [×] 대향범 관계에 있는 자 사이에서는 각자 상대방의 범행에 대하여 형법 총칙의 공범규정이 적용되지 아니하므로 **형사소송법 제253조 제2항에서 말하는 '공범'에는 뇌물공여죄와 뇌물수수죄 사이와 같은 대향범 관계에 있는 자는 포함되지 않는다.**(대법원 2015. 2.12. 2012도4842 제3자뇌물교부 공범사건) 甲과 丙은 대향범 관계에 있으므로 丙이 기소되어 재판이 확정되었더라도 그 기간 동안 甲의 뇌물수수죄에 대한 공소시효는 정지되지 않는다.

⑤ [×] 범인이 형사처분을 면할 목적으로 국외에 있는 경우 그 기간 동안 공소시효는 정지된다.(형사소송법 제253조 제3항) 이 '범인'에는 공범은 포함되지 않는다고 해석되므로 乙이 처벌을 회피할 목적으로 미국으로 출국한 경우라도 그 도피 기간 동안 **공범인 甲의 뇌물수수죄에 대한 공소시효는 정지되지 않는다.**

012 甲은 2023. 1.경 도로에서 운전면허를 받지 아니하고 혈중알코올농도 0.15%의 술에 취한 상태에서 자동차를 운전하였다. 검사는 甲에 대하여 무면허운전의 점에 관하여만 도로교통법위반(무면허운전)죄로 공소를 제기하였는데, 제1심 제1회 공판기일에 이르러 음주운전의 점에 관한 도로교통법위반(음주운전)죄를 추가하는 취지의 공소장변경허가신청서를 제출하였다. 이에 관한 설명 중 옳은 것을 모두 고른 것은? (다툼이 있으면 판례에 의함)   24 변호사 [Core ★★]

> ○ 甲에 대한 도로교통법위반(무면허운전)죄와 도로교통법위반(음주운전)죄는 상상적 경합관계에 있다.
> ○ 만약 甲이 운전한 장소가 도로교통법상 도로가 아니라면 도로교통법위반(무면허운전)죄는 성립할 수 있지만 도로교통법위반(음주운전)죄는 성립할 수 없다.
> ○ 제1심법원이 공소장변경허가신청에 대한 결정을 공판정에서 고지한 경우 그 사실은 공판조서의 필요적 기재사항이다.
> ○ 제1심법원이 공소장변경허가신청에 대하여 불허가 결정을 한 경우 검사는 이에 불복하여 그 결정에 대한 즉시항고를 제기할 수 있다.

① ㉠㉡   ② ㉠㉢   ③ ㉡㉢
④ ㉡㉣   ⑤ ㉢㉣

해설

② ㉠㉢ 2 항목이 옳다.
㉠ [○] 무면허인데다가 술이 취한 상태에서 오토바이를 운전하였다는 것은 1개의 운전행위라 할 것이므로 두 죄(무면허운전죄와 음주운전죄)는 **상상적 경합관계에 있다.**(대법원 1987. 2. 24. 86도2731 **술먹고 면허없이 사건**) 甲이 범한 양죄는 상상적 경합관계에 있다.
㉡ [×] '운전'이란 도로[제27조 제6항 제3호·제44조(음주운전)·제45조·제54조 제1항·제148조·제148조의2 및 제156조 제10호의 경우에는 도로 외의 곳을 포함한다]에서 차마 또는 노면전차를 그 본래의 사용방법에 따라 사용하는 것(조종 또는 자율주행시스템을 사용하는 것을 포함한다)을 말한다.(도로교통법 제2조 제26호) 甲이 운전한 장소가 도로교통법상 도로가 아니라면 **도로교통법위반(무면허운전)죄는 성립하지 않지만 도로교통법위반(음주운전)죄는 성립한다.**
㉢ [○] 법원은 검사의 공소장변경허가신청에 대해 결정의 형식으로 이를 허가 또는 불허가하고, 법원의 허가 여부 결정은 공판정 외에서 별도의 결정서를 작성하여 고지하거나 공판정에서 구술로 하고 공판조서에 기재할 수도 있다. 만일 **공소장변경허가 여부 결정을 공판정에서 고지하였다면 그 사실은 공판조서의 필요적 기재사항이다**(형사소송법 제51조 제2항 제14호).(대법원 2023. 6. 15. 2023도3038 **병원장 기여금·보험료 횡령사건**) 공소장변경허가신청에 대한 결정을 공판정에서 고지한 경우 그 사실은 공판조서의 필요적 기재사항이다.
㉣ [×] **공소사실 또는 적용법조의 추가, 철회 또는 변경의 허가에 관한 결정**은 판결전의 소송절차에 관한 결정이라 할 것이므로 그 결정을 함에 있어서 저지른 위법이 판결에 영향을 미친 경우에 한하여 그 판결에 대하여 상소를 하여 다툼으로써 불복하는 외에는 당사자가 이에 대하여 **독립하여 상소할 수 없다.**(대법원 1987. 3. 28. 87모17 **공소장변경불허 검사 재항고 사건**) 검사는 공소장변경 불허가결정에 대하여 즉시항고를 제기할 수 없다.

013

다음 사례에 대한 설명 중 옳은 것은 모두 몇 개인가? (다툼이 있으면 판례에 의함)

> 甲과 乙은 인터넷 채팅을 통하여 알게 된 A와 B를 승용차에 태우고 함께 남산 부근을 드라이브하던 중, A와 B가 잠시 차에서 내린 사이에 甲이 乙에게 A와 B를 한 사람씩 나누어 강간하자고 제의하자 乙은 아무런 대답도 하지 않고 따라 다니다가 자신의 강간 상대방으로 남겨진 B에게 일체의 신체적 접촉도 시도하지 않은 채 B와 이야기만 나눴다. 甲은 A를 숲속에서 강간하려고 하였으나 A가 수술한지 얼마 안되어 배가 아프다면서 애원하자 강간행위를 중지하였다. 며칠 후 乙은 친구 C를 만나 "甲이 A를 강간하려고 하는 동안 나는 그냥 가만히 있었다."라고 말하였다. 사법경찰관 P는 甲을 수사하는 과정에서 C를 참고인으로 조사하여 C가 乙로부터 들은 위 진술 내용이 기재된 진술조서를 적법하게 작성하였다. 검사는 甲을 강간미수죄로 기소하면서 C에 대한 진술조서를 증거로 제출하였으나, 甲은 이를 증거로 함에 부동의하였다.

> ㉠ 乙은 강간 범행에 공동으로 가공할 의사가 있었다고 볼 수 없다.
> ㉡ 甲은 강간죄의 중지미수에 해당한다.
> ㉢ 진술조서에 기재된 乙의 진술부분은 재전문증거에 해당한다.
> ㉣ 진술조서의 실질적 진정성립과 특신상태가 증명이 되고, 변호인이 C를 신문할 수 있었던 때에는 C의 진술조서 전부에 대해 증거능력이 인정된다.

① 1개   ② 2개   ③ 3개   ④ 4개

해설

② ㉠㉢ 2 항목이 옳다.

㉠ [○] 피해자 일행을 한 사람씩 나누어 강간하자는 피고인 일행의 제의에 아무런 대답도 하지 않고 따라 다니다가 자신의 강간 상대방으로 남겨진 B에게 일체의 신체적 접촉도 시도하지 않은 채 다른 일행이 인근 숲 속에서 강간을 마칠 때까지 B와 함께 이야기만 나눈 경우 피고인에게 다른 일행의 **강간 범행에 공동으로 가공할 의사가 있었다고 볼 수 없다.**(대법원 2003. 3. 28. 2002도7477 **강간 파트너와 이야기만 사건**) 乙은 강간 범행에 공동으로 가공할 의사가 있었다고 볼 수 없다.

㉡ [×] 피고인들이 간음행위를 중단한 것은 피해자를 불쌍히 여겨서가 아니라 피해자의 신체조건상 강간을 하기에 지장이 있다고 본데에 기인한 것이므로 이는 일반의 경험상 강간행위를 수행함에 장애가 되는 외부적 사정에 의하여 범행을 중지한 것에 지나지 않는 것으로서 **중지범의 요건인 자의성을 결여한 것이라 보아야 할 것이다.**(대법원 1992. 7. 28. 92도917 **절도상경 강도실경 사건**) 甲은 강간죄의 장애미수에 해당한다.

㉢ [○] 전문진술이 기재된 조서는 **재전문증거에 해당한다.**

㉣ [×] **피고인 아닌 자의 진술을 그 내용으로 하는 전문진술이 기재된 조서는 형사소송법 제312조 또는 제314조에 따라 증거능력이 인정될 수 있는 경우에 해당하여야 함은 물론 형사소송법 제316조 제2항에 따른 요건을 갖추어야 예외적으로 증거능력이 있다.**(대법원 2017. 7. 18. 2015도12981 **대구 여대생 성폭행 스리랑카인 사건**) 사안은 제312조 제4항의 요건 외에 제316조 제2항의 요건을 별도로 갖추어야 하는데 그렇지 않아 증거능력이 없다.

014 성폭력범죄가 빈발하는 지역을 순찰하던 경찰관 P1과 P2는 심야에 주취자가 소란을 피우고 있다는 A의 신고를 받고 출동하여, 신고 지역 인근 A소유의 빌라 주차장에서 술에 취한 상태에서 큰 소리로 전화를 걸고 있는 甲을 발견하고 불심검문을 실시하였다. 이에 甲은 P2에게 자신의 운전면허증을 교부하였고, P2가 甲의 신분조회를 위하여 순찰차로 걸어간 사이에 甲은 위 불심검문에 항의하면서 P1에게 욕설을 하였다. 이 욕설은 P1 이외에 인근 주민들도 들었을 정도로 큰소리였으므로 P1은 甲을 모욕죄의 현행범으로 체포하겠다고 고지한 후 甲의 어깨를 붙잡았고, P2는 허리를 붙잡으며 체포를 시도하였다. 그런데 甲은 이에 강하게 반항하면서 P1 및 P2를 순차로 폭행하였고 이 과정에서 P1에게 상해를 가하였다. 이에 관한 ㉠부터 ㉣까지의 설명 중 옳고 그름의 표시(○, ×)가 모두 바르게 된 것은? (다툼이 있으면 판례에 의함)   22 경찰채용 [Core ★★]

> ㉠ P1과 P2가 형사소송법 제200조의5 및 제213조의2에 따른 체포절차를 준수하였다 하더라도 위 현행범 체포는 위법하다고 할 수 있다.
> ㉡ 甲에 대한 형법 제136조 제1항 공무집행방해죄 및 제257조 제1항 상해죄는 정당방위로 위법성이 조각된다.
> ㉢ 만약 甲에게 공무집행방해죄가 인정된다면 2개의 공무집행방해죄가 성립되며 각 공무집행방해죄의 관계는 상상적 경합관계이다.
> ㉣ 만약 P1과 P2가 甲에 대한 불심검문 과정에서 신분증을 제시하지 않았다면 제반사정을 종합적으로 고려하여 甲이 P1과 P2가 경찰관이고 검문하는 이유가 범죄행위에 관한 것임을 충분히 알고 있었다고 보이는 경우라 하더라도 위법한 불심검문에 해당한다.

① ㉠ × ㉡ × ㉢ × ㉣ ○   ② ㉠ × ㉡ ○ ㉢ × ㉣ ×

③ ㉠ ○ ㉡ × ㉢ ○ ㉣ ×   ④ ㉠ ○ ㉡ ○ ㉢ ○ ㉣ ×

해설

③ 이 지문이 옳은 연결이다.
㉠ [○] 피고인은 경찰관의 불심검문에 응하여 이미 운전면허증을 교부한 상태이고, 경찰관뿐 아니라 인근주민도 욕설을 직접 들었으므로 피고인이 도망하거나 증거를 인멸할 염려가 있다고 보기는 어렵고, 피고인의 모욕 범행은 불심검문에 항의하는 과정에서 저지른 일시적, 우발적인 행위로서 사안 자체가 경미할 뿐 아니라, 피해자인 경찰관이 범행현장에서 즉시 범인을 체포할 급박한 사정이 있다고 보기도 어려우므로 **경찰관이 피고인을 체포한 행위는 적법한 공무집행이라고 볼 수 없다.**(대법원 2011. 5. 26. 2011도3682 서교동불심검문 사건) P1, P2가 甲을 현행범으로 체포한 것은 위법하다.
㉡ [×] (1) 경찰관 P1이 피고인 甲을 체포한 행위는 현행범인 체포의 요건을 갖추지 못하여 **적법한 공무집행이라고 볼 수 없으므로 甲이 P1에게 상해를 가하더라도 공무집행방해죄의 구성요건을 충족하지 아니한다.**
(2) 피고인 甲이 체포를 면하려고 반항하는 과정에서 경찰관 P1에게 **상해를 가한 것은 불법체포로 인한 신체에 대한 현재의 부당한 침해에서 벗어나기 위한 행위로서 정당방위에 해당하여 위법성이 조각된다.**(대법원

2011. 5. 26. 2011도3682 **서교동 불심검문 사건**) 정당방위를 이유로 위법성이 조각되는 것은 상해죄로 한정이 된다. 결론적으로 이 사건에서는 모욕죄는 유죄, 공무집행방해죄는 (정당방위에 의하여 위법성이 조각되는 것이 아니라) 구성요건해당성 자체가 부정되어 무죄 그리고 상해죄는 정당방위에 해당하여 무죄가 선고되었다.

ⓒ [○] 동일한 공무를 집행하는 여럿의 공무원에 대하여 폭행·협박 행위를 한 경우에는 공무를 집행하는 공무원의 수에 따라 여럿의 공무집행방해죄가 성립하고, 위와 같은 폭행·협박 행위가 동일한 장소에서 동일한 기회에 이루어진 것으로서 사회관념상 1개의 행위로 평가되는 경우에는 **여럿의 공무집행방해죄는 상상적 경합의 관계에 있다.**(대법원 2009. 6. 25. 2009도3505 **경찰관 2명 폭행사건**) P1, P2에 대한 각 공무집행방해죄는 상상적 경합범의 관계에 있다.

ⓓ [×] 경직법 제3조 제4항은 '경찰관이 불심검문을 하고자 할 때에는 자신의 신분을 표시하는 증표를 제시하여야 한다'고 규정하고, 법시행령 제5조는 소정의 신분을 표시하는 증표는 경찰관의 공무원증이라고 규정하고 있는 바, 불심검문을 하게 된 경위, 불심검문 당시의 현장상황과 검문을 하는 경찰관들의 복장, 피고인이 공무원증 제시나 신분확인을 요구하였는지 여부 등을 종합적으로 고려하여, **검문하는 사람이 경찰관이고 검문하는 이유가 범죄행위에 관한 것임을 피고인이 충분히 알고 있었다고 보이는 경우에는 신분증을 제시하지 않았다고 하여 그 불심검문이 위법한 공무집행이라고 할 수 없다.**(대법원 2014. 12. 11. 2014도7976 **카페 불심검문 사건**) P1, P2의 불심검문은 위법하지 않다.

---

015 다음 사례에 대한 설명으로 옳지 않은 것은? (다툼이 있으면 판례에 의함)

23 경찰간부 [Core ★★]

> 사법경찰관이 수사한 결과를 기재한 수사보고서에 의하면, "X승용차는 A가 구입한 것으로 A가 실질적인 소유주이고, 다만 장애인에 대한 면세 혜택의 적용을 받기 위해 甲의 어머니 乙의 명의를 빌려 등록한 것에 불과하다. 甲은 乙과 공모하여 乙로부터 X승용차 매도에 필요한 자동차등록증 등 모든 서류를 교부받았다. 다음날 甲은 A가 운전 후 A의 집 앞에 주차해 둔 X승용차를 그 안에 꽂혀있던 키를 사용하여 몰래 운전해 가 관련 서류를 매수인 B에게 교부하여 X자동차를 매도하였다"라고 기재되어 있다. 사법경찰관은 참고인 A의 피해진술을 조서에 기재하였고, 그 후 공소제기된 甲과 乙이 A에 대한 진술조서에 증거부동의하자 A는 공판기일에 증인으로 출석하여 그 조서에 대한 실질적 진정성립을 인정하고 검사의 주신문에 대하여 진술하였으나, 변호인의 반대신문에 대해서는 특별한 사정이 없음에도 정당한 이유 없이 진술을 거부하였다.

① 위 수사보고서에 기재된 내용 중 X승용차 취거에 관하여 甲과 乙은 절도죄의 공동정범의 죄책을 진다.

② A에 대한 진술조서는 형사소송법 제312조 제4항에 따른 증거능력이 부정된다.

③ 위 수사보고서에 기재된 내용 중 甲이 X승용차를 B에게 매도한 행위는 B에 대한 사기죄를 구성한다.

④ A에 대한 진술조서는 형사소송법 제314조에 따른 증거능력이 부정된다.

해설

③ [×] 부동산의 명의수탁자가 부동산을 제3자에게 매도하고 매매를 원인으로 한 소유권이전등기까지 마쳐 준 경우 명의신탁의 법리상 대외적으로 수탁자에게 그 부동산의 처분권한이 있는 것임이 분명하고, **제3자로서도 자기 명의의 소유권이전등기가 마쳐진 이상 무슨 실질적인 재산상의 손해가 있을 리 없으므로** 그 명의신탁 사실과 관련하여 신의칙상 고지의무가 있다거나 기망행위가 있었다고 볼 수도 없어서 **그 제3자에 대한 사기죄 가 성립될 여지가 없고**, 나아가 그 처분시 매도인(명의수탁자)의 소유라는 말을 하였다고 하더라도 역시 사기 죄가 성립되지 않으며, **이는 자동차의 명의수탁자가 처분한 경우에도 마찬가지이다.**(대법원 2007. 1. 11. 2006도4498 어머니 명의 매그너스 사건) 甲이 X승용차를 B에게 매도한 행위는 사기죄를 구성하지 않는다.

① [○] (1) 자동차나 중기(또는 건설기계)의 소유권의 득실변경은 등록을 함으로써 그 효력이 생기고 그와 같은 등록이 없는 한 대외적 관계에서는 물론 당사자의 대내적 관계에 있어서도 그 소유권을 취득할 수 없는 것이 원칙이지만, 당사자 사이에 그 소유권을 그 등록 명의자 아닌 자가 보유하기로 약정하였다는 등의 특별한 사정이 있는 경우에는 그 내부관계에 있어서는 **그 등록 명의자 아닌 자가 소유권을 보유하게 된다.** (2) A가 승용차를 구입한 실질적인 소유자이고, 다만 장애인 면세혜택 등의 적용을 받기 위해 피고인 甲의 어머니 乙의 명의를 빌려 등록한 상태라면, 피고인 甲이 乙로부터 승용차를 가져가 매도할 것을 허락받고 그녀의 인감증명 등을 교부받은 뒤에 A 몰래 승용차를 가져간 경우 甲과 乙은 **절도죄의 공모공동정범이 성립된다.**(대법원 2007. 1. 11. 2006도4498 어머니 명의 매그너스 사건)

② [○] 검사 또는 사법경찰관이 피고인이 아닌 자의 진술을 기재한 조서는 적법한 절차와 방식에 따라 작성된 것으로서 그 조서가 검사 또는 사법경찰관 앞에서 진술한 내용과 동일하게 기재되어 있음이 원진술자의 공판준비 또는 공판기일에서의 진술이나 영상녹화물 또는 그 밖의 객관적인 방법에 의하여 증명되고, 피고인 또는 변호인이 공판준비 또는 공판기일에 그 기재 내용에 관하여 원진술자를 신문할 수 있었던 때에는 증거로 할 수 있다. 다만, 그 조서에 기재된 진술이 특히 신빙할 수 있는 상태하에서 행하여졌음이 증명된 때에 한한다. (형사소송법 제312조 제4항) 변호인의 반대신문에 대하여 A가 정당한 이유 없이 진술을 거부하였고 또한 특신상태도 증명되지 않았기 때문에 즉, 진술조서는 형사소송법 제312조 제4항의 요건을 충족하지 못했으므로 증거능력이 부정된다.

④ [○] 형사소송법 제312조 또는 제313조의 경우에 공판준비 또는 공판기일에 진술을 요하는 자가 사망·질병 ·외국거주·소재불명 그 밖에 이에 준하는 사유로 인하여 진술할 수 없는 때에는 그 조서 및 그 밖의 서류를 증거로 할 수 있다. 다만, 그 진술 또는 작성이 특히 신빙할 수 있는 상태하에서 행하여졌음이 증명된 때에 한한다.(형사소송법 제314조) A가 공판기일에 증인으로 출석하였으므로 즉, 진술조서는 형사소송법 제314조 의 요건을 충족하지 못했으므로 증거능력이 부정된다.

정답 | 015 ③

016

다음 사례에 대한 설명 중 옳은 것은 모두 몇 개인가? (다툼이 있으면 판례에 의함)

23 경찰간부 [Superlative ★★★]

(1) 甲은 친구 乙이 돈을 벌고 싶으면 통장과 체크카드를 넘겨달라고 하여 乙이 보이스피싱을 한다는 사실을 알면서 자신의 통장과 체크카드를 넘겨주었다. 여분의 체크카드를 가지고 있던 甲은 통장을 확인하던 중 1,300만원이 입금된 사실을 확인하고 이를 모두 인출하여 임의로 소비하였는데, 이 돈은 乙로부터 기망당한 A가 송금한 것이었다.

(2) 이후 甲은 승용차를 운전하다가 단속 중인 경찰관으로부터 운전면허증 제시를 요구받고 자신의 휴대전화기에 저장된 乙의 운전면허증을 촬영한 이미지 파일을 마치 자신의 운전면허증인 것처럼 제시하였다.

(3) 집으로 돌아온 甲은 홧김에 평소 층간소음으로 다툼이 있던 B의 원룸을 향해 돌을 던져 창문을 깨버렸다. 그런데 마침 B는 주식투자 실패로 자살하려고 번개탄을 피워둔 채 실신해 있다가 창문이 깨지는 바람에 생명을 구하게 되었다.

(4) 한편 밤에 퇴근하던 丙(女)은 모자를 푹 눌러쓰고 뒤따라오던 甲을 수상하게 여기던 중 우연히 이를 본 乙이 이번 기회에 甲을 혼내줄 생각으로 丙에게 "甲이 추행범이니 한 대 쳐버려!"라고 부추겼고, 이에 丙은 길을 묻기 위해 갑자기 자신의 앞을 가로막은 甲을 추행범으로 오인하고 자신을 방어할 생각으로 甲을 밀어 넘어뜨렸다.

㉠ (1)에서 甲에게는 횡령죄가 성립한다.

㉡ (2)에서 甲에게는 공문서부정행사죄가 성립한다.

㉢ (3)에서 甲에게 무죄가 성립한다는 견해에 대해서는 주관적 정당화요소가 있는 경우와 없는 경우 모두 똑같이 취급한다는 비판이 제기된다.

㉣ (4)에서 엄격책임설에 의할 경우 丙의 오인에 정당한 이유가 있다면 丙은 무죄가 되고, 소극적 구성요건표지이론에 의할 경우 乙에게 교사범이 성립할 여지가 없다.

㉤ (1)의 사건을 수사하던 사법경찰관 P가 甲과 乙을 긴급체포한 후 사건이 체포적부심에 계속되어 있던 중 乙의 변호인이 乙의 출석을 보증할만한 보증금을 납입한 경우 법원은 결정으로 乙의 석방을 명할 수 있다.

① 1개   ② 2개   ③ 3개   ④ 4개

해설

② ㉢㉣ 2 항목이 옳다.

㉠ [×] 전기통신금융사기(이른바 보이스피싱 범죄)의 범인이 피해자를 기망하여 피해자의 돈을 사기이용계좌로 송금·이체받은 후 그 계좌에서 현금을 인출하였다고 하더라도 이는 **사기의 피해자에 대하여 따로 횡령죄를 구성하지 아니한다.** 그리고 이러한 법리는 사기범행에 이용되리라는 사정을 알고서도 자신 명의 계좌의 접근매체를 양도함으로써 사기범행을 방조한 종범이 사기이용계좌로 송금된 피해자의 돈을 임의로 인출한 경우에도 **마찬가지로 적용된다.**(대법원 2017. 5. 31. 2017도3045 보이스피싱 사건Ⅰ) 甲은 횡령죄의 죄책을 지지 않는다.

ⓒ [×] 자동차 등의 운전자가 경찰공무원에게 다른 사람의 운전면허증 자체가 아니라 이를 촬영한 이미지파일을 휴대전화 화면 등을 통하여 보여주는 행위는 **운전면허증의 특정된 용법에 따른 행사라고 볼 수 없는 것이어서** 그로 인하여 경찰공무원이 그릇된 신용을 형성할 위험이 있다고 할 수 없으므로 이러한 행위는 결국 **공문서부정행사죄를 구성하지 아니한다.**(대법원 2019. 12. 12. 2018도2560 운전면허 촬영사진 제시 사건) 甲은 공문서부정행사죄의 죄책을 지지 않는다.

ⓒ [○] 주관적 정당화요소 결여 사례이다. 甲이 무죄라는 견해는 '**주관적 정당화요소 불요설**'의 입장이다. 이에 대하여 주관적 정당화요소가 있는 경우와 없는 경우 모두 똑같이 취급한다는 비판이 '주관적 정당화요소 필요설(기수범설 및 불능미수범설)'로부터 제기되고 있다.

ⓔ [○] 위법성조각사유 전제사실의 착오의 사례이다. ⓐ '**엄격책임설**'에 의하면 이는 금지의 착오가 되어 그 오인에 정당한 이유가 없으면 고의범으로 처벌되고, 그 오인에 정당한 이유가 있으면 **책임이 조각되어 무죄가 된다.** ⓑ '**소극적 구성요건표지이론**'에 의하면 위법성조각사유는 소극적 구성요건이므로 구성요건적 착오에 관한 규정을 직접 적용하여 (불법) 고의가 조각되고, 다만 행위자에게 과실이 있으면 과실범으로 처벌되고, 과실이 없으면 무죄가 된다. 乙에게는 간접정범이 성립할 수 있을 뿐 교사범은 성립할 수 없다.

ⓜ [×] 현행법상 **체포된 피의자**에 대하여는 보증금 납입을 조건으로 한 석방이 허용되지 않는다.(대법원 1997. 8. 27. 97모21) 법원은 보증금의 납입을 조건으로 하여 乙의 석방을 명할 수 없다.

017 다음 사례에 대한 설명으로 옳지 않은 것은? (다툼이 있으면 판례에 의함)

23 경찰간부 [Superlative ★★★]

> 사법경찰관 P는 甲과 乙이 무고를 공모했다는 범죄사실을 인지하고 이 사건에 대하여 수사한 결과, "甲은 조직폭력배의 추적을 피해 교도소에 숨어 있기로 마음먹고 친구 乙을 찾아가 도와달라고 부탁하였고, 이에 乙이 甲을 사문서위조로 허위 고소하기로 둘이서 공모하였다. 다음 날 乙은 경찰서에 가서 甲이 자신의 명의를 임의로 사용하여 도급계약서를 위조하였으니 이를 처벌해 달라는 취지의 허위 고소장을 작성·제출하였다."는 사실을 규명하였다. P는 乙의 컴퓨터에서 甲과 乙의 무고 사건에 관한 전자정보를 적법하게 탐색하다가 우연하게 乙이 A를 강간하는 장면이 촬영된 동영상 파일을 발견하였다. 甲과 乙은 무고의 공소사실로 기소되어 제1심에서 공동피고인으로 재판을 받고 있다.

① P가 규명한 수사 결과에 의하면 甲과 乙은 무고죄의 공동정범의 죄책을 진다.

② P가 위 동영상 파일을 우연하게 발견한 경우에는 더 이상의 추가 탐색을 중단하고 강간사건에 대한 압수·수색영장을 발부받아야 위 동영상 파일을 적법하게 압수·수색할 수 있다.

③ 乙은 소송절차가 분리되면 甲에 대한 공소사실에 대하여 증인이 될 수 있다.

④ 乙이 수사기관의 조사과정에서 무고 사실을 자백한 경우는 물론이고 제1심 공판에서 증인으로 신문을 받으면서 무고를 고백한 경우에도 乙에게는 형의 필요적 감면이 인정된다.

해설

① [×] (1) 자기 자신을 무고하기로 제3자와 공모하고 이에 따라 무고행위에 가담하였다고 하더라도 이는 자기 자신에게는 무고죄의 구성요건에 해당하지 않아 범죄가 성립할 수 없는 행위를 실현하고자 한 것에 지나지 않아 무고죄의 공동정범으로 처벌할 수 없다. (2) 甲이 乙과 공모한 후, 乙이 그 공모에 따라 甲을 처벌하여 달라는 허위 내용의 고소장을 작성하여 제출하였더라도 **甲을 乙과 함께 무고죄의 공동정범으로 처벌할 수 없다.**(대법원 2017. 4. 26. 2013도12592 **자기무고 공모사건**) 甲은 무고죄의 공동정범의 죄책은 지지 않는다. 乙은 무고죄의 죄책을, 甲은 무고교사죄 또는 무고방조죄의 죄책을 진다.(대법원 2008. 10. 23. 2008도4852 **자기무고 방조사건 참고**)

② [○] 전자정보에 대한 압수·수색이 종료되기 전에 혐의사실과 관련된 전자정보를 적법하게 탐색하는 과정에서 별도의 범죄혐의와 관련된 전자정보를 우연히 발견하면, **수사기관은 더 이상의 추가 탐색을 중단하고 법원에서 별도의 범죄혐의에 대한 압수·수색영장을 발부받은 경우에 한하여 그러한 정보를 적법하게 압수·수색할 수 있다.** 이 경우에도 특별한 사정이 없는 한 피압수자에게 형사소송법 제219조, 제121조, 제129조에 따라 참여권을 보장하고 압수한 전자정보 목록을 교부하는 등 피압수자의 이익을 보호하기 위한 적절한 조치를 하여야 한다.(대법원 2017. 11. 14. 2017도3449 **권선택 대전시장 사건**) 사법경찰관 P는 강간사건에 대한 압수·수색영장을 발부받아야만 동영상 파일을 적법하게 압수·수색할 수 있다.

③ [○] 공범인 공동피고인은 당해 소송절차에서는 피고인의 지위에 있어 다른 공동피고인에 대한 공소사실에 관하여 증인이 될 수 없으나, **소송절차가 분리되어 피고인의 지위에서 벗어나게 되면 다른 공동피고인에 대한 공소사실에 관하여 증인이 될 수 있다.**(대법원 2012. 12. 13. 2010도10028 **허위 살인자백 사건**) 乙은 소송절차가 분리되면 甲에 대한 공소사실에 대하여 증인이 될 수 있다.

④ [○] 무고죄에 있어서 형의 필요적 감경 또는 면제사유인 자백의 절차에 관해서는 아무런 법령상의 제한이 없으므로 그가 신고한 사건을 다루는 기관에 대한 고백이나 그 사건을 다루는 **재판부에 증인으로 다시 출석하여 전에 그가 한 신고가 허위의 사실이었음을 고백하는 것은 물론 무고사건의 피고인 또는 피의자로서 법원이나 수사기관에서의 신문에 의한 고백 또한 자백의 개념에 포함된다.**(대법원 2021. 1. 14. 2020도13077 **특수상해 무고사건**) 乙이 제1심 공판에서 증인으로 신문을 받으면서 무고를 고백한 경우에도 乙에게는 형의 필요적 감면이 인정된다.

018 사법경찰관 P1은 甲이 지하철역 에스컬레이터에서 휴대전화 카메라를 이용하여 A의 치마 속을 몰래 촬영하는 것을 발견하고 甲을 현행범인으로 체포하면서 甲의 휴대전화를 압수하였고, 사건을 인계받은 사법경찰관 P2는 甲을 피의자로 신문한 후 석방하였다. 이후 甲은 음주 후 승용차를 운전하던 중 음주단속을 피하기 위하여 도망가다가 운전 중인 승용차로 단속 중이던 사법경찰관 P3을 고의로 들이받아 전치 6주의 상해를 입혔다. 검사는 甲을 위 범죄사실로 기소하였다. 이에 관한 설명 중 옳지 않은 것을 모두 고른 것은? (다툼이 있으면 판례에 의함)   22 변호사 [Superlative ★★★]

> ㉠ P1의 현행범인 체포절차가 적법하지 않은 경우 체포를 면하려고 저항하는 과정에서 甲이 P1을 폭행하더라도 이는 정당방위로서 공무집행방해죄가 성립하지 않는다.
>
> ㉡ P1이 甲의 휴대전화를 적법하게 압수하면서 작성한 압수조서의 '압수경위'란에 '甲이 지하철역 에스컬레이터에서 짧은 치마를 입고 올라가는 여성을 쫓아가 뒤에 밀착하여 치마 속으로 휴대전화를 집어넣는 등 해당 여성의 신체를 몰래 촬영하는 행동을 하였다'는 내용이 기재되어 있고, 그 하단에 甲의 범행을 직접 목격하고 위 압수조서를 작성한 P1의 기명·날인이 있는 경우, 위 압수조서의 '압수경위'란에 기재된 내용은 형사소송법 제312조 제5항의 '피고인이 아닌 자가 수사과정에서 작성한 진술서'에 준하는 것으로 볼 수 있다.
>
> ㉢ 만약 위 휴대전화에 대한 압수가 위법한 경우 P1이 작성한 압수조서 중 '압수경위'란에 기재된 내용은 위법하게 수집된 증거에 터잡아 획득한 2차적 증거로서 피고인이 증거로 함에 동의하더라도 원칙적으로 증거능력이 없다.
>
> ㉣ P2는 조사과정의 영상녹화를 위해 미리 영상녹화사실을 甲과 A에게 각각 알려주었으나 甲은 촬영을 거부하고 A는 이에 동의한 경우 甲에 대한 영상녹화물은 기억환기를 위한 자료로 활용할 수 없지만, A에 대한 영상녹화물은 참고인진술조서의 실질적 진정성립을 증명하기 위한 방법으로 사용할 수 있다.
>
> ㉤ P3에 대한 범죄사실과 관련하여 甲에게는 특수공무집행방해치상죄만 성립하고 이와 별도로 특수상해죄는 성립하지 않는다.

① ㉠㉢   ② ㉡㉤   ③ ㉠㉡㉣
④ ㉠㉢㉣   ⑤ ㉡㉢㉣㉤

해설

④ ㉠㉢㉣ 3 항목이 옳지 않다.

㉠ [×] 공무집행방해죄는 공무원의 직무집행이 적법한 경우에 한하여 성립하고, 여기서 적법한 공무집행이란 그 행위가 공무원의 추상적 권한에 속할 뿐 아니라 구체적 직무집행에 관한 법률상 요건과 방식을 갖춘 경우를 가리킨다.(대법원 2000. 7. 4. 99도4341 **인천 신흥동 뺑소니사건**) 경찰관 P1의 현행범 체포절차가 적법하지 않은 경우 체포를 면하려고 저항하는 과정에서 甲이 P1을 폭행한 경우 甲의 행위는 **구성요건에 해당하지 않아 공무집행방해죄가 성립하지 않는다.**(대법원 2011. 5. 26. 2011도3682 **서교동 불심검문 사건** 참고)

정답 **|** 018 ④

ⓒ [○] 휴대전화기에 대한 압수조서 중 '압수경위'란에 기재된 내용은 피고인이 공소사실과 같은 범행을 저지르는 현장을 직접 목격한 사람의 진술이 담긴 것으로서 형사소송법 제312조 제5항에서 정한 '피고인이 아닌 자가 수사과정에서 작성한 진술서'에 준하는 것으로 볼 수 있다.(대법원 2019. 11. 14. 2019도13290 지하철몰카 사건Ⅰ)

ⓒ [×] 휴대전화기에 대한 압수조서 중 '압수경위'란에 기재된 내용은 피고인이 공소사실과 같은 범행을 저지르는 현장을 직접 목격한 사람의 진술이 담긴 것으로서 형사소송법 제312조 제5항에서 정한 '피고인이 아닌 자가 수사과정에서 작성한 진술서'에 준하는 것으로 볼 수 있고, 이에 따라 **휴대전화기에 대한 임의제출절차가 적법하였는지 여부에 영향을 받지 않는 별개의 독립적인 증거에 해당하므로 피고인이 증거로 함에 동의한 이상 유죄를 인정하기 위한 증거로 사용할 수 있다.**(대법원 2019. 11. 14. 2019도13290 지하철몰카 사건Ⅰ)

ⓔ [×] **피의자의 경우에는 이미 알려주고 영상녹화할 수 있지만, 참고인(피의자 아닌 자)의 경우에는 동의를 받아** 영상녹화할 수 있다.(형사소송법 제244조의2 제1항, 제221조 제1항) P2가 미리 영상녹화사실을 피의자 甲에게 알려준 이상 甲이 촬영을 거부하더라도 그 촬영은 적법하므로 甲에 대한 영상녹화물은 기억환기를 위한 자료로 활용할 수 있다.(동법 제318조의2 제2항) 그리고 A에 대한 영상녹화물은 참고인진술조서의 실질적 진정성립을 증명하기 위한 방법으로 사용할 수 있다.(동법 제312조 제4항)

ⓜ [○] 피고인이 승용차를 운전하던 중 음주단속을 피하기 위하여 위험한 물건인 승용차로 단속 경찰관을 들이받아 경찰관의 공무집행을 방해하고 경찰관에게 상해를 입게 한 경우 **특수공무집행방해치상죄만 성립할 뿐 이와는 별도로 폭처법위반(집단 · 흉기등상해)죄[22년 현재 특수상해죄]를 구성하지 않는다.**(대법원 2008. 11. 27. 2008도7311 음주단속경찰관 치상사건) 甲에게는 특수공무집행방해치상죄만 성립하고 이와 별도로 특수상해죄는 성립하지 않는다.

019
□□□

甲은 주간에 A의 집에 침입하여 숨어 있다가 A 소유의 금반지 1개를 훔치고, A 명의로 된 자동차 운전면허증을 발견하여 휴대전화의 카메라 기능을 이용하여 이를 촬영하였다. 다음 날 甲은 친구 乙에게 위 금반지를 건네며 "내가 훔쳐온 것인데 대신 팔아 달라."라고 부탁하고, 乙은 이를 수락하였다. 그 후 甲은 음주운전으로 적발되자 휴대전화에 저장된 A의 자동차 운전면허증 이미지 파일을 경찰관에게 제시하였다. 한편 乙은 금반지를 丙에게 매도하기로 하고 약속장소에서 丙을 기다리던 중 경찰관에게 체포되었다. 이에 관한 설명 중 옳지 않은 것을 모두 고른 것은? (다툼이 있으면 판례에 의함)

22 변호사 [Superlative ★★★]

> ㉠ 甲이 금반지를 훔친 것이 야간이었다면 甲에게는 야간주거침입절도죄가 성립한다.
> ㉡ 甲이 A의 자동차운전면허증 이미지 파일을 경찰관에게 제시한 행위는 운전면허증의 특정된 용법에 따른 행사라고 볼 수 없어 공문서부정행사죄가 성립하지 않는다.
> ㉢ 乙은 실제로 매수인인 丙을 만나기도 전에 경찰관에게 체포되어 丙에게 금반지의 점유가 이전되지 못하였으므로 장물알선죄가 성립하지 않는다.
> ㉣ 甲이 A의 동거하지 않는 친동생인 경우 甲이 금반지를 훔친 행위에 대해서는 그 형을 면제한다.

① ㉠㉢ 　　　　　　② ㉠㉣ 　　　　　　③ ㉡㉢

④ ㉡㉣ 　　　　　　⑤ ㉠㉢㉣

해설

⑤ ㉠㉢㉣ 3 항목이 옳지 않다.

㉠ [×] 형법은 야간에 이루어지는 주거침입행위의 위험성에 주목하여 그러한 행위를 수반한 절도를 야간주거침입절도죄로 중하게 처벌하고 있는 것으로 보아야 하고, 따라서 주거침입이 주간에 이루어진 경우에는 **야간주거침입절도죄가 성립하지 않는다.**(대법원 2011. 4. 14. 2011도300 장안동 모텔 절도사건) 甲이 금반지를 훔친 것이 야간이었더라도 주거침입죄와 절도죄가 성립할 뿐 야간주거침입절도죄는 성립하지 않는다.

㉡ [O] 자동차 등의 운전자가 경찰공무원에게 다른 사람의 운전면허증 자체가 아니라 이를 촬영한 **이미지파일을 휴대전화 화면 등을 통하여 보여주는 행위**는 운전면허증의 특정된 용법에 따른 행사라고 볼 수 없는 것이어서 그로 인하여 경찰공무원이 그릇된 신용을 형성할 위험이 있다고 할 수 없으므로 이러한 행위는 결국 **공문서부정행사죄를 구성하지 아니한다.**(대법원 2019. 12. 12. 2018도2560 운전면허 촬영사진 제시 사건) 공문서부정행사죄는 성립하지 않는다.

㉢ [×] 피고인 乙이 甲 등으로부터 절취하여 온 귀금속을 매도하여 달라는 부탁을 받고 귀금속을 매수하기로 한 丙에게 전화하여 노래연습장에서 만나기로 약속한 후, 甲 등으로부터 건네받은 귀금속을 가지고 노래연습장에 들어갔다가 미처 丙을 만나기도 전에 경찰관에 의하여 체포된 경우 **乙이 귀금속을 매도하려는 甲 등과 이를 매수하려는 丙 사이를 연결하여 귀금속의 매매를 중개함으로써 장물알선죄는 성립하고,** 실제로 매매계약이 성립하지 않았다거나 귀금속의 점유가 丙에게 현실적으로 이전되지 아니하였다 하더라도 장물알선죄의 성립은 방해받지 않는다.(대법원 2009. 4. 23. 2009도1203 장물 알선사건) 장물알선죄가 성립한다.

㉣ [×] 동거하지 않는 친동생은 원친(遠親)에 해당하므로 **甲이 범한 절도죄는 친고죄에 해당하는 것이지** 甲에 대하여 형을 면제해야 하는 것은 아니다.(형법 제328조 제2항, 제344조)

020 A는 자신에 대한 세무조사가 진행되자 지인으로부터 세무사 甲을 소개받았다. 甲은 세무공무원
에게 실제로 청탁할 의사와 능력이 없음에도 세무공무원에게 로비하여 세무조사에서 편의를 봐
줄 수 있게 하고 부과될 세금을 많이 낮춰 줄 것이니 공무원에게 사용할 로비자금을 A에게 요구하
였고, 이에 A는 甲에게 3,000만원을 건네주었다. 그런데 A는 생각했던 것보다 별다른 도움을 받
지 못하자 수사기관에 甲을 고소하였다. 이에 검사는 A를 조사한 후 법원으로부터 변호사법위반
및 사기에 관한 압수·수색영장을 발부받아 甲의 사무실에서 컴퓨터 하드디스크를 압수하여 수
사기관으로 가지고 왔다. 검사는 하드디스크에 저장된 정보를 탐색하던 중 성명불상 여자의 치마
속이 찍힌 사진 여러 장을 발견하였음에도 별도로 영장을 발부받지 않고 이를 출력한 다음, 甲에
대한 피의자신문 과정에서 이를 제시하자, 甲은 지하철에서 무단 촬영한 사진이라고 자백하였다.
검사는 甲을 변호사법위반, 사기, 성폭력범죄의 처벌 등에 관한 특례법 위반(카메라등이용촬
영·반포등)으로 기소하였다. 이에 관한 설명 중 옳지 않은 것을 모두 고른 것은? (다툼이 있으면
판례에 의함)

21 변호사 [Superlative ★★★]

> ㉠ 甲이 세무공무원에게 실제로 청탁 또는 알선할 의사와 능력이 없음에도 청탁 또는 알선한다고
> 기망하여 A로부터 위 돈을 받았다면, 변호사법위반죄 외에 사기죄도 성립하고 양 죄는 상상
> 적 경합관계에 있다.
> ㉡ 만약 사기죄와 변호사법위반죄가 상상적 경합관계에 있다면 형이 더 무거운 사기죄에 정한
> 형으로 처벌하기로 하면서 필요적 몰수·추징에 관한 변호사법 규정에 따라 청탁명목으로 받
> 은 금품을 몰수하거나 그 상당액을 추징하는 것은 위법하다.
> ㉢ 저장매체에 대한 압수·수색 과정에서 범위를 정하여 출력·복제하는 방법이 불가능하거나
> 압수의 목적을 달성하기에 현저히 곤란한 예외적인 사정이 인정되어 전자정보가 담긴 저장매
> 체를 수사기관 사무실 등으로 옮겨 복제·탐색·출력하는 경우, 피압수자나 변호인에게 참여
> 기회를 보장하고 혐의사실과 무관한 전자정보의 임의적인 복제 등을 막기 위한 적절한 조치를
> 취하는 등 영장주의 원칙과 적법절차를 준수하여야 한다.
> ㉣ 만약 위 컴퓨터 하드디스크 자체의 반출이 적법하다고 하여도, 위 치마 속을 촬영한 사진은
> 위법하게 수집한 증거이므로 성폭력범죄의 처벌 등에 관한 특례법 위반(카메라등이용촬영·
> 반포 등)에 관한 유죄의 증거로 사용할 수 없는 것이 원칙이다.

① ㉡   ② ㉠㉣   ③ ㉠㉢

④ ㉡㉢   ⑤ ㉡㉢㉣

해설

① ⓒ 항목만 옳지 않다.

ⓐ [○] 공무원이 취급하는 사건에 관하여 청탁 또는 알선을 할 의사와 능력이 없음에도 청탁 또는 알선을 한다고 기망하고 금품을 교부받은 경우, 사기죄와 변호사법위반죄가 **상상적 경합의 관계에 있다.**(대법원 2007. 5. 10. 2007도2372)

ⓑ [×] (1) 형법 제40조가 규정하는 1개의 행위가 수개의 죄에 해당하는 경우에 '가장 중한 죄에 정한 형으로 처벌한다'라고 함은, 수개의 죄명 중 가장 중한 형을 규정한 법조에 의하여 처단한다는 취지와 함께 다른 법조의 최하한의 형보다 가볍게 처단할 수 없다는 취지 즉, 각 법조의 상한과 하한을 모두 중한 형의 범위 내에서 처단한다는 것을 포함하는 것으로 새겨야 한다. (2) 원심이 상상적 경합의 관계에 있는 사기죄와 변호사법위반죄에 대하여 형이 더 무거운 사기죄에 정한 형으로 처벌하기로 하면서도, 피고인이 받은 금품은 공무원이 취급하는 사건에 관하여 청탁을 한다는 명목으로 받은 것으로서 몰수할 수 없으므로 변호사법 제116조, 제111조에 의하여 그 상당액을 추징한 것은 옳다.(대법원 2006. 1. 27. 2005도8704 장군관사부지 공매사건)

형법(2020. 10. 20. 법률 제17511호로 일부개정된 것)

제347조【사기】① 사람을 기망하여 재물의 교부를 받거나 재산상의 이익을 취득한 자는 10년 이하의 징역 또는 2천만원 이하의 벌금에 처한다.

변호사법(2021. 1. 5. 법률 제17828호로 일부개정된 것)

제111조【벌칙】① 공무원이 취급하는 사건 또는 사무에 관하여 청탁 또는 알선을 한다는 명목으로 금품 · 향응, 그 밖의 이익을 받거나 받을 것을 약속한 자 또는 제3자에게 이를 공여하게 하거나 공여하게 할 것을 약속한 자는 5년 이하의 징역 또는 1천만원 이하의 벌금에 처한다. 이 경우 벌금과 징역은 병과할 수 있다.

제116조【몰수·추징】(중략) 제111조 또는 제114조의 죄를 지은 자 또는 그 사정을 아는 제3자가 받은 금품이나 그 밖의 이익은 몰수한다. 이를 몰수할 수 없을 때에는 그 가액을 추징한다.

ⓒ [○] 저장매체에 대한 압수 · 수색 과정에서 범위를 정하여 출력 · 복제하는 방법이 불가능하거나 압수의 목적을 달성하기에 현저히 곤란한 예외적인 사정이 인정되어 전자정보가 담긴 저장매체를 수사기관 사무실 등으로 옮겨 복제 · 탐색 · 출력하는 경우, 피압수자나 변호인에게 참여 기회를 보장하고 혐의사실과 무관한 전자정보의 임의적인 복제 등을 막기 위한 적절한 조치를 취하는 등 영장주의 원칙과 적법절차를 준수하여야 한다.(대법원 2020. 11. 26. 2020도10729 노래방 화장실 몰카 사건)

ⓓ [○] 영장 발부의 사유로 된 범죄 혐의사실과 관련된 증거가 아니라면 적법한 압수 · 수색이 아니므로 영장발부의 사유로 된 범죄 혐의사실과 무관한 별개의 증거를 압수하였을 경우 이는 **원칙적으로 유죄 인정의 증거로 사용할 수 없다.**(대법원 2018. 4. 26. 2018도2624 정호성 비서관 사건) 설문의 경우 검사는 '변호사법위반 및 사기'에 관한 압수 · 수색영장을 발부받았으므로 이 영장에 기재된 범죄사실과 무관한 성폭법위반죄(카메라 등이용촬영 · 반포등) 관련 증거를 압수한 것은 영장 없이 행한 불법압수이므로 치마 속을 촬영한 사진은 증거능력이 부정된다.

021

문서에 관한 설명 중 옳은 것(○)과 옳지 않은 것(×)을 올바르게 조합한 것은? (다툼이 있으면 판례에 의함)

21 변호사 [Core ★★]

> ㉠ 허위공문서작성죄의 객체가 되는 문서는 작성명의인이 명시되어 있지 않더라도 문서의 형식, 내용 등 문서 자체에 의하여 누가 작성하였는지를 추지할 수 있을 정도의 것이면 된다.
> ㉡ 최종 결재권자를 보조하여 문서의 기안업무를 담당한 공무원이 이미 결재를 받아 완성된 공문서에 대하여 적법한 절차를 밟지 않고 그 내용을 변경한 경우에는 공문서변조죄가 성립할 수 없다.
> ㉢ 문서의 내용을 저장한 전자 파일이나 그 파일을 실행시켜 컴퓨터 모니터 화면에 나타낸 문서의 이미지는 형법상 문서에 관한 죄에 있어 '문서'에 해당되지 않는다.
> ㉣ 대한민국 주중국 대사관 영사가 작성한 사실확인서 중 공인 부분을 제외한 나머지 부분이 영사의 공무수행 과정 중 작성되었지만 공적인 증명보다는 상급자 등에 대한 보고를 목적으로 하는 것이더라도 그 부분은 「형사소송법」 제315조 제3호의 '기타 특히 신용할 만한 정황에 의하여 작성된 문서'에 해당한다.
> ㉤ 구속적부심문조서는 「형사소송법」 제311조(법원 또는 법관의 조서)에 해당되는 문서로 당연히 그 증거능력이 인정된다.

① ㉠ ○ ㉡ × ㉢ ○ ㉣ × ㉤ × ② ㉠ × ㉡ ○ ㉢ × ㉣ ○ ㉤ ×

③ ㉠ ○ ㉡ ○ ㉢ × ㉣ × ㉤ × ④ ㉠ × ㉡ ○ ㉢ × ㉣ × ㉤ ○

⑤ ㉠ ○ ㉡ × ㉢ ○ ㉣ ○ ㉤ ○

해설

> ① 이 지문이 옳은 연결이다.
> ㉠ [○] 허위공문서작성죄의 객체가 되는 문서는 문서상 작성명의인이 명시된 경우뿐 아니라 작성명의인이 명시되어 있지 않더라도 문서의 형식, 내용 등 그 문서 자체에 의하여 **누가 작성하였는지를 추지(推知)할 수 있을 정도의 것이면 된다.**(대법원 2019. 3. 14. 2018도18646 국정원 댓글 수사방해 사건)
> ㉡ [×] 최종 결재권자를 보조하여 문서의 기안업무를 담당한 공무원이 이미 결재를 받아 완성된 공문서에 대하여 적법한 절차를 밟지 않고 그 내용을 변경한 경우 특별한 사정이 없는 한 **공문서변조죄가 성립한다.**(대법원 2017. 6. 8. 2016도5218 청주시 구매검토보고서 조작사건)
> ㉢ [○] **컴퓨터 모니터 화면에 나타나는 이미지는** 이미지 파일을 보기 위한 프로그램을 실행할 경우에 그때마다 전자적 반응을 일으켜 화면에 나타나는 것에 지나지 아니하여 문서에 관한 죄에 있어서의 **'문서'에 해당하지 않는다.**(대법원 2011. 11. 10. 2011도10468 전세계약서 변조사건)
> ㉣ [×] 영사증명서(대한민국 주중국 대사관 영사 작성의 사실확인서 중 공인 부분을 제외한 나머지 부분)는 비록 영사가 공무를 수행하는 과정에서 작성된 것이지만 그 목적이 공적인 증명에 있다기 보다는 상급자 등에 대한 보고에 있는 것으로서 엄격한 증빙서류를 바탕으로 하여 작성된 것이라고 할 수 없으므로 **당연히 증거능력이 있는 서류라고 할 수 없다.**(대법원 2007. 12. 13. 2007도7257 일심회 사건)
> ㉤ [×] 구속적부심문조서는 형사소송법 제311조가 규정한 문서에는 해당하지 않는다 할 것이나, 특히 신용할만한 정황에 의하여 작성된 문서라고 할 것이므로 특별한 사정이 없는 한, 피고인이 증거로 함에 부동의하더라도 **형사소송법 제315조 제3호에 의하여** 당연히 그 증거능력이 인정된다.(대법원 2004. 1. 16. 2003도5693 구속적부심문조서 사건)

022 甲은 사기범행에 이용되리라는 정을 알면서 속칭 '보이스피싱' 조직원인 乙에게 자기 명의의 예금통장과 체크카드 등을 양도하였다. 乙은 A에게 은행직원을 사칭하여 전화로 "당신의 은행계좌가 범죄에 이용되었다. 추가피해를 막으려면 돈을 인출하여 은행이 지정하는 계좌에 입금하여야 한다."라고 거짓말하였다. 이에 속은 A는 甲의 계좌로 1,500만원을 송금하였다. 이에 관한 설명 중 옳지 않은 것은? (다툼이 있으면 판례에 의함)

21 변호사 [Core ★★]

① 乙이 A를 기망하여 1,500만원이 甲의 계좌로 송금·이체되었다면 乙이 이를 인출하지 못한 상태에서 체포되었다 하더라도 乙의 편취행위는 기수에 이르렀다고 보아야 한다.

② 甲이 예금통장 등을 乙에게 양도한 행위가 사기방조죄가 된다면 이후 甲이 송금된 1,500만원을 인출하였더라도 사기방조죄와 별개로 A에 대한 횡령죄는 성립하지 않는다.

③ 甲의 계좌로 입금된 1,500만원은 乙의 기망행위로 인하여 취득한 재물이므로 甲이 이를 인출한 행위는 장물취득죄에 해당한다.

④ 乙은 사기죄로 구속되자 법원에 구속적부심사를 청구하였고 법원은 乙에 대해 보증금납입을 조건으로 석방결정을 한 경우, 검사는 이에 대하여 항고할 수 있다.

⑤ 乙이 사기죄로 기소되어 제1심에서 징역 1년 6월을 선고받고 사실오인을 이유로 항소한 경우에 항소심은 직권으로 양형부당을 이유로 제1심판결을 파기할 수 있다.

해설

③ [×] (1) 장물취득죄에 있어서 '취득'이라 함은 장물의 점유를 이전받음으로써 그 장물에 대하여 사실상 처분권을 획득하는 것을 의미하는데 (2) 본범의 사기행위는 피고인이 예금계좌를 개설하여 본범에게 양도한 방조행위가 가공되어 본범에게 편취금이 귀속되는 과정 없이 피고인이 피해자로부터 피고인의 예금계좌로 돈을 송금받아 취득함으로써 종료되는 것이고, 그 후 피고인이 자신의 예금계좌에서 돈을 인출하였다 하더라도 이는 예금명의자로서 은행에 예금반환을 청구한 결과일 뿐 **본범으로부터 돈에 대한 점유를 이전받아 사실상 처분권을 획득한 것은 아니므로**, 피고인의 인출행위를 장물 '취득'죄로 벌할 수는 없다.(대법원 2010. 12. 9. 2010도6256 대포통장 현금 인출사건II) 甲은 장물취득죄의 죄책을 지지 아니한다.

① [O] 전기통신금융사기(이른바 보이스피싱 범죄)의 범인이 피해자를 기망하여 피해자의 돈을 사기이용계좌로 송금·이체받았다면 이로써 **편취행위는 기수에 이른다.**(대법원 2017. 5. 31. 2017도3894 보이스피싱 사건II)

② [O] 전기통신금융사기(이른바 보이스피싱 범죄)의 범인이 피해자의 자금을 점유하고 있다고 하여 피해자와의 어떠한 위탁관계나 신임관계가 존재한다고 볼 수 없을 뿐만 아니라, 사기이용계좌에서 현금을 인출하였다고 하더라도 이는 이미 성립한 사기범행이 예정하고 있던 행위에 지나지 아니하여 새로운 법익을 침해한다고 보기도 어려우므로, 위와 같은 인출행위는 사기의 피해자에 대하여 **별도의 횡령죄를 구성하지 아니한다.** 이러한 법리는 사기범행에 이용되리라는 사정을 알고서 자신 명의 계좌의 접근매체를 양도함으로써 사기범행을 방조한 종범이 사기이용계좌로 송금된 피해자의 자금을 임의로 인출한 경우에도 마찬가지로 적용된다.(대법원 2017. 5. 31. 2017도3894 보이스피싱 사건II)

④ [O] 기소 후 보석결정에 대하여 항고가 인정되는 점에 비추어 그 보석결정과 성질 및 내용이 유사한 기소전 보증금납입조건부 석방결정에 대하여도 항고할 수 있도록 하는 것이 균형에 맞는 측면도 있다 할 것이므로 형사소송법 제214조의2 제4항[22년 현재 제214조의2 제5항]의 석방결정에 대하여는 피의자나 검사가 그 취소의 실익이 있는 한 제402조에 의하여 항고할 수 있다.(대법원 1997. 8. 27. 97모21)

⑤ [O] 피고인이 사실오인만을 이유로 항소한 경우에 항소심이 직권으로 양형부당을 이유로 제1심판결을 파기하고 제1심의 양형보다 가벼운 형을 정하였다 하여 거기에 항소심의 심판범위에 관한 법리오해의 위법이 있다고 할 수 없다.(대법원 1990. 9. 11. 90도1021)

023
☐☐☐

甲은 동생인 乙과 공모하여 함께 丙을 상대로 토지거래허가에 필요한 서류라고 속여서 丙으로 하여금 근저당권설정계약서 등에 서명, 날인하게 하고 丙의 인감증명서를 교부받은 다음, 이를 이용하여 丙 소유의 토지에 관하여 甲을 채무자로 하는 채권최고액 3억원인 근저당권을 丁에게 설정하여 주고 丁으로부터 2억원을 차용하였다. 검사는 甲과 乙을 함께 공소제기 하였다. 법정에서 甲은 변론분리 후 증인으로 증언하면서 자신의 단독 범행이라고 허위의 진술을 하였다. 이에 검사는 甲을 위증 혐의로 소환하여 乙과 공범이며 법정에서 위증하였음을 인정하는 취지의 피의자신문조서를 작성하여 증거로 제출하였다. 이에 관한 설명 중 옳은 것은? (다툼이 있으면 판례에 의함)

20 변호사 [Superlative ★★★]

① 丙의 재산상 처분행위가 없으므로 甲에게 丙에 대한 사기죄가 성립하지 아니한다.

② 검사가 추가로 제출한 甲에 대한 위증 혐의의 피의자신문조서는 원진술자인 甲이 다시 법정에서 증언하면서 위 조서의 진정 성립을 인정하고 乙에게 반대신문의 기회가 부여되었다면 乙에 대한 유죄의 증거로 사용할 수 있다.

③ 증언거부사유가 있는 甲이 증언하는 과정에서 증언거부권을 고지받지 못하고 허위진술을 한 경우 항상 위증죄가 성립한다.

④ 만약 乙이 자신은 가담하지 않은 것으로 증언을 해 달라고 甲에게 부탁하여 甲이 허위의 증언을 하였다면, 비록 甲이 친족인 乙을 위하여 위증한 것일지라도 乙에게 위증교사죄가 성립한다.

⑤ 만약 甲이 위 사기범행을 인정하는 취지의 乙·丁간의 대화내용을 몰래 녹음하였다면 그 녹음파일은 乙에 대한 유죄의 증거로 사용할 수 있다.

해설

④ [○] 자기의 형사사건에 관하여 타인을 교사하여 위증죄를 범하게 하는 것은 이러한 **방어권을 남용하는 것이** **라고 할 것이어서 교사범의 죄책을 부담케 함이 상당하다.**(대법원 2004. 1. 27. 2003도5114) 또한 위증죄의 경우 이른바 친족간의 특례가 적용되지 않으므로 甲은 위증죄의 죄책을, 乙은 위증교사죄의 죄책을 진다.

① [×] **피기망자가** 행위자의 기망행위로 인하여 착오에 빠진 결과 내심의 의사와 다른 효과를 발생시키는 내용 의 처분문서에 서명 또는 날인함으로써 처분문서의 내용에 따른 재산상 손해가 초래되었다면 그와 같은 처 분문서에 서명 또는 날인을 한 피기망자의 행위는 사기죄에서 말하는 **처분행위에 해당한다.** 아울러 비록 피기 망자가 처분결과, 즉 문서의 구체적 내용과 그 법적 효과를 미처 인식하지 못하였다고 하더라도, 어떤 문서 에 스스로 서명 또는 날인함으로써 그 처분문서에 서명 또는 날인하는 행위에 관한 인식이 있었던 이상 피기망 자의 **처분의사 역시 인정된다.**(대법원 2017. 2. 16. 2016도13362 全合 서명사취 사건) 甲은 丙에 대한 사기 죄의 죄책을 진다.

② [×] 이미 증언을 마친 증인을 검사가 소환한 후 피고인에게 유리한 그 증언 내용을 추궁하여 이를 일방적으로 번복 시키는 방식으로 작성한 진술조서는 피고인이 증거로 할 수 있음에 동의하지 아니하는 한 그 증거능력이 없다고 하여 야 할 것이고, 그 후 원진술자인 종전 증인이 다시 법정에 출석하여 증언을 하면서 그 진술조서의 성립의 진정 함을 인정하고 피고인측에 반대신문의 기회가 부여되었다고 하더라도 증거능력이 없다는 결론은 달리할 것이 **아니다. 이는 검사가 공판준비 또는 공판기일에서 이미 증언을 마친 증인에게 수사기관에 출석할 것을 요구하여 그** 증인을 상대로 위증의 혐의를 조사한 내용을 담은 **피의자신문조서의 경우도 마찬가지이다.**(대법원 2013. 8. 14. 2012도13665 지게차 절취사건) 甲에 대한 피의자신문조서는 乙에 대한 유죄의 증거로 사용할 수 없다.

③ [×] 헌법 제12조 제2항에 정한 불이익 진술의 강요금지 원칙을 구체화한 자기부죄거부특권에 관한 것이거나 기타 증언거부사유가 있음에도 증인이 증언거부권을 고지받지 못함으로 인하여 **그 증언거부권을 행사하는 데 사실상 장애가 초래되었다고 볼 수 있는 경우에는 위증죄의 성립을 부정하여야 할 것이다.**(대법원 2010. 1. 21. 2008도942 全合 **해운대 노점 싸움사건**) 甲이 증언거부권을 고지받지 못하여 증언거부권을 행사하는 데 사실상 장애가 초래되었다고 볼 수 있는 경우에는 위증죄가 성립하지 않는다.

⑤ [×] 불법감청에 의하여 지득 또는 채록된 전기통신의 내용은 재판 또는 징계절차에서 증거로 사용할 수 없다. (통신비밀보호법 제4조) 甲이 乙·丁간의 대화내용을 몰래 녹음하였다면 그 녹음파일은 乙에 대한 **유죄의 증거로 사용할 수 없다.**

024
□□□

甲과 乙은 길거리에서 서로 몸싸움을 하였다. 출동한 경찰관 P가 甲과 乙을 현행범으로 체포하려고 하자 ⓐ 甲이 P의 얼굴을 주먹으로 쳐 P에게 2주간의 치료를 요하는 타박상을 가하였다. 현장을 벗어난 ⓑ 甲은 혈중알콜농도 0.1%의 상태에서 승용차를 타고 에어컨을 가동하기 위하여 시동을 걸어 놓고 잠을 자던 중 변속기를 잘못 건드려 자동차가 앞으로 약 1m 가다가 멈추었다. 이에 관한 설명 중 옳은 것은? (다툼이 있으면 판례에 의함)   20 변호사 [Core ★★]

① 甲의 ⓐ 행위는 공무집행방해죄와 상해죄를 구성하고, 두 죄의 관계는 실체적 경합범이다.

② 甲의 ⓑ 행위는 도로교통법상의 음주운전죄를 구성한다.

③ 乙이 나중에 "甲이 경찰관의 얼굴을 때리는 것을 보았다."라고 한 말을 친구 A가 보이스펜으로 녹음한 파일은 乙이 그 진정성립을 부인하더라도 ⓐ 행위의 목격사실을 부인하는 乙의 법정진술의 증명력을 다투기 위한 증거로 사용할 수 있다.

④ 甲과 乙이 기소되어 병합심리되었는데, 甲이 피고인신문절차에서 "乙이 먼저 나를 폭행하였다."라는 진술을 하였다면 이 진술은 乙의 폭행죄에 대하여 증거능력이 있다.

⑤ 乙이 제1심에서 폭행죄로 벌금 100만원을 선고받고 항소하였는데, 항소심 계속 중 甲이 乙에 대한 처벌의사를 철회하였다면 항소심 법원은 乙에게 공소기각판결을 하여야 한다.

해설

③ [O] 증거능력 없는 전문증거라도 공판준비 또는 공판기일에서의 피고인 또는 피고인 아닌 자의 진술의 증명력을 다투기 위하여는 이를 증거로 할 수 있다.(제318조의2 제1항) A가 보이스펜으로 녹음한 파일에 대하여 乙이 진정성립을 부인하여 증거능력이 없더라도 그 녹음파일을 乙의 법정진술의 증명력을 다투기 위한 증거로 사용할 수 있다.

① [×] 형법상 공무집행방해치상죄라는 범죄는 없다. 설문의 경우 甲은 **공무집행방해죄와 상해죄의 죄책을 진다.**(대법원 2013. 9. 26. 2013도643 제주해군기지 공사장 연좌시위 사건) 양 범죄는 **상상적 경합범 관계에 있는 것으로 해석된다.**(대법원 1999. 9. 21. 99도383 주차단속원 폭행사건 참고)

---

② [×] 어떤 사람이 **자동차를 움직이게 할 의도 없이 다른 목적을 위하여 자동차의 원동기(모터)의 시동을 걸었는데**, 실수로 기어 등 자동차의 발진에 필요한 장치를 건드려 원동기의 추진력에 의하여 자동차가 움직이거나 또는 불안전한 주차상태나 도로여건 등으로 인하여 자동차가 움직이게 된 경우는 **자동차의 운전에 해당하지 아니한다.**(대법원 2004. 4. 23. 2004도1109 자동차 히터 가동사건) 甲의 ⓑ 행위는 도로교통법상의 음주운전죄를 구성하지 아니한다.

④ [×] **피고인과 별개의 범죄사실로 기소되어 병합심리되고 있던 공동피고인은 피고인에 대한 관계에서는 증인의 지위에 있음에 불과하므로** 선서없이 한 그 공동피고인의 법정 및 검찰진술은 피고인에 대한 공소범죄사실을 인정하는 증거로 할 수 없다.(대법원 1982. 6. 22. 82도898) 甲이 (증인의 지위에서 선서를 하고 증언하여야 함에도) 피고인신문절차에서 한 진술은 乙의 폭행죄에 대하여 증거능력이 없다. 甲과 乙은 공범이 아님을 주의하여야 한다.

⑤ [×] 반의사불벌죄에 있어서 처벌을 희망하는 의사표시의 철회는 **제1심 판결선고 전까지 할 수 있다.**(형사소송법 제232조 제3항) 甲이 항소심에서 처벌희망의사를 철회하였더라도 항소심은 공소기각판결을 선고할 수 없다.

025

ⓐ 甲은 乙과 공모하여 A가 운영하는 식당에서 A 소유의 현금 10만원과 신용카드를 절취하고, 乙은 그 동안 망을 보았다. 그 후 ⓑ 甲은 B가 운영하는 주점에서 술을 마시고 절취한 위 신용카드를 이용하여 술값 50만원을 결제하였는데, 이 때 甲은 술값이 기재된 매출전표의 서명란에 A의 이름을 기재하고 그 자리에서 B에게 위 매출전표를 교부하였다. 甲은 특수절도죄, 사기죄 등으로, 乙은 특수절도죄로 기소되었다. 그런데 甲은 법정에서 乙과의 범행일체를 자백하였으나 乙은 이를 모두 부인하였고, 한편 압수된 위 현금 10만원과 신용카드가 증거물로 제출되었다. 이에 관한 설명 중 옳은 것을 모두 고른 것은? (다툼이 있으면 판례에 의함) 20 변호사 [Superlative ★★★]

㉠ ⓐ 행위와 관련하여 만약 甲이 식당에서 절도범행을 마치고 10분 가량 지나 200m 정도 떨어진 버스정류장까지 도망가다가 뒤쫓아 온 A에게 붙잡혀 식당으로 돌아왔을 때 비로소 A를 폭행한 경우라면 甲에게는 준강도죄가 성립한다.

㉡ ⓑ 행위는 사기죄, 여신전문금융업법위반죄, 사문서위조죄 및 위조사문서행사죄를 구성하고, 각 죄의 관계는 실체적 경합범이다.

㉢ 만약 乙이 망을 본 사실이 인정되지 않는다면, 법원은 공소장변경이 없더라도 甲에 대하여 단순절도죄로 유죄를 인정할 수 있다.

㉣ 만약 사법경찰관이 식당 현장상황에 관하여 甲의 범행재연사진을 포함하여 검증조서를 작성하였다면, 그 검증조서 중 위 사진 부분은 비진술증거이므로 피고인 甲이 증거로 함에 동의하지 않았더라도 증거능력이 있다.

㉤ 만약 검찰주사보가 A와의 전화대화내용을 문답형식의 수사보고서로 작성하였다면, 위 수사보고서는 전문증거로서 「형사소송법」 제313조가 적용되는데 수사보고서에 진술자 A의 서명 또는 날인이 없으므로 증거능력이 없다.

① ㄱㄴ　　　　　　　　　② ㄱㄹ　　　　　　　　　③ ㄴㅁ
④ ㄷㄹ　　　　　　　　　⑤ ㄷㅁ

해설

⑤ ㄷㅁ 2 항목이 옳다.

㉠ [×] 피고인(절도범)이 피해자의 집에서 절도범행을 마친지 10분 가량 지나 그 집에서 200m 가량 떨어진 버스정류장이 있는 곳에서 피고인을 절도범인이라고 의심하고 뒤쫓아 온 피해자에게 붙잡혀 피해자의 집으로 돌아왔을 때 비로소 피해자를 폭행한 경우라면 **준강도죄는 성립하지 아니한다.**(대법원 1999. 2. 26. 98도3321 버스정류장에서 붙잡혀 사건) 甲에게는 준강도죄가 성립하지 아니한다.

㉡ [×] 피고인이 강취한 신용카드를 가지고 자신이 신용카드의 정당한 소지인인양 가맹점의 점주를 속이고 점주로부터 주류 등을 제공받아 이를 취득한 것이라면 **신용카드부정사용죄와 별도로 사기죄가 성립한다.**(대법원 1997. 1. 21. 96도2715 강취 신용카드 술집결제사건) 매출표의 서명 및 교부가 별도로 사문서위조 및 동행사의 죄의 구성요건을 충족한다고 하여도 **사문서위조 및 동행사죄는 신용카드부정사용죄에 흡수되어 신용카드부정사용죄의 일죄만이 성립한다.**(대법원 1992. 6. 9. 92도77 세총회관 사건) 甲은 사기죄와 여신전문금융업법위반(신용카드부정사용)죄의 실체적 경합범으로서의 죄책을 진다.

㉢ [○] 특수절도죄로 공소제기한 사실을 법원이 검사의 **공소장변경절차없이** 절도죄로 인정하더라도 공소원인 사실의 동일성에 변경이 없으므로 위법이라 할 수 없다.(대법원 1973. 7. 24. 73도1256)

㉣ [×] 사법경찰관 작성의 검증조서에 기재된 **'진술내용 및 범행을 재연한 부분'**에 대하여 피고인이 그 성립의 진정 및 내용을 인정한 흔적을 찾아 볼 수 없고 오히려 이를 부인하고 있는 경우에는 그 증거능력을 인정할 수 없다.(대법원 1998. 3. 13. 98도159 술취한 아버지 폭행치사사건) 검증조서 중 위 사진 부분은 증거능력이 부정된다.

㉤ [○] 검사가 참고인인 피해자와의 전화통화 내용을 기재한 수사보고서는 형사소송법 제313조 제1항 본문에 정한 피고인 아닌 자의 진술을 기재한 서류인 전문증거에 해당하나, 그 진술자의 서명 또는 날인이 없을 뿐만 아니라 진술자의 진술에 의해 성립의 진정함이 증명되지도 않았으므로 증거능력이 없다.(대법원 2010. 10. 14. 2010도5610 창 길갈이의 집 원장 성폭행사건) 검찰주사보 작성 수사보고서는 증거능력이 부정된다.

026
□□□

외국에 거주하는 위장결혼 알선 브로커인 한국인 甲은, 국내에 거주하는 노숙자 乙에게 100만원을 송금해 주기로 하고 진정한 혼인의사가 없는 乙로 하여금 외국인 여성 A와의 혼인 신고서를 작성하여 ○○구청 공무원 B에게 제출하도록 하였다. B는 가족관계등록부와 동일한 공전자기록에 乙과 A가 혼인한 것으로 입력하여 등록하였다. 한편 100만원의 입금을 기다리던 乙은 전혀 모르는 사람인 C의 이름으로 100만원이 착오 입금되었으나, 이를 알면서도 인출하여 사용해 버렸다. 이에 관한 설명 중 옳지 않은 것은? (다툼이 있으면 판례에 의함)   19 변호사 [Essential ★]

① 乙에게는 공전자기록등불실기재죄 및 동행사죄가 성립한다.

② 외국에 거주하는 甲도 우리 「형법」의 적용 대상이 된다.

③ 만약 乙이 허위의 정을 모르는 B로 하여금 乙과 A가 부부로 기재된 가족관계증명서를 발급하게 하였더라도 乙에게는 허위공문서작성죄의 간접정범이 성립하지 않는다.

④ 乙은 계좌에 착오로 입금된 금전을 반환해야 하는 타인의 사무처리자이므로, 이를 인출하여 사용한 행위는 배임죄를 구성한다.

⑤ 乙에 대한 사법경찰관 작성의 피의자신문조서는 乙이 진정성립을 인정하였더라도 甲이 공판기일에 내용을 부인하면 甲에 대하여 증거능력이 부정된다.

해설

④ [×] 어떤 예금계좌에 돈이 착오로 잘못 송금되어 입금된 경우에는 그 예금주와 송금인 사이에 신의칙상 보관관계가 성립한다고 할 것이므로, 피고인이 송금 절차의 착오로 인하여 피고인 명의의 은행 계좌에 입금된 돈을 임의로 인출하여 소비한 행위는 **횡령죄에 해당하고**, 이는 송금인과 피고인 사이에 별다른 거래관계가 없다고 하더라도 마찬가지이다.(대법원 2010. 12. 9. 2010도891 **300만달러 송금착오사건**)

① [○] 피고인들이 **중국 국적의 조선족 여자들과 참다운 부부관계를 설정할 의사 없이 단지 그들의 국내 취업을 위한 입국을 가능하게 할 목적으로 형식상 혼인하기로 한 것이라면**, 피고인들의 혼인은 우리나라의 법에 의하여 혼인으로서의 실질적 성립요건을 갖추지 못하여 그 효력이 없고, 따라서 피고인들이 중국에서 중국의 방식에 따라 혼인식을 거행하였다고 하더라도 **효력이 없는 혼인의 신고를 한 이상 피고인들은 공정증서원본불실기재 및 동행사죄의 죄책을 면할 수 없다.**(대법원 1996. 11. 22. 96도2049 **국내취업용 위장결혼 사건**)

② [○] 본법은 대한민국영역외에서 죄를 범한 내국인에게 적용한다.(형법 제3조) 한국인 甲은 형법 제3조에 의해 우리 형법이 적용된다.

③ [○] **공무원이 아닌 자는** 공정증서원본등불실기재의 경우를 제외하고는 **허위공문서작성죄의 간접정범으로 처벌할 수 없으나**, 공무원이 아닌 자가 공무원과 공동하여 허위공문서작성죄를 범한 때에는 공무원이 아닌 자도 허위공문서작성죄의 공동정범이 된다.(대법원 2006. 5. 11. 2006도1663 **재해대장 사건**) 공무원이 아닌 乙은 허위공문서작성죄의 간접정범이 성립하지 않는다.

⑤ [○] 피고인과 공범관계가 있는 다른 피의자에 대한 검사 이외의 수사기관 작성의 피의자신문조서는 그 피의자의 법정진술에 의하여 성립의 진정이 인정되더라도 당해 피고인이 공판기일에서 그 조서의 내용을 부인하면 **증거능력이 부정된다.**(대법원 2015. 10. 29. 2014도5939 **서울시 공무원 간첩사건**) 당해 피고인 甲이 내용을 부인하면 乙에 대한 사법경찰관 작성의 피의자신문조서는 甲에 대하여 증거능력이 없다.

027 주식회사의 임원 甲은 애인 乙과 공모하여 업무수행용 법인카드를 이용해 3개월간 3,000만원에 해당하는 금액을 개인용도로 사용하였다. 친구 甲이 급여에 비하여 소비가 지나친 것을 수상하게 여기던 사법경찰관 P는 때마침 회사의 제보를 받고 甲과 乙에게 출석을 요구하여 조사한 결과 甲으로부터는 자백을 받았으나, 乙은 범죄사실을 부인하였다. 이에 P는 법관의 영장에 의하지 아니하고 신용카드 회사에 근무하는 친구로부터 甲의 법인카드사용내역을 확보하였다. 이에 관한 설명 중 옳은 것을 모두 고른 것은? (다툼이 있으면 판례에 의함)

19 변호사 [Core ★★]

> ㉠ 甲의 행위는 업무상배임죄에 해당한다.
> ㉡ 乙의 행위는 업무상배임죄에 정한 형으로 처단된다.
> ㉢ P가 수집한 카드사용내역은 적법한 절차에 따르지 아니하고 수집한 증거에 해당하여 유죄의 증거로 사용할 수 없다.
> ㉣ 만약 카드사용내역이 증거로 사용될 수 없고 다른 증거가 없다면, 甲은 자신의 자백이 유일한 증거이므로 처벌되지 아니한다.

① ㉠㉢   ② ㉠㉣   ③ ㉠㉢㉣

④ ㉡㉢㉣   ⑤ ㉠㉡㉢㉣

해설

③ ㉠㉢㉣ 3 항목이 옳다.

㉠ [O] 주식회사의 임원이 공적 업무수행을 위하여서만 사용이 가능한 법인카드를 개인 용도로 계속적, 반복적으로 사용한 경우 특별한 사정이 없는 한 그 임원에게는 임무위배의 인식과 그로 인하여 자신이 이익을 취득하고 주식회사에 손해를 가한다는 인식이 있었다고 볼 수 있으므로, 이러한 행위는 **업무상배임죄를 구성한다.**(대법원 2014. 2. 21. 2011도8870 떡볶개발 대표 사건) 甲의 행위는 업무상배임죄에 해당한다.

㉡ [×] 업무상배임죄는 타인의 사무를 처리하는 지위라는 점에서 보면 신분관계로 인하여 성립될 범죄이고, 업무상 타인의 사무를 처리하는 지위라는 점에서 보면 단순배임죄에 대한 가중규정으로서 신분관계로 인하여 형의 경중이 있는 경우라고 할 것이므로, 그와 같은 **신분관계가 없는 자가 그러한 신분관계가 있는 자와 공모하여 ㉠ 업무상배임죄를 저질렀다면,** 그러한 신분관계가 없는 자에 대하여는 형법 제33조 단서에 의하여 ㉡ **단순배임죄에 정한 형으로 처단하여야 한다.**(대법원 2012. 11. 15. 2012도6676 Q22합금 특허사건) 乙의 경우 형법 제33조 본문에 의하여 업무상배임죄가 성립하지만(판례 ㉠ 부분), 형법 제33조 단서에 의하여 단순배임죄에 정한 형으로 처벌한다(판례 ㉡ 부분).

㉢ [O] 수사기관이 범죄의 수사를 목적으로 '거래정보 등'을 획득하기 위해서는 법관의 영장이 필요하다고 할 것이고, 신용카드에 의하여 물품을 거래할 때 '금융회사 등'이 발행하는 매출전표의 거래명의자에 관한 정보 또한 금융실명법에서 정하는 '거래정보 등'에 해당한다고 할 것이므로, 수사기관이 금융회사 등에 그와 같은 정보를 요구하는 경우에도 **법관이 발부한 영장에 의하여야 함에도 수사기관이 영장에 의하지 아니하고 매출전표의 거래명의자에 관한 정보를 획득하였다면 그와 같이 수집된 증거는 원칙적으로 유죄의 증거로 삼을 수 없다.**(대법원 2013. 3. 28. 2012도13607 대구 할머니 절도사건) 수사기관인 사법경찰관 P가 영장없이 甲의 법인카드사용내역을 확보한 것은 위법한 수사이므로 증거능력이 부정된다.

㉣ [O] 피고인의 자백이 그 피고인에게 불이익한 유일의 증거인 때에는 이를 유죄의 증거로 하지 못한다.(형사소송법 제310조) 甲의 자백이 유일의 증거인 때는 제310조에 의하여 이를 유죄의 증거로 하지 못한다.

028 甲은 A의 집에 들어가 금품을 절취하려다 A에게 발각되자 A를 강간한 후에 도주하였다. 甲은 양
□□□ 심에 가책을 느꼈지만 처벌이 두려워 자수하지 못하고 친구인 乙에게 자신의 범행을 이야기 하였
는데, 乙은 다시 이 사실을 여자친구 丙에게 이야기하였다. 이에 관한 설명 중 옳지 않은 것을 모
두 고른 것은? (다툼이 있으면 판례에 의함)

17 변호사 [Superlative ★★★]

> ㉠ 甲이 자필로 작성한 범행을 인정하는 내용의 메모지가 甲의 집에서 발견되어 증거로 제출된
> 경우, 甲이 공판기일에서 그 성립의 진정을 부인하면 필적감정에 의하여 성립의 진정함이
> 증명되더라도 증거로 사용할 수 없다.
> ㉡ 乙이 甲과의 대화를 녹음한 녹음테이프의 원본이 증거로 제출된 경우, 공판기일에서 甲이
> 녹음내용을 부인하여도 乙의 진술에 의하여 녹음테이프에 녹음된 甲의 진술내용이 甲이 진술
> 한 대로 녹음된 것이 증명되고 그 진술이 특히 신빙할 수 있는 상태하에서 행하여진 것이
> 인정되는 때에는 증거로 사용할 수 있다.
> ㉢ 丙이 乙로부터 들은 甲의 진술내용을 사법경찰관에게 진술하였고 그러한 진술이 기재된 진술
> 조서가 증거로 제출된 경우, 해당 진술조서 중 甲의 진술기재 부분은 형사소송법 제316조
> 제1항 및 제312조 제4항의 규정에 따른 요건을 갖춘 때에 한하여 증거로 사용할 수 있다.
> ㉣ 피해자 A는 피해내용을 아버지 B에게 문자메시지로 보냈고 B가 그 문자메시지를 촬영한 사
> 진이 증거로 제출된 경우, A와 B가 법정에 출석하여 A는 사진 속 문자메시지의 내용이 자신
> 이 작성해 보낸 것과 동일함을 확인하고, B는 A가 보낸 문자메시지를 촬영한 사진이 맞다고
> 확인한 때에는 증거로 사용할 수 있다.

① ㉠㉡　　　　　　② ㉠㉢　　　　　　③ ㉡㉣
④ ㉢㉣　　　　　　⑤ ㉠㉢㉣

해설

② ㉠㉢ 2 항목이 옳지 않다.

㉠ [×] 진술서의 작성자가 공판준비나 공판기일에서 그 성립의 진정을 부인하는 경우에는 과학적 분석결과에 기
초한 **디지털포렌식 자료, 감정 등 객관적 방법으로 성립의 진정함이 증명되는 때에는 증거로 할 수 있다.**(형
사소송법 제313조 제2항) 甲이 메모지의 성립의 진정을 부인하더라도 **필적감정에 의하여 성립의 진정함이
증명되면 그 메모지는 증거로 사용할 수 있다.**

㉡ [○] 녹음테이프 검증조서의 기재 중 피고인의 진술내용을 증거로 사용하기 위해서는 형사소송법 **제313조 제
1항** 단서에 따라 공판준비 또는 공판기일에서 그 작성자인 상대방의 진술에 의하여 녹음테이프에 녹음된 피고
인의 진술내용이 피고인이 진술한 대로 녹음된 것임이 증명되고 나아가 그 진술이 특히 신빙할 수 있는 상태하
에서 행하여진 것임이 인정되어야 한다.(대법원 2012. 9. 13. 2012도7461 **인천중구청장 사건**) 甲이 녹음내용
을 부인하여도 乙의 진술에 의하여 녹음테이프에 녹음된 甲의 진술내용이 甲이 진술한 대로 녹음된 것이 증명
되고 그 진술이 특히 신빙할 수 있는 상태하에서 행하여진 것이 인정되는 때에는 증거로 사용할 수 있다.

㉢ [×] 재전문진술이나 재전문진술을 기재한 조서에 대하여는 달리 그 증거능력을 인정하는 규정을 두고 있지
아니하고 있으므로 피고인이 증거로 하는 데 동의하지 아니하는 한 형사소송법 제310조의2의 규정에 의하여
이를 증거로 할 수 없다.(대법원 2012. 5. 24. 2010도5948 **대전 동거남 폭행치사사건**) 丙이 乙로부터들은 甲
의 진술내용을 기재한 사법경찰관 작성 참고인진술조서는 재전문진술을 기재한 조서이므로 피고인 甲이 증거
로 함에 동의하지 않는 한 증거능력이 없다.

ㄹ [○] (피해자 A가 남동생 B에게 도움을 요청하면서 피고인이 협박한 말을 포함하여 공갈 등 피해를 입은 내용이 들어 있는) 문자메시지의 내용을 촬영한 사진은 피해자의 진술에 준하는 것으로 취급함이 상당할 것인바, 진술서에 관한 형사소송법 제313조에 따라 문자메시지의 작성자인 A가 법정에 출석하여 자신이 문자메시지를 작성하여 동생에게 보낸 것과 같음을 확인하고, 동생인 B도 법정에 출석하여 A가 보낸 문자메시지를 촬영한 사진이 맞다고 확인한 이상, 문자메시지를 촬영한 사진은 그 성립의 진정함이 증명되었다고 볼 수 있으므로 이를 증거로 할 수 있다.(대법원 2010. 11. 25. 2010도8735 공갈당했다 문자 사건) 판례의 취지에 의할 때 A와 B가 법정에 출석하여 A는 사진 속 문자메시지의 내용이 자신이 작성해 보낸 것과 동일함을 확인하고, B는 A가 보낸 문자메시지를 촬영한 사진이 맞다고 확인한 때에는 증거로 사용할 수 있다.

029 다음 사례에 관한 설명 중 옳지 않은 것은? (다툼이 있으면 판례에 의함)

> 甲은 유흥주점 허가를 받기 위해 구청 담당 과장 乙과 친하다는 丙을 찾아가 乙에게 전달하여 달라고 부탁하면서 2,500만원을 제공하였다. 丙은 乙에게 甲의 유흥주점 허가를 부탁하면서 2,000만원을 교부하고, 나머지 500만원은 자신이 사용하였다. 한편, 乙은 구의원 丁에게 丙으로부터 받은 2,000만원을 교부하면서, 구청장에게 부탁하여 구청 정기인사에서 자신이 좋은 평정을 받게 해달라고 말하였다. 甲에게 유흥주점 허가가 난 후, 甲은 감사의 표시로 자신의 유흥주점에 乙을 초대하였고, 乙은 대학동창인 회사원 3명에게 자신이 술값을 낸다고 말하고 이들과 함께 甲의 유흥주점에 가서 400만원의 향응을 제공받았다.

① 甲과 乙은 공소시효의 정지에 관한 형사소송법 제253조 제2항에서 말하는 '공범'에 포함되지 않는다.

② 乙에게 추징할 수 있는 금액은 2,400만원이다.

③ 丙에게는 2,500만원에 대한 제3자뇌물취득죄와 2,000만원에 대한 뇌물공여죄가 성립한다.

④ 丁에게 알선수뢰죄가 성립하기 위해서는 단순히 공무원으로서의 신분이 있다는 것만으로는 부족하고, 적어도 다른 공무원이 취급하는 사무의 처리에 법률상이거나 사실상으로 영향을 줄 수 있는 관계 내지 지위를 이용하는 경우이어야 한다.

⑤ 수사기관에 피의자로 출석한 乙에게 진술거부권을 고지하지 않은 채 자술서를 작성토록 하였다면, 그 자술서는 증거능력이 없다.

정답 | 028 ② 029 ③

해설

③ [×] 증뢰물전달죄는 제3자가 증뢰자로부터 교부받은 금품을 수뢰할 사람에게 전달하였는지의 여부에 관계 없이 제3자가 그 정을 알면서 금품을 교부받음으로써 성립하는 것이며, 나아가 **제3자가 그 교부받은 금품을 수뢰할 사람에게 전달하였다고 하여 증뢰물전달죄 외에 별도로 뇌물공여죄가 성립하는 것은 아니다.**(대법원 1997. 9. 5. 97도1572) 丙에게는 2,500만원에 대한 제3자뇌물취득죄만 성립할 뿐 2,000만원에 대한 뇌물 공여죄는 성립하지 아니한다.

① [○] 대향범 관계에 있는 자 사이에서는 각자 상대방의 범행에 대하여 형법 총칙의 공범규정이 적용되지 아니 하므로 형사소송법 제253조 제2항에서 말하는 '공범'에는 뇌물공여죄와 뇌물수수죄 사이와 같은 **대향범 관계 에 있는 자는 포함되지 않는다.**(대법원 2015. 2. 12. 2012도4842 제3자뇌물교부 공범사건) 만약 검사가 乙에 대하여 공소를 제기하여 그에 대하여 공소시효가 정지되더라도, 그 시효정지의 효력은 '공범이 아닌' 甲에게는 미치지 아니한다.

② [○] (1) 공무원이 받은 뇌물은 몰수하고, 몰수하기 불능한 때에는 그 가액을 추징한다.(형법 제134조) 일단 공무원 乙이 받은 2,000만원은 몰수·추징의 대상이다. (2) 피고인이 향응을 제공받는 자리에 피고인 스스로 제3자를 초대하여 함께 접대를 받은 경우에는 특별한 사정이 없는 한 그 **제3자의 접대에 요한 비용도 피고인 의 접대에 요한 비용에 포함시켜 피고인의 수뢰액으로 보아야 한다.**(대법원 2001. 10. 12. 99도5294) 乙이 초대한 대학동창인 회사원 3명의 접대한 요한 비용 400만원도 乙의 수뢰액으로 보아야 한다. 결국 乙로부터 총 2,400만원을 추징하여야 한다.

④ [○] 알선수뢰죄에서 '공무원이 그 지위를 이용하여'라 함은 당해 직무를 처리하는 공무원과 직접, 간접의 연관 관계를 가지고 **법률상 또는 사실상 영향력을 미칠 수 있는 지위에 있는 공무원이 그 지위를 이용하는 경우를 말한다**고 할 것이고 단지 공무원의 신분만 있으면 족하다고는 할 수 없다.(대법원 1983. 8. 23. 82도956 사회체육과 보건계→보건과 식품위생계 사건)

⑤ [○] (1) 피의자의 진술을 기재한 서류 또는 문서가 수사기관에서의 조사과정에서 작성된 것이라면 그것이 '진 술조서, 진술서, 자술서'라는 형식을 취하였다고 하더라도 피의자신문조서와 달리 볼 수 없다.(대법원 2015. 10. 29. 2014도5939 서울시 공무원 간첩사건) (2) 수사기관에 피의자로 출석한 乙에게 **진술거부권을 고지하지 않은 채 자술서를 작성토록 하였으므로 그 자술서는 증거능력이 없다.**(대법원 2014. 4. 10. 2014도1779 대 구필로폰 매매사건 참고)

030
□□□

甲은 乙과 공동으로 구입하여 자신이 점유하고 있던 복사기를 A에게 매도하기로 하고 계약금과 중도금을 받았다. 그 후 甲은 복사기를 수리하기 위해 수리점에 맡겼다고 乙에게 거짓말하고 이를 다시 丙에게 매도한 후 복사기를 건네주었으며, 丙은 선의, 무과실로 이를 취득하였다. 며칠 후 이 사실을 알게 된 乙은 丙 몰래 위 복사기를 가져가 버렸다. 수사기관에서 甲의 아내 B는 참고인으로서 진술하고 진술조서에는 가명으로 서명, 날인하였다. 甲에 대한 재판 중 B가 증인으로 출석하였고, 재판장은 B에게 증언거부권이 있음을 고지하였다. 이에 관한 설명 중 옳은 것은? (다툼이 있으면 판례에 의함)

16 변호사 [Superlative ★★★]

① 甲은 乙에 대하여 횡령죄와 사기죄의 상상적 경합범이 성립한다.
② 甲은 A에 대하여 배임죄가 성립한다.
③ 乙은 丙에 대하여 권리행사방해죄가 성립한다.
④ B에 대한 조서가 비록 가명으로 작성되었더라도 형사소송법 제312조 제4항의 요건을 모두 갖춘다면 증거능력이 인정될 수 있다.
⑤ B가 증언을 거부하여도 형사소송법 제314조에 따라 특신상태가 증명되면 B에 대한 진술조서는 증거능력이 인정된다.

해설

④ [O] 상당한 이유가 있는 경우에는 수사기관이 진술자의 성명을 가명으로 기재하여 조서를 작성하였다고 해서 그 이유만으로 그 조서가 '적법한 절차와 방식'에 따라 작성되지 않았다고 할 것은 아니다. 그러한 조서라도 공판기일 등에 원진술자가 출석하여 자신의 진술을 기재한 조서임을 확인함과 아울러 그 조서의 실질적 진정성립을 인정하고 나아가 그에 대한 반대신문이 이루어지는 등 형사소송법 **제312조 제4항에서 규정한 요건이 모두 갖추어진 이상 그 증거능력을 부정할 것은 아니라고 할 것이다.**(대법원 2012. 5. 24. 2011도7757 조폭이 무서워 가명으로 사건)

① [×] 자기가 점유하는 타인의 재물을 횡령하기 위하여 기망수단을 쓴 경우에는 피기망자에 의한 재산처분행위가 없으므로 일반적으로 **횡령죄만 성립되고 사기죄는 성립되지 아니한다.**(대법원 1980. 12. 9. 80도1177 횡사횡 사건 I) 甲은 乙에 대하여 횡령죄만 성립할 뿐 사기죄는 성립하지 아니한다.

② [×] **동산매매계약에서의 매도인은 매수인에 대하여 그의 사무를 처리하는 지위에 있지 아니하므로, 매도인이 목적물을 매수인에게 인도하지 아니하고 이를 타에 처분하였다 하더라도 배임죄가 성립하는 것은 아니다.** (대법원 2011. 1. 20. 2008도10479 솔솜 인쇄기 이중매매 사건) 甲은 A에 대하여 배임죄가 성립하지 아니한다.

③ [×] 평온, 공연하게 동산을 양수한 자가 선의이며 과실없이 그 동산을 점유한 경우에는 양도인이 정당한 소유자가 아닌 때에도 즉시 그 동산의 소유권을 취득한다.(민법 제249조) 설문의 경우 복사기는 丙의 소유이므로 **乙이 이를 몰래 가져가 버린 경우 절도죄가 성립한다.**(대법원 1983. 12. 13. 83도2642 참고)

⑤ [×] 법정에 출석한 증인이 형사소송법 제148조, 제149조 등에서 정한 바에 따라 정당하게 **증언거부권을 행사하여 증언을 거부한 경우는 형사소송법 제314조의 '그 밖에 이에 준하는 사유로 인하여 진술할 수 없는 때'에 해당하지 아니한다.**(대법원 2012. 5. 17. 2009도6788 솔솜 법무법인 의견서 사건) 특신상태가 증명되더라도 B에 대한 진술조서는 증거능력이 인정되지 아니한다.

031 공무원인 甲은 화물자동차운송회사의 대표인 乙의 교사를 받고 허위의 사실을 기재한 화물자동
□□□ 차운송사업변경(증차)허가신청 검토보고서를 작성하여 그 사정을 모르는 최종 결재자인 담당과
장의 결재를 받았다. 위 운송회사의 경리직원인 丙은 사법경찰관 A로부터 甲과 乙에 대한 위 피
의사건의 참고인으로 조사를 받게 되자 그 사건에 관하여 허위내용의 사실확인서(증거1)를 작성
하여 A에게 제출하고 참고인 진술을 할 당시 위 확인서에 기재된 내용과 같이 허위진술을 하였고,
A는 丙에 대한 진술조서를 작성하였다. 검사 P는 丙을 참고인으로 조사하면서 진술조서를 작성
하고 그 전 과정을 영상녹화 하였다. 그 후 丙은 이 사건에 관하여 제3자와 대화를 하면서 서로 허
위로 진술하고 그 진술을 녹음하여 녹음파일(증거2)을 만들어 검사에게 제출하였다. 검사는 甲
과 乙을 기소하였다. 이에 관한 설명 중 옳은 것은? (다툼이 있으면 판례에 의함)

15 변호사 [Superlative ★★★]

① 甲에게는 허위공문서작성죄의 간접정범이 성립하지만, 乙에게는 허위공문서작성죄의 간접정
범의 교사범이 성립하지 않는다.

② 丙에게는 증거1에 대한 증거위조죄가 성립하지 않지만, 증거2에 대한 증거위조죄가 성립한다.

③ 제1심에서 유죄를 선고받은 乙이 항소심 재판 중 사망한 경우 법원은 乙에 대하여 형면제판결
을 하여야 한다.

④ 형사소송법에서 A와 P가 작성한, 丙에 대한 참고인 진술조서의 증거능력 인정요건은 동일하
지 않다.

⑤ P가 丙의 진술을 녹화한 영상녹화물은 甲에 대한 공소사실을 직접 증명할 수 있는 독립적인
증거로 사용할 수 있다.

해설

② [O] 증거2와 같이 참고인이 제3자와 대화를 하면서 허위로 진술하고 그 진술이 담긴 대화 내용을 녹음한 녹
음파일 또는 이를 녹취한 녹취록을 만들어 수사기관 등에 제출하는 것은 (증거1과 같이 참고인이 허위의 진술
을 하거나 허위의 사실확인서나 진술서를 작성하여 제출하는 것과는 달리) 증거위조죄를 구성한다.(대법원
2013. 12. 26. 2013도8085 친딸 성폭행 후 증거위조 사건)

① [×] 공문서의 작성권한이 있는 공무원의 직무를 보좌하는 자(甲)가 허위의 내용이 기재된 문서초안을 그정을
모르는 상사에게 제출하여 결제하도록 하는 등의 방법으로 허위의 공문서를 작성하게 한 경우에는 간접정범이
성립되고 이와 공모한 자(乙) 역시 그 간접정범의 공범으로서의 죄책을 면할 수 없다.(대법원 1992. 1. 17.
91도2830)

③ [×] 乙이 항소심 재판 중 사망한 경우 법원은 공소기각결정을 고지하여야 한다.(형사소송법 제363조 제1항,
제328조 제1항)

④ [×] 사법경찰관(A) 작성 참고인진술조서와 검사(P) 작성 참고인진술조서 모두 형사소송법 제312조 제4항이
적용되어 그 증거능력 인정요건이 동일하다.(형사소송법 제312조 제4항)

⑤ [×] 수사기관이 참고인을 조사하는 과정에서 작성한 영상녹화물은, 다른 법률에서 달리 규정하고 있는 등의
특별한 사정이 없는 한 공소사실을 직접 증명할 수 있는 독립적인 증거로 사용될 수는 없다.(대법원 2014.
7. 10. 2012도5041)

032 甲은 乙, 丙과 함께 지나가는 행인을 대상으로 강도를 하기로 모의한 뒤(甲은 모의과정에서 모의를 주도하였다) 함께 범행 대상을 물색하다가 乙, 丙이 행인 A를 강도 대상으로 지목하고 뒤쫓아가자 甲은 단지 "어?"라고만 하고 비대한 체격 때문에 뒤따라가지 못한 채 범행현장에서 200m 정도 떨어진 곳에 앉아 있었다. 乙, 丙은 A를 쫓아가 A를 폭행하고 지갑과 현금 30만원을 빼앗았다. 이에 관한 설명 중 옳지 않은 것은? (다툼이 있으면 판례에 의함) 　　14 변호사 [Core ★★]

① 乙과 丙은 2인 이상이 합동하여 범행한 경우로서 특수강도죄의 죄책을 진다.

② 甲은 강도죄의 공모관계에서 이탈하였다고 볼 수 없으므로 특수강도죄의 공동정범의 죄책을 진다.

③ 만일 甲, 乙, 丙이 위의 범죄사실로 기소되었을 경우, 甲에 대한 변론을 분리한 후라면 甲을 乙, 丙 사건에 대한 증인으로 신문할 수 있다.

④ 만일 乙, 丙이 강취과정에서 A를 고의로 살해하였더라도 甲이 이를 예견할 수 없었다면, 甲은 강도치사죄의 죄책을 지지 않는다.

⑤ 만일 甲이 먼저 붙잡혀 공판과정에서 일관되게 범행을 부인하였지만 유죄판결이 확정되고, 그후 별건으로 기소된 乙, 丙의 형사사건에서 자신의 범행을 부인하는 증언을 하였더라도 사실대로 진술할 기대가능성이 없어 위증죄는 성립하지 않는다.

해설

⑤ [×] 이미 유죄의 확정판결을 받은 경우에는 일사부재리의 원칙에 의해 다시 처벌받지 아니하므로 자신에 대한 유죄판결이 확정된 증인은 공범에 대한 피고사건에서 증언을 거부할 수 없고, 설령 증인이 자신에 대한 형사사건에서 시종일관 그 범행을 부인하였다 하더라도 그러한 사정만으로 **증인이 진실대로 진술할 것을 기대할 수 있는 가능성이 없는 경우에 해당한다고 할 수 없으므로** 허위의 진술에 대하여 **위증죄의 성립을 부정할 수 없다.**(대법원 2008. 10. 23. 2005도10101 황제룸주점 강도상해사건)

① [○] 흉기를 휴대하거나 **2인 이상이 합동**하여 전조의 죄를 범한 자도 전항의 형과 같다.(형법 제334조 제2항)

② [○] 甲은 다른 공모자가 강도죄의 실행에 착수하기까지 범행을 만류하는 등으로 그 공모관계에서 **이탈하였다고 볼 수 없으므로 특수강도죄의 공동정범으로서의 죄책**을 진다.(대법원 2008. 4. 10. 2008도1274 어 사건)

③ [○] 공범인 공동피고인은 당해 소송절차에서는 피고인의 지위에 있어 다른 공동피고인에 대한 공소사실에 관하여 증인이 될 수 없으나, **소송절차가 분리되어 피고인의 지위에서 벗어나게 되면 다른 공동피고인에 대한 공소사실에 관하여 증인이 될 수 있다.**(대법원 2012. 12. 13. 2010도10028 허위 살인자백 사건)

④ [○] 乙, 丙이 A를 살해한 것에 대하여 甲이 이를 예견할 수 없었다면 甲은 결과적 가중범인 강도치사죄의 **죄책을 지지 않는다.**(형법 제15조 제2항, 대법원 1991. 11. 12. 91도2156 참고)

033
☐☐☐
공정거래위원회 소속 공무원 **甲**은 乙로부터 불공정거래행위 신고나 관련 처리업무를 할 경우 잘 봐 달라는 취지로 건네주는 액면금 100만원짜리 자기앞수표 3장을 교부받았다. 검사 丙은 이 사실을 수사한 후 甲을 뇌물수수죄로 기소하였다. 丙은 이 사건 공소제기 후 공판절차가 진행 중 수소법원이 아닌 영장전담 판사 A로부터 압수·수색영장을 발부받아 그 집행을 통하여 확보한 위 자기앞수표 사본 3장과 이를 기초로 작성한 수사보고서를 증거로 제출하였다. 한편, 甲은 공판관여 참여주사 丁에게 형량을 감경하여 달라는 청탁과 함께 현금 100만원을 교부하였다. 이에 관한 설명 중 옳지 않은 것은? (다툼이 있으면 판례에 의함)

14 변호사 [Superlative ★★★]

① 뇌물죄에서 말하는 '직무'에는 법령에 정하여진 직무뿐만 아니라 그와 관련 있는 직무, 과거에 담당하였거나 장래에 담당할 직무도 포함될 수 있다.

② 甲으로부터 현금 100만원을 수령한 법원주사 丁에게 뇌물수수죄가 성립한다.

③ 甲이 유죄로 인정되면, 甲이 乙로부터 받은 자기앞수표를 소비한 후 현금 300만원을 乙에게 반환한 경우에 甲으로부터 그 가액을 추징해야 한다.

④ 甲이 유죄로 인정되면, 甲이 乙로부터 받은 자기앞수표를 그대로 보관하고 있다가 乙에게 반환한 경우에 乙로부터 몰수 또는 추징을 해야 한다.

⑤ 丙이 영장전담 판사로부터 발부받은 압수·수색영장에 의하여 압수한 자기앞수표 사본 3장과 위 수사보고서는 증거능력이 없다.

해설

② [×] 법원의 참여주사가 공판에 참여하여 양형에 관한 사항의 심리내용을 공판조서에 기재한다고 하더라도 이를 가지고 **형사사건의 양형이 참여주사의 직무와 밀접한 관계가 있는 사무라고는 할 수 없으므로** 참여주사가 형량을 감경케하여 달라는 청탁과 함께 금품을 수수하였다고 하더라도 **뇌물수수죄의 주체가 될 수 없다.** (대법원 1980. 10. 14. 80도1373 공판 참여주사 사건)

① [○] 뇌물죄에서 직무란 공무원이 그 지위에 수반하여 공무로서 처리하는 일체의 직무를 말하며, **과거에 담당하였거나 또는 장래 담당할 직무 및 사무분장에 따라 현실적으로 담당하지 않는 직무라고 하더라도 법령상 일반적인 직무권한에 속하는 직무 등 공무원이 그 직위에 따라 공무로 담당할 일체의 직무를 말한다.**(대법원 2013. 11. 28. 2013도10011 부산 하수슬러지 뇌물사건)

③ [○] 수뢰자가 자기앞수표를 뇌물로 받아 이를 소비한 후 자기앞수표 상당액을 증뢰자에게 반환하였다 하더라도 **수뢰자로부터 그 가액을 추징하여야 한다.**(대법원 1999. 1. 29. 98도3584 서울대교수 수뢰사건)

④ [○] 수뢰자가 뇌물을 그대로 보관하였다가 증뢰자에게 반환한 때에는 **증뢰자로부터 몰수·추징하여야 한다.** (대법원 1984. 2. 28. 83도2783)

⑤ [○] 검사가 공소제기 후 수소법원 이외의 지방법원판사에게 청구하여 발부받은 영장에 의하여 압수·수색을 하였다면, 그와 같이 수집된 증거는 적법한 절차에 따르지 않은 것으로서 원칙적으로 유죄의 증거로 삼을 수 없다.(대법원 2011. 4. 28. 2009도10412)

034 甲은 사장 A가 자신을 해고한 것에 불만을 품고 A의 휴대전화로 "그런 식으로 살지 말라. 계속 그렇게 행동하다간 너의 가족이 무사하지 않을 것이다."라는 내용의 문자메시지를 보내고, 그 후 다시 "따님은 학교를 잘 다니고 계신지. 곧 못 볼 수도 있는 딸인데 맛있는 것 많이 사 주시지요."라는 문자메시지를 보냈다. 이를 본 A는 전혀 공포심을 느끼지 못했다. 이 경우 다음 설명 중 옳지 않은 것은? (다툼이 있으면 판례에 의함)   13 변호사 [Core ★★]

① 협박죄에는 상대방 본인뿐만 아니라 본인과 밀접한 관계에 있는 제3자에 대한 해악을 고지하는 것도 포함되기 때문에 甲의 행위는 협박죄의 협박에 해당한다.

② 만일 甲에게 협박죄가 성립한다면 협박죄는 위험범이므로 A가 공포심을 느끼지 못했다고 하더라도 협박죄의 기수가 된다.

③ 검사가 유죄의 증거로 문자정보가 저장되어 있는 휴대전화기를 법정에 제출하는 경우 그 휴대전화기에 저장된 문자정보는 그 자체가 증거로 사용될 수 있다.

④ 휴대전화기 이용자가 문자정보가 저장된 휴대전화기를 법정에 제출할 수 없거나 그 제출이 곤란한 사정이 있는 경우, 검사는 그 문자정보를 읽을 수 있도록 한 휴대전화기의 화면을 촬영한 사진을 증거로 제출할 수 있다.

⑤ 휴대전화기에 저장된 문자정보는 경험자의 진술에 갈음하는 대체물에 해당되므로 형사소송법 제310조의2에서 정한 전문법칙이 적용된다.

해설

⑤ [×] 휴대전화기에 저장된 문자정보가 범행의 직접적인 수단이 될 뿐 경험자의 진술에 갈음하는 대체물에 해당하지 않는 경우에는 형사소송법 제310조의2에서 정한 **전문법칙이 적용될 여지가 없다.**(대법원 2008. 11. 13. 2006도2556)

① [○] 해악이 반드시 피해자 본인이 아니라 그 친족 그 밖의 제3자의 법익을 침해하는 것을 내용으로 하더라도 피해자 본인과 제3자가 밀접한 관계에 있어서 그 해악의 내용이 피해자 본인에게 공포심을 일으킬 만한 것이라면 협박죄가 성립할 수 있다.(대법원 2012. 8. 17. 2011도10451 **한나라당 경기당사 폭파협박사건**)

② [○] 일반적으로 사람으로 하여금 공포심을 일으키게 하기에 충분한 해악을 고지함으로써 상대방이 그 의미를 인식한 이상, 상대방이 현실적으로 공포심을 일으켰는지 여부와 관계없이 협박죄는 기수에 이른다.(대법원 2011. 1. 27. 2010도14316 **회칼 2자루 사건**)

③④ [○] 검사가 유죄의 증거로 문자정보가 저장되어 있는 휴대전화기를 법정에 제출하는 경우, 휴대전화기에 저장된 문자정보 그 자체가 범행의 직접적인 수단으로서 증거로 사용될 수 있다. 또한, 검사는 휴대전화기 이용자가 그 문자정보를 읽을 수 있도록 한 휴대전화기의 화면을 촬영한 사진을 증거로 제출할 수도 있는데, 이를 증거로 사용하려면 문자정보가 저장된 휴대전화기를 법정에 제출할 수 없거나 그 제출이 곤란한 사정이 있고, 그 사진의 영상이 휴대전화기의 화면에 표시된 문자정보와 정확하게 같다는 사실이 증명되어야 한다.(대법원 2008. 11. 13. 2006도2556)

035 甲女는 A연구소 마당에 승용차를 세워 두고 그곳에서 약 20m 떨어진 마당 뒤편에서 절취하기
☐☐☐ 위하여 타인 소유의 나무 한 그루를 캐내었으나, 이 나무는 높이가 약 150cm 이상, 폭이 약 1m
정도로 상당히 커서 甲이 혼자서 이를 운반하기 어려웠다. 이에 甲은 남편인 乙에게 전화를 하여
사정을 이야기하고 나무를 차에 싣는 것을 도와 달라고 말하였는데, 이를 승낙하고 잠시 후 현장
에 온 乙은 甲과 함께 나무를 승용차까지 운반하였다. 그 후 甲은 친구인 丙에게 위 절취사실을
말해 주었다. 이 경우 다음 설명 중 옳은 것은? (다툼이 있으면 판례에 의함)

13 변호사 [Superlative ★★★]

① 乙은 甲의 절도범행이 기수에 이르기 전에 그 범행에 가담하여 甲이 캔 나무를 甲과 함께 승용
차에 싣기 위해 운반함으로써 절도범행을 완성한 것이다.
② 乙은 절도범행의 기수 이전에 甲과 함께 절취하였으므로 절도죄의 승계적 공동정범이 성립한다.
③ 본범의 정범은 장물죄의 주체가 될 수 없으므로 乙에게는 장물운반죄가 성립하지 않는다.
④ 공소사실에 대하여 甲이 자백하고 乙이 부인하는 상황에서 甲의 자백이 불리한 유일한 증거인
경우 공판기일에 丙이 증인으로 출석하여 '甲이 나무를 절취한 사실을 자신에게 말한 적이 있
다'고 증언하였다 하더라도 이러한 丙의 증언은 甲의 자백에 대한 보강증거가 될 수는 없다.
⑤ 甲에 대하여 구속영장이 청구되어 甲은 구속전피의자심문을 받으면서 자신의 범죄사실을 인
정하였더라도 구속전피의자심문조서에 대하여 甲 또는 甲의 변호인이 증거로 함에 동의하지
않을 경우 甲의 공소사실을 인정하는 증거로 사용할 수 없다.

해설

④ [○] "피고인이 범행을 자인하는 것을 들었다"는 피고인 아닌 자의 진술 내용은 형사소송법 제310조의 피고인
의 자백에는 포함되지 아니하나 이는 **피고인의 자백의 보강증거로 될 수 없다.**(대법원 2008. 2. 14. 2007도
10937)
①② [×] **입목을 절취하기 위하여 이를 캐낸 때에는** 그 시점에서 이미 소유자의 입목에 대한 점유가 침해되어
범인의 사실적 지배하에 놓이게 됨으로써 범인이 그 점유를 취득하게 되는 것이므로 이때 **절도죄는 기수에
이르렀다고** 할 것이고 이를 운반하거나 반출하는 등의 행위는 필요로 하지 않는다.(대법원 2008. 10. 23.
2008도6080 영산홍 사건)
③ [×] 乙은 절도죄의 정범이 아니므로 **장물운반죄의 죄책을 질 수 있다.**(대법원 2008. 10. 23. 2008도6080
영산홍 사건 참고)
⑤ [×] 구속적부심문조서는 형사소송법 제315조 제3호에 의하여 당연히 증거능력이 인정된다는 취지의 판례.
(대법원 2004. 1. 16. 2003도5693)에 비추어 보면, 이와 유사하게 법관 면전에서 작성된 **구속전피의자심문
조서도 당연히 증거능력이 인정되는** 것으로 해석된다.

036 甲과 乙은 A모텔 906호실에는 몰래카메라를, 맞은편 B모텔 707호실에는 모니터를 설치하여 사기도박을 하기로 공모하고, 공모사실을 모르는 피해자들을 A모텔 906호실로 오게 하였다. 乙은 B모텔 707호실 모니터 화면에서 피해자들의 화투패를 인식하고, 甲은 피해자들과 속칭 '섰다'라는 도박을 정상적으로 하다가 어느 정도 시간이 지난 후에 리시버를 통해서 乙이 알려주는 피해자들의 화투패를 듣고 도박의 승패를 지배하는 방법으로 피해자들로부터 금원을 교부받았다. 이에 관한 설명 중 옳지 않은 것은? (다툼이 있는 경우에는 판례에 의함) 12 변호사 [Core ★★]

① 甲, 乙이 사기도박에 필요한 준비를 갖추고 그러한 의도로 피해자들에게 도박에 참가하도록 권유한 때 또는 늦어도 그 정을 알지 못하는 피해자들이 도박에 참가한 때 이미 사기죄의 실행의 착수가 인정된다.

② 甲, 乙이 사기도박을 숨기기 위하여 얼마간 정상적인 도박을 한 부분은 피해자들에 대한 사기죄 외에 도박죄가 따로 성립한다.

③ 사기도박과 같이 도박당사자의 일방이 사기의 수단으로써 승패를 지배하는 경우에는 도박에서의 우연성이 결여되어 사기죄만 성립하고 도박죄는 성립하지 아니한다.

④ 사법경찰관이 甲, 乙을 범행현장에서 체포하면서 필요한 때에는 위 카메라, 모니터, 도박 판돈을 영장 없이 압수할 수 있다.

⑤ 만약 피의자 甲, 乙에 대한 적법한 압수수색영장을 발부받아 甲, 乙로부터 위 카메라, 모니터를 압수하였는데 법원에서 심리한 결과 위 압수물은 도망하여 기소되지 아니한 제3의 공범 丙의 소유물인 것이 밝혀졌다고 하더라도, 법원은 피고인 甲, 乙로부터 위 카메라 및 모니터를 몰수 할 수 있다.

해설

② [×] 피고인 등이 사기도박에 필요한 준비를 갖추고 그 실행에 착수한 후에 사기도박을 숨기기 위하여 얼마간 정상적인 도박을 하였더라도 이는 사기죄의 시행행위에 포함되는 것이어서, **피고인에 대하여는 피해자들에 대한 사기죄만이 성립하고 도박죄는 따로 성립하지 아니한다.**(대법원 2011. 1. 13. 2010도9330)

① [○] 사기죄는 편취의 의사로 기망행위를 개시한 때에 실행에 착수한 것으로 보아야 하므로, 사기도박에서 도사기적인 방법으로 도금을 편취하려고 하는 자가 **상대방에게 도박에 참가할 것을 권유하는 등 기망행위를 개시한 때에 실행의 착수가 있는 것으로 보아야 한다.**(대법원 2011. 1. 13. 2010도9330)

③ [○] 도박이란 2인 이상의 자가 상호간에 재물을 도박하여 우연한 승패에 의하여 그 재물의 득실을 결정하는 것이므로, 이른바 사기도박과 같이 도박당사자의 일방이 사기의 수단으로써 승패의 수를 지배하는 경우에는 도박에서의 우연성이 결여되어 사기죄만 성리하고 도박죄는 성립하지 아니한다.(대법원 2011. 1. 13. 2010도9330)

④ [○] 검사 또는 사법경찰관은 제200조의2, 제200조의3, 제201조 또는 제212조의 규정에 의하여 피의자를 체포 또는 구속하는 경우에 필요한 때에는 영장 없이 체포현장에서의 압수, 수색, 검증의 처분을 할 수 있다. (형사소송법 제216조 제1항 제2호)

⑤ [○] 형법 제48조 제1항의 '범인'에 해당하는 공범자는 반드시 유죄의 죄책을 지는 장에 국한된다고 볼 수 없고, 공범에 해당하는 행위를 한 자이면 족하므로 이러한 자의 소유물도 형법 제48조 제1항의 '범인 이외의 자의 소유에 속하지 아니하는 물건'으로서 이를 피고인으로부터 몰수할 수 있다.(대법원 2006. 11. 23. 2006도5586)

037 다음 사례에 관한 설명 중 가장 적절한 것은? (다툼이 있으면 판례에 의함)

> 친구 사이인 甲, 乙, 丙은 사업가 A의 사무실 금고에 거액의 현금이 있다는 정보를 입수한 후, 甲과 乙은 A의 사무실 금고에서 현금을 절취하고 丙은 위 사무실로부터 100m 떨어진 곳에서 망을 보기로 모의하였다. 범행 당일 오전 10시경 甲과 乙은 A의 사무실에 들어가 현금을 절취한 후 망을 보던 丙과 함께 도주하였다. 甲, 乙, 丙은 검거되어 절도혐의로 수사를 받고 공동으로 기소되어 심리가 진행되었는데, 검사는 경찰수사 단계에서 작성된 공범 乙의 피의자신문조서를 甲의 범죄혐의 입증의 증거로 제출하였고 甲은 그 내용을 부인하였다. 한편 丙은 甲의 공소사실에 대해 증인으로 채택되어 선서하고 증언하면서 甲의 범행을 덮어주기 위해 기억에 반하는 허위 진술을 하였다. (주거침입죄 및 손괴죄 기타 특별법 위반의 점은 고려하지 않음)

① 甲과 乙에 대해서는 형법 제331조 제2항의 합동절도가 성립하지만, 현장에서의 협동관계가 인정되지 않는 丙에 대해서는 형법 제329조 단순절도죄가 성립한다.

② 만약 甲과 乙이 A의 사무실 출입문의 시정장치를 손괴하다가 A에게 발각되어 도주하였다면 甲과 乙의 행위에 대해서는 특수절도죄의 미수범이 성립한다.

③ 乙의 피의자신문조서는 乙이 법정에서 그 내용을 인정하면 甲이 내용을 부인하더라도 甲의 공소사실에 대한 증거로 사용할 수 있다.

④ 丙에 대해서는 형법 제152조 제1항 위증죄가 성립하지 않는다.

해설

④ [○] **공범인 공동피고인은 당해 소송절차에서는 피고인의 지위에 있어 다른 공동피고인에 대한 공소사실에 관하여 증인이 될 수 없으나, 소송절차가 분리되어 피고인의 지위에서 벗어나게 되면 다른 공동피고인에 대한 공소사실에 관하여 증인이 될 수 있다.**(대법원 2008. 6. 26. 2008도3300 게임장 종업원 위증사건) 丙은 증인적 격이 없으므로 비록 증인으로 채택되어 선서하고 허위의 진술을 하였더라도 위증죄는 성립하지 않는다.

① [×] 3인 이상의 범인이 합동절도의 범행을 공모한 후 적어도 2인 이상의 범인이 범행 현장에서 시간적, 장소 적으로 협동관계를 이루어 절도의 실행행위를 분담하여 절도 범행을 한 경우에, 그 공모에는 참여하였으나 현 장에서 절도의 실행행위를 직접 분담하지 아니한 다른 범인에 대하여도 그가 현장에서 절도 범행을 실행한 위 2인 이상의 범인의 행위를 자기 의사의 수단으로 하여 합동절도의 범행을 하였다고 평가할 수 있는 정범성 의 표지를 갖추고 있는 한 공동정범의 일반 이론에 비추어 **그 다른 범인에 대하여 합동절도의 공동정범으로 인정할 수 있다.**(대법원 2011. 5. 13. 2011도2021 사납금 절취사건) 甲, 乙은 형법 제331조 제2항의 합동절 도죄(특수절도죄)의 죄책을, 丙은 합동절도죄(특수절도죄)의 공동정범의 죄책을 진다.

② [×] 피고인들이 주간에 피해자의 아파트 출입문 시정장치를 손괴하다가 마침 귀가하던 피해자에게 발각되어 도주한 경우 **특수절도미수죄는 성립하지 아니한다.**(대법원 2009. 12. 24. 2009도9667 아파트 출입문 손괴사 건) 특수절도미수죄는 성립하지 않는다.

③ [×] 피고인과 공범관계가 있는 다른 피의자에 대한 검사 이외의 수사기관[2022. 1. 1.부터 검사 또는 사법경찰 관] 작성의 피의자신문조서는 그 피의자의 법정진술에 의하여 성립의 진정이 인정되더라도 **당해 피고인이 공판 기일에서 그 조서의 내용을 부인하면 증거능력이 부정된다.**(대법원 2015. 10. 29. 2014도5939 서울시 공무 원 간첩사건) 판례의 취지에 의할 때 乙에 대한 피의자신문조서는 甲의 공소사실에 대한 증거로 사용할 수 없다.

038

다음 사례에 관한 설명 중 가장 적절한 것은? (다툼이 있으면 판례에 의함)

23 경찰채용 [Superlative ★★★]

> 연구실을 함께 운영하는 甲과 乙은 소속 연구원들에 대한 인건비 지급 명목으로 X학교법인에 지원금 지급을 신청하여 지급받은 금원을 연구실 운영비로 사용하기로 공모하였다. 이에 따라 甲은 2022년 1월부터 12월까지 매월 1회 지급신청을 하고 해당 금액을 지급받는 동일한 방식으로 총 12회에 걸쳐 연구원 인건비 명목으로 X학교법인으로부터 합계 1억원 상당을 송금받았다. 다만, 乙은 2022년 8월에 퇴직하여 이후의 연구실 운영에는 관여하지 않았다. 이후 甲과 乙에 대한 재판에서 검사는 '연구실원 A에 대한 참고인진술조서' (이하 '조서'라 한다)를 증거로 제출하였으나, 공판기일에 증인으로 출석한 A는 甲과의 관계를 우려하여 조서의 진정성립을 비롯한 일체의 증언을 거부하였다.

① 甲과 乙이 2022년 1월부터 12월까지 금원을 지급받은 것이 사기죄에 해당하는 경우 각 지급행위시마다 별개의 사기죄가 성립한다.

② A가 증언을 거부하면 甲의 반대신문권이 보장되지 않는 것인데, 이 경우 A의 증언거부가 정당한 증언거부권의 행사라 하더라도 甲의 반대신문권이 보장되지 않는다는 점에서는 아무런 차이가 없다.

③ 乙은 퇴직 이후에 甲이 금원을 송금받은 부분에 대해서는 사기죄의 죄책을 부담하지 않는다.

④ 만약 A가 법정에서 증언을 거부하지 않고 조서에 대해 "기재된 바와 같이 내가 말한 것은 맞는데, 그건 일부러 거짓말을 한 것이다."라고 진술하게 되면 조서는 증거로 사용할 수 없게 된다.

해설

② [○] 증인이 정당하게 증언거부권을 행사한 경우와 증언거부권의 정당한 행사가 아닌 경우를 비교하면, 피고인의 반대신문권이 보장되지 않는다는 점에서 아무런 차이가 없다.(대법원 2019. 11. 21. 2018도13945 全合 필로폰 매수인 증언거부사건) 정당한 증언거부권의 행사라 하더라도 甲의 반대신문권이 보장되지 않는다는 점에서는 아무런 차이가 없어 둘 다 형사소송법 제314조의 필요성이 없어서 증거로 사용할 수 없다.

① [×] 사기죄에 있어서 동일한 피해자에 대하여 수 회에 걸쳐 기망행위를 하여 금원을 편취한 경우 그 범의가 단일하고 범행 방법이 동일하다면 **사기죄의 포괄일죄만이 성립한다.**(대법원 2015. 10. 29. 2015도10948 해외원정 사기도박단 사건) 각 지급행위시마다 별개의 사기죄가 성립하는 것이 아니라 포괄하여 사기의 일죄만 성립한다.

③ [×] 피고인이 포괄일죄의 관계에 있는 범행의 일부를 실행한 후 공범관계에서 이탈하였으나 **다른 공범자에 의하여 나머지 범행이 이루어진 경우 피고인이 관여하지 않은 부분에 대하여도 죄책을 부담한다.**(대법원 2011. 1. 13. 2010도9927 시세조종 중 이탈사건) 乙은 퇴직 이후에 甲이 금원을 송금받은 부분에 대하여도 사기죄의 죄책을 진다.

④ [×] 검사 또는 사법경찰관이 피고인이 아닌 자의 진술을 기재한 조서는 적법한 절차와 방식에 따라 작성된 것으로서 그 조서가 검사 또는 사법경찰관 앞에서 **진술한 내용과 동일하게 기재되어 있음이 원진술자의 공판준비 또는 공판기일에서의 진술이나 영상녹화물 또는 그 밖의 객관적인 방법에 의하여 증명되고,** 피고인 또는 변호인이 공판준비 또는 공판기일에 그 기재 내용에 관하여 원진술자를 신문할 수 있었던 때에는 **증거로 할 수 있다.** 다만, 그 조서에 기재된 진술이 특히 신빙할 수 있는 상태하에서 행하여졌음이 증명된 때에 한한다.(형사소송법 제312조 제4항) A가 "기재된 바와 같이 내가 말한 것은 맞다"라고 하여 성립의 진정을 인정하였으므로 특 신상태와 원진술자 신문가능성이 인정되면 참고인진술조서는 증거능력이 인정된다.

039

다음 사례에 대한 설명으로 옳은 것은 모두 몇 개인가? (다툼이 있으면 판례에 의함)

24 경찰간부 [Superlative ★★★]

> 甲은 乙과 자신의 부유한 삼촌 A의 집에 있는 금괴를 훔치기로 공모하였다. 다음날 01:00시경 甲은 A의 집 담장에서 망을 보고, 乙은 담장을 넘어 거실창문을 열고 안으로 들어가금괴를 가지고 나오다가 A에게 발각되었고, 그 순간 A는 담장에서 뛰어가는 甲의 뒷모습도 보게 되었다. A는 사법경찰관에게 甲과 乙을 신고하였으며, 수사를 받던 중 乙은 변호사 L을 선임하였다. 이후 검사는 甲과 乙을 기소하였다.

> ㉠ 乙의 절도목적이 인정되지 않는다면 乙은 야간에 주거에 침입하였으므로 특수주거침입죄가 성립한다.
> ㉡ 사법경찰관이 작성한 甲에 대한 피의자신문조서를 甲이 법정에서 진정성립 및 내용을 인정하더라도 乙이 공판기일에서 그 조서의 내용을 부인하면 이를 乙에 대한 유죄인정의 증거로 사용할 수 없다.
> ㉢ 공동피고인 甲과 乙은 수사과간에서 계속 혐의를 부인하다가 乙이 공판정에서 자백한 경우 甲의 반대신문권이 보장되어 있으므로 乙의 자백은 별도의 보강증거 필요없이 甲에 대한 유죄의 증거능력이 인정된다.
> ㉣ A는 甲과 乙 모두를 처벌해달라고 하였으나 항소심 중에 甲에 대해서만 고소를 취소하였다면, 법원은 甲에 대해서는 공소기각판결을, 乙에 대해서는 실체판결을 하여야 한다.

① 1개   ② 2개   ③ 3개   ④ 4개

해설

② ㉡㉢ 2 항목이 옳다.
㉠ [×] 특수주거침입죄는 **단체 또는 다중의 위력을 보이거나 위험한 물건을 휴대하여** 사람의 주거에 침입한 경우에 성립한다.(형법 제320조) 특수주거침입죄가 아니라 단순주거침입죄가 성립한다.

ⓒ [○] 피고인과 공범관계가 있는 다른 피의자에 대한 검사 이외의 수사기관[2022. 1. 1.부터는 검사 또는 사법경찰관] 작성의 피의자신문조서는 그 피의자의 법정진술에 의하여 성립의 진정이 인정되더라도 **당해 피고인이 공판기일에서 그 조서의 내용을 부인하면 증거능력이 부정된다.**(대법원 2015. 10. 29. 2014도5939 **서울시 공무원 간첩사건**) 사법경찰관 작성 甲에 대한 피의자신문조서는 乙에 대한 유죄인정의 증거로 사용할 수 없다.

ⓒ [○] (1) 공동피고인의 자백은 이에 대한 피고인의 반대신문권이 보장되어 있어 증인으로 신문한 경우와 다를 바 없으므로 **독립한 증거능력이 있다.**(대법원 2007. 10. 11. 2007도5577 **폭탄업체 설립 조세포탈사건**) (2) 형사소송법 제310조의 '피고인의 자백'에는 공범인 공동피고인의 진술이 포함되지 아니하므로 공범인 공동피고인의 진술은 **다른 공동피고인에 대한 범죄사실을 인정하는 데 있어서 증거로 쓸 수 있고** 그에 대한 보강증거의 여부는 법관의 자유심증에 맡긴다.(대법원 1985. 3. 9. 85도951 **대리점사기범 사건**)

ⓔ [×] 제1심판결 선고 후에 고소가 취소된 경우에는 **그 취소의 효력이 없으므로 공소기각의 재판을 할 수 없다.**(대법원 1985. 2. 8. 84도2682 **항소심에서 강간고소 취소사건**) 다른 소송조건의 흠결이 없는 한 항소심법원은 甲, 乙 모두에 대하여 유무죄의 실체재판을 하여야 한다.

040 다음 사례에 대한 설명으로 옳은 것은 모두 몇 개인가? (다툼이 있으면 판례에 의함)

24 경찰간부 [Superlative ★★★]

(1) X카페의 주인 甲은 쓰레기 문제로 평소 자주 다투던 옆집 Y식당 주인 乙에게 화가 나 乙이 1층에 세워놓은 Y식당 광고판(홍보용 배너와 거치대)을 그 장소에서 제거하여 컨테이너로 된 상가창고로 옮겨놓아 乙이 사용할 수 없도록 하였다.

(2) 이 사실을 알게 된 乙은 甲에 대한 상해의 고의로 불꺼진 X카페로 들어가 甲으로 추정되는 자에게 각목을 내리쳐 코뼈를 부러뜨렸으나 실제로 맞은 사람은 甲에게 총구를 겨누던 丙이었다.

ⓐ (1)에서 甲에게는 재물손괴죄가 성립한다.

ⓑ (2)에서 착오에 대한 판례의 입장에 의하면, 乙에게 丙에 대한 상해죄의 고의기수범 성립을 인정한다.

ⓒ (2)의 상황에서 엄격책임설의 입장에 의하면, 착오에 정당한 이유가 없는 경우 乙에게 상해죄 성립을 인정한다.

ⓓ (2)의 사실에 대하여 검사가 乙에게 무혐의 결정을 하였다가 다시 공소를 제기한 경우 이는 일사부재리의 원칙에 위배되므로 다시 수사를 재개하거나 공소를 제기할 수 없다.

ⓔ (2)의 사실에 대하여 수사기관에서 혐의를 부인하던 乙이 피고인의 신분으로 공판정에서 자백을 한 경우 자백보강법칙은 적용되지 아니한다.

① 1개 ② 2개
③ 3개 ④ 4개

정답 ┃ 039 ②   040 ②

해설

② ㉠㉡ 2 항목이 옳다.

㉠ [○] 피고인이 피해자가 홍보를 위해 설치한 광고판(홍보용 배너와 거치대)을 그 장소에서 제거하여 컨테이너로 된 창고로 옮겼다면 비록 물질적인 형태의 변경이나 멸실·감손을 초래하지 않은 채 그대로 옮겼다고 하더라도 광고판은 그 본래적 역할을 할 수 없는 상태로 되었다고 보아야 하므로 재물의 효용을 해하는 행위에 **해당한다.**(대법원 2018. 7. 24. 2017도18807 광고판 제거 사건) 甲은 재물손괴죄의 죄책을 진다.

㉡ [○] (2)의 착오는 사실의 착오를 묻는 것으로 보인다. 피고인들이 여관 302호실로 들어가 그 곳에서 잠을 자던 A, B를 C의 일행인줄 잘못 알고 각기 각목과 쇠파이프로 피해자들의 머리와 몸을 마구 때리고, 낫으로 팔과 다리 등을 여러 차례 내리찍어 A를 죽게 하고 B를 다치게 한 경우 **살인죄와 살인미수죄가 성립한다.**(대법원 1994. 3. 22. 93도3612 김밥콜라 사건) 구체적 사실의 착오 중 객체의 착오 사례이다. 판례의 태도에 의하면 발생사실인 丙에 대한 고의기수가 성립한다. 다만, 각목은 위험한 물건이므로 특수상해라고도 보여진다.

㉢ [×] (2)의 사실은 우연방위, 즉 주관적 정당화 요소를 결한 경우를 의미한다. **오상방위 상황이 아니므로 엄격책임설이나 형법 제16조는 논할 수 없다.**

㉣ [×] 일사부재리의 효력은 확정재판이 있을 때에 발생하는 것이므로 **검사가 일차 무혐의결정을 하였다가 다시 공소를 제기하였다 하여도 이를 두고 일사부재리의 원칙에 위배하는 등의 법리오해가 있다 할 수 없다.** (대법원 1988. 3. 22. 87도2678 잠시 무혐의불기소 사건) 검사는 다시 수사를 재개하거나 공소를 제기할 수 있다.

㉤ [×] 당해 피고인의 자백이라면 공판정 외 자백이든 공판정 내 자백이든 **자백의 보강법칙이 적용된다.**(대법원 2017. 9. 21. 2015도12400 정상혁 보은군수 사건 참고) 乙이 공판정에서 자백을 한 경우에도 자백의 보강법칙은 적용된다.

041 건설업을 하는 甲은 시청 건설 담당 공무원인 乙에게 자신의 회사를 신청사 공사의 시공사로 선정해 줄 것을 부탁하면서 현금 1천만원을 건네주었으나 다른 회사가 시공사로 선정되었다. 이에 甲은 乙에게 전화를 걸어 뇌물로 준 1천만원을 돌려 줄 것을 요구했으나 乙은 이미 주식투자로 소비하여 이를 거부하였다. 그런데 甲은 乙과 전화로 나눈 대화를 휴대전화로 몰래 녹음하였고, 여기에는 뇌물을 받은 사실을 인정하는 乙의 진술이 포함되었다. 이후 甲은 乙의 집을 찾아가 뇌물로 준 1천만원을 당장 돌려주지 않으면 녹음한 내용을 수사기관과 언론사에 보내겠다고 말하였다. 이에 겁을 먹은 乙은 甲이 지정한 은행 예금계좌로 1천만원을 입금하였다. 乙의 배우자 丙은 乙의 사전 언급에 따라 甲과 乙의 대화 내용을 옆방에서 자신의 휴대전화로 甲 모르게 녹음하였다. 이에 관한 설명 중 옳은 것은? (다툼이 있으면 판례에 의함)   23 변호사 [Superlative ★★★]

① 乙은 甲으로부터 받은 1천만원을 돌려주지 아니하고 주식투자로 임의 소비하였으므로 뇌물수수죄와 별도로 횡령죄가 성립한다.

② 만일 甲이 위 예금계좌에 입금된 1천만원을 인출하지 않았다면 甲에게 공갈죄의 미수범이 성립한다.

③ 甲이 乙과의 전화상 대화를 휴대전화로 몰래 녹음한 것은 「통신비밀보호법」상 비밀녹음에 해

당하여 甲의 뇌물공여죄나 乙의 뇌물수수죄에 대한 유죄의 증거로 사용할 수 없다.

④ 丙이 甲과 乙의 대화내용을 휴대전화로 몰래 녹음한 것은 대화 당사자인 乙의 사전 동의에 의한 것이므로 甲의 공갈죄에 대한 유죄의 증거로 사용할 수 있다.

⑤ 만일 뇌물수수죄로 기소된 乙이 법정에서 뇌물수수의 사실을 부인하는 진술을 하는 경우 검사가 유죄의 자료로 제출한 사법경찰관 작성의 乙에 대한 피의자신문조서는 乙이 그 내용을 부인하더라도 임의로 작성된 것으로 인정되는 한 乙의 법정진술의 증명력을 다투기 위한 탄핵증거로 사용할 수 있다.

해설

⑤ [○] 사법경찰리 작성의 피고인에 대한 피의자신문조서는 피고인이 그 내용을 부인하는 이상 증거능력이 없으나, 그것이 임의로 작성된 것이 아니라고 의심할 만한 사정이 없는 한 피고인의 법정에서의 진술을 탄핵하기 위한 반대증거로 사용할 수 있다.(대법원 2014. 3. 13. 2013도12507) 피의자신문조서는 乙의 법정진술의 증명력을 다투기 위한 탄핵증거로 사용할 수 있다.

① [×] 횡령죄는 타인의 재물을 보관하는 자가 그 재물을 횡령하거나 그 반환을 거부한 경우에 성립한다.(형법 제355조 제1항) 乙이 甲으로부터 받은 뇌물 1천만원은 乙의 소유가 되었다고 보아야 하므로 설문의 경우 **뇌물수수죄만 성립할 뿐 횡령죄는 성립하지 않는다.**

② [×] 피고인이 피해자들을 공갈하여 **피해자로 하여금 지정한 예금구좌에 돈을 입금케 한 이상** 돈은 범인이 자유로이 처분할 수 있는 상태에 놓인 것으로서 **공갈죄는 이미 기수에 이르렀다 할 것이다.**(대법원 1985. 9. 24. 85도1687 제과회사 독극물 협박사건) 甲이 예금계좌에 입금된 1천만원을 인출하지 않았더라도 甲은 공갈의 죄책을 진다.

③ [×] 전기통신의 감청은 제3자가 전기통신의 당사자인 송신인과 수신인의 동의를 받지 아니하고 전기통신내용을 녹음하는 등의 행위를 하는 것만을 말한다고 해석함이 타당하므로 **전기통신에 해당하는 전화통화당사자의 일방이 상대방 모르게 통화 내용을 녹음하는 것은** 통신비밀보호법 제2조 제7호의 감청에 해당하지 않는다.(대법원 2019. 3. 14. 2015도1900 **변호사 매형, 검사 처남 사건**) 甲이 乙과의 전화상 대화를 휴대전화로 몰래 녹음한 것은 통신비밀보호법에 위반되는 감청이 아니므로 형사소송법 제313조 제1항의 요건이 충족되면 甲의 뇌물공여죄나 乙의 뇌물수수죄에 대한 유죄의 증거로 사용할 수 있다.

④ [×] **제3자의 경우는 설령 전화통화 당사자 일방의 동의를 받고 그 통화 내용을 녹음하였다 하더라도 그 상대방의 동의가 없었던 이상** 이는 여기의 감청에 해당하여 **통신비밀보호법 제3조 제1항 위반이 되고,** 이와 같이 제3조 제1항을 위반한 불법감청에 의하여 녹음된 전화통화의 내용은 제4조에 의하여 증거능력이 없다. 이는 피고인이나 변호인이 이를 증거로 함에 동의하였다고 하더라도 달리 볼 것은 아니다.(대법원 2019. 3. 14. 2015도1900 **변호사 매형, 검사 처남 사건**) 丙이 甲과 乙의 대화내용을 휴대전화로 몰래 녹음한 것은 甲의 공갈죄에 대한 유죄의 증거로 사용할 수 없다.

042
□□□

甲은 A와 재혼하여 함께 생활하다가 A가 외도를 하는 것을 목격하고 A를 살해하기로 마음먹었다. 甲은 전처 소생의 아들 乙에게 자신의 재산 중 일부를 증여하기로 약속하고 A를 살해할 것을 부탁하였다. ㉠ 이를 승낙한 乙은 A를 살해하기 위하여 일정량 이상을 먹으면 사람이 죽을 수도 있는 초우뿌리를 달인 물을 마시게 하였으나 A가 이를 토해버려 사망하지 않았다. ㉡ 그러자 甲은 乙에게 칼을 주며 "이번에는 A를 반드시 죽여 달라"라고 당부하였다. 이에 乙은 甲의 당부대로 A의 집으로 향하였으나 갑자기 마음이 바뀐 甲은 乙이 실행의 착수에 이르기 전 전화로 "그만두자"라고 乙을 만류하였다. 그러나 乙은 A를 칼로 찔러 살해하였다. 옷에 피가 묻은 채로 범행현장을 떠나려던 乙은 마침 지나가던 사법경찰관에 의해 현행범으로 체포되었고 乙은 그 현장에서 자신은 단지 시키는 대로 했을 뿐이라며 자발적으로 휴대전화를 임의제출하였다. 이에 사법경찰관은 형사소송법 제218조에 따라 휴대전화를 압수한 후 경찰서에서 乙의 휴대전화의 정보를 탐색하여 甲이 범행에 가담한 사실을 알고 甲을 긴급체포하였다. 이에 관한 설명 중 옳은 것은? (다툼이 있으면 판례에 의함)

23 변호사 [Superlative ★★★]

① ㉠의 사실관계에서 乙이 A를 살해하기 위해 초우뿌리를 달인 물을 마시게 하였으나 A가 이를 토해버려 사망하지 않아 乙에게 살인미수죄가 성립한다.

② ㉡의 사실관계에서 법정적 부합설에 따를 경우 만일 乙이 A의 집 앞에서 기다리고 있다가 B를 A로 착각하여 칼로 찔러 살해했다면 乙에게는 A에 대한 살인미수죄와 B에 대한 과실치사죄가 성립하고 양 죄는 상상적 경합관계이다.

③ ㉡의 사실관계에서 甲은 乙에게 A를 살해할 것을 교사한 후 乙이 실행의 착수에 이르기 전에 범행을 만류하였으므로 살인교사의 죄책을 지지 않는다.

④ 사법경찰관이 乙을 현행범으로 체포하는 현장에서 乙로부터 휴대전화를 임의제출받아 적법하게 압수하였다고 하더라도 그 압수를 계속할 필요가 있는 때에는 지체 없이 압수·수색영장을 신청해야 한다.

⑤ 乙로부터 휴대전화를 임의제출받은 이상 사법경찰관이 경찰서에서 휴대전화의 정보를 탐색함에 있어서는 乙 또는 그의 변호인의 참여를 요하지 아니한다.

해설

① [O] 일정량 이상을 먹으면 사람이 죽을 수도 있는 초우뿌리나 부자 달인 물을 마시게 하여 피해자를 살해하려다 미수에 그쳤다면 불능범이 아닌 **살인미수죄가 성립한다.**(대법원 2007. 7. 26. 2007도3687 **초우뿌리 부자 사건**)

② [×] 구체적 사실의 착오 중 객체의 착오 사례이다. 법정적 부합설은 **B에 대한 살인죄로 처리한다.**(대법원 1984. 1. 24. 83도2813 **형수·조카 살해사건** 참고)

③ [×] **교사범이 그 공범관계로부터 이탈하기 위해서는 피교사자가 범죄의 실행행위에 나아가기 전에 교사범에 의하여 형성된 피교사자의 범죄 실행의 결의를 해소하는 것이 필요하고,** 이때 교사범이 피교사자에게 교사행위를 철회한다는 의사를 표시하고 이에 피교사자도 그 의사에 따르기로 하거나 또는 교사범이 명시적으로 교사행위를 철회함과 아울러 피교사자의 범죄 실행을 방지하기 위한 진지한 노력을 다하여 당초 피교사자가

범죄를 결의하게 된 사정을 제거하는 등 객관적·실질적으로 보아 교사범에게 교사의 고의가 계속 존재한다고 보기 어렵고 당초의 교사행위에 의하여 형성된 피교사자의 범죄 실행의 결의가 더 이상 유지되지 않는 것으로 평가할 수 있다면, 설사 그 후 피교사자가 범죄를 저지르더라도 이는 당초의 교사행위에 의한 것이 아니라 새로운 범죄 실행의 결의에 따른 것이므로 교사자는 형법 제31조 제2항에 의한 죄책을 부담함은 별론으로 하고 형법 제31조 제1항에 의한 교사범으로서의 죄책을 부담하지는 않는다.(대법원 2012. 11. 15. 2012도7407 **하나은행 노조위원장 공갈사건**) 甲이 범행을 만류하는 취지의 말을 한 것만으로는 甲의 교사행위와 乙의 실행행위 사이에 인과관계가 단절되었거나 甲이 공범관계에서 이탈한 것으로 볼 수 없으므로 甲은 살인교사죄의 죄책을 진다.

④ [×] 현행범 체포현장이나 범죄현장에서도 소지자 등이 임의로 제출하는 물건은 형사소송법 제218조에 의하여 영장 없이 압수하는 것이 허용되고, **이 경우 검사나 사법경찰관은 별도로 사후에 영장을 받을 필요가 없다.**(대법원 2022. 1. 27. 2020도1716) 사법경찰관은 별도로 압수·수색영장을 신청하거나 발부받을 필요가 없다.

⑤ [×] 압수의 대상이 되는 전자정보와 그렇지 않은 전자정보가 혼재된 정보저장매체나 그 복제본을 임의제출받은 수사기관이 그 정보저장매체 등을 수사기관 사무실 등으로 옮겨 이를 탐색·복제·출력하는 경우 그와 같은 일련의 과정에서 형사소송법 제219조, 제121조에서 규정하는 **피압수·수색 당사자(이하 '피압수자'라 한다)나 그 변호인에게 참여의 기회를 보장**하고 압수된 전자정보의 파일 명세가 특정된 압수목록을 작성·교부하여야 하며 범죄혐의사실과 무관한 전자정보의 임의적인 복제 등을 막기 위한 적절한 조치를 취하는 등 영장주의 원칙과 적법절차를 준수하여야 한다.(대법원 2021. 11. 18. 2016도348 **숲습 몰카피해자휴대폰 2대 임의제출 사건**) 사법경찰관이 경찰서에서 휴대전화의 정보를 탐색함에 있어서는 乙 또는 그의 변호인에게 참여의 기회를 보장해 주어야 한다.

정답 | 042 ①

043 X회사 대표이사 A는 X회사의 자금 3억원을 횡령한 혐의로 구속·기소되었다. A의 변호인 甲은 구치소에서 의뢰인 A를 접견하면서 선처를 받기 위해서는 횡령금을 모두 X회사에 반환한 것으로 해야 하는데, 반환할 돈이 없으니 A의 지인 乙의 도움을 받아서 X회사 명의의 은행계좌로 돈을 입금한 후 이를 돌려받는 이른바 '돌려막기 방법'을 사용하자고 했다. 며칠 후 甲은 乙을 만나 이러한 방법을 설명하고 乙을 안심시키기 위해 민·형사상 아무런 문제가 되지 않는다는 내용의 법률의견서를 작성해 주었다. 이러한 甲과 乙의 모의에 따라 乙은 5차례에 걸쳐 X회사에 돈을 입금한 후 은행으로부터 받은 입금확인증 5장(반환금 합계 3억원)을 甲에게 전달했다. 甲은 A의 제1심 재판부에 이를 제출하면서 횡령금 전액을 X회사에 반환하였으니 선처를 해달라는 취지의 변론요지서를 제출하였고 보석허가신청도 하였다. 이에 대해 제1심 재판부는 A에 대해 보석허가결정을 하였다. 이에 관한 설명 중 옳지 않은 것은? (다툼이 있으면 판례에 의함)

23 변호사 [Superlative ★★★]

① 증거위조죄에서 말하는 '증거'에는 범죄 또는 징계사유의 성립 여부에 관한 것뿐만 아니라 형 또는 징계의 경중에 관계있는 정상을 인정하는 데 도움이 될 자료까지 포함되므로 위 사례의 입금확인증은 증거위조죄의 객체인 '증거'에 해당한다.

② 증거위조죄 성립 여부와 관련하여 증거위조죄가 규정한 '증거의 위조'란 '증거방법의 위조'를 의미하는 것이 아니므로 위조에 해당하는지 여부는 증거방법 자체를 기준으로 하여야 하는 것이 아니라 그것을 통해 증명하려는 사실이 허위인지 진실인지 여부에 따라 결정되어야 한다.

③ 甲과 乙에게 증거위조죄 및 위조증거사용죄가 성립하지 않는다.

④ 甲이 乙에게 작성해 준 법률의견서는 형사소송법 제313조 제1항에 규정된 '피고인 아닌 자가 작성한 진술서나 그 진술을 기재한 서류'에 해당한다.

⑤ 만일 제1심 재판부가 위와 같은 '돌려막기 방법' 등의 사정이 밝혀져 A에게 보석취소결정을 내리자 甲이 보통항고를 제기한 경우에 이러한 보통항고에는 재판의 집행을 정지하는 효력이 없다.

해설

> ② [×] 형법 제155조 제1항 규정한 '증거의 위조'란 **'증거방법의 위조'를 의미하므로 위조에 해당하는지 여부는 증거방법 자체를 기준으로** 하여야 하고 그것을 통해 증명하려는 사실이 허위인지 진실인지 여부에 따라 위조 여부가 결정되어서는 안 된다. 제출된 증거방법의 증거가치를 평가하고 이를 기초로 사실관계를 확정할 권한과 의무는 법원에 있기 때문이다.(대법원 2021. 1. 28. 2020도2642 **허위 입금확인증 사건**)
>
> ① [○] 증거위조죄에서 말하는 '증거'라 함은 타인의 형사사건 또는 징계사건에 관하여 수사기관이나 법원 또는 징계기관이 국가의 형벌권 또는 징계권의 유무를 확인하는 데 관계있다고 인정되는 일체의 자료를 뜻한다. 따라서 범죄 또는 징계사유의 성립 여부에 관한 것뿐만 아니라 형 또는 징계의 경중에 관계있는 정상을 인정하는 데 도움이 될 자료까지도 형법 제155조 제1항이 규정한 증거에 포함된다.(대법원 2021. 1.28. 2020도2642 **허위 입금확인증 사건**) 입금확인증은 양형에 관한 자료(정상을 인정하는 데 도움이 될 자료)로서 증거위조죄의 객체인 '증거'에 해당한다.

③ [○] 변호사인 甲이 乙 명의 은행 계좌에서 X회사 명의 은행 계좌에 금원을 송금하고 다시 되돌려 받는 행위를 반복한 후 그 중 송금자료만을 발급받아 이를 3억 5,000만원을 변제하였다는 허위 주장과 함께 법원에 제출한 행위는 형법상 증거위조죄의 보호법익인 사법기능을 저해할 위험성이 있지만, 甲이 제출한 입금확인증 등은 금융기관이 금융거래에 관한 사실을 증명하기 위해 작성한 문서로서 그 내용이나 작성명의 등에 아무런 허위가 없는 이상 이를 증거의 '위조'에 해당한다고 볼 수 없고, 나아가 '위조한 증거를 사용'한 행위에 해당한다고 볼 수도 **없다.**(대법원 2021. 1. 28. 2020도2642 허위 입금확인증 사건) 甲과 乙은 증거위조죄 및 위조증거사용죄의 죄책을 지지 않는다.

④ [○] 법률의견서는 압수된 디지털 저장매체로부터 출력한 문건으로서 그 실질에 있어서 형사소송법 제313조 제1항에 규정된 '피고인 아닌 자가 작성한 진술서나 그 진술을 기재한 서류'에 해당한다.(대법원 2012. 5. 17. 2009도6788 숙습 **법률의견서 사건**)

⑤ [○] 항고는 즉시항고 외에는 재판의 집행을 정지하는 효력이 없다. 단, 원심법원 또는 항고법원은 결정으로 항고에 대한 결정이 있을 때까지 집행을 정지할 수 있다.(형사소송법 제409조) 甲이 제기한 보통항고에는 재판의 집행을 정지하는 효력이 없다.

정답 | 043 ②

044
□□□

유흥주점의 지배인 甲은 피해자 A로부터 신용카드를 강취하고 신용카드 비밀번호를 알아냈다. 甲은 위 주점 직원 乙, 丙과 모의하면서 자신은 주점에서 A를 붙잡아 두면서 감시하고 乙과 丙은 위 신용카드를 이용하여 인근 편의점에 있는 현금자동지급기에서 300만원의 예금을 인출하기로 하였다. 그에 따라 甲이 A를 감시하는 동안 乙과 丙은 위 편의점에 있는 현금자동지급기에 신용카드를 넣고 비밀번호를 입력하여 300만원의 예금을 인출하였고 이를 甲, 乙, 丙 각자 100만원씩 분배하였다. 결국 甲, 乙, 丙은 특수(합동)절도죄로 공소제기되었는데, 甲은 법정에서 범행을 부인하였으나 甲의 공동피고인 乙과 丙은 법정에서 범행을 자백하였다. 이에 관한 설명 중 옳은 것을 모두 고른 것은? (다툼이 있으면 판례에 의함)   23 변호사 [Superlative ★★★]

> ㉠ 甲이 합동절도의 범행 공모에는 참여하였으나 현장에서 절도의 실행행위를 직접 분담하지 않았더라도 그가 현장에서 절도범행을 실행한 乙과 丙의 행위를 자기 의사의 수단으로 하여 합동절도의 범행을 하였다고 평가할 수 있는 정범성의 표지를 갖추고 있다면 甲에 대하여도 합동절도의 공동정범이 성립될 수 있다.
>
> ㉡ 만약 위 주점 지배인 甲이 종업원 乙, 丙과 함께 단골손님 A로부터 신용카드를 갈취해 현금을 인출하기로 모의하였고, 甲의 지시를 받은 乙과 丙은 늦은 저녁 한적한 골목길에서 A로부터 신용카드를 갈취하고 비밀번호를 알아내 甲이 일러준 편의점 현금자동지급기에서 300만원의 예금을 인출하였으며, 이를 甲, 乙, 丙 각자 100만원씩 분배하였다면 범죄장소에 가지 않은 甲에게 폭력행위등처벌 등에 관한 법률 위반(공동공갈)의 공동정범은 인정될 여지가 없다.
>
> ㉢ 공범인 공동피고인 乙, 丙의 법정에서의 자백은 소송절차를 분리하여 증인신문하는 절차를 거치지 않았더라도 甲에 대하여 증거능력이 인정된다.
>
> ㉣ 만약 위 사례에서 甲이 범행을 자백하였고, 甲이 범행을 자인하는 것을 들었다는 피고인 아닌 제3자의 진술이 있다면 이는 형사소송법 제310조의 피고인 자백에는 포함되지 아니하므로 甲의 자백에 대한 보강증거가 될 수 있다.

① ㉠㉢　　　　　　　② ㉠㉣　　　　　　　③ ㉡㉣
④ ㉠㉢㉣　　　　　　⑤ ㉡㉢㉣

해설

> ① ㉠㉣ 2 항목이 옳다.
> ㉠ [O] 3인 이상의 범인이 합동절도의 범행을 공모한 후 적어도 2인 이상의 범인이 범행 현장에서 시간적, 장소적으로 협동관계를 이루어 절도의 실행행위를 분담하여 절도 범행을 한 경우에, 그 공모에는 참여하였으나 현장에서 절도의 실행행위를 직접 분담하지 아니한 다른 범인에 대하여도 그가 현장에서 절도 범행을 실행한 위 2인 이상의 범인의 행위를 자기 의사의 수단으로 하여 합동절도의 범행을 하였다고 평가할 수 있는 정범성의 표지를 갖추고 있는 한 공동정범의 일반 이론에 비추어 그 다른 범인에 대하여 합동절도의 공동정범으로 인정할 수 있다.(대법원 1998. 5. 21. 98도321 全合 삐끼주점 사건) 甲은 합동절도죄(형법 제331조 제2항의 특수절도죄)의 공동정범으로서의 죄책을 진다.
> ㉡ [×] 여러 사람이 폭력행위 등 처벌에 관한 법률 제2조 제1항에 열거된 죄를 범하기로 공모한 다음 그 중 2인 이상이 범행장소에서 범죄를 실행한 경우에는 **범행장소에 가지 아니한 자도** 같은 법 제2조 제2항에 규정된 죄의 **공모공동정범으로 처벌할 수 있다.**(대법원 2007. 6. 28. 2007도2590 스프레이 유죄 계란 무죄 사건) 甲은 폭처법 제2조 제2항 제3호 위반(공동공갈)죄의 공동정범으로서의 죄책을 진다.

ⓒ [O] 공동피고인의 자백은 이에 대한 피고인의 반대신문권이 보장되어 있어 증인으로 신문한 경우와 다를 바 없으므로 독립한 증거능력이 있고, 이는 피고인들간에 이해관계가 상반된다고 하여도 마찬가지라 할 것이다. (대법원 2006. 5. 11. 2006도1944) 乙, 丙의 법정에서의 자백은 甲에 대하여 증거능력이 인정된다.

ⓔ [×] "피고인이 범행을 자인하는 것을 들었다"는 피고인 아닌 자의 진술 내용은 형사소송법 제310조의 피고인의 자백에는 포함되지 아니하나 이는 **피고인의 자백의 보강증거로 될 수 없다.**(대법원 2008. 2. 14. 2007도10937 **대구 신천동 필로폰 투약사건**) "甲이 범행을 자인하는 것을 들었다"라는 피고인 아닌 제3자의 진술은 甲의 자백에 대한 보강증거가 될 수 없다.

045 다음 사실관계에 관한 설명 중 옳지 않은 것을 모두 고른 것은? (다툼이 있으면 판례에 의함)

23 변호사 [Superlative ★★★]

> (가) 甲은 2018. 5.경 저금리 대출을 해주겠다고 전화로 거짓말을 하여 금원을 편취하는 소위 보이스피싱 범죄단체에 가입한 후 실제로 위와 같이 보이스피싱 범행을 하였다.
> 乙은 2019. 7.경 甲으로부터 적법한 사업운영에 필요하니 은행계좌, 현금카드, 비밀번호를 빌려달라는 부탁을 받고 甲이 이를 보이스피싱 범행에 사용할 것임을 알지 못한 채 乙 명의의 은행계좌 등을 甲에게 건네주었다. A는 甲으로부터 보이스피싱 기망을 당해 乙 명의의 은행계좌에 1,000만원을 입금하였다. 乙은 1,000만원이 입금된 사실을 우연히 알게 되자 순간적으로 욕심이 나 이를 임의로 인출하여 사용하였다.
> (나) 이에 화가 난 甲은 乙에게 전화하여 "A가 입금한 1,000만원을 돌려주지 않으면 죽여버린다."라고 말하였는데, 乙은 甲의 이러한 협박 발언을 녹음한 후 자신의 동생 丙에게 『내 계좌에 모르는 사람으로부터 1,000만원이 입금되어 있기에 사용했는데, 이를 안 甲이 나에게 돌려주지 않으면 죽여버린다고 협박했다.』라는 내용의 문자메시지를 보냈다. 이후 A와 丙의 신고로 수사가 개시되어 甲이 기소되었고, 검사는 乙이 녹음한 녹음파일 중 甲의 협박 발언 부분 및 문자메시지를 촬영한 사진을 증거로 신청하였다.

> ㉠ (가) 사실관계에서, 甲에게 형법상 범죄단체활동죄와 별개로 사기죄도 성립한다.
> ㉡ (가) 사실관계에서, 乙에게는 횡령죄가 성립하지 않는다.
> ㉢ (나) 사실관계에서, 검사의 입증취지가 甲이 위와 같이 협박한 사실인 경우 乙이 녹음한 녹음파일 중 甲의 협박 발언 부분은 전문증거이다.
> ㉣ (나) 사실관계에서, 검사의 입증취지가 甲이 위와 같이 협박한 사실인 경우 문자메시지를 촬영한 사진은 전문증거이다.

① ㉠㉡   ② ㉠㉢   ③ ㉡㉢   ④ ㉡㉣   ⑤ ㉢㉣

정답 | 044 ①   **045** ③

해설

③ ㉡㉢ 2 항목이 옳지 않다.

㉠ [○] 피고인이 보이스피싱 사기 범죄단체에 가입한 후 사기범죄의 피해자들로부터 돈을 편취하는 등 그 구성원으로서 활동한 경우 **범죄단체 가입행위 또는 범죄단체 구성원으로서 활동하는 행위와 사기행위는 각각 별개의 범죄구성요건을 충족하는 독립된 행위이고 서로 보호법익도 달라** 법조경합 관계로 목적된 범죄인 사기죄만 성립하는 것은 아니다.(대법원 2017. 10. 26. 2017도8600 **보이스피싱 조직 사건**) 甲은 범죄단체구성원활동죄와 사기죄의 실체적 경합범으로서의 죄책을 진다. 물론 범죄단체가입죄도 성립한다.

㉡ [×] (계좌명의인이 개설한 예금계좌가 전기통신금융사기 범행에 이용되어 그 계좌에 피해자가 사기피해금을 송금·이체한 경우) **계좌명의인은** 피해자와 사이에 아무런 법률관계 없이 송금·이체된 사기피해금 상당의 돈을 피해자에게 반환하여야 하므로 **피해자를 위하여 사기피해금을 보관하는 지위에 있다고 보아야 하고, 만약 계좌명의인이 그 돈을 영득할 의사로 인출하면 피해자에 대한 횡령죄가 성립한다.** 이때 계좌명의인이 사기의 공범이라면 자신이 가담한 범행의 결과 피해금을 보관하게 된 것일 뿐이어서 피해자와 사이에 위탁관계가 없고, 그가 송금·이체된 돈을 인출하더라도 이는 자신이 저지른 사기범행의 실행행위에 지나지 아니하여 새로운 법익을 침해한다고 볼 수 없으므로 사기죄 외에 별도로 횡령죄를 구성하지 않는다.(대법원 2018. 7. 19. 2017도17494 全合 **보이스피싱 사건Ⅲ**) 乙은 A에 대한 횡령죄의 죄책을 진다.

㉢ [×] 피고인 또는 피고인 아닌 사람의 진술을 녹음한 녹음파일은 실질에 있어서 피고인 또는 피고인 아닌 사람이 작성한 진술서나 그 진술을 기재한 서류와 크게 다를 바 없어 그 녹음파일에 담긴 진술 내용의 진실성이 증명의 대상이 되는 때에는 전문법칙이 적용된다고 할 것이나, **녹음파일에 담긴 진술 내용의 진실성이 아닌 그와 같은 진술이 존재하는 것 자체가 증명의 대상이 되는 경우에는 전문법칙이 적용되지 아니한다.**(대법원 2015. 1. 22. 2014도10978 全合 **이석기 의원 사건**) "A가 입금한 1,000만원을 돌려주지 않으면 죽여버린다." 라는 발언은 그 내용의 진실성이 아닌 그와 같은 진술이 존재하는 것 자체가 증명의 대상이 되기 때문에 전문법칙이 적용되지 아니한다(전문증거가 아니다).(대법원 2008. 11. 13. 2006도2556 **횡설수설 문자협박 사건** 참고)

㉣ [○] (피해자 乙이 남동생 丙에게 도움을 요청하면서 피고인이 협박한 말을 포함하여 공갈 등 피해를 입은 내용이 들어 있는) 문자메시지의 내용을 촬영한 사진은 **피해자의 진술서에 준하는 것으로 취급함이 상당할** 것인바, 진술서에 관한 형사소송법 제313조에 따라 문자메시지의 작성자인 乙이 법정에 출석하여 자신이 문자메시지를 작성하여 동생에게 보낸 것과 같음을 확인하고, 동생인 丙도 법정에 출석하여 乙이 보낸 문자메시지를 촬영한 사진이 맞다고 확인한 이상, 문자메시지를 촬영한 사진은 그 성립의 진정함이 증명되었다고 볼 수 있으므로 이를 증거로 할 수 있다.(대법원 2010. 11. 25. 2010도8735 **공갈당했다 문자 사건**) **문자메시지를 촬영한 사진은 전문증거이다.**

MEMO

김대환

약력

현 | 해커스 경찰학원 형법 · 형사소송법 강의

전 | 경찰공제회 경찰 채용 형법 · 형사소송법 강의
김대환 경찰학원 형법 · 형사소송법 강의
아모르이그잼경찰 / 메가CST 형사소송법 대표교수
경찰대학교 행정학과 졸업(16기)
용인대학교 경찰행정학과 석사 수료
사법시험 최종합격(제46회, 2004)
사법연수원 수료(제36기)

저서

갓대환 형사법 기출총정리, 해커스경찰
갓대환 형법 기출1200제, 해커스경찰
갓대환 형사소송법 기출1000제, 해커스경찰
갓대환 형법 기적의 특강, 해커스경찰
갓대환 형사소송법 기적의 특강, 해커스경찰
갓대환 형사법 전범위 모의고사, 해커스경찰
갓대환 형사법 진도별 문제풀이 1000제 2차 시험 대비, 해커스경찰
갓대환 형사법 심화문제집, 해커스경찰
갓대환 형사법 진도별 문제풀이 1000제, 해커스경찰
갓대환 형사법 핵심요약집, 해커스경찰
갓대환 형사법 기본서, 해커스경찰
갓대환 형법/형사소송법 진도별 문제풀이 500제, 해커스경찰
갓대환 핵심 요약집 형법/형사소송법, 해커스경찰
갓대환 형법/형사소송법 기본서, 해커스경찰
갓대환 형법 기출 1200제, 멘토링
갓대환 형법 기적의 특강 with 5개년 최신판례, 멘토링
갓대환 형법, 형사소송법 승진 삼삼 모의고사, 멘토링
갓대환 형법, 형사소송법 경찰 오오 모의고사, 멘토링
갓대환 형법 적중 모의고사: 시즌1, 시즌2
갓대환 형법/형사소송법 단원별 문제풀이

2025 대비 최신개정판

해커스경찰
갓대환
형사법
기출총정리

3권 | 형사소송법 [수사·증거]

개정 2판 1쇄 발행 2024년 9월 2일

지은이	김대환 편저
펴낸곳	해커스패스
펴낸이	해커스경찰 출판팀
주소	서울특별시 강남구 강남대로 428 해커스경찰
고객센터	1588-4055
교재 관련 문의	gosi@hackerspass.com
	해커스경찰 사이트(police.Hackers.com) 교재 Q&A 게시판
	카카오톡 플러스 친구 [해커스경찰]
학원 강의 및 동영상강의	police.Hackers.com
ISBN	3권: 979-11-7244-334-4 (14360)
	세트: 979-11-7244-331-3 (14360)
Serial Number	02-01-01

경찰공무원 1위,
해커스경찰 police.Hackers.com

해커스경찰

· 정확한 성적 분석으로 약점 극복이 가능한 **합격예측 온라인 모의고사**(교재 내 응시권 및 해설강의 수강권 수록)
· 해커스 스타강사의 **경찰 형사법 무료 특강**
· **해커스경찰 학원 및 인강**(교재 내 인강 할인쿠폰 수록)

한경비즈니스 선정 2024 한국품질만족도 교육(온·오프라인 경찰학원) 부문 1위